D0590822

Skippy tussen de sterren

Wilt u op de hoogte worden gehouden van de romans en literaire thrillers van uitgeverij Signatuur? Meldt u zich dan aan voor de literaire nieuwsbrief via onze website www.uitgeverijsignatuur.nl.

Paul Murray

Skippy tussen de sterren

Vertaald door Dirk-Jan Arensman

SIGNATUUR

2011

First published by Hamish Hamilton
Oorspronkelijke titel: Skippy Dies
Vertaald uit het Engels door: Dirk-Jan Arensman

Omslagontwerp: Wil Immink Design
Omslagbeeld: Fotolia
Foto auteur: Cormac Scully
Typografie: Pre Press Media Groep, Zeist
Druk- en bindwerk: Koninklijke Wöhrmann, Zutphen

ISBN 978 90 5672 389 7
NUR 302

De uitgever heeft voor deze vertaling een subsidie ontvangen van het vertaalfonds van Ierland, Ireland Literature Exchange, gevestigd te Dublin.
www.irelandliterature.com
info@irelandliterature.com

Voor de dichtregels uit het gedicht van Rupert Brooke op p.555 is gebruikgemaakt van de vertaling door Johan de Molenaar in *Helikon*, 1936, nummer 6.

Dit boek is gedrukt op papier dat het keurmerk van de Forest Stewardship Council (FSC) mag dragen. Bij dit papier is het zeker dat de productie niet tot bosvernietiging heeft geleid. Een flink deel van de grondstof is afkomstig uit bossen en plantages die worden beheerd volgens de regels van FSC. Van het andere deel van de grondstof is vastgesteld dat hiervoor geen houtkap in de laatste resten waardevol bos heeft plaatsgevonden. Daarom mag dit papier het FSC Mixed Sources label dragen. Voor dit boek is het FSC-gecertificeerde Munkenprint gebruikt. Dit papier is 100% chloor- en zwavelvrij gebleekt en wordt geleverd door Arctic Paper Munkedals AB, Zweden.

Voor Seán

Skippy en Ruprecht doen op een avond een wedstrijdje donuts eten als Skippy plotseling paars wordt en van zijn stoel valt. Het is een vrijdag in november, en Ed's zit maar halfvol; als Skippy al een geluid maakt terwijl hij naar de grond tuimelt, dan let geen mens daarop. En Ruprecht is, aanvankelijk, ook niet overmatig bezorgd; hij is eerder tevreden, want het betekent dat hij, Ruprecht, de wedstrijd heeft gewonnen, zijn zestiende overwinning op rij, die hem weer een stap dichter bij het schoolrecord van Seabrook College brengt, dat nu nog in handen is van Guido 'De Schildklier' LaManche, uit de klas van '93.

Afgezien van het feit dat hij een genie is, wat hij inderdaad is, spreekt er niet al te veel in Ruprechts voordeel. Hij is een jongen met hamsterwangen en een chronisch gewichtsprobleem, hij is slecht in sporten en de meeste andere facetten van het leven die niets te maken hebben met complexe wiskundige vergelijkingen. Daarom koestert hij zijn donut-eet-overwinningen ook zo en zit Ruprecht, hoewel Skippy inmiddels al bijna een minuut op de grond ligt, nog steeds op zijn stoel in zichzelf te grinniken en zachtjes maar jubelend 'Yes, yes ...' te mompelen – tot het tafeltje schudt, zijn glas cola de lucht in vliegt en hij zich realiseert dat er iets mis is.

Op de geblokte tegels onder het tafeltje ligt Skippy in stilte te kronkelen. 'Wat is er?' zegt Ruprecht, maar hij krijgt geen antwoord. Skippy's ogen puilen uit en er ontsnapt een akelig gepiep aan zijn mond. Ruprecht doet zijn das losser en maakt het bovenste knoopje van zijn overhemd open, maar dat lijkt niet te helpen. Sterker: het hijgen, het kronkelen en het puilogige staren lijken alleen maar erger te worden, en Ruprecht voelt een prikkeling langs zijn nek omhoogkruipen. 'Wat is er?' herhaalt hij, zijn stem verheffend, alsof Skippy aan de overkant van een drukke autoweg ligt. Iedereen kijkt inmiddels: de lange tafel vol vierdeklassers van Seabrook met hun vriendinnetjes; de twee meisjes van St. Brigid's, het ene dik, het andere dun, allebei nog met hun uniform aan; het trio vakkenvullers uit het winkelcentrum verderop in de straat – ze draaien zich om en kijken hoe Skippy naar adem snakt en kokhalst, alsof hij verdrinkt. Maar hoe kan hij nou verdrinken, denkt Ruprecht, terwijl de zee helemaal aan de andere kant van het park ligt? Het slaat gewoon nergens op, en het gaat te snel. Hij heeft geen tijd om te bedenken wat hij moet doen ...

Op dat moment zwaait er een deur open en verschijnt er een jonge, Aziatische man met een Ed's-shirt en een badge waarop in namaakcursief *Hi, ik ben ...* staat, en daaronder bijna onleesbaar gekrabbeld *Zhang Xielin*, achter de toonbank met een lade vol kleingeld. Geconfronteerd met de menigte die overeind is gekomen om het beter te kunnen zien, blijft hij staan. Dan ziet hij het lichaam op de vloer liggen, laat de lade vallen, springt over de toonbank, duwt Ruprecht opzij en wrikt Skippy's mond open. Hij tuurt naar binnen, maar het is te donker om iets te kunnen zien, dus hijst hij hem overeind, klemt zijn armen om Skippy's middenrif en begint aan zijn buik te rukken.

Ruprechts hersens zijn ondertussen eindelijk tot leven gekomen: hij grabbelt tussen de donuts op de grond, omdat hij denkt dat als hij erachter kan komen in welke donut Skippy precies aan het stikken is, dat weleens een soort sleutel tot de situatie kan zijn. Terwijl hij koortsachtig zoekt, doet hij echter een verbijsterende ontdekking. Van de zes donuts die aan het begin van de wedstrijd in Skippy's doos zaten, zijn er nog zes over, in geen van alle is ook maar een tand gezet. Zijn hersens malen. Hij had tijdens de wedstrijd niet op Skippy gelet – als Ruprecht wedstrijdeet, heeft hij de neiging in een soort trance te raken, waarbij de rest van de wereld in het niets wegsmelt; dat is in feite zelfs het geheim achter zijn bijna-record van zestien overwinningen –, maar hij had aangenomen dat Skippy ook at; waarom zou je tenslotte meedoen aan een wedstrijd donuts eten en vervolgens geen enkele donut eten? En, belangrijker: als hij niets gegeten heeft, hoe kan hij dan ...

'Wacht!' roept hij uit, terwijl hij opspringt en met zijn handen naar Zhang zwaait. 'Wacht!' Zhang Xielin kijkt hem hijgend aan, terwijl Skippy als een zak meel over zijn onderarmen hangt. 'Hij heeft helemaal niets gegeten,' zegt Ruprecht. 'Hij is niet aan het stikken.' Er klinkt een geïntrigeerd geroezemoes op uit de menigte toeschouwers. Zhang Xielin bekijkt hem dreigend en achterdochtig, maar staat toe dat Ruprecht Skippy, die verrassend zwaar is, losmaakt uit de greep van zijn armen en op zijn rug op de grond legt.

De hele reeks gebeurtenissen, van Skippy's aanvankelijke val tot dit moment, heeft misschien drie minuten in beslag genomen, en in die tijd is zijn paarse kleur vervaagd tot een beangstigend breekbaar eierschaalblauw en is zijn piepende ademhaling afgenomen tot een fluistering; zijn spasmen zijn ook weggeëbd tot bewegingsloosheid en zijn ogen hebben, hoewel ze open zijn, iets vreemd leegs gekregen, zodat Ruprecht, hoewel hij hem recht aankijkt, niet eens honderd procent zeker weet of hij wel bij kennis is, en het is ineens alsof Ruprecht een paar koude handen zijn eigen longen vast voelt pakken als hij zich realiseert wat er gebeurd is, hoewel hij het tegelijkertijd niet helemaal kan geloven – kan zoiets echt gebeuren? Kan het echt hier gebeuren, in Ed's Doughnut House? Ed's met zijn authentieke jukebox, zijn nepleer en zwart-witfoto's van Amerika; in Ed's met zijn fluorescerende lampen, piepkleine plastic vorkjes en zijn rare, steriele lucht, die naar donuts zou moeten ruiken maar dat niet doet; Ed's, waar ze elke dag komen, waar nooit iets gebeurt, waar niets hóórt te gebeuren, daar gaat het juist om …

Een van de meisjes in gekreukelde broek slaakt een gil. 'Kijk!' Op haar tenen op en neer wippend steekt ze haar vinger in de lucht, en Ruprecht ontwaakt uit de wezenloze staat waarin hij terecht was gekomen en volgt de lijn omlaag, tot hij ziet dat Skippy zijn rechterhand in de lucht heeft gestoken. Opluchting giert door zijn lijf.

'Goed zo!' roept hij.

De hand trekt samen, alsof hij net is ontwaakt uit een diepe slaap, en Skippy slaakt tegelijkertijd een lange, raspende zucht.

'Goed zo!' zegt Ruprecht opnieuw, zonder precies te weten wat hij daarmee bedoelt. 'Je kunt het!'

Skippy maakt een gorgelend geluid en knippert indringend naar Ruprecht.

'De ambulance is er zo,' zegt Ruprecht tegen hem. 'Alles komt goed.'

Gorgel, gorgel, zegt Skippy.

'Rustig maar,' zegt Ruprecht.

Maar Skippy houdt zich niet rustig. Hij blijft maar gorgelen, alsof hij Ruprecht iets probeert te vertellen. Hij rolt koortsachtig met zijn ogen, hij staart naar het plafond; dan, alsof hij plotseling inspiratie krijgt, schiet zijn hand naar de tegelvloer. Hij klopt blind tussen de gemorste cola en de smeltende ijsblokjes, tot hij een van de gevallen donuts vindt; die pakt ie, als een onhandige spin die worstelt met zijn prooi, hij knijpt hem steeds fijner tussen zijn vingers.

'Rustig nou maar,' herhaalt Ruprecht, terwijl hij vluchtig over zijn schouder uit het raam kijkt of hij de ambulance al ziet.

Maar Skippy blijft in de donut knijpen tot er frambozensiroop over zijn hele hand gesijpeld is. Vervolgens brengt hij een glinsterend rode vinger naar de grond, trekt een lijn en dan nog een, schuin op de eerste.

Z

'Hij is aan het schrijven,' fluistert iemand.

Hij is inderdaad aan het schrijven. Pijnlijk langzaam – er druipt zweet van zijn voorhoofd, zijn adem ratelt als een opgesloten knikker in zijn borst – trekt Skippy sirooplijnen op de geblokte vloer. E, G – de lippen van de omstanders bewegen geluidloos bij elke letter die wordt afgemaakt, en terwijl het verkeer buiten langs blijft razen, neemt een vreemde stilte, een sereniteit bijna, bezit van het Doughnut House, alsof de tijd, bij wijze van spreken, tijdelijk stil is blijven staan; alsof het moment, in plaats van over te gaan in het volgende, elastisch wordt, puntig, zich uitstrekt om hen te omsluiten, om hun de gelegenheid te geven zich voor te bereiden op wat er komt …

ZEG 'T LORI

Het te dikke meisje van St. Brigid's in het zitje wordt bleek en fluistert iets in het oor van haar metgezel. Skippy knippert smekend naar Ruprecht. Terwijl hij zijn keel schraapt en zijn bril rechtzet, bestudeert Ruprecht de boodschap die op de tegels verschijnt.

'Zeg 't Lori?' zegt hij.

Skippy rolt met zijn ogen en gromt.
'Wat moet ik zeggen dan?'
Skippy hapt naar adem.
'Ik weet het niet!' kakelt Ruprecht. 'Ik weet het niet, het spijt me!' Hij buigt zich voorover om nogmaals met tot spleetjes geknepen ogen naar de mysterieuze roze letters te staren.
'Zeg haar dat ie van haar hóúdt!' roept het te dikke of misschien zelfs zwangere meisje in het uniform van St. Brigid's uit. 'Je moet Lori zeggen dat hij van haar houdt! O mijn god!'
'Moet ik Lori zeggen dat je van haar houdt?' herhaalt Ruprecht twijfelend. 'Is dat het?'
Skippy ademt uit – hij glimlacht. Dan gaat hij weer op de tegels liggen, en Ruprecht ziet duidelijk dat het rijzen en dalen van zijn borst langzaam tot stilstand komt.
'Hé!' Ruprecht grijpt hem vast en schudt hem bij zijn schouders door elkaar. 'Hé, wat doe je nou?'
Skippy geeft geen antwoord.
Er valt even een koude, ernstige stilte. Dan, alsof er een gezamenlijk verlangen heerst om die stilte te vullen, barst de cafetaria uit in kabaal. Lucht! luidt de consensus. Geef hem lucht! De deur wordt opengegooid en de novemberavond stroomt gretig binnen. Ruprecht merkt dat hij inmiddels staat en omlaagkijkt naar zijn vriend. 'Haal adem!' schreeuwt hij hem toe, terwijl hij betekenisloos gebaart als een boze leraar. 'Waarom haal je nou geen adem?' Maar Skippy ligt daar maar, met een kalme uitdrukking op zijn gezicht, zo vreedzaam als wat.
Om hen heen gonst de lucht van uitroepen en suggesties, dingen die mensen zich herinneren van ziekenhuisseries op tv. Ruprecht kan er niet tegen. Hij wurmt zich tussen de lijven door de straat op, naar de kant van de weg. Bijtend op zijn duim ziet hij het verkeer langsvlieden in het donker – onpersoonlijke, vage vlekken die weigeren een ambulance prijs te geven.
Als hij weer naar binnen gaat, zit Zhang Xielin geknield, met Skippy's hoofd in zijn armen op schoot. Donuts liggen verspreid over de vloer als kleine, snoepige rouwkransen. Mensen gluren zwijgend naar Ruprecht, met vochtige, van medelijden vervulde ogen. Ruprecht staart moorddadig naar ze terug. Hij is ziedend, hij trilt, hij gloeit van woede. Hij heeft zin om terug te stampen naar

zijn kamer en Skippy te laten liggen waar hij ligt. Hij heeft zin om te schreeuwen: 'Wat nou? Wat nou? Wat nou? Wat nou? Wat nou?' Hij gaat weer naar buiten om naar het verkeer te kijken. Hij huilt, en op dat moment voelt hij hoe al die honderden en duizenden feiten in zijn hoofd in slijk veranderen.

Door de laurierbomen heen, in een bovenhoek van de Toren van Seabrook, kun je nog net het raam van hun kamer zien, waar Skippy Ruprecht nog geen halfuur geleden uitdaagde tot de wedstrijd. Boven het parkeerterrein straalt de grote roze hoepel van Ed's Doughnut House zijn koele, synthetische licht de avond in, een neonnul die krachtiger schijnt dan de maan en alle constellaties van de oneindige ruimte daarachter. Ruprecht kijkt niet die kant op. Het universum lijkt hem op dit moment iets afgrijselijks, iets duns, afgesleten en leeg. Het lijkt dat ook te weten, en zich van schaamte af te wenden.

I

Hoopland

Deze dagdromen hielden aan als een alternatief leven ...

– Robert Graves

In de wintermaanden, vanuit zijn stoel achter het middelste bankje in de middelste rij, keek Howard altijd uit het raam van het geschiedenislokaal, en zag dan de hele school in vlammen opgaan. De rugbyvelden, het basketbalveld, het parkeerterrein en de bomen daarachter – een prachtig moment lang werd alles verzwolgen; en hoewel die betovering snel weer werd verbroken – het licht dat dieper en roder werd en vervolgens vervaagde, terwijl het de school en zijn omgeving intact liet – wist je tenminste dat de dag eindelijk bijna voorbij was.

Nu staat hij voor de klas: de verkeerde invalshoek en de verkeerde tijd van het jaar om de zonsondergang te zien. Maar hij weet dat er nog vijftien minuten resten op de klok, dus probeert hij het, knijpend in zijn neus en onmerkbaar zuchtend, opnieuw. 'Kom op nou. De belangrijkste partijen. Alleen de belangrijkste maar. Wie?'

De slome stilte blijft onverstoord. De radiatoren loeien, hoewel het buiten niet bijzonder koud is; het verwarmingssysteem is bejaard en onberekenbaar, zoals de meeste dingen in dit deel van de school, en in de loop van de dag loopt de hitte op tot een moerassige, malaria-achtige mufheid. Howard klaagt, uiteraard, net als de andere leraren, maar heimelijk is hij niet ondankbaar; in combinatie met de krachtige slaapverwekkende effecten van de geschiedenis zelf zorgt het ervoor dat de mate van ordeloosheid van zijn late lessen zelden het niveau van een zacht geroezemoes van gekwebbel en af en toe een papieren vliegtuigje overstijgt.

'Iemand?' herhaalt hij, terwijl hij het lokaal door kijkt en opzettelijk de opgestoken hand van Ruprecht Van Doren negeert, waaronder de rest van Ruprechts lichaam zich ademloos uitrekt. De rest van de jongens knipperen naar Howard alsof ze hem bestraffend toespreken omdat hij hun rust verstoort. Op de oude plek van Howard staart Daniel 'Skippy' Juster catatonisch in de verte, alsof hij gedrogeerd is; op de zonovergoten achterste rij heeft Henry Lafayette een nestje gemaakt van zijn armen, om daar zijn hoofd in te leggen. Zelfs de klok klinkt alsof ie half slaapt.

'We hebben het hier nu al twee dagen over. Willen jullie nou zeggen dat niemand ook maar één van de betrokken landen kan noemen? Kom op, jullie komen hier niet weg voor jullie hebben laten zien dat jullie dit weten.'

'Uruguay?' mompelt Bob Shambles vaagjes, alsof hij het antwoord oproept uit magische dampen.

'Nee,' zegt Howard, terwijl hij voor de zekerheid een vluchtige blik werpt op het boek dat opengeslagen op zijn lessenaar ligt. *Destijds 'de ultieme oorlog' genoemd* luidt het onderschrift onder een foto van een uitgestrekt, met water doortrokken landschap waaruit elk teken van leven, natuurlijk of door mensen gemaakt, volkomen is weggevaagd.

'De Joden?' zegt Ultan O'Dowds.

'De Joden zijn geen land. Mario?'

'Watte?' Mario Bianchi's hoofd komt met een ruk overeind van waar hij zich ook maar over buigt – waarschijnlijk zijn telefoon – onder zijn bankje. 'O, dat was ... dat was ... Ah, kappen nou! Meneer, Dennis zit aan mijn been te voelen. Hou eens op met dat gefriemel, friemelaar!'

'Niet aan zijn been voelen, Dennis.'

'Dat deed ik niet, meneer!' Dat zegt Dennis Hoey, de vleesgeworden gekwetste onschuld.

Op het schoolbord is MAIN – Militarisme, Allianties, Industrialisatie, Nationalisme –, aan het begin van het uur overgenomen uit het lesboek, langzaam verbleekt door de dalende zon. 'Ja, Mario?'

'Eh ...' draait Mario eromheen. 'Nou, Italië ...'

'Italië had zeker de leiding over de catering,' oppert Niall Henaghan.

'Hé,' waarschuwt Mario.

'Meneer, Mario noemt zijn snikkel Il Duce,' zegt Dennis.

'Meneer!'

'Dennis.'

'Maar het is zo – dat doe je echt, ik heb het zelf gehoord. "Tijd om je op te richten, Il Duce," zeg je dan. "Je volk verwacht je, Duce."'

'Ik héb tenminste een snikkel. Ik ben geen jongen met … Hij heeft in plaats van een snikkel alleen maar een leeg stukje …'

'Ik heb het gevoel dat we afdwalen,' komt Howard tussenbeide. 'Kom op, jongens. De hoofdrolspelers in de Eerste Wereldoorlog. Ik zal jullie een hint geven. Duitsland. Duitsland was erbij betrokken. Wie waren de bondgenoten van Duitsland – ja, Henry?' zegt hij als Henry Lafayette, waar hij ook over droomt, luid snurkt. Als hij zijn naam hoort, tilt hij zijn hoofd op en staart Howard met duizelige, verwilderde ogen aan.

'Elfen?' gokt hij.

Het lokaal barst uit in hysterisch gelach.

'Nou, wat was de vraag dan?' vraagt Henry, enigszins beledigd.

Howard staat op het punt zijn nederlaag te erkennen en de les van voren af aan te beginnen. Maar een blik op de klok ontslaat hem van de plicht zich vandaag nog in te spannen. In plaats daarvan verwijst hij hen weer naar hun lesboek, en laat Geoff Sproke het gedicht voorlezen dat daarin afgedrukt staat.

In Vlaanderens velden, doet Geoff zijn plicht. 'Door luitenant John McCrae.'

'John Mc*Gay*,' licht John Reidy toe.

'Zo is het wel genoeg.'

'"In Vlaanderens velden,"' leest Geoff, '"bloeien de klaprozen":

Tussen de kruisen, rij aan rij
Die onze plek aangeven; en in de lucht
Vliegen leeuweriken, nog steeds dapper zingend
Ook al hoor je ze nauwelijks te midden van het kanon-gebulder aan de grond
Wij zijn de doden. Enkele dagen geleden
Leefden we nog …

Op dat moment gaat de bel. In een enkele beweging schrikken de dagdromers en slaapkoppen wakker, grissen hun tassen van de grond, proppen hun boeken erin en lopen als één man naar de deur. 'Voor morgen doorlezen tot het eind van het hoofdstuk,' roept Howard over de mêlee heen. 'En als jullie toch bezig zijn, lees dan ook meteen maar wat jullie voor vandaag hadden moeten lezen.' Maar de klas is al weggestoven, en Howard blijft achter zoals altijd, zich afvragend of er ook maar iemand heeft geluisterd naar iets van wat hij heeft verteld; hij kan zijn woorden praktisch verfrommeld op de vloer zien liggen. Hij bergt zijn eigen boek weg, veegt het bord schoon en maakt zich op om zich door de opdringende massa een weg naar de lerarenkamer te banen.

In Our Lady's Hall hebben hormonale stoten reuzen en dwergen van de menigte gemaakt. De geur van adolescentie, waar geen deodorant of opengezette ramen vat op krijgen, hangt zwaar in de lucht, die klingelt van de bliepjes, dreunen en trillende scherven muziek als tweehonderd mobieltjes, tijdens lesuren verboden, weer aan worden gezet met de urgentie van duikers die weer op hun zuurstoftank worden aangesloten. Vanuit haar alkoof, er veilig boven verheven, pruilt de gipsen madonna met de sterrenkrans en de perzik-met-roomhuid koket naar de kolkende mannelijkheid onder zich.

'Hé Flubber!' Dennis Hoey schiet voor Howards voeten langs naar William 'Flubber' Cooke, die hij op heeft staan wachten. 'Hé, ik wilde je alleen maar iets vragen.'

'Wat dan?' vraagt Flubber, direct achterdochtig.

'Eh, ik vroeg me gewoon af ... Ben jij een sukkel die aan een boom is vastgebonden?'

Flubber – negentig kilo zwaar en voor de derde keer bezig aan zijn tweede jaar – denkt hier diep over na.

'Het is geen strikvraag of zo,' belooft Dennis. 'Ik wilde gewoon weten of je een sukkel bent die aan een boom is gebonden, weet je wel.'

'Nee,' geeft Flubber uitsluitsel, waarop Dennis het op een rennen zet en jubelend uitroept: 'Kijk uit, loslopende sukkel! Loslopende sukkel!' Flubber slaakt een kreet en maakt zich op om de achtervolging in te zetten, houdt dan abrupt in en duikt de andere kant op, terwijl de menigte uiteenwijkt en een lange, kadaverachtige gestalte ertussendoor komt benen.

Pater Jerome Green: leraar Frans, coördinator van de liefdadigheidsinspanningen van Seabrook, en met enige afstand de angstaanjagendste figuur van de school. Waar hij ook loopt, hij heeft altijd twee of drie rijen aan lege ruimte om zich heen, alsof hij wordt vergezeld door een onzichtbare hofhouding van hooivorkdragende kobolden die klaarstaan om op iedereen in te steken die toevallig een onreine gedachte koestert. Terwijl hij passeert, weet Howard een zwak glimlachje op zijn gezicht te toveren; de pater kijkt hem net zo dreigend aan als hij bij iedereen doet, met een soort altijd parate, ongerichte afkeuring, die zo gewend is mensen in de ziel te kijken en daar zonde, verlangen en gisting te zien dat hij het nu doet alsof hij een kruisje zet op een formulier.

Soms heeft Howard het ontmoedigende gevoel dat hier in de tien jaar sinds hij eindexamen heeft gedaan niets is veranderd. Vooral de paters brengen dat in hem boven. De krasse zijn nog steeds kras, de beverige beven gewoon door; pater Green verzamelt nog steeds blikvoer voor Afrika en terroriseert de jongens, pater Laughton krijgt nog steeds tranen in zijn ogen als hij zijn onoplettende klassen kennis laat maken met het werk van Bach, pater Foley geeft nog steeds 'steun' aan jongelui met problemen, onveranderlijk in de vorm van een aansporing meer rugby te gaan spelen. Op sombere dagen ziet Howard hun doorzettingsvermogen als een soort persoonlijk verwijt – alsof dat bijna volledige decennium van zijn leven tussen het moment waarop hij zich inschreef als student en zijn smadelijke terugkeer hiernaartoe door zijn eigen onkunde is teruggedraaid, uit de handelingen geschrapt, beoordeeld als onbeduidende onzin.

Dat is uiteraard pure paranoia. De paters zijn niet onsterfelijk. De Paters van de Heilige Paraclete ervaren hetzelfde probleem als elke katholieke orde: ze zijn aan het uitsterven. Maar weinigen van de paters op Seabrook zijn onder de zestig, en de nieuwste rekruut in het pastorale programma – een van een almaar afkalvend aantal – is een jongen van het seminarie ergens net buiten Kinshasa; toen de rector van de school, pater Desmond Furlong, begin september ziek werd, nam voor het eerst in de geschiedenis van Seabrook een leek – economieleraar Gregory L. Costigan – de teugels in handen.

De met houten panelen afgetimmerde gangen van het Oude Gebouw achter zich latend, loopt Howard door naar het Bijgebouw, beklimt de trap en opent, met de gebruikelijke rilling van vervreemding, de deur naar de 'Lerarenkamer'. Binnen zitten een stuk of vijf van zijn collega's te weeklagen, proefwerken na te kijken of hun nicotinepleisters te verversen. Zonder iemand aan te spreken of anderszins zijn aanwezigheid kenbaar te maken loopt Howard naar zijn kluisje en gooit een paar boeken en een stapel kopieën in zijn koffertje; vervolgens sluipt hij, zich krabachtig voortbewegend om oogcontact te vermijden, de kamer weer uit. Hij kleppert de trap af en door de nu verlaten gangen, zijn ogen vastberaden gericht op de uitgang, als hij wordt tegengehouden door de stem van een jonge vrouw.

Het lijkt erop dat, hoewel de laatste bel van de schooldag dik vijf minuten geleden heeft geklonken, de les in het aardrijkskundelokaal nog in volle gang is. Howard gluurt lichtjes door zijn knieën gezakt door het smalle raampje in de deur. De jongens binnen vertonen geen enkel teken van ongeduld. Sterker: naar hun gezichten te oordelen zijn ze zich volkomen onbewust van het verstrijken van de tijd.

De reden hiervoor staat voor de klas. Ze heet Miss McIntyre; ze is een invalkracht. Howard heeft al een paar keer een glimp van haar opgevangen in de lerarenkamer en op de gang, maar het is hem nog niet gelukt haar aan te spreken. In de grotachtige diepten van het aardrijkskundelokaal trekt ze de aandacht als een vlam. Haar blonde haar heeft dat watervallige dat je normaal gesproken alleen op tv ziet in shampooreclames, gecomplementeerd door een chic magnoliakleurig mantelpakje dat meer geschikt is voor een directiekamer dan voor een brugklas; haar stem heeft, hoewel die zacht en melodieus klinkt, tegelijkertijd iets wat geen tegenspraak duldt, een ondertoon van gezag. Ze heeft een globe in de kromming van haar arm geklemd, die ze terwijl ze praat afwezig streelt, alsof het een dikke, verwende huiskat is; hij lijkt bijna te spinnen terwijl hij traag ronddraait onder haar vingertoppen.

'... net onder het oppervlak van de aarde,' zegt ze, 'zijn de temperaturen zo hoog dat steen zelfs vloeibaar is – kan iemand me vertellen hoe dat vloeibare steen heet?'

'Magma,' kraaien verscheidene jongens tegelijk.

'En hoe noem je het als het naar het oppervlak van de aarde barst uit een vulkaan?'

'Lava,' antwoorden ze met bevende stem.

'Uitstekend! En een miljoen jaar geleden was er een heleboel vulkanische activiteit, met magma dat voortdurend overkookte over het volledige oppervlak van de aarde. Het landschap dat we vandaag de dag om ons heen zien,' – ze gaat met een gelakte nagel over een opzwellende bergrug – 'is grotendeels de erfenis van dat tijdperk, toen de hele planeet drastische fysieke veranderingen onderging. Je zou het denk ik de puberjaren van de aarde kunnen noemen!'

De klas bloost tot in zijn collectieve wortels en staart naar beneden in de lesboeken. Ze lacht weer, en laat de globe draaien, terwijl ze hem onder haar vingertoppen door laat gaan als een muzikant die aan de snaren van een dubbele bas plukt. Dan valt haar oog op haar horloge. 'O jeetje! Ach, arme schatten, ik had jullie tien minuten geleden al moeten laten gaan! Waarom heeft niemand iets gezegd?'

De klas mompelt onverstaanbaar, nog steeds naar het boek kijkend.

'Nou, goed ...' Ze draait zich om, om hun huiswerk op het bord te schrijven, reikt omhoog zodat haar rokje opkruipt en haar knieholten onthult. Even later opent ze de deur, en de jongens drommen onwillig naar buiten. Howard, die doet alsof hij de foto's van het recente uitje van de Bergwandelclub naar Djouce Mountain op het mededelingenbord bekijkt, kijkt uit zijn ooghoek tot de stroom van grijze truien is opgedroogd. Als ze niet tevoorschijn komt, loopt hij terug om ...

'O!'

'O god, het spijt me.' Hij hurkt naast haar neer en helpt haar de vellen papier weer bij elkaar te rapen die door de hele stoffige gang zijn gefladderd. 'Het spijt me, ik zag je niet. Ik was net haastig op weg naar ... een vergadering ...'

'Het geeft niet, hoor,' zegt ze. 'Dank je,' terwijl ze een schuif kaarten van het Bureau voor Topografische Verkenningen boven op de stapel legt die ze weer in haar armen heeft verzameld. 'Dank je,' herhaalt ze, en ze kijkt hem recht in zijn ogen en blijft erin kijken terwijl ze tegelijkertijd overeind komen, zodat Howard, die merkt dat het hem niet lukt weg te kijken, een kort moment van paniek voelt, alsof ze op de een of andere manier verstrengeld zijn geraakt, zoals in die apocriefe verhalen die je wel hoort over kinderen die met hun beugels aan elkaar vast komen te zitten bij het zoenen en naar de brandweer moeten om te worden losgeknipt.

'Sorry,' zegt hij nog eens, reflexmatig.

'Hou eens op met je excuses aanbieden,' lacht ze.

Hij stelt zichzelf voor. 'Ik ben Howard Fallon. Ik geef geschiedenis. En jij valt toch in voor Finian Ó Dálaigh?'

'Dat klopt,' zegt ze. 'Hij schijnt tot kerst uit de roulatie te zijn, wat er ook met hem gebeurd is.'

'Galstenen,' zegt Howard.

'O,' zegt ze.

Howard wilde dat hij dat 'galstenen' terug kon nemen. 'Nou,' begint hij ijverig opnieuw, 'ik ben eigenlijk op weg naar huis. Kan ik je een lift aanbieden?'

Ze houdt haar hoofd schuin. 'Had je geen vergadering?'

'Ja,' herinnert hij zich weer. 'Maar zo belangrijk is die niet.'

'Ik heb zelf een auto, maar toch bedankt,' zegt ze. 'Maar als je wilt, mag je mijn boeken wel dragen.'

'Oké,' zegt Howard. Het aanbod is mogelijk ironisch bedoeld, maar voor ze het weer kan intrekken, pakt hij de stapel multomappen en lesboeken uit haar handen en loopt, de moorddadige blikken negerend van een kluitje leerlingen dat nog door de gang slentert, naast haar naar de uitgang.

'En, hoe bevalt het je?' vraagt hij, in een poging het gesprek in kalmer vaarwater te leiden. 'Heb je hiervoor al veel lesgegeven, of is dit je eerste keer?'

'O,' – ze blaast omhoog naar een loshangende lok goudkleurig haar – 'ik ben geen lerares van beroep. Ik doe dit alleen maar om Greg een dienst te bewijzen, eigenlijk. Meneer Costigan, bedoel ik. God, dat was ik vergeten, dat gedoe met "meneer". Het is zo grappig. "Miss McIntyre".'

'De leraren mogen elkaar bij de voornaam noemen, hoor.'

'Hmm ... Ik vind het eigenlijk best fijn om Miss McIntyre te zijn. Maar goed, Greg en ik raakten een keer aan de praat en hij had het erover dat hij zoveel moeite had om een goede invalkracht te vinden, en toevallig heb ik er ooit over gefantaseerd lerares te worden, en ik zat even tussen twee contracten in, dus ik dacht: waarom niet?'

'Wat is normaal je vakgebied?' Hij houdt de voordeur voor haar open en ze stappen de herfstlucht in, die koud en knisperig is geworden.

'*Investment banking*.'

Howard neemt deze informatie met bestudeerde neutraliteit in zich op, en zegt dan nonchalant: 'In die branche heb ik toevallig vroeger ook gewerkt. Twee jaar in de City gezeten. Futures, voornamelijk.'

'Wat is er dan gebeurd?'

Hij grijnst. 'Heb je de kranten niet gelezen? Er was niet genoeg toekomst voor iedereen.'

Ze reageert niet, wacht op het echte antwoord.

'Nou, op een dag pak ik het waarschijnlijk wel weer op,' bralt hij. 'Dit is eigenlijk alleen maar iets tijdelijks. Ik ben er zo'n beetje in gerold. Hoewel het, vind ik, tegelijkertijd ook aardig is om iets terug te doen. Het gevoel te hebben dat je iets bijdraagt.' Ze lopen rond het zes jaar oude parkeerterrein, een reeks Lexussen en TT's – en de moed zakt Howard in de schoenen als zijn eigen auto in zicht komt.

'Wat heeft dat te betekenen, die veren?'

'O, niks.' Hij veegt met zijn hand over het dak van de auto, en schuift al doende een stevige wolk witte veren van de zijkant af. Ze dwarrelen op de grond, en van daaraf dwarrelen sommige weer omhoog en kleven vast aan zijn broek. Miss McIntyre doet een stap achteruit. 'Het is gewoon ... eh, een soort grap die de jongens uithalen.'

'Ze noemen je Howard de Lafferd,' merkt ze op, als een toerist die vraagt naar de betekenis van een verwarrend plaatselijk gebruik.

'Ja.' Howard lacht vreugdeloos en schept nog wat veren van zijn voorruit en motorkap, zonder uitleg te geven. 'Het zijn hier prima jongens, weet je, over het algemeen, maar er zitten er een paar tussen die nogal, eh, levendig kunnen zijn.'

'Ik zal op mijn hoede zijn,' zegt ze.

'Nou ja, zoals ik al zei: het is maar een klein percentage. De meesten ... Ik bedoel, over het geheel genomen is het een fantastische plek om te werken.'

'Je zit onder de veren,' zegt ze voorzichtig.

'Ja,' zegt hij, nadrukkelijk zijn keel schrapend, en hij veegt vluchtig zijn broek af en trekt zijn das recht. Haar ogen, die een heldere en betoverende kleur blauw hebben, gemaakt om spottend te sprankelen, sprankelen spottend naar hem. Howard is wel genoeg vernederd vandaag; hij staat op het punt met de laatste flarden van zijn waardigheid de benen te nemen, als ze zegt: 'En hoe is dat, geschiedenis geven?'

'Hoe dat is?' herhaalt hij.

'Het bevalt me erg om weer aardrijkskunde te doen.' Ze kijkt dromerig om zich heen naar de ijsblauwe lucht, de vergelende bomen.

'Je weet wel, die gigantische veldslagen tussen verschillende krachten die de vorm van de aarde hebben bepaald waar we nu op rondlopen ... Het is zo dramatisch ...' Ze knijpt haar handen sensueel in elkaar, een godin die werelden boetseert uit ruw materiaal, en richt dan de ogen weer op Howard. 'En geschiedenis ... dat moet zo leuk zijn!'

Het is niet het eerste woord dat in hem opkomt, maar Howard beperkt zich tot een nietszeggend glimlachje.

'Waar gaan je lessen op het moment over?'

'Nou, in mijn laatste les behandelden we de Eerste Wereldoorlog.'

'O!' Ze klapt in haar handen. 'Ik ben dól op de Eerste Wereldoorlog. Wat zullen de jongens daarvan genieten.'

'Dat zou je nog verbazen,' zegt hij.

'Je zou ze Robert Graves moeten voorlezen,' zegt ze.

'Wie?'

'Die heeft in de loopgraven gezeten,' legt ze uit; en ze voegt er vervolgens, na een korte stilte, aan toe: 'En hij was ook een van de grote schrijvers van liefdesgedichten.'

'Ik zal eens kijken,' zegt hij nors. 'Heb je nog meer tips voor me? Nog meer wijze lessen die je hebt vergaard in de vijf dagen dat je in het vak zit?'

Ze lacht. 'Als ik er meer heb, zal ik die zeker aan je doorgeven. Zo te horen kun je ze wel gebruiken.' Ze tilt de boeken uit Howards armen en richt haar autosleutel op de enorme witgouden SUV die naast Howards aftandse Bluebird staat. 'Ik zie je morgen,' zegt ze.

'Oké,' zegt Howard.

Maar ze verroert zich niet, en hij ook niet. Ze houdt hem daar even gevangen, puur met het licht van haar spectaculaire ogen, bekijkt hem van top tot teen, met het puntje van haar tong in haar mondhoek, alsof ze bedenkt wat ze vanavond zal gaan eten. Vervolgens glimlacht ze koket naar hem met een rij puntige witte tanden, en zegt: 'Weet je, ik ga echt niet met je naar bed, hoor.'

Eerst weet Howard zeker dat hij haar verkeerd verstaan moet hebben, en als hij zich realiseert dat dat niet zo is, is hij nog steeds te verbijsterd om antwoord te geven. Dus staat hij daar maar, of misschien wankelt hij, en voor hij het weet, is ze in haar jeep geklommen en weggereden, waarbij er witte veren opdwarrelen rond zijn enkels.

De deur zwaait krakend open en je loopt naar binnen, de Grote Hal in. Spinnenwebben bedekken alles, dwarrelen van vloer tot plafond als de sluiers van duizend achtergelaten bruiden. Je kijkt naar de plattegrond en gaat door een deur aan de overkant van de hal. Deze ruimte was vroeger de bibliotheek; boeken bedekken in stoffige stapels de vloer. Op de tafel ligt een perkamentrol, maar voor je die kunt lezen, barst de grootvaderklok open en komen er één, twee, drie zombies op je af! Je zwaait met je toorts naar ze en duikt naar de andere kant van de tafel, maar er verschijnen er nog meer in de deuropening, aangetrokken door de geur van iemand die nog leeft …

'Skippy, dit is hartstikke saai.'

'Ja, Skippy, misschien kan iemand anders het proberen?'

'Ik ben zo klaar,' mompelt Skippy, terwijl de zombies hem achtervolgen, een gammele trap op.

'Wat zouden die zombies de hele dag doen, denk je?' vraagt Geoff zich af. 'Als er niemand is die ze op willen eten?'

'Dan bestellen ze pizza,' zegt Dennis. 'En die komt Mario's vader dan brengen.'

'Ik heb al honderd keer gezegd dat mijn vader geen pizzakoerier is. Hij is een belangrijk diplomaat op de Italiaanse ambassade,' snauwt Mario.

'Maar serieus, hoe vaak zal er nou iemand dat enge huis van hen inkomen? Wat doen ze dan verder? Lopen ze dan maar zo'n beetje de hele dag rond, tegen elkaar aan te kreunen?'

'Dat klinkt wel een beetje zoals mijn ouders,' realiseert Geoff zich. Hij staat op, rekt zijn armen uit en wankelt door de kamer, terwijl hij met een zombiegrafstem zegt: 'Geoff … zet het vuil buiten … Geoff … ik kan mijn bril niet vinden … We hebben grote offers gebracht om jou naar die school te laten gaan, Geoff …'

Skippy wilde dat hij ophield met praten. Hitte kronkelt om zijn hersens als een dikke slang, steeds strakker, waardoor zijn oogleden zwaar worden … en nu wordt het scherm heel even vaag, lang genoeg om een in lompen gehulde arm de tijd te geven zich om zijn nek te slaan – hij schudt zichzelf wakker, hij probeert zich los te wriggelen, maar het is te laat; ze zitten boven op hem, trekken hem naar de grond, verdringen zich om hem heen tot hij zichzelf niet eens meer kan zien; hun lange nagels klauwen naar beneden, hun rotte tanden knarsen, en het draaiende lichtje dat zijn ziel is, wentelt omhoog naar het plafond …

'*Game over, Skippy*,' zegt Geoff met een zombiestem, en hij legt zijn hoofd zwaar op zijn schouder.

'Eindelijk,' zegt Mario. 'Kunnen we nu een ander spelletje spelen?'

De kamer van Skippy bevindt zich, net als alle andere kamers, in de Toren, die aan het eind van Our Lady's Hall staat en het alleroudste deel van Seabrook is. In vroeger dagen, toen de school werd gebouwd, was dit de plek waar de volledige leerlingenpopulatie at, sliep en haar lessen uitzat; tegenwoordig bestaat het grootste deel van de leerlingen uit dagjongens, en van de tweehonderd in elk schooljaar zijn er maar twintig of dertig ongelukkige zielen die hier na de laatste bel moeten terugkeren. Alle Harry Potter-achtige fantasietjes hebben de neiging snel vermorzeld te worden: het leven in de Toren, een stokoud gebouw dat voornamelijk bestaat uit tocht, is een allerminst magische ervaring, die je overlevert aan de grillen van krankzinnige leraren, bullebakken, uitbraken van voetschimmel et cetera. Er zijn een paar kleine dingen die troost bieden. Op het moment in hun leven dat het heerlijke, koesterende huis dat hun ouders voor hen gebouwd hadden een onverdraaglijk Guantánamo is geworden, en elk moment dat ze gescheiden zijn van hun leeftijdgenoten op z'n best wordt ervaren als een geestdodend reclameblok vol dingen die niemand wil kopen op een tv-kanaal voor bejaarden en op z'n slechtst als een marteling die goed te vergelijken valt met daadwerkelijk aan een kruis worden gespijkerd, genieten de kostschoolgangers wel degelijk een zeker prestige onder de jongens. Ze hebben een soort gloed van onafhankelijkheid; ze kunnen mysterieuze personages cultiveren zonder zich zorgen te hoeven maken dat mams en paps ineens op komen dagen en alles verpesten door mensen te vertellen over de amusante 'ongelukjes' die ze hadden toen ze klein waren of door ze in het openbaar te manen alsjeblieft niet met hun handen in hun zakken rond te lopen alsof ze een of andere perverseling zijn.

Maar het mooiste van intern zijn is ontegenzeggelijk dat de Toren, ondanks het koortsachtige bomen planten van de paters, uitkijkt op de binnenplaats van St. Brigid's, de meisjesschool naast hun gebouw. Elke ochtend, middag en avond gonst de lucht van de hoge, vrouwelijke stemmen als prachtige, seculiere klokken, en elke nacht, voor ze de gordijnen dichttrekken, kun je je vrouwelijke tegenpolen, zelfs zonder dat je door een telescoop hoeft te kijken – wat maar goed is ook, want Ruprecht is heel rigide in waar zijn telescoop voor gebruikt wordt en laat hem altijd gericht staan op de meisjesloze diepten van de lucht –, rond zien lopen achter de ramen op de bovenste verdieping, waar ze praten, hun haar borstelen of zelfs, als je Mario moet geloven, naakt aan aerobics doen. Maar dichterbij kom je ook niet, want hoewel het het voortdurende onderwerp is van plannen, gepoch en sterke verhalen, is het nog nooit iemand controleerbaar gelukt de muur tussen de twee scholen te slechten; en er is ook nog nooit iemand langs de conciërge van St. Brigid's en zijn beruchte hond Nipper gekomen, om nog maar te zwijgen van de angstaanjagende Spooknon die volgens de legende na zonsondergang over het terrein dwaalt met ofwel een crucifix ofwel een roze schaar, afhankelijk van wie je erover spreekt.

Ruprecht Van Doren, de eigenaar van de telescoop en Skippy's kamergenoot, is niet zoals de andere jongens. Hij is in januari op Seabrook gekomen, als een laat en niet te ruilen kerstcadeau, nadat zijn beide ouders vermist waren geraakt tijdens een kajakexpeditie op de Amazone. Voor hun overlijden kreeg hij thuisonderwijs van privéleraren die in opdracht van zijn vader, baron Maximilian Van Doren, werden ingevlogen uit Oxford, en als gevolg daarvan had hij een heel andere houding ten opzichte van onderwijs dan zijn leeftijdgenoten. Voor Ruprecht is de wereld een compendium van fascinerende feiten die liggen te wachten om ontdekt te worden, en een moeilijk wiskundig probleem alsof je wegzakt in een lekker warm bad. Een vluchtige blik door de kamer zal je een idee geven van zijn huidige projecten en interesses. Allerlei soorten kaarten bedekken de muren – kaarten van de maan, dichtbije of verafgelegen constellaties, een wereldkaart vol kleine speldjes die aangeven waar recentelijk ufo's zijn gesignaleerd – naast een foto van Einstein en scorekaartjes als aandenkens aan gedenkwaardige overwinningen met yahtzee. De telescoop, waar een bordje aan hangt waarop in grote zwarte letters NIET AANKOMEN staat, staat uit het raam gericht; een Franse hoorn glimt je pompeus tegemoet vanaf de voet van het bed; op het bureau voert zijn computer, verscholen onder een stapel onbegrijpelijke printjes, mysterieuze taken uit waarvan de volledige aard alleen aan de eigenaar ervan bekend is. Hoe indrukwekkend dit ook allemaal mag zijn, het vertegenwoordigt nog maar een fractie van Ruprechts activiteiten, waarvan de meeste plaatsvinden in zijn eigen 'lab', een van de groezelige antichambres in de kelder. Daarbeneden, omringd door nog meer computers en onderdelen van computers, nog meer torens van onbegrijpelijke papieren en geheimzinnige elektronica, stelt Ruprecht vergelijkingen op, voert hij experimenten uit en zet hij zijn inspanningen voort om te ontrafelen wat hij als de heilige graal van de wetenschap beschouwt: het geheim van het ontstaan van het universum.

'Ik heb nieuws voor je, Ruprecht. Ze weten al hoe het universum is ontstaan. Dat heet de oerknal.'

'Aha, maar wat gebeurde er vóór die knal? Wat gebeurde er tíjdens die knal? Wat knalde er precies?'

'Hoe moet ik dat nou weten?'

'Nou, kijk, daar gaat het om. Vanaf het moment na de oerknal tot dit moment klopt het universum – dat wil zeggen, het beantwoordt aan observeerbare wetten, wetten die opgeschreven kunnen worden in de taal van de wiskunde. Maar als je verder teruggaat, naar het aller-allereerste begin, dan gelden die wetten niet meer. Je krijgt de vergelijkingen niet kloppend. Maar als we die kunnen oplossen, als we zouden kunnen begrijpen wat er in die eerste paar milliseconden is gebeurd, dan zou dat een sleutel zijn die allerlei andere deuren ook zou openen. Professor Hideo Tamashi gelooft dat de toekomst van de mensheid afhangt van het openen van die deuren.'

Als je vierentwintig uur per dag met Ruprecht in één ruimte opgesloten zit, zul je veel horen over die professor Hideo Tamashi en zijn grensverleggende pogingen het mysterie van de oerknal op te lossen met behulp van de tiendimensionale snaartheorie. Je zult ook veel horen over Stanford, de universiteit waar professor Tamashi doceert, wat, zoals Ruprecht haar beschrijft, klinkt als een kruising tussen een amusementshal en Cloud City in *Star Wars*, een plek waar iedereen jumpsuits draagt en nooit iets slechts gebeurt. Ruprecht smacht er al min of meer vanaf het moment dat hij kon lopen naar onder professor Tamashi te studeren, en telkens als hij begint over de prof, of over Stanford en de steengoeie laboratoriumfaciliteiten die ze daar hebben, krijgt zijn stem iets dromerigs en smachtends, als die van iemand die een prachtig land beschrijft waarvan hij alleen in een droom een glimp heeft opgevangen.

'Waarom ga je daar dan niet gewoon heen?' zegt Dennis. 'Als alles daar zo pico bello is?'

'Mijn beste Dennis,' gnuift Ruprecht luid, 'je gaat niet "gewoon" naar een plek als Stanford.'

Het schijnt dat je zoiets nodig hebt als een academisch cv, iets wat degene die over de inschrijvingen gaat laat zien dat je net een fractie slimmer bent dan al die andere mensen die zich voor een studie willen inschrijven. Vandaar al Ruprechts onderzoeken, experimenten en uitvindingen – zelfs die, menen zijn tegenstanders, met name Dennis, die hij zogenaamd onderneemt voor de Toekomst van de Mensheid.

'Die zak ingewanden geeft geen donder om de mensheid,' zegt Dennis. 'Hij wil alleen maar opzouten naar Amerika, en daar andere eikels ontmoeten die yahtzee met hem willen spelen en geen grappen zullen maken over zijn gewicht.'

'Het zal wel moeilijk voor hem zijn,' zegt Skippy. 'Je weet wel, een genie zijn en zo, en dan hier met ons opgescheept zitten.'

'Maar hij is helemaal geen genie!' tiert Dennis. 'Het is pure oplichterij!'

'Kom op, Dennis, en die vergelijkingen dan?' zegt Skippy.

'Ja, en zijn uitvindingen?' vult Geoff aan.

'Zijn uitvindingen?! Zijn tijdmachine, een met aluminiumfolie beklede garderobekast met een wekker eraan vast? Zijn röntgenbril, die gewoon een bril is met de binnenkant van een broodrooster eraan gelijmd? Hoe kan iemand die dingen nou aanzien voor het werk van een serieuze wetenschapper?'

Dennis en Ruprecht kunnen het niet met elkaar vinden. Het is niet moeilijk om in te zien waarom: je kunt je nauwelijks twee jongens voorstellen die meer van elkaar verschillen. Ruprecht is voortdurend gefascineerd door de wereld om zich heen, neemt dolgraag deel aan de lessen en stort zich met overgave in buitenschoolse activiteiten; Dennis, een aartscynicus wiens dromen zelfs sarcastisch zijn, haat de wereld en alles erin, vooral Ruprecht, en heeft zich nog nooit ergens in gestort, afgezien van een grotendeels geslaagde actie, afgelopen zomer, waarbij hij de eerste letter in elke manifestatie van het woord '*canal*' in Dublin en omgeving uitwiste, met als gevolg dat op talloze bordjes dingen stonden als ROYAL ANAL, WARNING! ANAL, GRAND ANAL HOTEL. Wat Dennis betreft is de hele figuur van Ruprecht Van Doren niets meer dan een hoogdravend samenraapsel van achterlijke internettheorieën en chique woorden die hij van Discovery Channel heeft gejat.

'Maar, Dennis, waarom zou hij dat soort dingen willen verzinnen?'

'Waarom doet iedereen wat dan ook in deze klotetent? Om het te laten lijken alsof hij beter is dan wij. Geloof mij nou maar, hij is net zomin een genie als ik. En als je het mij vraagt, is dat verhaal dat hij een wees is ook gelul.'

Nou, daar scheiden zich de wegen van Dennis en zijn gehoor. Ja, het is waar dat de details rondom Ruprechts ex-ouders vaag blijven, afgezien van een enkele terloopse verwijzing naar zijn vaders bekwaamheid als ruiter, 'langs de hele Rijn befaamd', of een vluchtige opmerking over zijn moeder, 'een delicate vrouw met esthetische handen'. En het is ook waar dat, hoewel Ruprecht op het moment volhoudt dat ze botanisten waren, verdronken terwijl ze kajakten op de Amazone op zoek naar een zeldzame medicinale boom, Martin Fennessy beweert dat Ruprecht, kort na zijn aankomst, tegen hem heeft gezegd dat het professionele kajakkers waren die verdronken toen ze meededen aan een kajakrace om de wereld. Maar niemand gelooft dat hij of wie dan ook, Dennis zelf mogelijk uitgezonderd, zoiets gevaarlijks voor zijn karma zou doen als liegen over de dood van zijn ouders.

Dat wil niet zeggen dat Ruprecht niet irritant is, of dat hij niet dodelijk is voor je reputatie. Er kleven absoluut nadelen aan om je in het openbaar te associëren met Ruprecht. Maar uiteindelijk komt het erop neer dat Skippy hem om de een of andere onverklaarbare reden gewoon mág, dus als je bevriend bent met Skippy, krijg je Ruprecht er gratis bij, als een poedelprijs van honderd kilo.

En inmiddels zijn sommigen van de anderen ook behoorlijk op hem gesteld geraakt. Misschien heeft Dennis wel gelijk en lult hij aan de lopende band uit zijn nek – het is nog steeds een welkome afwisseling bij alles wat ze tegenwoordig verder horen. Je weet wel. Je zit je hele kindertijd lang tv te kijken, en je neemt aan dat alles wat je daarop ziet jou op een dag ook gaat gebeuren: jij zult ook een formule 1-race winnen, op een trein springen, een groep terroristen oppakken, tegen iemand zeggen: 'Geef dat pistool aan mij' et cetera. Dan ga je naar de middelbare school, en plotseling begint iedereen je te vragen naar je carrièreplannen, je doelen-voor-de-lange-termijn, en met doelen bedoelen ze niet dat je van plan bent een doelpunt te gaan maken in de FA Cup of iets dergelijks. Geleidelijk aan begint de afschuwelijke waarheid je te dagen: dat de Kerstman nog maar het topje van de ijsberg was – dat je toekomst niet het achtbaanritje zal zijn dat je je had voorgesteld, dat de wereld die je ouders bevolken, de wereld van de afwas doen, naar de tandarts gaan, in het weekend naar de bouwmarkt om vloertegels te kopen, in feite in grote lijnen is wat mensen bedoelen als ze het hebben over 'het leven'. Nu lijkt er, met elke dag die voorbijgaat, weer een deur dicht te gaan, de deur waar PROFESSIONELE STUNTMAN of VECHTEN TEGEN KWAADAARDIGE ROBOT op staat, tot, terwijl de weken voorbijgaan en de deuren – GEBETEN WORDEN DOOR EEN SLANG, DE WERELD REDDEN VAN EEN METEORIETINSLAG, EEN BOM ONTMANTELEN EEN PAAR SECONDEN VOOR HIJ ONTPLOFT – blijven dichtslaan, je dat geluid als iets goeds begint te zien en er zelf een paar dicht begint te doen, zelfs deuren die niet per se dicht hoefden …

Als Ruprecht je aan het begin van dat proces – als je in de loop van die treurige ontdroming die, meer nog dan overactieve klieren en het ontdekken van meisjes, lijkt te zijn waar volwassen worden om draait – dan zijn idiote theorieën vertelt, heeft dat iets merkwaardig troostends.

'Moet je je voorstellen,' zegt hij, uit het raam starend, terwijl jullie met z'n allen over de Nintendo heen gebogen zitten, 'alles wat er is, alles wat er ooit is geweest – elke zandkorrel, elke druppel water, elke ster, elke planeet, ruimte en tijd zelf – allemaal samengeperst in een dimensieloos punt, waar geen wetten gelden. Allemaal klaar om naar buiten te vliegen en de toekomst te worden. Als je erover na gaat denken, lijkt de oerknal wel een beetje op school, nietwaar?'

'Wat nou?'

'Ruprecht, waar heb je het in godsnaam over?'

'Nou, ik wil maar zeggen, op een dag gaan wij hier ook weg en dan worden we wetenschappers en bankbedienden en hotelmanagers – de ruggengraat van de samenleving, zeg maar. Maar ondertussen zit die ruggengraat, dat wil zeggen de toekomst, samengeperst op een plekje waar de wetten van de samenleving niet gelden, oftewel deze school.'

Niet-begrijpende stilte, en dan: 'Ik kan je in elk geval één verschil noemen tussen deze school en de oerknal, en dat is dat er in de oerknal geen enkel deeltje is zoals Mario. Maar je kunt ervan op aan dat als er wel zo'n deeltje is, het het grote-binkdeeltje is, en dat het de hele nacht mazzelige damesdeeltjes naait.'

'Ja,' antwoordt Ruprecht dan, een beetje bedroefd, en hij zal in stilzwijgen verzinken, daar aan zijn raam, terwijl hij een donut eet en nadenkt over de sterren.

Howard de Lafferd, ja, zo noemen ze hem. *Howard the Coward.* Veren, eieren op zijn stoel. Een met krijt getrokken gele streep op zijn lerarengewaad. Op een keer lag er een complete bevroren kip op zijn bureau, ingebonden, rimpelig, vernederd.

'Het komt alleen maar doordat het rijmt op Howard, dat is alles,' zegt Halley tegen hem. 'Als je Ray zou heten, zouden ze je Gay Ray noemen. En als je Mary heette, dan noemden ze je Scary Mary. Zo werken hun hersens gewoon. Het heeft verder niets te betekenen.'

'Het betekent dat ze het wéten.'

'O god, Howard, een onbenullig voorval, en dat was jaren geleden. Hoe kunnen ze dat nou weten?'

'Nou, het is zo.'

'En zelfs al weten ze het. Ik weet dat je geen lafaard bent. Het zijn maar kinderen, ze kunnen je niet in je ziel kijken.'

Maar ze heeft het mis. Dat is precies wat ze doen. Oud genoeg om een behoorlijk goed beeld te hebben van hoe de wereld in elkaar zit, maar jong genoeg om ervoor te zorgen dat hun oordeel nog niet is vertroebeld door zoiets als medelijden of compassie of het besef dat dit hun ooit allemaal ook zal overkomen. De jongens – zijn leerlingen – zijn machines die gemaakt zijn om door de wereldwijsheid heen te kijken waar de volwassenen, belichaamd door hun leraren, zich mee omringen, en om de zwoegende leegte in hun hart te zien. Ze vinden het hilarisch. En de bijnamen die ze de andere leraren geven, lijken steevast te klóppen. Malco de Alco? Dikke Vette Johnson? Lurch?

Howard de Lafferd. Kut! Wie heeft haar dat verteld?

De auto begint aan zijn derde startpoging en tuft langs trage drommen jongens die lopen te kletsen en kastanjes naar elkaar gooien tot hij bij de poort komt, waar hij achter aansluit in de rij die staat te wachten tot er een gaatje valt om de weg op te draaien. Jaren geleden, op hun laatste dag op school, waren Howard en zijn vrienden onder dezelfde poort stil blijven staan – SEABROOK COLLEGE in een boog van spiegelbeeldletters boven hen – en hadden zich omgedraaid om hun middelvinger op te steken naar wat nu hun alma mater was, voor ze verder liepen, het opwindende vergezicht van passie en avontuur tegemoet dat het decor zou zijn van hun volwassen leven. Soms – vaak – vraagt hij zich af of hij met dat kleine gebaar, in een leven waarin opstandige gebaren verder ontbraken, zichzelf ertoe had veroordeeld hier terug te komen, om de rest van zijn leven dat ene teken van rebellie weg te poetsen. God is dol op dat soort vette ironie.

Hij komt vooraan in de rij, zet zijn rechterrichtingaanwijzer aan. Er is een mottig begin van een zonsondergang zichtbaar boven de stad, een weelderige melange van magenta en scharlaken; en terwijl hij daar zit, vallen hem snedige antwoorden in, het ene na het andere.

Zeg nooit nooit.

Dat denk jij.

Ik zou maar achter in de rij aansluiten.

De auto achter hem toetert als er een gat valt. Op het laatste moment zet Howard zijn richtingaanwijzer om en rijdt toch naar links.

Halley zit aan de telefoon als hij thuiskomt; ze zwenkt haar stoel met een zwaai naar hem om, rolt met haar ogen en gebaart blablabla met haar hand. De lucht is zwaar van een hele dag roken en de asbak ligt boordevol uitgedrukte peuken en lucifers. Hij zegt geluidloos 'Hoi' tegen haar, en loopt de badkamer in. Zijn eigen telefoon begint te rinkelen als hij zijn handen staat te wassen. 'Farley?' fluistert hij.

'Howard?'

'Ik heb je al drie keer gebeld. Waar zat je nou?'

'Ik moest een paar derdeklassers begeleiden die bezig zijn voor de Science Fair. Wat is er? Is alles goed? Ik versta je niet zo goed.'

'Wacht even.' Howard reikt naar binnen en zet de douche aan. Dan zegt hij met zijn normale stem: 'Hoor eens, er is iets heel ...'

'Sta je onder de douche?'

'Nee, ik sta erbuiten.'

'Misschien moet ik straks even terugbellen.'

'Nee ... luister, ik wilde ... Er is net iets heel vreemds gebeurd. Ik stond met dat nieuwe meisje te praten, die invalkracht, weet je wel, die aardrijkskunde geeft ...'

'Aurelie?'

'Hè?'

'Aurelie. Zo heet ze.'

'Hoe weet je dat?'

'Hoe bedoel je, hoe weet ik dat?'

'Ik bedoel,' zijn wangen worden rood. 'Ik bedoel, wat is dat nou voor naam: Aurelie?'

'Het is Frans. Ze is deels Frans.' Farley grinnikt uitbundig. 'Ik vraag me af welk deel. Gaat het wel, Howard? Je klinkt een beetje vreemd.'

'Nou, goed, het punt is, ik stond net op het parkeerterrein met haar te praten – gewoon een prettig, normaal gesprek over het werk en hoe het haar beviel, en ineens, vanuit het niks, zegt ze tegen me ...' Hij loopt naar de deur en doet hem op een kiertje open. In de kamer ernaast zit Halley nog steeds te knikken en mmm-mm-geluiden te maken, de telefoon tussen haar kaak en haar schouder geklemd, '... zegt ze tegen me dat ze niet met me naar bed gaat!' Hij wacht even, en als er geen antwoord volgt, voegt hij daaraan toe: 'Wat vind jij daar nou van?'

'Dat is vreemd,' geeft Farley toe.

'Het is héél vreemd,' beaamt Howard.

'En wat zei jij toen?'

'Ik zei helemaal niks. Daar was ik te verrast voor.'

'En je had niet over haar dijbeen staan wrijven of zoiets?'

'Dat is het nou juist: het gebeurde zonder ook maar enige aanleiding. We stonden daar over school te praten, en vanuit het niets zegt ze ineens: "Weet je, ik ga echt niet met je naar bed, hoor." Wat denk jij dat dat te betekenen kan hebben?'

'Nou, als ik moest gokken, zou ik zeggen dat het betekent dat ze niet met je naar bed gaat.'

'Dat zeg je niet tegen iemand met wie je niet naar bed wilt gaan, Farley. Je begint niet zomaar ineens over seks, om het vervolgens alleen maar uit te sluiten. Tenzij je juist over seks wilt praten.'

'Wacht eens even – suggereer je nou dat toen ze tegen je zei: "Ik ga niet met je naar bed", ze eigenlijk bedoelde: "Ik ga wél met je naar bed"?'

'Klinkt het dan niet alsof ze me uitdaagt? Alsof ze zegt: "Ik ga nú nog niet met je naar bed, maar misschien wel als bepaalde omstandigheden veranderen"?'

Farley bromt, zegt dan aarzelend: 'Ik weet het niet, Howard.'

'Oké, ik begrijp het. Ze probeert me alleen maar wat tijd en gêne te besparen, is dat het? Denkt ze alleen maar dat ze me een plezier doet? Er kan onmogelijk iets seksueels achter schuilen?'

'Ik weet niet wat ze bedoelde. Maar is dit niet allemaal volkomen theoretisch? Je hebt toch al een vriendin? En een hypotheek? Howard?'

'Ja, natuurlijk wel,' pruttelt Howard. 'Ik vond het alleen maar raar, dat ze dat zei. Dat is alles.'

'Als ik jou was, zou ik er maar niet wakker van liggen. Ze klinkt als zo'n flirterig type. Zo doet ze waarschijnlijk tegen iedereen.'

'Juist ja,' beaamt Howard afgemeten. 'Hoor eens, ik moet gaan. Ik zie je morgen.' Hij hangt op.

'Was je daarbinnen met iemand aan het praten?' vraagt Halley als hij naar buiten komt.

'Ik was aan het zingen,' mompelt Howard.

'Aan het zingen?' Haar ogen vernauwen zich. 'Héb je überhaupt wel gedoucht?'

'Hmm?' Howard realiseert zich dat hij een vitaal onderdeel van zijn dekmantel is vergeten. 'Ja hoor, ik heb alleen mijn haar niet gewassen. Het water is koud.'

'Koud? Hoe dat zo? Het zou niet koud moeten zijn.'

'Ik had het koud, bedoel ik. Onder de douche. Dus ben ik eronder vandaan gestapt. Zo belangrijk is het niet.'

'Heb je iets onder de leden?'

'Het gaat prima.' Hij gaat aan het ontbijtbarretje zitten. Halley buigt zich over hem heen en bekijkt hem nauwkeurig. 'Je ziet er wel een beetje verhit uit.'

'Het gaat prima,' herhaalt hij, nadrukkelijker.

'Oké, oké ...' Ze loopt weg, zet water op. Hij draait zich om naar het raam en probeert geluidloos de naam Aurelie uit.

Hun huis ligt verscheidene vierbaanskilometers van Seabrook vandaan, in de frontlinie van de langzame aanval van de buitenwijken op de heuvels rond Dublin. Toen Howard opgroeide, reed hij hier altijd met Farley rond op zijn fiets, door sprookjesachtige bossen die wemelden van de sprinkhanen en de zonneschijn. Nu ziet het eruit als een slagveld, met heuvels van vochtige aarde omgeven door loopgraven die vol staan met regenwater. Ze zijn een Science Park aan het bouwen aan de andere kant van de vallei: elke week is het landschap een beetje meer van gedaante veranderd, de glooiing van de heuvel een beetje afgekalfd, een vlakte opengereten.

Dat zeggen ze allemaal.

'Wat heb je daar?' Halley komt terug met twee koppen thee.

'Een boek.'

'Zonder dollen.' Ze pakt het uit zijn handen. 'Robert Graves, *Dat hebben we gehad*.'

'Gewoon iets wat ik onderweg heb meegenomen. Eerste Wereldoorlog. Ik dacht dat de jongens het misschien wel leuk zouden vinden.'

'Robert Graves, heeft die *I, Claudius* niet geschreven? Waar ze die tv-serie van hebben gemaakt?'

'Dat weet ik niet.'

'Ja, dat was hij.' Ze bekijkt vluchtig de achterflap. 'Ziet er interessant uit.'

Howard haalt nietszeggend zijn schouders op. Halley leunt achterover in haar stoel, kijkt toe hoe zijn ogen rusteloos over het oppervlak van de bar heen en weer schieten. 'Waarom doe je zo raar?'

Hij verstijft. 'Ik? Ik doe helemaal niet raar.'

'Wel waar.'

Zijn innerlijk is een pandemonium, terwijl hij zich wanhopig probeert te herinneren hoe hij zich normaal tegenover haar gedraagt. 'Het was gewoon een lange dag ... O god ...' Hij kreunt onwillekeurig als ze een sigaret uit het zakje van haar blouse haalt. 'Ga je nou weer zo'n ding roken?'

'Begin nou niet weer ...'

'Het is slecht voor je. Je zei dat je zou stoppen.'

'Wat kan ik zeggen, Howard? Ik ben verslaafd. Een hopeloze, meelijwekkende verslaafde in de greep van de tabaksfabrikanten.' Haar schouders zijn gekromd als het puntje gloeiend ontvlamt. 'En trouwens, ik ben niet zwanger of zo.'

Ah, juist. Zó gedraagt hij zich normaal gesproken als hij bij haar in de buurt is. Hij weet het weer. Ze lijken een langdurige fase door te maken waarin ze alleen in de vorm van kritiek tegen elkaar kunnen praten, steken onder water, verwijten. Grote dingen, kleine dingen, alles kan een ruzie ontketenen, zelfs als ze geen van beiden ruzie willen maken, zelfs als hij of zij probeert iets aardigs te zeggen, of gewoon wil wijzen op een onbenullig feit. Hun relatie is als een defect apparaat dat als je het aanzet alleen maar als een bezetene zoemt, en waar je een schok van krijgt als je erachter probeert te komen wat er mis mee is. De eenvoudigste oplossing lijkt te zijn om het maar helemaal niet meer aan te zetten, op zoek te gaan naar een nieuw; maar hij is er nog niet helemaal klaar voor om na te denken over die mogelijkheid.

'Hoe was het op je werk?' zegt hij verzoenend.

'O ...' Ze gebaart dat het onbelangrijk is, wuift het stof van de dag van haar vingers. 'Vanmorgen heb ik een recensie geschreven van een nieuwe laserprinter. Daarna ben ik het grootste gedeelte van de middag bezig geweest iemand van Epson aan de lijn te krijgen om de specificaties geverifieerd te krijgen. De gebruikelijke achtbaan.'

'Nog nieuwe gadgets?'

'Ja, nou je het zegt ...' Ze haalt een kleine, zilverkleurige rechthoek tevoorschijn en houdt hem die voor. Howard fronst zijn wenkbrauwen en frunnikt eraan – zo dun als een creditcard en kleiner dan zijn handpalm.

'Wat is het?'

'Een filmcamera.'

'Is dit een camera?!'

Ze pakt hem van hem aan, zet een schuifje naar achteren en geeft hem terug. De camera maakt een bijna, maar niet helemaal onhoorbaar zoemgeluid. Hij houdt hem op en richt hem op haar; er verschijnt een smetteloos beeld van haar op het kleine schermpje, met een rood knipperend lichtje in een hoek. 'Ongelooflijk,' lacht hij. 'Wat kan ie nog meer?'

'"Maak van elke dag een zomerdag,"' leest ze voor uit het persbericht. '"De Sony JLS9XR biedt verscheidene significante verbeteringen in vergelijking met het JLS700-model, naast volkomen nieuwe features. Meest in het oog springend is Sony's nieuwe Intelligent Eye-systeem, dat niet alleen een nooit eerder vertoonde beeldresolutie biedt, maar ook realtime beeldverbetering – dat wil zeggen dat uw opnames nu nog levendiger kunnen zijn dan in het echt."'

'Nog levendiger dan in het echt?'

'De camera corrigeert de beelden terwijl je opneemt. Hij compenseert zwakke verlichting, maakt de kleuren feller, poetst alles een beetje op, weet je wel.'

'Wauw.' Hij ziet dat ze haar hoofd lichtjes vooroverbuigt als ze haar sigaret uitdrukt, en daarna weer omhoogkomt. Verkleind op het scherm lijkt ze inderdaad stralender, coherenter, gedefinieerder: een blos op haar wangen, glans op haar haar. Als hij, om het eens te proberen, vluchtig wegkijkt van het schermpje, lijken de echte Halley en de rest van hun huis plotseling onscherp, flets. Hij richt zijn blik er weer op en zoomt in op haar ogen, diepblauw met heel fijne, witte streepjes – als dun ijs, denkt hij altijd. Ze zien er bedroefd uit.

'En jij dan?'

'Ik?'

'Je lijkt een beetje down.' Op de een of andere manier is het zo makkelijker om met haar te praten, via de zoeker van de camera; hij merkt dat die buffer hem vrijpostig maakt, hoewel ze dichtbij genoeg zit om haar te kunnen aanraken.

Ze haalt fatalistisch haar schouders op. 'Ach, ik weet niet ... die pr-mensen, weet je, god, die klinken alsof ze zelf in machines veranderen. Wat je ze ook vraagt, ze draaien allemaal hetzelfde van tevoren opgenomen antwoord af ...' Haar stem sterft weg. De rug van haar hand strijkt over haar voorhoofd, raakt het nauwelijks aan; de zoeker registreert daar fijne lijntjes die hem nog niet eerder zijn opgevallen. Hij stelt zich voor hoe ze hier alleen zit, fronsend achter het computerscherm in de alkoof in de huiskamer waar ze haar kantoortje heeft ingericht, omgeven door tijdschriften en prototypes, met alleen rook als gezelschap. 'Ik heb geprobeerd iets te schrijven,' zegt ze bedachtzaam.

'Iets?'

'Een verhaal. Ik weet niet. Iets.' Zij lijkt ook blijer, met deze opstelling, bevrijd door het feit dat ze hem niet in de ogen hoeft te kijken; ze tuurt uit het raam, naar de asbak, kneedt haar armband tegen de botten van haar pols. Howard verlangt ineens naar haar. Misschien is dit wel de oplossing voor al hun problemen! Hij zou de camera altijd met zich mee kunnen dragen, hem op de een of andere manier aan zijn hoofd kunnen monteren. 'Ik ben gaan zitten, en heb tegen mezelf gezegd dat ik niet zou opstaan vóór ik iets geschreven had. Dus ik ben daar een vol uur blijven zitten, en, God sta me bij, het enige waar ik aan kon denken waren printers. Ik zit al zo lang opgesloten met die dingen dat ik vergeten ben hoe echte mensen denken en zich gedragen.' Ze slurpt ontmoedigd van haar thee. 'Denk je dat daar een markt voor is, Howard? Epische romans met kantoorapparatuur in de hoofdrol? *Modem Bovary. Less Than Xerox.*'

'Wie weet? Die technologie wordt steeds slimmer. Misschien is het een kwestie van tijd voor computers boeken beginnen te lezen. Je kunt weleens iets heel groots op het spoor zijn.' Hij legt zijn vrije hand op haar arm, ziet hem in lilliputtervorm de hoek van het schermpje inschieten. 'Ik begrijp niet waarom je niet gewoon ontslag neemt,' zegt hij. Ze hebben dit gesprek inmiddels zo vaak gevoerd dat hij moeite moet doen om te voorkomen dat het mechanisch klinkt. Maar misschien dat het dit keer anders afloopt? 'Je hebt wat spaargeld, dus waarom neem je niet een tijdje vrij om te schrijven? Geef jezelf, pakweg, een halfjaar, om te zien wat het oplevert. Dat kunnen we ons best veroorloven, als we de buikriem een beetje aantrekken.'

'Zo eenvoudig is het niet, Howard. Je weet best hoe moeilijk het is iemand te vinden die me een werkvergunning wil geven. Futurelab is heel goed voor me geweest, en het zou stom zijn ontslag te nemen, zoals de zaken er nu voor staan.'

Hij negeert het impliciete verwijt, doet alsof het gesprek echt om haar schrijverij draait. 'Je vindt wel iets. Je bent goed in je vak. En trouwens, waarom zou je je daar niet pas zorgen over maken als het zover is?'

Ze trekt een gezicht en mompelt iets.

'Nee, serieus, waarom doe je het niet gewoon?'

'Ach, jezus – ik weet het niet, Howard. Misschien is dit wel het enige waar ik goed in ben. Misschien kan ik wel alleen maar over kantoorartikelen schrijven.'

Hij trekt geërgerd zijn hand terug. 'Nou, als je er niks aan wilt doen, dan moet je ook ophouden met klagen.'

'Ik klaag niet. Als je ooit zou luisteren naar wat ik ...'

'Ik luister juist wel. Dat is het probleem. Ik luister de hele tijd als je me vertelt dat je ongelukkig bent, maar als ik probeer je te stimuleren om er iets aan te doen ...'

'Laat nou maar. Ik wil het er niet over hebben.'

'Best. Maar ga dan niet zeggen dat ik niet luister, terwijl het probleem is dat jij het er niet over wilt hebben ...'

'Kunnen we er nou over ophouden – jezus, kun je dat kloteding niet even neerleggen?' Ze staart hem aan, gloeiend van de gekwetste razernij, tot hij het schuifje van de camera dichtdoet. Juist, juist, zo gaan ze met elkaar om. Ze pakt nog een sigaret, steekt hem op en neemt er met een snelle, misprijzende beweging een trekje van.

'Best,' zegt Howard, terwijl hij zijn boek pakt en opstaat. 'Best, best, best, best.'

Hij sluit zichzelf op in de logeerkamer en slaat de pagina's van het boek van Robert Graves om tot hij haar onder de douche hoort gaan.

Halley en hij zijn nu drie jaar bij elkaar, wat, op zijn achtentwintigste, de langste relatie van zijn leven tot nu toe is. Die ging een hele tijd plagend en vriendschappelijk haar gangetje. Maar nu wil Halley trouwen. Dat zegt ze niet, maar hij weet dat het zo is. Het huwelijk begrijpt ze. Als Amerikaans staatsburger hangt haar recht op een werkvergunning op het moment af van de goedgunstigheid van haar werkgever, die die vergunning elk jaar moet verlengen. Door met Howard te trouwen zou ze, in de ogen van de staat, genaturaliseerd zijn, en vrij om te gaan en te staan waar ze wil. Dat is uiteraard niet de enige reden dat ze het wil. Maar het brengt de hele zaak wel scherp in beeld: de vraag wordt plotseling waarom ze níét meteen zouden trouwen. En die hangt boven hun hoofd als een kolossaal buitenaards ruimtevaartuig dat de zon aan het zicht onttrekt.

Dus waarom doen ze het dan niet? Het is niet dat Howard niet van haar houdt. Dat doet hij wel. Hij zou alles voor haar overhebben, zijn leven geven als het daarop aankwam – als ze bijvoorbeeld een prinses was die werd belaagd door een vuurspuwende draak, en hij een ridder te paard, dan zou hij zonder een moment te aarzelen met zijn lans aan komen stormen en het monster recht in de smeulende, vurige ogen kijken, zelfs als dat betekende dat hij ter plekke gebarbecued werd. Maar feit is – feit is dat ze in een wereld van feiten leven, waarvan er eentje is dat draken niet bestaan; er zijn alleen bleke, apathische dagen die zich aan elkaar rijgen, een troebele halsketting van nepparels, en een liefde die hem bindt aan een leven waar hij nooit echt voor heeft gekozen. Is dit alles wat er ooit zal zijn? Een grijs tapijt van 'het gaat wel'? Gevangen in een moment waar hij per ongeluk in is gerold?

Kortom, alles blijft voorlopig in de wachtstand, alles blijft onuitgesproken, en Halley raakt steeds meer in de war over de vraag waar het met hen op uit zal draaien en wat er mis is, hoewel er strikt genomen helemaal niks mis is, en dan wordt ze boos op Howard, met als gevolg dat Howard nog minder zin heeft om met haar te trouwen. Als het servies in het rond begint te vliegen, voelt het eigenlijk alsof ze al jaren getrouwd zijn.

Na het avondeten (magnetron) bereiken ze een soort detente, waarbij hij in de huiskamer zit te lezen terwijl zij tv-kijkt. Als ze om halfelf opstaat om naar bed te gaan, biedt hij zijn wang aan voor een kus. Het protocol dat de laatste tijd is ontstaan, is dat degene die het eerst in de slaapkamer is een halfuur respijt krijgt, zodat hij of zij al kan slapen als de ander binnenkomt. Het is, mocht je dat willen weten, vijfenveertig dagen geleden dat ze voor het laatst seks hebben gehad. Niemand heeft daar expliciet iets over gezegd; het is iets waar ze onuitgesproken overeenstemming over hebben bereikt. Het is op het moment zelfs een van de weinige dingen waar ze het niet over oneens zijn. Als hij de pornografisch getinte gesprekken van de jongens op school afluistert, bedenkt Howard hoe onvoorstelbaar het idee *geen seks te willen hebben* voor de jongere versie van hemzelf zou zijn geweest – hij herinnert zich hoe elk atoom in zijn lichaam zich (meestal vruchteloos) in de richting van fysiek contact wierp met de gedachteloze, onstuitbare urgentie van een wilde zalm die langs een waterval omhoogflappert. *Er ligt een vrouw in je bed, en daar heb je geen seks mee?!* Hij kan de teleurstelling en verbijstering in de stem van zijn jongere zelf praktisch horen. Hij wil niet zeggen dat de huidige situatie hem bevalt. Maar het is, in elk geval op de korte tot middellange termijn, makkelijker.

Vaak voert hij, als ze zij aan zij in het donker liggen, terwijl ze geen van beiden aan de ander laten merken dat ze nog wakker zijn, in zijn verbeelding lange, openhartige gesprekken met haar, waarin hij onbeschroomd al zijn kaarten op tafel legt. Soms eindigen die denkbeeldige gesprekken ermee dat ze uit elkaar gaan, soms realiseren ze zich dat ze niet zonder elkaar kunnen leven; in beide gevallen geeft het een goed gevoel dat ze een beslissing nemen.

Maar vanavond denkt hij daar niet aan. Hij zit op de eerste rij in een lokaal, staart met de andere jongens naar een globe die weelderig, tergend langzaam draait onder slanke vingers. En terwijl hij ernaar staart, verandert de globe onder die vingers van een wereldkaart in een kristallen bol … een kristallen bol annex grabbelton, waarin elke toekomst die je wilt voor het grijpen ligt; en hij mompelt zachtjes: '*Dat zullen we nog weleens zien. We zullen zien.*'

WOEOEOEOEOEOEOEOEOEOEOEOEOEOEOESSSSSSSSSSSSSSSJJJJJJJ!!

Het is een lift die in je hoofd naar boven schiet, zo de ruimte in! Je voelt dat je ogen uitpuilen, alsof je op het punt staat uit elkaar te spatten! Je hoofd zit vol olifanten, tekenfilmolifanten op een rij, die hun poten optillen en op hun slurf spelen, zodat er muziek uit komt! Je lacht en lacht, je lacht zoveel dat je er bijna niet meer tegen kunt!

Maar op de grond is Morgan aan het huilen. Hij huilt, omdat Barry met zijn knieën op zijn armen zit, hem tegen de grond drukt. Boven de springtouwen schijnt het donutuithangbord de andere kant op, alsof het het niet wil zien.

Achter Ed's, daar gebeurt het, en als je weet wat goed voor je is, dan zorg je wel dat je er wegblijft.

Bijna zodra ze er zijn beginnen de vrolijke explosies weg te ebben. Carl houdt op met lachen en doet een stap naar voren. Morgan deinst zo ver mogelijk terug; zijn kleine voetjes waggelen in het donker als kleine dieren. Barry fluistert in zijn oor: 'Doe jezelf nou een lol, en geef ze hier.'

'Ik heb ze niet,' zegt Morgan smekend. 'Ik zweer het je!'

'Waarom ben je dan gekomen?' Barry's stem klinkt zacht, als de stem van een moeder. 'Waarom ben je hier dan heen gekomen, flikker?'

'Omdat jij dat zei,' zegt Morgan, tussen het snikken door.

'We hebben ook gezegd dat je iets mee moest nemen.' Als Morgan niets zegt, slaat Barry met zijn vlakke hand tegen zijn wang. 'We hebben gezegd dat je iets mee moest nemen, klootkommel.'

'Ik ben gekomen om te zeggen dat ik ze niet mee kon nemen.' Morgan heeft zijn hoofd opgetild om op te kijken naar Barry, die achter hem staat, dus de tranen sijpelen weer naar achteren, zijn ogen in.

'Waarom niet?'

'Mam bewaart ze achter slot en grendel! Achter slot en grendel!'

Carls hoofd is nu heel zwaar. De olifanten dansen niet meer; de ene na de andere stort naar de grond. Vanuit de verte hoort hij Barry zeggen: 'We hebben het je vriendelijk gevraagd.' Hij geeft Carl het teken.

Carl schudt het blikje stevig. Hij weet wat hij moet doen. Maar eerst, WOEOEOESSJJJJJJ, stuitert en plopt de lucht, hij komt onder zijn jasje vandaan, op zijn gezicht is met krijt een smiley getekend – 'Doe het,' sist Barry. Hij brengt zijn aansteker naar de bovenkant van het blikje ...

'O god ...' piept Morgan. 'O god ...'

'Doe niet zo achterlijk, Morgan,' zegt Barry. 'Geef ons gewoon wat we willen hebben.'

'Dat gaat niet!' Zijn gezicht is glanzend nat van de tranen. 'Ik kan het niet. Straks komt mam erachter ...'

'Oké, Morgan,' zegt Barry, alsof hij er bedroefd over is. 'Dan weet je wat we moeten doen.'

Carl laat zich op een knie zakken en richt het blikje.

'Nee!' schreeuwt Morgan, maar hiervandaan kan niemand hem horen. 'Nee, wach...'

De vlam ruist, en heel even verzwelgt hij alles. Dan is hij weer weg, een blauwwitte flits achterlatend die gloeit in het donker. De lucht is vervuld van de geur van iets wat brandt.

'Heb je nu iets om aan ons te geven, Morgan?' zegt Barry.

Morgan huilt geluidloos. Hij rolt op zijn buik, kronkelt als een worm in de aarde.

'Heb je je bedacht? Heb je iets om aan ons te geven? Of wil je nog een praatje maken met de Draak hier?'

Morgan krimpt in elkaar alsof hij zich weer brandt. Dan verschijnt zijn hand, met daarin een doorzichtig oranje kokertje. Barry grist het weg. 'Waarom gaf je het niet gewoon toen we erom vroegen? Je had ons allemaal een hoop ellende kunnen besparen, klootzak.'

Morgan is te druk bezig met huilen om antwoord te geven – een raar schuddend huilen dat geen enkel geluid maakt. Zijn voeten zijn helemaal rood, dat zie je zelfs in het donker. Barry wendt zich tot Carl. 'Kom, we gaan ervandoor.'

Carl knikt. Als hij wegloopt, ziet hij dat Morgans telefoon op de grond is gevallen. Hij pakt hem op en stopt hem in zijn zak.

Op de plee van de Burger King schudt Barry vier pillen uit het oranje kokertje op het wc-deksel. Hij drukt ze met zijn telefoon fijn en trekt twee dikke lijnen van het poeder. Het was zijn idee, dus hij mag eerst. Daarna is Carl aan de beurt. Hij buigt zich met het Burger King-rietje voorover en snuift. Poeder schiet zijn neus in. Meteen, met een metalig *kling*-geluid alsof er een zwaard wordt getrokken, vernauwt alles zich tot één scherpe rand.

Nu klopt alles. Carl voelt zich huiverend nieuw, ijskoud. Alles gaat fantastisch. Het is geweldig om hier met Barry te zijn, het was een goed plan om die pillen van Morgan Bellamy af te pakken. Ze gaan het hokje uit, lopen het zilver, wit en glas van het winkelcentrum in als twee G's in een hiphopvideo. Ze lopen naar boven op de roltrap naar beneden en naar beneden op de roltrap naar boven, ze roepen dingen naar meisjes. Ze stelen een aansteker, een pak kaarten, het tijdschrift *Marbella Ireland*. Daarna beginnen ze zich te vervelen.

'Laten we langsgaan bij de Spleetoog,' zegt Barry.

Op de terugweg gaan ze even bij Morgan kijken, maar hij is weg. 'Denk je dat hij het tegen iemand gaat zeggen? Echt niet. Hij weet wat er dan met hem gebeurt.'

De Spleetoog is vanavond niet in Ed's, alleen de Spleetogin. Ze kijkt op, en als ze hen ziet, verstijft ze. Op de achtergrond staat een liedje van BETHani aan:

I wish I was eighteen so you could photograph me
We'd put it on the internet so everyone could see
How I make your love grow, the things you do to me
When teacher isn't looking, when my parents are asleep

'Kan ik jullie helpen?' zegt de Spleetogin op een toon alsof ze hen niet wil helpen. Door haar spleetogenstem klinkt het als: 'Kan iek joelie elpen?', alsof ze achterlijk is. Barry doet alsof hij het grote, verlichte menu achter haar hoofd leest.

'Ja, een Agent Orange-sap, alsjeblieft.'

'Wai hebbe nie.'

'Jai hebbe nie? Oké, dan wil ik een broodje napalm.'

'Wai hebbe nie.'
'Jai hebbe ook nie broodje napalm?'
'Alleen dinge op menu.'
Naast hem lacht Carl, omdat hij weet dat Agent Orange en napalm dingen zijn die ze tijdens de Vietnamoorlog op die spleetogen lieten vallen om ze te verbranden. Dat weet hij omdat Barry het hem heeft verteld. Barry weet alles van Vietnam, hij heeft alle films gezien. *Platoon*, *Apocalypse Now*, *Hamburger Hill*, *Full Metal Jacket*, *Good Morning, Vietnam*, Rambo's *First Blood* deel 1 en 2 en nog meer. Hij heeft ze thuis op dvd.

I wish I was eighteen, it would be so fine ...

zingt BETHani ...

To show everybody how we pass the time
And all the boys around the world could peek into my home
So there's always someone watching and I never feel alone

Barry vraagt aan de Spleetogin of ze sexy wil maken. Hij likt aan zijn vingers en wrijft ermee over zijn borst, terwijl hij '*Me so horny, me luv you long time*' zegt tegen de Spleetogin. De Spleetogin staart hem aan alsof ze hem een lel wil geven, wat grappig is, omdat ze maar een meter of anderhalf lang is of zo en omdat ze waarschijnlijk niet eens weet wat hij zegt, omdat het enige Engels dat ze kent bestaat uit de namen van donuts.
Carl draait zich om om naar de deur te kijken, en alle klanten die naar hen keken kijken gauw weer omlaag naar hun donut – behalve twee meisjes aan een tafeltje, die hem recht aankijken.
'Iek hauw van paipe,' zegt Barry nu. 'Paipe, paipe.' Hij helpt haar door met behulp van zijn opgekrulde hand en zijn tong in zijn wang aan een denkbeeldige lul te zuigen. Ze staart hem aan met ogen als stenen.
'Stomme trut, hij wil dat je hem pijpt,' zegt Carl. 'Hoeveel vraag je voor een pijpbeurt?'
Hij haalt een briefje van vijf uit zijn portefeuille, maakt er een prop van en gooit die naar haar toe. De prop raakt haar arm en stuitert terug op de toonbank. 'Hoeveel?' vraagt hij weer. Nu maakt

hij een prop van een briefje van twintig en gooit dat naar haar. Het raakt haar wang. Het ergert hem dat ze het geld niet gauw opraapt en dat ze überhaupt niet beweegt. Hij pakt nog een briefje van twintig, en ziet dan dat Barry hem aanstaart.

'Wat doe jij nou, verdomme?' zegt Barry.

'Wat nou?' zegt Carl.

'Wat doe je verdomme met dat geld?'

'Ik probeer een pijpbeurt voor je te regelen, klootzak,' zegt Carl.

Barry's gezicht is helemaal rood aangelopen. 'Nee, spast, ik bedoel: waarom heb je me niet verteld dat je zoveel geld had? Waarom hebben we meubelwas zitten snuiven terwijl jij de hele tijd geld had?'

'Vergeten,' zegt Carl.

'Vergeten?! Hoe kon je dat nou vergeten?!'

Carl weet niet waarom hij het vergeten is. Hij is plotseling behoorlijk moe. Alles begint te bruisen aan de randjes, als een pil in water. Hij wilde dat hij dat oranje kokertje had, maar dat zit in Barry's zak en Barry ziet er veel te kwaad uit om het aan hem te geven. Maar dan – hoera! – komt de Spleetoog met zwaaiende armen uit de achterkamer rennen. Hij roept: 'Joelie bah! Joelie bah!'

'Joelie bah! Joelie bah!' schreeuwen ze terug. Carl slaat het plastic rietjesbakje om en rietjes met verschillende gekleurde strepen vallen op de grond. De Spleetoog stuift door de klapdeurtjes in de toonbank. Carl heft zijn vuist, gewoon om te kijken wat er gebeurt. De Spleetoog neemt meteen zijn Jet Li-achtige oosterse-vechtsportpose aan en zo blijven ze even staan, zonder te bewegen, behalve dan dat de neusgaten van de Spleetoog groter en kleiner worden. Dan draaien Carl en Barry zich om en rennen de winkel uit, lachend en joelend: 'Joelie bah! Joelie bah!'

Aan de overkant van de weg, op het muurtje van het park, is Barry weer vrolijk, dus kunnen ze nog wat pillen nemen. Carl drukt ze fijn met een sleutel. Achter de etalage van het Doughnut House zit de Spleetogin op haar hurken rietjes op te rapen.

'Denk je dat hij haar neukt?' zegt Barry. 'Charlie?' Soms noemen ze de Spleetoog 'Charlie'.

Carl zegt: 'Ik weet niet.' Boven hen staat er een volle maan in de hemel en er zijn sterren. De maan is een ________ van de aarde, waar de aarde in een baan omheen draait.

'Niemand anders zou met hem willen neuken,' zegt Barry. 'Die spleetogen hebben kleine wurmenlulletjes.' Hij maakt een denkbeeldig geweer van zijn handen, richt het op de Spleetogin en schiet twee kogels in haar. Hij laat de hulzen eruit vallen en herlaadt. 'Ik zou haar best willen neuken,' zegt hij.

Carl zegt niets. De pillen schieten telkens onder de sleutel uit. Hij heeft ze al twee keer van de grond moeten rapen.

'Ik word misselijk als ik die spleetogen hier rond zie lopen alsof de tent van hen is,' zegt Barry. 'Na alles wat er gebeurd is.'

Op eBay kun je echte naamplaatjes kopen van mariniers die in Vietnam hebben gediend, en zelfs een oude Amerikaanse legerjeep. Maar Barry heeft nooit geld om iets te kopen, omdat zijn vader een ontzettende vrek is, ook al is ie steenrijk. De helft van de tijd moet Carl hem geld lenen om gewoon een biertje te kunnen kopen.

Ze inhaleren weer, en Carl voelt de pillen boven in zijn neus branden als pure, gloeiende energie die hem wil optillen en dwars door de lucht wil gooien! Dus even realiseert hij zich niet dat de deur van het Doughnut House open is gezwaaid. Dan zegt Barry: 'Kijk, kijk.' Carl kijkt op, en ziet twee meisjes, dezelfde twee meisjes die hem net ook al waren opgevallen. Ze staan daar in de deuropening naar de overkant te kijken, naar Carl en Barry. Dan, als ze zien dat de jongens terugstaren, beginnen ze weg te lopen.

'Zo te zien hebben ze wel zin in een feestje,' zegt Barry. Hij springt van het muurtje af. Carl springt ook naar beneden. De energie schiet door zijn armen. Die pillen geven je het gevoel dat je een missie hebt.

De meisjes lopen op een luidruchtige nepmanier met elkaar te praten, alsof ze weten dat er iemand meeluistert. Ze zitten op St. Brigid's, hij heeft ze wel vaker in het winkelcentrum gezien.

'Hé!' roept Barry ze na. Ze negeren hem.

'O mijn god, wat een griezel,' zegt het kleinere meisje.

'Hé!' roept Barry weer. Dit keer draaien de meisjes zich om en blijven staan. 'Hoe gaat het?' zegt Barry als hij hen inhaalt. 'Ik ben Barry,' zegt hij. 'En dit is Carl.'

'We zijn hartstikke high,' zegt Carl. Het kleinere meisje buigt zich naar voren en fluistert iets in het oor van de ander, en ze beginnen allebei met hun hand voor hun mond te giechelen. Barry kijkt boos naar Carl.

'En, hoe heten jullie?' vraagt hij, wat een nieuwe explosie van gegiechel veroorzaakt, alsof dat het achterlijkste is wat je maar kunt vragen. Klassiek meisjesgedrag, daar laat Carl zich niet door van de wijs brengen. Hij stelt zich voor hoe Morgan languit op de grond ligt, denkt eraan hoe hij over hem heen gebogen stond met die vlammenwerper van meubelwas.

'Wat hebben jullie vanavond gedaan?' vraagt Barry.

'Eh ... donuts gegeten?' zegt het kleinere meisje, met een dúh-uitdrukking op haar gezicht. Ze is eigenlijk helemaal niet zo klein, je kunt beter zeggen dat het andere meisje lang is. Ze zijn allebei dun. Het kleine meisje heeft krullerig haar en net zo'n bril als iemand op tv, Carl weet niet meer wie. Het andere meisje heeft lang donker haar en een bleke huid. Haar lippen zijn glimmend, lollyrood. Ze heeft wanten aan en kijkt naar Carl.

'Wisten jullie dat vanavond jullie geluksavond is?' zegt Barry.

'Waarom? Omdat we de mazzel hebben jullie tegen te komen?' zegt Krulhaar.

'Nee, dat is het niet,' zegt Barry. 'We hebben een aanbod voor jullie dat je maar eens in je leven krijgt.'

Krulhaar lacht sarcastisch en kijkt naar Lollylip. 'We moeten gaan.'

'Wil je niet weten wat het is?'

'Wat dan?'

'Dat kunnen we hier niet laten zien.'

Ze lacht weer. 'We moeten echt gaan,' zegt ze, en ze wendt zich af. Maar ze lopen niet weg, en even later draait ze zich weer om en zegt: 'Oké, wat is het dan?'

'Kom maar mee.' Barry loopt voor de meisjes uit. Carl vraagt zich af waar hij hen mee naartoe wil nemen en wat dat unieke aanbod is. Hij wil het aan Barry vragen, maar die is verder voor hem uit gelopen, een lange oprit op die bij een van de nieuwe appartementencomplexen hoort. De meisjes lopen treuzelend achter Carl aan, praten met elkaar over iets heel anders, alsof het ze niet kan schelen wat de jongens hun willen laten zien en het bijna zijn vergeten. Carls handen trillen door de pillen en willen dingen doen.

Barry is onder een lantaarnpaal stil blijven staan en wacht daar op hen. Ze halen hem in en Krulhaar kijkt Barry aan alsof ze wil zeggen: 'Nou?' Carl kijkt ook naar hem, maar Barry doet alsof hij dat niet ziet. Lollylip wacht een eind terug met een mysterieuze glimlach op haar gezicht, alsof ze aan een geheime grap denkt. Ze strijkt zo nu en dan met een witte hand haar haar naar achteren, zodat het licht erdoorheen schiet.

Barry haalt het oranje kokertje uit zijn zak. Wacht even. Wat?

'Dieetpillen,' zegt hij. 'De beste die er zijn.'

Het gezicht van het krulharige meisje betrekt. 'Wil je beweren dat we op dieet moeten?'

'Binnenkort wel, als je donuts blijft eten,' zegt hij voor de grap, maar ze lacht niet. 'Relax,' zegt hij. 'Dat bedoel ik helemaal niet. Deze zijn speciaal ontwikkeld zodat je nooit meer op dieet hoeft. Het zijn echte, medische pillen, ontwikkeld door dokters. Als je er hier één per dag van inneemt, hoef je je nooit meer zorgen te maken over je gewicht.'

Krulhaar pakt het kokertje uit zijn hand en bekijkt het. '"Ritalin",' leest ze. 'Dat is dat spul dat ze voorschrijven tegen ADHD.' Ze draait zich om naar Lollylip. 'Dat is wat ze Amy gaven nadat ze de natuurtafel in elkaar had geslagen.'

'Je kunt het tegen verschillende dingen innemen,' zegt Barry.

'Als je het snuift, word je hartstikke high,' zegt Carl, terwijl hij Barry aankijkt. Maar Barry doet alsof hij niks hoort. Waar is hij nou mee bezig? Probeert hij de pillen aan die meisjes te verkopen? Die zijn voor hem en Carl bedoeld, ze zijn er al de hele week mee bezig ze in handen te krijgen! Carl begint kwaad te worden, maar dat houdt hij voorlopig verborgen. Misschien heeft Barry wel een plan, bijvoorbeeld om die meisjes te neuken.

'"Morgan Bellamy",' leest Krulhaar van het label. 'Ik dacht dat je zei dat je Barry heette.' Ze kijkt Barry uitdagend aan. Lollylip ziet er lekkerder uit, maar Krulhaar is ook sexy, vindt Carl; hij zou haar best willen palen als die ander niet zou willen.

'Barry is mijn tweede naam,' zegt Barry tegen haar. 'Niemand noemt me Morgan, behalve mijn opa en oma.'

'Waar heb je deze vandaan?'

'De dokter heeft ze voorgeschreven. Maar nu heb ik ze niet meer nodig.'

'O, dus je bent genezen?'

'Precies,' zegt Barry, en hij glimlacht naar haar. Ze probeert zich ervan te weerhouden terug te glimlachen, maar dat lukt niet. 'Nou, wat zeggen jullie ervan? Ik geef jullie dit hele flesje voor dertig euro. Dat is maar vijftien euro per persoon,' zegt hij tegen Lollylip, in een poging haar erbij te betrekken. Maar ze blijft op de achtergrond en zegt niets.

'We hebben geen geld,' zegt Krulhaar.

'Of anders vijf pillen voor vijf euro,' zegt Barry, die expres niet naar Carl kijkt als hij dat zegt. 'Dat is echt een geweldig aanbod, dames. Normaal kun je dit spul niet zonder recept krijgen. Hier, kijk maar.' Hij pakt het kokertje weer van Krulhaar af, schudt er een paar van de piepkleine, huidkleurige rondjes uit op zijn handpalm en houdt ze naar hen op. Krulhaar gaat erboven hangen, alsof ze de geur van de pillen opsnuift, hoewel ze helemaal nergens naar ruiken. Dan flitst er plotseling een licht boven hun hoofd. Barry vouwt zijn hand dicht. Er komt een auto de oprit op, met een achterdochtig volwassen gezicht achter de ruit als hij langsrijdt.

Lollylip knijpt in de elleboog van haar vriendin. 'We moeten gaan,' mompelt ze. Haar stem klinkt gedempt en zacht als kattenvacht.

Krulhaar knikt. 'Het wordt al laat,' zegt ze, en ze stapt achteruit.

'Wacht even,' zegt Barry. 'Neem er anders een paar mee, als gratis monsters. Ik geef jullie mijn nummer, en als ze jullie bevallen, kan ik voor meer zorgen.' Hij houdt de pillen naar voren. De meisjes kijken hem aan, lichtjes heen en weer wiegend.

'Of, oké, geef me anders jullie nummers, dan kan ik bellen om te horen of jullie van gedachten zijn veranderd.' Hij haalt zijn telefoon tevoorschijn. Carl haalt de telefoon van Morgan Bellamy tevoorschijn en klapt die ook open. Hij wijst ermee naar Lollylip, maar die zegt niets. Ze staart hem aan, en bijt zachtjes op haar onderlip.

'Oké.' Barry klapt zijn telefoon dicht, terwijl hij blijft glimlachen. 'Wat vinden jullie hiervan: als we jullie morgen nou eens komen opzoeken? Jullie zitten op St. Brigid's, toch?'

De twee kijken opzij naar elkaar en dan weer naar Barry.

'Als we jullie nou eens na school komen opzoeken; dan kunnen we het er nog over hebben. Misschien kunnen we wel tot een betere deal komen. Als jullie nu bijvoorbeeld even niet genoeg geld hebben, dan bedenken we daar wat op. Wat dachten jullie van achter Ed's? Als we daar nou eens afspreken, om een uur of vier?'

De meisjes wisselen een vluchtige blik en halen hun schouders op.

'Tot morgen dan maar?' roept Barry hun na, terwijl ze de afrit aflopen.

'Zeker weten,' zegt Krulhaar zonder om te kijken. Vervolgens barsten zij en Lollylip weer in gegiechel uit.

'Stomme St. Frigid-trutten,' zegt Barry als ze uit het zicht zijn verdwenen.

Wat doe je nou, verdomme?! Waarom probeerde je onze drugs weg te geven?! wil Carl wel schreeuwen. Maar in plaats daarvan zegt hij alleen maar: 'Is dat waar, van dat diëten?'

'Ik heb erover gelezen op internet,' zegt Barry. Terwijl ze over de oprit teruglopen naar de weg, begint hij Carl te vertellen dat hij op internet heeft gelezen over een paar gasten die erin dealden en bakken met geld verdienden. 'Denk er eens over na, man. Het enige waar die wijven over praten is hun gewicht. Ze zullen vechten om dit spul. Die twee hadden het zeker gekocht als die gozer niet langs was gereden. Ik durf er alles om te verwedden dat ze morgen komen. En als ze een paar vriendinnen meenemen, kunnen we al deze pillen zo verkopen, en nog meer ook.'

Maar waarom wil hij ze verkopen? Waarom wil hij ze niet gewoon opsnuiven met Carl? Was dat dan niet het plan? Maar zo werkt Barry's hoofd: er komen de hele tijd nieuwe ideeën in op, die plannen worden. Carl heeft zelf geen ideeën, geen plannen; hij wordt gewoon op die van Barry meegevoerd, als een stuk plastic op de zee.

'Ik vraag me af of we er meer van Morgan los kunnen krijgen,' zegt Barry. 'Als we hem een deel van de winst aanbieden of zo. En er moeten meer kids op school zijn ... of anders op de lagere school! Ik durf te wedden dat daar zat kinderen zitten met recepten die ...'

Carl luistert niet meer. Hij klapt Morgans telefoon open en drukt op een knop. Lollylip verschijnt en staart hem duister en fluwelig aan, bijtend op haar onderlip, heen en weer wiegend. Dan bevriest ze. En daar is ze weer, starend, bijtend, wiegend.

Nu hebben ze het dorp achter zich gelaten, het winkelcentrum, de pubs en de restaurants, en lopen door een slaperige laan met netjes gesnoeide heggen en zwarte SUV's. Carl voelt de avond weer zwaar worden en hij weet dat hij er dit keer niet tegen kan vechten. Dat hij zwaarder en zwaarder zal worden naarmate hij dichter bij het huis komt dat zijn huis is, tot ie hem helemaal de volgende dag in heeft gesleurd.

'... het mooie van dieetpillen,' zegt Barry gehaast naast hem. Hij is opgewonden; misschien denkt hij aan de Amerikaanse legerjeep op eBay. 'Je koopt ze niet alleen als je een avondje uit gaat. Je slikt ze elke dag. En bovendien, het gaat om méísjes. Wanneer zie je meisjes nou in het park drugs kopen van dealertjes? Nooit. Het is een volkomen onaangeboorde markt. Ik zweer het je: we worden hartstikke rijk!' Hij begint naar Carl te grijnzen en wacht tot Carl teruggrijnst.

'Laat ze nog eens zien,' zegt Carl. Barry geeft hem het kokertje en grinnikt nog eens. Carl maakt het open en schudt de pillen in zijn handpalm. Vervolgens gooit hij ze zo hard mogelijk weg. Pillen schieten de hele weg over, stuiteren af op de daken van auto's, vallen zachtjes in het gras.

Barry is verbijsterd. Hij kan even geen woord uitbrengen. Dan zegt hij: 'Waarom deed je dat nou, verdomme?!'

Carl loopt door. Er brandt een bitter vuur in hem met de kleur van opgedroogd bloed.

'Achterlijke eikel,' zegt Barry. 'Spast. Wat moeten we morgen nou tegen die meisjes zeggen?'

Carl heft zijn hand op en geeft Barry met zijn vlakke hand een draai om zijn oren. Barry hapt naar adem en stommelt opzij. 'Wat mankeert je, *psycho*?' roept hij, terwijl hij zijn hoofd vastpakt. 'Wat mankeert jou, verdomme?'

Het is ochtend. Skippy zit met blote benen aan de rand van het zwembad. Het chloor en de vroegte prikken in zijn ogen. Buiten is de ochtend een grijs waas, de eerste vormen beginnen er net uit tevoorschijn te komen. Aan weerszijden van Skippy staan jongens in de rij. Met hun witte Seabrook College-badmutsen op zien ze eruit als klonen met het wapen van de school op hun kale hoofd gestempeld. Dan klinkt het fluitje, en voor zijn hersens het zich zelfs maar realiseren, heeft zijn lichaam zich naar voren gegooid, het water in. Meteen grijpen duizend blauwe handen naar hem, pakken hem vast, trekken hem naar beneden – hij hapt naar adem, verzet zich ertegen, klautert naar het oppervlak …

Als hij erdoorheen is, komt hij boven in een wirwar van kleur en geluid – het gele plastic dak, het geplons en het schuim van de andere zwemmers, een arm, een hoofd met een zwembril op dat opzij wordt gegooid, Coach die zich als een knoestige boomstam over het water buigt, in zijn handen klapt en roept: 'Kom op, kom op!' In de banen om Skippy heen schieten de jongens als ongehoorzame weerspiegelingen vooruit, verdwijnen achter hun kielzog. Iedereen stuift op de muur af! Maar het water worstelt met hem, de bodem van het bad is magnetisch en trekt hem naar beneden, naar …

Het fluitje klinkt. Garret Dennehy finisht als eerste, met Siddartha Niland vlak achter hem. In de seconden daarna komen de anderen naast hen glijden. Ze leunen tegen de muur, hijgen, schuiven hun zwembrillen omhoog. Skippy is nog steeds halverwege het zwembad.

'Kom op, Daniel. In godsnaam, man, je lijkt wel een omaatje dat in het park wandelt!'

Drie keer per week, om zeven uur 's ochtends, trainen ze een uur lang. Tel je zegeningen. Het team van de bovenbouw traint elke ochtend, ook op zaterdag. Borstcrawl, rugslag, vlinderslag, heen en weer door de blauwe chemicaliën; herhalingen op de tegels, buikspieroefeningen en spreidsprongen tot elke spier brandt.

'Een goeie sportman zijn draait niet alleen om je natuurlijke aanleg,' schreeuwt Coach graag als hij langs het bad ijsbeert terwijl jij je door je oefeningen heen worstelt. 'Het draait om discipline en toewijding.' Dus als je een training mist, kun je maar beter een goed excuus hebben.

Na afloop staat het team rillend op een kluitje in de deuropening van de kleedkamer, met hun handen onder hun oksels. Als je uit het water komt, voelt de lucht koud en niksig. Je beweegt je armen en voelt geen enkele tegendruk. Je praat en de woorden verdwijnen meteen.

Coach draait het koordje van zijn fluit eindeloos om zijn hand en weer los, met iedereen om hem heen als de apostelen rondom Jezus op oude schilderijen. Als je goed kijkt, zie je dat zijn lichaam helemaal verkrampt is, zelfs als hij stilstaat. 'Jullie hebben zaterdag goed werk geleverd, jongens. Maar we kunnen niet op onze lauweren rusten. De volgende wedstrijd is op 15 november. Dat klinkt misschien ver weg, maar des te meer reden om de vaart erin te houden. Ik wil dat we de halve finales halen.' Hij gebaart met zijn hoofd richting kleedkamer. 'Oké, wegwezen!'

De douches voelen nooit alsof je er schoon van wordt. Er zit schimmel op de tegels en het voetenbad staat vol brakkig water; haar golft in grijze klonten op het afvoerrooster, als verdronken zeemeerminnen.

'Je zwom vandaag als een drol, Juster,' zegt Siddartha. 'Hoe zit dat? Gisteren laat opgebleven om Van Doren te palen?'

Skippy mompelt iets over een verrekte spier tijdens de wedstrijd.

Siddartha trekt zijn neus op, zet zijn boventanden over zijn lip heen en maakt kangoeroegeluidjes: '*Tssj-tssj-tssj. Volgens mij heb ik een spier verrekt tijdens de wedstrijd.* Nou, ik zou maar tempo maken. Dat je er zaterdag doorheen bent gemazzeld wil niet zeggen dat je recht hebt op een vaste plek in het team.'

'Let maar niet op hem,' zegt Ronan Joyce als Siddartha zich omdraait. 'Klootviool.'

Maar Skippy let ook niet op hem, daar zorgt de pil die hij bij het opstaan heeft ingenomen wel voor. Het slaperige gevoel vloeit door hem heen, omwikkelt hem als een deken. Geluiden, beelden, wat mensen zeggen – het dringt allemaal versnipperd en vertraagd tot hem door; het naaldige water van de douche dat zijn lichaam raakt, van koud warm wordt: hij merkt het nauwelijks op, en ook niet dat hij de ijskoude kleedkamer weer inloopt.

Ruprecht en de anderen zitten al te eten als hij de eetzaal inkomt. Monstro staat achter de toonbank roerei uit een stalen vat te lepelen, als een of andere gigantische zweer. Het eten in de kantine is altijd goor, de goedkoopste troep die ze kunnen krijgen. Vandaag is zelfs de toast verbrand.

Geoff maakt juichgeluiden als hij gaat zitten. 'Dit is heel opwindend, sportfans ... Zwemkampioen Daniel Juster heeft zich zojuist bij ons gevoegd, rechtstreeks vanuit zijn loodzware trainingsregime! Hoe voel je je vandaag, *champ*?'

'Slaperig.'

Een koor van boegeroep klinkt op uit een verre hoek van de ruimte als Muiris de Bhaldraithe, de grootste boerenkinkel van Seabrook en de zelfverklaarde spil van de jeugdafdeling van de clandestiene Real IRA, de Dublin Brigade, binnenkomt. *Sccccrrr-ccchh, scccrrrrccccchhh*, Ruprecht schraapt nauwgezet het verkoolde laagje van zijn toast.

'"Slaperig." Aldus topatleet Daniel "Skippy" Juster, dames en heren.'

Scccrrrrccccchh, scccrrrrccccchhh, scccrrrrccccchhh, zegt Ruprechts toast. Skippy staart naar zijn ontbijt alsof het uit het niets is verschenen.

'Ik zou waarschijnlijk ook een topatleet kunnen zijn, als ik zou willen,' brengt Mario onvoorzichtig naar voren. 'Ik wil het alleen niet.'

'Ja hoor, Mario, dat zal het zijn,' zegt Dennis.

'Krijg de klere, boer, dat ís het ook. Ik weet niet of je het weet, maar twee teams uit de Premiership hebben me afgelopen zomer gebeld om proefwedstrijden te komen spelen.'

'De Premiership van het masturberen zeker,' zegt Dennis.

'Als er een Premiership in masturberen was, dan was hij David Beckham,' vult Niall aan.

Dennis grijpt een denkbeeldige microfoon vast en zet een plat accent op: 'Masturbere is een hoop veranderd sinds ik een knul was, Brian. In mijn tijd masturbeerde we voor de lol. We deden het dag en nacht, alle kids in onze wijk. We masturbeerde op de oude vuilnisbelt, we masturbeerde tege de muur van het huis ... Ik weet nog dat m'n ma schreeuwend naar buiten kwam. "Hou nou eens op met masturbere en kom ete! Er komt nooit iets van je terecht als je alleen maar aan masturbere ken denke!" We ware gek met masturbere. Maar bij die jonge masturbeerders van tegenwoordig draait het alleen maar om geld. Om agenten en sponsorcontracten. Ik ben weleens bang dat het masturbere helemaal uitgeknepe wordt.'

'Hé Skip, hoe was het hotel zaterdag?' vraagt Geoff. 'Had je een minibar?'

'Nee.'

'Was er een bubbelbad?'

Scccrrrrccccchh! Scccrrrrccccchh! Scccrrrrccccchh!

'Jezus, Ruprecht, waar ben jij nou mee bezig?' Skippy draait zich naar hem om.

'Verbrande toast is carcinogeen,' antwoordt Ruprecht kalm, terwijl hij verdergaat met zijn geschraap.

'Is watte?' zegt Geoff.

'Je krijgt er kanker van.'

'Krijg je kanker van toast?' zegt Mario.

'Kanker krijgen zou al een stap vooruit zijn vergeleken met hier zitten,' zegt Dennis, en hij kijkt chagrijnig de kantine rond.

'Car-ci-no-geen,' herhaalt Geoff langzaam.

Scccrrrrcccccccrrrrccccchhh, doet het mes over het brood. Dan pakt Skippy Ruprechts mollige pols vast. Die kijkt verbaasd op.

'Het is irritant,' zegt Skippy gegeneerd.

De bel gaat. Aardappelhoofd Tomms staat op en klapt in zijn handen dat ze allemaal hun dienblad naar de trolleys moeten brengen. 'Ik moet nog even iets uit mijn kluisje halen,' zegt Skippy tegen de rest. Het is 8.42 uur, de gangen stromen vol met jongens in jassen met pafferige ogen, die gauw naar hun lokaal lopen. Het nieuws over de zwemwedstrijd van zaterdag heeft zich snel verspreid: als hij zich tegen de stroom in een weg baant naar de keldertrap, knikken mensen die nog nooit een woord tegen hem hebben gezegd hem goedkeurend toe; anderen geven hem een stomp op zijn arm of blijven staan om hem te feliciteren.

'Hé, goed gedaan van het weekend, Juster.'

‘Ik hoorde het van je race. Goed gedaan, man.’
‘Goed werk, Juster. Wanneer is de halve finale?’
Als je gewend bent dat mensen langs je heen, door je heen of meestal over je hoofd heen kijken, is die plotselinge aandacht behoorlijk raar. Nu maken twee niet zo snuggere gasten, Darren Boyce en iemand anders van wie Skippy niet eens zeker weet hoe hij heet, zich los uit de stroom om hem aan te spreken. Darren glimlacht en strekt zijn armen uit – dan geeft zijn vriend hem op het laatste moment een zet, en hij knalt tegen Skippy op, waardoor die tegen de muur smakt; ze lachen en lopen de andere kant op.
Hij komt overeind. Het toastgeluid echoot weer door zijn hoofd: *scccccrrrccchh, scccrrrrccccchhh, scccrrrrccccchhh.* De pil begint al uitgewerkt te raken! Sst, ik weet het, rustig maar!
De trap af, door de golven van lichamen. Toen hij dit jaar terugkwam van zomervakantie waren de jongens veranderd. Plotseling was iedereen lang en slungelig, en had het over drinken en sperma. Als je tussen hen in liep, was het net alsof je door een bos liep dat naar lichaamsgeur rook.
De kelder staat vol kluisjes met nauwe looppaden ertussen. Ze doen Skippy aan doodskisten denken, goedkope, houten doodskisten met cijfersloten. Aan één kant staat een opgelapte pooltafel, waarop Gary Toolan fris en blond bezig is Edward ‘Hutch’ Hutchinson af te maken, terwijl Noddy de conciërge, die leunt op zijn bezem en goedkeurend kakelt, toekijkt. Een paar deurtjes verderop heeft een groepje zich schichtig om zich heen kijkend verzameld rond het kluisje van Simon Mooney, wat wijst op de aanwezigheid van smokkelwaar.
‘Atomizers, Black Holes, Fifth Dimensions, Sizzlers,’ somt Simon Mooney op, gebogen over een plastic zak. ‘En dan zijn er nog rockets, knallers – dit zijn de hardste knallers die je ooit hebt gehoord.’
‘En wat is dit?’ vraagt Diarmuid Coveney wijzend.
‘Niet aankomen.’ Simon grist het zakje vrolijk weg en maakt het op veilige afstand weer open. ‘Dat, beste vriend, is de beruchte Spider Bomb. Acht verschillende soorten vuurwerk ineen.’
Er klinkt gemompel van bewondering en instemming op. ‘Waar heb je die vandaan?’ vraagt Dewey Fortune.
‘Mijn pa heeft ze in het noorden gekocht. Daar gaat ie heel vaak heen voor zaken.’

'Wauw – denk je dat ie er nog meer kan krijgen?' stelt Vaughan Brady ademloos voor.

Simon denkt daar met samengeknepen mond over na, alsof hij op een zuurtje zuigt. 'Nee,' zegt hij.

'Nou, kun je er dan niet een paar van de jouwe verkopen?'

'Hmm ...' Simon zet zijn zuurtjesgezicht weer op. 'Nee.'

'Waarom niet? Je hebt er hartstikke veel.'

'Kunnen we er tenminste nu een paar afsteken?'

'Kom op. Stel je eens voor wat Connie doet als je een knaller afsteekt onder zijn stoel.'

'Nee.'

'Nou, waarom heb je ze dan meegenomen, als je er geen een gaat afsteken?'

Simon haalt zijn schouders op, en als hij Carl Cullen en Barry Barnes vlakbij rond ziet sluipen, stopt hij ze gauw terug in zijn kluisje en slaat het dicht. De kring gaat met tegenzin uit elkaar en loopt naar de trap terwijl de laatste bel gaat.

Skippy loopt naar het deurtje van zijn kluis en leunt er met zijn rug tegenaan.

SCRRRCCCHHHH, SCRRRCCCHHHH, SCRRRCCCHHHH!

Bubbelbad? Minibar? Het zweet loopt langs zijn rug, alles beweegt schokkerig en jachtig, alsof de dingen met elkaar verbonden zijn door stroomversnellingen en hij elke keer als hij knippert een nieuwe versnelling in wordt geworpen zonder te weten waar hij is ...

Ssst, rustig maar.

... en uit het niets kleine flarden van een herinnering verschijnen en als vuurwerk exploderen aan de binnenkant van zijn ogen, kleine vonkjes beelden die te gauw weg zijn om ze te zien, als dromen die verdwenen zijn zodra je je realiseert dat je droomt – maar dromen van wát?! Herinneringen waarááán?!

Sst. Diep ademhalen.

Hij haalt het amberkleurige buisje tevoorschijn en slikt een pil door met wat Sprite waar de kracht af is. Oké. Hij pakt langzaam en kalm de boeken uit zijn kluisje die hij nodig heeft voor de lessen van die ochtend en stopt ze in zijn tas. Hij is te laat voor natuurkunde, maar haast zich niet. Alles voelt weer normaler, zie je wel? De pillen gaan door je heen als slaap, alsof je ijs eet en je binnenste bevriest. Gek, dat het medicijn zo tegelijk met de ziekte verschijnt ...

'Staan blijven!' roept meneer Farley als Skippy de deur binnenkomt. Hij wendt zich tot de klas. 'Welke van de zeven karakteristieken van het leven vertoont Daniel op dit moment?'

Dertig grinnikende ogen wervelen op hem af. Skippy blijft als een idioot staan met de deurgreep in zijn hand. Er klinkt wat gegniffel, en er komen wat geschreeuwde suggesties van achter uit de klas ('Excretie? Homoheid?') voor meneer Farley weer ingrijpt. 'Ademhalen' is het antwoord. 'O ja, nu weten jullie het allemaal. Ademhalen, of, zoals het in de wetenschap heet, respiratie, is een van de zeven karakteristieken van het leven. Dank u, meneer Juster, voor die elegante demonstratie. Gaat u nu maar zitten.' Skippy haast zich blozend naar zijn bankje naast Ruprecht. 'Elk levend wezen op aarde haalt adem,' gaat meneer Farley verder. 'Maar niet alles ademt hetzelfde in, of op dezelfde manier. Mensen ademen bijvoorbeeld zuurstof ín en koolstofdioxide uit, maar planten doen het tegenovergestelde. Daarom zijn ze ook zo belangrijk om de opwarming van de aarde tegen te gaan. Organismen die in zee leven ademen zuurstof in, net als mensen, maar ze onttrekken die aan het water, via hun kieuwen. Sommige organismen hebben zowel kieuwen als longen – kan iemand me vertellen hoe we die organismen noemen?'

Flubber Cooke steekt zijn hand op. 'Zeemeerminnen?'

'Nee,' zegt meneer Farley. 'Iemand anders? Dank je, Ruprecht, het juiste antwoord is inderdaad amfibieën.' Hij draait zich om, om het met krijt op het bord te schrijven. 'Het woord is afgeleid van het Griekse *amphibios*, dat "dubbel leven" betekent. Amfibieën, zoals kikkers, zijn organismen die zowel op het land als in het water kunnen ademen. Ze zijn in evolutionaire termen belangrijk, omdat het leven op aarde in zee is begonnen, dus de eerste gewervelde dieren die aan land kropen moeten amfibische neigingen hebben gehad. En ieder van jullie heeft een recenter amfibisch verleden, aangezien baby's als ze in de baarmoeder zitten vloeibare zuurstof inademen door kieuwen, net als vissen. De aanwezigheid van kieuwspleten bij de foetus wordt voorts door sommigen gezien als bewijs van onze prehistorie in zee ...'

'Ik vraag me af waarom ze je niet gewoon amfibisch laten blijven,' mijmert Ruprecht als hij zich na de les bij de drommen op de gang voegt. 'Zodat iedereen zelf kan kiezen waar hij wil leven, op het land of in het water.'

'Wat die hele zeemeerminnenkwestie betreft, als je amfibisch was, zou dat het zeker een stuk makkelijker maken om seks met ze te hebben,' zegt Mario.

'Zeemeerminnen hebben geen poes, sukkel. Zelfs al was je amfibisch, dan nog kon je geen seks met ze hebben,' snauwt Dennis.

'Wat heb je nou aan zeemeerminnen als je geen seks met ze kunt hebben?'

'Nou, ik denk dat het sleutelfeit dat je over zeemeerminnen moet onthouden is dat het fantasiefiguren zijn,' merkt Ruprecht op. 'Hoewel sommige marien biologen interessant genoeg vermoeden dat de legende mogelijk zijn oorsprong vindt in de grote zeezoogdieren uit de orde der Sirenia, zoals de doejong, de Indische zeekoe en de manatee, die visachtige lijven hebben, maar mensachtige borsten en die hun jongen op het oppervlak van het water zogen.'

'Von Blowjob, pak eens een woordenboek en zoek "interessant" op.'

'Wat ik niet begrijp,' zegt Geoff, 'is waarom die eerste vis, die vis die met het leven aan land is begonnen, op een dag zomaar besloot de zee uit te gaan. Dat hij alles wat hij kende achter zich liet, om op het land rond te gaan flapperen, waar nog niet eens iets was geëvolueerd waar hij mee kon praten.' Hij schudt zijn hoofd. 'Dat was een dappere vis, absoluut. En wij hebben een hoop aan hem te danken, omdat hij het leven op het land is begonnen en zo. Maar volgens mij moet hij zwaar depressief zijn geweest.'

Skippy levert geen bijdrage aan deze discussie. Die tweede pil begint een heel slecht idee te lijken. Hij krijgt een raar gevoel, een soort slaperigheid, maar geen prettige slaperigheid, zoals eerst – het voelt dit keer prikkeliger, warmer, en hij krijgt er een nare smaak van in zijn mond. Dan herinnert hij zich ineens dat hij hierna godsdienst heeft, en voelt hij zich nog beroerder.

Godsdienstles is op z'n best al chaotisch, maar als broeder Jonas voor de klas staat, is het net een circus waarin de dieren de macht hebben overgenomen. De pater komt uit Afrika, en heeft nooit helemaal in de gaten gekregen hoe de dingen hier werken. Op

Dennis' Zenuwinzinkingsranglijst staat hij meestal bijna bovenaan, samen met Miss Twanky (economie en bedrijfskunde) en pater Laughton, de muziekleraar. Als hij gaat zitten, merkt Skippy op dat Morgan Bellamy, die meestal naast hem zit, er vandaag niet is. Waarom voelt dat als een slecht voorteken?

'Van wie is de wereld?' vraagt broeder Jonas. Hij heeft een stem die zacht en donker is, ruw als de plekken op een hondenpoot, en zijn zinnen gaan tropisch op en neer, als muziek. Moeilijk te verstaan en makkelijk belachelijk te maken. 'Aan wie heeft God de wereld beloofd?'

Geen antwoord. Het gegons van gesprekken gaat gewoon door, maar zodra de broeder zich omdraait om het krijt piepend over het bord te halen, springt iedereen van achter zijn bank vandaan en begint zwaaiend met zijn armen rond te hoppen. Dat is een nieuw ritueel – een soort regendans, in doodse stilte uitgevoerd, waarbij je aan het eind, als broeder Jonas aanstalten maakt zich weer om te draaien, gauw in het bankje van iemand anders springt, zodat hij geconfronteerd wordt met dertig serene en aandachtige gezichten die geduldig afwachten wat hij gaat zeggen, maar die allemaal ergens anders zitten dan eerst. Het krijt schraapt en piept. Om Skippy heen wentelen en schudden de lijven. Maar Skippy blijft zitten waar hij zit. Hij weet zeker dat rondspringen geen goed plan zou zijn. Zijn maag draait zich al om als hij alleen maar naar de anderen kijkt.

Nu is de broeder klaar met schrijven en iedereen haast zich naar zijn plek.

'Juster!' Lionel Bollard, zeventig kilo creatine en bruine skihuid, probeert hem van zijn stoel te duwen. 'Juster! Moven!'

Skippy klampt zich koppig vast. Broeder Jonas staat weer met zijn gezicht naar de klas. Hij begint te praten, zwijgt dan even. Hij is zich ervan bewust dat er iets niet klopt, maar weet niet precies wat. Lionel is in een bankje rechts achter hem gedoken; Skippy voelt zijn ogen over hem heen kruipen.

'De Deemoedigen Zullen de Aarde Erven,' verklaart broeder Jonas, wijzend op de woorden die in een geleidelijk aflopende helling op het bord staan, een karavaan van letters die een heuvel afgaan. 'We denken misschien dat de wereld van de kooplui is, die hem kunnen kopen met hun rijkdom. Of van de politici en rechters, die over het lot van mensen beschikken. Maar Jezus vertelt ons dat de wereld uiteindelijk ...'

'Da-nie-ellll ...' begint Lionel heel zachtjes te zingen. 'Dá-nie-elllll ...'

Skippy negeert hem. Je hoort pestkoppen te negeren, zodat ze verveeld raken en je met rust laten. Maar het probleem op school is dat ze zich niet gaan vervelen, omdat datgene waar ze verder mee bezig zijn altijd nog vervelender is. Het krijt piept weer over het bord, en de jongens springen op en dartelen rond alsof ze bezeten zijn. Skippy's hoofd draait rond als een deksel. Lichten flitsen aan en uit in de hoeken van zijn blikveld. Nu staat Lionel vlak naast hem. '*Daniel*,' fluistert hij zo zachtjes dat hij hem nauwelijks hoort, alsof het evengoed in zijn verbeelding kan gebeuren. '*Daniel* ...'

Zijn oogleden zijn zo zwaar, maar hij weet dat als hij ze sluit, hij van die wervelende afgronden ziet waar je je nog beroerder door gaat voelen.

'Dus moeten we ons afvragen: wat betekent het om deemoedig te zijn? Jezus vertelt ons dat je eenieder die je rechterwang tuchtigt, je andere wang ook moet aanbieden. Een deemoedig man ... Ja, Dennis?'

'Ja, wat ik me afvroeg ... Hoe groot is een ziel nou eigenlijk, ruwweg? Ik zou zelf zeggen: groter dan een contactlens, maar kleiner dan een golfbal. Klopt dat ongeveer?'

'De ziel heeft gewicht noch omvang. Het is een lichaamloze manifestatie van de eeuwige wereld en een kostbaar geschenk van de Almachtige Vader. En sla nu allemaal je boek open op pagina zevenendertig – "Ben ik deemoedig in mijn eigen leven?"'

'Daniel ... Ik heb een cadeautje voor je, Daniel ...' Lionel begint slijm uit de diepten van zijn keel te schrapen en gorgelt ermee in zijn mond.

'Ben ik deemoedig in mijn eigen leven? Luister ik naar mijn leraren, mijn ouders en mijn geestelijk leidsmannen? Ben ik een ... Dennis, gaat je vraag over hoe je deemoediger kunt zijn?'

'Zou het redelijk zijn om te zeggen dat Jezus een zombie was? Ik bedoel, hij stond op uit de dood, toch? Dus zou je strikt genomen dan niet kunnen zeggen dat hij een zombie was? Ik bedoel, zou dat eigenlijk niet de correcte term zijn, strikt genomen?'

Het zweet breekt in golven uit over Skippy's zombievlees. Het lijkt niet uit te maken hoe vaak hij het wegveegt. Elk geluid in het klaslokaal wordt versterkt: de gesyncopeerde potloodtatoeage van Jason Rycroft, de sniffende neus van Neville Nelligan, het steeds hoger wordende, bijachtige gegons dat Martin Anderson, Trevor Hickey en ongeïdentificeerde anderen voortbrengen, en het afgrijselijke gegorgel van Lionel, en daarbovenuit in je hoofd dat vreselijke, kankerverwekkende *SCRRRRCCCHHHH, SCRRRRCCCHHHH, SCRRRRCCCHHHH …*

Het eerste wat een bezoeker aan de lerarenkamer van Seabrook opvalt is het overheersende beige: beige leunstoelen, beige gordijnen, beige muren; en als iets niet beige is, dan is het vaalgeel, licht geelbruin of manillakleurig. Was bruin niet de kleur van de dood bij de Grieken of zoiets? Howard weet het vrij zeker, en als het niet zo is, zou het zo moeten zijn.

Er zijn drie jaar verstreken sinds hij zichzelf voor het laatst met recht kon omschrijven als een bezoeker aan de lerarenkamer, maar het surreële van hier zijn, tussen deze figuren van angst en hilariteit uit zijn jeugd – die types, die karikaturen, die nu om hem heen darren, goedemorgen zeggen, theezetten, doen alsof het normale mensen zijn –, dringt nog steeds af en toe tot hem door. Hij heeft lang verwacht dat ze hem elk moment huiswerk zouden opgeven en was – onaangenaam – verrast als ze hem in plaats daarvan begonnen te vertellen over hun leven.

Voor hij les begon te geven, had hij nooit kunnen raden hoeveel de lerarenkamer leek op de rest van de school. Er zijn hier net zo goed kliekjes als onder de jongens, dezelfde territoriumdrift: dat bankstel is van Miss Davy, mevrouw Ni Riain en de lerares Duits met dat heksengezicht; die tafel is van meneer Ó Dálaigh en zijn Gaelgoir-trawanten; de hoge stoelen bij het raam zijn voorbehouden aan Miss Birchall en Miss McSorley, de oude blauwkousenvrijster die zich op het moment tussen het plebs waagt met een damesblad. God sta je bij als je de mok van iemand anders gebruikt of per ongeluk een bakje yoghurt uit de koelkast pakt dat niet van jou is.

Een flink deel van het personeel bestaat uit oud-leerlingen. Het is beleid om waar maar mogelijk alumni aan te nemen, zelfs ten koste van talentvollere leraren, om 'het ethos van de school' te waarborgen, wat dat ook moge betekenen. Het lijkt Howard oneerlijk tegenover de leerlingen, maar het is de enige reden dat hij deze baan heeft gekregen, dus hem hoor je niet klagen. Voor sommige leraren is Seabrook de enige wereld die ze ooit hebben gekend; de vrouwelijke leden van het korps kunnen de herenclubsfeer of zelfs het regelrecht infantiele dat daar het gevolg van is maar gedeeltelijk opheffen.

Wat dat vrouwelijke deel van het personeel betreft: hier is ook een streng beleid van kracht. De Paracleten bezien vrouwen en de vrouw met een zekere mate van ongemak. Hoewel ze hun grote bijdrage aan de maatschappij en het voortbestaan van de soort in het algemeen erkennen, zou de orde er volkomen tevreden mee zijn als ze die elders bleven leveren; de aanwezigheid van een meisjesschool vlak naast de deur is lang door de orde beweeklaagd als een buitengewoon wrede wending van het lot. Uiteraard is het, gezien het feit dat het vak voornamelijk door vrouwen wordt beoefend, onvermijdelijk dat er enkele vrouwelijke leerkrachten op Seabrook aanwezig zijn; het is louter aan het ijverige filterwerk van pater Furlong, de rector van de school, te danken dat de inherente gevaren van deze neiging zijn afgewend, die een staf heeft samengesteld waar zelfs een veertienjarige jongen moeilijk seksuele wezens in kan ontdekken. De meeste leden zijn ruim in de vijftig, en het valt te betwijfelen of ze in hun hoogtijdagen harten in vuur en vlam hebben gezet, als ze al hoogtijdagen hebben gekend.

De schaarste aan vrouwelijk schoon in de lerarenkamer verbetert de sfeer niet erg, die op een regenachtige ochtend, na een ruzie met je wederhelft, bijzonder lethargisch kan lijken of zelfs – waarom ook niet? – dodelijk. Ambitieuze leraren stromen door naar het decaanschap – elke klas heeft zijn eigen decaan, en iedere decaan heeft zijn eigen kantoor; de bewoners van de lerarenkamers zijn de middelmatigen, die twintig jaar hetzelfde doen en met liefde hun tijd uitzitten. Wat zien ze er ellendig en oud uit, zelfs degenen die niet oud zijn – zo bekrompen, zo afgesneden van de wereld.

'Goedemorgen, Howard,' galmt Farley, als hij door de deur komt denderen.

'Môrge.' Howard kijkt met tegenzin op van zijn werkstukken.

'Goedemorgen, Farley,' tsjilpen Miss Birchall en Miss McSorley vanaf hun stokje bij het raam.

'Goedemorgen, dames,' antwoordt Farley.

'Ach, vraag het hem toch,' moedigt Miss McSorley haar metgezel aan.

'Wat wil je me vragen?' zegt Farley.

'We zijn bezig met een enquête,' laat Miss Birchall hem weten. 'Ben jij een kolwassene?'

'Ben ik een wat?'

Ze houdt haar hoofd schuin en tuurt door haar bril naar het tijdschrift. '"De eenentwintigste eeuw is het tijdperk van de kolwassene – volwassenen die verantwoordelijkheid uit de weg gaan, en in plaats daarvan hun hele leven dure, opwindende dingen najagen."'

'Ik voel me gevleid dat je dat vraagt,' zegt Farley. 'Nee, niet echt.'

'"Vraag één,"' leest Miss Birchall voor. '"Ben je single? En, als je een relatie hebt, heb je dan kinderen?" Jij hebt geen relatie, hè, Farley?'

'Hij heeft nooit een vaste relatie,' draagt Miss McSorley bij. 'Hij houdt alleen van onenightstands.'

'"Vraag twee,"' leest Miss Birchall boven Farleys protesten uit voor. '"Welke van de volgende dingen bezit je: Sony PSP, Nintendo Game Boy, iPod, Vespa of andere klassieke scooter ..."'

'Ik bezit geen van die dingen,' zegt Farley.

'Maar je zou ze wel graag hebben,' suggereert Miss McSorley.

'O, natuurlijk zou ik ze graag willen hebben,' zegt Farley. 'Als ik geld had, dan had ik ze wel.'

'Het probleem is dat we niet genoeg betaald krijgen om kolwassenen te zijn,' zegt Howard.

'We streven ernaar kolwassenen te worden,' zegt Farley. 'Is dat wat?'

Hij excuseert zich voor ze verder kunnen gaan met de enquête met als smoes dat hij dringend een kop koffie nodig heeft na zijn biologieles aan tweedeklassers. Farley doceert nu al sinds september de zeven karakteristieken van het leven, en nu ze de voortplanting naderen, raken de jongens steeds opgewondener. 'Ze concentreren zich zo heftig dat ik het bijna kan horen. Vandaag liet ik per ongeluk het woord "baarmoeder" vallen. Het was net alsof ik een druppel bloed liet vallen in een aquarium vol piranha's.'

'Je zou mijn hele tweede klas aan een aquarium piranha's kunnen voeren zonder dat ze het zouden merken,' zegt Howard somber. 'Ze zouden er zo doorheen slapen.'

'Dat is geschiedenis. Dit gaat om biologie. Die knullen zijn veertien. Biologie giert door hun aderen. Biologie en marketing.' Farley veegt een stapel kranten van de bank en gaat zitten. 'Ik overdrijf niet. Zo zijn ze al sinds de eerste dag van het trimester.'

'Die dingen weten ze toch zeker allemaal al? Ze hebben thuis breedband. Ze weten waarschijnlijk meer van seks dan ik.'

'Ze willen het van een volwassene horen.' Farley pakt het kruiswoordraadsel van die dag op van de tafel en begint met een balpen nauwgezet alle witte vakjes zwart te maken. 'Ze willen officieel bevestigd krijgen dat, wat we ook zeggen, onze volwassen wereld en hun onderaardse, door seks geobsedeerde pornowereld in wezen hetzelfde zijn, en dat, wat we ze verder ook proberen te leren over koningen en moleculen of handelsmodellen of zo, de beschaving uiteindelijk neerkomt op een of andere koortsachtige poging mensen te neuken. Dat de wereld, kortom, puberaal is. Dat is behoorlijk beangstigend om te moeten toegeven. Het voelt eerlijk gezegd als een capitulatie voor anarchie.'

Hij legt het kruiswoordraadsel, dat nu een zwart vierkant is, terug op tafel en leunt byronesk achterover op de bank. 'Dit is niet zoals ik me lesgeven had voorgesteld, Howard. Ik stelde me voor dat ik de planeten zou opsommen voor zestienjarige meisjes met appelwangetjes. Zou toekijken hoe hun harten ontwaakten, hen apart zou nemen en hun voorzichtig hun verliefdheden op mij uit hun hoofd zou praten. "Jongens van mijn leeftijd zijn onzettende sukkels, meneer Farley." "Ik weet dat dat nu zo lijkt, maar je bent nog jong en je ontmoet later vast een geweldig iemand, geweldige mannen." Dat ik elke ochtend gedichten op mijn bureau zou vinden. En ondergoed. Gedichten en ondergoed. Zo dacht ik dat het leven eruit zou zien. Moet je me nu zien. Een mislukte kolwassene.'

Farley steekt graag dergelijke lugubere speeches af, maar in werkelijkheid deelt hij Howards gevoelens over de doodsheid niet; integendeel, hij lijkt echt te genieten van het 'lerarenbestaan' – hij geniet van het luidruchtige egoïsme van de jongens, het steekspel van de les. Howard vindt dat verbijsterend. Als je werkt op een middelbare school, is het net alsof je opgesloten zit met duizend biljartballen die allemaal om aandacht schreeuwen, maar die, als je naar ze kijkt, geen idee hebben wat ze tegen je willen zeggen. Maar ach, het zou erger kunnen zijn. De openbare school nog geen halve kilometer verderop betrekt zijn leerlingenbestand van St. Patrick's Villas, het afgeleefde complex van flats achter het meest oostelijk gelegen winkelcentrum; er duiken regelmatig horrorverhalen op over leraren die met eieren worden bekogeld, bedreigd met afgezaagde jachtgeweren, het lokaal inkomen en zien dat het hele bord bedekt is met spuug, of stront, of sperma. 'We werken in elk geval niet op Anthony's', daar troost het personeel van Seabrook zich op slechte dagen mee. 'Er zijn altijd nog vacatures op St. Anthony's,' zegt de directie grappend-maar-niet-heus tegen leraren die klagen.

De deur gaat open en Jim Slattery, de docent Engels, wordt bij binnenkomst vergast op een salvo van goedemorgens.

'Goedemorgen, Jim,' schallen Miss Birchall en Miss McSorley.

'Goedemorgen, dames.' Slattery schudt de regen van zijn anorak en maakt zijn fietsclips los. 'Goedemorgen, Farley. Goedemorgen, Howard.'

'Goedemorgen, Jim,' antwoordt Farley. Howard gromt werktuiglijk.

'Best een lekker weertje buiten,' merkt Slattery op, zoals hij elke ochtend doet als het niet echt pijpenstelen regent, en hij stevent recht op de theepot af.

'Uiltje' Slattery: betreffende doodsheid Bewijsstuk A. Ook een oud-leerling, hij geeft al decennia les op Seabrook – hij heeft vanochtend zelfs nog hetzelfde regenjack aan dat hij droeg in de schooltijd van Farley en Howard, een oogverschroeiend, hoofdpijnverwekkend pied-de-poulemotief dat Howard aan een schilderij van Bridget Riley doet denken. Het is een aimabele, voortsloffende man met borstelige wenkbrauwen, die op zijn voorhoofd naar voren steken als twee yeti's die op het punt staan zich van een klif te storten, en het heeft hem nooit ontbroken aan enthousiasme voor zijn vak, dat hij uitdraagt in lange, uitwaaierende zinnen waarvoor weinig van zijn leerlingen ooit genoeg vasthoudendheid en wilskracht hebben gehad om ze te ontwarren. In plaats daarvan nemen ze over het algemeen de gelegenheid te baat om een uiltje te knappen – vandaar zijn bijnaam.

'Over koortsachtige pogingen om mensen te neuken gesproken,' helpt Farley hem herinneren, 'heb je al besloten wat je gaat doen met die Aurelie?'

Howard fronst naar hem, kijkt vervolgens schichtig om zich heen of iemand het heeft gehoord. Maar de juffrouwen zijn verdiept in hun horoscoop; Slattery droogt zijn voeten af met keukenpapier, terwijl hij wacht tot zijn thee getrokken is. 'Nou, ik was helemaal niet van plan iets te "doen",' zegt hij op gedempte toon.

'Echt niet? Want gisteren klonk je behoorlijk verhit.'

'Ik vond het gewoon erg onprofessioneel van haar dat ze dat zei, meer niet.' Howard kijkt nors naar zijn schoenen.

'Juist ja.'

'Zo praat je niet tegen een collega. En dat hele gedoe dat ze me niet wilde vertellen hoe ze heette is zo puberaal. En zo sexy is ze helemaal niet. Ze heeft een zwaar overdreven zelfbeeld, als je het mij vraagt.'

'Goedemorgen, Aurelie,' zeggen de juffers in koor; Howards hoofd schiet met een ruk omhoog, en hij ziet haar bij de kapstok staan, waar ze zich ontdoet van een modieuze olijfgroene regenjas.

'We hadden het net over je,' zegt Farley.

'Ik weet het,' zegt ze. Onder haar regenjas zitten een krijtstreeptweedrokje en een teer crèmekleurig truitje dat zicht biedt op sleutelbeenderen die eruitzien als onderdelen van een of ander onmogelijk sierlijk muziekinstrument. Howard kan zich er niet van weerhouden te staren; het is alsof ze zijn geheugen in is gelopen en haar outfit heeft gekozen uit de garderobes van al die studentikoze goudharige prinsessen achter wie hij in zijn jeugd smachtend aan heeft gelopen door winkelcentra en kerken.

'Howard hier vroeg zich af waarom je hem je voornaam niet wilt vertellen,' zegt Farley, terwijl hij intuïtief opzijduikt, zodat Howards scherpe elleboogstoot alleen de rugleuning van de bank raakt.

Miss McIntyre steekt haar pink in een klein potje lippenbalsem en kijkt peinzend op Howard neer. 'Die mag hij gewoon niet weten,' zegt ze, terwijl ze doorzichtige smurrie op haar lippen smeert. Het geneert Howard hoe erotisch hij dat vindt.

'Dat is belachelijk,' antwoordt hij kribbig. 'En trouwens, ik weet al hoe je heet.'

Ze haalt haar schouders op.

'Nou, als ik nou eens besluit dat ik je zo ga noemen, wat wou je daar dan tegen doen?'

'Dan stuur ik je de klas uit,' zegt ze uitdrukkingsloos. 'En dat wil je niet, toch? Net nu het zo goed gaat.'

Howard voelt zich meteen dertien, staat met zijn mond vol tanden. Gelukkig gaat de deur open en wordt haar aandacht afgeleid. Je kunt Tom Roche altijd aan horen komen; sinds zijn ongeluk beweegt zijn rechterbeen nauwelijks, dus gebruikt hij een wandelstok en moet hij bij elke tweede stap zijn volle gewicht naar voren gooien, waardoor het als hij langskomt klinkt alsof er een lichaam over de vloer wordt gesleept. Er wordt beweerd dat hij voortdurend pijn heeft, hoewel hij er zelf nooit iets over zegt.

'Tombo!' Farley heft zijn hand voor een high five, die niet komt.

'Goedemorgen,' antwoordt Tom opzettelijk stijfjes.

Als hij langs de bank loopt, vangt Howard een vaag vleugje alcohol op. 'Hé, eh ... gefeliciteerd met de zwemwedstrijd laatst,' roept hij hem na. Hij hoort zijn eigen meisjesachtige, slijmerige stem. 'Ik hoorde dat jullie behoorlijk hebben huisgehouden.'

'Het was een goede teamprestatie,' luidt het zwijgzame antwoord.

'Tom is sinds kort coach van de zwemploeg,' legt Howard harkerig uit aan Miss McIntyre. 'Er was van het weekend een belangrijke wedstrijd en ze werden eerste op alle afstanden. Voor het eerst dat een ploeg alles heeft gewonnen.'

'Tombo inspireert ze,' voegt Farley eraan toe. 'Die kids zouden hem naar het eind van de wereld volgen. Net Moonies.'

'Het maakt een heel verschil als je iemand hebt die je inspireert,' zegt Miss McIntyre. 'Echte leiders, die zijn tegenwoordig zeldzaam.'

'Tenzij hij de avond ervoor stiekem iets in hun eten heeft gedaan,' zegt Farley. 'Misschien is dat zijn geheim wel.'

'We hebben verdomd hard gewerkt voor die wedstrijd,' mengt Tom zich vanaf zijn kluisje weer in het gesprek. 'Die jongens nemen het serieus, en we werken verdomd hard.'

'Dat weet ik, Tom. Het was maar een grapje.'

'Nou, ik vind het niet van een erg verantwoordelijke houding getuigen als een leerkracht zo luchthartig over drugsmisbruik praat.'

'Man, relax. Het was een grapje.'

'Sommige mensen hier maken veel te veel grapjes. Excuseer, maar ik heb werk te doen.' Tandenknarsend werpt Tom zich naar voren en strompelt de deur uit.

Na een korte stilte merkt Miss McIntyre op: 'Wat een interessante man.'

'Fascinerend,' beaamt Farley.

'Hij lijkt niet zo dol op jullie twee.'

'Dat is historisch gegroeid,' zegt Howard.

'Howard, Tom en ik hebben samen op school gezeten,' zegt Farley, 'en we waren er toevallig bij op de avond van zijn ongeluk – het afgrijselijke ongeluk dat hij heeft gehad. Daar heb je vast al over gehoord?'

Ze knikt langzaam. 'Had hij niet een soort val gemaakt?'

'Het gebeurde met bungeejumpen. In Dalkey Quarry, op een zaterdagavond in november – precies in deze tijd van het jaar, eigenlijk. Wij zaten in ons laatste jaar. Tom was de grote sportster. Er werd hem een grootse toekomst voorspeld; hij hoefde alleen maar te wachten op het telefoontje van het nationale team, het rugbyteam, hoewel hij in tennis en atletiek ook geen kruk was. Die sprong maakte aan alles een eind. Het heeft een jaar geduurd voor hij überhaupt weer kon lopen.'

'Goh,' zegt Miss McIntyre zachtjes, terwijl haar hoofd terugzwaait naar de deur waar hij net doorheen is gelopen. 'Wat treurig. En heeft hij ... iemand? Om voor hem te zorgen? Is hij getrouwd?'

'Nee,' zegt Howard aarzelend.

'Hij is min of meer getrouwd met de school,' zegt Farley. 'Hij is hier sindsdien niet meer weg geweest. Hij geeft maatschappijleer, springt bij bij de tennis- en atletiekploeg. En nu is hij dus zwemcoach.'

'Aha,' zegt Miss McIntyre cryptisch, nog steeds starend naar de deur. Dan komt ze in beweging, en schenkt hun allebei een kort, summier glimlachje. 'Nou, ik moest maar eens aan het werk. Ik zie jullie later, jongens.'

Ze zwiert weg, een tantaliserende vleug parfum achterlatend, die blijft hangen om Howard te kwellen als de lethargische sfeer terugkeert.

'Het was gisteren vijfentwintig graden onder nul in Minsk,' leest Farley voor uit de krant. 'Nul graden in Londen ... Wauw, negentienenhalf op Corsica – wat zeg je ervan, Howard?'

'Ze zal toch niet op Tom vallen?' zegt Howard.

'Wie, Aurelie? Ze heeft hem net ontmoet.'

'Ze leek geïnteresseerd in hem.'

'Ik dacht dat jij had besloten dat ze een zwaar overdreven zelfbeeld heeft? Wat kan jou het schelen in wie ze geïnteresseerd is?'

'Het interesseert me ook niet,' herinnert Howard zich haastig.

'Maak je je zorgen dat ze tegen hem ook gaat zeggen dat ze niet met hem naar bed gaat?' zegt Farley pesterig.

'Nee, alleen ...'

'Misschien is ze wel van plan met het hele lerarenkorps niet naar bed te gaan!'

'Hou er nou maar over op, ja?' snauwt Howard.

'De onbereikbare Aurelie,' grinnikt Farley, terwijl hij zich weer over het weerbericht buigt.

'Hé, Von Blowjob, laat je huiswerk eens zien.'

'Vergeet het maar. Daar hebben we geen tijd meer voor.'

'Ik wil het alleen maar zien, meer niet. Kom op, Cujo komt pas … hé, Skippy, laat je huiswerk eens zien … hé! Skippy?'

'Aarde aan Skippy!'

'Hmm? Wat nou?!'

'Oef, gaat het wel? Je ziet nogal groen.'

'Het gaat prima.'

'Je bent echt groen, weet je wel, kikkerkleurig?'

'Ik voel me alleen een beetje …'

'Hé, jongens, moet je Skippy zien!'

'Hou je kop, Geoff.'

'Hij is amfibisch aan het worden!'

'Hé, als je in een kikker verandert, kun je straks misschien beter Frans praten. Hé, jongens, Skippy denkt dat als ie in een … au!'

Max Brady, die staat te wachten tot hij zijn huiswerk terugkrijgt van Dennis, kijkt naar de deuropening. 'Waar blijft die ouwe klootzak?'

'Misschien is ie zijn slangen aan het voeren.'

'Misschien had hij een vergadering met Satan.'

'Of hij is reuzel aan het bezorgen bij de armen.'

'"Wat is dit, reuzel?" "Je eet het op, en je gaat het nog lekker vinden ook!"'

Vincent Bailey draait zich om in zijn bankje en zegt sotto voce dat hij gehoord heeft dat Cujo vandaag weer een slechte bui heeft. Ja, zegt Mitchell Gogan, hij hoorde dat Cujo toen hij vanmorgen lesgaf aan de vijfde klas iemand betrapte die onder zijn bank een spelletje speelde op zijn telefoon en dat de pater het hoofd van die jongen in zijn bankje duwde en de klep er zo hard op dichtsloeg dat het gehecht moest worden.

'Dat is gelul, Gogan.'

'Ja. De bankjes in de vijfde klas hebben niet eens een klep.'
'Ik vertel alleen maar wat ik heb gehoord.'
'Ik heb gehoord dat hij een gozer ooit zo hard heeft geslagen dat hij bijna doodging.'
'Nou, hij mag geen mensen meer slaan,' werpt Simon Mooney op. 'Mijn vader is advocaat, en hij zegt dat leren volgens de wet geen ...'
'Sst! Koppen dicht! Daar komt ie!'
Alle gesprekken vallen meteen stil en de klas gaat plichtsgetrouw staan. De pater komt binnen en loopt naar zijn lessenaar. In de stilte die is neergedaald doorkruisen zijn zwarte ogen het lokaal, en hoewel de jongens zich niet verroeren, kruipen ze inwendig bij elkaar, alsof ze midden in een ijzige windvlaag staan.
'*Asseyez-vous.*'
Pater Green: vorige generaties putten enige heimelijke troost uit het feit dat zich dat netjes laat vertalen als *Père Vert*. Als je zijn naam bij je vader laat vallen, zal die zich hem zeker herinneren, en waarschijnlijk grinniken om de doodsangst die hij veroorzaakte – zo lijken de herinneringen van vaders te werken: alsof niets wat ze op die leeftijd voelden echt was! Tegenwoordig, of dat nu het zoveelste voorbeeld is van het dommer worden van de jeugd of komt doordat de stemmingswisselingen van de pater met de jaren nog extremer zijn geworden, is die linguïstische esprit overboord gezet ten faveure van het directere Cujo, want zo voelt deze Franse les: alsof je in een kleine ruimte opgesloten zit met een hondsdol beest. Graatmager, een kop groter dan de langste jongens, ziet de pater er op zijn beste dagen uit als het einde van de wereld; zijn aanwezigheid zelf is als smeulend aanmaakhout, of knokkels die eindeloos knakken.

Maar op papier is pater Green praktisch een heilige. Naast zijn verscheidene acties voor Afrika – de Seabrook Spinners-sponsorfietstocht, de Seabrook-inzamelingsactie met winnares van de tweede plaats in de Miss Ierland-verkiezing Sophie Bienvenue, en de Geluksklavertjevierspelden die de jongens op St. Patrick's Day verkopen – gaat hij regelmatig naar de achtergebleven delen van Dublin, waar hij kleding en voedsel brengt. Vroeg of laat zullen de meeste jongens als 'vrijwilliger' meegaan op die uitstapjes – ze reizen dan in de voortsukkelende stationwagen van de pater naar die woestenijen vol glas en hondenstront, dragen zwarte tassen en dozen piepkleine huizen met dichtgespijkerde ramen in, terwijl jongens van hun eigen leeftijd zich in schurfterige groepjes verzamelen om hen telkens als ze uit de auto komen uit te jouwen, en de pater leerling en schorem even angstaanjagend dreigend aankijkt en er in zijn zwarte gewaad uitziet als een enkele neerwaartse pennenstreek, een besliste, meedogenloze streep door het van fouten wemelende oefeningenboek dat 'de wereld' heet. Je kunt je afvragen hoe blij de armen zijn om hem te zien komen. Als hij aan hun deur komt met zijn valse glimlachje en zijn troep trillende hulpjes. Ze zouden hun zegeningen moeten tellen dat ze niet vier dagen per week met hem opgesloten zitten in het lokaal voor Frans, wachtend tot hij ontploft.

Het is geen geheim dat pater Green een bloedhekel heeft aan lesgeven. Lessen worden regelmatig onderbroken voor zijn tirades – die meestal gericht zijn tegen Gaspard Delacroix, de ongelukkige uitwisselingsstudent – over de decadentie van de Fransen. Hij lijkt te geloven dat de taal zelf de moraal aantast, en het grootste deel van de les wordt aan grammatica besteed, waarmee de walgelijkheid ervan nog deels kan worden ingedamd; hoewel die zwoele weglatingen, die troebele glottissen hem dan nóg woedend maken. Maar waar wordt hij niet woedend van? Stofdeeltjes in de lucht maken hem woedend. En de jongens, met hun dure kapsels en fraaie toekomst, maken hem nog woester. Ze kunnen zich maar het best stilhouden en proberen hem geen aanleiding te geven uit te barsten.

Maar vandaag – *pace* de verhalen van V. Bailey en M. Gogan – lijkt de pater in een onkarakteristiek joviale bui, opgewekt en speels. Hij haalt de oefeningenboekjes op en neemt vrolijk het huiswerk van de vorige dag door, waarover hij terecht opmerkt hoe saai het is, terwijl hij zich ervoor verontschuldigt dat hij zulke slimme jongens zulk weinig inspirerend werk heeft laten doen, waar ze, hoewel hij het waarschijnlijk sarcastisch bedoelt, gehoorzaam om giechelen; hij maakt Sylvain, de antiheld van het Franse lesboek, een beetje belachelijk als hij in de les van vandaag met zijn sukkelige Franse vriendjes alle stomme plekken bespreekt waar ze geweest zijn, waarbij hij de verleden tijd van het werkwoord *aller* gebruikt, waarna hij hen laat beginnen aan een eerste brief aan een denkbeeldige correspondentievriend terwijl hij hun oefeningenboekjes nakijkt.

Geleidelijk aan verdwijnt de bedrukte stemming in het lokaal. In de verte klinkt vogelgezang, een aflopende toonladder uit de muziekles van pater Laughton. Achter Skippy begint Mario heel zachtjes aan Kevin 'What's' Wong te vertellen dat hij afgelopen vakantie naar bed is geweest met het geile zusje van zijn Franse correspondentievriend. Terwijl hij daarover uitweidt, begint hij onbewust tegen de rug van Skippy's stoel te schoppen. Dunne blaadjes fladderen door de pezige handen van de pater. Skippy, die nog steeds bepaald groen om zijn neus ziet, draait zich om en staart Mario veelzeggend aan, maar dat merkt Mario niet, aangezien hij bezig is aan een indrukwekkend gedetailleerd verslag van de seksuele voorkeuren van de zus van zijn Franse correspondentievriend, van wie hij nu beweert dat ze een beroemd actrice is.

Schop, schop, schop, doet zijn voet tegen de stoel. Skippy trekt, steeds roder wordend, aan zijn haar.

'Waar heeft ze in gespeeld dan?' vraagt Kevin 'What's' Wong.

'Franse dingen,' zegt Mario. 'Ze is heel beroemd, in Frankrijk.'

'Schop niet steeds tegen mijn stoel!' sist Skippy.

Met zijn hoofd vlak boven het oefeningenboekje gebogen dat hij aan het nakijken is, zingzegt pater Green in zichzelf: '*I'm so piiimmmp it's ri-dick-i-less.*'

Iedereen houdt meteen op met waar hij mee bezig is. Zei hij nou net wat ze denken dat hij zei? Alsof hij merkt dat de aandacht zich verlegt, kijkt pater Green op.

'Opstaan, alstublieft, meneer Juster,' zegt hij vriendelijk.

Skippy komt onzeker overeind.

'Waar hadden jullie het over, meneer Juster?'

'Ik was niet aan het praten,' stamelt Skippy.

'Ik hoorde duidelijk gepraat. Wie was er dan aan het praten?'

'Eh ...'

'Ah, ik begrijp het al. Er was dus niemand aan het praten?'

Skippy geeft geen antwoord.

'Liegen,' telt pater Green af op zijn vingers. 'Praten tijdens de les. Obsceniteiten – weet u wat dat betekent, meneer Juster: obsceniteiten?'

Skippy – die in hoog tempo bleek wordt, een spookkikker – haalt vagelijk zijn schouders op.

'We leven in een tijdperk van obsceniteiten,' verkondigt pater Green, terwijl hij van zijn lessenaar wegloopt en de klas toespreekt alsof het om een nieuw gebied van de Franse grammatica gaat. 'Profaan taalgebruik. Ontheiliging van de goddelijke tempel die het lichaam is. Wellustige beelden. We worden erin ondergedompeld, we leren ervan te houden, als varkens in uitwerpselen, nietwaar, meneer Juster?'

Skippy kijkt hem misselijk aan. Een hand grijpt naar zijn bankje, alsof dat het enige is wat hem overeind houdt.

'*I'm so piiiimmmmp it's ri-dick-i-less*,' herhaalt de pater, wat luider nu, met een afgrijselijke Amerikaanse knauwstem. Niemand lacht. 'Toen ik vandaag in mijn auto reed,' legt hij op zogenaamd ontspannen babbeltoon uit, 'zette ik toevallig de radio aan, en dat hoorde ik.' Hij zwijgt even, trekt een vies gezicht en vervolgt: '*Oh baby, I like to play rough, and when I'm pumpin' my stuff you just can't get enough ...*'

Hoofden vallen zwaar in armen; ze beginnen te begrijpen wat er gaat komen.

'Ik moet bekennen dat ik een beetje in verwarring raakte ...' Pater Green krabt in karikaturale verbijstering op zijn hoofd. 'Wat kon die kerel daarmee bedoelen? Ik nam me voor het aan een van jullie te vragen. Wat voor spul pompt hij precies, meneer Juster?'

Skippy slikt alleen maar.

'*Puuuuummmmmpin' it*,' neuriet de pater in zichzelf. '*Pummmpin' it real good* ... Zou het benzine kunnen zijn? Is hij misschien een pompbediende? Of verwijst hij misschien naar zijn fiets? Gaat het liedje daar volgens u over, meneer Juster? Verwijst hij naar zijn fiets?'

Skippy schrikt terug, zijn neusgaten sperren zich open, gaan weer dicht, diep ademhalen ...

'HEEFT HIJ HET OVER ZIJN FIETS?'

Skippy schraapt zijn keel en antwoordt met een zacht, hoog stemmetje: 'Misschien wel?'

De hand van de pater slaat als een donderslag neer op het bankje van 'Jeekers' Prendergast; iedereen veert op in zijn stoel. 'Leugenaar!' tiert hij. Het laatste restje van zijn eerdere vrolijkheid en goede humeur is inmiddels verdwenen, en ze realiseren zich nu dat dat de hele tijd al nep was, of liever een duisterder manifestatie van zijn gebruikelijke woede, wachtend op het onvermijdelijke moment waarop die toe kon slaan.

'Weet u wat er met wellustige jongens gebeurt, meneer Juster?' Pater Green laat zijn ziedende ogen door het lokaal dwalen. 'Jullie allemaal: zijn jullie je ervan bewust welk lot onzuivere harten treft? Van de hel, de eindeloze kwellingen van de hel die de wellustigen wacht?'

Ogen bestuderen gevouwen handen, ontwijken zijn gloedvolle blik. Pater Green laat een stilte vallen, en verandert vervolgens van tactiek. 'Geniet u ervan als u uw spul pompt, meneer Juster? Pompt u graag ruig?'

Een paar mensen grinniken onwillekeurig. De jongen geeft geen antwoord; hij staart de pater met open mond aan alsof hij niet kan geloven dat dit echt gebeurt. Geoff Sproke slaat zijn handen voor zijn ogen. De pater, die het naar zijn zin heeft, ijsbeert over de planken voor het schoolbord als een strafpleiter en zegt: 'Bent u maagd, meneer Juster?'

Dit, beste leerlingen, noemen ze nou een dubbele binding. Let erop hoe prachtig ze is geconstrueerd, het werk van een ware expert. Natuurlijk is Skippy maagd – Skippy is zo maagdelijk als maar kan, en dat zal hij waarschijnlijk minstens tot zijn vijfendertigste blijven. Maar dat kan hij niet toegeven, niet in een lokaal vol jongens die naar hem kijken, zelfs al is vijfennegentig procent van hen zelf ook nog maagd. Maar omdat degene die de vraag stelt een pater is en van alle goede katholieken verwacht dat ze maagd blijven tot ze getrouwd zijn, of voor het spelletje dat hij hier speelt in elk geval verwacht dat ze doen alsof, kan hij het evenmin ontkennen. Dus staat Skippy daar alleen maar te wiebelen en te trillen, luidruchtig te ademen, terwijl zijn ondervrager een stap of twee naar voren komt door het gangpad.

'Nou?' De ogen van pater Green glinsteren hem vrolijk tegemoet.

Met op elkaar geklemde kaken zegt Skippy: 'Ik weet het niet.'

'Weet u dat niet?' herhaalt pater Green, die nu in de optreedstand staat, ongelovig, met een komische knipoog naar zijn publiek. 'Hoe bedoelt u, dat weet u niet?'

'Ik weet het niet.' Skippy beantwoordt zijn blik. Zijn kaak gaat heen en weer terwijl hij probeert niet te gaan huilen.

'Weet u niet wat u bedoelt als u zegt dat u het niet weet?'

'Ik weet het niet.'

'Meneer Juster, God haat leugenaars, en ik ook. U bent hier onder vrienden. Waarom zou u de waarheid niet vertellen? Bent u maagd?'

Skippy's gezicht schudt inmiddels en kijkt bedroefd. Nog vijf minuten op de klok. Geoff werpt Ruprecht een wanhopige blik toe, alsof hij weet wat hij moet doen, maar het licht valt zo dat zijn brillenglazen donkere lege plekken zijn geworden.

'Ik weet het niet.'

De toegeeflijke glimlach vervaagt van de lippen van de pater, en de donderwolken pakken zich weer samen in het lokaal. 'Spreek de waarheid!'

Er rollen nu daadwerkelijk tranen over Skippy's wangen. Er grinnikt niemand meer. Waarom zegt hij niet gewoon wat pater Green wil? Maar Skippy blijft maar als een achterlijke 'Ik weet het niet' zeggen, terwijl hij steeds groener wordt en de pater steeds kwader, tot hij zegt: 'Meneer Juster, ik geef u nog een laatste kans.' En ze zien zijn knokige hand zich op Jeekers tafeltje samenballen tot een vuist, en denken aan die jongen uit de vijfde klas met die hechtingen en aan alle andere duistere legendes die als slingers om de pater heen dwarrelen, en in hun hoofd schreeuwen ze tegen hem: 'SKIPPY, IN GODSNAAM! ZEG GEWOON WAT HIJ WIL HOREN!' Maar Skippy is klam en suffig stil, en de lucht om hem heen is vervuld van vonken; de ogen van de pater glinsteren hem toe als de ogen van een hongerige wolf; en dan doet de pater een stap naar voren, en Skippy, die zachtjes wankelt op zijn plek, gaat abrupt rechtop staan, schiet overeind, doet zijn mond open en braakt zo over Kevin 'What's' Wong heen.

Halley zag Howard voor het eerst tijdens een voorstelling van *The Towering Inferno*. Toen ze over hem hoorde, had haar zus zich hardop afgevraagd wat voor toekomst je kon hebben met iemand die je had ontmoet bij een rampenfilm. Maar op dat moment was Halley niet kieskeurig. Ze was net iets meer dan drie weken in Dublin – niet zo lang dat ze niet de hele tijd verdwaalde in die woest makende straten die steeds van naam veranderden, maar lang genoeg om haar te ontdoen van het grootste deel van haar illusies over de stad; en ook lang genoeg om haar, met de borg en de eerste maand huur van haar nieuwe appartement, te ontdoen van het grootste deel van het geld dat ze had meegenomen, en de tijd die ze tot haar beschikking had voor zelfonderzoek en het zoeken naar zichzelf drastisch terug te brengen. Die middag had ze in een internetcafé doorgebracht, waar ze met tegenzin haar cv bijwerkte; ze had sinds de vorige avond geen gesprek meer gevoerd, toen ze een stijf praatje had gemaakt met de Chinese pizzabezorger over de provincie Yunan, waar hij geboren was. Toen ze de poster van *The Towering Inferno* zag, die Zephyr en zij zeker twintig keer samen hadden gezien, was het alsof ze plotseling een oude vriend in het oog kreeg. Ze liep naar binnen en verwarmde zich drie uur lang aan de vertrouwde gloed van instortende gebouwen en stikkende hotelgasten; ze bleef in haar stoel zitten tot de plaatsaanwijzers om haar voeten heen begonnen te vegen.

Op de stoep voor de bioscoop had ze haar stadskaart uitgevouwen, en ze speurde net naar een willekeurige plek waar ze de komende paar uur door kon brengen, toen er een taxi voorbijraasde en de kaart uit haar handen rukte. Hij fladderde als een bezetene de lucht in en zeilde vervolgens weer naar beneden, om zich uit te spreiden over de borst van een man die zojuist de bioscoop uit was gekomen. Halley werd scharlakenrood van schaamte, en zag toen dat de man – die zichzelf verwilderd ontwarde uit het tweedimensionale beeld van de stad, zodat het bijna leek alsof hij zelf uit de kaart was gesprongen – best leuk was.

('Hoezo leuk?' vroeg Zephyr haar. 'Hij zag er Iers uit,' zei Halley, waarmee ze een verzameling non-descripte uiterlijke kenmerken bedoelde: bleke huid, muizig haar, een algemene uitstraling van slechte gezondheid – die bij elkaar op de een of andere mysterieuze manier een krachtig romantisch effect hebben.)

De man keek naar links en naar rechts, en zag haar toen van schaamte ineenkrimpen aan de andere kant van de met kinderkopjes geplaveide straat. 'Volgens mij is deze van jou,' zei hij, en hij gaf haar de verkeerd opgevouwen kaart aan.

'Dank je,' zei ze. 'Sorry.'

'Zag ik jou net niet bij de film?'

Ze knikte vaagjes, plukte aan haar haar.

'Je viel me op omdat je helemaal tot het eind bleef. De meeste mensen springen uit hun stoel zodra ze de aftiteling zien verschijnen. Ik vraag me altijd af waar ze zo gauw weer heen moeten.'

'Het is moeilijk te begrijpen,' beaamde ze.

'Ja,' zei de man, terwijl hij peinzend zijn lippen tuitte. Het gesprek had zijn natuurlijke einde bereikt en ze wist dat hij probeerde te bedenken of hij het daarbij moest laten, bij die korte, formele perfectie, of dat hij het risico moest nemen die perfectie te bederven door te proberen een stapje verder te gaan; ze merkte dat ze hoopte dat hij een risico nam. 'Je komt niet uit Dublin, hè?' zei hij.

'Vandaar die kaart,' zei ze, en vervolgens, toen ze zich realiseerde dat ze zuur klonk: 'Ik kom uit de VS, uit Californië, oorspronkelijk. Maar ik kom nu uit New York. En jij?'

'Hiervandaan,' zei hij, gebarend naar de omringende straten. 'En ... waar zocht je precies naar?'

'O,' zei ze. Ze wilde de ellendige waarheid niet opbiechten dat ze gewoon een bestemming had gezocht, welke bestemming dan ook – dus kneep ze haar ogen stevig samen en probeerde zich een van de kleine driehoekjes op de toeristenkaart te binnen te brengen. 'Eh, het museum?' Er moest toch een museum zijn.

'Ah, juist,' zei hij. 'Weet je, daar ben ik niet meer geweest sinds ik hierheen ben verhuisd. Maar ik kan het je wel wijzen. Het is hier niet ver vandaan.' Met een gebaar van 'Zullen we?' draaide hij zich om, en ze liep achter hem aan de heuvel af naar de kades – een wirwar van vrachtwagens, bushaltes en zeemeeuwen. Hij wees langs de rivier, stroomopwaarts, naar de verre oever. 'Het is ongeveer een halfuur lopen,' zei hij, 'al vermoed ik dat het eigenlijk zo dichtgaat.'

'O.' Ze overdacht haar mogelijkheden. Hij was ongeveer van haar leeftijd en leek geen psychopaat; het zou fijn zijn een gesprek te voeren dat niet afhing van de bezorging van een pizza. 'Nou, kan ik hier ergens in de buurt dan wat drinken?'

'Dat is nooit een probleem in deze stad,' zei hij.

Halley had New York, haar baan en haar vrienden achtergelaten om zonder een vastomlijnd plan naar Ierland te komen, afgezien van het feit dat ze ergens anders wilde zijn en vage ideeën had over het peilen van haar eigen diepten, plus het voornemen een of ander meesterwerk te schrijven dat nog vorm moest krijgen in haar hoofd. Nu ze ging zitten in het warme, schemerige, naar hop geurende kroegje, vroeg ze zich al af of het ware doel niet was geweest verliefd te worden. Ze was het leven dat ze leidde zo zat geweest; wat was nu een betere manier om dat allemaal te vergeten dan je verliezen in iemand die je niet kende? Letterlijk tegen iemand op te botsen, een vreemdeling tussen miljoenen andere vreemdelingen, en jezelf toe te staan hem te ontdekken; dat hij een naam heeft (Howard) en een leeftijd (vijfentwintig), een beroep (geschiedenisleraar) en een verleden (iets in de financiële wereld, schimmig) – elk uur wordt er meer van hem onthuld, als een magische zakkaart die, als je hem eenmaal hebt geopend, zich steeds maar verder blijft uitvouwen, tot hij de hele vloer van je woonkamer heeft bedekt met plekken waar je nog nooit bent geweest?

('Als je maar voorzichtig bent,' zei Zephyr. 'Je bent zo slecht in die dingen.' 'Ach, het hoeft toch niet serieus te worden?' zei ze, en ze vermeldde niet dat ze hem al had gekust, op een brug over een of ander water waarvan ze niet wist hoe het heette, voor ze telefoonnummers uitwisselden en afscheid namen voor de nacht, om rond te lopen in de doolhof van heteronieme straten, tot ze een politieagent tegenkwam die haar kon vertellen waar ze was; want Halley geloofde dat een kus het begin van een verhaal was – het verhaal, goed of slecht, kort of lang, over ons – en als je eenmaal aan dat verhaal was begonnen, moest je het tot het eind uitlezen.)

In de weken daarna gingen ze terug naar het bioscoopje in Temple Bar en zagen ze nog een heleboel rampenfilms samen – *The Poseidon Adventure, Airport, The Swarm.* Ze bleven altijd helemaal tot het eind; na afloop leidde hij haar door de zuiperige stad, met zijn roestige, stoffige charmes, zijn regen. Met haar reisgids in de hand gingen ze kijken naar de kogelgaten in de muren van het GPO, de verlaten, kinderlijke skeletten in de catacomben van St. Michan's, de relieken van St. Valentine. Onderweg stelde ze zich voor hoe haar overgrootvader door dezelfde straten had gelopen, vergeleek ze de toeristische trekpleisters met de beschonken verhalen die haar vader altijd vertelde aan het kerstdiner, terwijl ze ondertussen gegeneerd lachte om de obese gestalten van haar landgenoten bij de genealogiestand in Trinity College, waar familiestambomen werden verkocht op rijkelijk versierd perkament die eruitzagen als universiteitsdiploma's, alsof ze de kopers ervan een officiële plaats in de geschiedenis boden.

Later, toen ze in de pub zaten, vertelde Howard haar verhalen over thuis. Hij leek zijn hele jeugd lang naar slechte Amerikaanse tv-series te hebben gekeken, en toen ze de buitenwijk beschreef waar ze was opgegroeid, of de middelbare school waar ze op had gezeten, iriseerden zijn ogen, terwijl hij die details inpaste in het mythische land dat de cd's, boeken en films die in stapels rond zijn bed lagen had gevoed. Hoezeer ze de mystiek ook waardeerde die haar buitenlands-zijn haar in zijn ogen verleende, ze probeerde wel de banale waarheid over te brengen. 'Het is er eigenlijk helemaal niet zo anders dan hier,' zei ze tegen hem.

'Wel waar,' hield hij ernstig vol. Hij vertelde haar dat hij er ooit over had gedacht een verblijfsvergunning aan te vragen en erheen te verhuizen. 'Je weet wel, iets doen ...'

'En toen?'

'Wat er met iedereen gebeurt. Ik kreeg een baan.' Hij rolde in een baan op een prestigieus effectenkantoor in Londen – 'rolde' was zijn woord, en toen Halley dat in twijfel trok, zei hij dat de meeste mensen uit zijn klas op Seabrook in de City gingen werken, of vergelijkbare hoge posities in de financiële wereld kregen in Dublin of New York. 'Er bestaat een soort netwerk,' zei hij. De salarissen waren gigantisch, en hij had er waarschijnlijk nog steeds gezeten, zonder het fantastisch te vinden, maar ook niet afschuwelijk, als hij dat cataclysme niet over zichzelf had afgeroepen. 'Cataclysme' was ook zijn woord; hij noemde het ook wel een explosie en een wegvaging.

Na dat cataclysme, wat dat ook wezen mocht, ging hij terug naar Dublin, en de afgelopen paar maanden had hij geschiedenis gegeven op zijn oude school. Toen ze hen ontmoette, was het duidelijk dat Howards ouders – hoewel ze de jongere versie van hem naar zijn zeggen op Seabrook lieten inschrijven in een bewuste poging de familie een paar treetjes op te stoten op de maatschappelijke ladder – daar les gaan geven als een ondubbelzinnige stap naar beneden beschouwden. Een dinertje *chez* Fallon was een kakofonie van bestek op het beste servies te midden van grote meren van stilzwijgen, als een of andere niet aan te horen symfonie van een moderne componist; onder het vernislaagje van beschaafdheid ziedde een kolkende heksenketel van teleurstelling en verwijten. Het was alsof je in de eerste de beste *waspy* clan in New Hampshire at; Halley verbaasde zich erover hoe on-Iers ze leken, maar aan de andere kant: ze vond de meeste dingen in Dublin on-Iers.

Ze had altijd vermoed dat zijn relatie met Seabrook gecompliceerder was dan hij voor deed komen; pas toen ze bijna een jaar bij elkaar waren, vertelde hij haar over het incident bij Dalkey Quarry. Het klonk haar in de oren als het soort dronken ramp dat zo typerend was voor de levens van puberjongens, maar voor Howard, zo werd duidelijk, wierp het zijn schaduw over alles wat ervoor en erna was gebeurd. Ze begon zich af te vragen waarom hij terug was gegaan naar de school – deed hij dat om zichzelf te straffen? Een soort boetedoening? Het was, vond ze, alsof hij het verleden probeerde te ontkennen en zichzelf er tegelijkertijd in probeerde te nestelen – of het te ontkennen dóór zich erin te nestelen. Ze wist niet of het wel zo'n gezonde situatie was, maar elke keer als ze erover probeerde te praten, raakte hij geïrriteerd en begon over iets anders.

Dat maakte niet uit; er waren genoeg andere dingen om over te praten. Rond die tijd was Halley erachter gekomen hoe de ontslagregeling van het effectenkantoor eruitzag. De uitkering was drie keer zo hoog als Howards salaris als leraar; hij had het bedrag op de bank laten staan.

Ze zette hem niet onder druk om een huis te kopen. Ze zei alleen maar dat het dom was om zoveel geld onaangeroerd te laten. 'Dat is gewoon een kwestie van economie,' zei ze. Howard was de enige in Ierland die niet geobsedeerd was door bezit. De rest van het land had het nergens anders over – huizenprijzen, zegelrecht, het bijhouden van hypotheken; ze gooiden met jargon als makelaars op een beurs –, maar het hele idee daadwerkelijk een huis te bezitten was kennelijk nooit in hem opgekomen. Hij had iemand nodig die hem dwong op zijn eigen leven te letten, zei ze tegen hem. 'Anders zweef je van de rand van de aarde af.'

En dus hadden ze een paar maanden later hun intrek genomen in een huis aan de rand van de buitenwijken, met uitzicht op een ondiepe vallei en koppig kronkelende struikjes. Hoewel de buurt niet deftig was – ze betwijfelde of ook maar iemand hier zijn kinderen naar Seabrook stuurde – was het huis ver boven hun stand. Maar de pure roekeloosheid daarvan werd voor haar een deel van waar het om draaide, het Don Quichot-achtige lef waarmee ze het leven tegemoet traden, naar de poorten ervan stapten en riepen: 'Laat ons erin!', hoewel ze geen uitnodiging hadden en ook geen passende avondkleding. Daar moest ze bij zichzelf om glimlachen terwijl ze de afwas begon af te drogen, op de eerste avond in hun nieuwe huis. En om de absurditeit dat ze de schuldenlast nog eens zouden vergroten door ooit – niet meteen natuurlijk, maar ooit – de lege slaapkamers te vullen, moest ze ook glimlachen. Ze had nog geen woord van een verhaal geschreven, maar ze had voor het eerst in lange tijd het gevoel dat ze zelf figureerde in haar eigen verhaal, en dat was toch zeker nog beter.

Sindsdien is er maar anderhalf jaar verstreken; en nog voelt het als het leven van iemand anders. Buiten zijn de koppige struikjes uitgegraven, en de wijk staat te wankelen op de rand van een enorm modderveld. Op een dag, wordt hun beloofd, zal daar een Science Park staan; nu staan er alleen nog maar grote strepen en voren, allemaal met tientallen piepkleine staakjes erin, als een soort acupunctuurnaalden, of martelwerktuigen misschien, in de geschonden huid van de aarde; je kunt de bulldozers de hele dag horen klauwen, de cirkelzagen in het beton horen snijden, de laatste boomwortels opgedregd en verminkt horen worden.

'We hadden de kleine lettertjes moeten lezen, denk ik,' is het enige wat Howard erover zegt; hij hoeft hier niet de hele dag te zijn en ernaar te luisteren. De laatste paar weken is die herrie nog eens aangevuld door een nachtelijke apocalyps van vuurwerk, bijgewoond door autoalarmen en blaffende honden, en door regelmatige stroomstoringen, als de gravers in het ontluikende Science Park per ongeluk kabels doorsnijden.

Ze steekt een sigaret op en staart naar de cursor, die haar onverbiddelijk toeknippert vanaf het scherm. Dan, alsof ze terug wil slaan, buigt ze zich voorover en hamert:

> *Als de geheugentechnologie zich in het huidige tempo blijft uitbreiden, zal een hoeveelheid data die gelijkstaat aan de collectieve ervaring van het volledige menselijke leven binnenkort op een enkele chip opgeslagen kunnen worden.*

Ze staart onderuitgezakt naar wat ze geschreven heeft, terwijl flarden rook zich loom over haar schouder verspreiden.

Met die nepoorlog die in Irak gaande is, is het geen geweldige tijd om een Amerikaan in het buitenland te zijn. Het was zelfs al gebeurd dat mensen haar, als ze haar accent hoorden, op straat aanhielden – of in de supermarkt of bij de kassa van de bioscoop – om haar de les te lezen over de recentste schandalige daad van haar land. Maar als het op werk vinden aankwam, merkte ze dat haar afkomst geen probleem was. Integendeel, wat de zakelijke en technologische gemeenschap hier betreft was een Amerikaans accent letterlijk de Stem der Autoriteit, en alles wat die zei werd behandeld als berichten van het moederschip. Nog een verrassing: Ierse mensen zijn dol op technologie. Ze had gedacht dat een land dat het gewicht van de geschiedenis zo voelde misschien de neiging zou hebben achterom te kijken. Maar in feite was het tegenovergestelde het geval. Het verleden wordt als ballast beschouwd – op z'n best iets om toeristen mee binnen te hengelen, op z'n slechtst gênant, een albatros, een tierend, incontinent oud familielid dat weigert dood te gaan. De Ieren zijn volledig gericht op de toekomst – had hun eigen premier niet zelfs gezegd dat hij in de toekomst lééfde? – en elk nieuw gadget dat opduikt wordt aangewezen als het zoveelste bewijs van de duizelingwekkende moderniteit van het land, aangegrepen als een stok om het verleden en de boerenkinkels uit vervlogen dagen die nauwelijks als henzelf te herkennen zijn mee te slaan.

Er was een tijd dat Halley ook opgewonden had gehuiverd bij de onstuitbare opmars van de technologie. Als beginnend verslaggeefstertje in New York, bij haar 'echte' verhalen weggelokt door de energie van de internet*boom*, had ze het gevoel gehad dat ze midden in het hart van de oerknal stond – van een nieuw universum dat met een explosie ontstond en alles transformeerde wat het aanraakte. Wat ze allemaal niet konden doen! De grote sprongen in het ondenkbare die elke dag ondernomen werden! Nu voelt ze zich, geconfronteerd met die eindeloze, zichzelf promotende wonderen, eerder een indringer – onhandig, incompatibel, achterhaald, als een ouder wier kinderen haar niet meer betrekken in hun spelletjes. En terwijl ze daar aan haar bureau in haar huis in de buitenwijken zit, realiseert ze zich dat er, ondanks alle veranderingen die ze daar plichtsgetrouw beschreven heeft, eigenlijk heel weinig verschil is tussen haar leven en dat van haar moeder vijfentwintig jaar eerder – behalve dan dat haar moeder de hele dag voor haar kinderen zorgde, terwijl Halley haar tijd doorbrengt in het gezelschap van kleine zilveren apparaatjes, in dienst van een onverzadigbare hypotheek. Dus de woede die ze in zich voelt opborrelen, de irrationele, oneerlijke woede die ze voelt als Howard thuiskomt, om alle uren die hij bij haar weg is geweest, is dat dan dezelfde woede waar haar moeder altijd zo vol van was?

Volgens haar zus is ze depressief. 'Je zorgen maken dat je in je moeder aan het veranderen bent is zo'n beetje de klassieke definitie van een depressie. In handboeken over depressie staan allemaal plaatjes van onze moeder. Neem toch ontslag. Ik begrijp niet waarom je dat niet doet.'

'Dat heb ik je al honderd keer verteld. Dat heeft met mijn visum te maken. Ik kan niet gewoon ontslag nemen en iets anders zoeken. Niemand gaat me een baan geven waar ik geen enkele ervaring in heb. Het is dit of als serveerster gaan werken.'

'Zo erg is dat niet.'

'Het is wel erg als je een hypotheek hebt. Dat merk je nog wel als je ouder bent. Dan wordt alles ingewikkelder.'

'Ja, ja,' zegt Zephyr. Er valt een strijdlustige stilte, zoals die tegenwoordig voortdurend in hun gesprekken valt. Zephyr is vijf jaar jonger en net begonnen aan een studie kunstgeschiedenis in Providence, Rhode Island. Elke dag daar lijkt rijker aan ideeën, lol en avontuur dan de dag ervoor; elke dag lijkt Halley daar minder tegenover te kunnen stellen. Doen alsof ze dat niet merkt kost haar grote moeite, en vaak merkt ze dat ze halverwege een gesprek afdwaalt in heimelijke fuga's van jaloezie ...

'Wat?' zegt ze, als ze zich realiseert dat Zephyr haar iets vroeg. 'Sorry, het is een slechte verbinding.'

'Ik vroeg me gewoon af of je nog iets geschreven had.'

'O ... nee. Op het moment even niet.'

'O,' zegt Zephyr meelevend.

'Zo erg is dat niet,' zegt Halley. 'Als iets me inspireert, komt het vanzelf.'

'Tuurlijk wel!' Zephyrs stem kakelt enthousiast; Halley krimpt ineen, hoort de echo's van haar eigen pogingen tot zusterlijke peptalk in het verleden.

Ze loopt naar het raam om de rook te laten ontsnappen. Aan de overkant ziet ze de twee golden retrievers van haar buren verwachtingsvol rondstuiteren in hun voortuin; even later komt de auto van haar buurman voorrijden. Hij maakt het hek open, buigt zich om zijn gezicht in hun blonde, wapperende vacht te stoppen; zijn vrouw doet de deur open om hem te begroeten, met haar nieuwe baby in haar armen, terwijl haar mooie dochtertje achter haar langs om het hoekje kijkt. De honden springen rond alsof dit het geweldigste is wat er ooit is gebeurd. Ze zien er allemaal heel gelukkig uit.

Terwijl ze daar zo ongezien staat, denkt Halley aan hoe Howard zich tegenwoordig schrap zet als hij binnenkomt, de verhulde uitdrukking van vermoeidheid op zijn gezicht als hij haar vraagt hoe haar dag was. Hij is verveeld; hij is in de greep van een gigantische verveling. Komt dat door haar? Lekt haar verveling zijn leven in, als een cirkelend atoom, de saaie, aftakelende isotoop van een geliefde? Ze herinnert zich haar ouders, die met het voortschrijden van de decennia van de hippiemeelopers die Zephyr en haar hun absurde namen gaven waren veranderd in ingedutte vijftigers, die zichzelf ommuurden met investeringen terwijl ze wachtten tot de hemel naar beneden zou vallen. Ze vraagt zich af of dat het enige is wat er in het verschiet ligt: een proces van steeds meer afstand nemen, van de wereld en van elkaar. Misschien maakten hun ouders daarom wel ruzie; misschien waren die ruzies wel onhandige pogingen iets te hervinden, het waarom te achterhalen van dingen die ze waren kwijtgeraakt.

Ze wacht tot ze het geluid van Howards auto hoort en neemt zich voor vanavond luchtig te zijn, opgewekt, en geen ruzie te maken. Maar ze voelt de woede al in zich opborrelen, uit het diepst van haar binnenste, omdat ze hem al binnen ziet komen, ziet vragen hoe het met haar gaat, probeert niet verveeld te zijn als ze het hem vertelt; probeert zijn belangstelling vast te houden, alsof het een opdracht is die hij zijn klas heeft gegeven – probeert goed te zijn, probeert zichzelf te dwingen van haar te houden.

'Howard? Heb je even, Howard?'

'Nou, ik wilde eigenlijk net ...'

'Ik zal je niet lang ophouden. Loop even met me mee, ik wil een kleinigheidje met je bespreken. Hoe gaat het nou, Howard? Hoe gaat het met ... Sally, was het toch?'

'Halley.' Howard werpt een wanhopige blik op de uitgang, terwijl de Automator hem de andere kant op leidt.

'Halley, natuurlijk. Heb je haar nou eindelijk een aanzoek gedaan? Grapje. Ik zal je niet onder druk zetten. We leven in de eenentwintigste eeuw. De school zal je niet veroordelen om je persoonlijke leefomstandigheden. En je werk, Howard, hoe gaat het daarmee? Je bent nu bezig aan je derde jaar, dus inmiddels zul je het wel aardig onder de knie hebben, toch?'

'Nou ...'

'Fascinerend vak, geschiedenis. Weet je wat ik er zo fijn aan vind? Het staat allemaal zwart op wit voor je neus. Heel anders dan natuurwetenschap, waarin ze alles elke twee jaar volkomen op hun kop zetten. Vanaf nu is boven beneden, zwart is wit. Van bananen, waarvan we zeiden dat die goed voor je waren, krijg je eigenlijk kanker. Dat heb je met geschiedenis niet. Alles in kannen en kruiken. Zaak gesloten. Misschien is het niet meer helemaal wat het geweest is, in het licht van kids die mediastudies en informatica gaan studeren, studies die duidelijker relevant zijn voor het heden. En wat zeggen ze ook weer – "geschiedenisleraren leren ons dat we niets van de geschiedenis leren?" Ha ha! Maar zo kijk ik er niet tegenaan, Howard, kijk maar niet zo geschrokken. Nee, wat mij betreft zou alleen een dwaas geschiedenis afschrijven, en geschiedenisleraren zoals jij zullen, heel onvoorziene omstandigheden daargelaten, altijd sleutelfiguren in ons korps hier op Seabrook blijven.'

'Mooi zo,' zegt Howard. Praten met de Automator is wel vergeleken met proberen een tickertapeparade te lezen; en de ruimte voor verwarring wordt niet bepaald ingeperkt door de snelheid waarmee de Waarnemend Rector op het moment loopt, zodat hij Howard dwingt tot een vernederend drafje.

'Geschiedenis, Howard, daar is deze school op gebouwd, en op voor de hand liggender fundamenten natuurlijk – klei, steen en dergelijke.' Hij staat abrupt stil, zodat Howard bijna tegen hem op botst. 'Kijk eens om je heen, Howard. Wat zie je dan?'

Howard doet verbluft wat hem wordt opgedragen. Ze staan in Our Lady's Hall. Daar staat de Maagd met de sterrige halo; daar hangen de rugbyfoto's, de mededelingenborden, de tl-buizen. Hoe hij ook zijn best doet, er valt hem niets ongewoons op, en uiteindelijk ziet hij zich gedwongen nogal zwakjes te antwoorden: 'Our Lady's ... Hall?'

'Precies,' zegt de Automator goedkeurend.

Howard schaamt zich ervoor dat hij een beetje gloeit van trots.

'Weet je wanneer deze hal is gebouwd? Stomme vraag, jij bent de geschiedenisman, natuurlijk weet je dat. In 1865, twee jaar nadat de school werd gesticht. Nog een vraag, Howard: straalt deze gang in jouw ogen uitmuntendheid uit? Straalt hij uit: de beste middelbare jongensschool van Ierland?'

Howard kijkt de hal nog eens rond. De blauw-witte tegels zijn smoezelig en dof, de groezelige muren zitten vol oneffenheden en brokkelen af, de raamkozijnen zijn rot en bedekt met generaties spinnenwebben. Op een winterdag zou het zo een victoriaans weeshuis kunnen zijn. 'Nou ...' begint hij, waarna hij zich realiseert dat de Automator zich op zijn hakken heeft omgedraaid en nu met energieke tred terugbeent naar waar ze vandaan komen. Hij haast zich achter hem aan; al lopend zet de Automator zijn betoog voort, doorspekt met luide bevelen aan het adres van passerende leerlingen – 'Naar de kapper! Niet rennen! Zijn dat witte sokken?' –, min of meer willekeurig, als een luidspreker in een totalitaire staat.

'Ooit, Howard, was dat gebouw state of the art. Elke school in het land benijdde ons erom. Tegenwoordig is het een anachronisme. Vochtige lokalen, onvoldoende verlichting, slecht verwarmd. En wat de Toren betreft – het zou een compliment zijn die een levensgevaarlijke bouwval te noemen. De tijden veranderen, dat is het algemene punt dat ik probeer te maken. De tijden veranderen, en je kunt niet op je lauweren rusten. Lesgeven is tegenwoordig een belangrijke service. Ouders dragen niet gewoon maar hun kinderen over, waarna je kunt doen wat je wilt. Ze kijken voortdurend over je schouder mee, en als ze vermoeden dat ze niet volledig waar voor hun geld krijgen, dan plukken ze kleine Johnny hier weg en stoppen hem binnen de kortste keren op Clongowes.' Ze zijn inmiddels het hele Bijgebouw doorgelopen, de moderne vleugel van de school, de trap opgegaan, en nu staan ze stil voor de open deur van de kamer van de rector, die tot voor kort werd bezet door pater Furlong. 'Kom even binnen, Howard.' De Automator wuift hem verder. 'Let maar niet op de rommel, we zijn de boel een beetje aan het reorganiseren.'

'Dat zie ik ...' Kartonnen dozen bedekken de vloer van het sanctum sanctorum van de oude pater, sommige gevuld met pater Furlongs bezittingen, net van deze planken gehaald, andere met die van de Automator, uit de kamer van de decaan in het Oude Gebouw gehaald. 'Betekent dit ...'

'Ik ben bang van wel, Howard, ik ben bang van wel,' zucht de Automator. 'Probeer het voorlopig even onder de pet te houden, maar de prognose is niet best.'

De hartaanval van Desmond Furlong in september had iedereen verrast. Die kleine, perkamentgele man had een air van onthechting gecultiveerd dat balanceerde op het randje van onstoffelijkheid, alsof hij elk moment kon oplossen in een wolk van pure kennis; fysieke ongemakken hadden altijd ver beneden zijn waardigheid geleken. Maar nu ligt hij in het ziekenhuis, op sterven; en hoewel zijn planetarium nog op het kersenhouten bureau staat, zijn foto nog steeds aan de muur van het kantoor hangt (vreugdeloos glimlachend, als een koning die genoeg heeft van zijn kroon), en zijn lichtgevende vissen nog schemeren in het duister van het aquarium op het dressoir, zijn zijn vele boekenplanken nu leeg, op wat stof na en een antistressspeeltje voor managers, dat daar haastig als een visuele geurvlag is neergeplant.

'Het is zuur,' zegt de Automator, terwijl hij een troostende hand op Howards schouder legt en peinzend in een doos vol Post-its staart. Vervolgens stapt hij opzij, terwijl een vrouw binnen komt wankelen met een nieuwe stapel dozen, die ze met een klap naast de prullenbak neerzet.

'Hallo, Trudy,' zegt Howard.

'Hallo, Howard,' antwoordt Trudy. Trudy Costigan is de vrouw van de Automator, een compacte blondine die in haar St. Brigid's-tijd werd verkozen tot Knapste Meisje en Het Meisje Dat De Meeste Kans Maakt Om, en nog steeds sporen van haar voormalige pracht vertoont te midden van de ravage die de eisen van haar man en de vijf kinderen die hij bij haar heeft gekregen (allemaal jongens, elk jaar een, alsof er geen tijd te verliezen is – alsof, zo fluisteren zijn paranoïder observanten, hij een leger aan het kweken is) hebben nagelaten. Sinds hij tot Waarnemend Rector is benoemd, treedt ze ook op als de officieuze PA van de Automator. Ze houdt zijn agenda bij, plant vergaderingen, neemt de telefoon aan. Ze brengt vaak dingen langs en bloost als hij haar aanspreekt, als een secretaresse die stiekem een oogje heeft op haar baas; hij behandelt haar op zijn beurt als een goedbedoelende maar verstandelijk weinig begaafde leerling. Hij jaagt haar op, valt haar lastig, knipt met zijn vingers.

'Het is zuur,' herhaalt hij nu, terwijl hij Howard naar een Afrikaanse stoel met hoge rugleuning leidt, lid van het kleine groepje voorwerpen dat het eind van het ancien régime heeft overleefd. Vervolgens gaat hij aan de andere kant van het bureau zitten en maakt een torenspits van zijn vingers, terwijl Trudy opgewekt een bonsaiboompje, een pennenset en een ingelijste foto van hun jongens in gestreepte rugbytruien uit een doos haalt en om hem heen neerzet. 'Maar we mogen ons er niet te veel door terneer laten drukken. Dat had die ouwe niet gewild. We moeten vooruit.' Hij leunt achterover in zijn stoel, knikt ritmisch in zichzelf.

Een merkwaardig gretige stilte vult de kamer, waarvan Howard steeds meer de indruk krijgt dat hij geacht wordt die te verbreken. 'Is er al iets bekend over wie het gaat overnemen?' willigt hij in.

'Nou, dat is nog niet in detail besproken. We hopen uiteraard dat hij volledig herstelt en het roer weer overneemt. Maar als dat niet zo is ...' De Automator zucht. 'Als dat niet zo is, dan vrees ik dat er mogelijk gewoon geen Paracleet meer is om zijn plek in te nemen. Het worden er steeds minder. De orde wordt oud. Er zijn gewoon niet genoeg paters meer.' Hij pakt de foto van zijn kinderen op en kijkt er tevreden naar. 'Een leek als rector zou een aardverschuiving zijn, dat lijdt geen twijfel. Verdeeldheid zaaien. De Paracleten zullen willen dat een van hen de leiding heeft, zelfs al moeten ze hem laten overkomen uit Timboektoe. Sommige leden van het korps ook, de oude garde. Maar die optie zullen ze misschien niet hebben.' Zijn blik glijdt zijwaarts van de foto naar Howard. 'En jij, Howard? Hoe zou jij aankijken tegen een rector uit de eigen gelederen? Zou dat iets zijn wat je jezelf ziet steunen, hypothetisch gesproken?'

Howard voelt dat Trudy achter hem haar adem inhoudt; het begint hem te dagen dat de esoterische opmerkingen die de Automator eerder heeft gemaakt over geschiedenisonderwijs vleierijen waren, of mogelijk zelfs dreigementen, bedoeld om Howards niet-hypothetische steun te verkrijgen in een toekomstig conflict. 'Ik zou ervoor zijn,' antwoordt hij met gespannen stem.

'Dat dacht ik wel,' zegt de Automator tevreden, terwijl hij de foto terugzet. 'Ik zei tegen mezelf: Howard is van de nieuwe generatie. Hij wil het beste voor de school. Die houding zie ik graag bij mijn personeel – de andere leden van het personeel, bedoel ik.' Hij zwaait om in zijn stoel en spreekt de sombere foto van de Oude Man toe. 'Ja, het wordt een droevige dag als de Paters van de Heilige Paraclete de teugels uit handen geven. Maar aan de andere kant: het is niet helemaal onmogelijk dat het ook voordelen heeft. Het land is niet meer wat het geweest is, Howard. We zijn niet meer een of ander derdewereldgat. De jongens die nu naar boven komen hebben het zelfvertrouwen om het op het wereldtoneel tegen iedereen op te nemen. Het is onze rol hun de best mogelijke training te geven. En we moeten ons afvragen: is een geestelijke van in de zestig of zeventig wel de aangewezen persoon voor die taak?' Hij komt achter het bureau vandaan, loopt om zijn vrouw heen alsof ze een van de kartonnen dozen is, en begint militaristisch door de kamer te marcheren, zodat Howard zijn stoel moet omdraaien om hem aan te blijven kijken.

'Begrijp me niet verkeerd. De Paters van de Paraclete zijn buitengewone mannen, uitstekende onderwijzers. Maar het zijn op de eerste plaats spirituele mannen. Hun geest houdt zich met verhevener zaken bezig dan het hier en nu. In een competitieve economische markt ... Om eerlijk te zijn, Howard, kun je je afvragen of sommigen van onze oude paters überhaupt weten wat dat ís. En dat brengt ons in een gevaarlijke positie, want we moeten concurreren met Blackrock, Gonzaga, King's Hospital – talloze vooraanstaande middelbare scholen. We moeten een strategie hebben. We moeten er klaar voor zijn om met onze tijd mee te gaan. Verandering is geen vies woord. En winst trouwens ook niet. Winst maakt verandering mogelijk, positieve verandering waar iedereen bij gebaat is, zoals de sloop van het gebouw uit 1865 en op die plaats een volledig nieuwe, eenentwintigste-eeuwse vleugel bouwen.'

'De Costigan-vleugel!' jubelt Trudy.

'Ja, nou ja ...' De Automator trekt aan zijn oor. 'Ik weet nog niet hoe hij zou gaan heten. Die brug steken we wel over als we ervoor staan. Het punt is dat we onze sterke punten moeten gaan uitspelen, en we hebben een punt dat sterker is dan dat van welke andere school ook. Weet je wat dat is?'

'Eh ...'

'Precies, Howard: geschiedenis. Dit is de oudste katholieke jongensschool van het land. Dat geeft de naam Seabrook College een zekere uitstraling. Seabrook betekent iets. Het staat voor bepaalde normen en waarden, waarden als inzet en discipline. Een marketingman zou misschien zeggen dat we te maken hebben met een product met een merkidentiteit.' Hij leunt tegen de kaalgeslagen boekenkast en zwaait pedagogisch met zijn vinger naar Howard. 'Merken, Howard. Merken beheersen tegenwoordig de wereld. Mensen houden ervan. Ze vertrouwen ze. En toch is *branding* iets wat de huidige leiding heeft verwaarloosd. Ik zal je een voorbeeld geven. De school bestaat dit jaar honderdveertig jaar. Een ideale aanleiding om heisa te maken, de aandacht van mensen te trekken. Maar het is nauwelijks opgemerkt.'

'Misschien wachten ze tot het honderdvijftigjarig bestaan,' zegt Howard.

'Wat?'

'Ik bedoel, misschien wachten ze tot het honderdvijftigjarig bestaan met heisa maken. Je weet wel, aangezien de meeste mensen dat belangrijker zullen vinden.'

'Het honderdvijftigjarig bestaan is pas over tien jaar, Howard. We kunnen ons niet veroorloven tien jaar te zitten niksen, niet in deze business. En trouwens, honderdveertig jaar is net zo belangrijk als honderdvijftig. Een numeriek verschil, meer niet. Het punt is dat het een prachtige gelegenheid is om ons merk te versterken, en die boot hebben we bijna gemist. Bijna, maar niet helemaal. We hebben het kerstconcert nog. Ik zat te denken dat we daar dit jaar een speciaal honderdveertigjarig-jubileumspektakel van kunnen maken. De boel flink opblazen. Aandacht in de pers, misschien zelfs een liveverslag.'

'Klinkt geweldig,' stemt Howard gehoorzaam in.

'Vind je? En als ik er nou een soort historisch overzicht van de school in wil opnemen? Dat in het programmaboekje opnemen, misschien zelfs op de een of andere manier verwerken in de voorstelling. *Honderdveertig jaar van triomf*, *Victorie door de eeuwen heen* – zoiets. Je weet wel, met amusante anekdotes uit vervlogen tijden, het eerste gebruik van een elektrische schakelaar enzovoort. Mensen houden van dat soort dingen, Howard. Het geeft ze het gevoel dat ze één zijn met het verleden.'

'Klinkt geweldig,' herhaalt Howard.

'Mooi zo! Dus je doet het?'

'Wat? Ik?'

'Uitstekend – Trudy, maak jij even een aantekening dat Howard heeft toegezegd onze "merkhistoricus" voor het concert te worden?' De Automator neemt zijn plaats achter het bureau weer in en legt ter afronding een stapel papier recht. 'Nou, dankjewel dat je even langskwam, Howard. Ik ... O,' zegt hij als Trudy zich naar voren buigt en fluisterend op iets wijst wat op haar clipboard staat. 'Nog één dingetje, Howard. Jij hebt toch ene Juster in je tweede klas, Daniel Juster?'

'Ja, dat klopt.'

'Ik wilde je nog een paar dingen over hem vragen. Hij was vandaag betrokken bij een incident in de Franse les bij pater Green, een vomeerincident.'

'Daar heb ik van gehoord.'

'Wie is die knul, Howard? De pater stelt hem een vraag en hij kotst meteen de boel onder?'

'Hij is ... nou ja, hij is ...' Howard peinst, roept het gezicht van Juster op uit een beeld van dertig verveelde gezichten.

'Blijkbaar noemt hij zich graag "Slippy". Hoe zit dat? Heeft ie iets met damesondergoed? Is dat het?'

'Volgens mij is het "Skippy".'

'"Skippy"!' zegt de Automator spottend. 'Nou, dat slaat helemáál nergens op!'

‘Ik geloof dat het iets is met een, eh, televisiekangoeroe?’

‘Een kangoeroe?’ herhaalt de Automator.

‘Ja, die jongen, die Juster, heeft een beetje vooruitstekende tanden, en als hij praat maakt hij soms een geluidje dat sommige andere jongens vinden lijken op het geluid van een kangoeroe. Als die met mensen praat.’

De Automator kijkt hem aan alsof hij in tongen spreekt. ‘Oké, Howard. Laten we die kangoeroes even laten rusten. Hoe zit het verder met hem? Heb jij ooit problemen met hem gehad?’

‘Nee, over het algemeen is het een uitstekende leerling. Hoezo? Je denkt toch niet dat hij opzettelijk begon te spugen?’

‘Ik denk helemaal niets, Howard. Ik wilde alleen zeker weten dat we het plaatje compleet hebben. Juster deelt een kamer met Ruprecht Van Doren. Ik hoef jou niet te vertellen dat dat een van onze beste leerlingen is. Hij heeft in zijn eentje het cijfergemiddelde van zijn jaar met zes procent opgekrikt. We willen niet dat er iets met hem gebeurt, dat hij met verkeerde mensen omgaat en dergelijke.’

‘Volgens mij hoef je je wat Juster betreft geen zorgen te maken. Misschien is het een beetje een dromer, maar ...’

‘Dromen is ook niet iets wat we hier aanmoedigen, Howard. De realiteit, daar gaat het ons om. Realiteit, objectiviteit, empirische waarheid. Die vind je terug in de examenopgaven. Als je het examenlokaal inloopt, willen ze niet weten welke berg onzin je vannacht bij elkaar hebt gedroomd. Ze willen harde feiten.’

‘Ik bedoelde,’ stottert Howard, ‘dat hij niet subversief is of zo. Als je daar bang voor was.’

De Automator bindt in. ‘Je zult wel gelijk hebben, Howard. Heeft waarschijnlijk gewoon een bedorven hamburger gegeten. Maar toch, waarom zouden we risico’s nemen? Daarom zou ik graag hebben dat jij even met hem praat.’

‘Ik?’ De moed zinkt Howard voor de tweede keer binnen vijf minuten in de schoenen.

‘Normaal zou ik hem naar een decaan sturen, maar pater Foley is deze week met ziekteverlof om zijn oren te laten uitspuiten. Zo te horen heb jij hem behoorlijk goed in beeld, en ik weet dat de jongens goed met je op kunnen schieten ...’

‘Volgens mij niet,’ werpt Howard er gauw tussen.

'Natuurlijk wel. Zo'n jonge vent als jij. Ze zien je als iemand die ze in vertrouwen kunnen nemen, een soort grote broer. Het hoeft niet formeel te zijn. Gewoon een babbeltje. Kijken hoe het met hem gaat. En als hij een probleem heeft, hem dat even uit zijn hoofd praten. Het is waarschijnlijk niks, maar je kunt nooit weten. Braken in de klas is zeker niet iets wat we om zich heen willen zien grijpen. Er is een tijd en een plaats voor braken, en de klas is dat niet. Denk je dat je les zou kunnen geven, Howard, als er overal kinderen zitten te braken?'

'Nee,' geeft Howard somber toe. 'Hoewel je als ik het goed heb gehoord met pater Green zou moeten praten, niet met Juster.'

'Hmm.' De Automator trekt zich even terug in zijn eigen gedachten, terwijl hij een vulpen ronddraait tussen zijn vingers. 'Jerome wil nog weleens op het randje opereren, dat is waar.' Hij zwijgt weer even, en de stoel kraakt als hij zijn gewicht naar achteren verplaatst. Het portret van zijn voorganger toesprekend zegt hij: 'Om eerlijk te zijn, Howard, zou het voor iedereen weleens het beste kunnen zijn als de Paters Paraclete zich een beetje meer op de achtergrond gingen houden. Met alle respect, maar didactisch gezien zijn ze achterhaalde technologie. En de ouders worden er nerveus van dat ze er zijn. Niet hun schuld natuurlijk. Maar je hoeft de krant maar op te pakken of je ziet elke dag een nieuw horrorverhaal, en modder blijft plakken, dat is de ellende.'

Dat is waar: al zeker tien jaar heeft een eindeloze stroom schandalen – geheime minnaressen, verduistering en, op een nog steeds bijna onbevattelijke schaal, kindermisbruik – de macht die de Kerk ooit over het land had geërodeerd tot er bijna niets meer van over is. De Paters Paraclete zijn nog een van de weinige ordes die niet door schande zijn aangetast – sterker nog: dankzij hun rol in een van de meest vooraanstaande privéscholen in een tijd van spectaculaire rijkdom en nog spectaculairder uitgevente consumptie, hebben ze een zeker cachet behouden. Niettemin zijn ooit simpele dingen, zoals een kind thuisbrengen van een koorrepetitie, inmiddels grondig aan het takenpakket van de paters onttrokken.

'De keerzijde van een sterk merk is dat je het moet beschermen,' zegt de Automator, terwijl hij zich met een zwaai weer naar Howard omdraait. 'Je moet op je hoede zijn voor ideeën en waarden die in tegenspraak zijn met waar het merk voor staat. Dit is een precaire tijd voor Seabrook, Howard. Daarom wil ik zeker weten dat iedereen uit hetzelfde psalmenboek zingt. We moeten er nu meer dan ooit voor zorgen dat alles wat we doen tot in het laatste detail op de Seabrook-manier gebeurt.'

'Oké,' stamelt Howard.

'Ik zie ernaar uit je feedback over onze vriend te horen, Howard. En ik ben blij dat we even gepraat hebben. Als het allemaal loopt zoals ik wil, zie ik grote dingen voor je in het verschiet.'

'Dank je,' zegt Howard, die overeind komt. Hij vraagt zich af of hij geacht wordt hem een hand te geven, maar de Automator heeft zijn aandacht al op iets anders gericht.

'Dag, Howard.' Trudy kijkt een ernstig moment lang naar hem op als hij zwoegend het kantoortje uit loopt en geeft een tik op haar clipboard.

Carl en Barry bleven de hele lunchpauze op het speelterrein van de onderbouw, op zoek naar meer pillen. Het is goed klote. Je stelt die kids een vraag en vervolgens staren ze je alleen maar aan, alsof ze hier een andere taal spreken, die Carl en Barry in de loop van de zomer zijn vergeten. En ze doen allemaal achterlijk, dus je kunt ook niet zien wie er misschien medicijnen slikt. Na een halfuur heeft Barry welgeteld één pil, die misschien wel gewoon een mintsnoepje is. Hij is heel erg boos. Carl wilde dat hij hun pillen niet had weggegooid! Hij kan zich nu niet meer herinneren waarom hij het deed; hij weet soms niet waarom hij dingen doet. Hij denkt aan Lollylip, die vanavond op hem zit te wachten, terwijl hij niet komt.

Nu gaat de bel en de kids rennen in een zwermerige brul weer naar binnen. '*Fuck it*,' zegt Barry, en Carl en hij beginnen over de rugbyvelden terug te zwoegen naar het gebouw van de bovenbouw. Maar dan zien ze iets.

Het jongetje heet Oscar. Vorig jaar zat hij in de derde klas, vier klassen onder Carl en Barry, maar hij was al berucht om de rotzooi die hij uithaalde. Hij zat niet alleen te kloten in de klas – rare shit, zoals klem komen te zitten in ventilatiekokers, krijt eten, doen alsof hij een dier was en keffend door de gangen lopen. Nu, terwijl hij alleen loopt, zijn tas achter zich aan slepend door het gras, kun je zien dat hij in zichzelf praat; zijn vingers schieten telkens naar voren als kleine roze explosies. Dan staat hij stil, kijkt op en slikt. Dat is omdat Carl en Barry hem de weg versperren.

'Hallo daar,' zegt Barry.

'Hallo,' antwoordt Oscar met een zacht stemmetje.

Barry zegt tegen Oscar dat Carl en hij met een scheikunde-experiment bezig zijn in de bovenbouw waar ze pillen bij gebruiken. Maar die zijn op! Hij laat Oscar het snoep zien dat ze hebben meegenomen voor iedereen die hen aan nieuwe pillen kan helpen. Nog vóór hij uitgesproken is, staat Oscar al op en neer te springen en 'O! O! O!' te roepen.

'Sst,' zegt Barry, over zijn schouder kijkend. 'Kom even mee deze kant op.' Ze lopen met Oscar naar achter een van de grote bomen. 'Heb je ze bij je?' vraagt Barry. 'In je schooltas?'

'Nee,' zegt Oscar. 'Mijn moeder geeft ze me 's ochtends.'

''s Ochtends?' vraagt Barry.

'Na mijn Shreddies,' zegt Oscar. 'Maar ik weet waar ze ze bewaart! Ik kan erbij als ik op een stoel ga staan.'

Hij is er helemaal klaar voor om ze meteen te gaan halen! Maar Barry zegt dat hij moet wachten tot na school. 'Dan ga je naar huis en neem je zo veel mogelijk pillen voor ons mee. Niet allemaal, want dan merkt je moeder het. Wij wachten daar tussen die hopen aarde op je, oké? En dan geven we je deze hele zak snoep.'

Oscar knikt opgewonden. Dan zegt hij: 'Ik heb een vriendje dat ook pillen krijgt.'

'Prachtig,' zegt Barry. 'Neem hem ook maar mee. Maar zorg wel dat je zo snel mogelijk terugkomt. Het is dringend.'

Het joch rent weg, zijn schooltas op de grond stuiterend achter hem aan. Barry's ogen schitteren van slimheid. '*Back in business*,' zegt hij.

Om 15.45 uur lopen Carl en Barry naar de hopen aarde, tussen de bomen door die langs de sportvelden staan, zodat niemand hen ziet. Vrachtwagens hebben die hopen hier twee zomers geleden gestort, een hele reeks van de verspringzandbaan helemaal tot aan de achtermuur van de school. De klas van Carl en Barry speelde er elk speelkwartier *War on Terror* op, tot een jongen uit de vijfde een schedelbasisfractuur opliep en zijn ouders de school voor de rechter sleepten. Nu mag er niemand meer op spelen, of zelfs maar rennen op het speelplein.

Oscar staat op de allerlaatste heuvel op hen te wachten. Er staat een andere jongen met nog meer zenuwtrekken naast hem. Oscar zegt dat hij Rory heet. Zijn gezicht is vreemd, bruisend wit en doet Carl aan het drankje denken dat zijn moeder inneemt voor haar maag. Ze hebben samen vierentwintig pillen. Maar er is een probleem.

'We willen geen snoep,' zegt Oscar.

'Wat?' zegt Barry.

'We willen het niet,' zegt Oscar.

'Maar dat was de afspraak,' zegt Barry.

Oscar haalt zijn schouders op. Achter hem slaat het krijtwitte, ziekelijk ogende joch zijn armen over elkaar.

'Kijk nou eens,' zegt Barry. 'Moet je al dat snoep zien dat we bij ons hebben.' Hij houdt de zak open, zodat ze het kunnen zien. 'Mars-repen, suikerbommen, Gorgo Bars, Stingrays, Milky Moos, colaflesjes ...'

De jochies zeggen niets. Ze weten dat het een kloteruil is. In de onderbouw is iedereen aan de lopende band aan het ruilen: voetbalstickers, lunch, computerspelletjes – wat dan ook. Je weet het wanneer iemand je probeert te belazeren. Boven de zwarte afgrond bloedt er licht uit de hemel. Carl denkt dat ze die jochies gewoon moeten grijpen en die pillen moeten afpakken. Maar Barry heeft hem al uitgelegd dat hij een LANGDURIGE RELATIE wil smeden. Als je de pillen vandaag van ze afpakt, wat moet je morgen dan? (Sinds Carl de pillen gisteravond heeft weggegooid, praat Barry LANGZAAM en NADRUKKELIJK tegen hem, net zoals de juf die hem rekenbijles geeft, als ze tegen hem zegt: 'Stel nou dat je wilt sparen voor een nieuwe fiets die tweehonderd euro kost. Je zet honderd euro op de bank, en de RENTE is tien procent, dan duurt het ... Carl, dan duurt het ...?')

Barry stampt naar de andere kant van de dug-out, komt terug en haalt zijn portefeuille tevoorschijn. Er zit een briefje van twintig in. Daarmee zwaait hij onder Oscars neus. 'Twintig euro, en het snoep.' Oscar kijkt niet eens naar het geld. Aan de overkant van de sportvelden slaat de klok vier uur. Straks komen de meisjes. 'Wat wil je dan?' roept Barry uit. 'Hoe kunnen we nou een deal sluiten als jij niet wilt zeggen wat je wilt?'

De twee jongetjes kijken elkaar aan. Dan klinkt er in de verte een knal. 'Vuurwerk!' zegt hij.

'Dat bedenk je ter plekke!' zegt Barry.

'Vuurwerk!' doet het bleekneuzige joch voor het eerst zijn mond open.

'Waar moeten wij nou vuurwerk vandaan halen, verdomme?' zegt Barry. Maar nu kakelen de twee jongens door over wat voor soort vuurwerk en hoeveel. 'Rotjes ... vuurpijlen ... strijkers!'

'Oké, oké,' zegt Barry. 'Jullie je zin. Als jullie vuurwerk willen, best. Maar we kunnen het morgen pas voor jullie hebben. Dus we gaan het zo doen. Jullie geven ons nu die pillen voor ons experiment, en dan spreken we morgen weer hier af, zelfde tijd, zelfde plek, met het vuurwerk.'

'Ha ha!' lacht Oscar – hij lacht gewoon! 'Vergeet het maar.'

Barry maakt een soort *Gnnnnnhhh*-geluid door zijn tanden, en Carl kan zien dat hij denkt: die deal kan me wat. Laten we die mietjes wat respect bijbrengen. Maar dan wendt hij zich tot Carl en zegt: 'Hou ze in de gaten', en hij stormt de rugbyvelden over.

'Waar gaat je vriend heen?' vraagt Oscar. Carl zegt niets, slaat alleen zijn armen over elkaar en probeert te kijken alsof hij weet wat er gaande is.

'Wat is dat voor scheikundeproef?' vraagt dat bleekneuzige joch Rory.

'Hou je kop, man,' zegt Carl. Hij kijkt omhoog, de donker wordende avond in. Misschien komt Barry wel niet terug. Misschien gaat ie wel alleen naar Lollylip! Het is allemaal een truc, hij heeft dit afgesproken met die jochies, en ...

Barry klautert hijgend de dug-out weer in. Hij heeft een plastic zak in zijn hand. 'Vuurwerk,' zegt hij.

Alle soorten: Black Holes, Sailor Boys, Spider Bombs en andere. Barry spreidt ze uit op de grond. 'Jullie mogen ze niet allemaal hebben,' zegt hij als een vader in een winkel. 'Kies er ieder maar drie uit.' De jongens staren naar het vuurwerk, fluisteren de namen ervan tegen elkaar. 'Vandaag nog, kleine klootzakken. En geef me eerst die pillen.'

Ze geven de pillen zonder nadenken – die van dat bleekneuzige joch zitten in een Smarties-doosje, die van Oscar zijn in aluminiumfolie gewikkeld dat naar boterhammen ruikt. Barry telt ze uit in het kokertje van Morgan Bellamy. Dan knikt hij, en de twee jochies grissen het vuurwerk weg voor hij zich kan bedenken.

Nu lopen Carl en Barry haastig over de velden. De zompige grond is hard aan het worden van de kou; het gras en de bomen zijn donker alsof de nacht zich van onderaf verspreidt.

'Waar heb je al die dingen vandaan?' vraagt Carl.

'Van de vuurwerkfee.' Barry glimlacht geheimzinnig. Hij is nu weer blij. Terwijl ze verder lopen, zegt hij tegen Carl dat je zo maar weer eens ziet dat iedereen zijn prijs heeft, en dat die vaak veel lager is dan je denkt. Maar hij laat Carl de pillen niet dragen of zelfs maar aanraken.

Er zijn geen lampen aan achter Ed's. Eerst ziet Carl alleen maar de gloeiende puntjes van hun sigaretten. Hun gezichten verschijnen uit de duisternis. Ze zijn met z'n vijven: Lollylip en Krulhaar en nog drie anderen. Ze praten met een Amerikaans accent en staan te zwaaien met hun Marlboro Lights. Het is raar om ze daar zo te zien staan, tussen het onkruid, de blikjes en de ingedeukte winkelwagentjes. De Toren tuurt over de verwaarloosde bomen en struiken heen als een gigantisch stenen gezicht. Maar er kijkt geen echt iemand mee.

'Hé dames,' zegt Barry, alsof het allemaal volkomen normaal is, alsof hij gewoon naar hun tafeltje in LA Nites is gelopen. Ze kijken hem zonder iets te zeggen aan, en als de jongens dichterbij komen, gaan de drie nieuwe meisjes op een kluitje bij elkaar staan, terwijl hun ogen heen en weer schieten tussen Barry en Carl.

'Hadden jullie er een halfuur geleden al niet moeten zijn?' Krulhaar klinkt pissig.

Boven iedereen uittorenend kijkt Lollylip hem recht aan. Carl voelt zijn lul ontwaken en zich roeren in zijn broek.

'We hadden wat problemen met onze contactpersoon,' zegt Barry tegen haar.

'Ik dacht dat het je eigen medicijnen waren,' zegt Krulhaar.

Barry kan niets bedenken om terug te zeggen, dus glimlacht hij maar. De nieuwe meisjes zien er inmiddels heel ongelukkig uit, alsof Carl en Barry twee ontzettende schoften zijn. 'Nou, gaan we nog zakendoen of niet?' zegt Barry. Hij haalt het doorzichtige oranje kokertje tevoorschijn en houdt het naar voren, zoals je eten zou voorhouden aan een zwerfkat. Krulhaar komt schouderophalend naar hem toe, en de andere meisjes volgen een voor een. Maar Lollylip blijft op een afstandje en kijkt naar de plek waar Carl op wacht staat bij de inham die naar de weg leidt.

'Ze zijn medisch ontwikkeld door wetenschappers,' legt Barry de nieuwe meisjes uit.

'Ik heb erover gelezen in de *Marie Claire*,' zegt een van de meisjes. 'Ze zorgen dat je geen honger meer krijgt.'

'Dat klopt,' zegt Barry. 'In Hollywood neemt iedereen ze.'

'Hoeveel kosten ze?' vraagt een ander meisje.

'Drie euro per stuk,' zegt Barry. 'Of tien pillen voor twintig euro.'

'Gisteren wou je ons er vijf voor vijf euro geven,' zegt Krulhaar.

Barry haalt zijn schouders op. 'Vraag en aanbod,' zegt hij. 'Ik heb de markt niet in de hand. Als jullie ze niet willen hebben, zijn er een paar meisjes van Alex's die zeiden dat ze ze allemaal wilden afnemen.'

'Dat verbaast me niks,' zegt Krulhaar schamper, maar de andere meisjes reiken in hun tas naar met donzige tekenfilmkatten en bloemen versierde portemonnees. Carl draait zich om om naar de ingang te kijken terwijl de deal wordt gesloten. Achter zich hoort hij stemmen tellen, eerst munten en daarna pillen. Het wordt met de seconde donkerder, alsof de lucht zich vult met stofdeeltjes. Hij realiseert zich dat er iemand achter hem staat. Het is Lollylip. Ze kijkt naar Carl. 'Ik heb een probleem,' zegt ze.

Het is pas het tweede wat hij haar ooit heeft horen zeggen. Hij maakt een geluid dat ergens tussen 'Huh?' en 'Watte?' in hangt.

'Ik wil een paar dieetpillen kopen,' zegt ze, 'maar ik heb geen geld.'

'Heb je geen geld?'

'Nee.'

'Helemaal niks?'

'Nee.'

Ze kijkt hem met uitdrukkingsloze groene ogen aan. Nu ze zo dichtbij staat, kan hij bijna proeven hoe rood haar lippen zijn. De anderen praten onderling. 'Gisteren zei je vriend dat jij misschien wel iets kon regelen,' zegt ze. Ze trekt haar wenkbrauwen op. De twee bovenste knoopjes van haar schooluniform zijn open en als Carl zich naar voren buigt, kan hij de bovenste helft van een witte tiet onderscheiden.

'Wat bedoel je?'

'Ik weet niet.' Ze zet de neus van haar schoen in de assig zwarte grond. Carl schiet met zijn mond op haar af. Ze deinst terug, maar pakt zijn hand en leidt hem over de open plek de bosjes in.

De lucht smaakt hier naar natte bladeren en door het onkruid ziet hij oude initialen in graffiti op de muur staan. Ze gaat vlak tegen hem aan staan, een centimeter van hem af; hij ruikt haar geur, die zoet is als aardbeien. Ze strijkt haar haar met haar hand naar achteren. De andere stemmen lijken ver weg. Ze komt naar voren en tilt haar hoofd op en haar mond raakt de zijne, haar tong streelt erdoorheen, steeds dieper, als een roeispaan door het water ... Ze stopt. 'Ben jij nou Carl of Barry?' vraagt ze.

'Carl.'

'Ik heet Lori,' zegt ze. 'Een afkorting van Lorelei.'

'Lollylip,' mompelt hij.

'Wat?'

'Niks.'

Dan kust ze hem weer. De geur van haar haar en haar huid wervelt om hem heen. Hij legt een hand op haar linkertiet. Ze haalt hem eraf, maar trekt haar mond niet terug. Nog twintig of dertig seconden lang drukt ze haar dunne lijf steeds dichter tegen hem aan, alsof ze zichzelf vastschroeft met haar tong. Dan maakt ze zich, als de grijparm op de kermis als je geld op is, van hem los en doet een stap naar achteren. Ze kijkt hem aan met haar uitdrukking van uitdrukkingsloosheid.

'Eh ... Lori, wat dóé je daar nou?' zegt Krulhaar achter de struiken.

Lori duwt hem met haar handen opzij en loopt de open plek weer op. Even later loopt Carl mank achter haar aan, terwijl hij zijn jack over zijn stijve trekt. Hij loopt naar Barry en zegt: 'Tien.'

Eerst begrijpt Barry het niet, maar dan valt het kwartje en telt hij zonder een woord te zeggen tien pillen uit. Lori staat zonder hem aan te kijken naast Carl en maakt een kommetje van haar hand, zodat Barry de pillen daarin kan schudden, alsof ze ter communie gaat. En de pillen zien er inderdaad een beetje uit als ouweltjes. Dan stopt ze ze in haar jaszak en gaat terug naar haar vriendinnen.

Het is nu helemaal donker. Voor ze gaan, probeert Barry alle meisjes zijn nummer te laten opslaan, maar ze staan met elkaar te kletsen alsof hij lucht is, alsof het allemaal achter de rug is en ze al ver weg zijn. Ze vertrekken zonder gedag te zeggen.

Als ze uit het zicht zijn, juicht Barry. 'Onze eerste opbrengst! Moet je kijken, man!' Hij laat het nest van biljetten en muntjes in zijn vuist zien. Dan geeft hij Carl een knuffel. 'Dit is nog maar het begin, *hombre*. Wij gaan verdomme heersen in deze buurt!' Met zijn handen in de lucht draait hij zich om naar het voorbijrazende verkeer en schreeuwt in de koplampen: '*We are the men! We are the fucking men!*'

Ze lopen naar de Burger King. Barry kijkt listig naar Carl. 'Ze heeft je afgezogen, hè?'

Carl zegt niets, knikt dan langzaam met een half glimlachje.

'*Damn!*' lacht Barry, en hij slaat op zijn dij. 'Waarom heb ik daar niet aan gedacht?'

Carl lacht ook, kijkt dan achterom – de meisjes zijn uiteraard weg. Die zijn allang weg.

De deur gaat open. De zwartheid van de pater verdwijnt in het diepere zwart van de schaduwen, alsof hij er nooit is geweest. Afgezien van de geur van wierook die nog steeds in de lucht kringelt. Je loopt naar het raam om hem te verdrijven, en de kou waait naar binnen om te botsen tegen het ziekelijke zweet op je armen en borst. De verkreukelde lakens van het bed gegooid als een afgelegde huid, de smaak van pillen nog in je mond alsof je uit pillen bent opgetrokken.

De vijf afdrukken van zijn vingertoppen branden nog op je wang.

'Hallo?' De stem die de telefoon opneemt klinkt geknepen, heimelijk, als de stem van een spion.

'Pap?'

'Hé jongen.' De stem ontspant een beetje, of doet in elk geval alsof. 'Ik had niet verwacht dat ik vanavond iets van je zou horen. Hoe gaat ie?'

'Nou, niet zo goed eigenlijk.'

'O nee? Wat zit je dwars, jong?'

De laatste tijd is pa je ineens 'jong' gaan noemen. Je weet dat hij dat doet om je het gevoel te geven dat alles in orde is. Maar het werkt niet. Het is eerder alsof hij vergeten is wie hij is, en dat probeert te verhullen met stukjes van vaders van tv, opgewekte Amerikaanse vaders in komedies die de tuin met je ingaan om een honkbal over te gooien.

'Ik heb overgegeven vandaag.'

'Echt overgegeven?'

'Ja, in de klas.'

'Had je iets verkeerds gegeten?'

'Ik geloof het niet.'

'Je klinkt niet zo best.'

'Ik moest naar de zuster.'

'En wat zei die?'
'Ze stuurde me naar bed. Ze zei dat ik morgen niet naar trainen moest gaan.'
'Ga je een training missen?'
'Ja.'
'Hmm.' Achter het patchwork van televisievaders hoor je dat hij niet weet wat hij moet zeggen. Pa praat niet graag aan de telefoon: het is net alsof hoe langer hij praat, des te dunner het patchwork wordt, des te meer de dingen die ze niet zeggen erdoorheen barsten. 'Dat klinkt inderdaad niet goed. Nou ja, hou het in de gaten, jong, en dan maar kijken hoe het loopt.'
'Oké.' Je wacht even, en dan, alsof je het ter plekke bedenkt: 'Is ma er?'
'Ma?' herhaalt pa, alsof ze een buurvrouw is die lang geleden al is verhuisd.
'Ja.'
Weer een vertraging, en dan: 'Weet je, volgens mij is ze een dutje aan het doen, makker. Maar ik zal even kijken.' Hij legt de hoorn neer en je luistert hoe hij gaat kijken; de keukendeur opendoet, Dogley van de trap jaagt, ma's naam roept, dan weer naar de telefoon stampt om je het antwoord te geven dat je al had verwacht. 'Ja, ze is net even gaan liggen om uit te rusten, Danny. Ik kan haar maar beter niet wakker maken. Misschien belt ze je morgen even.' Na die belofte valt hij stil, wacht tot jij een eind aan het gesprek breit.
Pa en jij spelen een spelletje. Dat spelletje kent vele regels, misschien wel een oneindig aantal regels, als piepkleine graatjes of infraroodstralen om je heen. Maar de allerbelangrijkste regel is dat je nooit ofte nimmer over het spel praat: je doet alsof er geen spel bestaat, ook al weten jullie allebei dat de ander het speelt; je houdt je heel stil, doet alsof alles normaal is, en als je niet meer weet wat normaal is, verander je in een tv-vader en -zoon.
Of dat hoor je in elk geval te doen. Vanavond is er iets misgegaan en lukt het je niet het goed te spelen. 'Ik vroeg me af ...'
'Wat?'
Je weet dat je het niet moet zeggen. Dus verzin je iets anders. 'Ik vroeg me af wat je had besloten over de vakantie?'
'O ... We hebben nog niet veel tijd gehad om het daarover te

hebben, maatje. Het was hier nogal hectisch de laatste tijd. Maar ik weet vrij zeker dat het wel goed komt. Duimen maar.'

'O,' zeg je. Je loopt naar het raam, raakt het gordijn aan, alsof dat misschien magische krachten heeft. 'Eh ...' zeg je. Je haalt diep adem. Ga je het echt zeggen? Echt? 'Denk je dat ik dit weekend naar huis kan komen?'

'Dit weekend?' Pa begrijpt het niet. 'Hoe bedoel je, jong?'

'Ik dacht gewoon ...' Je schaamt je dat je je stem hoort breken – dit is volkomen tegen de regels! 'Dat het, omdat ik ziek ben geweest, misschien goed zou zijn als ik een weekend thuis was ...'

'Hmm ...' Achter zijn patchwork schreeuwt pa's stem: 'Wat doe je nou?!' 'Nou, jong, we zouden het allebei heerlijk vinden om je weer te zien, maar zoals ik al zei: het is hier de laatste tijd, eh ... een beetje een gekkenhuis ...'

'Ik weet het, maar ...' Je keel vult zich met as, zaagsel.

'Kijk, als je ziek bent, maar ... Weet je, ik vraag me af of het wel zo'n goed idee zou zijn.'

'Alsjeblieft?' Je snikt – grote golven slijm en tranen.

'Ik denk dat het waarschijnlijk het beste is om aan ons oorspronkelijke plan vast te houden, jong.' Pa doet alsof hij het niet hoort. 'We zien er allebei enorm naar uit je in de vakantie te zien, en ik weet zeker, ik weet voor bijna negentig procent zeker, dat als we aan dat oorspronkelijke plan vasthouden, alles goed komt. En over twee weken is het al vakantie, toch? Toch?'

Je bent niet in staat antwoord te geven. Dus blijft pa maar praten. 'Je moeder zal het ontzettend rot vinden dat ze je vanavond is misgelopen. Ze verheugt zich zo op je volgende wedstrijd; we vonden het allebei heel jammer dat we er zaterdag niet konden zijn, maar naar de volgende wil ze per se komen, en dokter Gulbenkian denkt dat we echt op de rand van een doorbraak staan, dus duimen maar, en blijven trainen, en in november zullen we, eh ... zullen we ...' Hij raakt door zijn woorden heen en kan alleen maar zitten wachten tot het gesnik uitdooft. 'Gaat het wel, Danny?'

'Ja hoor,' weet je te stamelen.

'Goed,' zegt pa. 'Nou, dan moest ik maar weer eens aan de slag, niet?'

'Zal wel.'

'Oké. Spreek je snel, jong – goed? We missen je.'

Je hangt op, veegt je ogen en neus af aan je mouw, blijft een hele tijd bij het raam hangen en haalt diep en beverig adem. Er liggen herfstbladeren opgekruld in de goot, in een pluizige hoop spinnenwebben. De maankaarten van Ruprecht fladderen op in de tocht, de bergen en kraters en moeraslanden, de zeeën die geen zeeën zijn, Zee van de Regen, Slangenzee, Zee van Crises, stijf, grijs en onbeweeglijk als glazuur op een verjaardagstaart die duizend jaar geleden is achtergelaten.

Hoe weten ze nou hoe het eruitziet, zo ver weg in de ruimte, als ze niet eens weten wat er gebeurt in het lichaam van iemand die vlak voor hen staat?!

O, boehoe, ga je straks weer huilen, Skippy? Ga je weer een pil nemen en in slaap vallen? Of zet je je Nintendo aan om weer zo'n spelletje van je te spelen?

Voel je je alsof je gevangenzit in de bek van iets gigantisch?

De vingers branden in je wang. 'Geef antwoord, meneer Juster!'

Terug naar de voet van de afbrokkelende trap. In de bladerloze bomen de dingen die de plaats van de vogels hebben ingenomen. De deur zwaait krakend open, en je gaat de Grote Hal in. Loopt langs de fluisterende steen, door de schachten met grijs licht gevangen in spinnenwebben. Omzeilt de zombies die uit de bibliotheekklok schieten, het goederenliftje in klimmen. Je hebt dit stuk al zo vaak gedaan dat het niet eng meer is, gewoon een patroon is geworden dat je volgt zonder erbij na te denken.

Ooit werd het Rijk bestuurd door een prachtige prinses. Je ziet haar op het titelscherm, met *Hoopland* in van die middeleeuwse letters boven haar: blauwe ogen, haar met de kleur van honing, rijp die haar doet glinsteren als een ster in de verte. In haar bevroren handen houdt ze een kleine harp – die bespeelde ze elke ochtend van achter de wallen van het paleis om de zon te laten opkomen. Maar toen stal Mindelore hem, en gebruikte hem om drie eeuwenoude Demonen op te roepen, die het Rijk tot een woestenij hebben gemaakt en de prinses in ijs gevangen hebben gezet! De ouderen hebben jou, Djed, een doodgewone elf uit het woud, uitverkoren om de magische wapens te vinden, de prinses te redden en het Rijk te bevrijden uit de greep van de Demonen. Jij hebt het Zwaard der Liederen en de Pijlen van het Licht – het enige wat je nog nodig hebt is het Gewaad der Onzichtbaarheid, dan ben je klaar om de Demonen te bevechten. Maar hier loop je steeds vast, in het Huis van de Dood ...

'Zit je nou nog te spelen?' De deur vliegt open en Ruprecht komt de kamer binnendenderen. Zonder een antwoord af te wachten gaat hij achter zijn computer zitten, trommelt onrustig vol verwachting met zijn vingers op zijn dij terwijl die zichzelf doet ontwaken. 'Pater Green zocht naar je,' zegt hij over zijn schouder.

'Dat weet ik.'

'Wat wilde hij?'

'Gewoon kijken of ik me beter voelde.'

'O.' Ruprecht is opgehouden met luisteren – fronst zijn wenkbrauwen naar het scherm terwijl zijn inbox wordt geladen.

Eerder deze maand heeft Ruprecht de volgende e-mail geschreven, die per satelliet de ruimte in is gestuurd:

Gegroet, mede-intelligente levensvormen! Ik ben Ruprecht Van Doren, een veertienjarige menselijke jongen van de planeet aarde. Mijn favoriete eten is pizza. Mijn favoriete grote dier is het nijlpaard. Nijlpaarden zijn uitstekende zwemmers, ondanks hun massa. Ze kunnen echter agressiever zijn dan hun slaperige uiterlijk misschien doet vermoeden. Benader ze voorzichtig!!! Als ik mijn school heb afgemaakt, ben ik van plan mijn doctoraat te halen aan Stanford University. Ik ben een enthousiast sporter en mijn hobby's zijn onder meer computerprogrammeren en yahtzee, een behendigheids- en kansspel dat je speelt met dobbelstenen.

Door op de METI-website in te loggen, kun je de voortgang van dat bericht volgen. Het is nog niet eens bij Mars, maar toch checkt Ruprecht elke dag zijn computer om te zien of er al buitenaardse wezens zijn die hem hebben teruggemaild.

'Wie wil daar nou op antwoorden? Dat is de grootste mietje-mail die ik ooit heb gehoord,' zegt Dennis. 'En verder is het een complete leugen dat jij een enthousiast sporter bent, tenzij je donuts eten meetelt als sport.'

'Het is heel goed mogelijk dat donuts eten in verafgelegen zonnestelsels als een sport wordt beschouwd,' zegt Ruprecht.

'Ja, nou ja, zelfs als dat zo is, en zelfs al is er daarboven een stelletje dikke, stomme, yahtzee spelende aliens, dan nog krijgen ze dat flikkerige bericht van jou sowieso pas over een jaar of honderd. Dus tegen de tijd dat ze antwoord geven, ben jij al hartstikke dood.'

'Misschien wel, maar misschien ook niet,' is Ruprechts nogal raadselachtige reactie hierop.

METI staat voor Message to Extra-Terrestrial Intelligence, en komt voort uit SETI, de Search naar hetzelfde. Die Search, een collectieve inspanning van nerds van over de hele wereld, richt zich voornamelijk op willekeurige transmissies waarmee de aarde elke dag vanuit de ruimte wordt gebombardeerd. Die transmissies worden opgepikt door het radio-observatorium van SETI in Puerto Rico, in kleine pakketjes data verdeeld en verstuurd naar de pc van Ruprecht en anderen zoals hij, die ze doorspitten met als doel in de massa onbegrijpelijke ruis die de sterren afgeven een sequentie, patroon of herhaling te vinden die kan duiden op de aanwezigheid van een intelligente, communicerende levensvorm.

De drijvende kracht achter het ontstaan van METI is niemand minder dan professor Hideo Tamashi, de befaamde kosmoloog en wetenschapper op het terrein van de snaartheorie. Hij was degene die de ruimtemails op touw zette; bij een andere gelegenheid zond hij met een groep schoolkinderen een uitvoering van Pachelbels *Canon in D majeur* de ruimte in. Volgens professor Tamashi is het bestaan van buitenaards leven statistisch aannemelijker dan dat het er niet is; verder kon de toekomst van de mensheid weleens afhangen van contact met hen. 'In de komende dertig of veertig jaar is het goed mogelijk dat de ecologische ineenstorting het leven op aarde onmogelijk zal maken,' legt Ruprecht uit. 'Als dat gebeurt, kunnen we alleen overleven door een andere planeet te koloniseren, wat realistisch gezien alleen kan als we door hyperspace reizen.' Om door hyperspace te reizen moeten de geheimen van de oerknal ontrafeld worden; maar de tiendimensietheorie waarvan de prof beweert dat die de sleutel daartoe is, is zelf zo duivels ingewikkeld dat hij gelooft dat hij alleen op tijd opgelost kan worden als een of andere vriendelijke superieure buitenaardse beschaving ons onder haar hoede neemt.

Maar vanavond doen de ET's er het zwijgen toe. Ruprecht sluit met een zuchtje de computer af en komt uit zijn stoel.

'Niks?'

'Nee.'

'Maar denk je wel dat ze ooit zullen komen? Naar de aarde en zo?'

'Dat moet wel,' antwoordt Ruprecht somber. 'Zo simpel is het.'

Hij past zijn Kaart van Wereldwijde Ufo-meldingen een beetje aan, vist dan zijn tandenborstel uit zijn toilettas en beent naar de badkamer.

Buiten ruisen de laurieren in de koude lucht, en in het duister hangt een zweem van de roze gloed van het neonlicht van de lichtbak van het Doughnut House, als een laagje suiker op de nacht. Alleen in de kamer zoekt Skippy dekking als zombies door de vloerplanken barsten en achter hem aan komen met pezige armen en afgebrokkelde nagels. Ooit waren het mensen, misschien zelfs familieleden, en als je in hun rottende gezichten kijkt, is het alsof je een treurige vonk ziet van wie ze ooit waren …

Later, als het licht uit is: 'Hé Ruprecht.'

'Ja?'

'Stel dat je door de tijd kon reizen …'

Het geluid van Ruprecht die zich in het bed aan de overkant opdrukt op zijn ellebogen. 'Volgens Tamashi's theorieën is dat heel goed mogelijk,' zegt hij. 'Het is eigenlijk alleen maar een kwestie van genoeg energie genereren.'

'Nou, goed, betekent dat dan ook dat je de toekomst tegen kunt houden?'

'De toekomst tegenhouden?'

'Ik bedoel, als we vanavond nou begonnen met teruggaan in de tijd, zouden we dan zo ver terug kunnen gaan als we wilden? Zodat we nooit bij morgen komen?'

'Ik zou denken van wel,' zegt Ruprecht, de vraag overpeinzend. 'En als je met de snelheid van het licht zou reizen, zou de tijd zelfs stilstaan, zodat het altijd vandaag zou blijven.'

'Goh,' zegt Skippy bedachtzaam.

'Het probleem zit 'm in beide gevallen in de hoeveelheid energie. Om door de tijd te kunnen reizen, moet je toegang krijgen tot hyperspace, wat een enorme hoeveelheid kracht kost. En hoe dichter je de snelheid van het licht nadert, des te meer je gewicht toeneemt, wat je ervan weerhoudt die te bereiken.'

'Wauw, een beetje alsof het universum je vastpakt?'

'Zo zou je het kunnen uitdrukken, ja. Maar goed, je zou de tijd nu toch zeker niet stil willen zetten, net nu de proefwerken eraan komen?!'

'Haha, nee hoor …'

De stilte valt weer als verse sneeuw die de kamer bedekt. Algauw verandert Ruprechts ademhaling in mompelig gesnurk en zachte smakgeluidjes; hij droomt weer dat hij de Nobelprijs krijgt, die hij zich voorstelt als een zilveren beker gevuld met *fudge* … Spookachtig zilverzwart maanlicht kruipt door het raam; Skippy ziet het schijnen op zijn zwemtrofee, de foto van zijn vader en moeder.

En als ze zeker weten dat hij slaapt, komen ze de kamer in en gaan om zijn bed staan, hun lange, verterende ledematen slap langs hun lijf, terwijl hun rottende adem WIJ ZIJN DE DODEN ademt, ze zijn hand grijpen en hem de trap op trekken naar een kamer. Een gedaante in een bed tilt zijn hoofd op en trekt de dekens opzij om zijn lichaam aan hem te onthullen, de huid verbleekt tot dezelfde kleur als die van de lakens waar het uit oprijst, naar hem reikend met handen die veranderen in handen die hem vriezensvast vastpakken, en zijn mond sluit zich om de zijne, zodat hij niet kan schreeuwen of ademen of Ruprecht wakker kan maken; hij reikt onder het kussen naar zijn pillen, maar die zijn weg! er moet iemand binnen zijn gekomen en ze weg hebben gehaald! en nu vult de kamer zich met water en begint hij te verdrinken, terwijl handen hem onder het oppervlak trekken …

Hij doet zijn ogen open. Er is geen water – niemand in de kamer behalve hij en Ruprecht. De pillen liggen waar ze altijd liggen. Het spookachtige bijna-licht hangt in de kamer alsof er iemand is. Hij wendt zich ervan af, zijn hand om het kleine amberkleurige buisje geklemd.

Het is al laat als pater Green afdaalt uit de Toren. Het licht in Our Lady's Hall is uit, maar er schijnt genoeg maanlicht door de ramen om de weg te vinden, hoewel dat hem inmiddels ongetwijfeld zelfs in zijn slaap zou lukken, als hij er het type naar was om te slapen. Dit is zijn favoriete tijd van de dag, als de school naar bed is en hij eindelijk aan het werk kan! De armen zullen altijd onder ons zijn, zegt de Heer, dus is er altijd werk te verzetten; hij mag dan geen jonge man meer zijn, maar pater Green is niet van plan zich aan zijn plichten te onttrekken – en vanavond voelt hij, voor het eerst in tijden, het getinkel van de oude geestdrift. Het oude sap dat oprijst in zijn ...

Wat?

Hij dacht dat hij voetstappen hoorde. Maar als hij zich omdraait, is de hal leeg. Natuurlijk is die leeg – wie moet er nou zijn, op dit uur? Zijn geest is de laatste tijd dol geworden op dit soort geintjes: gestalten die uit de schaduwen komen, vreemde echo's, alsof er iemand achter hem loopt. Misschien moet hij maar eens met de zuster gaan praten, zich door haar laten onderzoeken ... O, maar wat zou 'Greg' dat niet geweldig vinden! Nee, hij wacht wel. Het zal vanzelf afzakken, Deo volente.

Als hij onder de Maagd door loopt, slaat hij een kruis, en hij loopt vervolgens de trap af naar de kelder. Vroeger was zijn kantoor op de bovenste verdieping. Nu is dat de 'computerkamer' en is zijn liefdadigheidswerk verbannen naar de onderwereld. Vooruitgang. Pater Green heeft geruchten gehoord dat als Desmond Furlong niet terugkomt, Waarnemend Rector Costigan – 'Greg' – van plan is het Oude Gebouw helemaal te slopen – jawel, hetzelfde gebouw waarvan Père Lequintrec de bouw steen voor steen heeft begeleid toen er, wat katholieke jongens betreft, in het hele land geen enkele school was die die naam verdiende. Toen de Orde nog sterk was, toen ze die geestdrift nog hadden! In plaats van zich tevreden te stellen met een rol als etalagemateriaal voor een school waar jonge financiers worden opgeleid.

'Greg.' 'Zeg maar Greg, alsjeblieft.' Hij is dan natuurlijk 'Jerome'. 'Jerome, ik begrijp niet hoe je het doet.' 'Jerome, je bent een lichtend voorbeeld voor ons allemaal.'

Hij doet het licht in het krappe kantoortje aan, opent een concept van een brief waarin vrienden uit het bedrijfsleven van de school om donaties wordt gevraagd. Maar vanavond lukt het hem niet zich erop te concentreren.

'Jerome, kan ik je even spreken …'

Pater Green was op weg geweest naar het Residentiële Gebouw voor het avondeten; hij had de Waarnemend Rector nauwelijks aan zien komen. Gewoonlijk ontloopt 'Greg' hem – een van de oude dinosaurussen, niks mee aan te vangen behalve wachten tot hij doodgaat. En toch zat hij hier nu – zat hij er? jazeker! –, hem te ondervragen over die jongen die vanochtend in zijn Franse les had overgegeven! 'Ik heb begrepen dat je een beetje bonje hebt gehad met een van onze tweedeklassers,' zei hij.

Nou! Pater Green was zo verrast geweest dat hij niets had kunnen uitbrengen; en dat moet een schuldbekentenis hebben geleken, want de Waarnemend Rector ging meteen verder met een terechtwijzing, zij het ingekleed in een soort neerbuigend flanel. 'De tijden zijn veranderd, Jerome … Soms heb ik zelf ook … moet wel in gedachten houden dat deze jongens niet zo robuust meer zijn als in onze tijd …' (In ónze tijd! Dacht hij dat 'Jerome' zo'n sukkel was?) 'Misschien zou het op de lange termijn productief zijn als je het ze een beetje makkelijker maakte.'

Ach ja. Het ze makkelijk maken: het motto van deze tijd. Voor deze kinderen moet, net als voor hun ouders, alles makkelijk zijn. Daar hebben ze récht op, en alles wat het in de weg staat, alles wat vereist dat ze ook maar even boven hun comfortabele halfslaap moeten uitstijgen, is verkéérd. Ze zullen hun hele leven geen behoefte of ellende kennen, en dat zullen ze zien als niet meer dan wat hun toekomt, ergens in de van satellieten vergeven leegte gesanctioneerd door dezelfde amorfe God die hen voorziet van Zweedse meubels en jeeps met vierwielaandrijving, die verschijnt als Hij wordt opgeroepen voor trouwerijen en doopsels. Een vriendelijke, twinkelogige God. Een mákkelijke God.

Het ze makkelijk maken. Nou, daar ging zijn bloed wel van koken! Hij had 'Greg' bijna bij zijn revers gepakt. Verdomme, man, denk je dat God geen boekhouding meer bijhoudt? Kijk eens om je heen! Overal zie je zonde! Het is krachtiger dan ooit tevoren, het vervuilt, vergiftigt, tast aan als kanker! Die jongens hebben iemand nodig die hun de waarheid vertelt! Dat hun zielenheil in gevaar is, dat hun enige hoop is zich op hun knieën in het stof voor God te buigen, Hem te smeken hen met zijn goddelijke genade te bevrijden van hun verdorvenheid!

Maar hij greep 'Greg' niet bij zijn revers, en hij zei niets van dat al; hij glimlachte alleen maar, beloofde voortaan zijn temperament te beheersen en zijn verontschuldigingen aan te bieden aan de jongen wiens gevoelens gekwetst waren. Het was geen grote overgave; hij is zich maar al te zeer bewust van de machteloosheid van zijn inspanningen. De kwellingen van de hel betekenen niets voor deze jongens. Zielen, God, zonde – het zijn woorden uit een ander tijdperk. Het bijgelovige geraaskal van een oude vogelverschrikker.

Pater Green vraagt zich al een hele tijd af wat hij hier doet. Hij walgt van het idee met pensioen te gaan; hij heeft al te veel van zijn collega's in inertie zien vervallen – mannen met wie hij zij aan zij heeft gewerkt in het missiewerk, in de heidense wildernis met niets dan hun geloof om hen te leiden, die nu als glimlachende gummizombies rondscharrelen in de residentiële gebouwen, praktisch wachten op hun dood. En toch heeft werk – dat altijd zijn redding is geweest – ook zijn glans verloren. Hij bedoelt niet het lesgeven; dat heeft hem nooit geïnteresseerd, en de jongens van tegenwoordig zijn erger dan ooit, doortrokken van wellust, een boomgaard vol appels die rotten aan de tak. Maar in de sociale woonwijken, waar hij in de eerste jaren nadat hij was teruggeroepen uit Afrika nog een soort belofte zag te midden van de troosteloosheid – iets hoopvols, een zekere eerlijkheid, een vermogen tot veranderen –, ziet hij nu alleen nog troosteloosheid. Dezelfde problemen als twintig jaar terug: beschimmelde kamers, aanrechten vol flessen, kinderen die half wild rondrennen over een vloer die is bezaaid met injectienaalden; dezelfde makkelijke capitulaties, dezelfde zwakte, hetzelfde gebrek aan verantwoordelijkheidsgevoel. En hier in zijn kantoor hetzelfde eindeloze gesmeek om een paar kwartjes, het eindeloze, smadelijke slaan op de trom.

Misschien is alles waar hij al die jaren in heeft geloofd gewoon verkeerd? Misschien is er in het hart van de mens gewoon geen greintje goedheid te vinden, wachtend tot het aan het licht wordt gebracht. Misschien is de mens wel rot tot in de kern, elk sprankje rechtschapenheid een luchtspiegeling, als een – hoe noem je dat? – een *corposant*. In zijn duisterste nachten (en de meeste nachten zijn tegenwoordig duister) heeft hij zich afgevraagd of hij niet vierenveertig jaar lang een mythe heeft nagejaagd.

Is het niet wonderlijk hoe een toevallige ontmoeting een geheel nieuw licht op je situatie kan werpen? Dat een uitwisseling die zo kort is dat ze geen enkele betekenis lijkt te hebben een weg vooruit kan onthullen, een nieuw pad waar er eerder geen leek te zijn? Vanavond had pater Green zich neergelegd bij 'Gregs' verzoek en was hij de trap opgelopen naar de Toren om zijn verontschuldigingen aan te bieden aan de jongen wiens gevoelens hij naar verluidt had gekwetst. Het was natuurlijk onzin – om te beginnen was hij betrapt op obsceniteiten tijdens de les, en bovendien hadden deze jongens helemaal geen gevoelens; ze waren de belichaming van de moderne tijd, ongevoelig tot op het bot, en pater Green had zijn kleine pelgrimage ondernomen met hetzelfde gevoel van onverschilligheid en verslagenheid waarmee hij de laatste tijd zoveel van zijn verplichten vervulde. Maar zodra die jongen de deur opendeed – nou ja, het ging natuurlijk te ver om het een damascener bekering te noemen, absurd. En toch was het, in dat zilveren ogenblik op die drempel, meteen duidelijk dat de pater een vergissing had begaan. Hij had zich in deze jongen vergist, en de schok ervan echode door hem heen, waardoor hij zich ging afvragen wat voor andere vergissingen hij de laatste tijd had begaan. Want je kon het zien – achteraf was het onmogelijk het helder te beschrijven, de duidelijkheid ervan –, je kon de onschuld op het gezicht van die jongen zien. Hij was anders – hoe was het mogelijk dat dat pater Green nooit eerder was opgevallen? Jonger dan zijn leeftijdgenoten, daar begon het al mee; hij was nog niet in de beerput van de puberteit gegleden, had nog die miniatuurperfectie van het kind, zijn rozige huid ongeschonden, zijn blik helder en niet vertroebeld. Maar dat was maar een deel van de verklaring. Hij had ook iets kwetsbaars, iets onwereldlijks, een puurheid die bijna grensde aan een soort voorafschaduwing van pijn, als een stuk fruit dat beurs wordt zodra je het aanraakt; en een schaduw van verdriet, misschien om de onrechtvaardigheid van de wereld die hij in zichzelf vond. Dat aanschouwen had pater Green bewogen tot een spontane tederheid die hij al heel lang niet had ervaren, en hij stak een arm uit om de jongen te troosten (als hij er nu aan terugdenkt, voelt hij de sensatie weer door zich heen trekken, en in het eenzame kantoor ontvouwt hij zijn handen om de lege lucht te strelen).

Het gesprek dat volgde was onsamenhangend: voelde de jongen zich beter? Ja. Accepteerde hij pater Greens verontschuldigingen voor het feit dat hij zijn geduld had verloren? Ja. Maar pater Green had al een belangrijke les geleerd: dat wanhopen ook een zonde is, en een heel verraderlijke, omdat hij het zicht beneemt op de momenten van goddelijke gratie die ons gegeven zijn, en ons aanzet tot solipsisme en hardvochtigheid. Hij had zich laten overmannen door pessimisme, razernij, maar God had hem in Zijn genadigheid de kans gegeven het goed te maken. En de aard van zijn boetedoening is duidelijk: hij moet de jongen helpen. Want hij is iemand die geholpen kan worden, die gered kan worden van de verwoestingen van zijn tijd – subtiel, uiteraard, omzichtig, een onzichtbare hand die hem naar het goede leidt. Dat kon toch nog zeker, je kon een jongen toch nog onder je hoede nemen? En zou hij door hem te redden – de gedachten van pater Green raasden nu voort – zijn eigen verloren pad niet kunnen hervinden? Zou deze jongen niet de Lot kunnen zijn die voor pater Green de profane stad waarin hij verdwaald is kan redden? Terwijl hij de vraag stelt, hoort hij zijn hart ontegenzeggelijk antwoorden: ja! Ja, Jerome, ja!

Wat was dat – een lach? Hoorde hij iemand lachen, daar in het donker? Ongetwijfeld een van de jongens – hij springt naar de deur. Maar buiten is er niets – alleen een stekelige stilte die zijn paranoia bespot. Hij grijpt naar zijn hoofd. Laat, Jerome, het is laat. Op dit uur ben je alleen ten prooi aan illusies.

Hij doet het licht uit en loopt door de school terug naar de residentiële verblijven. Onderweg stelt hij zich de worstelingen voor waar een jongen doorheen moet, en overdenkt hij hoe een bezorgde vriend die voorzichtig aan het licht kan brengen. Hij negeert het vreemde gevoel dat iemand hem volgt. Gewoon weer een van die irritante tics die hem de afgelopen weken geplaagd hebben.

Maar hij weet wie het is.

De volgende ochtend is Skippy hersteld van zijn mysterieuze ziekte, en hoewel hij aanvankelijk overal waar hij gaat wordt achtervolgd door een koor van nepkotsen, duurt het niet lang voor hij uit de spotlights wordt gestoten door nieuwe en grotere verhalen. Het schijnt dat er gisteren ergens na de laatste bel iemand heeft ingebroken in het kluisje van Simon Mooney en al zijn vuurwerk eruit heeft gehaald. Simon Mooney wankelt met een wit gezicht van groep naar groep, vraagt mensen of ze informatie hebben, maar niemand heeft die; na al zijn geglunder van gisteren is het discutabel of ze hem die zouden geven als dat wel zo was.

Het andere grote nieuws is dat Miss McIntyre vandaag tijdens de aardrijkskundeles een mogelijk schoolreisje naar Glendalough heeft aangekondigd, om de U-vormige vallei te gaan bekijken. Dat veroorzaakt behoorlijk wat opwinding. Een U-vormige vallei, gevormd door een gletsjer! Met haar erbij!

Er is een tijd geweest, nog niet zo lang geleden, dat maar weinig mensen opgewonden zouden zijn geraakt van een vallei in U-vorm, of welke vorm dan ook. Voor meneer Ó Dálaigh vertrok om aan zijn galstenen te worden geopereerd, was het enige interessante feit dat iemand zich kon herinneren tijdens de aardrijkskundeles te hebben opgestoken dat er in Turkije een stadje bestaat dat Batman heet (131.986 inwoners, voornaamste industrie: olie, voedselproductie). Maar dat werd allemaal anders toen Miss McIntyre verscheen. Het is alsof ze alleen maar door naar dingen te wijzen kan zorgen dat ze tot leven komen – gaan dansen en sprankelen, zoals de bezems en kopjes en zo in *De tovenaarsleerling* –, en nu begrijpen de jongens niet meer hoe ze geografische verschijnselen ooit saai hebben kunnen vinden. En die pas ontdekte interesse in de wereld om hen heen beperkt zich ook niet tot het klaslokaal. Onder haar leiding zijn voorheen ongemotiveerde jongens, jongens die er nauwelijks toe gebracht konden worden naar iets te kijken zonder tussenkomst van een elektronisch scherm, getransformeerd tot taliban-achtige milieufanaten. Ze schrijven woedende brieven aan de directeuren van vervuilende bedrijven; ze vegen moeders de mantel uit als ze een halve kilometer naar de winkel rijden om een (enkel) pak filodeeg te kopen; ze maken zich meedogenloos uit de voeten met alles wat te recyclen valt en ook maar even uit het oog wordt verloren (ongeopende blikjes cola, huiswerk), en spreken kameraden bestraffend toe over het inefficiënte gebruik van deodorantspray. Ruprecht zegt uiteraard dat dergelijke kleine maatregelen geen enkel effect zullen hebben, en dat zelfs als er drastischer actie ondernomen zou worden, wat waarschijnlijk niet gebeurt, de aarde hoogstwaarschijnlijk het punt is gepasseerd waarop de vernietiging van het milieu van de laatste twee eeuwen nog omgekeerd kan worden. Maar dat is aan dovemansoren gezegd.

'M-misschien neemt ze ons wel mee naar de U-vormige vallei en komen we nooit meer terug,' bloost Victor Hero.

'Zij kan ijs nog warm laten lijken,' zegt Bob Shambles dromerig.

Maar het allergrootste nieuws komt vlak voor de lunchpauze, als de jongens uit het geschiedenislokaal komen en zien dat er een huiduitslag van posters in de hele Our Lady's Hall is verschenen:

'HALLOWE'EN HOP'
GEZAMENLIJK EINDFEEST VOOR TWEEDEJAARS MET ST. BRIGID'S
FRISDRANK ALLE OPBRENGSTEN VOOR
HET GOEDE DOEL

Onder die woorden staat een onhandige tekening van het Monster van Frankenstein dat staat te jiven, met een flesje frisdrank in zijn hand, naast een oude platenspeler.

'Wat is een Hop in godsnaam?' zegt Mario.

'Ik denk dat het een soort dans is of zo,' zegt Niall fronsend. 'Een soort dans, uit de dagen van weleer.'

'Of een dans voor mensen met één been?' gist Geoff.

'Het is een Hallowe'en-disco voor de tweedeklassers van allebei de scholen,' zegt Dennis. 'Dat heb ik gehoord van mijn broer.'

'Een disco?' zegt Skippy.

'Dat doen ze elk jaar,' zegt Dennis. 'Iedereen verkleedt zich.'

'Holy shit,' zegt Mario.

'Geweldig, dit!' zegt Niall.

'Iedere jongen een *maaaaisje*,' zegt Geoff met zijn zombiestem.

Door de hele gang doen opgewonden jongens dezelfde ontdekking, tot ongenoegen van de Automator, die tegen ze snauwt dat ze moeten ophouden met ronddrentelen en naar hun les moeten gaan, en zich dan realiseert dat het lunchpauze is.

'Ik geloof dat ik maar condooms ga kopen,' zegt Mario. 'Die Hop wordt een zware kutjesparade.'

'Het wordt *Spook*-taculair!' zegt Geoff met die stem.

'Wil je daar nou mee ophouden?' zegt Dennis.

'Juster!' Iemand roept Skippy. Het is Howard de Lafferd, die hem wenkt vanaf de andere kant van de gang. Wat moet die nou?

'Ik vraag me af hoeveel condooms ik nodig heb,' peinst Mario, terwijl Skippy wegslentert. 'Ik zal maar een paar dozen halen, voor de zekerheid.'

'Je hoeft je niet *stijf* te schrikken ...'

'Verdomme, Geoff ...'

'We zullen *krijsen* van plezier!'

Toen Howard de vorige dag het kantoor van de Automator verliet, was hij eigenlijk helemaal niet van plan zijn belofte met Daniel Juster te praten gestand te doen. De Waarnemend Rector was dol op orders uitdelen, maar daarmee hield zijn interesse meestal ook op, wat inhield dat als Howard hem de komende paar dagen zou ontlopen, er een goede kans was dat hij hun hele gesprek zou vergeten. Dit leek Howard, die niet inzag waarom hij met extra werk opgezadeld moest worden, de beste aanpak – tot vanochtend, toen er iets heel vreemds was gebeurd.

Hij was afgelopen avond laat opgebleven om *Dat hebben we gehad* uit te lezen, en hij had besloten zijn les aan de tweede klas vandaag te beginnen met een fragment uit dat boek voor hij het behandelen van de Eerste Wereldoorlog afrondde en verderging met de Paasopstand. Graves' verslag leek in weinig op het saaie lesboek geschiedenis. Het lichtte op van de beeldendheid: de skeletten in de kraters in niemandsland, schoongekloven door de ratten; een bos vol Duitse lijken, waarvan Graves overjassen meeneemt naar zijn loopgraaf om ze als dekens te gebruiken; de cricketwedstrijd tussen officiers en sergeanten met een dakspant gebruikt als bat, een lap met een touw eromheen als bal en als wicket een papegaaienkooi, 'met het schone, droge lijkje van een papegaai erin' – elke pagina bevatte wel een nachtzwart juweeltje.

Nadat hij een paar minuten had voorgelezen, werd Howard zich bewust van een ongebruikelijke stilte. Hij was meteen op zijn hoede. Een stille klas kon in zijn ervaring twee dingen betekenen: ofwel iedereen was in slaap gevallen, ofwel ze hadden een of andere val gezet en zaten te wachten tot hij erin struikelde. Maar toen hij de bankjes vluchtig overzag, leken de jongens volledig bij kennis en er was geen spoortje van een naderende aanval te bekennen. Het daagde hem dat dit moest zijn wat ze een aandachtige stilte noemden. Terwijl hij probeerde zijn verbazing te verbergen, bang dat hij de betovering zou verbreken, ging hij verder met lezen.

Het boek hield hun aandacht tot het eind vast; toen de bel ging, had Howard het duizelingwekkende gevoel dat hij daadwerkelijk kennis had overgedragen. Het was een onverwacht vervullend en bemoedigend gevoel – zozeer zelfs dat als zijn oog nu op Juster valt, die een poster van de Hallowe'en Hop bekijkt, hij in plaats van zich om te draaien besluit hem bij zich te roepen. Hij ziet de jongen de gang door schuifelen, en zorgt dat hij klaarstaat met een vriendelijke, vaderlijke glimlach.

'Ik wil alleen even een praatje maken,' stelt hij hem gerust. 'Je hoeft niet zo geschrokken te kijken.' Als hij dat zegt, realiseert hij zich dat het een slimme zet van de Automator was om hem met de jongen te laten praten; hij zal toch zeker meer op zijn golflengte zitten dan een of andere pater van in de zeventig. 'Ik heb gehoord dat je gisteren in de Franse les over je nek bent gegaan,' zegt hij.

'Wát heb ik gedaan?' zegt Juster.

'Overgegeven. Gekotst.'

De mondhoeken van de jongen gaan naar beneden.

'Ik wilde alleen maar kijken of je je nu beter voelt.'

'Ja, meneer.'

'Dus je voelt je beter?'

'Ja, meneer.'

'Hebben pater Green en jij de strijdbijl begraven?'

Juster knikt.

'Hij kan zo taai zijn als een oude buizerd, maar ik zou me maar niet te veel aantrekken van wat hij zegt,' zegt Howard. De jongen reageert niet. Eerlijk gezegd lijkt hij in Howards ogen zijn belangstelling niet al te zeer op prijs te stellen – maar die jongelui verbergen hun kwetsbaarheid vaak achter een dergelijke houding, helpt hij zichzelf herinneren; je moet ze de ruimte geven, ze naar jou toe laten komen. 'En hoe gaat het verder, in het algemeen?'

'Prima.' Juster ziet er plotseling op zijn hoede uit, alsof Howard probeert hem ergens op te betrappen.

'Gaat het goed met je lessen? Is het niet te moeilijk, dit jaar?' De jongen schudt zijn hoofd. 'En thuis? Gaat het goed met je ouders?' Hij knikt. Howard zoekt naar een volgende vraag. 'En met zwemmen? Ik hoor dat dat fantastisch gaat.' De jongen knikt opnieuw, zijn bleke wenkbrauwen aarzelend gefronst, alsof hij een potje schaak met de dood speelt om zijn ziel. Howard begint wanhopig te worden. Je moet elk woord uit die jongen trekken. Maar goed, hij moet er toch nog maar een minuutje in stoppen, voor het geval Greg er wel naar vraagt. 'Weet je, ik heb gisteren even staan praten met je zwemcoach,' zegt hij. 'Die zei een paar heel ...'

Maar de woorden besterven op zijn lippen als hij gevangen wordt in een glimlach die net zo plotseling, fel en verlammend is als een zoeklicht in een gevangenis ... Miss McIntyre is naast hem verschenen; die glimlach is blijkbaar voor hem bedoeld. Hij hoort zichzelf tegen haar praten, zonder te weten wat hij zegt. God, die ogen! Als je daar alleen maar in kijkt, is het alsof je gekust wordt – of, nee, alsof je naar een andere wereld wordt getoverd, waar ze alleen met z'n tweetjes zijn, de rest van het universum niet meer dan een met klatergoud behangen decor dat in een trage wals om hen heen draait ...

'Eh ... meneer?' Howard wordt door een zacht stemmetje weer in de realiteit getrokken. Hij draait zich om en staart de eigenaar ervan aan alsof hij hem voor het eerst van zijn leven ziet.

'O ... sorry!' Miss McIntyre brengt haar hand naar haar mond. 'Ik wist niet dat jullie ergens mee bezig waren.'

'Nee hoor, dat geeft niks,' verzekert hij haar haastig, en dan spreekt hij Juster weer aan. 'Daniel, ik zou maar naar mijn volgende les gaan.'

'Maar het is lunchpauze.'

'Nou, ga dan lunchen. We maken dit gesprek van de week wel af.'

'Ja ja,' zegt Juster, met twijfel in zijn stem.

'Goed zo,' zegt Howard. 'Oké, nou, vooruit dan.' Juster beent gehoorzaam weg door de gang. 'We spreken elkaar van de week,' roept Howard hem na. 'Dan gaan we er eens goed voor zitten, oké?' Hij draait zich weer om, om zich te koesteren in het lieflijke licht van Aurelie McIntyre.

'Sorry,' herhaalt ze vrolijk. 'Ik zag hem niet staan; anders had ik jullie niet onderbroken.'

'Nee, nee, maak je geen zorgen, het stelde niets voor,' verzekert Howard haar. 'Hij had een akkefietje met Jerome Green gisteren. Greg vroeg me even met hem te praten, te kijken of alles oké met hem was.'

'Volgens mij heb ik hem in de klas,' merkt ze op, waarna ze eraan toevoegt: 'Hij is zo klein!'

'Normaal zou hij worden verwezen naar de decaan, maar Greg dacht dat hij liever met een jonger iemand zou praten,' legt Howard uit. 'Je weet wel, iemand bij wie hij zich op zijn gemak voelt.'

Ze neemt deze informatie bedachtzaam in zich op, of zogenaamd bedachtzaam: veel van haar gebaren, heeft hij gemerkt, hebben een verontrustend onserieus trekje, iets kunstmatigs, alsof ze ze voor haar eigen lol uit een oude komedie op tv heeft gehaald. Hoe bereik je de echte Aurelie?

'O, dat wou ik nog tegen je zeggen ...' Hij geeft haar een klopje op haar arm. 'Ik heb je advies opgevolgd en dat boek van Robert Graves gehaald. Ik heb er net uit voorgelezen aan de klas. Je had gelijk, ze vonden het geweldig!'

'Dat zei ik toch?' Ze glimlacht.

'Het geeft een heel andere dimensie aan de oorlog, weet je, als je erover hoort van iemand die ermiddenin heeft gezeten. Het raakte echt een snaar.'

'Misschien doet het ze aan school denken,' oppert ze. 'Heeft iemand de loopgraven niet ooit beschreven als negenennegentig procent verveling en één procent doodsangst?'

'Dat van die verveling weet ik zo net nog niet. God, die chaos, het geweld. En het is zo levendig. Ik zou graag zijn gedichten lezen, al was het maar om te zien hoe hij, nadat hij heeft beschreven hoe ... nou ja, de ingewanden van mensen eruit worden geblazen, over liefde kan schrijven.'

'Misschien is dat niet zo'n grote sprong,' zegt ze.

'Denk je van niet?'

'Ben je überhaupt weleens verliefd geweest?' zegt ze plagerig.

'Ja, natuurlijk wel,' verklaart Howard blozend. 'Ik bedoel alleen: erover schrijven ... Stilistisch gezien moet het toch een behoorlijke sprong zijn, van het een naar het ander ...'

'Mm-mm.' Ze doet het weer met haar tong: haar bovenlip aftasten met het uiterste puntje.

'Hoor eens,' zegt hij, 'we hebben een beetje een valse start gemaakt laatst.'

'Is dat zo?'

'Nou ja, ik bedoel ...' Hij is zich er vagelijk van bewust dat er jongens aan twee kanten schreeuwend langs hen stromen. 'Je weet wel, toen je tegen me zei dat je, eh ... iets bepaalds niet met me ging doen?'

'Ik zei tegen je dat ik niet met je naar bed zou gaan.'

'Ja, precies ...' Hij voelt dat hij een hevige blos krijgt. 'Nou, ik wilde alleen maar ... Ik hoop dat ik niet de indruk heb gewekt ... Ik bedoel, ik wilde alleen maar tegen je zeggen dat ik niet ... Nou ja, dat ik ook niet van plan was dat met je te doen.'

Ze neemt even de tijd om dat te verwerken, en zegt dan: 'Is dat alles wat je hebt kunnen bedenken, in twee volle dagen?'

'Ja,' zegt hij met tegenzin.

'Nu ga ik helemáál niet meer met je naar bed,' zegt ze lachend, en ze draait zich op haar hakken om.

'Als je dat zegt ...' werpt hij er wanhopig tussen, 'wat bedoel je dan precies?'

'Ik zie je later, Howard,' roept ze over haar schouder.

'Wacht nou!' Maar de betovering is verbroken: als hij achter haar aan snelt, is hij zich er weer van bewust dat hij leeft in een wereld van objecten, van obstakels, die komen tussen ...

'Neem me niet kwalijk, Howard, ik zag je niet ...'

Howard kan, de adem afgesneden, alleen maar naar adem happen.

'Ah, Robert Graves!' Jim Slattery raapt het boek van de grond waar het gevallen is. 'Lees je dit voor aan je jongens?'

Howard staart hopeloos haar kleiner wordende gestalte na, die hem zelfs van achteren gezien lijkt te bespotten.

'Een opmerkelijk veelzijdige schrijver, die Graves,' gaat Slattery verder, zonder iets te merken. 'Zijn soort kom je tegenwoordig niet vaak tegen. Poëzie, romans, klassieke mythologie ... Ik vraag me af: heb je ooit naar zijn *Witte Godin* gekeken? Maf ding, maar behoorlijk intrigerend ...'

Howard weet dat er geen ontsnapping mogelijk is. Hij heeft vijf jaar in een lokaal naar dit soort geratel geluisterd. Als Jim Slattery eenmaal is begonnen over een onderwerp dat hem interesseert, kan alleen een ingreep van God zelve zijn aandacht afleiden.

'... duikt in verschillende voorchristelijke beschavingen op – in Europa, Afrika, Azië – en stuit telkens op dezelfde figuur, die Witte Godin, met lang elfenhaar, blauwe ogen en een bloedrode mond. Dat gaat helemaal terug tot de Babyloniërs. Zijn theorie is dat de poëzie zoals wij die kennen voortkomt uit die godinnenverering. Alle poëzie, of liever alle ware poëzie, vertelt hetzelfde verhaal – een vruchtbaarheidsmythe, zou je het denk ik moeten noemen ...'

Blauwe ogen, een bloedrode mond.

'... strijd tussen de dichter, die het naderende voorjaar vertegenwoordigt, en als het ware zijn bovennatuurlijke dubbelganger of negatieve zelf, dat staat voor het verleden, de winter, het donker, de stilstand enzovoort, om de liefde van die Witte Godin ...'

Ga ik helemaal niet meer met je naar bed.

'Kwam op Mallorca terecht, of all places ... Graves dan. Verhuisde daarheen met een vrouw, een dichteres. Deya. We zijn er zelf trouwens een paar jaar geleden heen gegaan, mijn vrouw en ik. Heerlijke plek, als je eenmaal uit de buurt van die resorts bent. Verbijsterend landschap. En die visgerechten! Ik weet nog dat mijn vrouw op een avond tegen me zei, ze was de garnalen aan het eten ...'

Howard knikt afwezig. Hij stelt zich voor dat hij in de verte haar witte sjaal kan zien wapperen in het struikgewas van het Bijgebouw, als het puntje van een vossenstaart.

Zodra Skippy uit het zicht is, zet hij het op een lopen. Hij blijft rennen tot hij alleen in zijn kamer is, zijn hoofd vol rondvliegende vonken, bijna te dicht om erdoorheen te kunnen kijken.

Met je praten? Waar wil hij over praten dan?

O, fuck!

De paniek zindert door zijn zenuwen en vonkt pijnlijk in zijn vingertoppen; gedachten botsen tegen elkaar op, en het ergste is dat hij niet weet waarom! Hij weet niet waarom hij tegen de deur van zijn hersens duwt, hij weet niet waarom zijn hart zo snel klopt, hij weet niet waarom het zo belangrijk is dat hij niet met Howard de Lafferd praat – en nu weet hij niet waarom hij op een stoel staat en zijn tas uit de klerenkast trekt, de laden opentrekt en de inhoud over zijn schouder op het bed gooit. Ondergoed, sokken, T-shirts, truien, gympen ...

En dan flitst er iets langs het raam.

Even later hoort hij de stereo van Edward 'Hutch' Hutchinson keihard door de muur, hoewel hij weet dat Hutch beneden in de eetzaal zit. Naast het bed flikkert Skippy's wekker 00:00. Hij zet zijn tas neer en draait zijn gezicht langzaam naar het raam. De kamer voelt wiebelig en alsof hij aan de randen wegzweeft.

Het ging bijna te snel voorbij om het te kunnen zien, en toch zag hij het, op de een of andere manier. Als hij naar het raam loopt, hoort hij het geluid van tv's, radio's en computers babbelen in de gang, stemmen die deuren opendoen en elkaar vragen wat er aan de hand is. Hij loopt zachtjes, alsof hij het niet zelf doet, durft niet te geloven dat hij heeft gezien wat hij denkt dat hij heeft gezien; hij doet zelfs alsof hij dat niet denkt, doet, terwijl hij zijn oog tegen Ruprechts telescoop drukt, alsof hij gewoon zomaar even rondkijkt ...

Maar hij ziet alleen maar wolken en vogels. O, wauw, wat een verrassing. Had hij nou echt verwacht dat buitenaardse wezens uitgerekend dit moment zouden kiezen om aan te komen? Alsof ze helemaal door de ruimte zijn gekomen, speciaal om hem te redden ... Wacht eens, daar! Het verschijnt uit het niets in zijn vizier, en dan is het weer weg. Hij zoekt de lucht af, jaagt erachteraan, zijn hart bonzend alsof het er zo door zijn borst uit zal komen. Kan dit echt aan het gebeuren zijn? Hallucineert hij? Maar nee, nu heeft hij het eindelijk goed in beeld: een SCHOTELACHTIG RUIMTESCHIP dat door de lucht scheert!

Ruprecht zit ondertussen beneden in zijn laboratorium te werken aan zijn Golfoscillator. Op een geest die niet zo briljant is als de zijne komt het lab misschien een beetje unheimisch over. Het is een volgepakte en raamloze kamer in de ingewanden van de kelder, verlicht door een kale gloeilamp; vocht sijpelt langs de muren, druppels druppen van het plafond en er doemen lege omhulsels van vroegere uitvindingen – de Kloon-o-matic, de Weermachine, het Onzichtbaarheidsgeweer, de Protectron 3000 – op uit de schaduw, allemaal afgebroken en gekannibaliseerd voor andere projecten, zodat ze nu lijken op gesneuvelden in een of andere afgrijselijke mechanische oorlog. Maar voor Ruprecht is het laboratorium een toevluchtsoord, een oase van orde en rationele gedachten. De warmte van de computers zorgt ervoor dat het altijd bloedheet is in de kamer, en hij is ver genoeg verwijderd van de rest van het gebouw om er op elk uur van de dag op je Franse hoorn te kunnen spelen, dag en nacht; er staat zelfs een televisie, voor als je liever naar National Geographic wilt kijken zonder 'humoristisch' commentaar over poesjes en zo van andere partijen.

De Van Doren Golfoscillator is een METI-instrument dat Ruprecht zelf heeft ontwikkeld. Het idee is tamelijk eenvoudig: de VDG neemt geluiden op (bijvoorbeeld het belangrijkste thema uit de *Canon* van Pachelbel, gespeeld op een Franse hoorn) en vertaalt die in het volledige spectrum aan frequenties, de frequenties die buiten het bereik van het menselijke – maar misschien niet het buitenaardse – gehoor liggen incluis, en zendt die de ruimte in.

'Blowjob, wat heb je er nou aan om een zootje saaie muziek de ruimte in te schieten? Wil je dat ze denken dat iedereen op aarde honderd is of zo?'

'Er spreekt toevallig veel in het voordeel van klassieke muziek als communicatiemiddel. Aan de ene kant is het een mathematisch systeem dat een intelligent wezen zal kunnen begrijpen en aan de andere kant geeft het inzicht in de psychologie van de mens; muzikale eigenschappen als gonzen, herhaling en percussie zijn gebaseerd op hartslagen, ademhaling et cetera. Professor Tamashi heeft een heel interessant artikel over dat onderwerp geschreven.'

'O ja, dat zal ik per ongeluk over het hoofd hebben gezien.'

De Golfoscillator heeft behoorlijk wat kinderziektes gekend, maar vandaag denkt Ruprecht dat hij het misschien eindelijk allemaal voor elkaar heeft. Hij haalt hem van de werkbank – de VDG is een ongeïnspireerd rechthoekig geval ongeveer ter grootte van een gemiddelde bonbondoos –, steekt opgewekt de stekker in het stopcontact en doet een stap naar achteren. Niets explodeert of vat vlam. Mooi zo. Hij zet hem aan. Er licht een rood lampje op en er klinkt een efficiënt klinkend gezoem. Ruprecht gaat in een stoel zitten en haalt zijn Franse hoorn uit zijn koffer. Hij wacht even voor hij begint, met een blik op de deur. Hij vindt het meestal prettig als Skippy er is als hij experimenten uitvoert, maar die is vanmiddag na de geschiedenisles verdwenen en heeft niet gereageerd op al Ruprechts sms'jes. Nou ja, als hij de wetenschappelijke doorbraak van de eeuw wil missen, is dat zijn probleem.

Het stuk dat hij vandaag speelt is een persoonlijke favoriet, het eerste deel van Bachs *Concerto voor Franse hoorn*. Terwijl hij het speelt, stelt hij zich voor hoe twee elegante wezens aan de andere kant van het universum het boek dat ze aan het lezen zijn neerleggen en stralen van genot als de hemelse muziek uit hun futuristische radio komt; de een zet een 'zullen we?'-gezicht op, en vervolgens springen ze in hun ruimteschip. Nieuwe scène: New York, een podium waarop de beleefde aliens en de ondernemende jongeman die hen hierheen heeft gebracht worden toegejuicht door de wereld ...

Het gekrijs van ruis is zo ongelooflijk hard dat Ruprecht pardoes van zijn stoel valt. Hij blijft even liggen, tegen de grond gedrukt door de herrie; dan begint hij met enige moeite, aangezien hij zijn handen tegen zijn oren drukt, naar de Oscillator te kruipen, waaruit nu Duitse stemmen klinken die, op hetzelfde krankzinnige volume, iets beweren over ... bockworst? Tot – gelukkig – de stroom uitvalt.

Stilte. Ruprecht hijgt op de vloer, in het donker opgekruld als een foetus. Even later gaat het licht weer aan, en daarmee ook de tv, de computers en alle andere apparaten in de kamer – maar niet de Oscillator, die inmiddels schuldbewust staat te roken. Ruprecht buigt zich voorover om hem te bekijken, laat hem dan met een schreeuw vallen en grijpt naar zijn verbrande vingers. Een golf van frustratie trekt door hem heen. Wat is er nou mis mee? Waarom werkt het niet? Nutteloos, het is nutteloos. Of liever: *híj* is nutteloos – stom, nutteloos en saai, dus wat heeft het voor zin om het überhaupt te proberen? Hij schopt de Van Doren Golfoscillator naar de andere kant van de kamer, waar hij, nog steeds smeulend, blijft liggen tegen de voetsteun van de Protectron 3000, en werpt zichzelf vervolgens vol wanhoop in een stoel.

'Soms is de reden dat we de oplossing niet zien dat we te dicht op de vraag zitten,' zegt een stem.

Ruprecht kijkt geschrokken op. Op de tv, die vanzelf is aangegaan, ziet hij een vertrouwd gezicht – gerimpeld en bruin als een walnoot, voorzien van ogen met een buitengewone opaalglans, waarvan de irissen lijken te glinsteren alsof ze een of andere labyrintachtige berekening uitvoeren.

'De complexiteiten van het probleem, realiseerde ik me, hadden me al die tijd afgeleid van wat er vlak achter lag,' zegt het gezicht. 'Als je een dimensie toevoegt, is alles weer duidelijk. Het voorziet ons van een realiteit die tegelijkertijd simpel is en van een bijna onmogelijke schoonheid.'

'Holy shit,' zegt Ruprecht.

Een bijna onmogelijke schoonheid. Naar voren en naar achteren dansend, glitterend als een wegschietende ster door de fletse grijstinten van de herfst – Skippy kan zich er niet van losmaken, terwijl een reeks van harder wordende stoten, bonzen en hijggeluiden, alsof een zwaarlijvig iemand met twee treden tegelijk een trap opkomt, van buiten klinkt, tot Ruprecht, badend in het zweet, naar binnen dendert en nogal obscuur 'Multiversum!' uitstoot, voor hij zich realiseert wat Skippy aan het doen is. 'Mijn telescoop!' krijst hij.

'Sorry ...'

'Die mag niet verzet worden.' Ruprecht duwt hem opgewonden weg en pakt bezitterig de kijker vast.

'Ik dacht dat ik een ufo zag,' zegt Skippy.

'Hij staat niet eens naar de lucht gericht,' werpt Ruprecht tegen.

Hij plant zichzelf tegen het oogstuk aan om het te controleren; er valt aan het andere eind niets te zien, behalve een meisje van St. Brigid's met een frisbee in de tuin aan de andere kant van de muur. 'En trouwens ...' Hij maakt zich los van de telescoop als hij zich weer herinnert waarom hij hier helemaal vanuit de kelder heen is komen rennen. '... dat is niet belangrijk. Wat belangrijk is, is het volgende. Het lijkt erop dat ons universum misschien niet het enige universum is dat er bestaat. We kunnen weleens een van een oneindig aantal universums zijn, die zweven door de elfde dimensie!'

'Wauw,' zegt Skippy.

'Ik weet het!' zegt Ruprecht opgewonden. 'Elf dimensies! Terwijl iedereen altijd heeft gedacht dat er maar tien waren!'

Hij draaft in die trant door, eindeloos rondjes lopend tussen de bedden, terwijl hij tegen zijn voorhoofd slaat en dingen uitroept als 'Keerpunt!' en 'Verbijsterend!' Maar Skippy hoort hem niet. Hij kijkt weer door de telescoop naar het Frisbeemeisje dat heen en weer rent over het gravel, springt en zich midden in de lucht omdraait, haar arm strekt om de schijf te vangen en hem weer wegslingert voor haar voeten zelfs maar de grond hebben geraakt, lacht terwijl ze strengen donker haar uit haar mond vist ... Ze lijkt zoveel helderder dan alles om haar heen, een flard zomer die op de een of andere manier in oktober terecht is gekomen, en tegelijkertijd maakt ze alles om haar heen ook helderder – door haar past het op de een of andere manier allemaal, als in een musical waarin iemand in gezang uitbarst en de rest vervolgens ook begint te zingen – niet alleen de andere meisjes maar ook de bomen, de muren, het gravel van de binnenplaats, Ruprecht en zelfs Skippy zelf achter die telescoop ...

Er klinkt een kreet van achter de luiken van zijn dagdromen. Dennis en Mario zijn stiekem naar binnen geslopen en hebben Ruprechts onderbroek in zijn bilnaad getrokken; het bespreken van de elfde dimensie is even gestaakt, aangezien de voornaamste verdediger ervan in de kamer over de vloer ligt te rollen terwijl hij naar zijn onderbroek graait.

'Waar kijk je daar naar, Skipford?' Voor Skippy de telescoop ergens anders op kan richten, is hij al met een schouderduw opzijgewerkt; Dennis, met zijn oog tegen het glas, begint een reeks deurbel-annex stoom-fluit-uit-orengeluiden te slaken: 'Woe-wie, sexy lady!'

'Wat, laat eens kijken,' en nu doet Mario ook mee. 'Hubba hubba, wat een lekker wijf.'

'Wacht maar tot je haar memmen ziet ... Hé kijk, Skippy bloost! Wat is er, Skippy, is dat je vriendinnetje?'

'Waar hebben jullie het over?' zegt Skippy walgend, hoewel dat niet erg overtuigend overkomt, aangezien hij knalrood wordt.

'Kijk, Mario, kijk, Ruprecht: Skippy vindt het niet prettig als je over zijn *vriendinnetje* praat – komt dat doordat je van haar *houdt*, Skippy? Doordat je van haar *houdt* en met haar wilt *trouwen*, en kussen en knuffelen en haar handje vasthouden, en zeggen: "Ik hauw van jauw, jai bent mijn vriendinnetje ..."?'

'Ik heb geen idee waar je het over hebt.'

'Ik vraag me af of dat bloedgeile meisje ook naar de Hop gaat,' vraagt Mario zich af.

'Denk je dat ze bij de Hop zal zijn?' Skippy gloeit als een kerstboom.

'Er is vast geen gebrek aan lekkere wijven bij die Hop,' zegt Mario. 'Bovendien zijn de meisjes van Brigid's befaamd om hun sletterige gedrag. Het zullen net kegels zijn die staan te wachten tot ze omver worden gegooid door Mario's grote ballen.'

'Ik vraag me af of zij ook komt,' zegt Skippy.

'Skippy, denk je nou echt dat een meisje als zij ook maar in de buurt komt van zo'n loser als jij?' Dennis heeft Mario in een hoofdklem en springt op en neer.

'Laat me los, klootviool,' gorgelt Mario.

'Wat zeg je, Mario? Ik versta je niet. Praat eens een beetje harder.'

'Wie is T.R. Roche?' Ruprecht is van de vloer gekomen en staart naar het etiket op een amberkleurig buisje in zijn hand.

'Ja, en waarom liggen er allemaal kleren op het bed gegooid?' zegt Mario, die nogal laat de chaos in de kamer opmerkt. 'En die grote tas?'

'Ja, Skip, wat moet dat met die tas? Volgende week is het proefwerkweek.'

'Ben je van plan ergens heen te gaan?'

Skippy kijkt schijnbaar verbijsterd naar het buisje en de tas. 'Nee,' zegt hij. 'Ik ga nergens heen.'

Eindelijk vrijdag. Minder dan een uur voor de laatste bel zijn de gangen verlaten: de jongens zijn naar huis, de leraren verkast naar de Ferry, een kleine pub in de luwte van de school die al lang de stamkroeg van het personeel van Seabrook is – tot niet-aflatende ergernis van de eigenaar, die de lucratieve minderjarige markt naar elders heeft zien vertrekken.

Howard vindt die drinksessies met zijn collega's hard werken. 'Ik heb die mensen gewoon niks te zeggen. Ik heb ze op maandagochtend al niks te melden. Wat moet ik aan het eind van de week dan met ze bespreken?'

'Howard, je hoort bij "die mensen",' zegt Farley tegen hem. 'Kom nou eens uit die ontkenningsfase. Je bent een leraar, accepteer dat nou gewoon.'

Hij kan het – net – accepteren als iemand hem betaalt voor zijn inspanningen, maar de eerste uren van zijn weekend opofferen uit naam van esprit de corps – dat is de meeste vrijdagen te veel gevraagd.

Maar deze vrijdag niet. Vandaag komt hij regelrecht naar de pub, en gaat met een grimmige blik naar de deur zitten staren terwijl Jim Slattery anekdotes in zijn niet-luisterende oor tettert en Tom Roche vanaf de bar dreigend naar hem kijkt als een verzuurde, kreupele Peter Pan. Maar de deur brengt niet waar hij op hoopt.

'Ze komt vast wel,' zegt hij bedroefd.

'Vorige week is ze ook niet gekomen,' zegt Farley klappertandend. Ze zijn het bebankstelde rokersterras opgelopen om het zijhek van de school in de gaten te houden; de terrasverwarming doet het niet en de temperatuur daalt vrolijk richting nul graden.

'Ze zei dat ze vandaag wel zou komen. Dat heeft ze gezegd.'

Sinds hun korte ontmoeting na de les op woensdag, en haar mysterieuze afscheidsgrap/bedreiging, heeft Howard herhaaldelijk pogingen gedaan om Aurelie McIntyre onder vier ogen te spreken.

Het is om gek van te worden. Alsof je een hersenschim probeert te versieren. Alles aan haar blijft hardnekkig ambigu, inclusief de vraag of ze al dan niet versierd wil worden; maar hoe ongrijpbaarder ze is, en hoe onmogelijker en nuttelozer het lijkt om achter haar aan te jagen, des te sterker voelt Howard zich onverklaarbaar genoeg aan haar gebonden; des te meer denkt hij aan haar, des te meer smacht hij naar een enkel woord, een moment met haar. Hij kijkt al twee volle dagen uit naar vanavond; zelfs als ze niet met hem praatte, dacht hij, zou hij in elk geval een uurtje of twee hebben om naar haar te kijken, haar onaardse schoonheid in zich op te nemen vanaf de andere kant van de drukke kroeg.

'Ik moet me natuurlijk wel afvragen hoe Halley in dit hele plaatje past,' zegt Farley.

'Mm-mm,' zegt Howard.

'Want denkt zij niet dat je van haar houdt? En dat je met haar gaat trouwen?'

Howard mompelt iets onverstaanbaars.

'Waarom zit jij dan achter Aurelie aan? Ik bedoel, zoals ik al zei: ik vraag het me alleen maar af.'

Howard zucht geprikkeld. 'Ik zít helemaal niet achter haar aan. Ik heb nauwelijks een woord met haar gewisseld. Ik weet überhaupt niet hoe realistisch dit hele gedoe is.'

'Maar je wilt wel dat het realistisch is.'

Howard zucht opnieuw, kijkend naar de kristalachtige glinsteringen in zijn adem. 'Ik hou wel degelijk van Halley,' zegt hij. 'En ik weet dat ik een geweldig leven met haar heb. Alleen ... soms voelt het een beetje versnipperd. Weet je wel?'

'Niet echt.'

'Ik bedoel, we gaan naar de film, we eten samen, we maken ruzie, we dollen een beetje, we gaan uit met vrienden – soms krijg ik het gevoel dat het allemaal nergens toe leidt. Het is gewoon het een na het ander. En vierentwintig uur later is het allemaal weer vergeten.' Hij neemt een slok van zijn bier. 'Ik wil niet zeggen dat het slecht is; het is alleen niet zoals ik me mijn leven had voorgesteld.'

'Wat had je dan verwacht?'

Daar denkt Howard even over na. 'Ik denk – het zal wel stom klinken, maar ik dacht geloof ik dat alles meer een spanningsboog zou hebben.' Als hij Farleys lege blik ziet, verklaart hij zich nader.

'Een verhalende lijn. Een zingeving. Het gevoel dat het niet maar gewoon dagen zijn die zich aaneenrijgen. Zoals in het boek dat ik aan het lezen ben, dat boek van Robert Graves ...'

'Dat is toch dat boek dat Aurelie je heeft aangeraden?'

'Wat heeft dat er nou mee te maken?'

'Niks, niks.' Farley steekt verzoenend zijn hand op. 'Ga verder.'

'Nou ja, hij is gewoon heel dapper. Hij leidt zijn regiment naar het front, hij gaat midden in de nacht niemandsland in om zijn kameraden te redden – en dat allemaal voor zijn eenentwintigste.'

'Nou en? Ben je van plan Halley te verlaten en met Aurelie in een loopgraaf te gaan wonen? Te gaan zitten wachten op de Duitsers?'

'Nee,' zegt Howard geërgerd. 'Alleen ...'

Op dat moment gaat de deur open, en Jim Slattery komt naar buiten gedenderd. 'Aha,' begroet hij hen tweeën, 'Cassius en Brutus.'

'Ga je ervandoor?' antwoordt Farley. Jim vertrekt elke vrijdag precies op dit uur.

'Geen furie in de hel zo ziedend als een vrouw die het eten koud ziet worden,' grinnikt de oudere man. 'Daar komen jullie nog wel achter, jongens.' Hij kijkt het terras over, de avondlucht in. 'Frisjes buiten.' Hij wrijft in zijn handen. 'Of misschien is het gewoon de leeftijd. Maar goed, ik laat jullie jongelui achter. Op de plaats rust, heren ...'

Hij kuiert op zijn gemak weg, zijn toonloze gefluit wegstervend in het verkeer.

'Ik wil niet zo eindigen als hij,' zegt Howard als hij uit zicht is. 'Vijfendertig jaar gewerkt, en wat heeft het hem opgeleverd? Collega's die hem negeren, leerlingen die hem uitlachen, een vrouw die elke dag zijn lunch voor hem klaarmaakt, want God verhoede dat hij een broodje eet in de pub. En maar eindeloos hetzelfde behandelen, *King Lear* en *The Road Not Taken* ...'

'Hij lijkt er geen bezwaar tegen te hebben,' zegt Farley. 'Sterker, ik durf te wedden dat hij nog steeds volschiet als hij *The Road Not Taken* leest.'

'Maar je begrijpt toch wel wat ik bedoel? Ik bedoel, op een dag zijn we dood.'

Farley lacht. 'Howard, jij bent de enige die ik ken die zich direct na het verliezen van zijn maagdelijkheid in een midlifecrisis heeft gestort.'

'Mm-mm.'

De deur gaat weer open. Howard hoort Toms stem buiten, luid van de alcohol. Twee jonge vrouwen van het bouwfonds verderop in de straat zijn op het terras verschenen om een sigaret op te steken. Hun ogen schieten terloops over Howard en Farley heen. '*Howdy*,' zegt Farley. Ze glimlachen door hun rillingen heen. Hij loopt naar hen toe om een sigaret te bietsen.

'Ik weet niet of het een troost voor je is,' zegt hij als hij terugloopt naar Howard, 'maar wat je net zei over dat gevoel dat er een spanningsboog ontbreekt – dat het leven versnipperd lijkt –, dat is wetenschappelijk gesproken toevallig een van de grote vragen van onze tijd.'

Howard neemt een behoedzame slok van zijn bier.

'Hoe we het macro en het micro moeten verzoenen. Want, zie je, er zijn twee grote theorieën over hoe de kosmos werkt. Aan de ene kant heb je de verklaring van de kwantummechanica, het standaardmodel zoals ze dat noemen, dat beweert dat alles uit heel kleine stukjes bestaat, deeltjes. Er zijn honderden verschillende soorten deeltjes, allemaal heel woest en raar en anders – fragmentarisch, zoals jij dat noemt. Maar aan de andere kant heb je Einsteins relativiteitskijk op de dingen, die heel geometrisch en elegant is, en de kosmos op een grootse schaal bekijkt. Licht en zwaartekracht worden veroorzaakt door rimpelingen in de ruimtetijd, alles beheerst door heel eenvoudige wetten – kortom, een allesomspannende structuur.'

Hij zwijgt even om een trekje van zijn sigaret te nemen en blaast een weelderige rookwolk uit.

'Maar het punt is dat, voor zover we kunnen vaststellen, beide verklaringen kloppen; de ene kan niet zonder de andere. Van het ruimtecurveverhaal blijft niets over in het licht van subatomaire deeltjes. En het standaardmodel is te chaotisch en verward om de elegante symmetrieën van ruimtetijd op te leveren. Dus ze zijn geen van beide compleet, en als je ze allebei tegelijk moet gebruiken, zoals wanneer je de oerknal probeert te beschrijven, passen ze niet in elkaar. Het is precies als waar jij het net over had – op een alledaags niveau, weet je wel. Het is moeilijk om bewijzen voor een spanningsboog of een grotere betekenis in ons leven te ontdekken, maar als je het leven zin probeert te geven – volgens een principe, een missie of een ideaal of iets dergelijks –, is het tegelijkertijd onvermijdelijk dat je de details vertekent. De kleine dingen blijven zich ertegen verzetten en schieten telkens van hun plek.' Nog een trekje. Zilveren rook rept zich de schemering in. 'Elke paar jaar komt er wel een of andere wetenschapper met de grootse, overkoepelende theorie die zogenaamd alles verbindt. Snaartheorie, superzwaartekracht. De M-theorie is de laatste. Maar als je ze beter gaat bekijken, blijft er niets van over.'

Howard kijkt hem met een uitgestreken gezicht aan. 'Dat is eigenlijk helemaal niet zo troostrijk, Farley.'

'Ik weet het,' zucht Farley. Hij neemt nog een laatste trekje van zijn sigaret en trapt hem uit onder zijn hak. 'Hoor eens, als ik je iets vertel, kunnen we dan weer naar binnen?'

'Wat moet je me dan vertellen?'

'Serieus, ik vind het vervelend dat ik het moet zeggen, maar ik sta hier geloof ik te bevriezen.'

'Zeg het nou maar gewoon.'

'Nou ...' Farley trekt met veel vertoon zijn manchetten recht, '... het schijnt dat een zekere persoon zich heeft aangemeld om te surveilleren bij die Hallowe'en Hop.'

'Aurelie?'

'Ik hoorde haar er gisteren over praten met Greg.'

'Waarom?' Omdat de Hop op de eerste avond van de herfstvakantie valt, is er altijd een schrijnend gebrek aan surveillanten.

'Al sla je me dood,' zegt Farley schouderophalend. 'Misschien ziet ze het als iets nieuws.' Hij schaatst met zijn vingertoppen in een achtje over de balustrade en voegt er vervolgens nonchalant aan toe: 'Ze zullen nog minstens één andere begeleider nodig hebben ...'

'Goh,' zegt Howard, en ze kijken even hoe wolken en de avond samen de lucht verduisteren.

Dan recht Farley zijn rug. 'Oké, ik ga nog wat te drinken halen,' zegt hij. 'Ga je mee naar binnen?'

'Ik kom zo,' zegt Howard afgeleid.

'Willen jullie nog iets van de bar, dames?' hoort hij Farley tegen de meisjes van het bouwfonds zeggen. 'Ze tappen hier een uitstekende *snakebite*.'

De meisjes giechelen; de deur zwaait dicht. Howard ziet zijn vingers blauw worden om de glazen hals van het bierflesje. Hij denkt aan Halley, achter haar computer in hun kleine huisje, die het werk voor deze week afrondt, het eten begint klaar te maken. Als hij nou maar zeker kon weten dat dit het leven was dat hij wilde leiden, en niet alleen maar het leven waar hij mee opgescheept zit, omdat hij te bang was om het leven dat hij wilde na te jagen. Als hij nou maar zeker wist dat hij niet zou eindigen als een of andere mollige ouwe sukkel in een jack van dertig jaar geleden, zo hopeloos mislukt dat hij zich niet eens meer realiseerde wat er mogelijk was geweest ...

Toen Howard en Farley in hun eindexamenjaar zaten, ging de vrouw van Jim Slattery bij hem weg. Dat kregen de jongens natuurlijk niet te horen, maar het was vrijwel meteen duidelijk. De leraar begon met rare sokken aan op school te verschijnen, ongeschoren, zijn haar in de war. De achterbank van zijn auto lag bezaaid met verpakkingen van afhaaleten. Zijn lessen, die je al nooit lineair kon noemen, werden chaotischer dan ooit; soms viel hij ineens minutenlang stil, gefascineerd door een of ander mysterieus detail dat hij uit het raam zag. Op een middag, midden in een van die vreemde intervallen, had Guido LaManche vanaf de achterste rij geroepen: 'Waar is je vrouw, Jim?'

De uitdrukking op Slattery's gezicht verraadde hem meteen. Hij was te geschokt om te doen alsof hij het niet begreep of zijn verbijstering te verhullen. Hij stond daar maar, met open mond. Steve Reece herhaalde de vraag verlekkerd: 'Waar is je vrouw, Jim?' En in een mum van tijd viel de hele klas in, telkens maar scanderend: 'Waar is je vrouw, Jim?'

Slattery probeerde het te negeren, begon iets te mompelen over het gedicht dat ze net hadden gelezen, maar het scanderen klonk steeds luider, overstemde hem, en uiteindelijk vluchtte hij onder hoongelach het lokaal uit.

De volgende dag ontbrak de met afhaalverpakkingen bevuilde auto op het parkeerterrein, en in plaats van Engelse les kregen de zesdeklassers tijdens een speciale bijeenkomst een typerend duistere preek van pater Furlong te horen over compassie. Die werd gevolgd door een directere toespraak van de decaan waarin het de rest van de week werd verboden tijdens de lunchpauze het terrein van de school te verlaten. Ze noemden geen van beiden de naam van Jim Slattery, noch wat er in dat lokaal was gebeurd.

Niemand verwachtte de leraar Engels voorlopig terug te zien, maar de volgende dag ging hij meteen weer aan het werk. Hij verwees niet één keer naar wat er was gebeurd en ging gewoon verder waar hij was gebleven. Er klonk gegrinnik, gejoel, er werden dubbelzinnige opmerkingen gemaakt, maar dat bleven incidenten. Een paar weken later hoorden ze dat zijn vrouw bij hem terug was.

Howard herinnert zich die middag nog als de dag van gisteren: de pagina van het boek op zijn bankje, het weer buiten, de gezichten om hem heen, en vooral het gezicht van Slattery – eerst verward, alsof ze dingen hadden geroepen in een dialect dat hij niet verstond, en vervolgens, toen hij het eenmaal begreep, niet zozeer overstuur als wel geschokt, geschokt hoe wreed zijn jongens konden zijn. Het was de eerste keer dat Howard had gezien dat een volwassene er zo uitzag: breekbaar, alsof hij in stukjes uit elkaar kon vallen zodra je hem aanraakte.

Het grappige is dat, hoewel alle andere details van die les in zijn geheugen gegrift staan, Howard zich maar niet lijkt te kunnen herinneren of hij zelf meedeed met het gescandeer. Hoe hij ook zijn best doet, dat ene detail krijgt hij niet scherp; zijn hersens hebben het gescrambeld, als het gezicht van een informant in een tv-documentaire. Was hij walgend met zijn armen over elkaar achterover gaan zitten, weigerend zijn mond open te doen? Had hij zijn kop omlaaggehouden, zodat niemand kon zien of hij al dan niet meedeed? Of had hij – daar in het midden van de middelste rij, zich verbergend in de massa – meegejoeld, net zo hard als iedereen? Glimlachend naar de anderen, om te laten zien wat een bak hij het vond? Hij heeft geen idee, hij kan er niet eens naar gissen; is dat nou niet vreemd?

Deze mazzelige hond neuk prachtig Russisch maagd
Zij is gedronken en gaat geneukt worden door fles
Wijf skreewt als word geneukt in alle gaten door vijf kerels
Vozhnogy btzhaga child-rape ltazoy drastilnje
Deze oma niet vergeten hoe zij neuken!

Elke foto is een deur naar een wereldje. Carl ziet ze in zijn hoofd ergens ver in de ruimte zweven als bubbels, met zijn computer verbonden door piepkleine, onzichtbare draadjes. In elke bubbel zit een meisje, of misschien wel twee meisjes, met dildo's of kerels of een hond, en ze wachten allemaal tot jij hen oproept, op hen klikt en ze vanuit de ruimte je computer in haalt. Je weet nooit precies wat erin zit tot je ze openmaakt. Misschien laat het meisje alleen haar tieten zien en niet haar gleuf, of het kan zelfs een *she-male* zijn. Die fotodeurtjes zijn net pakpapiertjes, zoals er om vuurwerk zit of om snoepjes, en daarbinnen wachten werelden als geheimen.

'Ik heb het niet over líéfde!' Beneden gaat Carls moeder tegen Carls vader tekeer. 'Daar heb ik het niet eens over. Ik heb het alleen maar over simpel, fatsoenlijk respect voor mij als degene die je vrouw is. Je vrouw!'

'Waarom zeg je dat alsof het nieuws voor me is?' brult pa terug. 'Wie denk je anders dat je creditcardrekeningen betaalt wanneer die op mijn bureau verschijnen ...'

Als mensen je gaan vervelen, zijn er tekenfilmfiguren. Je hebt Ariel uit *De kleine zeemeermin* die het kutje van Belle uit *Belle en het Beest* likt, of Pocahontas uit *Pocahontas* die wordt geneukt door het paard uit *Mulan*. Je hebt personages uit computerspellen zoals *Hoopland* en *Final Fantasy* die seks hebben. En je hebt ook ouderwetse, zoals dieren uit *Jungle Boek*, dat een film is, of Donald Duck die Minnie Mouse neukt of Yogi Bear die Boo-Boo neukt, die een kleinere beer is.

'... geen kwestie van je er met géld van afmaken, David, het is ... Kijk me aan, David. Ik ben ... Ik ben een vrouw. Ik verdien het om behandeld te worden als een ...'

'Ik weet wel dat je een vrouw bent. Ik weet dat je een vrouw bent, omdat je weer volkomen irrationeel doet.'

'O, dus ik ben irrationeel als om twee uur 's nachts de telefoon gaat en er als ik dan opneem wordt opgehangen? Het is dus irrationeel dat de telefoon al vier nachten achter elkaar om twee uur gaat?'

Jessica Rabbit en ook dat knappe wijfie uit *Scooby-Doo* dat Fred berijdt en soms ook Scooby. Een zootje smurfen die Smurfin gangbangen. De Simpsons, meestal Homer of Bart die Lisa neukt, hoewel Carl er ook eentje heeft gezien van Homer die Maggies kamer ingaat om Maggie te neuken, met zijn lul eruit en zijn gezicht heel eng, zoals ie nooit is op tv; zijn ogen zijn spleetjes en zijn tanden slagtanden en zijn hand is uitgestoken als een klauw in het wiegje.

'Eileen heeft je gezien, David. Dus zij zal ook wel irrationeel zijn.'

'Eileen ... Luister nou eens, we weten allebei dat Eileen een zwaar verward type is, een volstrekt onevenwichtig iemand met ernstige persoonlijke problemen ...'

'Ze heeft je gezien, David, ze zag je dineren met een tienermeisje. Een tienermeisje! Niet veel ouder dan Carl!'

'Wil je weten wie dat was, Lucia? Wil je nou even vijf tellen ophouden met schreeuwen, zodat ik je kan vertellen wie dat was? Dat was verdomme mijn tennislerares!'

'Aha. Hielp ze je met je service, in dat restaurant? Werkten jullie samen een paar rally's af, terwijl jullie daar in dat kloterige Four Seasons zaten, jij en die hoer?'

Carl zet in zijn kamer de stereo aan. Hij kijkt neer op de boeken op de tafel. 'Het economische succes van Nederland was deels te danken aan de door mensenhanden geschapen geografische structuur die de ____________ heette.'

Achter de rechterspeaker liggen hij-weet-niet-hoeveel briefjes van vijf, tien en twintig. Achter de linkerspeaker ligt vuurwerk. Dat kan Barry niet in huis bewaren, omdat zijn moeder zijn kamer doorzoekt. De laatste paar dagen zijn net dat deel van de film waarin het praten ophoudt en je, begeleid door muziek, het geld binnen ziet rollen en de gangster deals ziet sluiten, limousines kopen en coke snuiven. De kids zijn dol op vuurwerk; hoeveel Carl en Barry er ook van meenemen naar de zandhopen, het is nooit genoeg. Elke dag staan er meer kinderen klaar met recepten; sommige zitten niet eens op Seabrook. Ondertussen, als in een spiegel, gebeurt hetzelfde met de meisjes van Brigid's. De eerste vijf hebben het aan andere meisjes verteld, en nu willen zoveel meisjes pillen dat Carl en Barry moeten opsplitsen.

Dus ze lopen heen en weer tussen de zandhopen en de meisjes, veranderen vuurwerk in pillen en pillen in geld, heel veel geld. Barry heeft al een nieuw paar Nikes gekocht (Vendetta's) en een digitale camera. Nu heeft hij het over een scooter; hij vindt dat Carl en hij dezelfde Vespa moeten kopen, een zilveren. Hij vraagt zich af of ze misschien moeten investeren in een beetje coke, gewoon om te kijken of het verkoopt. 'Nu we een vaste klantenkring hebben opgebouwd,' zegt hij tegen Carl. 'Dat is het moeilijkste van een bedrijf opzetten.'

Carl is blij dat Barry blij is en hij vertrouwt Barry weer. Maar soms maakt hij zich zorgen. Hij moet steeds maar denken aan de scène in de film waarin de gangsters met een machinegeweer worden neergeschoten door een andere bende.

'Welke andere bende?' zegt Barry. 'Die kloterige sukkels die staan te dealen in het park?'

Carl en Barry kopen hun stuff altijd van die dealertjes in het park. Vlak bij het paadje naar het treinstation staat een bankje waar altijd wel een van hen zit. Ze dragen trainingspakken en hebben tatoeages op hun handen, en vorig jaar hebben ze op een avond Casey Ellington in elkaar geslagen toen hij hasj ging kopen, alleen maar omdat zijn kop hun niet aanstond. Ze hebben hem zo erg te pakken gehad dat zijn kaak met ijzerdraad vast moest worden gezet. Donderdag zei die ene met dat vette haar: 'Jullie kopen aardig wat coke de laatste tijd, gasten.'

Carl zei niks. Barry zei dat het voor de vakantie was.

'Doe niet zo mieterig,' zegt Barry nu tegen Carl. 'Hoe moeten die klootzakken het nou weten van ons?'

Hij slaat zijn arm om Carl heen. 'Hoor eens,' zegt hij, 'zo'n kans krijgen we maar één keer. Er zijn een heleboel verschillende gebeurtenissen samengekomen, en nu zijn wij in de ideale positie om daar ons voordeel mee te doen. Het is Hallowe'en, de kids willen vuurwerk. Er komt een schoolfeest met St. Brigid's en alle meiden lopen zich op te vreten dat ze straks niet in hun jurk passen. Het is net een fruitautomaat die op het punt staat uit te betalen, begrijp je wel? En wij zijn de gasten met het muntje, Carl. We zijn gewoon toevallig op het juiste moment op de juiste plaats. Dus halen wij het geld op.'

Carl is nog nooit eerder op het juiste moment op de juiste plaats geweest. Misschien voelt het daarom zo raar.

'Ik wil niet zeggen dat we het altijd moeten blijven doen,' zegt Barry. 'Maar we moeten er in elk geval mee doorgaan tot de Hop. We zouden wel gek zijn als we voor die tijd ophielden. En trouwens, je wilt je favoriete klantje niet kwijtraken, toch?'

Lollylip heeft deze week elke avond pillen van Carl gekocht. Hij spreekt niet meer gelijk met de anderen met haar af, niet sinds die eerste keer achter Ed's. Zij stuurt hem een sms'je, om te zeggen dat ze over een uur met hem wil afspreken, en dan gaat hij erheen met de pillen. Soms sms't ze hem niet en gaat hij haar gewoon zoeken. Zoveel plekken zijn er niet om heen te gaan; als je niet in Ed's zit of in een van de winkelcentra, dan zit je waarschijnlijk in het Leisureplex of LA Nites of hang je rond voor de Texaco. Als ze hem ziet, glimlacht ze stiekem, alsof ze hem tevoorschijn heeft getoverd. Dan zoeken ze een rustig plekje op en tellen de pillen uit.

Deze slet zo verlangt naar een lul dat ze haar kutje moet sussen met de vuist!

Barry zegt dat als ze zou betalen voor al die pillen die ze afneemt, ze inmiddels miljonairs zouden zijn. 'Ik begrijp niet hoe ze ze er zo snel doorheen jaagt,' zegt hij. 'Ze was toch al niet dik of zo.' Hij blijft Carl maar vragen of hij haar geneukt heeft. 'Ze moet je zeker tien keer per dag neuken, voor al die pillen!' 'Haha,' lacht Carl dan. Maar ze wil hem niet neuken. Ze rukt hem alleen maar af en laat hem aan haar tieten voelen. Soms zegt hij tegen haar: 'Of je neukt me, of je kunt betalen net als iedereen.' Maar dan lacht ze alleen maar en pakt zijn hand vast en laat hem onder haar truitje glijden. In de koude, vochtige bladeren achter Ed's is haar lichaam een piepklein zakje warmte, haar adem in zijn oor, haar zwarte haar kriebelend in zijn nek, en dan vergeet hij alles weer.

In zijn kamer zet hij de stereo harder, ritst zijn broek open. Hier op het scherm is een klein wereldje van een zwartharig meisje op de trap van een huis. Er zijn een stuk of twintig foto's om het verhaal te vertellen, wat inhoudt dat ze haar topje uittrekt, haar rokje optilt om haar kousen en haar zwarte, doorschijnende slipje te laten zien; ze knoopt haar bloesje open en laat het rokje over haar dijen glijden ...

Gisteravond kwam hij haar tegen in LA Nites met Krulhaar en hun vriendin, dat dikke meisje, en ze gingen met z'n tweeën het alkoofje in naast de sigarettenautomaat. Zijn hand lag op haar buikje met zijn vingertoppen net onder de band van haar spijkerbroek; hij liet ze langzaam omlaagglijden, zo langzaam dat ze het niet leek te merken; hij dacht dat zijn stijve zo door zijn broek zou scheuren als de Hulk, steeds lager, zou ze het toelaten? Maar toen zei ze: 'Laten we een eindje gaan wandelen.'

Misschien wilde ze een rustiger plekje opzoeken om te vrijen, dacht hij, dus hij zei oké. Ze liepen langs de tweebaansweg onder de oranje verlichting. Auto's schokten langs hen heen of stonden voor de stoplichten te wachten terwijl rook onder hun wielen vandaan gromde. 'Laat me eens zien waar je woont,' zei ze. Hij leidde haar de donkere, rechte laan door. De eindjes van regen drupten van de bomen. Pa's Jaguar stond weer geparkeerd voor zijn huis. Misschien was er een manier om haar naar binnen te krijgen zonder dat zijn ouders haar zagen. Of misschien mocht hij haar van zijn vader gewoon mee naar binnen nemen om haar te neuken. 'Wil je mee naar binnen?' vroeg hij. 'Dat hoeft niet,' zei ze. Hij wist niet of ze ja of nee bedoelde, maar toen hij naar de deur liep en zij niet, wist hij dat ze nee bedoelde. 'Waarom niet?' zei hij. Zij zei niets. Toen zei hij: 'Ik geef je dit hele buisje pillen als je me neukt.' Ze keek hem aan. Het was minstens een weekvoorraad. 'Zelfs voor een pijpbeurt,' zei hij.

Het meisje op de trap duwt haar tieten omhoog en buigt haar hoofd omlaag om aan haar tepels te likken. Carls ballen koken, zijn lul is keihard, hij zou bijna opstaan om hem door het computerscherm heen te steken!

In plaats daarvan gingen ze naar Ed's. Zij wilde weer naar binnen, maar dat mocht hij niet, omdat hij op de zwarte lijst stond. Dus hij nam haar mee naar achteren en liet haar zien hoe ze langs het randje en de regenpijp omhoog moest klimmen, het dak op.

Het materiaal van de dakbedekking is ruw onder je vingers, gerimpeld als bevroren golven; 's avonds ziet die platte grijze driehoek er in het roze licht van het neonbord uit als huid. Er liggen lege bierblikjes, een kapotje, een schrift dat iemand hierop heeft gegooid, het huiswerk door regen uitgelopen tot niets. Ze keek op naar de ramen van de Toren. 'Wie woont daar?' vroeg ze. 'Flikkers,' zei hij. 'Kostleerlingen.' 'Het lijkt wel een gebouw uit een sprookje,' zei ze. En toen vroeg ze: 'Ga jij naar de Hallowe'en Hop?'

Hij haalde zijn schouders op. Hij wilde dat hij een biertje had. Hij wachtte tot ze ging liggen, maar dat deed ze niet. 'Waarom sta je op de zwarte lijst?' zei ze. Hij vertelde haar over de Spleetoog. 'Spleetoog?' zei ze, dus vertelde hij er ook maar bij wat Barry hem had verteld over de oorlog en mariniers die sneuvelden omdat spleetogen hen in de jungle in hinderlagen lieten lopen en dat ze, als ze dan teruggingen naar hun eigen land, naar Amerika, geen heldenontvangst kregen maar door mensen werden bespuugd. 'Dat is vreselijk,' zei ze. 'We moeten die Spleetoog een lesje leren.'

'Hoe dan?'

'Hem herinneren aan zijn eigen land,' zei ze.

Ze haalden de nietjes uit het oude schrift en begonnen van de pagina's vliegtuigjes te vouwen. Toen er genoeg vliegtuigjes waren, goten ze er aanstekervloeistof overheen. Vervolgens klauterde Carl langs de regenpijp naar beneden en leegde de rest van de aansteker in de vuilnisbak voor de deur van het Doughnut House. Hij stak een stukje papier aan en gooide het erin. De vuilnisbak deed *voem*! De hitte sloeg tegen zijn ogen. Hij snelde terug, klom het dak weer op en ze keken allebei over de rand toe hoe de deuren openzwaaiden en de Spleetoog naar buiten stormde met een brandblusser in zijn ene hand en een deken in de andere, waarmee hij naar de brandende vuilnisbak flapperde. Toen staken ze het eerste vliegtuigje aan en lieten het wervelend en vlammend op hem neerkomen. De Spleetoog slaakte een kreetje, bedekte zijn hoofd. Ze staken er nog eentje aan en lanceerden het, hij sprong opzij, maar toen was er nog een, en nog een, en nog een, tot de lucht gevuld was met stukjes vallend vuur die om de Spleetoog heen neerzeilden, en hij stond daar maar tussen, met open mond, zonder een vin te verroeren – toen realiseerde hij zich wat er gaande was en begon hij op en neer te springen, een hopserige Repelsteeltjedans van woede, terwijl hij in het Spleetoogs brabbelde en met zijn vuist naar het dak zwaaide, waar ze met z'n tweeën stonden met hun hand voor hun mond, op het punt in lachen uit te barsten.

Maar hij moest naar binnen om de politie te bellen, dus konden zij naar beneden springen en zich verstoppen in het park. Maar toen de politie verder was gereden, kwamen ze tevoorschijn en klommen er weer op. De lucht was donkerblauw, het donutuithangbord een grote, wijd openstaande mond, een mond zonder gezicht eromheen of waarvan het gezicht de hele wereld was. Eronder was de helft van Lori roze. De bomen bijna niet te zien in het donker. Haar wijd open mond, haar witte bh. De pillen in haar jaszak, haar mond die de zijne verslond; ze vergat zijn vingers ervan te weerhouden haar spijkerbroek los te knopen en naar beneden te glijden in … Toen ging haar telefoontje; de ringtone was dat liedje van BETHani, dat liedje over dat ze in de kleedkamer zit en de leraar door een gaatje in de muur naar haar kijkt. Ze legde een hand op Carls pols.

'Hoi pap. Nee, ik ben bij Janine. Nee, we zitten tv te kijken, alleen Janine en ik.'

De omtrek van zijn knokkels tegen de rits van haar spijkerbroek. Carl hield zijn adem in.

'Nee! Pahap! Nee, er zijn geen jongens bij. Nee, dat hoeft niet. De moeder van Janine brengt me straks naar huis. Hou van je, dag.'

Ze viste zijn hand eruit en gaf die hem met een namaakglimlachje terug, als een stewardess die je je gratis maaltijd aangeeft. 'Ik moest maar eens naar huis,' zei ze.

'Oké,' zei hij.

Loreliegbeest.

Het meisje op de trap is naakt op haar kousen na, en ze laat glinsterend natte vingers tussen haar benen glijden en kijkt Carl aan. Naast haar verschijnt en verdwijnt de niet-naakte Lori als een golf op de mobiel van Morgan Bellamy. Als je wist hoe je haar gezicht van de telefoon over moest brengen naar de computer. Een nerd zou weten hoe dat moest. Maar Carl weet het niet, dus moet hij heen en weer schakelen tussen de computer en zijn mobiel, alsof hij het gezicht in gedachten meeneemt en op het lichaam zet, zodat de golven zwart haar met elkaar versmelten en Lori's lollylippen veranderen in de natte glinstering van de vingers van het meisje op de trap – als Carl over haar heen gaat staan. 'Ik zou maar doen wat ik zeg!!!!' 'Nee, nee, Carl!' Ze verbergt haar gezicht achter haar natte hand. Carl steekt zijn vuist op. 'O, dus je houdt van vuisten??!!!'

'... een scheiding!' Het geschreeuw van Carls moeder klatert de trap op. Carl propt zijn stijve terug in zijn broek, trekt de rits omhoog, brengt de pagina met GRAPPIGE FEITJES OVER NEDERLAND! naar voren op het computerscherm. 'Ik ga een scheiding aanvragen, mannetje, en dan pluk ik je kaal!' Ze is voor Carls deur stil blijven staan om naar beneden te gillen; het klinkt als nagels over een schoolbord. 'Dus ik hoop dat die kleine sletjes van je ... goede vooruitzichten hebben!'

'Ik laat je nog eerder opnemen!' Pa's stem stuitert naar boven. 'Er is geen rechter in het hele land die jouw kant zal kiezen, achterlijke trut die je bent ...'

Het geluid van ma die in elkaar zakt op de overloop; daar eindigt ze meestal als ze ruziemaken. 'Ga toch gewoon!' snikt ze. De woorden vermengen zich met het klikken van het vuursteentje als ze een sigaret probeert op te steken. 'Ga gewoon weg, en laat mij en mijn zoon met rust. Waarom ga je niet eens en voor altijd weg, zodat we kunnen leven met iets wat een beetje lijkt op waardigheid?'

'Ik zal je vertellen waarom ik dat niet doe. Omdat ik verdomme bang ben dat je mijn huis afbrandt! Waardigheid? Als je ook maar een flauw vermoeden had van wat dat betekent, en eens naar jezelf keek ...'

Carl in zijn kamer, zijn hoofd dat zich vult met hitte, staart naar het schoolboek. 'De versmelting van twee steden tot een geürbaniseerd geheel heet __________.'

Ma brult en hij hoort het geluid van iets wat iets anders raakt. Waarschijnlijk heeft ze haar schoen naar hem gegooid. 'Je bent krankzinnig!' schreeuwt pa. 'Krankzinnig!' De deur van haar slaapkamer knalt dicht, en op hetzelfde moment pingelt Carls mobieltje dat hij een nieuw bericht heeft.

HEY, WA BEN JE AAN 'T DOEN

Krijg de pest, trut.

NIX. HUISWERK.

Vanwege een gebrek aan eigen grondstoffen moet Nederland $%^&*@%+!* en *!@#%$^& importeren uit xxxxxxx.

IK VERVEEL ME DOOD!!!!!

Beneden slaat de voordeur dicht, pa's Jag start. Het geluid van de badkamerdeur die op slot wordt gedraaid en ma die erachter staat te huilen.

IK HEB EEN BEETJE OPWINDING NODIG ...

De ogen van het zwartharige meisje rollen naar achteren in haar hoofd, terwijl haar hand tot aan haar pols tussen haar benen verdwijnt.

De voornaamste exportartikelen van Nederland zijn *trek je slipje uit, trut* en *als je nog één woord zegt, sla ik je hersens in.*

Carl schrijft terug.

OK

Skippy en de telescoop zijn bijna onafscheidelijk geworden. ’s Morgens, tijdens de lunchpauzes en elke dag na schooltijd holt hij naar boven en kleeft zichzelf vast aan de kijker. De uren daarna is hij ofwel euforisch van blijdschap ofwel sprakeloos van wanhoop, afhankelijk van de vraag of hij al dan niet een glimp van het Frisbeemeisje heeft opgevangen. In minder dan een week heeft Ruprecht hem van zijn gebruikelijke vriendelijke Ruprecht-helpende zelf zien transformeren tot een nachtblinde slaapwandelaar die niks anders wil doen dan uit het raam kijken en steeds maar vraagt of Ruprecht, of wie er ook maar in de kamer is, denkt dat dat meisje, met wie hij nog nooit een woord heeft gewisseld, naar de Hop zal komen of niet.

Ruprecht had dat allemaal best eens behoorlijk irritant kunnen vinden, maar door een vreemd toeval heeft hij ook een nieuwe fascinatie opgevat. De afgelopen vijf nachten is hij steeds dieper de mysterieuze complexiteiten ervan in getrokken; hoe meer hij het onderzoekt, des te schimmiger het wordt en des te dieper hij erin getrokken wordt.

‘Ze noemen het M-theorie.’ Maandagavond: buiten knalt een damasten zonsondergang trillend door een bleekblauwe lucht, die kerktorens, telefoonmasten, de betegelde daken van huizen en de steigers voor nieuwe appartementen verguldt.

‘Waar staat die M voor, Ruprecht?’

‘Dat weert niemand.’

‘Dat weet níémand?!’

‘De theorie is zo complex dat ze nog maar net beginnen haar te begrijpen. Dus niemand kan het erover eens worden waar die M voor staat.’ Dat is voor Ruprecht een van de voornaamste redenen dat hij zich ertoe aangetrokken voelt. Wie kan er nou weerstand bieden aan een theorie die zo obscuur is dat ze de naam ervan niet eens begrijpen? ‘Sommige mensen zeggen dat ie staat voor Multiversum. Anderen zeggen dat ie voor Magie staat. Matrix. Mysterie. Moeder.'

'Wauw,' zegt Victor Hero hees.

'Het onderzoek verkeert uiteraard in een heel vroeg stadium,' zegt Ruprecht, 'maar wat ze nu dénken, is dat alles uit membranen bestaat. Je hebt verschillende soorten membranen. Sommige zijn piepkleine deeltjes, andere gigantische universums. En ze zweven allemaal rond in elf dimensies.'

'Elf?' zegt Geoff.

'Precies,' zegt Ruprecht. Geoff telt wat op zijn vingers en kijkt verward.

'Ik weet wat je denkt. Waar komen die extra zeven dimensies vandaan? Goeie vraag. Het antwoord zie je overal om ons heen. Want zie je ...' Ruprecht zet zijn bril af. Hij begint nu op stoom te komen. 'Kosmologen geloven dat ons universum in zijn oorspronkelijke staat, op het moment van de schepping, een pure, symmetrische, tiendimensionale structuur was. Alle materie en alle krachten verenigd in die ene structuur. Maar bij de oerknal werd dat "hogere" universum, zoals je het zou kunnen noemen, afgebroken. "Ons" universum, dat wil zeggen de dimensies die we kunnen zien, breidde zich uit tot ruimtetijd. De hogere dimensies krulden zich ondertussen op, om microscopisch klein te worden. Maar hoewel we ze niet kunnen zien, zijn ze er nog wel. Sterker, die extra dimensies zijn aanwezig op elk punt in de ruimte.'

Kopgekrab van Geoff en Victor.

'Het is moeilijk te bevatten,' zegt Ruprecht. 'Om het te illustreren: probeer aan een heel smalle cilinder te denken.'

'Een haar,' zegt Victor.

'Mario's lul,' zegt Dennis, vanaf Ruprechts bed.

'Hé!' roept Mario uit.

'Oké,' zegt Ruprecht, vastbesloten zich niet uit koers te laten brengen. 'Laten we als voorbeeld de heel smalle cilinder van Mario's lul nemen, die eruitziet als een lijn, dat wil zeggen eendimensionaal. Maar een heel klein wezen, een mier bijvoorbeeld, zal zich, als hij over Mario's lul loopt, realiseren dat hij niet alleen in de lengte kan lopen, maar ook in een cirkel. Hoewel wij het misschien niet kunnen waarnemen, is die piepkleine mier zich ervan bewust dat Mario's lul twee dimensies heeft, namelijk zowel dikte als lengte.'

'Reken maar dat ie dikte heeft!' roept Mario. 'Ik heb geen mier nodig om me te vertellen dat ie dikte heeft!'

'Volgens de snaartheorie, die professor Tamashi en andere wetenschappers hebben gebruikt om te proberen het raadsel van de oerknal te ontrafelen, bestaan er naast de vier dimensies van ruimtetijd die we kennen nog zes heel kleine, opgekrulde dimensies, tien in totaal dus. En de snaren, die kleine draden energie zijn, kronkelen vibrerend rond in die tien dimensies.'

'Zoals Dennis' moeder dus,' werpt Mario ertussen, die wraak wil nemen voor de mierbelediging. 'Die kronkelt en vibreert met haar vibrator, omdat ze een beruchte slet is, en zij heeft ook tien dimensies, omdat ze een dikke zeug is.'

'Dat is een aardige samenvatting,' zegt Dennis koeltjes. Ah, Mario was vergeten dat Dennis zijn stiefmoeder haat en dus immuun is voor beledigingen op dat vlak ...

'Wacht even, wat waren die snaren ook weer?' vraagt Geoff.

Ruprechts wenkbrauwen beginnen een beetje te trekken ... 'Nou, dat heb ik je net twee minuten geleden uitgelegd.'

'O ja, kleine stukjes energie waar alles van gemaakt is, toch?'

'Precies.'

'Maar, eh ... Ruprecht, dingen bestaan helemaal niet uit snaren. Ze bestaan uit atomen. Dat hebben we bij natuurkunde gehad.'

'Jawel, maar waar bestaan atomen dan uit?'

'Hoe moet ik nou weten waar die uit bestaan?'

'Nou, geloof me nou, die bestaan uit kleine snaartjes.'

'Maar zei je net dan niet dat die snaren in een andere dimensie zaten?'

'Ja, Ruprecht, hoe kunnen ze nou hier zijn als ze eigenlijk in een andere dimensie zitten?'

Ruprecht kucht luid. 'Ze bestaan in tíén dimensies. Omdat tien mathematisch gezien het getal is dat nodig is om de theorie kloppend te maken. Ze vibreren in verschillende frequenties, en naargelang de frequentie waarin ze vibreren krijg je verschillende soorten deeltjes. Net zoals je als je aan een vioolsnaar plukt verschillende noten krijgt. C, D, E ...'

'F,' doet Geoff zijn duit in het zakje.

'F, ja ...'

'G ...'

'En op een vergelijkbare manier krijg je als een snaar op een bepaalde frequentie vibreert een quark, en als een snaar op een andere frequentie vibreert bijvoorbeeld een foton. Dat is een lichtdeeltje. De natuur bestaat uit alle noten die gespeeld worden op de supersnaar, dus dan is het universum een soort symfonie.'

'Wauw ...' Geoff kijkt vol verwondering naar zijn eigen arm, alsof hij half-en-half verwacht dat die, nu zijn dekmantel is doorzien, zal beginnen te gonzen en te toeteren.

'Maar je zei toch dat er élf dimensies waren?' herinnert Victor Hero zich.

'Dat klopt. Het voornaamste struikelblok voor de snaartheorie was de oerknal. Net als alle eerdere theorieën liep die stuk als het aankwam op de eerste bewegingen van het universum. Wat heb je aan een nieuwe theorie als die dat oude vraagstuk niet kan oplossen?'

Daar heb je weinig aan, beamen Geoff en Victor.

'Maar toen ze die elfde dimensie toevoegden, veranderde alles. De theorie liep niet meer stuk. En in plaats van alleen een verklaring te geven voor ons universum, hadden de wetenschappers ineens een model in handen voor een hele zéé aan universums.'

'*Holy smoke*,' zegt Geoff.

'Ik wou dat ík in de elfde dimensie zat,' merkt Dennis sombertjes op. 'Met wat porno.'

'Beschrijf haar nog eens.' Skippy zit ondertussen achter de telescoop met Titch Fitzpatrick. Terwijl Ruprecht zijn betoog houdt, ratelt Skippy de enorme schat aan details af die hij in de paar vluchtige blikken die hij op het Frisbeemeisje heeft kunnen werpen heeft verzameld. Zich losmakend van de zoeker kijkt Titch naar links, met een vinger tegen zijn kaak, terwijl hij fronst en knikt. 'Hmm ...'

Als het op de vrouwtjes aankomt, is Titch ontegenzeggelijk de expert. Hij heeft iets gehad met zo'n beetje ieder meisje in de buurt van Seabrook dat het waard is. Zijn slaggemiddelde stelt zelfs dat van sportsterren als Calvin Fleet en Beauregard 'The Panzer' Fanning verre in de schaduw; er wordt algemeen aangenomen dat hij aan het eind van afgelopen zomer, tijdens een feestje bij Adam O'Brien thuis, heus en compleet seks heeft gehad met KellyAnn Doheny, een tweedeklasser van Brigid's. Niet-tieners zullen zijn aantrekkingskracht misschien moeilijk te begrijpen vinden, aangezien hij niet uitgesproken knap, groot of zelfs maar geestig is; zijn gelaatstrekken zijn alleen opvallend in hun gelijkmatigheid, wat resulteert in een algehele indruk van soliditeit, evenwichtigheid, de kalme zelfverzekerdheid die je zou kunnen associëren met, pakweg, een oude en succesvolle bank. Maar dat is nou net het hele punt. Je hoeft maar een blik te werpen op Titch, op zijn verplichte Dubarry's, zijn Ierse jersey en zijn pas bijgewerkte zonnebankkleurtje, of je ziet zijn hele toekomst zich voor hem uitstrekken: je kunt zien dat hij, als hij hier weggaat, een goeie baan zal krijgen (bankwezen/verzekeringen/consultancy), zal trouwen met een aardig meisje (waarschijnlijk uit Dublin, postcodegebied 18), in een fatsoenlijke buurt zal gaan wonen (zie boven) en over ongeveer vijftien jaar een Titch Versie 2.0 zal produceren die zijn ouwe soms een beetje een eikel zal vinden, maar over het geheel genomen best oké. Het gevaar dat hij ooit drastisch zal veranderen – bij een sekte zal gaan, bijvoorbeeld, of een zenuwinzinking zal krijgen, of uit het niets plotseling een brandende noodzaak zal ontwikkelen tot 'zelfexpressie' en een of andere peperdure en voor-iedereen-die-hem-kent-gênante kunstvorm zal oppakken, zoals moderne dans of liedjes van Joni Mitchell vertolken met een stem die na al die jaren onthutsend vrouwelijk blijkt – is verwaarloosbaar. Titch is, kortom, zo opmerkelijk onopmerkelijk dat hij een soort belichaming van zijn sociaaleconomische klasse is geworden; een vriendschappelijke/seksuele verhouding met Titch is daarom uitgegroeid tot een soort reclame voor jezelf, een soort keurmerk van Normaliteit, wat op dit punt in het leven een zeer begerenswaardig bezit is.

'Oké, dus ...' zegt hij als Skippy eindelijk en ademloos zijn lofzang afrondt. 'Zwart haar, gemiddelde lengte, brede mond, bleek. Dat zouden meerdere mensen kunnen zijn – Yolanda Pringle misschien, of Mirabelle Zaoum. Hoe zijn haar memmen?'

'Haar memmen?'

'Medium tot klein,' zegt Dennis vanaf het bed.

'Ongeveer 70B, zou ik zeggen,' schat Mario.

'Eh,' zegt Skippy.

'Ze heeft wel een kont,' zegt Dennis.

'Ja, echt een ontzettend lekker kontje,' zegt Mario. 'Het soort kont dat een man niet snel zal vergeten.'

'Hmm,' peinst Titch, en dan, terwijl hij afstand doet van de telescoop: 'Nou, ik zal er eens over nadenken. Maar het ziet er niet naar uit dat ze vandaag haar gezicht laat zien.'

'Nee,' zegt Skippy met spijt in zijn stem.

'Maak je er maar niet druk over, T-man,' draagt Dennis vanaf het bed opgewekt bij aan het gesprek. 'Dat meisje is een kilometer of tien miljard buiten Skippy's bereik.'

Titch reageert hier met een uitgestreken gezicht op en wendt zich vervolgens tot Skippy. 'Geef maar een gil de volgende keer dat je haar ziet,' zegt hij, en hij loopt zonder gedag te zeggen de kamer uit, alsof hij een lift vol vreemden in een warenhuis uit stapt.

'De elfde dimensie is oneindig lang, maar in de breedte heel beperkt,' vertelt Ruprecht Geoff en Victor. 'Misschien niet meer een dan eentriljoenste van een millimeter. Dat betekent dat ze maar op eentriljoenste van een millimeter vanaf elk punt in onze driedimensionale wereld bestaat. Ze is dichter bij je lichaam dan je eigen kleren. En wat er aan de andere kant ervan is – wie zal het zeggen? Er kan op nog geen millimeter afstand een compleet ander universum zijn, alleen kunnen wij dat niet zien, omdat het zich in een andere dimensie bevindt. Er kan een oneindig aantal om ons heen rondzweven.' Zijn stem gaat vol hartstocht de hoogte in. 'Moet je je voorstellen! Een oneindig aantal universums, met eigenschappen waar we niet eens naar kunnen gissen! Met totaal andere natuurwetten! In de vorm van cilinders, prisma's of donuts!'

'Donuts?' Het woord doet een synaps in Geoffs hersens oplichten, die de afgelopen paar minuten een telspelletje hebben gespeeld met de wolken die buiten langsdrijven.

'Waarom niet? Of, of, volkomen nieuwe vormen ...'

'Of met de vorm van een banaan,' stelt Geoff voor, die zich realiseert dat hij trek heeft.

'Of in de vorm van de formule 1-racebaan op Silverstone?' voegt Victor toe.

'Misschien,' zegt Ruprecht. 'Wie weet.'

'Zou er,' komt er ineens in Geoff op, 'ook een universum vol bier kunnen bestaan?'

'Theoretisch wel, denk ik, ja.'

'En hoe zou je dan van dit universum,' zegt Geoff langzaam, 'in dat universum vol bier moeten komen?'

'Dat is een van de dingen waar we nog achter hopen te komen,' meldt Ruprecht gewichtig. 'Professor Tamashi organiseert vrijdagavond een onlinerondetafelgesprek om precies dat onderwerp te bespreken, onder andere.'

'Hmm. Eh, Ruprecht, vrijdagavond is de Hop?'

'De Hop?' herhaalt Ruprecht afwezig. 'O ja, dat is waar ook.'

'In dat geval heb ik het gevoel dat dat onlinerondetafelgesprek het zonder Mario zal moeten stellen,' zegt Mario vanaf het bed. 'Ik weet niet hoe het met jullie zit, maar ik ben van plan een hele hoop wijven te gaan scoren bij die Hop. Waarschijnlijk begin ik met een heel lekker meisje – gewone seks, rechttoe rechtaan. Daarna een standje negenenzestig. En daarna is het tijd voor een triootje.'

'Mario ...' Dennis gaat rechtop zitten, '... Waarom denk je eigenlijk dat een meisje ook maar bij jou in de buurt wil komen? Laat staan vijftien meisjes?'

Mario aarzelt en zegt dan samenzweerderig: 'Ik heb een geheim wapen.'

'Is dat zo?'

'Reken maar, mannetje.' Hij klapt zijn portefeuille open. 'Kijk en huiver, jongens. Mijn gelukscondoom, dat me nooit in de steek laat.'

Er valt een stilte, terwijl Mario met een zelfvoldaan gezicht zijn portefeuille weer in zijn zak steekt, en vervolgens schraapt Dennis zijn keel en zegt: 'Eh, Mario, wat is er precies gelukkig aan dat condoom?'

'Het laat me nooit in de steek,' herhaalt Mario, een beetje in de verdediging gedrukt.

'Maar ...' Dennis knijpt met zijn vingers zijn neus dicht en fronst zijn wenkbrauwen. 'Ik bedoel, als het echt een gelukscondoom was, had je het dan zo langzamerhand niet al gebruikt?'

'Hoe lang heb je het daar al in zitten, Mario?' zegt Geoff.

'Drie jaar,' zegt Mario.

'Drie jaar?!'

'Zonder het te gebruiken?'

'Klinkt dat niet meer als een óngelukscondoom?'

Mario kijkt zorgelijk, terwijl zijn onwankelbare vertrouwen in het gelukselement van zijn condoom scheurtjes begint te vertonen.

'Het was in elk geval behoorlijk ongelukkig voor dat condoom dat het in jouw portefeuille terecht is gekomen!'

'Ja, Mario, die portefeuille van jou is een soort Alcatraz voor condooms!'

'Condooms vertellen elkaar verhalen over jouw portefeuille. "O, hij is verdwenen in de portefeuille van Mario Bianchi, en daarna heeft nooit iemand hem meer gezien."'

'Ja, ik durf te wedden dat dat condoom van jou op ditzelfde moment het herkenningsmelodietje van *The Great Escape* fluit en met een plastic koffielepeltje een tunnel uit jouw portefeuille aan het graven is ...'

'Wat weten jullie er nou van?' zegt Mario tegen hen. 'Eh, stomme nerds dat jullie zijn! Het enige waar jullie wat van weten is die rare theorie over een heleboel dimensies. Nou, ik zal jullie eens iets vertellen over wat er in deze dimensie gaat gebeuren, en dat is dat ik komende vrijdag talloze wijven ga palen. En dat, wat ik de Mario-theorie noem, is iets wat je met je eigen ogen kunt zien, en niet alleen een stel vergelijkingen die alleen homo's begrijpen! Dus kom straks nou niet naar mij toe kruipen omdat jullie een van de vele wijven uit de seksorgie die ik hou willen hebben, nadat jullie een blauwtje hebben gelopen bij alle meisjes op die Hop!'

De herfst wordt dieper. Een verse chaos van gele bladeren bedekt elke ochtend de laan naar de school, alsof ie de voorbije nacht is bezocht door woudklopgeesten; na schooltijd loop je terug door een vreemde, seizoensgebonden schemering, een bleke duisternis, angstig en paradoxaal, waardoor je klasgenoten die verderop lopen verschijnen en weer vervagen. De boemanschaduw van Hallowe'en is ondertussen alomtegenwoordig. De winkelcentra ritselen van de pompoenen en skeletten; huizen zijn ingezwachteld in katoenen spinnenwebben; de lucht kraakt en fluit van de steeds uitbundiger vuurwerktesten. Zelfs leraren raken erdoor betoverd. Lessen belanden op vreemde zijpaden, ingesleten routines verdwijnen langzaam als sneeuw voor de zon, tot in de latere stadia van de week de rigide voorschriften van de alledaagse trimestertijd niet reëler lijken, of zelfs iets minder reëel, dan de fluorescerende spoken die opgloeien in de etalage van Ed's Doughnuts naast de school ...

De gedachte schiet door Skippy's hoofd – hoewel hij weet dat het nergens op slaat, aangezien andere mensen haar ook hebben gezien – dat het Frisbeemeisje zelfs niet echt is: dat zij misschien ook wel een soort Hallowe'en-verschijning is, een duistere luchtspiegeling opgetrokken uit rook en wensdromen die alleen aan het andere eind van de telescoop bestaat en, als hij dichter bij haar probeert te komen, compleet zal verdwijnen. En hoewel hij aan de ene kant niet kan wachten tot het vrijdag is, nauwelijks kan bevatten hoe hij in godsnaam vrijdag moet halen, hoopt hij aan de andere kant dat het nooit vrijdag wordt.

Maar de tijd kent dergelijke voorbehouden niet; en nu wordt hij wakker in het pikkedonker van de laatste ochtend voor de vakantie.

Voor het laatste kwart van de laatste zwemtraining haalt Coach de baanmarkeringen uit het water en haalt het net tevoorschijn, zodat ze waterpolo kunnen spelen. De bal zeilt met een *whap!* de lucht in; witte, gouden en bruine lichamen springen en spetteren, gillen en schreeuwen, stuiten tegen het gele plafond; stoom dwarrelt over het water als gifgas boven een helblauw slagveld. Skippy drijft bijna achterin, waar er niet veel gebeurt. 'Kom eens hier, Daniel,' zegt Coach.

Hij hurkt neer terwijl Skippy naar hem toe zwemt. Het doet hem pijn om zich zo te buigen, dat kun je zien aan hoe zijn ogen samenknijpen.

'Je hebt veel trainingen gemist de laatste tijd.'

'Sorry, Coach, ik was ziek. Ik heb een briefje.'

'Briefjes zijn allemaal leuk en aardig, maar je zult die arbeid op de een of andere manier moeten inhalen. De wedstrijd is al twee weken na de vakantie, weet je. Er zullen een paar goede scholen bij zijn. En je tijden zijn de laatste tijd niet zo geweldig.'

'Ja, Coach.'

'Ik wil je erg graag in de ploeg opnemen, Daniel, maar dan zal ik een aanmerkelijke vooruitgang moeten zien als je terug bent.'

'Oké, Coach.'

'Ga je naar huis deze vakantie?'

'Ja.'

'Is er een zwembad daar … Waar ging je ook alweer heen, Rush?'

'Ja, er is een zwembad, en ik zwem ook in zee.'

'Juist, ja. Mooi zo. Nou, probeer in de vakantie zo veel mogelijk te trainen, goed?'

'Ja, Coach.'

'Mooi.' De mond van Coach verstrakt. De huid van zijn gezicht is gerimpeld, maar zijn ogen zijn helderblauw, als een zwembad dat ligt te wachten tot er iemand in duikt. 'Daniel, gaat het allemaal wel goed met je? Ik krijg de laatste tijd de indruk dat je ergens mee zit.'

'Nee, Coach, er is helemaal niets.'

'Weet je dat zeker? Die … die ziekte van je, ben je daar helemaal overheen?'

'O, ja hoor, helemaal.'

'Oké.' De ogen bekijken hem zonder te knipperen. 'Ik wil alleen maar dat je weet dat als iets je dwarszit, je er altijd met me over kunt komen praten. Daar ben ik voor. Alles privé en in vertrouwen.'

'Dank u, Coach.'

'Ik ben niet een of andere ouwe leraar. Ik ben je coach. Ik zorg voor mijn jongens.'

'Dat weet ik, Coach. Het gaat allemaal prima.'

'Dat is mooi. Je kijkt er zeker wel naar uit om je ouders weer te zien?'

'Tuurlijk.'

'Hoe gaat het met ze?'

'Prima.'

'En je moeder?'

'Met haar gaat het ook best.'

De hand van Coach op zijn schouder. 'Doe ze de hartelijke groeten van me, oké? Ze kunnen heel trots op je zijn. Zeg dat maar van mij.' Hij staat op.

'Oké, zal ik doen.'

'En denk eraan: hard trainen! Ik wil dat je in die bus naar Galway zit.'

'Oké.'

Maar Coach heeft zich al afgewend en blaast op zijn fluit naar Siddartha Niland, die rondspringt met een zwembroek in zijn hand. In het ondiepe deel van het zwembad roept Duane Grehan uit: 'Mijn broekje! Mijn broekje!'

Stoom rolt in zwierige hopen over het water. Maar op je huid voelt het ijskoud.

De allerlaatste les voor de herfstvakantie. Tot voor kort werd de lerares Iers, mevrouw Ni Riain, ondanks haar gevorderde leeftijd, haar merkwaardig conische borsten en – dankzij welk merk foundation ze ook gebruikt – de indruk dat ze van toffee is gemaakt, algemeen beschouwd als het lekkerste wijf van Seabrook, en was ze het onderwerp van meer dan een paar fixaties – wat ongetwijfeld iets zegt over de aard van verlangen en de verrassende bereidheid ervan om te werken met het materiaal dat voorhanden is. Maar sinds de komst van Miss McIntyre is die illusie aan duigen geslagen, en nu is Iers gewoon de zoveelste saaie les waar je je doorheen moet worstelen.

Maar er zijn manieren om die worsteling te verlichten. Midden in een saaie uitwisseling over de *Modh Coinníollach*, de berucht ingewikkelde voorwaardelijke wijs van het Gaelic, steekt Casey Ellington zijn hand op. 'Juf?'

'Ja, Casey?'

'Iemand vertelde me laatst dat Hallowe'en eigenlijk in Ierland is begonnen,' zegt Casey met gefronste wenkbrauwen. 'Dat kan toch niet waar zijn ... of wel?'

De naam van de jongen die heeft ontdekt dat mevrouw Ni Riain ooit een scriptie heeft geschreven over Ierse folklore is verloren gegaan in de mist van de tijd, maar het trotse werk waar hij ooit mee is begonnen leeft tot op de dag van vandaag voort. Als je hem op het juiste moment stelt, kan een goed geplaatste vraag een hele les in rook laten opgaan.

Hallowe'en, krijgt Casey Ellington te horen, is rechtstreeks afgeleid van de Keltische rite van Samhain. In de dagen van weleer was Samhain – dat ook wel Feile Moingfhinne of het Feest van de Witte Godin wordt genoemd – een van de belangrijkste festivals. Gehouden aan het eind van oktober, markeerde het het eind van een pastoraal jaar en het begin van het volgende: een betoverde tijd, wanneer de poorten tussen deze wereld en de Anderwereld geopend werden, en eeuwenoude krachten werden losgelaten over het land.

'De Anderwereld?' Dit keer steekt Mitchell Gogan zijn hand op.

'De Ierse folklore wordt gedomineerd door verhalen over een mysterieus, bovennatuurlijk ras dat de Sidhe heet,' zegt mevrouw Ni Riain. 'De Sidhe bewoonden een andere wereld, die dezelfde ruimte deelde met de onze, maar door mensen niet gezien kon worden. *Sidhe* wordt meestal vertaald als "elfen"' – elke neiging tot giechelen wordt op dit moment met verve onderdrukt, om het zijpad gaande te houden – 'maar deze elfen hadden geen mooie vleugeltjes of roze jurkjes, en ze hingen ook niet rond in de buurt van bloemblaadjes. Ze waren langer dan mensen en berucht om hun wreedheid. Ze maakten mannen blind, stalen pasgeboren baby's, en vervloekten hele kuddes vee, zodat die niet meer konden eten en wegkwijnden, gewoon voor de lol. Men geloofde zelfs dat het ongeluk bracht om hun naam uit te spreken. Op de avond van Samhain werden alle vuren gedoofd, en de ingangen van de grafheuvels waarvan geloofd werd dat ze erin woonden, werden opengelaten tot de haan de volgende ochtend kraaide.'

'Woonden ze in grafheuvels?!' zegt Neville Nelligan, die niet meer zeker weet of hij nou tijd aan het rekken is of echt geïnteresseerd raakt.

'Ze woonden in onderaardse gangen, naast rivieren, onder bepaalde bomen, in grotten onder water. En ze woonden ook in de grafheuvels die verspreid door het landschap lagen. Oorspronkelijk verwees het woord *sidhe* naar die heuvels, die door een oudere beschaving gebouwd waren, duizenden jaren daarvoor. Later begonnen mensen ze te zien als paleizen die van de elfen waren en hun wereld verbonden met de onze. Er bestonden volksverhalen over mannen die in de buurt van een van die heuvels in slaap vielen en wakker werden met een gave voor poëzie of verhalen vertellen. Of over mannen die een deur in een heuvel ontdekten en zo op een ondergronds feest terechtkwamen – altijd met prachtige harpmuziek, overdadig eten en beeldschone maagden –, om de volgende ochtend gewoon weer op die heuvel wakker te worden, zonder een spoor van de deur, en als ze dan terugkwamen in hun dorp, ontdekten ze dat er honderden jaren waren verstreken en dat iedereen die ze kenden dood was.'

Misschien ligt het aan het sombere weer, de gure wind en het skeletachtige geluid van vallende bladeren buiten, of misschien komt het doordat ze er ontvankelijker voor zijn door de naderende Hop, maar die verhalen krijgen een vreemd soort tastbaarheid; je kunt ze voelen – een huiverende, droevige mist die door de lucht zweeft. 'Dus als ze in grafheuvels woonden ...' zegt Geoff, die het bijna niet durft te geloven, '... dan betekent dat dat die elfen ... zombies waren?'

'Goden, elfen, spoken – die liepen allemaal door elkaar als inwoners van de Anderwereld,' zegt de lerares. 'Oorspronkelijk zijn de elfenlegendes misschien begonnen als verhalen over ondoden, die in hun onderaardse gewelven banketten hielden. Of als manieren om te verklaren wat er met die eerdere, pre-Keltische beschaving was gebeurd die inmiddels verdwenen was. Maar het punt is dat op Samhain al die vreemde wezens, die zij aan zij met ons leefden maar die we meestal niet zagen, zichtbaar werden en over het land trokken.'

'En waar gingen ze dan heen?' vraagt Vince Bailey.

'Waar gingen wie heen?'

'De goden, of de elfen, of wat het ook waren?'

'Nou, dat weet ik niet precies ...' Daar had mevrouw Ni Riain nooit over nagedacht.

'Misschien zijn ze wel getroffen door een meteoor,' werpt Niall Henaghan gretig op. 'Net als de dinosaurussen?'

'*Misschien zijn ze er nog wel ...*' stelt een verzombiede stem voor.

'Geoff, hoe vaak moet ik het nou nog zeggen van die stem?'

'*Sorry.*'

'Maar goed, dit helpt ons allemaal niet om de Modh Coinníollach beter te begrijpen. Waar waren we?' Mevrouw Ni Riain richt haar aandacht weer op het lesboek – maar op dat moment gaat de bel. De laatste bel! De jongens springen uit hun stoel; ze glimlacht bedroefd, nu ze beseft dat ze ertussen is genomen. 'Oké. Fijne vakantie, jongens. En geniet van het feest.'

'Happy Hallowe'en, juf!'

'Happy Hallowe'en!'

'*Happy Hallowe'en ...*'

'O, Geoff, ik zeg het nog één keer ...' Ze valt stil; Geoff is het lokaal al uit ...

Als het eenmaal vier uur is, is de school – afgezien van het kleine, snaterende gezelschap dat heen en weer scharrelt tussen het tekenlokaal en de gymzaal, armen volgeladen met zwartgeverfde netten, doodshoofden van papier-maché, deels uitgeholde pompoenen en messen die nog aan hun flanken bungelen – volkomen verlaten. Zo lijkt het althans; onder die oppervlakkige leegte kreunt de lucht onder het gewicht van verwachting: de stilte gilt, de ruimte huivert, volgestouwd met voorspellingen die zo koortsachtig en intens zijn dat ze haast tot leven dreigen te flakkeren, daar in die ontvolkte gangen. Ondertussen pakken zich boven die oude stenen campus donkere grijze wolken samen, die geladen zijn en grommen van hun eigen opgekropte energie.

Boven is, hoewel de zon nog niet onder is – en hoewel het voor de rest van de wereld officieel pas over vijf dagen valt –, Hallowe'en in volle gang. De gothic omgeving van de Recreatiezaal voor de Onderbouw is vergeven van de bedlakenspoken, vampiers met plastic slagtanden, blozende Osama bin Ladens en in gewaden gehulde Jedi's. Het Monster van Frankenstein brengt kneuzingen aan bij Victor Hero (overleden); twee volkomen omzwachtelde mummies ruziën om de laatste rol wc-papier; de Scarlet Pimpernel smeedt met de Green Goblin een plan om drank te kopen met het valse identiteitsbewijs van Goblins broer. Hier en daar staan oudere interne leerlingen uit de hogere klassen, die nog moeten wachten tot ze worden opgehaald om naar huis te worden gebracht, minachtend toe te kijken en sarcastische opmerkingen te maken. Maar de jongens horen het nauwelijks, zo gaan ze op in het moment, en in hun kostuums, waarin ze zich merkwaardig thuis voelen – ze lijken ze zich eigen te maken op een manier die heel anders voelt dan de ongemakkelijke relatie die ze met hun schooluniform hebben.

Nu, terwijl de laatste stralen van de zon uitdoven, huivert de lucht even – trekt samen, krimpt ineen, alsof hij een koude rilling voelt. Door de ramen glijden de eerste koplampen van auto's over de laan; een karavaan aan anderen knipoogt in de verte, voorbij de tennisbanen. Een elfje en iets wat eruitziet als een klein natuurkundeleraartje stormen een slaapkamer uit om drie deuren verder aan te kloppen.

'Ja?' Dennis doet de deur voor een kwart open.

'Ben je al bijna klaar?'

'Ik wel, maar ik sta op Niall te wachten.'

Kuierend door de gang, terwijl hij in zijn vingers knipt, verschijnt Mario in een donkerbruin leren jack, met een ondoordringbaar zwarte zonnebril op en een glinsterend patina van haargel.

'Klaar om 'm te smeren, wijfies? Het gaat zo beginnen.'

'Wie moet jij voorstellen – The Fonz?'

'Ik ga als de beroemde dekhengst Mario Bianchi,' zegt Mario, met een klap van zijn kauwgum.

Dennis rolt met zijn ogen.

'Wat ruik ik toch in godsnaam?' Ruprecht houdt een tweedmouw voor zijn neus.

'Dat, beste vriend, is nou aftershave. Als jij je op een dag ooit nog gaat scheren en niet zo'n mietje meer bent, ga je die zelf misschien ook nog weleens gebruiken.'

'Het ruikt alsof je gepekeld bent,' zegt Ruprecht.

Mario kauwt niet van de wijs gebracht op zijn kauwgum en haalt een hand door zijn slijmerige haar. 'Nou, waar wachten we nog op?'

'Op Niall,' zegt Dennis, terwijl hij zich nog half verschuilt achter de deur.

Mario richt zijn aandacht op Skippy, kijkt langzaam van zijn met kleine vleugeltjes uitgeruste gymschoenen omhoog naar zijn jagershoedje van crêpepapier, waar een lange gespikkelde veer uit steekt. 'Wie ben jij? Wacht, laat me raden ... Je bent die flikkerige elf uit dat homospel van je?'

Skippy is de afgelopen drie avonden bezig geweest met zijn kostuum, en het ziet er inderdaad indrukwekkend elfachtig uit. Over een van de groene hemdjes van Ruprecht (een van de vele) die hij in de was heeft laten krimpen heeft hij een lichtgevende pijlkoker gehangen voor zijn Pijlen van het Licht; een triplex-met-aluminiumfolie Zwaard der Liederen hangt aan zijn riem in een schede gemaakt van tape voor om het handvat van een tennisracket, naast een opgerolde kaart van Hoopland (voor authentiek perkamenteffect: laat een gewoon vel papier weken in sterke koffie, en leg het dan in een oven voorverwarmd op 200 graden).

Ruprechts outfit is beslist prozaïscher: een broek, een stropdas, een hoornen bril en een bruin tweedjasje met leren elleboogstukken dat te lang en niet wijd genoeg is.

'Eh, Von Boring, hebben ze jou wel uitgelegd dat je een kostuum moest dragen ...?'

Ruprecht knippert van verbazing met zijn ogen. 'Ik ben Hideo Tamashi,' zegt hij.

Mario kijkt hem uitdrukkingsloos aan.

'De emeritus hoogleraar natuurkunde aan Stanford? Die een revolutie heeft ontketend in het complete vakgebied van de kosmologie? Waarschijnlijk de belangrijkste wetenschapper sinds Einstein?'

'O, díé Hideo Tamashi,' zegt Mario.

Dennis schudt zijn hoofd. 'Ik moet het jullie nageven, Skippy en Blowjob: ik had niet gedacht dat jullie er nog nerdier uit konden zien dan jullie al zijn. Maar dit is echt iets bijzonders.'

'En jij dan, Dennis?' zegt Skippy. 'Als wie ga jij?'

Zonder antwoord te geven loopt Dennis de gang op en draait 360 graden rond in een verkreukeld grafietgrijs pak. Er steekt een nette rij balpennen uit het zakje van zijn overhemd en er zit een Seabrook-speld aan zijn das. 'Zie je dat dan niet? Ik zal je een hint geven ...' Hij wrijft met twee handen heftig over zijn gezicht en zijn haar, komt rood aangelopen en oorlogszuchtig weer tevoorschijn en buldert met een stentorstem: 'Kom op, slappelingen, laat eens wat pit zien! Ik leid geen kleuterklas! Wegwezen of fit wezen! Mijn wil is wet!' Zijn ogen schieten gretig over de gezichten van de anderen, waarin net een besef begint op te flakkeren ... 'Nou ja, eigenlijk is het kostuum nog niet helemaal af – ik bedoel, dit is nog maar de helft van het kostuum,' zegt hij cryptisch, en roept dan, zijn hals strekkend, de kamer achter hem in: 'Ben je klaar daarbinnen?'

'Ik ben klaar,' antwoordt Nialls stem, die behoorlijk ontmoedigd klinkt.

'Aanschouw, heren ...' De deur zwaait eindelijk open, en Dennis stapt met een spreekstalmeesterlijke buiging opzij om, midden in de kamer, Niall te onthullen, in een rampzalige bloemenjurk, met een blonde pruik op en op hoge hakken. De jurk is uitgerust met twee ballonnen bovenin en een kussen in het buikgebied; Niall heeft, onder een felle laag enthousiast aangebrachte make-up, een uitdrukking van diepe gekweldheid en vernedering op zijn gezicht.

Het duurt even voor de omvang van de genialiteit van deze dubbele vermomming tot de anderen doordringt. Dan klinkt het eerste gegiechel, dat algauw overgaat in geschaterlach.

'Waar lachen jullie nou om, stelletje onbenullen?' blaft Dennis. 'Lachen is voor sukkels. Maak hier even een notitie van, Trudy ...' Niall reikt gehoorzaam in zijn handtas en haalt een clipboard tevoorschijn. 'Van Doren – schorsing! Juster – van school sturen! Die spaghettivreter wil ik geserveerd hebben op een pizza! Nee, wacht ... in een calzone! Verdomme, Trudy, waarom schrijf je nou zo langzaam, je bent toch niet zwanger of zo?!'

'Nee, meester, sorry, meester,' zegt Niall ineenkrimpend, met een falsetstemmetje.

'Zo mag ik het zien.' Dennis slaat hem op zijn schouder, waardoor er een rugbybal tussen Nialls benen uit valt, ingezwachteld in een blauw-met-gouden Seabrook-shirt.

'Als hij hierachter komt, ben je er zó geweest,' zegt Skippy. 'Dan ben je doder dan dood.'

'Juster, als ik je mening wil, vraag ik er wel naar,' gaat Dennis verder, om zich vervolgens te richten tot de schare gemaskerden die op weg naar beneden zijn blijven staan om zich te verdringen bij de deur. 'Doe je haar goed! Doe die hersens dicht! Zeg me na! Laat me oproepen zodra die ouwe de pijp uit is! Nou, zijn jullie klaar, jongens? Een Seabrook-jongen is altijd klaar. Klaar om aan het werk te gaan. Klaar om te spelen. Klaar om te luisteren naar zijn leraren, vooral de grootste onderwijzer van allemaal, Jezus. Zoals Jezus ooit tegen me zei: "Greg, wat is je geheim?" En toen zei ik tegen Jezus: "Leer je aantekeningen uit je hoofd! Ga naar je lokaal! Scheer die baard eens af! Als je je op je eerste lesdag kleedt als een hippie, natuurlijk kruisigen ze je dan, kan me niet schelen wie je vader is ...""

Zo gaan de nep-Waarnemend Rector en zijn ersatzvrouw de kamer uit en worden ze naar voren geduwd om de processie naar beneden te leiden. Het gelach van de andere jongens schalt om hen heen, ongeveer gelijkelijk verscheurd tussen bewondering voor hun lef en vrolijke afwachting van het moment dat ze betrapt zullen worden.

'Wacht, ik moet nog even iets pakken ...' De bonte stoet is al zonder iets te horen weggetrippeld, de wenteltrap af. In zijn kamer draait Skippy zijn kussen om en blijft erboven hangen.

Hij heeft al dagen zijn pillen niet ingenomen. Deels omdat hij de laatste keer dat hij er eentje nam over Kevin Wong heen kotste, maar vooral omdat hij haar heeft gezien; omdat de gevoelens die hij heeft sinds hij haar zag alle gevoelens hebben weggejaagd die hij daarvoor had ... Nou ja, misschien niet helemaal weggejaagd, maar teruggedrongen tot ergens diep onder de grond, waar je ze nauwelijks kunt horen fluisteren en grommen. Hij is nog steeds over zijn toeren – vooral vandaag heeft hij geen hap door zijn keel kunnen krijgen en elke keer als hij aan het Frisbeemeisje denkt, wat hij elke seconde doet, slaat zijn hart in een tempo van een triljoen kilometer per uur –, maar het is een ander soort over zijn toeren zijn. Het is niet alsof hij wordt aangevallen door zijn eigen brein, dat de krachten bundelt met alles om hem heen, zodat hij zijn hoofd moet bedekken. Het is niet dat de momenten zich met z'n allen tegen hem keren en hem naar elkaar overgooien. In plaats daarvan gaat het een steeds in het ander over, zoals dat in een verhaal gebeurt, en de lucht om hem heen is onstuimig, zuiver en koud, alsof hij onder een waterval staat. Kan er zoiets als gelukkige doodsangst bestaan? Het enige wat Skippy weet is dat hij het niet buiten wil sluiten. Maar voor de zekerheid laat hij het buisje toch maar in zijn pijlenkoker glijden; dan rent hij achter de anderen aan, terwijl die door de nauwe, donkergepaneelde gangen van de Toren draaien, de vierhoekige binnenplaats op, waar ze even blijven staan om op adem te komen ...

De avond is gevallen, volkomen zwart, de maan en sterren verdwenen achter de inkt van stormwolken die zelfs nu nog aan lijken te komen; de lucht zit vol statische regen die niet valt maar hangt, tinkelt, wacht tot je eronder loopt. En dat is niet het enige waar de lucht vol van is. Vanaf de met bladeren bezaaide laan die naar Ed's Doughnut House leidt, vanaf de avenue die langs de huizen van de priesters kronkelt naar het hek achter bij St. Brigid's, vanaf de tennisbaan die tot aan de hoofdingang loopt, arriveren er gekostumeerde gestalten, waarvan er vele – onder de cowboys, duivels, reuzenspinnen, rugbyspelers, Jasons en Freddy's en lijken in uiteenlopende staat van ontbinding – gekostumeerde vróúwelijke gestalten zijn. Het parkeerterrein is een wirwar van blote benen, flitsend zilver in de koplampen terwijl ze uit Saabs, Audi's en SUV's stappen; en zodra die laatste weg zijn, worden er jassen uitgeschud om al even blote armen, middenriffen en zoveel decolleté als waar ze mee weg kunnen komen te onthullen.

Het lijkt erop dat de meisjes over het geheel genomen de gelegenheid om zich sletterig te kleden hebben laten prevaleren boven creativiteit. Stoute verpleegsters paraderen naast kinky cowgirls; een pneumatische Lara Croft met dijhoge laarzen aan draagt de parelmoeren staartvin van een zeemeermin die een hartstoppend moment lang boven haar middel naakt lijkt te zijn, tot je je realiseert dat ze een vleeskleurige panty draagt; SM-agentes, een porno-Cleopatra, vier benevelde prinsessen die arm in arm op hoge hakken over het hobbelige pad trippelen; twee Catwomans die hun rug al naar elkaar krommen, een heel stel BETHani's in verschillende gedaanten bekend van videoclips – ze drommen allemaal samen in de rij die op de trap staat voor de deuren naar de gymzaal waaruit muziek dwarrelt en kleuren glinsteren als beloften …

De interne leerlingen, die proberen het allemaal in zich op te nemen, aarzelen even of ze zich wel moeten verroeren; het is alsof ze op Xanadu zijn gestuit, in hun eigen school, en ze zijn bang dat ze de illusie op de een of andere manier zullen verstoren, de koortsachtige droom in rook zullen doen opgaan … Dan, als één man, bedenken ze zich en sluiten gauw aan in de rij.

Boven aan de trap geeft de Automator zijn laatste instructies door aan Howard de Lafferd en Miss McIntyre: 'Het is nu kwart voor acht. Om halfnegen wil ik deze deuren dicht hebben. Er mag ABSOLUUT GEEN TOEGANG WORDEN VERLEEND na halfnegen, onder geen enkele omstandigheid. Voor halfelf mag niemand zonder jullie toestemming het pand verlaten. Als ze eenmaal zijn vertrokken, mogen ze NIET MEER NAAR BINNEN. Van iedereen die verstorend of ongepast gedrag vertoont, moeten onmiddellijk de ouders gebeld worden. En iedereen' – hij verheft zijn stem als hij dit zegt

– ‘die wordt aangetroffen met of onder invloed is van alcohol of verdovende middelen van welke aard ook, moet bestraft worden met onmiddellijke schorsing, in afwachting van een grondig onderzoek door het Schoolbestuur.’

Hij werpt een verschroeiende blik op de rij plotseling doodsbang kijkende jongelui die als verstijfd op de trap naar de zaal staan, hun alcoholhoudende adem inhoudend.

‘Mooi zo,’ verklaart hij. Omdat hij al te laat is voor het liefdadigheidsdiner van de Seabrook Rugby Club, laat hij de chaperons achter en beent langs de rij richting parkeerterrein; dan, als hij even voorbij de staart van de rij is, blijft hij staan. Hij krabt op zijn hoofd, draait zich om en keert langzaam op zijn schreden terug, alsof hij niet zeker weet waar hij naar zoekt, tot hij bij Dennis en Niall aankomt.

Er daalt een stilte neer over de verzamelde gemaskerden. Terwijl hij zijn rode das gladstrijkt en zijn houtskoolgrijze blazer rechttrekt, staart hij Dennis door samengeknepen ogen aan. Dennis, die identiek is uitgedost, neuriet zenuwachtig in zichzelf. Hij houdt zijn ogen strak gericht op de reptielennek van Max Brady voor hem. Er klinkt gegiechel op uit de rij. Het effect is voor iedereen die toekijkt – wat iedereen doet – te vergelijken met de Automator die in een lachspiegel kijkt. Zijn blik schiet naar Niall en dan weer terug naar Dennis. Hij haalt adem om iets te zeggen, houdt dan in; na een volle minuut van niets dan staren, waarin Dennis bijna in tranen raakt, gromt hij, draait zich op zijn hakken om en loopt verder.

Ze horen zijn voetstappen echoën op het parkeerterrein, het autoportier klikt open en dicht, en de motor start; en dan, als hij wegtuft de avond in, klinkt er luid gejuich op.

‘Jullie zijn allemaal geschorst!’ roept Waarnemend Rector Dennis Hoey. ‘Hallowe’en is bij dezen verboden! Studeer op je navel! Schrap die aantekeningen!’ Niall schudt zijn hoofd en dankt stilzwijgend op zijn blote knieën God, die hij beloofd heeft nooit meer naar Dennis te luisteren.

De deuren worden geopend en de rij loopt snel naar binnen. Maar voor het feest kan beginnen, moet er nog een beproeving worden doorstaan: de antichambre van de gymzaal waar, alleen aan een tafeltje gezeten, pater Green het entreegeld incasseert. Het licht hier is steriel en genadeloos fel, wat hen, hoe glamoureus en buitenissig ze ook zijn uitgedost, weer reduceert tot kinderen; terwijl ze langsschuifelen om hun verkreukelde briefjes van vijf in de emmer te laten vallen, bedankt de pater hen op onpersoonlijke, overdreven beleefde toon, waarbij hij zijn blik nadrukkelijk afgewend houdt van de bijna zonder uitzondering godslasterlijke kostuums, om nog maar te zwijgen van de kilometers kippenvel – maar toch bezorgt de transactie hun een vreemde, koude rilling van vernedering, en ze maken zich zo snel mogelijk uit de voeten ...

'O, meneer Juster ...'

Skippy draait zich met tegenzin om bij de deur. Wat is het probleem? Heeft hij niet gezien dat hij zijn geld in de emmer deed? De wimpers van de pater, die lang en verrassend vrouwelijk zijn, waaien omhoog en onthullen een koolzwarte blik.

'Je lijkt een vleugel te verliezen ...?' Hij wijst met een knokige vinger.

Naar beneden kijkend ziet Skippy dat de veren aan de enkels van een van zijn drakenleren laarzen los zijn gekomen. Hij bukt snel, zet ze weer vast, mompelt 'bedankt' en loopt haastig de zaal in.

De anderen zijn verdwenen; alles is donker, en Skippy strompelt schijnbaar een eeuwigheid voort, tegen heksen, mutanten, trollen en terroristen op botsend. Hij ziet niemand die hij kent. Elk beschikbaar stukje oppervlak is bedekt met zwarte stof en afwisselend versierd met halvemanen, sterren en mystieke runentekens. Zwarte ballonnen zweven boven zijn hoofd als verdoolde zielen, touwachtige zwarte webben hangen van de nokbalken naar beneden, verminkte etalagepoppen kruipen uit de muren, en bij het hokje van de deejay, waar Wallace Willis – leadgitarist van Shadowfax, de beste rockband van Seabrook College – zijn platen draait, juicht een pompoen met uiteen staande tanden alsof hij het bacchanaal voorzit. Als zijn ogen gewend zijn geraakt aan het duister, merkt Skippy dat hij het grootste deel van de mannelijke feestgangers kan identificeren. Die Zeus daar, met die wattenbaard en een badjas aan, is Odysseas Antopopopolous, de IRA-man in camouflagepak en met een bivakmuts op kan alleen maar Muiris de Bhaldraithe zijn. Maar sommigen kan hij nog steeds niet plaatsen. Die enge Dood, bijvoorbeeld, zijn gezicht verborgen onder de capuchon van zijn gewaad, die minstens een meter vijfennegentig is, wie is dat? En, nog enger, dat roze konijn dat koortsachtig staat te jitterbuggen naast Vincent Bailey en Hector O'Looney? En de meisjes – kunnen dat echt dezelfde meisjes zijn die hij elke dag ziet, in de rij bij de Texaco om sigaretten of telefoonkaarten te kopen? Zijn die stiekem al die tijd al zó geweest? Als de afgesleten lijnen van het basketbalveld, het enige spoor van de vorige gedaante van deze zaal, er niet waren geweest, had Skippy gedacht dat hij op de een of andere manier de verkeerde ruimte in was gelopen ...

'*Hallo, Skippy*,' zegt een grafstem. '*Welkom op het Feest van de Doden.*'

'Dank je, Geoff.'

'*Is het niet geweldig?*'

'Het is behoorlijk ongelooflijk, ja ...'

'*Wil je wat fruitpunch?*'

'Oké.'

De elf loopt achter de zombie aan naar de tafel waar 'Jeekers' Prendergast punch schept uit een enorm vat dat door Monstro is vervaardigd uit de bodems van verschillende blikken fruitconcentraat. Dennis is er ook, met Ruprecht; de eerste heeft Jeekers geschorst vanwege zijn flikkerige kostuum (de tennisster uit de jaren tachtig Mats Wilander) en hem vervolgens van school gestuurd, omdat hij er niet voor heeft gezorgd dat er drank in de punch zit. Even later brult Niall naar hen. 'Hé jongens, Mario heeft net een blauwtje gelopen bij een meisje!'

'Ik heb helemaal geen blauwtje gelopen, mietje, met je vrouwenkleren,' snauwt Mario, die achter hem aan komt. 'Ik zei toch: ze heeft suikerziekte en moest haar insuline gaan spuiten.'

'Ik heb het allemaal gezien!' zegt Niall schaamteloos uitgelaten. '*Wiiiipeouuuut.*'

'Lach jij maar, meneer de grapjas. Als dat wijf straks terug is van het insulinespuiten, sta je behoorlijk op je nummer.'

'Nou ja, zelfs al komt ze niet terug ...' begint Geoff troostend te zeggen.

'Dat komt ze wel.'

'Jawel, maar zelfs al doet ze dat niet, dan zijn er nog genoeg andere dames.'

'En de meeste zijn dronken,' vult Dennis aan.

'Fascinerend,' zegt Ruprecht peinzend tegen Skippy. 'Het hele gebeuren lijkt te werken volgens ruwweg hetzelfde principe als een supergeleider. Je weet wel: twee stromen van tegengesteld geladen deeltjes die versnellen tot ze net onder de snelheid van het licht zitten, en dan tegen elkaar op botsen. Alleen nemen hier alcohol, benadrukte secundaire geslachtskenmerken en primitieve "rock-'n-roll"-beats de plaats van snelheid in.'

Skippy is zijn punch gaan bijvullen. Ruprecht zucht zachtjes en kijkt op zijn horloge.

Patrick 'Da Knowledge' Noonan en Eoin 'MC Sexecutioner' Flynn paraderen als pooiers voorbij, met plastic uzi's onder hun arm, de vage golf van spanning tussen hen nog voelbaar, gevolg van een verhitte discussie eerder op de dag over de vraag wie er als Tupac zou komen; een debat dat Patrick won, wat betekent dat Eoin nu rondzwoegt in een dikmakend pak, verkleed als Biggie Smalls. De krijsende riff van *Layla* van Derek and the Dominos barst uit de speakers; in het deejayhokje knikt Wallace Willis in zichzelf: o ja. 'Flubber' Cooke, die is gekomen in zijn vakkenvullersuniform van de supermarkt, legt aan een sexy non uit dat, hoewel het bij zijn kostuum hoort, het winkelwagentje wel eigendom is van de zaak, dus al zou hij haar er graag een ritje in laten maken, dat kan niet. Meneer Fallon, de geschiedenisleraar, dwaalt aan de periferie langs met zijn handen in zijn zakken en een melancholiek air.

'Ik wil graag een paar woorden wijden aan pesten.' Dennis oreert, met een authentieke glans van transpiratie, tegen iedereen die het horen wil. 'Hier op Seabrook tolereren we absoluut geen ondermaats gepest. Het pesten moet beantwoorden aan dezelfde maatstaven die we op elk ander gebied hanteren. Als je hulp nodig hebt bij het pesten, aarzel dan alsjeblieft niet om mij of pater Green aan te spreken, of mevrouw Timony of meneer Kilduff of ...'

En dan, zijn arm vastpakkend, zegt Geoff Sproke: 'Hé Skippy, kijk eens! Is dat je vriendinnetje niet, daar?'

'Skippy?'

'... Eh, Skippy?'

'Hé, we hebben hier een nieuwe Skippy nodig!'

Het is net als in een film. De muziek vervaagt, stemmen vallen weg, alles gaat op in het niets, tot alleen zij overblijft. Ze staat te praten met haar vriendinnen, gekleed in een lange, witte jurk met een slanke tiara in haar donkere haar geweven. Ze lijkt te gloeien alsof ze vanbinnen wordt verlicht, en hoewel ze recht voor hem staat, kan Skippy bijna niet geloven hoe mooi ze is. Hij kijkt haar recht aan, en toch kan hij het niet geloven.

'Hubba hubba,' zegt Mario. 'Net een biefstuk op een barbecue; dat wijf is gloeiend heet. Je hebt mazzel dat jij haar het eerst hebt gezien, Juster, anders zou zij dé kandidate zijn om Mario's Speciale Saus te ontvangen.'

'Hou hem in de gaten, Skip,' zegt Dennis. 'Je moet die Italianen nooit vertrouwen. Dat hebben de nazi's gedaan, en moet je kijken wat dat hun heeft opgeleverd.'

'Je gaat toch niet weer kotsen, hè?' vraagt Ruprecht.

'Niet te geloven dat ze er is,' fluistert Skippy verbluft.

'Skippy, ouwe vriend.' Dennis geeft hem een klap op zijn schouder. 'Het maakt niet uit of ze er is of niet. Wat jou betreft zit ze op de Noordpool. Zit ze op de máán.'

'Hoe zit het met dat kostuum van haar?' vraagt Niall zich af. 'Ze lijkt een beetje op een van die elfen uit *The Lord of the Rings*.'

'Of op dat meisje uit *Labyrinth*.'

'Stelletje sukkels. Ze is duidelijk koningin Amidala uit *The Phantom Menace*.'

'O ja, je bedoelt die scène in *The Phantom Menace* als ze die tiara in haar haar heeft? Die speciale, magische scène die niet bestaat? Dié scène?'

Maar in Skippy's ogen ziet ze er niet uit als koningin Amidala, en ook niet als dat meisje uit *Labyrinth* of iemand anders. Hij heeft wel vaker mooie meisjes gezien, in films, of op internet, of op foto's die in kluisjes of kamers hangen; maar de schoonheid van dit meisje is iets groters, iets wat dat overstijgt, oneindig meer kanten heeft – het is als een berg met een onmogelijke vorm die hij telkens probeert te beklimmen en waar hij telkens weer vanaf valt, op zijn rug in de sneeuw ...

'Dames en heren ...' kondigt Geoff aan als hij terugkomt met Titch Fitzpatrick. 'De ware identiteit van het Frisbeemeisje staat op het punt onthuld te worden!'

Titch, die een rood formule 1-pak aanheeft, overladen met bedrijfslogo's, heeft vanavond duidelijk wel wat anders aan zijn hoofd: van alle kanten zwaaien en pruilen er meisjes naar hem en werpen ze hem amoureuze blikken toe. 'Waar is ze dan?' zegt hij ongeduldig.

'Daarzo,' wijst Geoff met een ontbindende vinger. 'Vlak bij het deejayhokje.'

Titch perst zijn lippen op elkaar, gaat op zijn tenen staan en strekt zijn nek uit om te kunnen zien waar Geoff naar wijst. Inwendig huivert Skippy. Hij gaat erachter komen hoe ze heet! Dit begint echt te worden! Wil hij dat wel? Hij weet niet eens ...

Ze staat bij drie andere meisjes – een G.I. Jane met scherpe, intelligente trekken en springerige krullen, een duikster in een nauwsluitende wetsuit en een te dik meisje in een of andere ongelooflijk volumineuze semivictoriaanse baljurk die telkens van haar schouders glijdt. Ze staan op een kluitje bij elkaar, met z'n vieren, te overleggen. De ogen van het Frisbeemeisje schieten herhaaldelijk van de dansvloer naar de deur, alsof ze naar iemand uitkijkt.

'Lori Wakeham, Janine Forrest, Shannan Fitzpatrick, KellyAnn Doheny.' Titch ratelt de namen op verveelde toon af. 'Ik neem aan dat je het over Lori Wakeham hebt, dat is die ene in die witte jurk.'

Lori.

'Wie is ze?' vraagt Geoff.

'Eh, Lori Wakeham? Dat zeg ik toch net?'

'Nee, ik bedoel, je weet wel, wat voor iemand is het?'

Titch haalt zijn schouders op. 'O, gewoon zo'n typische Foxrock-prinses.'

'Gaat ze met iemand?' zegt Mario.

'Weet nie,' zegt Titch onverschillig. 'Ik heb haar weleens met mensen gezien bij LA Nites. Ik weet niet of ze een vriendje heeft. Ze gedraagt zich een beetje alsof niemand goed genoeg voor haar is.'

'Frigide,' merkt Mario op.

'Dus in feite zeg je dat Skipford zijn tijd verdoet, toch, T-dog?' interpreteert Dennis. 'Je beweert dat Skippy die op haar valt zoiets is als slijm en pus dat valt op Gisele of zo. Alsof een of ander walgelijk slijm of alg naar Gisele sijpelt en zegt dat ze haar jas moet pakken.'

'Dat bedoelt hij helemaal niet,' protesteert Geoff. 'Hij zegt alleen maar dat ze doet alsof niemand goed genoeg voor haar is. Maar dat komt alleen maar doordat ze Skippy nog niet heeft ontmoet.'

'Wat is er dan zo geweldig aan Skippy? Niet lullig bedoeld, Skippy.'

'Nou, oké, hij kan heel goed zwemmen? En hij ... heeft *Hoopland* bijna uitgespeeld?'

'Nou je het zegt,' herinnert Titch zich. 'Ik heb haar vorige week wel een paar keer met Carl gezien.'

Plotseling, alsof het in een of ander afschuwelijk vacuüm is gezogen, valt het gesprek stil.

'Ik heb ze samen in het winkelcentrum gezien,' zegt Titch, die niets in de gaten heeft, 'en ook een keer voor de Texaco. Ik weet niet of ze wat hebben, maar ik kan wel voor je rondvragen.'

'Goed idee, vraag het maar aan Carl. En als hij Skippy's gezicht in komt beuken, weten we dat ze bezet is.' Precies op dat moment, alsof ze de ogen op zich gericht voelt, draait het dikke meisje met de ongelukkig gekozen jurk zich om en kijkt hen vuil aan; voor ze het weten is Titch de menigte weer in gebeend.

'Sorry, gast,' zegt Niall meelevend. Skippy staart naar de grond alsof hij de scherven van zijn uiteengespatte leven telt.

'Ik vind dat je toch met haar moet gaan praten,' adviseert Ruprecht.

'Dikke mongool dat je bent, heb je niet gehoord wat hij zei?' weerlegt Dennis. 'Hij zei dat hij haar met Cárl heeft gezien. *Carl* is het sleutelwoord. Dat betekent dat je als de donder maakt dat je wegkomt, en anders je eigen graf begint te graven.'

'Hij heeft haar alleen maar met Carl gezíén,' corrigeert Ruprecht hem. 'Daar kunnen talloze verklaringen voor zijn.'

'O ja, misschien zitten ze wel samen in een postzegelclubje.'

'Laten we er nou maar over ophouden,' zegt Skippy verslagen.

'Maar Cárl,' zegt Ruprecht. 'Waarom zou iemand met Carl uit willen gaan?!'

'Omdat dat is wat meisjes doen, idioot,' antwoordt Dennis. 'Hoe groter de klootzak, des te meer meisjes er in de rij staan om hem te pijpen. Dat is een wetenschappelijk feit.'

'Je kunt niet gewoon maar zeggen dat iets een wetenschappelijk feit is,' mengt Ruprecht zich weer in de conversatie.

'Dat doe ik toch net, vetklep? En wat weet jij er nou van? Wie heeft jou ooit een pijpbeurt gegeven?'

'*Je moeder*,' souffleert Geoff sotto voce.

'Je moeder,' zegt Ruprecht tegen Dennis.

'Stíéfmoeder,' corrigeert Dennis mokkend.

'Maar Ruprecht heeft wel een punt,' zegt Niall. 'Ik bedoel, is Carl er überhaupt?'

'Kunnen we er nou gewoon over ophouden?' protesteert Skippy.

'Nee, maar als ze met elkaar gingen, dan zou hij er zijn, toch?'

'Als je het mij vraagt, is de enige manier om de waarheid te achterhalen dat Skippy met dat meisje gaat praten,' herhaalt Ruprecht.

'Willen jullie nou verdomme allemaal je kop houden?' werpt Skippy ertussen. 'Waarom kunnen jullie er nou niet allemaal je kop over houden?'

Verbaasd vallen ze stil, en blijven dat ook even. Dan draait Mario zich, met een of andere opmerking over poesjes, om en stort zich Don Quichot-achtig de dansvloer op. Dennis en Niall gaan, nu al grinnikend, achter hem aan. Ruprecht geeft Skippy een klopje op zijn schouder en werpt nog een steelse blik op zijn horloge. Skippy kijkt naar Lori. De andere twee meisjes staan allebei tegen haar te praten; ze knikt schijnbaar zonder te luisteren, terwijl ze met haar duim als een dolle op haar mobieltje tikt. Hij wilde dat hij nooit iets tegen iemand over haar had gezegd, dat hij nooit meer over haar te weten was gekomen, gewoon naar haar had kunnen blijven kijken door de telescoop. Nu is ze, precies zoals Dennis zei, hoewel ze vlakbij is, eigenlijk aan de andere kant van de wereld. '*Niet opgeven, Skippy*,' klinkt Geoffs stem in zijn oor. '*Er zijn wel vreemdere dingen gebeurd op Hallowe'en ...*' En op dat moment, midden in de solo voor twee gitaren in *Hotel California*, een van Wallace Willis' favoriete solo's aller tijden, valt de muziek uit en het licht ook, en in het interregnum van duisternis klinkt er een enorme donderklap, alsof er een of ander gigantisch, amorf zwart beest gromt vlak boven hun hoofd. Iedereen juicht. Skippy's hand klemt zich om zijn zwaard.

Bliksem flitst achter zijn raam. In zijn verbeelding hoort Carl gejuich en gelach. Op zijn (Morgans) telefoontje staat 19:49, wat 7:49 betekent. Hij is laat. De leugenaarster sms't hem al de hele avond.

GA JE NR DE HP? MOE JE DN, WRDT LEUK

en

WE GN VRAF DRNKN ACHTR DE KRK. KM OOK

Het weerlicht opnieuw, nu stelt hij zich voor dat de gymzaal in brand staat, iedereen binnen schreeuwt en verbrandt.

Om 19:20 stond hij klaar om te vertrekken, had zijn jas aan en de pillen achter de stereo vandaan gehaald. Op het verlaten parkeerterrein van de kerk zou hij haar erom laten smeken. Al haar vriendinnen zijn weg, er rollen tranen over haar wangen. Sorry, de prijs is verhoogd. Ze heeft geen keus. Ze draait zich om, haar riem klikt, ze trekt haar spijkerbroek naar beneden, hij neukt haar daar op de beregende trap, terwijl God door de gebrandschilderde ramen naar hem gluurt.

Maar toen bleef hij bij de deur van zijn kamer staan, en daar staat hij nog. Op de tv aan het voeteneind van zijn bed zingt een mietje een mieterig liedje voor een tafel vol mietjes.

Door het geluid van de regen heen hoort Carl dat zijn moeder beneden aan de telefoon is.

'Ik begrijp gewoon niet waarom een auto die achtenzestigduizend euro heeft gekost steeds panne heeft! Dat begrijp ik niet! Ik bedoel, vind je het zelf ook niet raar, dat die fantastische auto van achtenzestigduizend euro steeds panne heeft?'

Ze zit al een halfuur aan de telefoon, en zegt steeds hetzelfde. Soms huilt ze alleen maar, of ze schreeuwt iets maar huilt tegelijkertijd, zodat je niet kunt verstaan wat ze zegt.

'Nou ja, kom jij maar met de trein naar huis dus, jij neemt de trein naar huis, en dan zullen zij hem wel voor je naar Dublin kunnen slepen, dat zal wel horen bij de service die ze ... En de verblijfskosten dan? En de kosten die je maakt om een hotel te boeken?'

NU OP D HP, OMG, WE ZYN ZO DRNKN. WR BN JY?

'Omdat dat fijn zou zijn – daarom! Omdat je daar hoort, in je eigen huis, bij je vrouw en je kind! Hoor eens ... Nee, je hoeft me de naam van het ... wat moet ik nou met de naam van dat ho... wat heeft het voor zin als je nooit je ... David!'

Hij hoort hoe haar stem verandert in een soort krasserige brul, een beetje zoals dat varken in *The Muppet Show*.

'Nee, nou, blijf daar dan maar! Blijf maar in dat hotel met je tennislerares, of je mondhygiëniste, of je ... Nee, jij bent onredelijk! Jíj bent onredelijk, omdat je niet begrijpt wat je hier hebt. Liefde! Dus blijf maar ... Nee ... Nee, David, dat is nu te laat ... Nee, het is te laat, dus je hoeft niet ... Nee, dat is het niet, want dat recht heb je opgegeven toen je een, een mondhygiëniste belangrijker vond dan het geluk van je eigen ... Nee, ik doe de deur op slot ...'

STRKS DN ZE D DEUR DCHT!!!

Het geluid van rinkelende sleutels, sloten die worden dichtgedraaid, een ketting die rinkelt en ramen die worden dichtgeslagen. Dan ma die weer naar de telefoon rent om te schreeuwen: 'Hoor je dat?' Vervolgens stampt ze de huiskamer weer in; er klinkt een luid, raspend sleepgeluid, dan een bons en daarna begint ze te janken als een baby.

Op tv ranselen drie mannen een andere man af met brandnetels. Zijn rug is helemaal vuurrood, alsof hij verbrand is, en hij gilt en lacht tussen het gillen door. Carl zet het geluid harder, zet de stereo vervolgens ook harder, zodat de muziek op tv en de muziek van de stereo op elkaar botsen en zich vermengen, zodat er in zijn hersens geen plaats meer is voor iets anders. Hij gaat op bed liggen; een man wordt op zijn teen geslagen met een sloophamer, iedereen lacht.

KM JE NIET???? DRN OVR 15 MIN DICHT!!!!!!

Je kunt de pest krijgen, trut. Vanavond moet je je pillen maar ergens anders vandaan halen. Carl verveelt zich zo dat hij een punaise van de muur haalt en een kras over zijn arm maakt, dan snel zijn mouw naar beneden trekt omdat de deur open is gekraakt en zijn ma daar staat. Haar gezicht is onzichtbaar in de schaduw. Hij hoort haar zelfs met de tv en de stereo aan nog sniffen.

'Carl, liefje?'

Hij geeft geen antwoord.

'Carl, doe je muziek even uit, lieverd.'

Hij snurkt van boosheid, richt dan de afstandsbediening van de stereo op de stereo en de afstandsbediening van de tv op de tv. Hij is het zo zat dat hij twee afstandsbedieningen moet gebruiken! Maar hij laat het beeld aan en kijkt daarnaar, niet naar zijn moeder. Die gasten met die sloophamer lachen die gozer uit die over de grond ligt te rollen met zijn ogen dicht en zijn mond open.

'O, Carl ...' Zijn ma staat even bij het raam met het gordijn tussen haar wijsvinger en haar duim. 'O, schatje ...' Dan laat ze zich zijwaarts op het bed vallen, naast Carls knie, met haar handen over haar neus en mond. Zachte mauwerige geluidjes wurmen zich uit haar. Haar nagels zijn lang, goudkleurig en puntig als de klauwen van een of ander goudkleurig dier, en om haar hals draagt ze een ketting met grote, glinsterende diamanten, alsof ze net terug is van een dinertje in een chic restaurant met een belangrijk iemand, in plaats van het WeightWatchers-menu uit de magnetron dat ze in haar eentje heeft opgegeten in de keuken. 'Soms ...' Ze richt zich op en veegt snot onder haar neus vandaan. '... komt er, ook al houden twee mensen heel, heel veel van elkaar, een punt in hun leven ...'

De telefoon tsjirpt dat er een nieuw bericht is. Het is van Barry.

GST DAT VRNDINNETJE VN JE ZIET R LKKR UIT. STRKS GF IK R N VEEG AS JY R NIET BNT!!

Carls bloed begint te koken.

'Je vader en ik kunnen het al een tijdje niet goed met elkaar vinden. Dat is, dat is niemands schuld, zo gaat het soms gewoon in relaties ...'

Barry die haar pillen geeft. Barry die grapjes maakt. Barry die slimme dingen tegen haar zegt.

'... en God weet dat we vaak genoeg om de tafel zijn gaan zitten, om te proberen, om het uit te praten, maar uiteindelijk ...'

Barry's hand die in haar spijkerbroek glijdt. Barry die haar neukt in een wc-hokje – haar tieten in Barry's handen, Barry's ogen die helemaal samenknijpen als hij over haar gezicht spuit!

'... geen uitweg meer.' Carls moeder kijkt hem met trillende glanzende ogen aan en haar stem klinkt wiebelig als ze zegt: 'Maar je vader en ik, we willen allebei dat je weet dat ... dat dat niet betekent dat we minder van jou houden, oké? Oké, lieverd?'

Barry's witte sperma dat langs haar wangen loopt.

'Nee!' schreeuwt Carl.

'O, arme schat van me!' Carls moeder barst in snikken uit. 'Arme schat van me,' en ze legt haar handen onder zijn kin en trekt met meer kracht dan je zou denken zijn hoofd tegen haar borst. 'O, schatje, het komt wel goed, beloofd. Ik hou zoveel van je, Carly, dat zal ik altijd doen, meer dan van wat ook op de hele wereld, meer dan ...' Hij zit tegen haar tiet geplet, hij kan de zoutoplossing erin rond horen klotsen, het is alsof je een schelp tegen je oor houdt en de zee hoort, een nepzee ... Boven zich hoort hij praten en huilen, de regen slaat tegen de ruit, Carl voelt zijn ogen dichtgaan. Maar dan ziet hij die sloerie op haar knieën aan Barry's pik zuigen! Hij doet ze weer open en kijkt op de klok. 20:30. Hij worstelt zich uit zijn ma's armen en gaat rechtop zitten.

'Ik moet weg. Straks kom ik te laat voor de Hop.'

'Natuurlijk, lieveling. Ik wil niet dat dit je leven in de weg zit.' Zijn ma veegt haar wangen af met de rug van haar hand en werpt hem een nepglimlachje toe. 'We zullen sterk blijven voor elkaar, hè?'

'Ik ben heel laat,' zegt Carl opnieuw. Hij gaat staan, ritst zijn jas dicht, kijkt niet naar haar hoewel hij voelt dat zij naar hem kijkt.

'Je bent vast de knapste jongen op het feest,' zegt ze. Ze begint weer te huilen.

Carl loopt snel de kamer uit en de trap af. Er staan twee stoelen tegen de deur gestapeld en de bank steekt half de huiskamer uit. Hij draagt de stoelen de keuken weer in.

Hij duwt de bank weer op zijn plek, loopt dan naar de voordeur om hem open te doen. Maar de voordeur is op slot. Hij maakt het kettinkje los, schuift de grendel naar achteren en draait de sleutel om in het slot. Maar hij is nog steeds op slot. Kutzooi! Bloed bonst in zijn hoofd. Lori doet haar slipje naar beneden, Barry steekt zijn vingers in haar. 'Ma!' tiert Carl. Ze geeft geen antwoord. 'MA!', nog harder, de trap weer op stampend.

'Hier, lieverd,' roept haar stem zwakjes uit haar eigen slaapkamer. Hij duwt de deur open. Alles hierbinnen is goud en rood. Ma zit op het puntje van haar bed tv te kijken. Ze heeft een glas in haar hand en een wit plastic buisje tussen haar vingers, een nepsigaret die helpt bij het stoppen met echte sigaretten.

'Die klotedeur zit op slot,' zegt Carl.

'Ach, schattebout, sorry, dat was ik vergeten ...' Ze grijpt naar haar tas en begint erin te grabbelen naar haar sleutels. Ze frunnikt erin tot ze de goede vindt en geeft de bos vervolgens aan Carl. 'Hou ze vanavond maar, knuffel. Als je terug bent, kun je ze op de ontbijttafel leggen. Ik heb een slaappil genomen, dus ik ga nergens heen.' Carl grist de sleutels met een grom van walging uit haar handen. 'Veel plezier, lieverd!' roept ze hem na. Er kruipen tranen in haar stem. 'Maak je om mij maar geen zorgen.'

Carl draait de voordeur open en stapt de koude, regenachtige portiek in – en dan krijgt hij het idee. Hij weet niet dat het een idee is. Alleen blijven de woorden maar opduiken in zijn hersens: SLEUTEL en PIL. Hij weet niet waarom ze er zijn. Hij blijft op het opstapje stilstaan, fronst bij zichzelf, met een hand om de deurknop, op het punt hem dicht te trekken. SLEUTEL PIL SLEUTEL PIL – de woorden staren hem aan als ogen op een schilderij. Carls hersens zijn niet gewend aan SLEUTEL PIL-ideeën, en in het SLEUTEL-begin weigeren ze om PIL in elkaar te laten passen –, maar dan vallen ze, helemaal vanzelf, op hun plaats en is het idee geboren, op de plek waar eerst helemaal niets was. Dit is wat Barry de hele tijd moet overkomen! Terwijl het idee in zijn armen omhoogbruist, glipt Carl het huis weer in. Binnen slaat hij de deur dicht. Hij wacht even om er zeker van te zijn dat zijn moeder nog op bed zit. Dan sluipt hij de trap op en haar badkamer in.

In de spiegel boven de wasbak ziet hij zichzelf. Het idee is als een zelfvoldane grijns van zijn gezicht af te lezen. Voorzichtig houdt hij de sleutels op naar het licht en gaat ze langs. Hij zoekt een piepklein stafje uit en steekt dat in het kleine slotje in de spiegel. De sleutel draait geluidloos om. Hij knijpt zijn ogen samen en trekt aan het handvat. Het deurtje zwaait geruisloos open.

Elke centimeter van het medicijnkastje staat vol. Tubes, potjes, doosjes, pillen in elke kleur, vorm en grootte, allemaal met witte etiketten met de naam van Carls moeder erop. Als Barry er was, zou hij waarschijnlijk weten welke pillen wat deden. Maar Carl zoekt maar naar één ding.

'Ze noemen het de *date rape drug*,' zei Barry. 'Het is een pil die ze hebben uitgevonden zodat je die in haar drankje kunt doen om haar botergeil te maken en ze je alles met haar laat doen wat je wilt. Maar de volgende ochtend weet ze er niks meer van.'

'Hebben ze daar een pil voor uitgevonden?' Carl was verbaasd.

'Nee, ze hebben hem ontwikkeld als slaappil, maar toen is iemand anders erachter gekomen dat hij al die andere dingen ook doet, als je hem vermengt met alcohol.'

Slaappil.

OMG, WE ZYN ZO DRNKN.

Dan zou ze alles doen wat je wilt.

Dat is Carls idee voor Lori.

Maar er is één probleem. Op de etiketten op de kleine flesjes en doosjes staat niet welke de slaappillen zijn. Er staan alleen namen op, lange vreemde namen die van gedaante veranderen terwijl je ze leest. Ze klinken als koningen uit de geschiedenis of buitenaardse planeten. Het zijn er honderden. Hij denkt erover Barry te bellen, om te vragen over welke pil hij het had. Maar dan zou hij Barry moeten vertellen wat zijn idee is, wat hij niet wil doen zolang Barry alleen is met het meisje, voor het geval het Barry ook op een idee brengt. Dan krijgt hij nog een idee: alle flesjes en doosjes in zijn tas stoppen en meenemen naar de Hop, zodat Barry de goeie uit kan zoeken! Hij heft net zijn hand om de flesjes op de onderste plank te pakken als hij zijn moeder in de kamer ernaast hoort. Hij blijft als verstijfd staan, rent dan naar de douche om zich te verstoppen, maar er gebeurt niets. Misschien was het gewoon op tv. Maar van achter de deur van de douche ziet hij iets wat hem eerder niet was opgevallen: een wit doosje in het raamkozijn, achter haar ladyshave, met een strip pillen die eruit steekt als een zilveren tong.

Het etiket maakt hem niets wijzer, gewoon weer zo'n rare aliennaam. Maar in het doosje vindt hij de gebruiksaanwijzing, opgevouwen als een kaart:

> ZENOHYPNOTAN is een slaapopwekkend middel. ZENOHYPNOTAN is afgeleid van benzodiazepine, een lid van de cyclopyrrolongroep. Als u lijdt aan slapeloosheid, neem dan een tablet ZENOHYPNOTAN een uur voor u naar bed gaat. NIET INNEMEN MET ALCOHOL. Geen zware machines bedienen. OVERSCHRIJD NOOIT DE AANBEVOLEN DOSERING. U kunt sommige of alle van de volgende bijwerkingen ervaren tijdens het gebruik van ZENOHYPNOTAN: sufheid, overgeven, transpireren, vermoeidheid, duizeligheid, veranderingen in libido, verminderd gezichtsvermogen, anterograde amnesie, desoriëntatie, afgestompte emoties, depressie, angstgevoelens, onvermogen te slapen. Andere mogelijke effecten als rusteloosheid, prikkelbaarheid, agressie, waanvoorstellingen, woedeaanvallen, nachtmerries, psychoses, ongepast gedrag en andere gedragseffecten zijn in het verleden gemeld bij het gebruik van benzodiazepine en benzodiazepineachtige stoffen. Mochten die zich voordoen, dan dient gebruik van het middel gestaakt te worden. Staken van het gebruik van het middel kan hoofdpijn, spierpijn, verwardheid, extreme angstgevoelens, overgevoeligheid voor licht, epileptische aanvallen, onthechting, depersonalisatie en suicide veroorzaken. Raadpleeg bij negatieve bijwerkingen alstublieft uw huisarts.

Alsjeblieft, Lori, ik heb een drankje voor je gehaald. O, dank je. Naar haar glimlachend zoals Barry zou doen, draagt hij in zijn verbeelding een James Bond-smoking. *Waarom neem je geen slokje?* zegt hij.

Strakjes, zegt ze.

Hij glimlacht. Hij weet niet zeker wat er gebeurt. *Waarom neem je er nu geen slokje van?* zegt hij.

Ik heb nu geen dorst, zegt ze. Haar ogen zijn net twee pillen.

Drink nou maar, zegt hij. Ze deinst terug. Wat is er aan de hand? Hij grijpt haar bij haar pols. *Opdrinken!* Ze weigert, verzet zich. Hij wordt steeds kwader. Haar ogen vullen zich met tranen, terwijl hij haar pols naar haar mond dwingt – en nu laat ze het bekertje vallen, en de drank sijpelt weg in de grijze mist van zijn verbeelding. *Ik zal nooit met je neuken!* schreeuwt ze. Carl begint te tieren, geen woorden, alleen een dierlijk gebrul, en hij balt zijn handen tot knuppels en heft ze voor het ineenkrimpende meisje ...

'Carl?'

Hij verstijft. Heeft hij hardop geluid gemaakt? Heeft hij zich die klop op de deur verbeeld?

'Carl?' Zijn ma staat voor de deur. 'Ben jij dat, lieverd?'

Fuck shit fuck. Hij propt het doosje met pillen in zijn achterzak. Hij doet de deur open. Zijn ma staat in haar ochtendjas. Ze kijkt hem niet-begrijpend aan. 'Ik dacht dat je weg was?'

'Nee,' zegt Carl. 'Ik was iets vergeten.'

'Wat doe je in mijn badkamer? Waarom is het medicijnkastje open?'

Haar adem ruikt naar alcohol. Hij stelt zich voor hoe de pil oplost in haar bloed. Ze zal zich niks meer kunnen herinneren. Langzaam steekt hij zijn hand uit om haar arm aan te raken. De ochtendjas is zijdezacht.

'Je droomt,' zegt hij.

Ze knippert naar hem.

'Je droomt,' zegt hij.

Ze doet haar ogen dicht en brengt haar hand naar haar voorhoofd. Dan zegt ze, niet veel harder dan fluisterend: 'Ik weet nog ... je had je niet verkleed.'

'Wat?'

'Verkleed. Voor het gekostumeerde bal?'

Verkleed. Fuck! Shit!

Het clubhuis van Seabrook RFC – een toevluchtsoord voor *old boys* van alle leeftijden, waar zaken gedaan kunnen worden en kan worden gedronken zonder tussenkomst van minkukels of vrouwen – ligt, als een vooruitgeschoven grenspost, een paar kilometer van de school vandaan: dichtbij genoeg om de Automator op te roepen, mocht er iets – ook maar íéts – misgaan op het schoolfeest. De Waarnemend Rector heeft er geen geheim van gemaakt dat hij er niet gelukkig mee was de Hop in handen van twee groentjes te moeten achterlaten, of in handen van in elk geval één groentje en Howard. Eerst vroeg Howard zich af of het alleen hun gebrek aan ervaring was dat hem zorgen baarde. Zou het kunnen dat hij een zekere spanning voelde? Vermoedde hij dat de chaperons zelf een chaperon nodig hadden?

Afgaand op het verloop van de avond tot dusverre heeft Greg weinig om zich zorgen over te maken. Alles verloopt volkomen volgens de fatsoensnormen. Na de duizelingwekkende joligheid van het eerste halfuur zijn de leerlingen teruggezakt in een hanteerbare hysterie van middenniveau. En wat hun chaperons betreft, die hebben nauwelijks een woord met elkaar gewisseld. Aangezien ze maar met z'n tweeën waren, zei Miss McIntyre meteen aan het begin, was het misschien het verstandigst om op te splitsen, vond Howard ook niet? Uiteraard stemde hij hier vurig mee in. Sinds dat moment hebben ze aan weerszijden van de ruimte gewerkt. Zo nu en dan vangt hij een glimp van haar op, terwijl ze door de driekwartsmaatmêlee zeilt; dan wappert ze met haar vingers naar hem, en dan vertrekt hij zijn gezicht gauw tot een kort, efficiënt glimlachje, waarna ze weer verder zeilt, dat stralende vlaggenschip van een of ander aanstormend leger van de schoonheid. Verder: nog geen vleugje spanning.

Terwijl hij door de ruimte meandert, vraagt hij zich af waar hij vanavond nou precies op hoopt. Tot nu toe heeft hij gedaan alsof hij nergens op hoopte; hij gaf zich in een soort opzettelijke trance als vrijwilliger op, kneep als het ware een oogje voor zichzelf dicht, schakelde elk zelfkritisch vermogen uit. Zelfs vanavond was zijn gemopper tegen Halley dat het zo'n opgave en zo lastig was op een bepaald niveau volkomen oprecht. Pas nu, nu het glashelder is dat er niets gaat gebeuren, wordt onontkoombaar waar hij op heeft gehoopt. Het doemt op in de vorm van steken van teleurstelling, terwijl het tegelijkertijd – in het koude daglicht – belachelijk vergezocht en naïef lijkt. Hoe heeft hij zich zo kunnen laten meeslepen door een paar flirterige opmerkingen? Was dat al voldoende om hem op het punt te laten staan Halley te verraden? Is hij zo'n soort man? Is dat echt wat hij wíl?

Young Americans van David Bowie klinkt op uit de geluidsinstallatie. Howard voelt een nieuwe steek, dit keer van heimwee naar het huis dat hij nog geen twee uur geleden heeft verlaten. Nee, dat is niet wat hij wil. Hij gaat zijn leven niet weggooien voor een goedkoop avontuurtje op het werk. Deze avond is zowel een *wake up call* als een gratieverlening geweest. Als hij naar huis gaat, kan hij er een begin mee maken alle dingen recht te zetten die hij op hun beloop heeft gelaten; hij kan ook God danken dat hij niet dicht genoeg bij Aurelie is gekomen om zichzelf nog belachelijker te maken.

Maar eerst kan hij zich zonder verdere afleiding wijden aan zijn taken als toezichthouder, hoewel er, afgezien van voorzichtig kuchen naar paartjes wier strelingen naar het onbetamelijke neigen, weinig te doen is behalve moeizaam van de ene kant van de zaal naar de andere lopen en weer terug, een overbodige aanwezigheid die stuurloos slokken neemt van zijn punch, die precies zo afgrijselijk is als de punch bij zijn eigen herfstschoolfeest, veertien jaar geleden. Veertien jaar! denkt hij. Zijn halve leven geleden! Terwijl hij zich onzichtbaar voortbeweegt, vermaakt hij zichzelf door gezichten uit zijn eigen verleden te projecteren op de menigte waar hij weer tussendoor loopt, een geest uit de toekomst ... Daar heb je Tom Roche als gladiator, intact, ongebroken, die de meisjes negeert die als kolibries om hem heen fladderen om over rugby te praten met een jonge Automator, die toezicht houdt met Uiltje Slattery en Dopey Dean. Daar heb je Farley, twee koppen groter dan ieder ander, die er in zijn Mr. T-kostuum nog magerder uitziet dan hij al is, en Guido LaManche, de mouwen van zijn colbertje opgerold à la Crockett van *Miami Vice*, die meisjes met zachte, openvallende monden vergast op versierteksten als een goochelaar die kaarttrucs doet. En daar staat Howard zelf, een cowboy, de meest neutrale en oncontroversiële outfit die hij kon bedenken, hoewel hij er nu een veelzeggende woordspeling van het lot in ziet (Howard the Cowherd). Maar destijds lag die bijnaam nog voor hem in het verschiet; hij was veertien, half volgroeid, nog zonder draden van het lot die hem met iemand verbonden, in elk geval niet voor zover hij kon zien; ze wisten nog geen van allen hoe hun leven eruit zou zien; ze dachten dat hun toekomst een blanco pagina was waarop je kon schrijven wat je wilde.

Hij wordt wakker geschud uit deze gedachten door een geluid bij de hoofdingang. Het klinkt net op als hij erlangs loopt: een kabaal van losse klappen die te hevig en chaotisch zijn om 'geklop' genoemd te kunnen worden – het is eerder stoten, alsof iemand stoten uitdeelt aan de deur. Howard kijkt vluchtig om zich heen. Niemand lijkt het verder gehoord te hebben: de deuren zijn aan de andere kant van de garderobe, en de muziek weet alleen de allerhardste geluiden van buiten niet te overstemmen. Maar hij hoort het, als het opnieuw weerklinkt: een toenemende vlaag van gebons en geram, alsof een of andere woedende, niet-menselijke figuur zich geforceerd toegang tot de zaal probeert te verschaffen.

Howard heeft de deuren, volgens de instructies van de Automator, precies om halfnegen gesloten. Een andere deur, aan de overkant van de zaal, leidt naar de wc's, de kluisjes in de kelder en het Bijgebouw, maar alle ingangen van het hoofdgebouw zitten op slot, en de enige manier om naar binnen of naar buiten te komen is door deze deuren, die niet van buitenaf geopend kunnen worden – dat wil zeggen, tenzij ze worden ingetrapt.

Terwijl hij daar staat, houdt het geroffel op; in plaats daarvan klinkt, na een paar seconden van prikkelende stilte, een enkele, zware bons. Een korte stilte, en dan nog een. Dit keer horen de jongens en meisjes die in de buurt staan het ook, en ze proberen gealarmeerd Howards blik te vangen. Zijn hoofd tolt. Wie is daarbuiten? Er schieten allerlei akelige gedachten door zijn hoofd: bendes plunderaars, schoolhaters die hen komen terroriseren onder bedreiging van messen, van vuurwapens, een Hallowe'en-slachting … De bonzen worden luider: de deur schudt, het slot ratelt. Hoewel de meeste aanwezigen nog steeds niet weten wat de bron van het lawaai is, sijpelt het naar binnen, over de dansvloer. Lichamen vallen stil, net als gesprekken. Moet hij de Automator bellen? Of de politie? Daar is geen tijd voor. Slikkend loopt hij de schemerige garderobe in en gaat vlak bij de deur staan. 'Wie is daar?' blaft hij. Hij verwacht half-en-half dat er een bijl, een tentakel of een metalen klauw door het hout komt barsten. Maar er gebeurt niets. En dan, net als hij zich begint te ontspannen, bolt het hout onder een volgende dreun. Howard vloekt, springt achteruit, duwt dan het veiligheidsslot naar beneden en doet de deuren open.

Buiten wacht hem een stormachtige, geladen duisternis, alsof alle ruimte vanaf de grond is opgeslokt door dreigende donderwolken. Daarin gewikkeld staat een eenzame gestalte klaar voor een volgende stormloop. Howard kan niet onderscheiden wie het is; achter zich tastend vindt hij het lichtknopje en drukt erop.

'Carl?' Hij knijpt zijn ogen tot spleetjes naar het verduisterde gezicht. De jongen heeft zijn gewone kleren aan – spijkerbroek, shirt, schoenen –, maar hij heeft zijn gezicht ingesmeerd met roet. Een behoorlijk armzalig kostuum, wat het om de een of andere reden des te beangstigender maakt.

'Mag ik binnenkomen?' zegt de jongen. Zijn kleren zijn nat – het moet geregend hebben. Hij tuurt over en onder Howards arm, die beschermend is uitgespreid voor de deuropening.

'De deuren zijn om halfnegen gesloten, Carl. Ik mag er nu niemand meer in laten.'

Carl lijkt hem niet te horen – hij rekt zijn nek uit en duikt omlaag, strekt zich en krimpt ineen, terwijl hij probeert een glimp van het feest op te vangen. Dan richt hij zijn aandacht abrupt weer op Howard. 'Alstublieft?'

Uit zijn mond zijn die woorden een verrassing. Howard aarzelt even. Morgen begint de vakantie tenslotte, en de Automator is er niet. Maar iets aan de jongen verontrust hem. 'Sorry,' zegt hij.

'Wat nou?' Carl opent zijn handen langs zijn zij.

Hij lijkt met de seconde groter te worden, alsof hij een of ander Alice in Wonderland-toverdrankje heeft ingenomen. Howard doet onwillekeurig een stap achteruit. 'Je kent de regels,' zegt hij.

Heel even torent Carl boven hem uit, met ogen die wit uit het zwarte masker staren. Howard kijkt door de splijtbare lucht neutraal terug, zonder adem te halen, klaar om een vooruitschietende vuist te ontwijken. Maar die komt niet. In plaats daarvan draait de kolossale jongen zich om en loopt langzaam de trap af.

Howards vastberadenheid wordt meteen aangetast door schuldgevoel. 'Carl!' roept hij hem na. 'Neem deze mee.' Hij reikt hem de paraplu aan die pater Green onder de tafel heeft laten liggen. 'Voor het geval het weer gaat regenen,' zegt hij. Carl gaapt naar het gekromde zwarte handvat onder zijn neus. 'Maak je maar geen zorgen,' voegt Howard er nutteloos aan toe. 'Je kunt hem na de vakantie terugbrengen. Ik leg het wel uit.'

De jongen pakt de paraplu zonder een woord te zeggen aan. Howard ziet hem over de beregende laan lopen, door de intervallen van het licht dat door lantaarns op hem neerschijnt, een reeks witte manen tegen de sterreloze hemel. Hij doet met een zucht de deur dicht en drukt de grendel naar beneden.

Als hij de zaal weer inloopt, is het feest weer in volle gang. Vanuit een hoek neemt Miss McIntyre hem met gevouwen armen op; hij glimlacht flauwtjes, en gaat dan gauw van de dansvloer af als deejay Wallace Willis een plaat opzet die langzaam genoeg is om de kids, die tot dan toe een vriendelijke stuiterende menigte waren, zich te laten opdelen in gevoelvol verstrengelde paartjes die elkaar kussen met een uiteenlopende graad van bedrevenheid en tongactiviteit.

Zijn toevlucht zoekend bij het punchtafeltje, wrijft hij in zijn ogen en kijkt op zijn horloge. Nog twee uur te gaan. Om hem heen is iedereen die niet ten dans is gevraagd of niet de moed heeft iemand anders te vragen druk in gesprek verwikkeld in een poging het zich in slow motion voltrekkende epos van verlangen op de dansvloer niet op te merken. De soundtrack is *With or Without You* van U2. Terwijl hij ernaar luistert, raakt Howard in de greep van de onwankelbare zekerheid dat hij veertien jaar geleden bij precies ditzelfde liedje aan de kant bleef staan bij precies ditzelfde punchtafeltje. God, wat een rotbaan! Hij kan tegenwoordig geen stap zetten zonder door een valluik zijn eigen verleden in te vallen.

Vijf maanden geleden had Howard in deze zelfde zaal de Tienjaarlijkse Reünie van zijn klas van '93 bijgewoond. Hoewel hij er lang tegen op had gezien, bleek het een onverwacht plezierige bijeenkomst. Een driegangenmenu, een volledig uitgeruste bar, partners thuisgelaten tot het Golfuitje voor Alumni en Echtgenotes de dag erna; weinig flatteuze bijnamen die onuitgesproken bleven, vijandschappen uit het verleden die zorgvuldig in de sloot bleven liggen. Iedereen wilde graag goed aangepast lijken, zijn volwassen zelf presenteren dat succesvol was ontsproten aan zijn pop. Ze legden visitekaartjes in Howards handpalm; ze haalden foto's van baby's uit portefeuilles; ze friemelden aan trouwringen en zuchtten tragikomisch. Elke hernieuwde kennismaking herhaalde een waarheid die tegelijkertijd schokkend en volkomen banaal was: mensen werden volwassen en werden orthodontist.

En toch waren ze geen van allen helemaal overtuigend geweest. Als je iemand eenmaal doperwten uit zijn neus hebt zien schieten of een kwartier lang tevergeefs hebt zien proberen over een turnpaard heen te klimmen, is het moeilijk diegene serieus te nemen als een hoge wetgever voor de VN of als hedgefondsmanager bij een *private bank*, hoeveel jaren er ook zijn verstreken. De zaal was in Howards ogen niet minder met burlesken en pastiches gevuld dan vanavond. En hij was de *poster boy* van de pastiche, want hij was daadwerkelijk overgelopen van de leerlingen naar de leraren, van kind, als het ware, naar volwassene – en het was gewoon gebéúrd, een gebeurtenis in een lange, schimmige reeks van gebeurtenissen, zonder een grootse catharsis of epifanie, zonder enige inwendige transformatie of evolutie waardoor hij iets zou weten wat het onderwijzen waard was; het was eerder alsof hij iemand uit de middelste rij tijdens zijn geschiedenisles naar voren riep en hem vroeg het over te nemen, en als hij toch bezig was meteen maar de hypotheek te betalen en zich op te vreten over de vraag of hij al dan niet moest trouwen.

Hij kijkt uit over de zee van langzaam knikkende hoofden, stelt zich zijn jongens over twintig jaar voor, met dunnend haar, bierbuiken, foto's in hun portefeuilles en kinderen. Doet iedereen op de hele wereld mee aan hetzelfde spelletje, waarin hij probeert zich voor te doen als iets wat hij niet is? Zou de duistere waarheid kunnen zijn dat het hele systeem bestaat uit afzonderlijke eenheden die *geen van alle enig idee hebben waar ze mee bezig zijn*, die van school komen en in de hokjes glijden die voor hen beschikbaar zijn door hun toevallige geboorte – bankier, arts, hotelier, verkoper –, net zoals ze vanavond uiteenvielen volgens van tevoren bepaalde, onzichtbare overeenkomsten: nerds en sporters, sletten en studiebollen …

'Waar denk je aan?' zegt een vrouwelijke stem recht in zijn oor.

Hij schrikt op. Miss McIntyre glimlacht naar hem. 'Hoe gaat ie?'

'Best, hoor,' herstelt hij zich. 'Ik verveel me een beetje.'

'Wie bonsde daar op de deur?'

'Carl Cullen. Hij wilde binnenkomen.'

'En dat vond jij niet goed?'

'Hij was dronken of onder invloed van iets,' antwoordt Howard laconiek. 'En trouwens, hij wist hoe laat de deuren dichtgingen.'

'Ik ben blij dat ik hem niet te woord heb hoeven staan,' zegt ze op zeldzaam respectvolle toon.

'Ach, nou ja …' Hij haalt zijn schouders op. 'Wat heb je daar?'

'Ik heb de meisjes-wc's overvallen.' Ze houdt twee boodschappentassen op boordevol klingelende flessen. 'Je had die gezichten moeten zien.'

'Heb je ze eruit gegooid?'

'Nee … Ik had met ze te doen. Het was pech. Ik ging alleen maar naar beneden om naar de wc te gaan.' Ze zet de tassen neer op tafel en rommelt erin. 'Moet je zien wat er allemaal in zit. Ik voel me net Eliot Ness.' Ze kijkt weer op. 'Maar waar dacht je nou aan?'

'Waar ik aan dacht?' herhaalt hij, alsof hij de woorden niet kent.

'Net. Je was even helemaal weg.'

'Ik stond me af te vragen waarom de deejay al die ouwe liedjes draait.'

'Je zag er droevig uit,' zegt ze. Ze legt een vinger op zijn borst en staart ernaar, als een elektricien die in een nest bedrading kijkt. 'Ik durf te wedden,' zegt ze langzaam, 'dat je dacht aan de feesten waar jij heen ging toen je jong was, en dat je je afvroeg waar al die tijd is gebleven, wat er is gebeurd met alle dromen die je toen had, en of dit leven ook maar een beetje lijkt op het leven dat je wilde.'

Howard lacht. 'Bingo.'

'Ik ook,' zegt ze treurig. 'Het zal wel onvermijdelijk zijn.' Ze staart de zaal door, waar tweepersoonssilhouetten bijna bewegingsloos wiegen op *Wild Horses* van The Rolling Stones. 'En, hoe deed jij het op jouw Hop?'

'Hoe bedoel je?'

'Howard, er komt een moment dat dat stommetje spelen niet charmant meer is. Had je beet? Heb je geslowd? Of was je zo'n loser die vanaf de zijlijn toe stond te kijken?'

Howard overweegt te liegen, maar biecht dan op: 'Loser.'

'Ik ook,' knikt ze somber. Howard draait zich ongelovig naar haar om. 'Jij? Wil je nou zeggen dat niemand jou wilde kussen?'

'Wat moet ik zeggen? Ik was het klassieke lelijke eendje.' Ze kijkt weg. 'Nou, heb je zin om de schade in te halen?'

Hij stamelt. 'Wat?'

Ze haalt haar schouders op, buigt haar hoofd naar de dansende menigte. 'Ik weet niet. Een van die kleine nimfjes mee naar huis nemen. Ze zou vast dolgraag een paar extra lessen krijgen van een knappe leraar. Ze zijn allemaal zo prachtig, vind je niet? En slank – god, ze hebben vast allemaal in geen week gegeten.'

'Ze zijn mij een beetje jong.'

'Dan neem je er twee. Veertien plus veertien is achtentwintig.'

'Ik heb een vriendin die daar weleens bezwaar tegen zou kunnen maken.'

'Da's jammer,' zegt ze dubbelzinnig. Ze klapt dicht, richt zich op de muziek, laat Howard zich afvragen wat er nou precies aan zijn neus voorbij is gegaan. 'Dit is zo'n lekker nummer,' merkt ze op, en dan, op de man af, tegen Howard: 'Wil je dansen?'

Het lukt hem alleen door een wonder zijn papieren bekertje met punch niet te laten vallen. 'Hier? Nu? Met jou?'

Ze trekt een speelse wenkbrauw op. Howards brein is een zee van rondvliegende kippenveren. 'Dat kunnen we niet doen,' stamelt hij, waarna hij er haastig aan toevoegt: 'Niet dat ik het niet wil ... maar, je weet wel, zo voor de leerlingen en zo?'

'Dan glippen we stiekem naar buiten!' fluistert ze.

'Naar buiten?' herhaalt hij.

'Ergens waar niemand ons kan zien. Vijf minuten maar.' Haar ogen glitteren naar hem als discobollen.

'En hoe moet het dan met ... Zei Greg niet ...?' Hij gebaart zwakjes naar de gekostumeerde tieners.

'Vijf minúten, Howard. Wat is het ergste wat er kan gebeuren? Tot het eind van dit liedje, dat toch al bijna afgelopen is ... we lopen alleen even de gang op ... O, we kunnen Cosmopolitans maken!' Ze ziet zijn uitdrukking van gepijnigde twijfel, hoe hij voor haar ineenkrimpt als een dier dat erom smeekt uit zijn lijden te worden verlost, en pakt zijn hand. 'Dat ben je aan jezelf verschuldigd, Howard,' zegt ze. 'Je moet minstens één keer in je leven slowen.'

Het licht is gedempt en hij denkt niet dat iemand hen ziet vertrekken.

Wild Horses gaat over in *Everybody Hurts* van REM, waarmee het massale zoenen nog drie minuten wordt verlengd. Een meisje in een jurk die jammerlijk lijkt op een exploderende bruidstaart wankelt naar een donkere hoek, waar een jongen in een rood formule 1-kostuum vastgelast zit aan de mond van een sexy secretaresse. Met trillende stem zegt ze: 'Titch?' Formule 1 negeert haar. Ze wacht even, onzeker, klopt hem dan op zijn rug. 'Titch?'

Hij maakt zich los en draait zich geërgerd om. Sexy Secretaresse, die met haar blik dolken afvuurt op Bruidstaart, veegt met haar mouw over een vochtige kin.

'Titch, we moeten praten,' zegt Bruidstaart.

Elders loopt een gangster uit de jaren dertig met een potloodsnorretje op haar bovenlip naar een sexy GI en een prinses. 'Hé Alison? O god, sorry, Janine, van achteren ben je net Alison!'

'Dat geeft niet, hoor, Fiona! Volgens mij staat Alison daar bij Max Brady?'

'Dank je!' Gangster uit de Jaren Dertig loopt weg. De glimlach van sexy GI verdwijnt meteen, en ze zegt tegen de prinses: 'Die trut, ik lijk van achteren helemaal niet op die kloterige Alison Cummins. Die reet van haar is drie keer zo dik!'

'Fiona is net een lesbo in dat pak,' zegt de prinses.

'Het is zo'n stomme koe,' zegt sexy GI.

De prinses, de GI, de duiker en de victoriaanse dame-die-eruitziet-als-een-bruidstaart wisten dat het riskant zou zijn om te proberen drank naar binnen te smokkelen, dus hebben ze ieder drie breezers en een heupflesje wodka gedronken voor ze binnenkwamen – nou ja, eigenlijk hebben ze dat heupflesje niet leeggedronken, behalve Victoriaanse Dame, en vervolgens liep ze onderweg hierheen telkens om en moesten ze haar bijna langs die smeerlap van een ouwe pater dragen. Maar toch, de prinses is aardig teut, en de GI nog teuter. Op het parkeerterrein heeft ze twee pillen genomen, en nu praat ze heel snel en hard, en slaat het allemaal nergens op wat ze zegt.

'Zo te zien heeft KellyAnn Titch eindelijk opgespoord,' zegt de prinses, kijkend naar het schouwspel dat zich in de hoek ontvouwt.

'Mijn god, ze gaat het hem toch niet nú vertellen?' zegt de duikster.

'Wat denkt ze dat hij gaat doen?' zegt de GI. 'Stoppen met Ammery Fox kussen, in de fokking Seabrook-gymzaal op zijn knie vallen en zeggen: "O, KellyAnn, wil je alsjeblieft met me trouwen?" Ik bedoel: hál-lo?'

'Hij is wél leuk,' oordeelt de prinses.

'Zo bijzonder is ie niet,' zegt de GI misprijzend. 'Het is een jóngetje, weet je?'

Een sterke man met een hangsnor en een luipaardmaillot wringt zich tussen de meisjes en kijkt glimlachend van de een naar de ander. Ze kijken uitdrukkingsloos terug of met het soort openlijke walging dat normaal is voorbehouden aan, pakweg, verkrachters. De sterke man trekt zich terug en ziet er nu aanzienlijk minder sterk uit.

'God, wat ben ik die klotejongens zat,' verklaart de GI. 'Ik heb een mán nodig.'

'Ik ook,' zegt de prinses.

'O, jezus ... Lori, niet kijken, hoor, maar dat maffe Robin Hoodtype staat ontzettend naar je te staren,' zegt de diepzeeduikster.

'Jezus, wat heeft die gast?'

'Misschien moet ik even naar hem toe lopen om te zeggen dat je de zenuwen van hem krijgt.'

'Verspil je adem maar niet.'

'Heb je nog iets van je Ridder op het Witte Paard gehoord?' vraagt de GI.

Het gezicht van de prinses betrekt.

'O, Lori ...' De GI legt een hand op de schouder van de prinses. 'Laat hem je avond nou niet verpesten. Gewoon je telefoon uitzetten en niet meer aan hem denken.'

'Ik denk helemaal niet aan hem,' mompelt de prinses, terwijl haar haar voor haar gezicht valt.

'Hij had op z'n minst wat drugs bij zich kunnen hebben, denk ik,' zegt de GI. 'God, het is hier zó saai. Die jongens van Seabrook zijn ontzettende slappelingen.' Ze trekt haar hand terug en slaat haar blote armen om zich heen. 'Ik ben hard aan een wip toe.'

Vlak bij het hart van de dansvloer is Niall/Trudy op de terugweg van de toiletten aangehouden door een bloedstollend mooi meisje dat is verkleed als Natasha Fatale, de aartsvijand van Bullwinkle the Moose. Ze wil weten waar hij zijn lippenstift vandaan heeft. Niall, die hevig transpireert, weet niet goed wat hij nu moet doen. Moet hij tegen haar zeggen dat hij hem geleend heeft van zijn zus en niet weet hoe hij heet? Of moet hij haar de waarheid vertellen: dat hij er verliefd op werd in een boetiekje in Sandycove? Het hartkloppende meisje wacht verwachtingsvol af. Niall voelt een van zijn borsten onstuitbaar uit zijn korset glijden.

Dennis en Skippy staan ondertussen bij de punchbowl op Ruprecht te wachten, die op de een of andere manier aan de praat is geraakt met een meisje.

'Is dat die gast uit *The Karate Kid*?' tettert het meisje boven de muziek uit.

'Hij is emeritus hoogleraar natuurkunde aan Stanford,' schreeuwt Ruprecht terug.

Het meisje ziet eruit alsof ze geen idee heeft wat ze daarop moet antwoorden; na een tijdje geeft ze het gewoon op en loopt weg. Ruprecht, die alleen maar het initiatief tot het gesprek heeft genomen omdat het meisje, dat verkleed is als een ondeugende serveerster, een chocoladetaart bij zich had, die nep bleek te zijn, zit er niet mee en voegt zich, net als Mario met een somber gezicht naar hen toe beent, weer bij de anderen.

'Hoe gaat ie?' vraagt Dennis onschuldig.

'Pff, die schoolmeisjes kunnen de pest krijgen.' Mario maakt een wegwerpgebaar. 'In Italië ga ik liever uit met meisjes die op de universiteit zitten – van die meisjes van negentien, twintig, die alles weten van seksuele technieken. Deze meisjes, die gefrustreerd en frigide zijn, weten niet hoe het zit.'

'En van wetenschap weten ze ook al niet veel,' voegt Ruprecht daaraan toe.

'En trouwens, wat moet dat met die muziek uit de dagen van weleer? Heel slecht voor mijn stijl.'

Mario is niet de enige die dat vraagt. In het deejayhokje heeft Wallace Willis Led Zeppelin net over laten gaan in *All Right Now*, en hij gaat zo op in het klassieke riffje van Paul Kossoff dat hij eerst niet let op de woedende stemmen die ergens van onder hem opklinken: 'Yo, *cracker*!' 'Hé bleekscheet, ga je me gewoon negeren of zo?' Uiteindelijk realiseert hij zich dat de stemmen het tegen hem hebben, en hij tuurt over de rand van het hokje en ziet twee nogal kleine, zo-te-zien-op-een-confrontatie-uit-zijnde jongens staan met broeken ter grootte van koelkasten aan, die onbegrijpelijke handgebaren naar hem maken. 'Ja, nigga, we hebben het tegen jou!'

'*Dang*, G, wat moet dat met die muziek van je?'

Wallace, die een smetteloos wit matrozenpak draagt en een enorme lolly in zijn hand heeft, laat de koptelefoon van zijn hoofd glijden. 'Watte?' zegt hij.

'Nigga, naar deze shit luistert mijn vader!' zegt een van hen.

'Ja, gab, wat is dit? *De honderd beste spijkerbroekenreclames* of zo?' vult de ander aan, terwijl hij met een plastic machinegeweer naar hem zwaait.

'Dit is Free,' meldt hij hun.

'Gast, al heeft het je vijftig ballen gekost, zet eens iets met *bass* op!'

'Ja, motherfucker, het is het verjaardagsfeestje van je tante Bep niet. Draai 'ns wat hiphop, *dawg*!'

'Geen verzoeknummers,' zegt Wallace.

'Je maakt een fout,' waarschuwt een van de stemmen.

'De Waarnemend Rector heeft míj gevraagd als deejay,' antwoordt Wallace stijfjes, en hij zet de koptelefoon weer op zijn oren. De twee slechtgehumeurde gangsta's, die ontegenzeggelijk en ondanks al hun inspanningen allebei wit zijn, kijken hem nog even gemeen aan en verdwijnen dan plotseling.

Halverwege het volgende liedje, *Hold the Line* van Toto, valt het geluid weg. De menigte komt schuifelend tot stilstand, en de zaal vult zich met een versleten consternatie. Het kan niet aan de storm liggen, want de lichtjes op de draaitafels branden nog en de discolampen scheren nog over de nu statische hoofden. Er moet ergens een contactje loszitten. Wallace kijkt rond, op zoek naar volwassen assistentie, maar kan meneer Fallon en Miss McIntyre nergens vinden. Hij doet de halve deur van zijn hok van het haakje, gaat het trapje af en hurkt neer om de wirwar aan kabels eronder te bekijken als de muziek weer aangaat. Iedereen juicht en begint weer te dansen. Maar het liedje dat nu klinkt is niet het liedje dat net nog op stond; sterker: het is een liedje dat helemaal niet in Wallace' muziekverzameling voorkomt. 'Wacht,' roept hij, 'ophouden met dansen, dit is het verkeerde nummer!' Maar niemand lijkt hem te horen – ze hebben het te druk met gangsterige poses aannemen en kontschudden op de extreem harde baslijn …

Bass. Pas nu realiseert Wallace zich wat er is gebeurd. Dit is geen programmeerfout, of een verkeerd aangesloten kabeltje, of een bizarre gebeurtenis veroorzaakt door de storm. Zijn geluidsinstallatie is gekaapt! Door die jongens met die gigantische broeken!

'*I'm a case of champagne and she's falled of the wagon / I'm slayin the ho like St. George slayed the dragon …*'

Voorovergebogen volgt hij de kabels, in de hoop het punt te vinden waar de overname zich heeft voorgedaan. Maar het is zo dónker, en het gedrag op de dansvloer wordt steeds ruiger, en nadat er drie of vier keer tegen hem op is gebotst, besluit Wallace zich in plaats daarvan erop te concentreren de leraren te vinden. Maar zelfs na een volledige ronde door de zaal zijn ze nergens te bekennen. Wallace begint zich zorgen te maken. De ongeautoriseerde muziek heeft een vreemd effect op mensen, maakt ze schreeuweriger, springeriger, en hun dansbewegingen worden beduidend verleidelijker. De zaken dreigen uit de hand te lopen. Waar zijn de leraren? Een afgrijselijke gedachte komt in hem op. Zitten die wijdbroekige jongens ook achter deze verdwijning? Hij herinnert zich de uzi's die ze om hun nek hadden hangen – is het hele feest nu in handen van geweren dragende gangsta's die van rap houden?

'Maar het is voor het goede doel!' piept Wallace, hardop. Niemand hoort hem. Als hij zich de twee leraren voorstelt die ergens vastgebonden in een kast liggen, loopt hij snel naar de achterdeur, zich tussen de kronkelende lijven door worstelend die zo-even nog hadden toebehoord aan pietepeuterige, onbeduidende tweedeklassers, maar die nu, alsof ze baden in een of andere nieuwe kleur licht, volkomen onbekend lijken …

Een groepje jongens heeft een paar van de zwarte dolende-zielachtige ballonnen uit de lucht weten te vissen, de navelstrengen ervan losgeknoopt en de inhoud ingeademd; nu rappen ze op de baslijn met stemmen die piepen van de helium, als een koor van gangstaratten. Een van hen, een kolonel Kilgore met een sigaar tussen zijn tanden en wangen die zijn besmeurd met smeerolie, grijpt in zijn legerbroek en haalt zijn mobiel eruit; drukt op een knop om een bericht op te roepen dat luidt:

LAAT ME ERIN

De dansers beschietend met zijn machinegeweer loopt hij naar de deur ...

'*She gots the assitude / And I gots the latitude / We in-ex-tric-er-ab-ly linked, like heart attacks and fatty food ...*'

De vloer trilt van de bassen; de statische, vreemde energie die eerder op de avond aan de randen van alles had gezoemd lijkt nu samen te komen en de ruimte te infiltreren als onzichtbaar gas.

'Hé Skipford, kijk, je vriendinnetje staat alleen!'

'Haar vriendin is weggerend om over haar nek te gaan. Ik zou maar met haar gaan praten – hé, ze kijkt naar ons! Hallo! Ja, hie... au! Wat nou?'

'Waar ben jij verdomme mee bezig?'

'Wat is het probleem? Je wilt toch met haar praten? Wil je nou met haar praten of niet?'

'Jawel. Maar niet per se nu ...'

'Skippy, als je met haar wilt praten, kan ik nu een versiertruc met je delen die honderd procent feilloos en faalvrij is. Ik heb hem in de loop van verscheidene maanden ontwikkeld voor eigen gebruik, maar ik zal jou vertellen hoe hij werkt, omdat je een vriend bent en ik liever heb dat jij dat lekkere wijf paalt dan Carl, die vaker in mijn lunch heeft gespuugd dan ik kan tellen. Komt ie: als ik een chickie zie dat ik wil scoren, loop ik naar haar toe en zeg ik: "Pardon, je staat op mijn lul."'

Vragende blikken.

'Omdat mijn lul zo groot is, zie je, dat hij helemaal door mijn broekspijp op de vloer hangt.'

Stilte. Dan: 'Ik zal je een goede raad geven, Skippy: doe nooit, maar dan ook nooit iets wat Mario zegt. Nooit.'

'Ja, Skip, ga gewoon naar haar toe en zeg gedag. Meer hoef je niet te doen.'

'Oké, nou ja, misschien wacht ik nog heel even, en dan ...'

'Doe het nú. Haar vriendinnen komen zo terug.'

'Ja, anders gaat iemand anders op haar af.'
'Ik ben een beetje misselijk ...'
'Ware liefde,' zegt Geoff opgewekt.
'Kom op, Skip, Carl is er niet.'
'Juster, als Waarnemend Rector beveel ik je erheen te gaan en dat meisje te versieren,' zegt Dennis. 'Dat lijkt er ... Hé, waar gaat hij nou heen? Hé, ze staat aan die kant!'
Ruprecht waggelt achter zijn vriend aan. 'Wat is er?'
'Ze moeten me met rust laten. Ik wil haar nu niet aanspreken.'
'Waarom niet?'
'Ik voel me niet lekker. Ik kan geen adem krijgen.'
'Hmm ...' Ruprecht wrijft over zijn kin. Hij is misschien nooit verliefd geweest, maar van geen adem krijgen weet hij alles af. 'Misschien heb je hier wat aan.' Hij drukt hem iets in zijn hand. Skippy kijkt omlaag en heeft net genoeg tijd om de blauwe koker van Ruprechts astma-inhaler te herkennen voor Dennis stiekem achter hem opduikt en hem met twee handen een zet geeft, waardoor hij tegen het Frisbeemeisje aan knalt.
'Iemand moest iets doen,' zegt Dennis klagerig, in antwoord op de beschuldigende blikken die de anderen hem toewerpen. 'Anders was hij eindeloos over die troel blijven dromen.'
'Ik vraag me af of hij mijn truc gebruikt.' Mario strekt zijn nek.
'Ik geloof niet dat hij überhaupt iets zegt.' Ruprecht bijt peinzend op zijn duim.
'Het maakt niet uit wat hij tegen haar zegt,' zegt Dennis. 'Skippy en dat meisje komen uit twee verschillende werelden. Het is alsof een vis een supermodel probeert te versieren. Al kent die vis de beste trucs van de wereld, dat maakt niks uit. Hij blijft een vis, met schubben en zo.'
'Waarom duwde je hem dan naar haar toe?' vraagt Geoff.
'Om hem weer met beide benen op de grond te krijgen,' zegt Dennis zelfgenoegzaam. 'Hoe eerder hij weet hoe het zit, des te beter. Mooie meisjes zoals zij beginnen niks met slappe losers. Dat doen ze gewoon niet. Zo werkt dat.'
Er valt een meditatieve stilte. Dan zegt Geoff: 'Zo werkt het meestál. Maar misschien gaat het vanavond wel anders.'
'Waarom zou het vanavond in godsnaam anders gaan, anus?'
'Omdat het Hallowe'en is.' Geoff draait zijn rottende boetseerklei-

gelaat naar Dennis, en voegt daar met zijn diepe van-over-het-grafstem aan toe: '*Het eeuwenoude feest van Samhain, wanneer de poorten tussen onze wereld en de Anderwereld opengaan, en onzalige geesten onbekommerd over het land marcheren. Alle wetten zijn opgeschort, en niets is wat het lijkt ...*'

'Ja hoor,' zegt Dennis. 'Alleen is het vanavond geen Hallowe'en; het is vrijdag 26 oktober.'

Ruprecht kijkt naar adem happend op zijn horloge en sprint vervolgens zonder een woord van uitleg naar de zijdeur de gang op. Dennis, Mario en Geoff kijken elkaar ongelovig aan. Niemand heeft Ruprecht ooit eerder zien sprinten.

'Hmm,' zegt Dennis bedachtzaam, 'ik snap wat je bedoelt', en vervolgens kijken ze met hernieuwde interesse naar Skippy.

Tot dusverre is het voorspelbaar slecht gegaan. Hij botste zo tegen haar op, waardoor ze haar halve bekertje punch op de grond morste, en nu kijkt ze hem met een mengeling van doodsangst en minachting aan, waarbij het laatste met elke seconde dat hij daar staat te trillen en te knipperen en geen woord uitbrengt meer de overhand krijgt. Maar denken is onmogelijk! Van dichtbij is ze nog mooier, en telkens als ze hem aankijkt, heeft hij het gevoel dat hij door de bliksem getroffen wordt.

'Eh, sorry,' weet hij uiteindelijk uit te brengen.

'Geeft niet, hoor,' zegt het meisje op zwaar ironische toon. Ze maakt aanstalten om hem voorbij te lopen. Impulsief doet hij een stap opzij en verspert haar de weg.

'Daniel,' flapt hij eruit. 'Eh, dat ben ik.'

'O-ké,' antwoordt het meisje, en als hij vervolgens niet uit de weg gaat, duidelijk met tegenzin: 'Lori.'

'Lori,' herhaalt hij, om dan weer in trillen, knipperen en zwijgen te vervallen. Achter de schermen schreeuwt zijn brein, dat rondrent en probeert de brandjes te blussen die her en der zijn ontvlamd, tegen hem: *Zeg nog iets! Zeg nog iets!* Maar het zegt er niet bij wat, dus doet hij zonder enig idee wat eruit gaat komen zijn mond open, en hoort hij zichzelf de volgende woorden uitspreken: 'Hou jij van ... yahtzee?'

'Wat is "yahtzee"?', uitgesproken op een toon van preventieve walging die door metaal heen zou kunnen branden.

'Het is een behendigheids- en kansspel,' zegt Skippy ongelukkig. 'Je speelt het met dobbelstenen.'

Het meisje ziet eruit alsof ze, als ze zich nog meer zou vervelen, daadwerkelijk dood zou zijn. 'Heb jij drugs bij je?' zegt ze.

'Ik heb een astma-inhaler,' antwoordt hij gretig.

Het meisje kijkt hem alleen maar aan. 'Eh,' zegt hij. Vanbinnen kreunt zijn hele lijf van afgrijzen. Hij kon er niks aan doen. Hij had 'm zo in zijn hand! Nu staart hij naar zijn schoenen, waarvan een van de vleugels weer loskomt. Hij wilde dat de grond hem verzwolg – tot hem iets anders te binnen schiet. Hij doet gauw zijn pijlenkoker af, reikt langs de Pijlen van het Licht – 'Ik heb deze.' Hij haalt ademloos het kokertje tevoorschijn.

'Wat zijn dat?' zegt ze, zonder al te enthousiast te lijken.

'Dat zijn, eh, pillen tegen wagenziekte.'

'Tegen wagenziekte?'

Skippy's hoofd gaat zwijgend op en neer. Ze staart hem aan alsof ze hem aanmoedigt zijn gedachte af te maken. 'Maar je gaat toch nergens heen?' zegt ze uiteindelijk.

'Nee, maar ...' Hij wil het uitleggen van de pillen en dat ze je wegleiden van waar je bent, hoewel je er nog steeds bent; maar het klinkt al stom voor hij het heeft uitgesproken, en hij valt stil, wegzakkend onder het gewicht van zijn eigen stommiteit. Ze heeft gelijk, hij gaat nergens heen. Hij heeft alles voor altijd verpest, hij zal dit met geen mogelijkheid uit haar geheugen kunnen wissen. Nu wil hij alleen nog maar dat het voorbij is. 'Nee,' zegt hij.

Het meisje fronst haar wenkbrauwen, alsof ze in gedachten een rekensommetje maakt. Dan zegt ze: 'Wat gebeurt er als je je pillen tegen wagenziekte combineert met je astma-inhaler?'

'Dat weet ik niet,' zegt Skippy. Na een blik over haar schouder focussen haar ogen plotseling en worden wijder. Skippy draait zich ook om, en ziet dat de hoofdingang openstaat. Dat verrast hem, want als hij op zijn horloge kijkt is het pas kwart voor tien.

'Dit feest is hartstikke stom,' besluit het meisje. 'Ik ga ervandoor.' En vóór Skippy iets kan zeggen, loopt ze weg. Elke stap die ze zet is een sloophamer die zijn hart aan piepkleine scherven slaat. Dan staat ze even stil en zegt, op de nonchalante toon waarop je zou praten tegen een zwerfhond die je in het park bent tegengekomen: 'Ga je mee?'

Om de een of andere reden begint hij iets te mompelen over dat hij denkt dat je toestemming moet vragen voor je weg mag. Maar ze is al halverwege de zaal.

'Hé, wacht even!' Hij komt bij zijn positieven en snelt achter haar aan, haalt haar in als ze de garderobe inloopt, en ze stappen zij aan zij de avond in.

'Holy shit,' zegt Dennis.

'Sterk spul, dat Hallowe'en,' zegt Mario. Hij overdenkt dit even. 'Misschien zitten die bovennatuurlijke krachten ook wel achter het mysterie dat ik vanavond bot ving bij de dames. Als een geboren loser als Skippy zo'n retelekker wijf kan scoren, dan weet je dat er rare shit gaande is.'

Ondertussen dringt een schaduw met lange ledematen zich door de menigte. Nog zo'n omkering: dit is een schaduw waarvoor mensen uit de weg gaan. Hij rolt met zijn ogen en knarst met zijn tanden, pakt meisjes vast terwijl hij de zaal door gaat, trekt maskers af en tuurt in hun ogen voor hij ze terzijde werpt – en nu krijgt hij iemand in het oog, die in tranen de andere kant opstommelt, haar volumineuze jurk van haar armen gegleden, zodat het eruitziet alsof ze bezig is te ontsnappen aan een enorme roze-met-witte kwal. Hij loopt op haar af, grijpt haar polsen vast en trekt haar naar zich toe. 'Waar is die vriendin van je?' vraagt hij. 'Lori, waar is die?'

Maar het huilende meisje barst weer uit in gebrul. De schaduw vloekt en loopt terug naar waar hij vandaan kwam, geeft links en rechts mensen een schouderduw, ondanks het pad dat zich voor hem heeft geopend.

Howard en Miss McIntyre komen na het eind van het liedje niet terug naar de gymzaal. Zodra ze de deur door zijn, raken ze betoverd door de vreemdheid van de school bij avond. Door de inktachtige stilte, de slaperigheid, voelen de gangen als de ondergrondse kamers van een mausoleum, waar eeuwenlang niemand een voet heeft gezet. Howard moet de neiging onderdrukken te brullen, te joelen, te springen, de echoënde stilte aan gruzelementen te slaan. Elke stap belooft ze dieper onontgonnen terrein in te brengen. Algauw is de muziek niet meer dan geroezemoes in de verte.

Uiteindelijk belanden ze in het aardrijkskundelokaal. Boven rommelt de donder voortdurend, alsof ze zich in de fundamenten van een of ander hemels knooppunt bevinden, waar elke seconde onstoffelijke locomotieven voorbijrazen. 'We nemen snel een drankje en dan gaan we weer terug,' zegt Miss McIntyre. Ze grabbelt in de boodschappentassen op zoek naar de ingrediënten – blijkbaar meende ze het van die Cosmopolitans –, terwijl Howard, met zijn handen in zijn zakken, kijkt naar de plaatjes aan de muur. Het aardrijkskundelokaal is van vloer tot plafond bedekt met foto's, kaarten en illustraties. Eén muur is gewijd aan luchtfoto's van de aarde, wild verweven kleuren die, als je de tekst eronder leest, wolken rond Mount Everest blijken te zijn, een uitzicht met regenboog op de ijsvlakten van Patagonië, honderdduizend flamingo's die over een meer in Kenia vliegen, een blauw eiland vlak bij de Malediven. Op een andere muur hangen foto's van gelukkige bananenplukkers in Zuid-Amerika, gelukkige mijnwerkers in het Ruhrgebied, gelukkige stammen in hun regenwouden zij aan zij met grafieken van de VOORNAAMSTE EXPORTARTIKELEN IN EUROPA, MINERALEN EN HUN TOEPASSINGEN, COLTAN – VAN DE CONGO NAAR JOUW TELEFOON! Het lokaal is net een altaar voor het harmonieuze samenspel van de wereld; een panoplie van feiten en processen, natuurlijk, wetenschappelijk, agricultureel, economisch, die allemaal vreedzaam co-existeren op die muren, terwijl de menselijke fall-out van die interacties, de eruit voortvloeiende uitbuiting, marteling, slavernij die elke verdiende dollar vergezelt, elke vermeende stap richting vooruitgang, aan zijn lessen wordt overgelaten: geschiedenis, de duistere tweelingbroer, de bloedschaduw.

'Prachtig, die vulkanen,' zegt hij, als hij stil blijft staan bij de foto's bij de deur. 'Je ziet tegenwoordig te weinig vulkanen.'

'Wodka ... cranberrysap ... verdomme, er zit nog iets in ...' zegt Miss McIntyre in zichzelf. 'Sorry, wat zei je?'

'Ik moest denken aan wat je eerder zei, dat de aarde voortkomt uit allerlei grote krachten ... Dat klopt. Als je naar deze foto's kijkt, realiseer je je dat we over de set van een ongelooflijk episch verhaal lopen waarvan de filmopnamen honderd miljoen jaren geleden zijn gestaakt ...'

'Cointreau!' roept ze uit, en ze duikt weer in de draagtassen. 'Cointreau, Cointreau ... Ach, laat ook maar.' Ze neemt een slok uit de wodkafles en geeft hem aan hem door. 'Kom op, daar word je warm van.'

'Proost dan maar,' zegt hij. Ze maakt een vuist en geeft een speels stootje tegen de onderkant van de fles. Hij drinkt. De wodka brandt zich een weg helemaal naar zijn maag. 'Ik hoor de muziek nu helemaal niet meer,' zegt hij, om zijn aandacht af te leiden van dat ongemak.

'We gaan zo terug,' zegt ze. Ze wipt op het bureau en kruist haar benen onder zich; vanaf die positie kijkt ze Howard spottend aan, als een duiveltje op een paddenstoel. 'Heb je nu heimwee naar het paleozoïcum, is dat het?'

'Het is in elk geval rustiger tegenwoordig. Geen nieuwe bergen, dezelfde vertrouwde continenten en oceanen. Af en toe gaan er een paar duizend mensen dood bij een aardbeving. Dramatischer wordt het niet.'

Ze hoort het met een geamuseerde glimlach aan, als iemand met een *royal flush* in zijn handen tijdens een spelletje poker om lucifers. 'Er kunnen nog steeds dramatische dingen gebeuren,' zegt ze. 'Dit allemaal bijvoorbeeld.' Ze gebaart achter zich, naar het schoolbord, waarop staat:

OPWARMING VAN DE AARDE:

ONTBOSSING -> VERWOESTIJNING
VERLIES AAN HABITAT ->
AFNEMENDE BIODIVERSITEIT ->
MASSALE UITSTERVING
STIJGENDE TEMPERATUREN -> DROOGTE ->
MISLUKTE OOGSTEN
SMELTEN VAN DE IJSKAPPEN -> STIJGEND ZEENIVEAU ->
OVERSTROMINGEN
AFBUIGING VAN DE GOLFSTROOM ->
GLETSJERVORMING -> IJSTIJD

'Een ijstijd, dat zouden de meeste mensen dramatisch genoeg vinden, toch? Of Dublin, Londen en New York die onder water staan?'

'Dat is waar,' zegt Howard.

'Sommige wetenschappers denken dat we het point of no return al zijn gepasseerd. Ze geven de wereld zoals we die kennen nog vijftien jaar. We zouden weleens de laatste generatie van onze soort kunnen zijn.' Ze ratelt dat hele verhaal op luchtige toon af, met een ondeugende glinstering in haar ogen, alsof het een schuine mop is, niet geschikt voor jeugdige oren. 'De jongens nemen het héél serieus. Ze recyclen colablikjes, gebruiken spaarlampen. Gisteren hebben ze allemaal brieven geschreven aan de Chinese ambassadeur. De Chinese regering wil een dam bouwen in een natuurgebied op de Werelderfgoedlijst van UNESCO, wat de huizen van miljoenen mensen zal vernietigen, waaronder die van de Naxi – dat is een van de laatste matriarchale beschavingen, wist je dat, Howard? De jongens waren zo kwaad! De meeste mensen kunnen dat soort dingen kennelijk gewoon van zich af laten glijden.'

'Die hebben jou niet om hen te inspireren,' zegt Howard.

'We kunnen ons denk ik niet voorstellen dat onze manier van leven ooit verandert,' zegt ze, zijn onhandige vleierij negerend. 'Laat staan dat het helemaal ophoudt. Het is net zoals de jongens hier die allerlei stomme dingen doen – in elektriciteitsmasten klimmen, met hun skateboards van muren van drie meter hoog springen en zo –, omdat ze zich niet kunnen voorstellen dat ze gewond raken. Ze denken dat ze altijd door kunnen gaan. Wij ook.

Maar niets gaat eeuwig door. Beschavingen houden op te bestaan, aan alles komt een eind. Dat leer je ze in de geschiedenisles, toch?'

Ze zegt die woorden zachtjes, als een slaapliedje. Haar in panty gehulde knie rust tegen zijn dij. Er lijken vonken door de lucht te schieten.

'De geschiedenis leert ons dat de geschiedenis ons niets leert,' herinnert Howard zich.

'Dat is geen reclame voor geschiedenisleraren, wel?' fluistert ze tegen hem.

Nu hij naast haar voor de klas staat, is Howard zich er plotseling van bewust, door de lege rijen bankjes van leerlingen achter hem, dat niemand op de hele wereld weet waar ze zijn. 'Leer jij me dan iets,' plaagt hij goedmoedig. 'Onderwijs me.'

Haar ogen dwalen af naar het plafond, terwijl ze nadrukkelijk speelt dat ze iets bedenkt. Dan buigt ze zich naar voren en fluistert vertrouwelijk: 'Volgens mij ben je niet meer verliefd op je vriendin.'

Dat steekt, maar hij blijft glimlachen. 'Kun je nou ineens in mijn ziel kijken?'

'Je bent zo makkelijk te lezen,' zegt ze, en ze laat een vingertop over zijn gezicht glijden. 'Je ziet het zo.'

'Nou, misschien kan ik ook wel in jouw ziel kijken,' riposteert hij.

'O ja? En wat zie je daar dan?'

'Ik zie dat je me wilt kussen.'

Ze lacht koket en zwaait haar benen van het bureau. 'Dat zie je helemaal niet,' zegt ze. Ze trekt zich terug aan de overkant van het lokaal en strijkt haar jurk naar beneden. Dan zegt ze, met een vriendschappelijke, onpersoonlijke stem, als van een interviewster op tv die een nieuwe vraag stelt aan haar gast: 'Vertel eens waarom je weggegaan bent bij de effectenbeurs om leraar te worden. Voelde je plotseling de behoefte iets betekenisvols te doen? Was je gedesillusioneerd geraakt door het najagen van rijkdom?'

Howard begrijpt dat dit een hoepel is waar hij doorheen zal moeten springen; hij heeft een misstap begaan, en dit gesprek, hoe kunstmatig ook, is nu de enige mogelijke route terug naar wat die lippen een paar seconden geleden nog leken te beloven. Hij neemt even de tijd om adem te halen, overdenkt zijn tactiek en vervolgens, terwijl hij bij het bureau blijft staan, antwoordt hij op dezelfde prettig neutrale toon: 'Het was eerder zo dat het najagen van rijkdom gedesillusioneerd in míj raakte.'

'Burn-out,' zegt ze uitdrukkingsloos.

Howard haalt zijn schouders op. Hij realiseert zich dat dit voor hem nog een te teer punt is om er ironisch of laconiek over te doen.

'Dat gebeurt,' zegt ze. 'Het is een stressvolle baan. Niet iedereen is er geschikt voor.'

'De mensen van wie het geld was deden er niet zo filosofisch over.'

'Noemen ze je daarom Howard de Lafferd?'

'Nee.'

'Heeft het iets te maken met wat er in Dalkey Quarry is gebeurd?' Haar ogen vernauwen zich naar hem als een roofdier. 'Met dat bungeejumpen? Toen je vriend gewond raakte?'

Hij glimlacht alleen maar.

'Was jij degene die had moeten springen? Was dat het?' Ze wendt zich af, en vervolgt met dezelfde saaie tv-interviewstersstem: 'Achtervolgd door je reputatie, ben je mislukt in je baan in Londen en weer naar huis gekomen. Je legde je erbij neer een waardig, maar risicovrij leven te leiden. En dus ben je geschiedenisleraar geworden.' Ze leunt tegen de deur, haar ogen glimmen door de schaduwen heen naar hem. 'Waar je altijd weet hoe het afloopt en niets je ooit aan zal vliegen. Alsof je over de set van een ongelooflijk episch verhaal loopt, waarvan de opnamen jaren en jaren geleden al zijn afgerond.'

Het schiet door zijn hoofd dat ze hem misschien wel haat, maar dat lijkt geen beletsel voor waar ze hier mee bezig zijn. 'Verschillende banen zijn geschikt voor verschillende mensen,' zegt hij aimabel. 'Jij hebt er ooit ook over gedacht lerares te worden.'

'Er zijn zoveel dingen die ik heb willen worden,' beaamt ze. 'Maar ik heb nooit een roeping gehad. Je moet actief leraar willen worden. Je hoeft niet actief consultant te willen worden, omdat ze je zoveel betalen. Daarmee zorgen zij voor je motivatie. Dat is veel makkelijker.'

'En toch ben je nu hier.'

Ze lacht. 'Ja, nou ja ... Ik had behoefte aan iets anders. Verandering is stimulerend, vind je niet?' Ze vouwt haar handen achter haar rug en wendt haar kin van hem af. Hij zet een stap in haar richting als naar een donkere, steile rotswand; zijn bewegingen lijken werktuiglijk, alsof hij een personage is waarover hij leest in een verhaal. 'Heeft iemand niet ooit gezegd,' gaat ze verder, 'dat je vervelen de enige onvergeeflijke zonde is?'

'Ik dacht dat het vervelend zijn was.'

'Komt op hetzelfde neer,' zegt ze, terwijl ze haar hoofd naar achteren tegen de deur laat rusten. 'De wereld is zo enorm, er zijn zoveel dingen te doen en te zien ... En dat wij, in het Westen, die meer geld, macht en vrijheid hebben dan mensen ooit in de hele geschiedenis hebben gehad ...' Ze schudt haar hoofd. 'Je vervelen is echt een misdaad. Het is een belediging voor iedereen die geen geld, macht en vrijheid heeft.' Ze kijkt hem weer aan. 'Vind je niet dat we de verplichting hebben alles te doen wat nodig is om ons niet te vervelen?'

De laatste woorden worden uitgesproken, en de rest van haar filosofie raakt verloren, in Howards mond. Haar lichaam wikkelt zich om hem heen; hij duwt haar tegen het schoolbord aan, haar bekken wringt zich tegen het zijne, de woorden OPWARMING VERWOESTIJNING OVERSTROMINGEN UITSTERVING worden onleesbaar uitgesmeerd door haar rug. Ze bijt op zijn lippen, haar handen glijden over zijn borst naar boven en grijpen zijn schouders vast; ze ademt onwillekeurig uit, een diepe grom, verrassend mannelijk, als de rug van zijn hand even tussen haar benen wrijft; dan slingert ze hem naar achteren tot hij het leraarsbureau raakt. Hij klimt erop, zij klimt op hem. Buiten is de storm eindelijk tot bloei gekomen: hij raast, jankt, bonst tegen het raam als iets uit het paleozoïcum, of uit een epische film; en terwijl de demonische machinerie van handen, monden en heupen het overneemt, staat Howard, misschien niet helemaal op een bewust niveau, maar ergens op een substraat net daaronder, weer, zoals hij al zoveel dagen en nachten heeft gedaan, aan de rand van die door wind geteisterde rotswand, in een halve ring van beschaduwde gezichten. Een hand reikt hem een vel papier aan waarop zijn eigen naam staat, als een weegschaal die zijn ziel weegt ...

http://www.bbc.co.uk/science/goodmorningtomorrow.htm

We zijn blij dat we PROFESSOR HIDEO TAMASHI *van Stanford University kunnen verwelkomen om uw vragen te beantwoorden over parallelle universums en de wereld, vreemder-dan-fictie, van de M-theorie ...*

KRYSTAL: U hebt het vaak over andere dimensies die zo klein zijn dat we ze niet kunnen zien. Dat lijkt niet echt ergens op te slaan.

PROF. TAMASHI: Je hebt gelijk, Krystal, dat lijkt het ook niet. Hogere dimensies gaan tegen onze intuïtie in, omdat onze hersens biologisch zijn geprogrammeerd om de wereld om ons heen in drie dimensies van ruimte waar te nemen, plus een van tijd. De vier dimensies van ruimtetijd zijn echter niet genoeg om de schepping en gedaante van het universum te verklaren. We kunnen ze misschien niet zien, maar door hogere dimensies of hyperspace kunnen we fenomenen verklaren die anders een mysterie zouden zijn. De M-theorie beschrijft de beweging van membranen door die dimensies, waarvan sommige heel klein zijn, zoals deeltjes, en andere heel groot, zoals universums. Op die manier biedt ze de mogelijkheid een brug te slaan tussen de subatomaire wereld en de macrowereld.

BUSTA MOVE: Waar komen die membranen vandaan?

PROF. TAMASHI: Dat is een goede vraag, Busta. Volgens de M-theorie bestaat een multiversum uit membraanuniversums die als bubbels in het Niets zweven. Elke bubbel ontstaat gratis als een kwantumfluctuatie in het Niets. Universums kunnen op die manier voortdurend ontstaan.

STANFORD BOUND: Tamashi-san, het is een grote eer om met u te praten. Mijn vraag is de volgende: is het voor een mens mogelijk door hyperspace naar een van de nabijgelegen universums te reizen?

PROF. TAMASHI: Nou, Stanford, de vergelijkingen van Einstein voorzien wel in de mogelijkheid om door een wormgat hyperspace in te springen om een ander universum te bereiken. Onze huidige technologie kan echter niet voldoende energie opwekken om een dergelijk wormgat te openen.

STANFORD BOUND: En al bestaande doorgangen dan, oftewel zwarte gaten?

PROF. TAMASHI: Volgens de verklaringen die we op het moment voor zwarte gaten hebben, is dat zeker een theorie. Het korte antwoord is dat we gewoon niet weten of dat een mogelijkheid zou zijn of niet. Misschien zou het naar een ander universum leiden. Maar het zou ook heel goed naar een ander deel van dit universum kunnen leiden, of terug in het verleden. Hoogstwaarschijnlijk zou je de reis niet overleven, of, als je dat wel deed, ernstige problemen ondervinden bij het terugkeren.

SKIPPY EN LORI: Wat gebeurt er als je aan een astma-inhaler zuigt en pillen tegen wagenziekte inneemt?

Wat er gebeurt is eerst even niets, en dan begint alles in slow motion te bewegen, d.w.z., als je een stap naar voren doet, duurt het eindeloos voor je voet de grond weer raakt en je hebt het gevoel dat je steeds maar omhoog kunt blijven gaan en helemaal niet meer neer zult komen, alsof je op de maan bent! *One great leap for man!* roep je. Lori staat achter je, ze blijft maar lachen, alles is heel grappig geworden: de namen van chocoladerepen die naast de kassa in de Texaco liggen, een man met een grote neus die zijn hond uitlaat, die ook een grote neus heeft, zelfs de sukkels in het dorp die je aanstaren in je kostuum. Het is alsof je uit een ruimteschip bent gestapt dat duizenden jaren uit de toekomst komt en je om je heen kijkt naar pijlhoofden en wollige mammoeten. Het voelt alsof je een pluizig krachtenveld om je heen hebt dat je warm houdt en je ook aan het lachen maakt en je vraagt je af of het aan de pillen ligt of aan de inhaler of dat het komt doordat zij er is? Of dit wel echt gebeurt?

De hekken van het park zijn gesloten, dus spring je over de muur en loop je naar het meer en je gaat daar op de schommel zitten. Je zuigt nog wat van Ruprechts Ventalin naar binnen; het voelt zo raar, alsof je achterstevoren niest! Dan duw je Lori op de schommel en dan zij jou omdat het anders oneerlijk zou zijn zegt ze dan begint het weer te regenen en kruipen jullie allebei op een schommel onder een paraplu een zwarte die je in een bosje vlak buiten de gymzaal hebt gevonden druk ik je plat? zegt ze het is niet erg zeg je. Lori's telefoon begint te rinkelen, ze haalt hem tevoorschijn en drukt op *ophangen*. Hij houdt op en begint meteen weer. Wie is het? Niemand zegt ze, ze zet hem uit en begint dan in haar zakken te graven en zegt we moeten deze proberen. Overal om je heen doet de regen *ksssshhhhhhhhhhccchhhhhhhhhhboeoeoem.*

'Wat zijn het?'

'Ze noemen het ritalin?'

'Wat doen ze?'

'Dat weet ik niet.'

Hoewel ze er een hele zak vol van heeft. Dus je pakt er een dan twee dan drie dan weet je het niet meer maar je hoofd doet steeds *frrrrssshhhh* als je het draait als ski's die keren op sneeuw alsof het elke keer als je knippert een lange reis wordt rondom de wereld in tachtig dagen en elke keer als je je ogen opendoet is het net een andere plek alleen omdat Lori telkens naast je zit blijf je wegzweven de ruimte in en zij haalt je telkens terug laten we een rolwedstrijd doen zegt ze maar het gras is nat maar toch rol je van de heuvel jij wint nee ik win zegt ze oké dan hebben we allebei gewonnen je staat op maar je hoofd houdt niet op met tollen je plukt grassprietjes van elkaar af haar hand stopt in je haar jouw hand stopt in haar haar

en dan rennen jullie allebei, jullie rennen en rennen, en dan sta je voor Ed's, je gaat naar binnen en koopt donuts en cola en gaat tegenover elkaar aan een tafeltje zitten. Wat er gebeurt is dat Lori het mooiste meisje op de hele wereld is, ze is het mooiste wat dan ook waar dan ook, mooier dan het mooiste schilderij, mooier dan oceanen zonsondergangen dolfijnen gletsjers. Dat wil je tegen haar zeggen maar ze probeert al niet te giechelen. Geloof jij in vliegende schotels? zegt ze. Jij zegt: ja.

Want daar is er eentje … die … zweeft … vlak … boven … je … hoofd … dan laat ze de donut op je hoofd vallen en je gooit hem naar haar en zij gooit hem terug en nu gooien jullie al je donuts naar elkaar

O nee, ze vallen de aarde binnen!

Resistance is useless!

en dan loopt die Chinese gozer naar jullie toe en begint te schreeuwen en je realiseert je dat iedereen naar jullie kijkt en dat er overal donuts liggen maar buiten is de storm gaan liggen en er verschijnen stukjes heldere lucht, grote donkerblauwe gaten in de wolken alsof iemand pakpapier van een kerstcadeau scheurt en Lori zegt laten we een eindje gaan wandelen dus jullie lopen de weg af naar de snelweg. Auto's schieten langs jullie heen en elektriciteit die te onzichtbaar is om alle lampen en huizen te verlichten. Lori probeert je maar steeds een verhaal te vertellen over een vriendin van haar maar dan vergeet ze waar ze is gebleven en begint ze opnieuw. Dit is de mooiste avond van je leven. Buiten turen uitsmijters van LA Nites in zwarte jacks strak naar identiteitsbewijzen of ze buigen zich voorover om meisjes te kussen met draderige topjes en magere benen. Boven zijn de wolken bijna allemaal verdwenen, je ziet een ster die regelrecht naar jullie twinkelt, als je een ster ziet die plotseling heel fel wordt alsof het betekent dat het een satelliet is die je heeft gelokaliseerd met zijn zoekstraal. Lori zegt: en hoe zit dat nou met dat kostuum van je en jij begint haar te vertellen over Hoopland en prinses Hoop en de Drie Demonen Vuur IJs en die ene die nog nooit iemand heeft gezien en dat jij een gozer bent die Djed heet die de magische wapens probeert te vinden om het Rijk te redden.

O-ké … zegt ze. Hou jij van computerspelletjes? zeg je. Nee, zegt zij. Hmm misschien moet je daar maar even je kop over houden. En jouw kostuum? vraag je haar. O, dit is iets wat mijn moeder voor me heeft gekocht in New York. Het is het jurkje dat BETHani droeg bij de Grammy's. Wauw, bedoel je dat ze echt deze heeft gedragen? Ze kijkt je aan zo van: Hál-lo?! Eh, niet? Het is alleen maar een jurk van Marc Jacobs die achthonderd dollar kost of zo.

O ja. Shit, Skippy, doe toch niet zo achterlijk! Hou jij van BETHani? zegt ze. Ja, zeg je. Ik ben dól op haar, zegt Lori. Je lijkt behoorlijk op haar, zeg je. Vind je? Dat lijkt Lori fijn te vinden. Absoluut, zeg je, hoewel BETHani blond is en een beetje een slet en Lori vijf miljoen keer knapper is. Sommigen van mijn vriendinnen zeggen dat ook, zegt ze. Maar mijn moeder wil niet dat ik mijn haar bleek. Hoe zijn jouw ouders? Zitten die je ook de hele tijd op de huid? Eh. Plotseling besluipt het Spel je! Nou, soms wel. Ik zie ze niet zo vaak, omdat ik een interne scholier ben. O ja. Dat moet behoorlijk klote zijn, dat je de hele tijd vastzit op school. Wat doe je om lol te maken of zo? Nou, er is een jongen, Ruprecht. Je begint haar over Ruprecht en zijn uitvindingen te vertellen. Dat vindt ze leuk, ze vindt het grappig. Oké, dus, krankzinnige kamergenoot, telt ze op haar vingers, rare computerspelletjes ... Doe je ook nog iets normaals?! Hmm. Doe je dat? Zwemmen? zeg je. O ja? Ja, en dan vertel je haar over de zwemploeg en de wedstrijden en de beker die je hebt gewonnen. Heb je een beker gewonnen? zegt ze. Ja, bij een wedstrijd op het platteland, en na de vakantie is er weer een wedstrijd ergens. Goed zeg, zegt ze. Wat cool. Ja, maar ik denk erover te stoppen. Echt? Waarom wil je stoppen dan? Je haalt je schouders op. Omdat ik er een bloedhekel aan heb. Plotseling valt het je op dat de lucht donkerblauw is en golft en ruist en stroomt als water – wat mankeert die lucht? Wacht nou eens, sukkel, het ligt aan jou – je draait je gezicht een andere kant op zodat zij het niet kan zien. Maar ze ziet het niet. In plaats daarvan zegt ze: ik zou heel graag ergens zo goed in zijn. Je veegt je wangen af, zodat je haar weer aan kunt kijken. Hoezo? Gewoon ergens heel erg goed in zijn, zegt ze. Dat lijkt me gewoon heerlijk. Je denkt: waarom zou ze ergens goed in willen zijn als ze zíj is? Als ze het volmaaktste is wat er bestaat? Maar in plaats daarvan zeg je: je bent goed in frisbeeën.

Hoe weet jij dat?

Alles staat stil – de lucht, de auto's – Je ... Je ziet er gewoon uit alsof je daar goed in bent?

Ik doe het wel graag, beaamt ze. Maar ik zou dolgraag een zangeres zijn, een heel goeie zangeres. Misschien moet je je opgeven voor zo'n programma, zeg je. Ik krijg altijd plankenkoorts, zegt zij. Ze pakt haar armen vast, kijkt omhoog naar de lucht. Het zou gewoon fijn zijn om iets te doen waardoor ik me bijzonder voelde. Je valt stil, je staart haar aan. Voel jij je niet bijzonder?

Nu kijkt ze je weer aan. Ze glimlacht. Mééstal voel ik me niet bijzonder.

Je hersens zeggen van: *Holy shit! Je moet haar kussen!!!*

Ik moest maar eens naar huis gaan, zegt ze.

PROF. TAMASHI: Aanvankelijk zagen we de elfde dimensie als een rustig oord, waar die membranen, die universums, kalm zweefden, als wolken op een zomerdag. Het was ons een raadsel hoe zoiets als de oerknal kon plaatsvinden vanuit die situatie. En toen zat ik op een dag met mijn broer te praten aan de telefoon. We haalden herinneringen op aan hoe onze vader ons vroeger meenam naar de haven in Yokohama. Mijn broer was destijds erg geïnteresseerd in schepen en er gingen daar vaak *US destroyers* voor anker. Die schepen waren enorm, misschien wel zestig meter hoog en ongeveer zo lang als twee of drie huizenblokken. Maar toen we op een keer naar de dokken gingen, zagen we dat een van die destroyers zelf half was vernietigd. De hele voorboeg zat volkomen in elkaar, als een auto die op hoge snelheid tegen een telegraafpaal was gereden. Wat had dat op open zee kunnen veroorzaken? Toen we het vroegen, kregen we te horen dat hij was geraakt door een golf – een golf die uit het niks kwam sloeg tegen de boeg en ramde alles tot aan de brug in elkaar; hij veroorzaakte meer schade dan alle wapens hadden veroorzaakt als ze tegelijk waren afgevuurd. Op zee worden zulke plotselinge gewelddadige golven 'witte golven' genoemd. Ik vroeg me af: wat nou als er in die hogere dimensies ook 'witte golven' bestaan? Wat nou als de elfde dimensie geen serene plek was, maar een plek vol stormen, waar complete universums doorheen razen als gigantische, turbulente golven? Moet je je voorstellen wat een ramp het zou opleveren als zo'n wittegolfuniversum op een ander universum botste. Ik geloof dat de oerknal het gevolg is van een dergelijke botsing. Twee membranen, twee universums, knallen op elkaar; de energie die daarbij vrijkomt is de oerknal, die ons universum voortbrengt. In dat model verdwijnt het probleem van uitzonderlijkheid. Misschien botsen er wel voortdurend universums op elkaar, met een oneindig aantal oerknallen tot gevolg.

Jullie lopen hand in hand door een lommerrijke laan. Boven je exploderen melkwegstelsels als langzaam vuurwerk. Naast je zingt Lori een liedje van BETHani. *If I had three wishes I would give away two, Cos I only need one, cos I only want you.* Haar stem klinkt zoet en breekbaar als vogelgezang. Je komt een straat uit en slaat een volgende in, de ene nog verlatener en donkerder dan de andere, de huizen verborgen achter muren en klimop. Je zwijgt, luistert hoe ze zingt, probeert iets te bedenken waardoor ze niet naar huis zal gaan.

'Vertel eens, Daniel,' zegt ze na een tijdje. 'Waarom zijn jullie jongens zulke klootzakken?'

Je denkt even na. 'Ik weet niet,' zeg je.

'Ik bedoel jou niet, hoor,' zegt ze. 'Jij bent geen klootzak.'

'Dank je,' zeg je.

'Nee, echt. Ik meen het,' zegt ze.

Je blijft voor een hoge, gewelfde poort staan. Door de spijlen zie je licht achter de bomen. 'Hier woon ik,' zegt ze.

'Juist, ja,' zeg je.

'Zie ik er oké uit?' zegt ze. 'Ik zie er toch niet ...?'

'Je ziet er perfect uit,' zeg je.

'Weet je hoe je terug moet komen?'

'Ja hoor.'

'Oké.' Ze tikt een code in op het toetsenpaneel en de poorten glijden open om haar te ontvangen. De maan staat aan de hemel, alles is zilver, de auto's in de verte glijden over de snelweg als ademtochten. Je hebt geen idee hoe je van dit punt naar het moment moet komen waarop je haar kust, het is een kloof zonder bruggen eroverheen. 'Nou, welterusten dan maar,' zegt ze.

'Welterusten,' zeg je met een droge mond. De kloof wordt met elke seconde wijder, de moed zinkt je in de schoenen en je ontwaakt langzaam uit de betovering en realiseert je dat het voorbij is en dat straks alles wat er is gebeurd – haar hand in de jouwe de schommels het park de donuts – dat dat allemaal zal verdwijnen in het verleden en

en dan kust ze je, haar armen om je heen, haar mond zacht en met muntsmaak. Je bent zo verbijsterd dat het even duurt voor je eraan denkt haar terug te kussen. Je slaat je armen om haar middel en drukt je lippen tegen de hare.

'Heb je ooit eerder iemand gekust?' vraagt ze.

'Ja,' zeg je, hoewel je alleen je moeder en verschillende tantes hebt gekust en dat was helemaal niet zoals dit, maar dat maakt niet uit, want ze kust je weer, het puntje van haar tong draait achtjes om de jouwe, doet je tollen en de hele hemel en het universum erbij, en als ze zich terugtrekt zwemt alles nog steeds, overal waar je kijkt zijn er sterren.

'Oké,' zegt ze weer.

'Oké,' zeg je door de duizeligheid en glimlachen en sterren heen. Zoveel sterren, overal waar je kijkt! Ze komen uit haar, dat is wat er gebeurt: ze zwermen uit haar op als vriendelijke, zilverkleurige horzels, zoals ze uit alles moeten zijn gestroomd toen de oerknal knalde. 'Welterusten, Daniel,' zegt Lori, als de poorten zich als armen om haar heen sluiten, haar omhelzen.

'Welterusten,' zeg je zonder je te verroeren. Je glimlacht naar de sterren overal

sterren in haar haar

sterren in haar ogen

sterren

sterren

*

*

*

II

Hartland

Mensen zoals wij, die in natuurkunde geloven, weten dat het onderscheid tussen verleden, heden en toekomst niet meer is dan een koppig volgehouden illusie.

– Albert Einstein

De telefoon gaat kort na zonsopkomst. Het saaie elektronische gerinkel blaast de stilte in de slaapkamer op als een bominslag. Hoewel Howard er al de hele nacht op heeft gewacht, verroert hij zich niet. Hij blijft in plaats daarvan, het moment uitstellend tot er absoluut geen uitweg meer is, met zijn ogen dicht liggen, terwijl hij luistert naar Halleys mompelige gemopper, het geruis van de lakens als ze naar het nachtkastje reikt. 'Hallo ... Ja, Greg ...' Haar stem bromt van de slaperigheid, alsof haar mond vol bladeren zit. 'Nee hoor, dat geeft niet ... Nee, natuurlijk, ik zal hem je geven ...' Het bed kraakt als ze naar hem toe rolt. 'Het is voor jou,' zegt ze. Hij opent zijn ogen om de hare te ontmoeten, die hem, net wakker, gloeiend blauw en helder, vragend aankijken.

'Dank je,' zegt hij, terwijl hij de telefoon van haar aanneemt en zich daarmee van haar afwendt. 'Hallo?'

'Howard?' kraakt de stem afgemeten in zijn oor.

'Greg!' Hij probeert te klinken alsof het een prettige verrassing is.

'Howard, ik wil dat je over precies een uur in mijn kantoor bent.'

'Natuurlijk,' zegt Howard glimlachend, en hij blijft lachen terwijl de verbinding in zijn oor wordt verbroken. 'Tot zo.' Hij zwaait zijn benen uit bed en begint zijn kleren aan te trekken, probeert zich te gedragen alsof er niets ongewoons aan de hand is. Halley duwt zich op haar ellebogen op en knijpt haar ogen tot spleetjes tegen het daglicht.

'Ga je de deur uit?!' zegt ze. In het ochtendlicht zijn haar borsten net zilveren appels, het fruit uit een sprookjesland dat nu al buiten zijn bereik begint te raken ...

'O ja, heb ik dat niet gezegd? Ik had beloofd met Greg de tekst voor het programmaboekje van dat concert van hem door te nemen.'

'Maar het is zaterdag.' Ze wrijft over haar neus. 'En het is vakántie.'

Howard haalt houterig zijn schouders op. 'Je weet hoe hij is. Alles moet tot in de puntjes verzorgd zijn.'

'Oké,' geeuwt ze, terwijl ze de dekens weer over zich heen trekt, waarbij ze zijn achtergelaten deel ook opeist. Haar stem wordt gedempt door eiderdons: 'Volgens mij is het goed dat je meer bij schoolactiviteiten betrokken raakt.'

'Ja, nou ja, je haalt eruit wat je erin stopt, nietwaar?' Howard knoopt zijn jas dicht. 'Het duurt vast niet lang. Hou een plekje voor me vrij.' Hij knipoogt naar haar als hij door de deur loopt, zich realiserend dat het de eerste keer in hun relatie is dat hij heeft geknipoogd.

De wegen zijn angstig verlaten, alsof ze per decreet zijn vrijgemaakt om zijn reis te bespoedigen. Eén auto – die van Greg – staat op het parkeerterrein van de school te wachten; binnen lijken de lege lokalen en gangen niet meer dan een façade, een enorme Byzantijnse foyer voor die ene bezette kamer. Als hij de trap oploopt, waarbij elke voetstap kletterend echoot, voelt Howard zich net een ongelukkige in een Griekse mythe die erop uit wordt gestuurd om de strijd aan te binden met de Minotaurus.

Voor het kantoor van de rector, op het bankje dat al generaties lang bekendstaat als Death Row, treft Howard de eenzame gestalte van Brian 'Jeekers' Prendergast aan. Hij zit op zijn nagels te bijten en heeft iets gestrands over zich, alsof hij hier al tijden zit, als een onbeduidende bijfiguur in een legende.

'Is meneer Costigan daarbinnen?' Howard wijst naar de deur; maar vóór de jongen ook maar antwoord kan geven, klinkt er van binnen een donderende stem. 'Binnenkomen, Howard!'

Howard treft de Automator in een bokserachtige pose aan midden in de kamer, alsof hij klaarstaat om die te verdedigen tegen iedere uitdager. Hij heeft zijn weekendkleren aan – een bleekblauw overhemd met een gele trui over zijn schouders geslagen, een beige broek en bruine Hush Puppies; het ziet er volkomen misplaatst uit, als Godzilla met een joggingbroek aan.

'Ik ben bang dat hij in vergadering is. Kan ik een boodschap aannemen?' Trudy, met de telefoon tussen wang en schouder geklemd, buigt zich voorover en schrijft een naam op onder aan een lijst namen op het bureau. 'Ja ... we denken dat er een buikvirus de ronde doet ... Dank u, hij belt u later op de ochtend terug ...'

'Verdomme,' moppert de Automator, heen en weer ijsberend, krabbend aan zijn kaak, en zegt dan met stemverheffing: 'Nou, verdomme, Howard, ga zitten, man.'

Howard neemt gehoorzaam plaats aan het bureau tegenover Trudy. De transformatie die bij zijn vorige bezoek in gang was gezet, is nu bijna voltooid: de Afrikaanse stoelen met hoge rugleuning zijn vervangen door ergonomisch verantwoorde kantoormodellen, en het aquarium bij de deur, waar de veelkleurige vissen sereen in blijven zwemmen, zich niet bewust van de veranderingen, is nu het enige wat nog herinnert aan de vorige bewoner van de kamer.

'Wil je iets drinken, Howard?' fluistert Trudy gretig. 'Thee? Koffie? Sap?'

'Verdomme, Trudy, ga hem nou geen sap aanbieden! We hebben een ernstig probleem!'

'Ja, lief,' verontschuldigt ze zich, en ze legt de telefoon neer, die meteen weer begint te rinkelen. 'Hallo, met het kantoor van de Waarnemend Rector?'

'Verdomme,' herhaalt de Automator voorbereidend, als een kettingzaag die warmdraait, en zegt dan op luidere toon: 'Howard, wat is er verdomme ... Ik bedoel, wat is er in godsnaam ...?'

'Ik ...' begint Howard.

'In al mijn jaren in het onderwijs ben ik nog nooit, echt nooit, getuige geweest van iets wat ook maar in de búúrt kwam van wat ik gisteravond heb gezien. Nog nooit. Verdomme – verdomme, ik heb jou de leiding gegeven! Heb ik je niet met klem opgedragen – ik bedoel, je moet het zeggen als ik me vergis, maar een van de dingen die ik je heb opgedragen was toch niet dat je dat feest moest laten verworden tot een Romeinse orgie, wel?'

'N...'

'Reken maar dat het dat niet was! En toch zitten we híér nu mee ...' Hij wijst naar de telefoon. 'Ouders die me al de hele ochtend opbellen, en willen weten waarom hun kleine Johnny van een officiële school-Hop onder toezicht onder de kots is thuisgekomen, nog harder lallend dan anders! Wat vind je dat ik tegen ze moet zeggen, Howard? "U had moeten zien hoe hij er een halfuur eerder aan toe was"? Godverdomme, heb je enig idee hoe je ons in de problemen hebt gebracht? Ik bedoel, wat is er daarbinnen in 's hemelsnaam gebeurd?!'

'Ik ...'

'Dat weet je natuurlijk niet. Niemand weet het. Het is net de Bermudadriehoek. Nou, ik zal je één ding vertellen, Howard: íémand weet het. En geloof me, als ik erachter kom, gaan er koppen rollen. Want als die mensen ...' Hij wijst weer naar de telefoon. 'Mijn god, als die enig idee hadden wat er hier echt is gebeurd ...' Hij grijpt naar zijn haar, ijsbeert afgeleid heen en weer als een krankzinnige, in pasteltinten gehulde robot, en blijft dan, na een keer diep adem te hebben gehaald, voor Howard staan. 'Oké,' zegt hij. 'We komen nergens met door het lint gaan, denk ik. Ik probeer jou niet overal de schuld van te geven. Ik ben alleen maar op zoek naar een verklaring. Dus vertel maar in je eigen woorden wat je gisteravond precies hebt gezien.' Hij vouwt zijn armen over elkaar en gaat met zijn rug tegen de buffetkast staan, terwijl er een ader woest klopt op zijn voorhoofd.

Twaalf uur geleden lag Howard op zijn rug op de lerarentafel in het aardrijkskundelokaal. Vanaf de muur grijnsden de gelukkige mijnwerkers van het Ruhrgebied op hem neer, en hij keek naar ze terug. Met zijn hoofd schuin achteroverhangend in het niks droomde Howard half dat hij een mijnschacht in was gevallen – of was het een loopgraaf, konden het soldaten zijn, hun gezichten zwart gemaakt voor de nachtpatrouille ...? Boven op hem lag Miss McIntyre, haar handen in hem gevouwen, haar haar vallend over het verdronken land van haar borst, de grenzen van hun lichamen poreus, vervloeiend, vaag. De storm donderde tegen het raam; de kamer werd met tussenpozen verlicht door bliksemschichten die zo snel verschenen en verdwenen dat je niet zeker wist of je ze je niet verbeeld had; de laatste resten bevrediging suisden door zijn bloed als versterkte wijn. En toen voelde hij, met een scherpe, plotselinge inademing, dat haar lichaam tegen het zijne verstijfde, en voor hij kon vragen wat er mis was, voelde hij het ook: dezelfde onloochenbare koude rilling.

Zodra ze het lokaal verlieten, nog frutselend met knopen en ritsen, werden ze getroffen door de drumbeat die bij elke ademloos haastige stap door de verlaten gangen luider werd. Voor de deur van het gymlokaal troffen ze Wallace Willis aan, de deejay van de Hop, die van top tot teen trilde, met een blik van smerige, betraande radeloosheid, alsof hij drie dagen opgesloten had gezeten in een afvoerputje. 'Ze draaien de verkeerde líédjes,' was alles wat hij wilde zeggen.

Toen ze de deur van de gymzaal opendeden, was de muziek zo oorverdovend dat die even elke andere sensatie uitsloot; maar dat duurde maar even, en toen drong de volle verschrikking van de situatie tot hen door.

Over de hele vloer lagen afgeworpen kostuums. Een vikinghelm, een bustier met goudkleurige rand, het ooglapje van een piraat, een paar vlindervleugels en ook conventionelere kledingstukken als broeken, T-shirts, kousen en ondergoed – allemaal zorgeloos platgedrukt onder de voeten van de voormalige dragers ervan, terwijl ze in het naakte vlees van elkaars armen wiegden. Op de een of andere manier waren de onzichtbare barrières die hen aan het begin van de avond van elkaar hadden gescheiden ingestort. Goths versmolten met sporters, sukkels met bimbo's, stoere gasten met sletten, dikzakken met gratenpakhuizen – iedereen versmolt met iedereen, niet van elkaar te onderscheiden; ze hielden elkaar overeind of lagen in vrijwel naakte hopen bij elkaar, alsof de kiem van het geheime moment van Howard en Aurelie in het aardrijkskundelokaal door een inwendig briesje, als in een nachtmerrieachtige fabel-met-een-moraal, hierheen was gewaaid, waar hij in de broeikasatmosfeer was uitgegroeid tot een drie meter hoge plant die als onkruid alles overwoekerde, zodat ze hem nu waar ze ook keken overal in een monsterlijke, uitvergrote vorm zagen gereproduceerd, in de schemerige circuskleuren van de lampen ontdaan van alles behalve gedachteloze vleselijkheid.

'O mijn god,' kreunde Miss McIntyre met een stem die kraakte van de zelfverachting. Howard probeerde iets troostends, van blaam zuiverends of daadkrachtigs te bedenken om te zeggen, maar hij kwam nergens op.

Ze deden met z'n tweeën hun best om de orde te herstellen, maar de kinderen luisterden gewoon niet. Het was geen ongehoorzaamheid; ze leken eerder in een soort erotische trance te verkeren. Ze staarden Howard dromerig aan, terwijl hij met zijn vinger in hun gezicht zwaaide, ze dreigde met schorsing, brieven naar hun ouders, de politie, en zodra hij zich had omgedraaid, gingen ze achter zijn rug verder met wat hij ook maar onderbroken had.

'Dit is zinloos!' riep Miss McIntyre uit, die op het punt stond in tranen uit te barsten.

'Nou, wat stel jij dan voor?' zei Howard, terwijl hij koortsachtig een lange slinger wc-papier bij elkaar raapte, aan het eind waarvan een priapische mummie graaide naar de borsten van een meisje, dat, hoewel ze rechtop stond, leek te slapen, met een regenboogrilling van stof, die ooit de staart van een zeemeermin was geweest, als een bal aan haar voeten. 'Ophouden daarmee!' Hij legde het wc-papier in een prop in de handen van de mummie. 'Hier, bedek jezelf in godsnaam!'

'We moeten Greg bellen,' zei Miss McIntyre.

'Ben je niet goed bij je hoofd?'

'We moeten wel ... Blijf van me af!' Ze sprong met een gil weg van de uitgestoken poten van een mysterieus roze konijn.

'We hoeven hem er toch niet bij te betrekken ...?' smeekte Howard, hoewel alle bewijs op het tegendeel wees.

Maar die opmerking was al achterhaald, want op de een of andere manier stond de Automator er al, in de deuropening. Eerst verroerde hij zich niet – hij keek met versteend gezicht toe hoe Dennis Hoey, met zijn overhemd losgeknoopt en zijn stropdas over zijn schouder geworpen, met flapperende armen langs hem stommelde en schor tierde: 'Studeer op je mouwen! Stop je aantekeningen in!', en hoorde over de geluidsinstallatie een gangsta rappen:

I chop off your head bitch
And jizz on your grave ...

Toen kwam hij in actie. Hij beende de dansvloer over, en scheidde alle koppeltjes die hij tegenkwam door beide partijen bij de nek te vatten en ze letterlijk ieder een andere kant op te gooien. Zo baande de Waarnemend Rector zich een weg naar de aan de muur gehangen stoppenkast – natuurlijk, waarom had Howard daar niet aan gedacht? De muziek viel abrupt stil; even later ging het licht aan en de pretmakers, op de meest losgeslagene na, bleven staan, knipperden en mompelden onzeker in zichzelf.

'Oké!' bulderde de Automator over hun hoofden heen. 'Iedereen op een rij tegen de muur – nu meteen!'

Het had niet direct effect, maar een vaag gloeiend sinteltje in hun hersens herkende zijn stem, en geleidelijk aan begonnen ze te gehoorzamen, struikelend en geteisterd in het felle licht. Binnen vijf minuten werden ze in een rij gedirigeerd. De mensen die niet meer konden staan knielden of zaten op hun hurken tegen de muur, en ze staarden de Automator allemaal met benevelde, ongerichte ogen aan. Een tijdlang deed hij niets dan staren, alsof zijn razernij zo hevig was dat hij zichzelf niet genoeg in de hand had om iets te zeggen. Uiteindelijk zei hij: 'Ik weet niet wat er vanavond in jullie is gevaren. Maar ik kan jullie verzekeren dat dit gevolgen zal hebben. Ernstige gevolgen.' Howard, die links naast hem stond, kromp inwendig ineen. 'Het is nu ...' de Automator keek nadrukkelijk op zijn horloge, '... precies tweeëntwintig uur, drieëndertig minuten en dertig seconden. Over zesentwintigenhalve minuut, om drieëntwintig uur, doe ik die deuren open, en gaan jullie regelrecht naar je ouders of voogden. Jullie zullen geen van allen ook maar iets zeggen over wat zich hier zojuist heeft voltrokken. Als ze ernaar vragen, zeggen jullie dat het leuk was, maar dat jullie nu moe zijn en naar bed willen – welterusten. Wat gaan jullie zeggen?'

'Waleukmoetruste,' mompelde de gezombificeerde horde meelijwekkend.

'Mooi zo. Zo dadelijk ga ik jullie opdragen je kleren aan te trekken. Als ik een teken geef, wil ik dat jullie in groepen van tien, te beginnen bij jou, reuzenmier, op een ordelijke manier naar jullie kostuum lopen. Mocht je je kostuum niet kunnen vinden ...'

Hij zweeg even. Vlak bij de deur was een heel mager meisje, alleen gekleed in een olijfkleurige bh en een afgeknipte kakibroek, uit de rij gewankeld, grijpend naar haar buik.

'Als ik een teken geef, dametje,' zei de Automator. Maar het meisje lette niet op hem: ze klapte dubbel en slaakte een lange, gepijnigde kreun. Er klonk een luid, schuifelend geluid terwijl haar tweehonderd leeftijdgenoten hun positie aanpasten om het beter te kunnen zien. Het meisje kuchte zachtjes, alsof ze op het punt stond een verklaring af te leggen, en vervolgens – na een moment dat tegelijkertijd eindeloos uitgerekt en onafwendbaar verdoemd was – gutste de onvermijdelijke veelkleurige stroom uit haar mond.

'*Ieeeeeeeeew!*' riepen de zombies walgend uit.

'Ophouden daarmee!' beval de Automator. Maar ze kon niet

stoppen, en de zaal werd onmiddellijk gevuld met het zure miasma van maagzuur, alcohol en te zoete vruchtenpunch. In de rij bolden monden op en kwamen borsten omhoog. 'Oké, misschien moeten we even wat frisse lucht happen,' zei de Automator haastig. 'Howard, doe de ...'

Maar het was al te laat. Eerst met tussenpozen, en toen, binnen een paar seconden, en masse, met een geluid zoals Howard nog nooit eerder had gehoord, begonnen schijnbaar alle tweehonderd tieners over te geven: bleke, halfnaakte lijven in uiteenlopende staten van vervoering, een enorme, helse vloed die over de vloer spoelde ...

'Zoveel braaksel,' herinnert de Automator zich nu, veilig in zijn kantoor.

'Ja,' zegt Howard ongelukkig. Hij was degene die het grootste deel ervan had opgedweild, twee uur lang met een pijnlijke rug, terwijl de Automator grimmig en zwijgend aan de andere kant van de zaal stond, met een eenzame zwarte ballon als enig gezelschap, omdat Miss McIntyre kort nadat ze de kinderen naar huis had gestuurd met een asgrauw gezicht en zonder een woord te zeggen naar huis was gegaan, hem achterlatend, terwijl de klok in de Toren verder beierde, waarna hij alleen in zijn auto was geklommen en nog een uur lang in ingewikkelde uitgebreide cirkels door de buitenwijken had gereden, tot hij heel zeker wist dat Halley al naar bed was gegaan, en vervolgens riekend naar ontsmettingsmiddelen in de keuken was gaan zitten achter een onaangeroerd glas water, terwijl de gelambriseerde omgeving, die tegelijkertijd vertrouwd en heimelijk anders was, medeplichtig naar hem sprankelde; hij liet zijn hoofd zakken alsof hij niet wist wat dat betekende.

'Ik weet niet wat er gebeurd is, Greg,' zegt hij zo oprecht mogelijk. 'Ze leken gewoon ineens te zijn ... getransformeerd. Ik kan het niet verklaren. Ik weet niet eens of er wel een verklaring is.'

'Er is altijd een verklaring, Howard. In dit geval is de verklaring dat er rotzooi in de punch is gedaan.'

'Rotzooi?'

'Blauw geworden punch, wat waarschijnlijk wijst op een soort slaappillen, de standaard date-rapemethode.' De Automator bestudeert bedachtzaam zijn nagels. 'De uitslagen zijn nog niet terug van het lab, maar te oordelen naar de symptomen – verlies van remmingen en motorische controle gevolgd door acute misselijkheid – gok ik op een grote hoeveelheid benzodiazepine.'

'Terug van het ...?'

'Een paar ouwe maatjes die bij de politie werken, Howard. Simon Stevens, van de klas van '85, Tom Smith, van de klas van '91 – misschien herinner je je Smithy nog wel, die zat een paar jaar boven jou, redelijke *prop forward*, veel potentie, maar heeft het nooit helemaal gemaakt. Heb ze gisteren bij de zaak betrokken. Moest wel. Er hoeft maar één ouder achter te komen wat er daarbinnen precies is gebeurd, en het regent straks rechtszaken. En als het zover is, kunnen we daar maar beter klaar voor zijn.' Hij draait zich op zijn hakken om en loopt de kamer rond, terwijl hij bedachtzaam tegen zijn onderlip tikt. 'Ik heb gepraat met de jongen die de punchbowl beheerde, maar volgens mij heeft hij er niets mee te maken. Ze hebben hem waarschijnlijk afgeleid toen ze het spul in het vat deden. Met die discolampen zal het kleurverschil niet zijn opgevallen. Hoewel sommigen van die kids eerlijk gezegd, zodra ze er lucht van kregen dat de punch niet koosjer was, tot om de hoek in de rij zouden gaan staan. Maar dat verklaart niet hoe, terwijl er twee toezichthouders in de zaal waren, de situatie zo heeft kunnen escaleren.' Hij draait zich om: zijn doorborende ogen en de hertenogen van Trudy richten zich op Howard. 'Hoe was dat mogelijk, Howard?' zegt hij.

'Het leek gewoon ... te gebeuren,' zegt Howard met verstikte stem. De Automator wacht even zonder te reageren, en zegt dan: 'Toen Wallace Willis me belde, zei hij dat jij en Miss McIntyre niet in de zaal leken te zijn.'

'O ja ... dat is ...' Howard stottert, en dan, alsof het hem net te binnen schiet: 'Nou ja, Miss McIntyre en ik zijn op een bepaald moment inderdaad heel even de zaal uit geweest.'

'O ja?'

'Ja, eventjes.'

'A-ha.' De Automator krabt aan zijn oor, en tiert dan: 'Godverdomme, Howard, wat dachten jullie nou? De eerste regel van het onderwijs: laat de kinderen nooit ook maar een seconde zonder toezicht, geen seconde! Ik heb specifiek tegen jullie gezegd dat er te allen tijde iemand in de zaal moest zijn – verdomme, daar heb je de rechtszaken al! Flagrant plichtsverzuim! Flagrant!' De ader is terug, hamert een tatoeage op zijn slaap.

'Ik weet het,' teemt Howard, 'maar, zie je, Aurelie, Miss McIntyre, had een grote hoeveelheid alcohol aangetroffen in de wc's, te veel om alleen te kunnen dragen, en we wilden die op een veilige plek opslaan, dus zijn we heel even naar het aardrijkskundelokaal gelopen, omdat dat de beste oplossing leek ...'

'En hoe lang waren jullie eventjes weg, denk je?' De blik van de Automator boort zich in Howard; Howard slaat zijn ogen naar het plafond, alsof hij daar inspiratie zoekt. 'Eh ...' Hij knijpt ze stijf dicht, doet er dan maar eentje half open. 'Tien minuten?'

De starende blik is niet verdwenen. 'Tien minuten?'

Onder zijn boord breekt het koude zweet hem uit. 'Ruwweg, ongeveer, ja.'

De staalblauwe ogen vernauwen zich – en dan wenden ze zich af. 'Ja, dat is ook zo'n beetje wat Aurelie zei – Trudy?'

Trudy bladert door een manilla map: 'Dat heb ik hier ook staan: in beslag genomen drank uit de meisjes-wc, weggegaan om die op te slaan in het aardrijkskundelokaal, tien tot twaalf minuten weg geweest.'

'Hoewel jij en Aurelie het zo te horen een beetje ruim hebben geschat, want Trudy en ik hebben het getimed en het kost je minder dan vier minuten om op gematigde snelheid van de gymzaal naar het aardrijkskundelokaal te lopen, en vier minuten terug, dat is samen acht minuten,' merkt de Automator op.

Maar die informatie, en het geluk dat de leugen van Miss McIntyre de zijne ondersteunt, wordt verdrongen door het feit dat haar naam wordt genoemd. 'Dus ze is hier geweest, Aurelie ... Miss McIntyre, bedoel ik?'

'Vanochtend vroeg.' De Automator schudt bedroefd zijn hoofd. 'De hele toestand heeft haar behoorlijk aangegrepen. Ze is een investment banker, ze is niet gewend aan dat soort ongebreidelde verdorvenheid.'

Howard verliest zich even in een dagdroom over de ongebreidelde, naakte Aurelie, aan de andere kant van die twaalf tumultueuze uren, en vraagt zich, terwijl zijn maag zich omdraait van schuldgevoel, tegelijkertijd af hoe hij die uren weer kan oversteken, bij haar terug kan komen.

'Laten we zeggen tien minuten,' gaat de Automator verder. 'Wat onze drogeerder ook heeft gebruikt, het moet verrekt sterk spul zijn geweest, zo snel als het effect had. Verrékt sterk.' Hij draait zich om naar Howard, die met een gebaar van hulpeloze imbeciliteit terugkijkt. 'Nou, dat zullen de jongens van het lab wel voor ons kunnen ophelderen. Belangrijker is: wie is er verantwoordelijk voor?' Hij pakt een presse-papier van zijn bureau, ruwweg zo groot als een hockeypuck en vagelijk wapenachtig. 'Volgens mij weten we allebei wie dat is. Dit wijst regelrecht naar die Juster.'

'Juster?' Howard ontwaakt abrupt uit zijn Aurelie-dagdroom. 'Bedoel je Daniel Juster?'

'Reken maar dat ik hem bedoel. Slippy, Snippy of hoe hij zichzelf ook noemt.'

'Maar wat ... Ik bedoel, wat heeft hij ermee te maken?'

'Nou, verdomme, Howard, moet ik het voor je uittekenen? Kijk nou eens naar de feiten. Nog geen week geleden staat die jongen, tegen alle gedragsregels in, over te geven tijdens de Franse les. En voor we het weten verandert een doodgewoon schoolfeest in een massale kotspartij. Het verband valt niet te ontkennen.'

Misschien is dat wel zo, maar Howards hersens hebben moeite het te leggen. 'Ik zie Juster echt geen drugs in de punch doen, Greg,' zegt hij. 'Volgens mij heeft hij dat gewoon niet in zich.'

'Oké, Howard. In mijn ogen lijkt het kotsen onweerlegbaar. Maar je mag advocaat van de duivel spelen. God weet dat we niet willen dat Justers ouders ons voor de rechter slepen. Wat dacht je hier dan van? We kunnen met zekerheid zeggen dat Juster gisteravond op het feest was. Pater Green herinnert zich nog dat hij binnenkwam. Maar raad eens wie er niet bij was toen ik de kids op een rij tegen de muur zette, Howard? Raad eens wie er al was vertrokken?' Hij gooit de presse-papier op in zijn handpalm en gaat theatraal verder: 'Maar misschien trek ik te snel conclusies. Misschien is hij gewoon vroeg naar bed gegaan. Misschien is hij wel naar jou toe gekomen om toestemming te vragen weg te mogen. Is dat zo, Howard? Jij had het toezicht op de deur. Herinner je je dat hij je speciaal toestemming vroeg om te vertrekken?'

'Nee,' geeft Howard toe.

'Dus we kunnen al vaststellen dat hij een van de huisregels heeft overtreden, met betrekking tot vertrekken zonder een toezichthouder daarvan op de hoogte te stellen. Wat weerhoudt hem er dan van nog een regel te overtreden? Ze allemaal te overtreden? Het is zonneklaar, Howard. Zonneklaar.'

Dat de Automator een zondebok heeft voor dit debacle is zonder meer goed nieuws voor Howard, maar tegelijkertijd lijkt er iets niet te kloppen aan zijn versie van de gebeurtenissen. Hij probeert zijn gedachten te wapenen tegen de verwoestende schuldkater die hem als een gigantische psychische afvoerput naar de grond trekt – en dan schiet het hem te binnen. 'Greg, Carl Cullen probeerde gisteravond de gymzaal in te komen. Hij klopte rond negen uur op de deur. Hij leek ... geagiteerd.'

'Heb je hem binnengelaten?'

'Nee. Het was na het sluiten van de deuren, dus heb ik hem weggestuurd.'

'Dan zie ik niet in wat hij met onze situatie te maken heeft, Howard, als je hem niet binnen hebt gelaten.'

'Nou, als hij nou eens niet naar huis is gegaan? Als hij nou, je weet wel, heeft besloten wraak te nemen – naar binnen te glippen en ... en dit te doen?'

De Automator staart een hele tijd naar de grond. Trudy kijkt naar hem, haar pen in de aanslag boven het papier, voor als hij weer begint te praten. 'Hoe laat zei je dat je Carl had weggestuurd?'

'Rond negenen.'

'En hoe laat ging je naar het aardrijkskundelokaal?'

'Om een uur of ... halftien?'

'Dus had hij dan de tijd om naar huis te gaan, een heleboel drugs te halen en op tijd weer hier te zijn,' peinst de Automator. 'Ja, dat had hij. Maar dan moeten we wel aannemen dat hij wist dat jij je uitstapje zou ondernemen en de zaal zonder toezicht zou achterlaten, wat niet het geval was. Zelfs als hij het spul van begin af aan bij zich had, was hij dan blijven rondhangen voor het onwaarschijnlijke geval dat hij op de een of andere manier binnen zou weten te komen? Een halfuur lang? In de regen? Die jongen is een wilde, maar geen masochist. Nee, dit lijkt me een klusje van binnenuit. Iemand die de hele avond op je let, afwacht tot zich een kans voordoet. Hij heeft niet veel tijd nodig. Een paar seconden, meer niet. Zodra je de deur uit bent, slaat hij toe. Misschien zelfs vóór je de deur uit bent. Hoe dan ook, hij doet het spul erin, en dan maakt hij dat hij wegkomt. Geen haan die ernaar kraait.'

'Maar er is helemaal geen bewijs dat het Juster was,' brengt Howard in, wetend dat het zinloos is. 'Ik bedoel, iedereen in die zaal had het kunnen doen, toch?'

'Ja, natuurlijk had iedereen het kunnen doen. Het hadden ook ondeugende elfjes kunnen zijn. Of het mannetje op de maan. Maar alle beschikbare feiten wijzen op die jongen van Juster.'

'Maar waarom ...'

'Precies, Howard! Waarom? Dat moeten we tot op de bodem uitzoeken.' Hij tikt met zijn balpen tegen zijn tanden. 'Heb jij iets uit hem kunnen krijgen toen je met hem praatte?'

'Nou ... eh ...'

'Je hébt toch wel met hem gepraat, hè?'

'Natuurlijk, ja ...'

'En? Heeft hij iets losgelaten? Kon je hoogte van hem krijgen?'

Howard graaft koortsachtig in zijn geheugen naar de ontmoeting met Skippy, maar hij kan zich geen woord herinneren van wat de jongen heeft gezegd; alleen de hand van Miss McIntyre op zijn arm, haar parfum in zijn neusgaten, haar plagerige glimlach. 'Nou, eh ... Hij leek me in grote trekken een behoorlijk normale jonge ...'

'Misschien moet je me maar eens woord voor woord vertellen wat hij tegen je zei – Trudy, noteer jij dit even?'

'Ja, Greg.' Trudy's pen hangt verwachtingsvol boven de blocnote.

'Hmm ...' Howard fronst ingespannen zijn wenkbrauwen. 'Nou, het punt is, het was eigenlijk niet zozeer een formeel gesprek. Meer een soort ... Ik liet hem weten dat mijn deur openstond? Zodat hij, als hij in de toekomst problemen had, wist dat hij ...'

'Áls hij ...?' sputtert de Automator. Hij slaat met zijn vlakke hand op het bureau, alsof hij zichzelf met een klap weer in beweging wil brengen. 'Jezus christus, Howard, we wéten dat hij problemen heeft! Als een joch tijdens de Franse les over zijn vriendjes heen kotst, dan heeft hij problemen, ja! Het hele punt is dat jij moest uitzoeken wat die problemen wáren! Om precies het soort situatie te vermijden waar we nu middenin zitten!' Hij laat zich zwaar in een van de nieuwe draaistoelen zakken, drukt de toppen van zijn gespitste vingers tegen zijn voorhoofd, en slaakt een zucht die klinkt als een vlammenzee die alles op zijn pad verkoolt.

'Nou, ik kan hem toch nog een keer opzoeken?' zegt Howard

haastig. 'Dan ga ik nog eens met hem praten, en ik beloof je dat ik dit keer zal achterhalen wat er mis met hem is.'

'Daar is het nu te laat voor,' mompelt de Automator in zijn hand. Dan, ronddraaiend in zijn stoel: 'Het is tijd voor het zware geschut – Trudy, maak een afspraak voor Juster bij zijn decaan, zodra hij terugkomt. Pater Foley zoekt dit wel uit.' Hij staat op en loopt naar het raam, met zijn rug naar Howard, zijn hand tegen het kralenkoord van de luxaflex.

'Heb je al kans gezien om, eh, het er met Juster over te hebben?' vraagt Howard hees.

'We hebben gisteravond even kort gebabbeld, toen jij bezig was met je schoonmaakwerkzaamheden,' zegt hij, en zijn antwoord druipt van valse opgewektheid. 'Hij stond boven zijn tanden te poetsen. Deed heel onschuldig. Zei dat ie zich niet lekker had gevoeld en even was gaan wandelen. De deur stond open, zei hij, dus hij dacht dat het wel mocht. Wist nergens iets van.' Het licht wordt grijs als de luxaflex dichtgaat, en weer helder als ie weer opengaat. 'Een fijn wandelingetje, helemaal in zijn eentje, midden in de winter, gekleed als een hobbit, verdomme. Die knul had evengoed zijn middelvinger naar me op kunnen steken. En de ellende is dat ik niemand heb om hem tegen te spreken. Niemand kan zich ook maar iets herinneren van wat er is gebeurd. Een soort algeheel geheugenverlies, veroorzaakt door die verdovende middelen misschien. Of misschien heeft die Slippy van jou wel eerst met ze gesproken.'

Een uitgestrekt moment lang is er alleen het dimmen en feller worden van het licht, het staafje van de luxaflex dat piept in de hand van de Automator. En dan: 'Ik kan het je net zo goed vertellen: dat collectieve geheugenverlies is waarschijnlijk ook jouw redding geweest.'

Howard schrikt. *Piep, piep, piep*, doet het staafje. Trudy richt haar aandacht discreet op de manilla map, alsof dit deel van het gesprek niet voor haar oren bestemd is. Het onbewogen silhouet van de Automator vervaagt en wordt weer scherper. Howard begint iets te zeggen, maar houdt in, voelt zijn overhemd klam tegen zijn rug plakken.

'Hou jij van vissen, Howard?' De Waarnemend Rector wendt zich abrupt af van het raam en loopt het vertrek door naar het aquarium.

'Of ik van ze hou?!' stamelt Howard.

'Die ouwe zat hier halve dagen te kijken hoe die stomme vissen ronddreven. Heb er zelf nooit de lol van ingezien. Volkomen nutteloze schepsels.' Terwijl hij neerhurkt, knipt hij met zijn vingers naar een van de felgekleurde beestjes die rustig in hun bassin drijven. 'Moet je nou zien. Geen idee wat er gebeurt. Is vierentwintig uur per dag in dit kantoor, en kan mij nog niet onderscheiden van een gat in de muur.' Hij draait zich weer om naar Howard. 'Weet je wat het verschil is tussen mensen en vissen, Howard?'

'Dat zij kieuwen hebben?'

'Dat is één verschil. Maar er is nog een verschil, een belangrijker verschil. Eens kijken of je het ziet. Kom op, kijk eens goed.' Howard staat gehoorzaam op uit zijn stoel en bestudeert de vissen van uiteenlopende grootte in hun verwarmde vagevuur. Hij hoort de Automator naast zich ademhalen. De vissen flapperen met hun vinnen, vreedzaam en ondoorgrondelijk.

'Ik zie het niet, Greg,' zegt hij uiteindelijk.

'Natuurlijk niet. Teamwork, Howard. Dat is het verschil. Vissen zijn geen teamspelers. Moet je ze nou zien. Er zit geen systeem in hun werk. Ze praten niet eens met elkaar. Hoe moeten ze dan iets voor elkaar krijgen, zul je je afvragen? Antwoord: dat krijgen ze ook niet. Wat je daar voor je ziet, zijn vissen op de toppen van hun kunnen. Ik kijk nu al een maand naar ze, en dit is het wel zo'n beetje.'

'Juist.' Howard heeft het gevoel dat hij van alle kanten wordt belaagd door een onzichtbare vijand.

'Je kunt je afvragen wat zij te zoeken hebben in een onderwijsinstelling. Ze lijken ons weinig te leren te hebben. En wij hebben hun op onze beurt ook niet veel te leren. Een vis kun je niet onderwijzen, Howard. Een vis kun je niet vórmen. Zoogdieren, honden, katten, bevers, zelfs muizen – die kun je trainen. Ze weten mee te werken. Ze zijn bereid hun rol te spelen en zich in te zetten voor het algemeen belang. Vissen zijn anders. Ze zijn onbuigzaam. Loners, solipsisten.' Hij tikt tegen het glas – weer geen reactie – en dan zegt hij: 'Je hebt het verkloot gisteravond, Howard. Ik weet niet hoe erg, en misschien zal ik dat wel nooit weten. Maar het heeft me wel de ogen geopend.'

Howard wordt rood. Hij ziet Trudy van achter het bureau naar hem turen met een blik van diep medelijden en compassie; ze richt zich snel weer op het manilla schrijfblok.

'Ik schatte je in als een teamspeler. Nu vraag ik me af of je niet meer op een van die vissen lijkt. Je zou graag gewoon maar zo'n beetje in je eentje in het water liggen drijven en dagdromen. Er is geen wet die dat verbiedt, zul je zeggen. Dat klopt. Maar hier op Seabrook College hebben we niet veel aan een vis. Op Seabrook College willen we dingen voor elkaar krijgen. We hebben doelen te bereiken, academische en sportieve uitmuntendheid. We werken samen; we denken over de dingen na. We zijn zoogdieren, Howard. Zoogdieren, geen vissen.'

'Ik ben een zoogdier, Greg,' verzekert Howard hem haastig.

'Je kunt niet gewoon maar zeggen dat je een zoogdier bent, Howard. Een zoogdier zijn draait om wat je dóét. Het weerspiegelt zich in je kleinste handelingen. En bij jou krijg ik het gevoel dat je nog geen beslissing hebt genomen.' Hij gaat rechtop staan, kijkt Howard strak aan. 'Ik wil dat je tijdens de vakantie eens goed nadenkt over wat je gaat doen. Want óf je gaat je gedragen als een zoogdier en je wordt onderdeel van het team, óf het wordt misschien tijd dat je een ander aquarium gaat zoeken. Is dat duidelijk?'

'Ja, Greg.' 'Duidelijk' is misschien niet het goede woord, maar Howard begrijpt dat hij het kantoor uit zal lopen met zijn baan nog intact. Een golf van opluchting gaat door hem heen, terwijl het spookbeeld van een lang, verklarend gesprek met Halley voorlopig in de verte verdwijnt.

'Oké, maak dat je wegkomt.' De Automator loopt naar zijn bureau en pakt het vel papier met de namenlijst op.

'Goedemorgen, met het kantoor van de Waarnemend Rector,' zegt Trudy in de telefoon, en Howard meent in haar stem ook een zekere dankbaarheid te bespeuren.

Brian 'Jeekers' Prendergast zit nog steeds op de rand van het bankje voor de deur van het kantoor, met dezelfde uitdrukking van naderend onheil op zijn gezicht. 'Heeft de decaan nog steeds niet met je gesproken?' zegt Howard.

'Hij zei dat ik moest wachten,' zegt Jeekers beverig.

Howard buigt voorover, legt zijn handen op zijn dijen. 'Wat is er gisteravond gebeurd?' vraagt hij zachtjes. 'Heb jij gezien wie er iets in de punch heeft gedaan?'

De jongen geeft geen antwoord; hij staart alleen maar leeg terug, lippen op elkaar geperst, alsof Howard een reeks onzinnige woorden heeft uitgesproken.

'Maakt niet uit,' zegt Howard. 'Tot volgende week.' En hij loopt kletterend de trap af.

Zodra je de deur opendoet, merk je dat er iets mis is. Het ziet eruit als een gewone kamer, maar dan zie je dat er rook opstijgt van de vloer – je springt net op tijd achteruit, voor de zwarte staart door de leistenen snijdt, en dan komt de Demon brullend uit het gat! Hij rijst in een stofwolk op tot ie bijna de hele kamer in beslag neemt, boven je kolkt als een vlaag smog boven een stad, en alles om je heen staat nu al in brand! Zelfs met de amulet om je nek begint je energieniveau razendsnel te kelderen, je hebt geen idee hoe je hem moet bestrijden – je kunt alleen maar een krachtenveld opwerpen, en naar voren duiken met het Zwaard der Liederen …

'Danny? Ben je daar, maat?'

'Ja, kom binnen.'

Zijn vader komt de deur door. 'Waar ben je mee bezig, vent? O, heb je het apparaat meegenomen?'

'Ja, ik wilde het niet op school laten staan.'

'Wat is dat voor spel? Is het nieuw?'

'*Hoopland.*'

'Nog steeds *Hoopland*? Dat heb je vorig jaar toch met kerst gekregen?'

'Het is moeilijk. Maar ik heb het bijna uitgespeeld.'

'Goed zo! Maar, het eten is bijna klaar …'

'O. Oké …' Skippy drukt op *pauze* en staat op van de vloer.

In de keuken een glas water inschenken bij de gootsteen. Door de condens lijkt de tuin in mist te verdwijnen. Zijn vader pakt twee dampende stukken vlees van de grill en legt ze op borden. 'Oké!' zegt hij. 'Kip à la Pa.'

'Het ruikt heerlijk.'

'Nou …' Zijn vader schept rijst uit de rijstkoker, vervolgens saus uit een sauspan. 'We zullen maar uitgaan van het principe dat als we er niet dood aan gaan, we er sterker van worden.' Hij lacht. Dan houdt hij op met lachen.

Thuis, als ze de hele dag samen zijn, wordt het Spel dat Skippy en zijn vader spelen een stuk moeilijker. Nu het zo bij hen in de kamer hangt, zou het heel makkelijk zijn er iets uit te flappen! Dus hebben ze een omgekeerde code bedacht. Die code gebruik je door elk woord te vervangen door 'geweldig'. Een typisch gecodeerd gesprek klinkt dan ongeveer zo:

En, hoe ging het zwemmen, knul?

O, geweldig, het gaat geweldig.

Geweldig, zeg! Wanneer is je volgende wedstrijd?

Over twee weken, in Ballinasloe?

Dat is de halve finale, toch?

Ja, het wordt zwaarder dan de vorige keer, maar Coach denkt dat we een geweldige kans maken.

Zei hij dat? Wauw … geweldig! Dat is geweldig!

Inmiddels zijn ze er echte profs in. Niemand zou, als ze hen afluisterden, ooit denken dat er iets mis was. Omdat ze er zo goed in zijn, vindt Skippy het Spel soms zelfs bijna prettig. Het is een soort heel kostbare, breekbare lading die zijn vader en hij door de jungle dragen; of een huis, en dat zij er dan als spionnen 's avonds laat doorheen sluipen. Maar soms is het alsof de lucht van glas is en hij al zo lang wacht tot die in scherven uiteenspat dat hij begint te wíllen dat ie uiteenspat! Hij wil schreeuwen en gillen, tot ie aan duizend stukjes ligt! Heeft mijn vader dat ook? Soms vraagt hij zich dat af, maar het zou natuurlijk tegen de regels van het Spel zijn om het hem te vragen.

Hij weet niet hoe je het Spel moet winnen.

De klok tikt aan de muur. Skippy luistert hoe zijn vaders mes over het bord schraapt, de kip ontploft tussen zijn tanden. Hij kijkt naar de uitgesmeerde resten van bruine saus op het bord. Zijn vader kauwt en zegt: 'Als jij je zus nou eens belt?'

'Oké,' zegt Skippy.

Maar hij maakt zich meteen zorgen. Nina is heel slecht in het Spel. Er zijn te veel regels, ze is te klein om ze te begrijpen, ze huilt steeds of zegt dingen.

Vanavond, nadat ze even met hun vader heeft gepraat, zegt ze tegen Skippy dat ze met mammie wil praten. 'Hé, hoe noem je een meisje in een ambulance?' zegt Skippy. 'Ni-na, Ni-na, Ni-na!' Normaal vindt ze dat grappig. Maar vanavond niet. 'Ik wil met mam-

mie praten,' zegt ze.
'Dat gaat niet,' zegt hij.
'Waarom niet?'
'Ze slaapt,' zegt Skippy, en hij kijkt naar zijn vader. Die staart naar een stopcontact bij de achterdeur.
'Maak haar dan wakker.'
'Ik kan haar niet wakker maken.'
'Waarom niet?'
'Je weet best waarom.'
'Ik wil mammie.'
Skippy begint boos te worden. Waarom begrijpt ze de regels van het Spel nou niet? Waarom denkt ze dat de regels voor haar niet gelden? 'Wees nou niet zo'n trut,' zegt hij.
'Wat?' zegt Nina. Naast hem komt zijn vader ineens in beweging.
'Trut, je bent een trut!' schreeuwt Skippy.
Nina begint te huilen, waar hij alleen maar kwader van wordt, omdat ze zelfs vanaf het huis van tante Greta het hele Spel verpest! Maar dat moet je zijn vader nageven: hij blijft altijd kalm. 'Sst sst,' zegt hij, en hij legt een hand op Skippy's schouder. 'Laat mij nog maar even met haar praten, goed, knul?' Skippy geeft hem de hoorn aan.
'Hé liefje ... Ik weet het, hij is ... Maar ... Nee, dat is niet aardig, maar luister, ik vergat je iets te vragen: heb je het cadeautje gekregen dat mammie je heeft gestuurd? Ik weet het, maar ze ligt te slapen. Maar heb je het gekregen? O, nou, dan komt het vast morgen ... Wat? Dat mag ik niet vertellen, ze wil dat het een verrassing is ... sst, ik weet het ... Nou, je kunt toch ook pret maken met tante Greta, of niet?'
Terwijl zijn vader praat, geeft Skippy Dogley te eten. Hij wrikt bruine, kraakbenige klompen uit elkaar in zijn bak. *Chomp, chomp*, doet Dogley, met zijn kop naar beneden. Naderhand zet zijn vader voetbal aan. Skippy kijkt uit zijn ooghoek hoe hij kijkt hoe de witte stip tussen verschillend gekleurde mannen heen en weer gaat over het groene veld, zijn gezicht leeggelopen, zijn hand die gedachteloos aan de armleuning plukt, kleine balletjes pluis samenrolt en dan lostrekt.
Op het station viel het busje met pillen uit zijn jas toen hij in de auto stapte. 'Wat is dit, vent?' 'O, dat zijn pillen tegen wagenziekte

die Coach me heeft gegeven.' 'Tegen wagenziekte?' 'Ja, eh, dat is omdat ik me de vorige keer dat we terugkwamen van de wedstrijden heel klote voelde?' 'Hmm, normaal heb je geen last van wagenziekte.' 'Nee, het was ook heel raar.' 'Het kan ook gewoon de opwinding geweest zijn, denk ik.' 'Ja, waarschijnlijk wel.' 'Of misschien had je te veel water ingeslikt!' 'Ja!'

Ze stormen in een vlaag van tassen en gelach de voordeur door, maar als hij er nu aan terugdenkt, kan Skippy zich niet herinneren waar ze om lachten, of of ze iets uitlachten. Binnen waren de trappen overal. Ze liepen wentelend omhoog. Zijn vader bleef onderaan staan. 'Waarom ga je niet even tegen ma zeggen dat je er bent?' Skippy aarzelde en bekeek zijn vaders gezicht, het was net een gezicht dat uit een tijdschrift was gescheurd. 'Toe maar. Ze verwacht je al de hele dag.' 'Oké.' Skippy beklom de duizenden steile trappen naar de deur die bovenaan wachtte.

> JE HEBT DE VUURDEMON VERSLAGEN, DJED! Het is de uil, die ene die je los hebt gesneden uit het spinnenweb in de Sombere Bossen! MAAR JE HEBT GEEN SECONDE TE VERLIEZEN! MINDELORE WORDT ELK UUR STERKER EN MACHTIGER. IN ZIJN SMERIGE LABORATORIUM ONDERGRONDS IN DE ZUIDELIJKE LANDEN WERKT HIJ DAG EN NACHT OM ZIJN WALGELIJKE MONSTERS TE SCHEPPEN. BINNENKORT ZAL HIJ ZO'N GROOT LEGER HEBBEN DAT HIJ ONOVERWINNELIJK WORDT! JIJ BENT DE ENIGE DIE HEM TEGEN KAN HOUDEN. JIJ BENT ONZE LAATSTE HOOP! De kop van de uil zwenkt naar links, en als hij je weer aankijkt, zijn zijn vochtige ogen vol tranen. HET RIJK IS AAN HET STERVEN, DJED. DE AARDE IS IN GIF VERANDERD, DE RIVIEREN EN MEREN IN IJS, DE LUCHT IN VUUR DAT EENIEDER VERSTIKT DIE HET INADEMT. DE DOEM DIE ONS WACHT IS DUISTERDER DAN ALLES WAT WE ONS HADDEN VOORGESTELD. NOG EVEN EN HOOPLAND ZELF IS NIET MEER, EN MINDELORE ZAL ZICH TOT KONING KRONEN VAN HET NIETS DAT ACHTERBLIJFT. RED DE PRINSES, DJED! HAAST JE!

Je drukt je op in je kamer. Overal om je heen posters van voetballers, rappers, superhelden, bands. De zwemmende ster Michael Phelps, de jongste man ooit die het wereldrecord verbrak (toen hij vijftien jaar en negen maanden oud was). Het *Star Wars*-dekbedovertrek en al je oude speelgoed op planken. Lego, Boglins, Zoids. Je hebt het gevoel alsof je kampeert in de kamer van een andere jongen. Je voelt je net de vervangende jongen die ze binnen hebben gehaald nadat er iets afgrijselijks is gebeurd. Je loopt door het huis alsof er informatie over is ingeprogrammeerd in je.

De radio in de keuken ploft en stoort telkens als je erlangs loopt.

De eksters krassen als machinegeweren, hun klauwen schrapen over het tinnen dak van het schuurtje.

Het afvoerputje is elke ochtend opnieuw gevuld met versleten grijze haren.

Zijn vader houdt het boek vast, maar slaat nooit de pagina om.

En de deur blijft de hele dag dicht.

'Heb je even, Danny? Ik moet ergens met je over praten.'

'Tuurlijk, pap.'

'Dit zat vanmorgen bij de post.' Zijn vader zwaait met een roze vel papier in zijn linkerhand. Het is Skippy's tussenrapport.

'O.'

'Ja, daar moeten we het maar eens over hebben. Ik bedoel, we moeten het sowieso maar eens over dingen hebben, vind je niet?'

Ze gaan aan tafel zitten. Zijn vader pakt de onderkant van zijn stoel vast en zet hem schuin, zodat hij Skippy aankijkt. Van zo dichtbij lijkt hij heel groot: een beer die zich op een keukenstoel heeft gewurmd. Zijn adem ruikt naar whisky. Skippy zit heel stil en gluurt schuin naar het rapport, dat naast hen op tafel ligt. Een rij vijven en zessen, en onderaan, in het slordige volwassen handschrift van iemand, waarschijnlijk de Automator: '*Teleurstellend – moet beter zijn best doen.*'

'Heb je om te beginnen iets te zeggen over je cijfers, Danny?'

'Nou ... nee ... Ik bedoel, ze zijn teleurstellend.'

'Nee, ik bedoel, ik vroeg me af of er een reden voor is, of je bijvoorbeeld repetities had die keer dat je niet in orde was?'

'Nee.' Zijn vaders ogen turen in de zijne. Hij probeert nog iets anders te bedenken om te zeggen. 'Het spijt me,' zegt hij. 'Ik zal beter mijn best moeten doen, denk ik.'

Pa haalt adem. Het is het verkeerde antwoord. 'Wat ik me afvraag is ...' zegt hij. 'Wat ik me natuurlijk afvraag is: heb je op het moment moeite je te concentreren? Vind je het moeilijk je aandacht bij de dingen te houden?'

Hmm. Skippy trekt een 'Ik denk er goed over na'-gezicht. 'Nee, niet echt. Nee, dat zou ik niet zo willen zeggen.'

'Had je niet te veel aan je hoofd om ...?'

'Nee.' Skippy klinkt alsof die vraag hem verrast. 'Nee hoor, helemaal niet.'

'En toch zijn je cijfers flink achteruitgegaan.'

Skippy kijkt naar Dogley, probeert hem telepathisch naar zich toe te roepen.

'Je staat niet terecht, hoor, knul. Ik probeer er alleen maar achter te komen, nou ja ...'

Skippy haalt diep adem. 'Nou, misschien heb ik even tijd nodig om mijn draai te vinden in de bovenbouw. Volgens mij moet ik gewoon mijn draai wat meer vinden, en beter mijn best doen.'

Zijn vader staart hem aan. De zure geur van whisky, het metalige gezoem van de koelkast. 'Is dat alles?'

'Mm-mm,' knikt Skippy ferm.

Pa zucht en kijkt weg naar links. 'Danny ... in bepaalde situaties ... Nou ja, laat ik het zo zeggen: persoonlijk vind ik het op mijn werk soms moeilijk om me te interesseren voor waar ik mee bezig ben. Ik vroeg me af of jij dat ook een beetje had.'

Skippy's ogen branden van de tranen. Waar is zijn vader nou mee bezig? Waarom probeert hij hem te betrappen? Hij geeft geen antwoord, knippert naar hem en zegt: 'Wat?'

'Het gaat me niet om die cijfers, knul.' Zijn vader merkt het niet. 'Het gaat me er meer om dat je misschien het gevoel hebt ...' Zijn gevouwen handen duiken tussen zijn knieën als het kopje van een dode vogel; dan zegt hij, op een andere toon: 'Wat ik denk ik wil zeggen, is dat we misschien een fout hebben gemaakt in ons oorspronkelijke plan. Misschien hebben we niet helemaal goed voorzien hoe ... hoe lang het zou duren voor alles op zijn pootjes terechtkomt. Denk je niet dat het misschien zinniger zou zijn als we een soort ... als ik met die meneer Costigan van je zou gaan praten, en tegen hem zou zeggen: "Nou, zus en zo is de situatie, dan bent u daarvan op de hoogte."'

Pa, wat doe je nou?! En het Spel dan?! Weet je dan niet wat er gebeurt als je erover praat?! Weet je niet meer wat er de vorige keer gebeurde?!

'Ik weet dat je hebt gezegd dat je dat niet wilde. En ik zal die beslissing natuurlijk respecteren. Ik vraag me alleen maar af of je er sindsdien nog over hebt nagedacht. Iets hebt bedacht wat de druk misschien een beetje van de ketel zou halen?'

Skippy knijpt zijn mond stijf dicht en schudt langzaam zijn hoofd.

'Weet je het zeker?' Zijn vader trekt smekend zijn wenkbrauwen op.

Skippy knikt, net zo langzaam.

Zijn vader haalt zijn handen over zijn gezicht. 'Ik vind het gewoon een afschuwelijk idee dat jij daar in Seabrook zit ... Ik bedoel ... we willen dat je gelukkig bent, als dat kan, Danny, dat willen we graag.'

'Ik bén gelukkig, pap.'

'Tuurlijk. Oké. Dat weet ik.'

Hou je stevig vast aan je stoel, en wacht tot het achter de rug is. De pillen in de la in je kamer.

'Oké.' Zijn vader gooit zijn handen in de lucht. 'Dan moeten we maar kijken hoe het gaat.' Hij glimlacht vreugdeloos. 'Eind van het verhoor,' zegt hij.

Je staat op om weg te lopen. Het voelt koud in je binnenste, hol, als de ruïne van een kasteel waar de wind doorheen giert: *whhhhssssshhhhhhhwhhhhhhhhhhhshhhhhh.*

'Hé, ik dacht erover morgen na mijn werk een stukje te gaan zwemmen in het zwembad. Zin om mee te gaan?'

'Hmm ... nee, dat hoeft niet, dank je.'

'Moet je niet trainen voor de wedstrijd?'

'Nee. Coach zei dat dat niet zo belangrijk was.'

'Echt niet?'

'Nee. Hij zei eigenlijk dat we even rust moesten nemen. Ik denk dat ik maar even met Dogley ga wandelen. Kom, jongen.' Hij zwaait met de halsband en de riem naar hem en Dogley komt met tegenzin van zijn kussen.

De nachten zijn het ergst. Buiten ontploft het vuurwerk als clusterbommen; door de muur heen zijn de kreten als raketten die je hart in gillen. Maar in het geheime compartiment van je geheugen waar het Frisbeemeisje wacht, is alles nog precies zoals het was. Haar handen, haar ogen, haar stem die haar geheime lied zingt – het moment tilt je op en zwaait je erin rond; je verliest je weer in haar zijwaartse achtjes, en alles vervaagt tot een droom.

De vakantieweek is de langste van Howards leven. Het huis heeft nog nooit zo klein geleken, zo benauwend – als een ondergrondse bunker die je deelt met afketsende kogels die dag en nacht van de muren suizen, uur na uur. Zijn tanden doen pijn van het lege glimlachen; zijn spieren kloppen van het in stand houden van zijn smetteloze hanghouding op de bank; elk gesprek is alsof hij jongleert met vuur. Zelfs de meest alledaagse vraag van Halley – 'Is de melk op?' – zet een mentaal pandemonium in gang, waarin elke synaps in paniek een antwoord probeert te construeren voor de vertraging te opvallend wordt. Op de tweede dag begint hij te fantaseren dat hij zich aan haar voeten werpt, alles opbiecht, gewoon om een eind te maken aan deze uitputtende aanslag op zijn zenuwen.

Dan ontdekt hij een vluchtroute. Omdat hij bedacht heeft dat hij beter kan voorkomen dat hij de Automator nog meer ontstemt, gaat hij op maandagochtend naar de schoolbibliotheek en leent een paar boeken over de geschiedenis van Seabrook, als research voor zijn stuk voor in het programmaboekje van het concert. Ze zijn allebei geschreven door dezelfde stilistisch weinig begaafde pater en adembenemend saai – maar als hij zit te lezen, laat Halley hem met rust. Hij dompelt zich twee dagen lang gelukzalig onder in de geestdodende details van het verleden van Seabrook; als hij ze uit heeft, gaat hij terug naar de bibliotheek en vraagt de aan psoriasis lijdende pater die er de leiding heeft of hij nog meer over de school heeft. Dat heeft de pater niet. Heel even is Howard verloren. Dan krijgt hij een brainwave. 'En over de Eerste Wereldoorlog?' zegt hij.

Er zijn zeventien boeken over de Eerste Wereldoorlog. Howard leent ze allemaal. Thuis legt hij ze in stapels op de tafel in de huiskamer, en begint hij met een geboeide 'Niet storen'-uitdrukking op zijn gezicht te lezen; hij heeft zelfs een doos kaarsen naast zich staan voor als de stroom uitvalt door het werk aan het Science Park.

'Je verdiept je daar behoorlijk in,' zegt Halley, kijkend naar de stapels boeken met hun strenge, catastrofale omslagen.

'Ach, het is voor de jongens, weet je,' antwoordt hij in gedachten verzonken, en hij tuurt naar de pagina om iets denkbeeldig te onderstrepen.

De rest van de week leest hij aan één stuk door. Studieboeken en spannende verhalen, elegieën en niemendalletjes, ooggetuigenverslagen en duffe, geleerde geschiedkundige werken, hij leest ze allemaal; en op elke pagina ziet hij hetzelfde: het bleke lichaam van Miss McIntyre languit voor hem, haar mond tastend naar de zijne, haar betoverende, halfgesloten ogen.

Hij smacht ernaar met haar te praten. Haar afwezigheid en zijn onvermogen haar te bereiken zijn martelend. Op een avond vertelt hij aan Farley wat er is gebeurd, gewoon om haar naam te kunnen uitspreken. Zelfs als hij het hem in grote lijnen schetst aan de telefoon, schiet de elektrische lading van die avond weer door hem heen, met een rare mix van schaamte, trots en schaamte om zijn trots. Maar Farley lijkt die gevoelens niet te delen. Hij klinkt ernstig, alsof Howard heeft gemeld dat hij een of andere dodelijke ziekte heeft.

'En wat ga je nu doen?'

'Ik weet het niet,' zegt Howard.

'En Halley dan?'

'Ik weet het niet.' Het zijn allemaal vragen die hij heeft vermeden zichzelf te stellen. Waarom stelt Farley ze dan? 'Ik geloof dat ik verliefd ben op Aurelie.' Howard realiseert het zich pas als hij het zegt.

'Dat ben je helemaal niet, Howard. Je kent haar nauwelijks.'

'Wat maakt dat nou uit?'

'Het maakt alles uit. Je bent al drie jaar samen met Halley. Als je het nu vergooit, krijg je daar spijt van, geloof me.'

'Wat stel je dan voor dat ik doe? Net doen alsof er niets is gebeurd? Mijn gevoelens gewoon maar wegstoppen? Is dat het?'

'Ik vertel je alleen maar wat je al weet, namelijk dat dat gedoe met Aurelie een fantasietje is. Het is niet echt, dat weet je best. En nu je je verzetje hebt gehad, moet je het van je afzetten. Je hebt Halley toch niks verteld, hè?'

'Nee.'

'Oké, nou, houden zo. In mijn ervaring is eerlijk zijn absoluut niet de oplossing in dit soort gevallen. Wacht gewoon af tot de dingen duidelijker worden. En als ze ernaar vraagt, ontken je alles.'

Howard is kwaad. Naar hoeveel van Farleys fantasietjes heeft hij in de loop van de jaren niet geluisterd? Hoe vaak heeft hij niet aan zijn kop gezeurd over de nieuwe serveerster in de *deli*, het nieuwe hulpje in de apotheek of dat meisje in het internetcafé met die ongelooflijke tieten – ze waren allemaal, veroverd of (meestal) anderszins, binnen twee weken straal vergeten. Wie is hij om een preek af te steken? Wie is hij om te dicteren wat al dan niet echt is? Te zeggen wat Howard voelt of niet voelt? Dat híj nou graag vrienden heeft die een keurig leventje leiden, graag naar een gezellig huis gaat waar hij gezellig kan komen eten en zijn wilde verhalen kan vertellen, een avondje geniet van de stabiliteit en routine van anderen zonder ooit last te hebben van de sleur ervan, het eindeloze commentaar en de beperkingen ...

Maar later, als de ergste woede is gezakt, moet hij toegeven dat Farley misschien wel een punt heeft. Ja, Miss McIntyre is mooi; ja, wat er in het aardrijkskundelokaal is gebeurd was opwindend. Maar betékende het ook echt iets?

Hij zit weer op de bank met zijn boeken; aan de andere kant van de kamer tikt Halley op haar computer, terwijl sigarettenrook zich verzamelt boven haar schouder – een vertrouwde spookverschijning.

Mensen doen rare dingen, dat heeft Aurelie zelf gezegd. Ze doen arbitraire dingen om hun grenzen af te tasten, zich vrij te voelen. Maar die momenten hebben geen enkele betekenis buiten zichzelf. Ze houden niet echt verband met wie we zijn, ze zijn het leven niet. Het leven, dat is wat je doet als je geen arbitraire dingen doet om je vrij te voelen. Dít is het leven, deze huiskamer, de meubels en spulletjes die ze hebben uitgezocht en waar ze voor hebben betaald met trage uren werk, de kleine traktaties en versiersels die hun budget hun toestaat.

'Jij bent in gedachten verzonken,' zegt Halley van achter haar bureau.

'Ben gewoon iets aan het overdenken,' zegt hij.

Ze staat op. 'Ik ga een smoothie maken. Wil jij er ook een?'

'Lekker, dank je.'

Een leven en een plek om te leven tegenover een tijdelijke opflakkering van passie. Voor een volwassen man zou de keus niet moeilijk moeten zijn. Er vast van overtuigd dat hij op de goede weg is, bekijkt hij het nu als een wiskundige som, construeert in gedachten een uitgebreide vergelijking om het zichzelf overtuigend te bewijzen. Aan de ene kant zet hij zijn relatie met Halley, waarbij hij zo veel mogelijk meerekent: de eenzaamheid van zijn leven voor hij haar ontmoette, de offers die ze voor hem heeft gebracht, dat ze samen relatief gelukkig zijn, en ook abstractere noties als loyaliteit, eerlijkheid, vertrouwen, wat het betekent een goed mens te zijn. Aan de andere kant …

Aan de andere kant staan de mond van Miss McIntyre, haar ogen, haar nagels en haar rug.

Halley vraagt iets vanuit de keuken. 'Wat?' roept hij schor.

'Ben je in een bosbessenstemming of in een ananasstemming?'

'O … kijk maar.' Zijn stem, gespannen, hoog, puberaal, versmelt met het turbulente gesnerp van de blender.

Hoe ze losjes tegen de deur van het aardrijkskundelokaal steunt, tegen hem zegt: '*Je vervelen, dat is echt een misdaad.*'

Howard heeft zich ontzettend verveeld.

Howard zelf verveelde hem, en alle kenmerken die bij Howard zijn komen kijken. Daar geeft hij Halley niet de schuld van; verveling is lafaards aangeboren, zoals leden van het Russische koningshuis geboren worden met dun bloed. Maar feit blijft dat hij zich in het aardrijkskundelokaal niet had verveeld. Toen hij in het aardrijkskundelokaal op zijn rug in het donker lag, had hij het gevoel dat hij ontwaakte uit een diepe, diepe slaap.

'Alsjeblieft.' Halley geeft hem een groot, koud glas aan, haalt haar vingers door zijn haar en loopt terug naar haar computer.

'O … dankjewel …' Nou ja, misschien kan hij voorlopig maar het best afwachten. Tot hij weer naar school gaat en kan kijken hoe het ervoor staat; misschien moet hij Farleys advies maar opvolgen. Zich gedeisd houden en Halley – stiekem, onmerkbaar, door een zorgvuldige combinatie van verkeerd verstaan en verkeerd timen – op afstand houden; zich voorlopig tevredenstellen met heimelijke bezoekjes aan zijn geheugen, zijn voorraad Aurelie-momenten afspelen, zich hun toekomstige leven samen voorstellen, een glimlachend waas van ongecompliceerde juistheid. Hij slurpt koude citruspulp naar binnen, pakt zijn boek en zakt weg in een fantasie waarin hij zij aan zij met haar over door oorlog geteisterd land loopt, door splinters van voormalige bomen en in kaki gehulde ledematen die treurig uit de grond steken; hij is een soldaat, van top tot teen onder de modder; zij, smetteloos in een crèmekleurige angoratrui, stelt hem repetitievragen over zijn eigen leven waar hij niet voor geleerd heeft; maar zij heeft gelukkig alle antwoorden.

Carl in het donker in de schaduwen.

Het is laat. Hij weet niet hoe lang hij hier al staat.

Achter de hekken aan het eind van de grijze tong van de oprit staat een huis, haar huis. Er staan geen auto's buiten en er is geen licht aan, maar dat is een truc, want Carl zag een gestalte bewegen in het donker achter het raam.

Boven het hek een klein rood stipje van de beveiligingscamera. Daarom staat Carl hier tegen de muur gedrukt. De poorten zijn op slot en de muren hoog, met glas erbovenop. Het weggetje is smal en kronkelig, stil en donker; er beweegt niets. Behalve dat vanbinnen, van heel dichtbij, alles springt! Alles raast en schreeuwt in een tempo van een miljoen kilometer per uur!

In zijn oor zoemt de telefoon en een stem vertelt hem dat dit het nummer van Lori is. Hij spreekt het nummer heel schokkerig uit, als een defecte robot, zegt dat hij na de toon een bericht achter moet laten. De eerste paar keer deed hij dat ook, liet hij berichten achter als: 'WAAROM WAS JE NIET OP DE HOP?' 'WAAR BEN JE NU?' 'WAAROM NEEM JE NIET OP?' Maar toen begon hem dat te vervelen en nu laat hij stiltes achter. '*Hallo dit is nummernummernummernummer, laat een bericht achter na de toon ...*'

Stilte.

Tot het netwerk hem eruit gooit. Dan drukt hij weer op de knop, en gebeurt het van voren af aan. Maar inmiddels verwacht hij niet meer dat ze opneemt of niet opneemt; het is bijna alsof het zonder hem doorgaat: *zoem stem stilte zoem stem stilte*. Maar in gedachten ziet hij het voor zich, de telefoon die gaat in haar slaapkamer, het liedje van BETHani speelt, Lori die met haar benen over elkaar in haar pyjamabroek op bed zit, helemaal alleen in huis, ernaar kijkt als het op het bureau oplicht:

<<CARL GSM>>

dan houdt het op, en het kleine envelopje tuimelt het scherm op:

1 NIEUW BERICHT

en ze staat op, luistert het af, en het angstaanjagende geluid van de stilte, die *kchhhhhhhhhshhhhhhh* doet, stroomt in haar oor, stapelt zich op met alle andere stiltes die hij haar gestuurd heeft, stiltes die door het huis zweven als koude stukjes die uit de nacht zijn gesneden; ze is bang, ze huilt; dan drukt ze plotseling op de knop, en dit keer is hij in haar kamer, als statische elektriciteit, als het duister, als een kwaadaardige geest in een sprookje, en met hem de nacht, de kou, de bomen, de duisternis; ze zijn allemaal naar binnen getransporteerd, in haar slaapkamer gepropt; ze schreeuwt *Wat gebeurt er nou???!!!* en dan rent ze ...

Met de telefoon tussen zijn kin en zijn schouder haalt hij het buisje pillen uit zijn zak. Hij heeft ze voor haar meegenomen, maar inmiddels zijn ze bijna allemaal op. Hij schudt er een kleine piramide van op zijn vingertop en brengt die naar zijn neus. Het is een bericht dat hij naar zichzelf stuurt, hij doet zijn hoofd achterover en kijkt op naar de koude sterren en wacht tot het aankomt als een bliksemschicht ...

Dat klinkt er een geluid. Een bericht op zijn telefoon! Zij is het, ze heeft naar hem gekeken via de beveiligingscamera! En nu gaat ze de poort opendoen!

Maar het bericht is niet van haar, het is van Barry:

WR BEN JE JE MOET NU NR ED'S KMN

Carl wil niet naar Ed's. Hij schrijft terug:

HOEZO?

Het antwoord volgt bijna direct:

KM GWN HIER, VRDMME

Carl is pissig. Hij weet gewoon dat de hekken opengaan zodra hij weggaat, hij ziet haar op haar tenen over het grindpad lopen en zeggen: Carl, Carl. Klotezooi! KloteBarry!

Maar hij stapt op zijn fiets en rijdt als een bezetene naar Seabrook. De lichten op de weg dwarrelen en schijnen extra fel; hij is er in recordtijd! Maar als hij achter de donutwinkel is, is geen van de gezichten die zich naar hem omdraaien van Barry. Eerst denkt hij dat het een vergissing is, dat hij een verkeerd bericht heeft gekregen. Dan realiseert hij zich dat hij de gezichten kent. Hij draait zich om om weg te rennen, maar er staat iemand achter hem, en voor hij het weet ligt hij op de grond.

Het zijn de dealers uit het park, alle vier. Een van hen drukt hem tegen de grond, een ander hurkt even verderop neer en doet hetzelfde met Barry. Vanaf de grond kijkt hij tussen de armen en benen door naar Carl, met ogen vol angst. Wat gebeurt er?

'Twee bekakte klootzakjes van Seabrook College,' zegt de dealer met het kaalgeschoren hoofd op luide toon, alsof hij een toespraak houdt. 'Twee kleine mietjes.' Hij loopt in een kleine cirkel rond met een blikje in zijn hand. De dealer met vettig haar knielt op Carls borst. 'Dachten jullie dat jullie gewoon eeuwig zo door konden gaan? Dachten jullie verdomme dat we jullie dit gewoon lieten doen, en dat we het niet erg zouden vinden? Stelletjes flikkers!'

Vraagt hij dat nou aan Carl? Carl begrijpt het niet; hij probeert nog steeds te begrijpen wanneer het gezicht van Geschoren-Hoofd van een vraag plotseling in een sneer verandert, alsof hij een masker afzet en daaronder een vuur brandt. Carl vangt er maar een glimp van op; dan draait alles en ziet hij sterretjes. Zijn hoofd gonst, hij voelt iets nats over zijn gezicht lopen.

'Wat is het?' roept Geschoren-Hoofd. 'Waar heb je het vandaan?' Zijn voet komt met een pets neer op Carls oog. Carl draait hijgend zijn hoofd weg. Vanuit het donker staren de kapotte koplampen van een uitgebrande auto hem aan als iemand die verbrand is en op de grond ligt tussen het onkruid en afval.

Vettig-Haar doorzoekt Carls kleren, tast in de zakken van zijn broek en zijn jas. 'We maken jullie af,' zegt hij tegen Carl, zachtjes, als een dokter die tegen je zegt dat de naald een beetje kan prikken. Hij vindt Carls portefeuille en gooit die naar Geschoren-Hoofd.

'Da's in elk geval een begin, verdomme,' zegt Geschoren-Hoofd.

'Kijk eens aan.' Vettig-Haar heeft het buisje gevonden.

Geschoren-Hoofd pakt het aan en maakt het open. 'Is dat wat jullie verkochten? Wat is het? Speed?'

Barry probeert iets te zeggen, maar zijn tanden klapperen te veel. Geschoren-Hoofd maakt het buisje open en schudt een bergje uit op de rug van zijn hand. Hij laat zijn neus erboven zakken en vouwt even later met kleine schokjes zijn armen over elkaar. 'Wauw, dá's lekker! Ah!' Hij gooit zijn schouders naar achteren, draait met zijn hoofd. 'Fuck, yeah! Waar hebben twee kloothommels zoals jullie dit spul vandaan?'

Barry vertelt hem met een pieperige, stamelende stem over de pillen. Hij vertelt hem alles: over Morgan, over de meisjes op dieet, over die jochies van de lagere school en het vuurwerk.

'Verkopen aan al die rijke wijfies,' zegt Geschoren-Hoofd. 'Geen gek plannetje. Maar helaas hebben jullie de verkeerde mensen belazerd.' Zijn stem klinkt vrolijk van de drug, die je doet denken dat je op tv bent. 'Haal het touw,' zegt hij.

Nu komt er een dealertje met een rot gebit tussen de bomen aan de rand van het braakliggende terrein tevoorschijn. Hij heeft een blauw touw in zijn hand. Als hij dat ziet, begint Barry te schreeuwen. De puisterige gast die boven op hem zit geeft hem een klap, en als Barry daarna niet ophoudt, grijpt hij een oude krant die op de grond ligt en propt Barry's mond ermee vol. 'Laten we deze maar eerst doen,' zegt hij, en hij trekt Barry overeind. Barry maakt door de krant heen nog steeds geluid: een hoog, gorgelend gepiep, als van een verdrinkend varken. Er lopen tranen over zijn gezicht, en Carl voelt ze ook; ze branden in een brok in zijn keel.

Vettig-Haar sleurt hem overeind, terwijl Puistenkop Barry naar de uitgebrande auto sleept en hem op de motorkap trekt. 'Maak je maar geen zorgen, jij komt ook aan de beurt,' zegt hij met zijn artsenstem. 'Maar eerst moet je toekijken hoe je vriendje sterft.'

'Een zelfmoordverbond,' kondigt Geschoren-Hoofd aan, 'van twee kleine Seabrook-mietjes die er niet meer tegen kunnen. Ik denk niet dat de smerissen daar erg van zullen opkijken. Die zullen alleen maar blij zijn dat er twee flikkers minder zijn.'

Puistenkop heeft een strop van het blauwe touw gemaakt. Nu doet hij die over Barry's hoofd. Barry staart voor zich uit; het is net alsof hij naar iets afschuwelijks kijkt dat ergens heel in de verte gebeurt en dat verder niemand anders kan zien – maar dan, als

Geschoren-Hoofd roept: 'Doe het!' en Puistenkop achter hem gaat staan, wordt hij weer wakker – hij maakt dat geluid, zijn lichaam schudt zo hard dat het eruitziet alsof hij zichzelf aan stukken gaat schudden, zijn ogen zijn vervuld van paniek en tranen, die naar Carl toe schieten en zich aan hem vastklampen, hem smeken iets te doen –, maar wat moet Carl dan doen? Terwijl dit allemaal Barry's geweldige idee was? Barry, die overal een antwoord op heeft, die denkt dat ie zo slim is? Die Carl hiernaartoe heeft gelokt, zodat hij ook dood kan gaan? Plotseling wordt Carls lichaam overstroomd door woede, en hoewel een deel van hem vanbinnen denkt: o, kut ..., denkt een ander deel: sterf maar ...

'Wacht!' roept Rotte-Tanden schel. Puistenkop stopt met zijn handen bij Barry's schouders. Rotte-Tanden rent naar hem toe en trekt Barry's broek naar beneden. Iedereen lacht om Barry's lul, die verschrompeld is, wit, erwtachtig, en waar stromen gele pis uit spuiten. Ze blijven maar lachen, de dealers, de bomen, het vuilnis, de zwart-met-stalen afvalcontainers achter het Doughnut House, de mensen die binnen donuts zitten te eten, de interne leerlingen in de Toren, de lucht boven hun hoofd, en Carl lacht ook, of misschien huilt ie wel, het zou kunnen dat ie huilt, dat is met geen mogelijkheid te zeggen, en nu rent Puistenkop naar voren met zijn handen uitgestrekt ...

En Barry tuimelt naar de grond.

Carl weet niet wat er gebeurt. Dan begrijpt hij het. Het touw was nergens aan vastgemaakt. De dealers lachen zich rot. 'Ha ha, dat gezicht van 'm, a-ha-ha-haaa ...'

Barry zit op zijn handen en knieën. 'Haal dat ding van zijn nek voor hij zichzelf wurgt, verdomme,' zegt Geschoren-Hoofd. Rotte-Tanden loopt naar hem toe en haalt het touw om Barry's hals vandaan. Barry probeert op te staan, maar hij raakt verstrikt in zijn broek en valt weer plat op zijn gezicht. De dealers rollen over de grond met tranen op hun wangen. Uiteindelijk houdt Geschoren-Hoofd genoeg op met lachen om te zeggen: 'Ach, hier, Deano, geef 'm een blikje.'

Rotte-Tanden haalt een paar blikjes uit zijn tas en gooit er eentje naar Carl en een in de bosjes, waar Barry zijn broek zit op te trekken en zit te huilen. 'Jullie dachten dat jullie er geweest waren!' tettert Puistenkop. Een seconde later begint Carl er ook de grap van in te zien. Als hij Carl hoort, komt Barry uit de bosjes, hij lacht nu ook, een beetje. Iedereen lacht, behalve Vettig-Haar, die meer zo'n beetje naar Carl en Barry staart en op een wolfachtige manier glimlacht.

'Even goeie vrienden,' zegt Geschoren-Hoofd. Hij steekt zijn hand uit naar Barry. Barry schudt hem, en Carl vervolgens ook. 'We zouden twee goeie klanten zoals jullie niet afmaken,' zegt Geschoren-Hoofd. 'Maar het is wel lef hebben: lopen dealen in andermans territorium.'

'Sorry,' zegt Barry.

'Jullie zijn wel verrot slimme gasten, dat jullie zo'n lekker inkomstenpostje hebben bedacht. Het zou jammer zijn dat naar de klote te laten gaan.'

Iedereen gaat nu op de cirkel zwartverbrande grond zitten. Rotte-Tanden heeft een joint opgestoken – superskunk of zoiets, alleen van de geur ga je al naar de klote. 'Dit spul hebben jullie nooit aan ons verkocht,' zegt Barry.

'Je moet het beste altijd voor jezelf houden,' grijnst Rotte-Tanden. Zijn gebit is net een auto-ongeluk.

Vervolgens kan het een minuut later zijn of een uur. Carl en Barry zijn allebei kapot. De lucht draait om hen heen, de grond zuigt hen naar beneden alsof ie vol magneten zit. Rotte-Tanden leunt op zijn elleboog, grinnikt, speelt met de aarde. Geschoren-Hoofd en Puistenkop liggen op hun rug alsof iemand ze heeft laten struikelen. Nu begint Barry zich te bewegen. Terwijl hij voor hem ronddraait, zegt hij tegen Carl dat hij naar huis moet. 'Wacht effe.' Carl kruipt rond op zoek naar een richting die omhoogleidt. De grond gaat alle kanten op, alsof je op een schip zit.

'Tot ziens, gasten,' zegt Barry tegen de dealers.

'*Cheers, amigos*,' zegt Puistenkop. 'Later!'

Carl en Barry slingeren over de hobbelige grond, struikelen over blikjes, springveren en glas; ze giechelen omdat ze er zo lang over doen om ergens te komen. Dan raakt iets hards ze van achteren, en ze slaan tegen de grond.

Handen grijpen hen en draaien hen op hun rug. Vettig-Haar ademt die strontlucht in hun gezicht en Carl ziet door sterren heen Geschoren-Hoofd over hen heen staan; zijn glimlach is verdwenen en hij heeft een metalen staaf in zijn hand. 'Sorry, jongens,' zegt

Puistenkop. 'Maar we moeten jullie wel gewoon straffen.' Vettig-Haar rolt Barry's mouw op over zijn witte arm.

'Puur zakelijk,' zegt Geschoren-Hoofd. Hij zwaait de metalen staaf boven zijn hoofd.

Onder het gekrijs klinkt het breken van Barry's arm als een korte, droge knak, alsof er een KitKat in tweeën wordt gebroken. Als Rotte-Tanden en Vettig-Haar van hem af klimmen, ligt hij te kronkelen als een vis die uit zijn kom is gehaald.

Dan is Carl aan de beurt. Hij probeert ze weg te duwen, maar hij is te beneveld. Ze drukken hem tegen de grond, de staaf gaat omhoog ...

Maar hij komt niet naar beneden. Na een tijdje doet Carl zijn ogen open. De vier dealers staren allemaal naar Carls arm. 'Jezus christus,' zegt Puistenkop. 'Die gast is verdomme knetter.'

Het is november.

Het paadje naar de zijingang is glad van de gevallen bladeren, platgeslagen en nat van de regen en de modder; het is niet zo leuk meer om ze onder je trui gestopt te krijgen, of wanneer ze je lakens bedekken als je de dekens in je slaapkamer terugslaat. Alles ruikt naar verval, hoewel de vorst 's ochtends dat bijna tot het middaguur verdoezelt, als het waterige zonnetje zijn onbenullige hoogste punt bereikt.

De interne leerlingen beginnen op zaterdagochtend weer binnen te druppelen, en op maandag beginnen voor iedereen de lessen weer. Aanvankelijk wordt de teleurstelling van het terug zijn gedeeltelijk getemperd door de opwinding van de hereniging. Een enkele week in de Buitenwereld – die draaimolen van ontwikkelingen en avontuur! – levert meer verhalen op dan een heel trimester in dit gat waar de tijd stilstaat. Mensen hebben een héleboel bier gezopen en zijn heel, héél dronken geworden. Ze hebben per ongeluk of expres dingen in brand gestoken. Ze zijn naar Disney World geweest, zijn door een hond gebeten of hebben naar films voor achttien jaar en ouder gekeken. Hun amandelen zijn eruit gehaald, ze zijn naar de orthodontist geweest, seksueel ontwaakt of naar de kapper gegaan. De oren van Vaughan Brady hebben in het verband gezeten nadat hij met zijn hoofd vast was komen te zitten tussen de spijlen van een hek toen hij een briefje van vijf probeerde te pakken; Patrick 'Da Knowledge' Noonan komt terug van Malta met een mahonieachtig bruine huid waarmee hij bijna voor zwart door kan gaan, zeer tot ongenoegen van Eoin 'MC Sexecutioner' Flynn, in wiens buurt Patrick gevatte opmerkingen is gaan maken over 'the Man' en 'bleekscheet'.

Maar de morbide ernst van de school neemt met de seconde weer meer het heft in handen: de oude, bekende inertie overvalt ze, en algauw zijn de ontmoetingen met de buitenwereld verworden tot weinig meer dan vage dromen, een wilde wirwar van vormen en kleuren die snel vervagen, net als de bruine huid van Patrick Noonan, tot het aan het eind van de lessen van de eerste dag net is alsof ze helemaal nooit zijn weg geweest.

'Het is alsof we nooit zijn weg geweest, maar dan erger,' amendeert Dennis, die zich met de houding van een lijk uitstrekt op Ruprechts bed. Door het raam begint het al donker te worden; de klok is teruggedraaid en het magere voorraadje zonlicht dat er voor hen beschikbaar is zal tussen nu en Kerstmis dagelijks afnemen, tot er niet meer dan een splintertje van over is.

'Ha ha! Nou heb ik je, schattenstelend kaboutertje dat je bent,' stoot Mario uit, gebogen over een piepklein, futuristisch uitziend mobieltje.

'Ik wou dat ik dood was.' Dennis is in een bijzonder slechte stemming nadat hij in Athlone een week lang door zijn stiefmoeder naar novenen is gesleept. 'Ik vraag me af waarom ik niet doodga. Het is niet alsof ik iets heb om voor te blijven leven.' Hij installeert zich op het bed en sluit zijn ogen. 'Misschien kan ik, als ik hier maar stil genoeg blijf liggen … gewoon … ophouden … met … leven …'

'Ga op je eigen bed dood liggen gaan,' moppert Ruprecht zonder op te kijken van zijn berekeningen.

'Dat is de druppel, Blowjob, ik schrap je uit mijn testament,' zegt Dennis' lijk, dat vervolgens abrupt rechtop gaat zitten als BETHani uit de stereo komt. 'Jezus christus, Skip, draai je dat kloteliedje nou weer?!'

'Wat is er mis mee?'

'De eerste vierhonderd keer was er niks mis mee.'

'Let maar niet op hem, Skip,' zegt Geoff. 'Hij is gewoon jaloers, omdat hij nog nooit verliefd is geweest.'

'Ik heb er niks op tegen dat iemand verliefd is,' zegt Dennis. 'Ik heb er alleen wat op tegen als ze er eindeloos over doorzagen, terwijl het allemaal volkomen *denkbeeldig* is.'

'Het ís helemaal niet denkbeeldig!' mengt Skippy zich rozig aanlopend weer in het gesprek.

'O nee, natuurlijk niet. Dat ontzettend lekkere Frisbeemeisje pakt je beet, trekt je de Hop uit en jullie gaan met z'n tweeën rond lopen hollen in het donker en dan kust ze je?'

'Dat is er inderdaad gebeurd!'
'Zíj? Kuste jóú?! Kom op nou, Skippy.'
'Maar je hebt ons samen weg zien gaan! Jij was degene die me tegen haar aan duwde, weet je dat niet meer?'
'Nee.'
'We stonden met Mario te praten ... Mario, weet je nog, jij had een blauwtje gelopen bij al die meisjes? Ze zeiden telkens tegen je dat ze hun insuline moesten nemen, en dan renden ze weg?'
'Hmm ... dat klinkt niet echt als iets wat zou gebeuren.'
'Weet je zeker dat je het niet gedroomd hebt, Skippy?'
Aaaargh – Skippy voert sinds hij terug is steeds diezelfde discussie. Eerst wist hij zeker dat Dennis erachter zat – het had alle kenmerken van een van zijn practical jokes. Maar het punt is: niet alleen zijn vrienden doen alsof ze van niks weten. Níémand herinnert zich dat hij het feest met Lori heeft verlaten; niemand herinnert zich zelfs maar dat ze met elkaar hebben gepraat. Ondertussen zijn alle sporen van de gebeurtenis uitgewist; de gymzaal heeft zijn normale functie teruggekregen (zij het dat het er merkwaardig genoeg naar ontsmettingsmiddelen ruikt), de Hallowe'en-posters zijn vervangen door andere waarop audities voor het kerstconcert worden aangekondigd. Het is alsof die avond nooit heeft plaatsgevonden; en Skippy blijft achter met het afschuwelijke vooruitzicht dat hij het allemaal echt heeft gedroomd.
'Hoewel het, als het een droom is waarvan je in je hart gelooft dat ie echt is gebeurd,' probeert Geoff hem te troosten, 'op een bepaalde manier, nou ja, echt is?'
'Het is geen droom in mijn hart,' gromt Skippy.
'Of je het nou gedroomd hebt of niet,' – Mario maakt zich tijdelijk los van zijn mobieltje, dat nieuw is – 'de sleutelvraag is: heb je het nummer van dat wijf? Dat is bij elke romantische ontmoeting de maatstaf van succes of mislukken.'
'Nee,' zegt Skippy mismoedig.
'Heb je gezegd dat je haar na de vakantie zou zien?' vraagt Geoff.
'Nee.' Skippy ploft ellendig neer op bed.
'Holy shit, Skip, je kunt dingen niet eens behoorlijk fantaseren,' zegt Dennis. 'Wat is nu het plan – de rest van je leven door die enge telescoop naar haar staren?'
'Ik weet niet,' zegt Skippy somber. 'Ik zou denk ik na school bij

de poort kunnen wachten tot ze naar buiten komt. Of naar haar huis bellen?'

'Nee en nee,' schiet Mario die ideeën meteen af. 'Je moet cool blijven. Je wilt niet overkomen als een krankzinnige stalker.'

'Je weet wel, in tegenstelling tot de gozer die de hele dag door zijn telescoop naar haar kijkt,' zegt Dennis.

'En als je nou eens heel, heel goed werd in iets wat zij leuk vindt?' suggereert Geoff. 'Je weet bijvoorbeeld dat ze van frisbeeën houdt. Nou, als je nou eens oefent tot je een van de allerbeste frisbeespelers ter wereld bent? Dan ziet ze je op een dag op tv, herinnert ze zich je en dan schrijft ze je een brief. Maar dan doe jij zo van: de mazzel, trut. Ik moet de meiden van me af slaan. Maar als je dan op een avond in je eenzame hotelkamer zit, begin je weer aan haar te denken, en dan realiseer je je dat je nog steeds van haar houdt, dus schrijf je haar een brief terug, alleen schrijf je die op een frisbee en die gooi je vanaf de muur, zodat ie door het raam van haar lokaal vliegt, en dan komt zij naar buiten, ziet je daar op die muur staan en dan, nou ja, dan gaan jullie trouwen?'

Skippy kijkt sceptisch.

'Zorg dat je haar nummer krijgt,' herhaalt Mario. 'Dan hebben we iets om mee te werken.'

'Lori *Wakeham*?'

'Ja, ik heb met haar gepraat op ...'

'Wat moet jij nou met het nummer van Lori Wakeham?'

'Nou, weet je, ik stond met haar te praten op de Hop, en ik wilde haar gewoon eens bellen en ...'

'Heb jíj met haar gepraat?'

'Ja, ik weet niet of je het nog weet, maar jij was degene ...'

'Hé Titch, goed gedaan met KellyAnn Doheny,' zegt Darren Boyce, als hij voorbij komt stuiteren.

'Ik weet niet waar je het over hebt,' zegt Titch uitdrukkingsloos.

'Nee, echt, goed gedaan,' zegt Darren Boyce, en hij grinnikt in zichzelf en loopt weg.

'Ik weet niet waar je het over hebt!' roept Titch naar de zich verwijderende gestalte. Dan ramt hij zijn kluisje dicht en stampt weg richting uitgang.

Skippy drentelt achter hem aan. Hij weet best dat hij zijn nek uitsteekt, en hij is bereid zich zoveel te vernederen als nodig is.

Als hij de pooltafel nadert, maakt Jason Rycroft zich ervan los en onderschept hen. 'Alles goed, Titch?'

'Prima,' antwoordt Titch, een beetje defensief.

'Wat doe jij met die sukkel?' Jason knikt naar Skippy.

'O, hij. Die loopt me op mijn zenuwen te werken, omdat hij het nummer van een of ander grietje wil hebben.'

'Juster? Wat moet hij nou met een grietje – meenemen naar de speeltuin of zo?' Jason wendt zich tot Skippy. 'Serieus, Juster. Niet lullig bedoeld of zo, maar ik bedoel, zijn je ballen überhaupt al ingedaald?'

Titch lacht. 'Ja, Juster, hou jij je nou maar bij je Nintendo.'

Skippy wordt rood. Haar nagels die, in de speeltuin in het regenachtige park bij avond, hartjes in het oude zwarte hout van de schommel kerfden …

'O, hier, Titch, ik heb iets voor je.' Jason Rycroft reikt in zijn tas, haalt er iets uit en legt het in Titch' hand. 'Ik dacht dat je dat wel nodig zou hebben.' Hij stuitert getverend weg. Titch en Skippy kijken naar het voorwerp in Titch' hand. Het is een fopspeen.

'Stomme klootzak,' zegt Titch, terwijl hij hem over zijn schouder smijt. Ze blijven even Jason Rycroft na staan staren. Skippy weet eigenlijk niet of Titch wel in de gaten heeft dat hij er is. Uiteindelijk zegt hij: 'Dus …'

'In godsnaam, Juster,' valt Titch uit. 'Doe nou eens niet zo sukkelig.' En vervolgens stormt hij weg, met medeneming van Lori's nummer.

In de Engelse les behandelen ze haiku's: *Ruprechts dikke reet / ga ik zo'n rotschop geven / dat ie bloed schijt* … 'Ha ha, een haiku moet toevallig uit zeventien lettergrepen bestaan.' Terwijl Uiltje Slattery voor in het lokaal uitgebeende verzen over korenschoven en kersenbomen reciteert, verzinkt Skippy steeds verder in somberheid. In de vakantie had het vanuit zijn slaapkamer allemaal zo eenvoudig geleken. Ze hadden gezoend, dat was het belangrijkste. Als je iemand kust, valt alles toch zeker vanzelf op z'n plaats? Maar als je dichterbij komt, blijken er duizend piepkleine barrières in de weg te staan, als een leger microscopische terriërs die aan je enkels kluiven, te klein om ze te zien, maar ondertussen maken ze het je onmogelijk om te bewegen …

'Het is tijd, Skippy'

spreekt Geoff hem in haikuvorm aan,

'Aardrijkskunde, met onze
sexy lerares.'

'Hij heeft het te druk met mokken over dat droommeisje van 'm,' zegt Mario.

'Nou, dan heeft het ook geen zin dat wij hem lastigvallen,' zegt Geoff.

'Nee, het heeft inderdaad geen zin dat ik hem lastigval met haar telefoonnummer,' zegt Mario.

'Nope, daar zou ik 'm maar niet mee lastigvallen.'

'Wat?' zegt Skippy, terwijl zijn hoofd omhoogschiet.

'Wat?' zegt Mario.

'Wat zei je daar over haar nummer?'

'Welk nummer? O, bedoel je dit nummer?' Mario zwaait met een strook papier. Hij trekt hem buiten zijn bereik als Skippy ernaar graait, laat zijn hand dan zakken en geeft het hem aan. Skippy staart er verbijsterd naar. LORI, staat er in Mario's flamboyante krabbel, gevolgd door een nummer – een kristalheldere scherf van haar, als een streng DNA.

'Maar hoe ...?'

Mario haalt zelfvoldaan zijn schouders op. 'Ik ben een Italiaan,' is het enige wat hij erover wil zeggen. 'Kom op, Geoff, straks komen we te laat.'

Nu wordt de vraag welk bericht hij haar moet sturen. Een sms'je is absoluut beter dan bellen, maar verder bestaat er weinig consensus.

'Ik kan toch gewoon schrijven: "Hi Lori, met Daniel. Het was leuk om met je te praten laatst. Als je een keer wilt afspreken, bel me dan."'

'Da's prima,' zegt Mario, 'als je wilt dat ze in coma raakt van verveling. Je moet iets bedenken met een beetje pit.'

'Wat dacht je van een haiku?' zegt Geoff.

'Wat dacht je ervan als je in plaats van "Als je een keer wilt afspreken" schrijft "Als je wilt dat ik je keihard paal"?' zegt Mario.

Het is het eind van de schooldag; ze lopen door de laan naar het Doughnut House. In de schemering lijkt de wereld bleek en uitgeput, alsof er een vampier van zijn aderen heeft gedronken; de dunne roze gloeidraden van de net aangegane donut-lichtreclame, de witte straatlantaarns als slordige wattenbolletjes tegen de grijze wolken, de zachte, handachtige bladeren waaruit de kleuren zijn weggezogen tot ze bij het asfalt passen.

'Wat heb je tot nu toe?' vraag Geoff.

Skippy drukt op een knopje. '"Hi",' zegt hij.

'Is dat alles, na vier uur?'

'Dat is het enige waar iedereen het over eens is.'

Geoff fronst zijn wenkbrauwen. 'Ik ben eigenlijk niet zo kapot van "Hi".'

'Wat mankeert er aan "Hi" dan?'

'Het klinkt gewoon als iets wat mijn moeder zou zeggen.'

'Het is iets wat iedereen zegt.'

'Heb je gedacht aan "Hey"? Denk je niet dat "Hey" toffer is? Of "Yo"?'

Dennis en Mario zijn ondertussen achteropgeraakt, terwijl ze de plus- en minpunten van Mario's nieuwe mobieltje bespreken. 'Wat jij niet begrijpt is dat dit mobieltje state of the art is, wat betekent dat het het beste mobieltje is dat je kunt krijgen.'

'Dat begrijp ik best, achterlijke. Ik zeg alleen: wat heb je er nou aan om een state-of-the-artmobieltje te hebben als iedereen die je ermee gaat bellen tien meter van je vandaan woont?'

'Volgens mij ben je gewoon jaloers op mijn state-of-the-artmobieltje, waar een camera op zit, en een mp3-speler.'

'Mario, als jij niet begrijpt waarom je ouders je ineens dat mieterige telefoontje hebben gegeven, dan ben je nog dommer dan ik dacht. Ik bedoel, denk er nou eens over na. Ze laten je de hele vakantie op school, en vervolgens geven ze je een of ander gammel stuk plastic, zodat ze met je kunnen praten zonder je te hoeven zien. Ze zouden niet nog duidelijker "We houden niet van je" kunnen zeggen, al lieten ze het door een vliegtuigje in de lucht schrijven boven het rugbyveld.'

'Kun je nagaan hoe weinig jij ervan weet, want mijn ouders houden wél van me.'

'O ja? Waarom lieten ze je met de vakantie dan hier?'

'Daar gingen ze verder niet op in, maar ze zeiden heel nadrukkelijk dat het niet was omdat ze niet van me hielden, en dat weet ik heel zeker, want ik heb het ze zelf gevraagd.'

'Wat zeiden ze toen? Zeiden ze dat het goed was voor je karakter?'

Mario kijkt plotseling als aangeschoten wild.

'Zie het nou maar onder ogen, Mario: de enige reden dat we hier allemaal zijn is dat onze ouders niet willen dat een stel kleverige, niet-meer-zo-schattige pubers hun voor de voeten loopt.'

Skippy draait zich om. 'Zouden jullie "Hi" of "Hey" zeggen als jullie met een meisje praatten?'

'Ik zou zeggen: "Zet je helm maar op, lekker ding, want je staat op het punt de rit van je leven te maken!"'

'Ik zou zeggen: "Let alsjeblieft niet op mijn vriend. Zijn ouders hebben hem als baby op zijn hoofd laten vallen, heel vaak, omdat ze niet van hem houden."'

Ed's krioelt van het blonde haar en de geruite St. Brigid's-rokjes, maar Lori is er niet, en het tafeltje waar ze die avond hebben gezeten is bezet door twee andere mensen, die zich vrolijk onbewust zijn van de geschiedenis ervan. Maar achter in het restaurant treffen ze Ruprecht aan, omringd door wiskundeboeken.

'Wat heb je tot nu toe?' vraagt hij.

'"H"', zegt Skippy.

'"H"', peinst Ruprecht. '"H".'

'Een haiku zou leuk zijn, en een beetje anders,' zegt Geoff, voornamelijk tegen zichzelf. 'Lori, je ogen ... je grote groene ogen ...'

'Als je haar nou eens een raadsel opgaf?' zegt Ruprecht.

'Een raadsel?'

'Ja, een raadsel trekt altijd de aandacht. Iets met je naam bijvoorbeeld. Dat je in plaats van "Dit is Skippy" schrijft: "Wie ben ik? Boven een touw, of Down Under. Sla mijn naam over, en je vindt hem." Zoiets.'

'Wat?'

'Wat betekent dat in godsnaam?'

'Ruprecht, heb je überhaupt weleens een meisje ontmoet?!'

'*Lorelei Wakeham*,' flapt Geoff eruit, '*je droef smaragden ogen zijn mijn sterrenpracht*.'

Iedereen zwijgt en staart Geoff aan. 'Het is een haiku,' legt hij uit. Ruprecht herhaalt de woorden zachtjes in zichzelf:

Lorelei Wakeham
Je droef smaragden ogen
Zijn mijn sterrenpracht

'Zeventien lettergrepen,' verklaart hij.

'Holy smoke, Geoff, dat is echt prachtig.'

'Ach, gewoon iets wat ik heb bedacht,' zegt Geoff bescheiden.

'Kijk, dat bedoel ik nou met pit,' zegt Mario tegen Skippy. 'Zo'n haiku is een sneltrein naar Sexville.'

'Ja, en dan kan Geoff hem voordragen op je begrafenis als Carl je heeft vermoord,' gromt Dennis; maar de bedwelmende combinatie van Japanse poëzie en chocoladedonuts veegt alle bezwaren van tafel, en Skippy toetst gauw zijn bericht in, voor hij zich kan bedenken.

Sinds de Hop doet Ruprecht vreemd. Volgens Mario, die in de vakantie ook op school is gebleven, heeft hij het grootste deel daarvan in zijn laboratorium doorgebracht, en sinds de lessen weer zijn begonnen, is hij nauwelijks gezien. 's Morgens en in de lunchpauze slaat hij de eetzaal over en gaat hij meteen naar de kelder, loopt puffend door de gangen terwijl er papiertjes uit zijn zakken vallen, volledig door iets in beslag genomen; en tijdens de lessen steekt hij voortdurend zijn hand op om ingewikkelde vragen te stellen die niemand begrijpt – hij sprak Lurch ernstig toe over de 'riemanniaanse ruimte', viel meneer Farley lastig over 'Planck-energie' en, wat het verbijsterendst was, vroeg tijdens de godsdienstles aan broeder Jonas of God in alle universums God was, of 'alleen in dit universum'.

Verlies van eetlust, slapeloosheid, onvoorspelbaar gedrag – als je niet beter wist, zou je bijna denken dat Ruprecht, net als zijn kamergenoot, verliefd was. Maar je weet wel beter, dus concludeer je dat het veel waarschijnlijker is dat het te maken heeft met die nieuwe theorie waar hij het de hele tijd over heeft.

Ruprecht heeft in feite ontdekt dat de term 'M-theorie' niet helemaal klopt. 'Theorie' suggereert dat er een hypothese is, een bepaalde gedachtegang die de vraagstelling stuurt, een reeks principes, of in elk geval een vaag idee waar ze, de theorie zelf, over gáát. De M-theorie biedt geen van die dingen. Ze is een puur enigma: een troebele, schimmige, veelkantige entiteit die oneindig veel groter is dan wat ze oorspronkelijk wilde verklaren. Als ze ermee worden geconfronteerd, veranderen de beste wetenschappers ter wereld in schooljongetjes – minder nog dan schooljongetjes: holbewoners, primitieve types die, als ze met hun stenen bijlen door de jungle scharrelen, op een ruimteschip stuiten dat enorm en opaak neerhurkt tussen de varens. De theorie slokt hele wiskundige gebieden op alsof ze niks voorstelden. De ingewikkeldste vergelijkingen opgesteld door de briljantste geesten die opereren aan de grenzen van het menselijk kunnen zijn niet meer dan de kinderlijkste pogingen om de uiterste randen ervan te beschrijven, zwakke vlammetjes die maar een vaag vermoeden geven van de uitgestrektheid, voor ze weer in duisternis verzinken. Hoe ze ook ploeteren, de realiteit van de theorie – wat ze eigenlijk betékent, wat ze zegt, waar de theorie over gáát – blijft verborgen achter die ondoorgrondelijke M, en terwijl ze er allemaal van dromen dat zij degene zijn die het mysterie zullen oplossen, de theorie, als King Kong in ketenen gewikkeld, voor het voetlicht zullen brengen, worden ze, diep in de nacht, overvallen door de ijzingwekkende gedachte dat hun pogingen haar niet zozeer verduidelijken als wel voeden, volproppen met kennis die ze verslindt zonder een spoor van verzadiging.

'Wat heeft ze dan voor zín?' Dennis ziet weinig in zowel de theorie als Ruprechts obsessie, waarvan hij vermoedt dat ze gewoon de zoveelste laag van zelfmystificatie is.

'Nou, ik denk dat de "zin" ervan een volledige verklaring van de realiteit is,' zegt Ruprecht nadat hij nadrukkelijk zijn keel heeft geschraapt. 'Ik vermoed dat dat de uiteindelijk "zin" ervan is.'

'Maar het is gewoon een zootje wiskunde. Wat heb je daar nou aan?'

'Er is nu al te veel wiskunde,' zegt Mario instemmend. 'Meer kutjes, minder wiskunde, dat is mijn motto.'

'Ja, nou ja, als Newton dat ook had gezegd, dan hadden we nu de gravitatiewet niet,' zegt Ruprecht. 'Als James Clerk Maxwell had gezegd: "Meer kutjes, minder wiskunde", dan zaten we zonder elektriciteit. Wiskunde en het universum gaan hand in hand. Formules die in één schriftje worden uitgewerkt met een enkel potlood kunnen de hele wereld veranderen. Kijk maar naar Einsteins $E = mc^2$.'

'Dus?' zegt Dennis.

'Dus als we geen "zootje wiskunde" hadden, woonden we nog allemaal in hutjes op de hei en zouden we schapen hoeden.'

'Mooi zo,' zegt Dennis.

'O, dus jij zou graag in een wereld zonder telefoons of dvd's leven?'

'Ja, graag.'

'Jij zou graag het ziekenhuis ingaan en geopereerd worden zonder verdoving, bij kaarslicht, door artsen die geen idee hebben wat je mankeert, omdat er geen röntgenapparaten zijn?'

'Ja, graag.'

'Echt waar?'

'Ja.'

'Nou, prima.'

'Best.'

'Best.'

Er zijn mensen die aan de theorie twijfelen, absoluut. En ze zijn niet allemaal zo slecht geïnformeerd als Dennis.

'Wiskundig gezien heeft de theorie veel verklarende potentie, zeker,' zegt meneer Farley, nadat de zoveelste natuurkundeles is verworden tot een discussie over de mogelijke natuurwetten in andere universums. 'Maar dat wil nog niet zeggen dat ze ook klopt. Er zijn veel mensen die heel boeiende theorieën hebben over wat er met Atlantis is gebeurd. Maar tenzij ze die op de een of andere manier kunnen verifiëren, bewijzen kunnen overleggen, zou je die ook niet geloven, of wel?'

'Nee,' geeft Ruprecht toe.

'Feit is dat er een triljoen triljoen keer meer energie nodig zou zijn dan onze krachtigste energiebron kan leveren om enig bewijs voor de M-theorie te kunnen vinden. Op die gronden alleen al zouden veel wetenschappers zeggen dat ze gewoon niet geschikt is voor eenentwintigste-eeuwse wetenschap. Dat we er, zelfs als ze klopt, weinig mee kunnen, net zomin als Galilei bijvoorbeeld een computercode had kunnen gebruiken als hij daar per ongeluk op was gestuit in de zeventiende eeuw. Dus hoewel het ongetwijfeld een interessante theorie is, moeten we haar niet ons het zicht laten benemen op het minder glamoureuze maar net zo belangrijke wetenschappelijke werk dat hier op de planeet aarde te verrichten is. Klinkt dat redelijk?'

'Ja,' beaamt Ruprecht.

Nee! Hoe meer argumenten hij ertegen hoort, des te meer groeit zijn adoratie voor dit esoterische, onleesbare heilige schrift waarvoor de primitieve, onnadenkende wereld niet de tijd wil nemen om het te begrijpen – hoe langer hij doorbrengt in de kelder, zich verliest in topologieën, de denkbeeldige oppervlakten in kaart brengt die golven onder de hyperspatiale penumbra ervan, menselijk gezelschap schuwt op andere gezichtsloze toegewijde zielen in slapeloze internetchatrooms na die eindeloos diezelfde gouden sjibbolets tegen elkaar citeren: streng, multiversum, supersymmetrie, *gravitino*, de honderden namen van de theorie ...

Misschien is het toch liefde. Waarom zouden we niet verliefd kunnen worden op een theorie? Worden we verliefd op een persoon, of op het idee van een persoon? Dus, ja, Ruprecht is verliefd geworden. Het was liefde op het eerste gezicht, die toesloeg zodra hij professor Tamashi dat eerste diagram zag presenteren, en die is sindsdien exponentieel gegroeid. Kwesties van rede, van bewijsvoering, die zijn niet aan hem besteed. Sinds wanneer zoekt de liefde naar redenen, of naar bewijs? Waarom zou de liefde buigen voor de realiteit der dingen, als ze een eigen realiteit creëert, die zoveel levendiger is, waarin alles resoneert in de toonsoort van het hart?

Er was eens een mooi jong meisje dat Lorelei heette en woonde aan de oevers van de Rijn. Ze werd verliefd op een zeeman die de zee opging. 'Als ik terugkom, zal ik met je trouwen,' zei hij, dus ging ze elke dag naar de kliffen en keek uit naar zijn schip. Maar dat kwam nooit. Uiteindelijk kreeg ze op een dag een brief van hem. Hij schreef dat hij met een ander meisje was getrouwd, dus wierp Lorelei zich van het klif de rivier in. Tot op de dag van vandaag verschijnt ze op een rots, zingt haar lied en kamt haar haar. Als je dat lied hoort, kun je er niet aan ontsnappen, je zult tegen de rotsen varen en zij zal je onder water trekken. Als je haar ziet, is ze zo mooi dat je gek wordt.

'Concentreer je, Daniel, concentreer je!' roept Coach vanaf de kant.

Ze zijn de eersten die het zwembad gebruiken na de vakantie. De waterflesjes en pleisters zijn eruit gevist, het oppervlak glanst als amethist. In de banen naast Skippy heerst het machinale karnen van het team, dat regelmatig heen en weer ploegt. Maar hij kan het niet. Het is alsof het water tegen hem samenzweert, alsof hij voelt hoe de afzonderlijke moleculen hem achteruitduwen. Alsof er iets is wat hem probeert vast te pakken.

'Kom op, Dan, verman je!'

Hij schudt het van zich af, stort zich weer in de betovering van chloor, verbeeldt zich dat hij afstevent op een meisje dat aan de overkant neerknielt, haar haar kamt en op hem wacht, onweerstaanbaar neuriet: '*If I had three wishes I would give away two …*'

De zon komt net op, maakt het perspex dak roze als ze uit het bad klimmen en naar de douches lopen.

'Dus waar vindt de wedstrijd plaats?' vraagt Coach.

'In Ballinasloe,' zegt Antony 'Air Raid' Taylor.

'En wanneer?'

'15 november,' zegt Siddartha Niland, terwijl zijn gouden lichaam rimpelt en glinstert.

'Fout en fout,' zegt Coach. 'De wedstrijd is al bezig, hier en nu.' Hij tikt tegen zijn hoofd. 'In je hoofd,' zegt hij, 'daar wordt een wedstrijd gewonnen of verloren. Als je niet de goede instelling hebt, maakt het niet uit hoe sterk of fit je bent. Vanaf nu tot 15 november wil ik dat de wedstrijd het enige is waar jullie aan denken. Schrijf hem op in je agenda, op je kalender, aan de binnenkant van je oogleden. Al het andere komt op de tweede plaats. Zelfs meisjes. Meisjes zijn er na de wedstrijd ook nog wel. En jullie zullen meer succes bij ze hebben als we winnen.'

Iedereen lacht.

'Ik heb het al eerder gezegd, maar ik herhaal het nog maar eens: niet iedereen zal de selectie halen. Als je er de vorige keer bij zat, kun je er niet van uitgaan dat dat dit keer ook zo zal zijn. Als je er de vorige keer niet bij zat, kun je dit keer best eens meedoen. Er kan een hoop gebeuren tussen nu en dan.'

Na de training geeft Skippy over in de toiletten bij de eetzaal.

Later zet hij in zijn kamer een kruis op de Garfield-kalender. De zwembril kijkt vanaf zijn haak op hem neer; hij voelt zijn hele arm koud worden, alsof hij hem in een ton ijswater heeft gestoken.

De dealers hebben Carl niet vermoord. Toen ze zagen wat hij met zijn arm had gedaan, braken ze die niet eens. Dus nu staan ze quitte en kunnen ze weer allemaal vrienden zijn.

'Vrienden?'

'We hebben een goed handeltje met die pillen, man,' zegt Barry. 'Die gasten kunnen ons helpen. Ons bescherming bieden, toegang tot de leveranciers, goede deals op andere producten. We hoeven ze alleen maar een klein deel van onze winst te geven.'

'Ze hebben je arm gebroken,' zegt Carl.

'Ze konden niet anders,' zegt Barry. 'Zo werkt het gewoon. Zaken, meer niet.'

Dus nu zien ze de dealers bijna elke dag. In het park, achter het winkelcentrum, bij Deano thuis. Deano is die gozer met die rotte tanden. Geschoren-Hoofd, dat is de leider, heet Mark. Vettig-Haar = Knoxer, Puistenkop = Ste. Barry lacht en maakt grappen met ze alsof er die avond niks is gebeurd, en op school loopt hij rond alsof hij drie meter lang is. Hij heeft een grote bek tegen vijfdeklassers die twee keer zo groot zijn als hij, en die deinzen terug. Hoe weten ze dat Barry die dealers aan zijn kant heeft? Het is net alsof ze het weten.

Op een avond vertelt Deano hun over Mark. 'Zie je die gozer? Hij doet wel alsof hij een harde is, maar eigenlijk is 't een bekakte gast, net als jullie. Hij heeft op jullie school gezeten, en de paters hebben hem eraf getrapt omdat ie hasj dealde. En nu zit hij opgescheept met een stelletje tuig zoals wij. Maar dat geeft niet, weet je, want hij heeft ambitie. Hij is net als jij,' zegt hij tegen Barry. 'Altijd aan het denken.'

De afspraak is dat ze een deel van hun ritalinopbrengst aan Mark geven, en eens in de twee weken kopen ze tegen een zacht prijsje andere spullen van hem. Hun eerste consignatie bestaat uit een paar xtc-pillen en een beetje coke, maar voornamelijk uit retesterke wiet. Carl en Barry moeten die eigenlijk verkopen, maar uiteindelijk roken ze het meeste zelf op. Je hersens gaan ervan koken, als op een warme dag wanneer het asfalt smelt en je voeten eraan vastplakken of als je staat te douchen en de badkamerspiegel helemaal beslaat, alsof je met iemand zit te praten en er ineens een halfuur of een uur voorbij is en de leraar in plaats van over staartdelingen doorratelt over exportartikelen en het een andere leraar is en je in een ander lokaal zit, zonder dat je weet hoe je daar gekomen bent.

Het is maar goed dat ze iets nieuws te verkopen hebben, want er zijn ernstige problemen op de dieetpillenmarkt. Sommige ouders van de leerlingen van de lagere school zijn achterdochtig geworden omdat hun kinderen de laatste tijd zo hyperactief zijn, en zijn de recepten op gaan ruimen. De toevoer aan Carl en Barry is gehalveerd, maar dat maakt niet eens uit, omdat de meisjes ze niet meer kopen. Waarom niet? 'Ze blijven nooit langer dan twee weken ergens in geïnteresseerd,' zegt Barry. 'Dat is het probleem als je klantenkring uit meisjes bestaat.' Hij probeert er een paar te bellen om ze coke aan te bieden, maar daar lijken ze alleen maar van te schrikken. Nu kopen er een paar één xtc-pil per week of zo, en de anderen negeren Carl en Barry volkomen.

En Lori negeert hen ook. Ze belt Carl nooit terug, ze is nooit op de plekken waar ze vroeger was. En dan vertelt haar vriendin Janine dat Lori van de Hallowe'en Hop is weggegaan met een of andere gozer.

'Wat?!' zegt Carl.

Ze staan op het parkeerterrein van de kerk. Janine wil een paar pillen kopen. Het is donker, de ramen van de kerk zijn donker, er staan geen auto's.

'Daniel heet die jongen,' zegt Janine. Ze kijkt naar Carl op door wimpers vol zwarte troep. Carl graaft in zijn brein naar Daniel, maar hij kan niks vinden. Zijn hoofd bonst alsof het uit elkaar zal barsten.

'Nou ja, wat had je dan verwacht?' Het meisje draait met knokige handen in haar haar. 'Je hebt haar laten zitten. Dat kun je niet doen bij een meisje als Lori, en dan verwachten dat ze je gewoon vergeeft.'

'Ik zat vast thuis,' mompelt Carl.

'Ik bedoel, de jongens staan in de rij om met haar uit te gaan,' zegt Janine.

Met haar uit te gaan? Carls hersens malen als de propeller van een boot die vast is komen te zitten in het onkruid; ze proberen alle stukjes van die avond op te vangen en aan elkaar te lijmen, de berichtjes die ze stuurde waarin ze zei dat hij moest komen, dat was hier, op het parkeerterrein van de kerk ...

'Ik dacht dat ze alleen maar pillen wilde kopen,' stamelt hij tegen Janine. Ze lacht, een filmlach, met haar hoofd naar achteren – ha-ha-ha. 'Jij weet ook niet veel van meisjes, hè?' zegt ze. Dan trekt ze hem dicht tegen zich aan, zodat haar tieten net zijn arm raken, en haar stem wordt zwaarder. 'Ik zou het je kunnen leren,' zegt ze, spelend met het koordje van zijn capuchontrui. Maar Carl denkt nog steeds na over wat ze over Lori heeft gezegd, en na een seconde trekt Janine zich terug, en staart hem aan als een hond die je geschopt hebt. Dan zegt ze: 'Ze was met hem.' De woorden steken als een mes. 'Hij sms't haar steeds. Hij stuurt haar gedichten.'

Carl wendt zich met kleine schuifelende stapjes af, kijkt het donker in. Het meisje danst voor hem rond, pakt zijn handen en roept uit: 'O, Carl, wat kan het je schelen wat Lori doet? Het is een kind. Ze begrijpt niet wat mannen willen.' Maar Carl verroert zich niet. Hij staart naar de betonnen grond, waar die jongen-zonder-gezicht Lori kust, alle plekken aftast waar Carl ook is geweest, zijn handen onder haar blouse steekt, zijn vingers in haar doos stopt, haar kleine witte vuistje vol sperma spuit ... Janine stapt achteruit. Ze heeft haar handen nog steeds om de zijne, hij voelt haar ogen op hem rusten alsof ze in de verte zijn. Met een koelere stem zegt ze: 'Wil je haar terug?'

Hij tilt zijn hoofd op. Hij is zo kwaad dat zij even Daniel is, en de boodschap pompt door zijn armen dat hij hem vast moet grijpen en hem aan kleine stukjes moet scheuren. Maar dan is ie weg, zijn armen zijn leeg en Carl is gebroken.

Janine steekt haar handen naar hem uit, streelt zijn haar en zegt dan: 'Je hebt het behoorlijk verkloot op die Hop, Carl. En dat is niet het enige probleem. Haar ouders zijn erachter gekomen dat ze tegen hen heeft gelogen. Elke keer als ze bij jou was, zei ze tegen hen dat ze bij mij was. Toen kwam mijn moeder haar moeder tegen bij de delicatessenzaak en zei dat ze al in geen weken bij mij thuis was geweest. Daar kreeg ze behoorlijk stront mee. Haar vader wil altijd precies weten waar zijn prinsesje is en met wie. Ik denk dat hij niet al te blij met jou zal zijn; pappies mogen jou niet, of wel, Carl?' Hij volgt de beweging van haar hoofd, dat schudt als de kop van een droevige hond. 'Maar goed, ze heeft dus huisarrest. Dus zelfs al wilde ze je zien, dan zou dat nog behoorlijk lastig worden.' Ze strijkt zijn haar zachtjes naar achteren. 'Wees maar niet zo treurig. Als je wilt, dan praat ik wel met haar. Ik kan in elk geval zeggen hoe erg het je spijt. Wil je dat ik dat doe, Carl?'

Carl knikt. Ze slaat haar armen om hem heen en geeft hem een troostende knuffel. 'O, Carl,' zucht ze, als een lerares tegen een favoriet maar altijd ondeugend kind. Carl is nooit dat kind geweest, hij was altijd degene voor wie ze bang waren. Janine buigt achterover om hem in zijn ogen te kijken, plant dan een opvrolijkkusje op zijn wang. 'Ik praat wel met haar,' belooft ze. 'Het komt allemaal goed.' Dan pakt ze zijn kin vast. 'Heb je mijn snoepgoed bij je?'

Hij haalt het zakje uit zijn zak en geeft het aan haar. Ze maakt haar portemonnee open en zegt dan, alsof ze twee mensen zijn die net uit de kerk komen en op de trappen over het weer staan te praten: 'Lori zei dat jullie een regeling hadden.'

Carl verplaatst zonder iets te zeggen zijn gewicht van de ene voet naar de andere.

'O, Carl,' zegt ze weer, terwijl ze zich tegen hem aan drukt. 'Maak je maar geen zorgen. Ik zorg wel voor je.' En omhoogreikend geeft ze hem nog een kusje, een vriendelijk moederlijk kusje op zijn wangen, en dan eentje op zijn neus, op zijn kin, zijn ogen, in zijn hals, tot er per ongeluk een op zijn lippen terechtkomt, die open zijn, en dan doet ze het per ongeluk nog een keer, en per ongeluk zijn ze per ongeluk stevig en nat met elkaar verstrengeld, zijn mond vol van de hare, daar op die trappen in het donker, net zoals hij zich had voorgesteld dat Lori's mond vol was van de mond van die gezichtsloze Daniel. Maar Carl zal zijn gezicht gauw genoeg vinden. Eens zien wie er dan spijt heeft.

Met overal posters voor het kerstconcert is de school in de greep van auditiekoorts. Na de lunchpauze, na de les, vullen de gangen zich met geplof, getokkel en gebons in verschillende gradaties van muzikaliteit; de kantine staat vol kliekjes jongens die acts verzinnen, variërend van opera en gangstarap tot een nieuwe vorm van wagneriaanse tropicalia die de tweedeklasser Caetano Diaz heeft uitgevonden en die hij 'apocalypso' heeft genoemd. Misschien dat het Seabrook-kerstconcert op wereldschaal weinig voorstelt, maar zoals iedere moderne bestudeerder van roem weet, is er geen podium zo laag of het laat je iets groter lijken dan de gast naast je. De concurrentie is moordend, en de kleinste gemene deler blijft niet ongepeild. Onder de repeterende stemmen voert een verrassend groot aantal nog zoetere versies uit van toch al dodelijk glijerige ballads – *Flying Without Wings*, *I Believe I Can Fly*, *Wind Beneath My Wings* en andere, vlieggerelateerd of anderszins. Geloofwaardigheid is niet zo'n punt als het bij voorgaande generaties misschien was geweest. In het afgelopen decennium zijn er veel hardnekkige twistpunten beslecht, veel oude ideeën van tafel geveegd; het wordt nu algemeen erkend dat beroemd-zijn het enige doel is dat echt het nastreven waard is. Covers van tijdschriften, marketingdeals, kunstmatig wit gemaakte glimlachen zwaaien allemaal van achter dranghekken naar de juichende, anonieme menigte – dit is het toppunt van een wereld die inmiddels niet meer wordt bezwaard door spiritualiteit, en alles wat je kunt doen om er te komen wordt als legitiem ervaren

De dirigent van het concert is pater Constance 'Connie' Laughton, een vriendelijke, geslachtsloze man met een snoepgoedroze huid wiens brandende verlangen de jongens een liefde voor klassieke muziek bij te brengen, gecombineerd met een heel softe houding ten opzichte van discipline, ervoor zorgt dat hij altijd een vaste plek heeft boven aan Dennis' Zenuwinzinkingsranglijst.

Hoewel hij de populistische voorkeuren van de jongens erkent, volgt zijn eigen smaak strikt de canon; hij is vooral een fan van de Franse hoorn, en heeft Ruprecht al apart genomen om hem iets in te fluisteren over een mogelijk optreden. Er bestaat op het moment geen orkest op school, na een voorval in het verleden waar pater Laughton nooit over praat, maar misschien dat Ruprecht wel een paar kameraadjes heeft, oppert de pater, die hem willen begeleiden. Dennis lacht lang en hard als hij van dat plan hoort. 'Ik heb medelijden met de arme sukkels die daarvoor gestrikt worden,' zegt hij. 'Het is alsof je 's werelds grootste "Schop me"-bordje op je rug hangt.'

De geliefdste act van het concert van dit jaar is de rockband Shadowfax, die met Wallace Willis en Louis O'Brien op niet één, maar twee klassiek geschoolde gitaarvirtuozen kan bogen: heuse meisjes betalen er zowaar voor om de vlekkeloze covers te horen die de band speelt van de Eagles en andere grootheden uit de op volwassenen georiënteerde rockmuziek. Zelfs de Automator is een fan, sinds de band *Rain in Africa* van Toto speelde tijdens het benefietconcert voor de slachtoffers van de droogte in Ethiopië dat pater Green afgelopen zomer organiseerde. Maar niet iedereen die wil optreden is muzikaal. In een schemerige hoek van de kelder verzamelt zich op datzelfde moment een kleine menigte rond Trevor Hickey, die voorovergebogen staat met zijn kont omhoog en een afgestreken lucifer in zijn hand. Met de plechtigheid van een goochelaar die een kooi vol zwaarden instapt gaat hij langzaam naar achteren ...

Diablos: die naam heeft het aansteken van scheten gekregen, en aangestoken scheten op zich. Trevor Hickey is de ongeslagen meester van deze geheimzinnige en gevaarlijke kunstvorm. Het kan onmogelijk nauwer luisteren. Als je ook maar even verkeerd timet, zijn de gevolgen veel ernstiger dan een geschroeide broek; het woord 'terugslag' gonst onuitgesproken door het achterhoofd van alle toeschouwers. Er heerst totale stilte nu zijn hand, met een bijna onzichtbare trilling (volkomen kunstmatig – 'gewoon onderdeel van de show', volgens Trevor), de lucifer tussen zijn benen stopt en – *voem*! Een geluid alsof de stof waaruit het universum bestaat in tweeën wordt gescheurd, en het tegendeel daarvan: een collectief inademen als er een magnifieke vlammenpluim uit Trevors achterste komt – die schiet eruit, bijna een meter lang, zeggen ze na afloop tegen elkaar, een koude en prachtig paarsblauwe betovering die de kleedkamer even in een onaards licht laat baden.

Niemand weet precies wat Trevor eet, of wat voor oefeningen hij doet; als je hem ernaar vraagt, zegt hij gewoon dat het een gave is, en als je er getuige van bent geweest, kun je daar moeilijk iets tegen inbrengen, hoewel de vraag waarom God hem juist van dít talent heeft voorzien minder makkelijk te beantwoorden is. Maar aan de andere kant: er zijn vreemde talenten in overvloed onder de broederschap van veertienjarigen. Naast Trevor Hickey, 'de Graaf van de Diablos', heb je mensen als Rory 'Speldenkussen' Moran, die ooit achtenvijftig spelden in de opperhuid van zijn linkerhand had zitten; GP O'Sullivan, die het geluid van opengaande blikjes, de bliepjes van mobiele telefoons, pneumatische deuren etc. minstens zo goed kan nadoen als die gast in *Police Academy*; Henry Lafayette, die dubbel scharnierende gewrichten heeft en er befaamd om is dat hij uit een doos toques wist te ontsnappen waar Lionel hem in had opgesloten. De vermogens van deze jongens worden door hun leeftijdgenoten minstens even hoog aangeslagen als conventionelere talenten op het gebied van sport, net als elke claim op fysieke buitenissigheid, zoals wiebelende oren (Mitchell Gogan), een ongebruikelijk grote slijmproductie (Hector 'Hectoplasma' O'Looney), opvallende lelijkheid (Damien Lawlor) en onverklaarbaar slijmerig, groen haar (Vince Bailey). Roem is in de tweede klas een kerk voor verrassend veel gezindten; onder de meer dan tweehonderd jongens is er nauwelijks iemand die níét een of ander vermogen, een afwijkend dingetje of een rare lichamelijke toestand heeft waar hij befaamd om is.

Maar, zoals met zoveel dingen op dit punt in hun leven, die situatie verandert dagelijks. School, met zijn eindeloze nadruk op conformisme, carrières, de Toekomst, is daar misschien deels debet aan, maar de sleutel tot de veranderingen in houding vormen zonder enige twijfel meisjes. Tot voor kort deed de mening van meisjes er weinig toe; nu – bijna van de ene dag op de andere – is die van het grootste belang; en meisjes hanteren heel andere – sommigen zouden zelfs zover willen gaan te zeggen 'extreem conservatieve' – maatstaven voor wat een gave is. Het kan ze niet schelen hoeveel golfballen er in je mond passen; een derde tepel zegt ze niets; ze, althans de meesten van hen, beschouwen het niet als een pluspunt als je de Diablos-meester bent – zelfs niet als je ze uitlegt hoe gevaarlijk het is, zelfs niet als je aanbiedt hun te leren hoe ze het zelf kunnen doen, een aanbod dat je je klasgenoten nog nooit hebt gedaan, die grof geld zouden betalen voor die expertise, of je zou het zelfs eeuwenoude kennis kunnen noemen – wacht, kom terug!

Naarmate de moloch van de puberteit vaart begint te maken, veranderen wonderlijke trekjes, gekkigheden en afwijkingen van eremedailles in een sta-in-de-weg die je moet verbergen, en dezelfde realpolitik die jongens ertoe beweegt langgekoesterde dromen om, pakweg, ninja te worden op te geven en te verruilen voor een geconcentreerdere aandacht voor het hier en nu, dwingt anderen, die ooit als goden werden vereerd, ertoe te veranderen in Jantjes Doorsnee. Rory Moran zal zijn spelden wegbergen, Vince Bailey zal een of ander product opscharrelen om zijn haar mee te ontgroenen; hoeveel mensen in de menigte die nu voor hem applaudisseren terwijl hij zijn buigingen maakt ('Dank u, dank u') zullen zich over vijf jaar, als ze zich opmaken om de school te verlaten, herinneren dat Trevor Hickey ooit 'de Graaf' werd genoemd?

'Hé Blowjob, dikke idioot,' valt Dennis aan zodra Ruprecht met knipperende ogen uit de kelder komt. 'Nou ben je te ver gegaan, lamlul!'

'Wat?' Ruprecht heeft geen idee waar hij het over heeft.

'Heb jij pater Laughton verteld dat ik fagot speel?' Dennis' fagot, een cadeau van zijn stiefmoeder, is een zorgvuldig bewaard geheim dat permanent onder zijn bed ligt.

'O, dat,' zegt Ruprecht.

'Idioot, nu wil hij dat ik speel op dat stomme kerstconcert.'

'Ja!' Ruprechts mollige gezicht straalt. 'Leuk, hè?'

'Ik zaag nog liever mijn handen af dan dat ik met jou en dat mietjesorkest op een podium ga staan!' brult Dennis. 'Heb je dat goed gehoord? Ik zaag nog liever mijn handen af!'

Maar daar is het al te laat voor: zijn stiefmoeder heeft er via haar enorme religieuze netwerk lucht van gekregen dat hij mee zal doen, en ze is er helemaal voor. 'Muziek heeft een geweldige helende kracht,' zegt ze die ochtend tegen hem, waarna ze er droevig aan toevoegt: 'Je bent zo'n boze jongen.'

Maar andere jongens hebben het handiger aangepakt, en de pater heeft, nu de muzikale gemeenschap van de school massaal is verdwenen, zich gedwongen gezien de schaal van zijn oorspronkelijke concept in te perken. In plaats van een volledig symfonieorkest zal er op het kerstconcert nu een kwartet spelen, Ruprecht en Dennis, aangevuld door Brian 'Jeekers' Prendergast op altviool en Geoff Sproke op triangel. 'Behoorlijk onconventioneel,' verklaart de altijd optimistische pater Laughton. 'Vreselijk opwindend.'

De deelname van Jeekers is, hoewel die de *street-cred* van het Kwartet niet erg zal vergroten, geen verrassing: Jeekers' ouders zijn geobsedeerd door Ruprecht en het idee dat hun zoon Ruprechtachtiger moet worden. Het is, op zijn eigen kleine manier, een tragisch verhaal. Op elke andere school, in elke andere klas, zou

Jeekers – academisch begaafd, bijna overdreven ijverig – zonder twijfel de beste leerling zijn geweest, maar de grillen van het lot hebben hem ertoe veroordeeld in dezelfde klas te zitten als Ruprecht, waarin Ruprecht bij elk examen, elke overhoring, elke gewoon-voor-de-lolquiz op vrijdag, soeverein is. Dat drijft Jeekers' ouders – zijn moeder een dwerg met een samengeknepen gezicht die er voortdurend uitziet alsof ze door een rietje zoutzuur opzuigt; zijn vader een overspannen advocaat bij wie vergeleken Pol Pot op The Fonz lijkt – tot woedeaanvallen. 'Onze zoon hoort niet op de tweede plaats te komen,' piepen ze. 'Wat mankeert je? Doe je überhaupt je best? Wil je soms een actuaris worden?' 'Ik doe echt mijn best, echt,' zegt Jeekers smekend, en dus gaat ie weer naar de studeerkamer, omringd door huiswerkschema's, grafieken waarop zijn prestaties worden bijgehouden en hersenstimulerende visolie en vitaminepillen. Zijn buitenschoolse activiteiten draaien ondertussen voornamelijk om het schaduwen van Ruprecht, doen wat hij doet, in het Kwartet spelen of bij de Schaakclub gaan, in de hoop erachter te komen wat hem die voorsprong geeft.

Welk stuk ze zullen uitvoeren is aan Ruprecht overgelaten, die voor Pachelbels *Canon in D* heeft gekozen, waarbij hij aan Jeekers uitlegde dat de Canon het stuk is dat professor Tamashi het liefst gebruikte voor zijn METI-zendingen de ruimte in.

'Ik vind het een geweldig liedje,' zegt Geoff. Dan fronsen zijn wenkbrauwen. 'Hoewel het me wel sterk ergens aan doet denken.'

'Maar, eh,' vindt Jeekers dat hij moet opmerken, 'wat we spelen wordt niet de ruimte ingezonden. We spelen alleen maar voor onze ouders.'

'Misschien,' twinkelt Ruprecht. 'Maar je weet nooit wie er meeluistert.'

'Ik ben in de hel beland,' fluistert Dennis in zichzelf.

'Hoe gaat het met dat meisje, Skip?' vraagt Geoff als ze na de pauze weer naar de volgende les lopen. 'Heeft ze je al teruggesms't?'

'Nog niet.'

'Hmm.' Geoff wrijft over zijn kin. 'Nou ja, het is ook pas een paar dagen geleden.'

Een paar eindeloze dagen. Hij weet dat ze nog leeft: gisterochtend heeft hij haar door de telescoop een zilvergrijze Saab uit zien komen en, haar haar schuddend, de paar stappen naar de deur van St. Brigid's zien trippelen. Maar misschien is ze haar mobiel kwijt? Misschien heeft ze geen beltegoed? Misschien heeft ze zijn bericht nooit ontvangen? Ze wordt als mist omgeven door misschiens, net als die theorie van Ruprecht die niets verklaart, gewoon als een vraagteken boven alles hangt wat ze aanraakt; en zijn mobiel blijft zwijgend en zelfvoldaan in zijn zak zitten, als iemand met een geheim dat ie nooit prijs zal geven.

'Misschien moet je haar nog een haiku sturen,' stelt Niall voor.

'Als je haar nog een bericht stuurt, kun je net zo goed een grote L van *loser* op je voorhoofd kalken,' zegt Mario. 'Je strategie is nu rustig afwachten en cool blijven.'

'Ja,' beaamt Skippy sip, maar dan: 'Weet je zéker dat dat nummer dat je me gaf klopt?'

'Tuurlijk weet ik dat zeker. Met dat soort dingen maak ik geen fouten.'

'Dus je weet zeker dat het háár nummer is?'

Mario klikt met zijn tanden. 'Geloof me nou, het is haar nummer. Ga het zelf maar controleren, als je mij niet gelooft.'

'Het zelf controleren?' Dat klinkt niet goed, vindt Skippy. 'Hoe bedoel je, het zelf controleren?'

'Op de wc,' antwoordt Mario opgewekt. 'In Ed's Doughnut House.'

Skippy blijft stokstijf staan. 'Heb je haar nummer van een wc?'

'Ja, het staat op de deur in het middelste hokje.'

Eerst is Skippy te zeer met stomheid geslagen om te kunnen antwoorden.

'Jezus, Mario,' zegt Geoff. 'Een wc-deur ...?'

'Wat is het probleem? Daar ga je toch geen nepnummer op zetten? We kunnen erheen gaan om te kijken, als je wilt – het staat in het middelste hokje, onder een tekening van een joint die ook een ejaculerende penis is.'

Skippy heeft inmiddels zijn spraakvermogen terug, en gebruikt dat ook; Mario slaat terug, de anderen mengen zich in de discussie en worden er zo door in beslag genomen dat ze geen van allen de gestalte opmerken die vanuit de menigte op hen afkomt – pas op het allerlaatste moment, als hij, bewegend met een gemak en snelheid die je niet zou verwachten van iemand met zijn bouw, achter

Skippy opdoemt als een schaduw, hem van twee kanten bij zijn hoofd pakt en dat snel en behendig tegen de muur ramt.

Skippy valt als een geplette vlieg tegen de grond, en blijft daar meerdere seconden liggen, languit onder het mededelingenbord, terwijl zijn schoolgenoten om hem heen lopen. Dan sleept hij zich, met hulp van Geoff, overeind tot hij zit en raakt voorzichtig zijn bloedende slaap aan. Dennis kijkt toe hoe Carl zich door de krioelende gang duwt. 'Dat zal wel betekenen dat het het goede nummer was,' zegt hij.

Die nacht droomt Halley van oude liefdes; ze wordt opgevlogen en schuldbewust wakker, een paar uur voor zonsopkomst. 'Howard?' roept ze zachtjes zijn naam, alsof hij het op de een of andere manier kan weten. In de fluwelen duisternis klinkt haar stem dun, voorzichtig, bedekkend. Maar hij reageert niet; naast haar gaat de dommelende kolos van zijn van haar afgekeerde lichaam op en neer, kalm en zich nergens van bewust, een gigantisch eencellig organisme dat het bed met haar deelt.

Ze doet haar ogen dicht, maar kan niet meer slapen, dus roept ze de inhoud van haar droom maar weer op, een oude vlam van jaren geleden, in een zonovergoten appartement aan Mulberry Street. Maar nu ze wakker is, slaat het niet aan; het voelt als het leven van iemand anders en zij als een voyeur die naar binnen gluurt.

Als ze eenmaal heeft gedoucht, is de zon opgekomen. Het heeft vannacht geregend, en de dag is doorweekt en huivert en zingt van de kleuren.

'Goedemorgen, goedemorgen.' Howard komt haastig de kamer in met zijn jack al aan en geeft haar een kus op haar wang voor hij de koelkast opendoet. Hij zet het broodrooster aan, schenkt koffie in, gaat aan tafel zitten en bestudeert zijn lesrooster. Hij heeft de afgelopen twee weken geprobeerd haar niet aan te kijken; ze weet niet waarom. Is ze op de een of andere manier veranderd? In de spiegel ziet haar gezicht er niet anders uit. 'En, wat staat er voor vandaag op het programma?' vraagt hij.

Ze haalt haar schouders op. 'Schrijven over technische snufjes. En bij jou?'

'Geschiedenisles geven aan kinderen.' Nu kijkt hij op en glimlacht naar haar, zo mat en gemaakt als een cornflakesreclame.

'Maar weet je, ik heb vanmiddag de auto nodig.'

'O ja?'

'Ja, ik moet naar die Science Fair.'

'Bij de RDS? Daar gaat Farley ook heen. Doe hem de groeten.'

'Zal ik doen. Zal ik in de lunchpauze naar school komen om 'm op te halen?'

'Neem 'm nu maar. Dan ga ik wel met de bus.'

'Weet je het zeker?'

'Tuurlijk, dat is logischer dan dat jij ... Oei, ik moest 'm maar eens smeren ...' Hij kijkt op zijn horloge en pikt meteen nog een kus mee; dan heeft hij, in diezelfde storm van beweging, de deur achter zich gesloten.

Zo leven ze nu, als twee acteurs tijdens de laatste opvoeringen van een stuk waar niemand meer naar komt kijken.

De ochtend is een moeras van e-mails en gemiste telefoontjes, voicemails die nog meer e-mails beloven, nog meer telefoontjes. Maar het vooruitzicht van een middag in de buitenwereld maakt het makkelijker te verdragen. Mensen zeggen altijd tegen Halley dat ze zo'n geluk heeft dat ze thuis kan werken. Niet hoeven forenzen! Geen baas die je op de huid zit! Je hoeft je niet eens aan te kleden! Vroeger schreef zij ook heel positief over het aan huis gebonden leven, ofwel de *fully networked society*, zoals het toen genoemd werd, de grote belofte van de digitale revolutie. En nu zat ze hier, dolblij dat ze naar een wetenschapsbeurs voor tieners ging, omdat ze dan een excuus had om make-up op te doen. Kijk uit met wat je wenst en zo.

In Ballsbridge parkeert ze de auto en verruilt de heldere middag voor de duisternis van de tentoonstellingszaal. Binnen is het donker en gonst het van de bedrijvigheid, als een puberale mierenkolonie. Overal waar ze kijkt zijn geheimzinnige apparaten aan het zoemen, vonken, knetteren en klotsen; dieren snuffelen plichtsgetrouw aan elektrodes of laten een rad draaien; computers coderen, decoderen, configureren. Maar ondanks alle commotie is de wetenschap voor de tienerexposanten voelbaar van secundair belang; er worden tussen de verschillende kraampjes blikken gewisseld die zo schaamteloos wellustig zijn dat je je al vagelijk aangerand voelt als je er alleen maar tussendoor loopt.

Ze maakt een rondje langs de uitgestalde projecten, maakt een praatje met de ademloze, monosyllabische types die ervoor staan, terwijl hun leeftijdgenoten om haar heen, die hier duidelijk onder dwang zijn, langsschuifelen met de hopeloze uitdrukking op hun gezicht van gevangenen die hun doodstraf tegemoet marcheren – bleke, knokige kinderen in saaie uniformen, die frunniken, elkaar slaan, flauwe grappen herhalen. Als ze Howards vriend Farley in de verte ziet opdoemen, loopt ze naar de stands van Seabrook, waar een studie van de warmtehuishouding van reptielen in gevaar is gebracht nu er een gekko is ontsnapt. Een paar jongens kruipen rond achter de stand om naar hem te zoeken, bieden hem kleine stukjes van een Mars-reep aan; de andere twee leden van het team lijken zich er drukker over te maken dat ze er cool uitzien voor de meisjes van Loreto met hun windgenerator aan de overkant van het gangpad. 'Ik wist wel dat we een reservegekko hadden moeten kopen.' Naast haar schudt Farley zijn hoofd. 'Dat beestje komt niet meer terug.'

'Hoe gaat het? Afgezien van die gekko?'

'Prima. Aftellen tot de kerstvakantie, net als iedereen, denk ik.'

Ze wil hem naar Howard vragen, erachter proberen te komen wat hem dwarszit, wat zij eraan kan doen; maar ze aarzelt, en even later verschijnen er twee jongens van een ander Seabrook-project – de een donker met angstaanjagende doorlopende wenkbrauwen, de ander bleek, met de gelaatstrekken van een roodharige, geteisterd door acne, allebei met het licht misvormde gelaat dat pubers eigen is, alsof hun trekken uit een catalogus zijn gekopieerd door iemand die werkt met een onbekend medium – om Farley te vertellen dat iemand cola op hun laptop heeft gemorst.

'Iemand?' herhaalt Farley.

'Het gebeurde gewoon,' zegt het roodharige joch.

'O god,' zucht Farley, 'sorry, Halley', en hij loopt achter hen aan.

Wat vreemd dat Howard de hele dag met deze creaturen doorbrengt, denkt ze. Ze merkt dat haar energie al wegvloeit nu ze nog maar een paar minuten onder hen verkeert.

Als ze na afloop in de auto stapt – een stokoude Bluebird, een compendium van rarigheden bij elkaar gehouden door roest dat voor hij haar ontmoette Howards enige significante investering in het leven was –, doet ze alsof ze het niet erg vindt dat ze naar huis gaat. Ze zet de radio aan, neuriet zonder te luisteren boven het gegons van stemmen uit, verzet zich niet als haar gedachten afdwalen naar die grootse tijd van irrationele opwinding, toen er nauwelijks een dag voorbijging zonder dat er een nieuw bedrijf werd opgestart, of een beursintroductie, of zo'n soort chique toestand, zoals haar toenmalige redacteur ze noemde, waar Halley zich mooi voor moest aankleden; de hoogtijdagen van de internet*boom*, toen er eindeloos over de toekomst werd gesproken, die ze zich voorstelden als een seculiere, matzwarte extase, een tijdperk van convergentie en oneindige gelukzaligheid waarvan destijds, aan het eind van de twintigste eeuw, algemeen werd aangenomen dat ie op het punt stond aan te breken, toen Halley haar avonden doorbracht in een klein appartementje aan Mulberry Street …

De hond springt voor haar in een flits van goudkleurige vacht die direct weer uit het zicht verdwijnt. Ze trapt op de rem, maar de auto heeft haar, met een verrassend zwaar, bijna industrieel geluid, al geraakt. Ze doet het portier open en schiet de straat op – háár straat, met háár huis, en de rest van de dag zoals die eruit had moeten zien maar een paar meter verderop! –, op hetzelfde moment waarop de vrouw aan de overkant haar deur opendoet en over het pad op haar af komt rennen.

'Ze kwam gewoon uit het niets,' kakelt Halley. 'Ze sprong zo voor de auto …'

'Het tuinhek stond open,' zegt de vrouw, maar haar aandacht is op de hond gericht. Ze knielt om haar roze gevlekte kop te aaien. Ze ligt plat op haar zij, een eindje van de bumper af; haar bruine ogen glimlachen Halley toe als ze naast haar hurkt. Bloed sijpelt van onder haar kop over het gravel. 'O, Polly …'

Er staat een auto achter die van Halley. Omdat hij niet kan passeren, stapt de bestuurder uit en gaat over hen heen staan. 'Ach, arm beest … Heb je haar aangereden?'

'Ze kwam uit het niets,' herhaalt Halley klaaglijk.

'Arme meid.' De man hurkt naast de twee vrouwen neer. De hond, die geniet van de aandacht, kijkt hen een voor een aan, terwijl haar staart zwakjes op de grond tikt. 'Ze moet naar een dierenarts worden gebracht,' zegt de man. Ze beginnen te bespreken hoe ze het best opgetild kan worden. Als ze nou eens een laken onder haar schoven, als een soort hangmat? Van vlakbij klinkt een schelle gil. Het dochtertje van de vrouw staat verstijfd bij het tuinhek.

'Alice, naar binnen!' beveelt de vrouw.

'Polly!' krijst het meisje.

'Ga naar bínnen!' herhaalt haar moeder, maar het meisje holt kriskras over het pad, en tegen de tijd dat ze bij hen is, is ze al in tranen. 'Polly! Polly!' De hond hijgt en likt over haar lippen, alsof ze haar probeert te kalmeren.

'Sst, Alice … Alice …' De vrouw staat half op als het meisje begint te krijsen; haar hele hoofd wordt mauve, wordt een gigantische mond. 'Sst …' De vrouw drukt het kinderhoofd tegen zich aan; de kleine handjes slaan zich om haar rokken. Ze leidt haar voorzichtig terug naar het huis. 'Kom nou maar … Het komt wel goed …'

Halley gaat gedachteloos met haar vingertoppen over het vochtige asfalt, terwijl de man de dierenambulance belt. Algauw komt de vrouw weer uit het huis, een wit laken in haar armen. Ze wacht tot de man klaar is met bellen, en dan tillen ze de hond met z'n drieën van de weg. Ze hoeven haar niet meer naar de dierenarts te brengen. Ze spreiden het laken losjes uit over haar lijf.

'Het spijt me zó ontzettend,' smeekt Halley opnieuw.

'Ik was al heel lang van plan iets aan dat hek te doen,' zegt de vrouw afwezig. 'De postbode zal het wel open hebben laten staan.'

De man legt zijn hand op haar elleboog en zegt dat dat soort dingen nou eenmaal gebeurt. Halley smacht ernaar dat hij dat ook tegen haar zegt, maar dat doet hij niet. Ze wisselen telefoonnummers uit, alsof er nog een volgend bedrijf van hun drama moet komen. 'Ik woon aan de overkant,' zegt Halley zinloos tegen de vrouw. Dan stapt ze weer in haar auto en rijdt de korte afstand naar haar eigen tuinhek. Als ze eenmaal binnen is, gluurt ze door de gordijnen naar de vrouw, met betraande wangen, die nog steeds op de hoek de wacht houdt, bij het laken waaronder de poten van de hond netjes uitsteken, twee aan twee. De andere retriever ligt op het gras in de tuin van de vrouw; zijn snuit steekt troosteloos door de spijlen. Van achter het bovenraam kijkt het kleine meisje naar buiten, drukt haar handpalmen tegen het glas, huilt geluidloos.

Halley doet de gordijnen dicht en gaat ineengedoken in een hoek zitten. De telefoon flikkert vanaf het bureau naar haar dat er iemand belt; digitale vissen zwemmen heen en weer over het computerscherm. Voor het eerst sinds ze in Ierland is, zou ze zonder voorbehoud willen dat ze thuis was. Het voelt alsof haar hele leven hier naar dit moment heeft toe gewerkt, iemand van haar heeft gemaakt die honden aanrijdt.

Niet lang daarna hoort ze Howard binnenkomen, voorafgegaan door gefluit als de herkenningsmelodie van een of andere bordkartonnen tv-comedy. Ze gaat op de bank zitten, staart boos naar zijn onwetende, vriendelijke glimlach. 'En, hoe was het op de Fair?' vraagt hij.

'Wat?'

'Op de Science Fair?'

De Science Fair! De gekko! Dat ze wordt herinnerd aan die lang vervlogen middag en haar eigen rol erin – zo triviaal en verdomde nutteloos! – is olie op de vlammen van haar woede. 'Howard, waarom heb je de auto geen beurt laten geven?'

'Wat?' Howard legt, traag van begrip, zijn koffertje en overjas neer.

'Die kloteremmen zijn naar de klote, Howard. Ik heb je al duizend keer gevraagd om die barrel naar de garage te brengen, maar je doet het verdomme nooit ...'

Howard kijkt haar aandachtig aan, alsof ze in tongen spreekt. 'Nou, ik zal het doen; als jij dat wilt, dan doe ik dat. Wat is er aan de hand, is er iets ...'

Ze vertelt hem, oververhit en haastig, over de hond, de vrouw, het kleine meisje.

'O god ...' Hij woelt door haar haar. 'Wat erg, Halley.' Maar zijn medeleven maakt haar alleen maar kwader. Waarom zou hij er zo makkelijk van afkomen? Ja, zij zat achter het stuur, maar verder is het allemaal zijn schuld! Zíjn schuld!

'Wat heb ik er nou aan dat je het erg vindt? God, Howard, als dat kleine meisje nou eens de weg op was gelopen? Wat zou je dan zeggen? Dat je het erg vond?'

Howard buigt zijn hoofd en mompelt berouwvol.

'Waarom doe je niet gewoon wat je zegt dat je gaat doen? Je moet aan dingen dénken, Howard. Je hebt verantwoordelijkheden. Je kunt niet maar zo'n beetje rondzweven in je eigen wereldje, je begraven in die oorlogsboeken van je en ervan dromen dat je tegen de nazi's vecht ...'

'De Hunnen,' zegt Howard tegen de vloer.

'Wat?'

'De nazi's is de Tweede Wereldoorlog. Ik lees over de Eerste.'

'O, in godsnaam ... luister je überhaupt? Ben je je er überhaupt van bewust dat je hier een leven hebt? Of ben ik een of andere hersenschim die je stoort bij het lezen? Je moet je verdomme inzetten voor dingen, Howard, wakker worden en de mensen om je heen zien, die op je vertrouwen! Je mag het saai vinden, maar het is wel je leven!'

Ze geeft hem ervanlangs, voluit, gooit alle frustratie eruit die zich in de afgelopen weken heeft opgebouwd, en daarvoor. Howard luistert zwijgend, met afhangende schouders, samengeknepen ogen alsof hij buikpijn heeft, en hoe meer ze hem kastijdt, des te meer fronsen zijn wenkbrauwen zich in die gepijnigde vorm, ergens tussen verbijstering en gekweldheid in, des te meer krimpt hij ineen, tot ze zich geschrokken afvraagt of hij gaat overgeven. Dan gaat hij abrupt op de armleuning zitten en zegt, bijna in zichzelf: 'Ik kan dit niet meer.'

'Wat?' zegt Halley.

'Het spijt me,' zegt Howard met verstikte stem.

Op een onderbewust niveau heeft ze dit moeten zien aankomen, want ze heeft nu al het gevoel alsof ze in haar maag is gestompt: er zit geen lucht meer in haar longen, en ze lijkt geen nieuwe zuurstof te kunnen inademen. Niet nu, denkt ze, niet nu! Maar voor ze het weet, zit hij tegen haar te raaskallen over Robert Graves, Hallowe'en, *Wild Horses*, de opwarming van de aarde, een invalleerkracht aardrijkskunde die Cosmopolitans drinkt – het komt allemaal als regen op Halley neer, en voor ze er wijs uit heeft kunnen worden, trekt het bloed uit haar gezicht weg, beginnen haar vingers van lichtheid te tintelen ...

Een deel van haar denkt aan het feminisme. Een deel van haar denkt aan al die vrouwen die voor hun rechten hebben gevochten, en ze schaamt zich dat ze die laat zakken, want terwijl het verhaal van zijn ontrouw zich ontvouwt, voelt ze alleen maar hoe ze gekweld verschrompelt, letterlijk desintegreert, alsof ze moes is geworden die over de vloer druipt; hij vertelt haar dat hij niet weet hoe hij zich voelt, wat hij *wil* – en zij wil alleen maar dat hij haar opdweilt en weer samenraapt zoals ze was; ze wil smeken en huilen, zodat hij ongedaan maakt wat hij net heeft gezegd, haar in zijn armen neemt, zegt dat er niets is veranderd, dat het allemaal goed is. Maar dat gebeurt natuurlijk niet.

Op de ochtend na het incident in Our Lady's Hall lijkt Skippy's slaap in bloei te staan als een afgrijselijke roodpaarse bloem. Sommige bloeduitstortingen draag je als eremedailles: als je ze hebt opgelopen bij rugby of bij racen op een quad, of als je ergens af bent gevallen toen je dronken was. Dan laat je geen gelegenheid voorbijgaan om te pronken met een fijne kneuzing. Maar een blauwe plek die je door iemand anders is toegebracht is een heel ander verhaal: het is alsof er een grote knipperende pijl boven je hoofd hangt die jou aanwijst als iemand die te stompen is, en voor je het weet staan er jongens in de rij om er hun eigen bloeduitstorting aan toe te voegen, alsof ze alleen maar gewacht hebben tot iemand hun liet zien dat het kon. In één ochtend heeft Skippy voor een week aan gezeik over zich heen gekregen – mensen die de deur voor zijn neus dichtgooiden, hem lieten struikelen in de gang, om nog maar te zwijgen van het opstel dat hij voor straf moet schrijven van mevrouw Ni Riain, drie pagina's over de Keltische oorsprong van de naam Seabrook, omdat hij te laat kwam voor de les. Als het tijd is voor de lunch, is hij zelfs al te moedeloos om te eten; terwijl de anderen naar de kantine gaan, schuifelt hij in zijn eentje weg.

'Arme sukkel,' zegt Niall. 'Die heeft het flink te pakken.'

'Die klap voor z'n kop is het beste wat hem had kunnen overkomen,' zegt Dennis, terwijl hij met zijn dienblad naar een tafeltje loopt. 'Misschien realiseert hij zich nu wat een stom idee dat hele gedoe met dat Frisbeemeisje was. En dan hoeven wij niet meer naar dat flikkerige BETHani-liedje te luisteren.'

'Dat liedje doet me ergens aan denken,' zegt Geoff met gefronste wenkbrauwen.

'Toch is het jammer,' zegt Niall. 'Want hij vindt haar wel echt leuk.'

'Dat je iets echt leuk vindt, betekent automatisch dat je het niet krijgt.' Dennis komt net terug van repeteren met het Kwartet – drie kwartier lang sarcastische opmerkingen ('Eh, dat stuk is in vierkwartsmaat maat, hoor') en gedraai met zijn ogen van Ruprecht –, en is in een bijzonder zwartgallige bui. 'Zo gaat het in die stomme klotewereld.'

'Dat zal wel,' zegt Niall. 'Al zie ik niet in waarom.'

'Misschien heeft God daarvoor gezorgd, om ons te testen?' oppert Geoff.

'Ja, tuurlijk, Geoff, en uiteindelijk krijgen we allemaal een lolly,' zegt Dennis spottend.

'Nou, ja, het punt is uiteraard ...' Ruprecht haalt zijn hoofd uit het lesboek als een scherpzinnige hamster, 'dat het universum asymmetrisch is.'

'Wat? Wat betekent dat nou weer?'

'Ik bedoel dat we te maken hebben met een systeem dat eerst, direct na de oerknal, een hoge graad van symmetrie had – tien dimensies, alle materie en energie met elkaar verbonden – en vervolgens een heel lage graad van symmetrie, zoals nu, met opgekrulde dimensies, fysieke krachten die niet samenwerken et cetera. Maar als je het vergelijkt met sommige andere topologieën die binnen de M-theorie mogelijk zijn, dan lijkt ons universum inderdaad behoorlijk uit balans. En de patronen die zich op een kwantumniveau voordoen, kun je helemaal doortrekken.'

Dennis legt zijn vork neer. 'Blowjob, waar heb je het in godsnaam over?'

'Over precies hetzelfde als waar jij het over hebt. De fundamentele structuur van het universum zorgt ervoor dat er de hele tijd geen tegenwicht voor dingen is. Toast komt met de beboterde kant omlaag neer. Bij intelligente leerlingen hijsen ze hun onderbroek tussen hun bilnaad, in plaats van dat ze worden gerespecteerd als de toekomstige leiders van hun gemeenschap. Je kunt niet krijgen wat je wilt, maar iemand anders, die er niet op zit te wachten, heeft het in overvloed. Asymmetrie. Die is overal waar je kijkt.' Hij hijst zijn mollige lijf achterwaarts in zijn bankje en kijkt de zaal door. 'Neem Philip Kilfether daar bijvoorbeeld.' Hij wijst naar de plek waar Philip Kilfether, de Kleinste Jongen van Seabrook, zit, maar net zichtbaar achter zijn pakje sinaasappelsap. 'Het enige waar Philip Kilfether vanaf het moment dat hij kon praten van heeft gedroomd is professioneel basketballer worden. Maar omdat hij een onderontwikkelde hypofyse heeft, zal hij nooit langer dan een meter twintig worden.'

Ze turen naar de tragische gestalte van Philip Kilfether, die elke dag urenlang op het basketbalveld doorbrengt, van de ene kant naar de andere rent, terwijl de ballen onbereikbaar over zijn hoofd heen zoeven, en nog meer uren in zijn kamer, waar alle muren versierd zijn met posters van Magic, Bird, Michael Jordan en andere beroemde lange mannen, om rekoefeningen te doen die zijn medische prognose moeten logenstraffen.

'Skippy en het Frisbeemeisje, nog zo'n duidelijk voorbeeld. Hij vindt haar leuk. Zij kust hem. Je zou denken dat zo doorgaan de weg van de minste weerstand was. Maar in plaats daarvan verdwijnt zij en slaat Carl hem in elkaar. Onbegrijpelijk.'

'O, wat dacht je van Caetano,' doet Geoff zijn duit in het zakje. 'Die was verliefd op een meisje in Brazilië en heeft al zijn spaargeld uitgegeven om een mp3-speler voor haar te kopen, omdat ze op een dag naar het thuiswinkelkanaal zaten te kijken en zij zei dat ze wel een mp3-speler wilde hebben. En zo'n beetje direct de volgende dag, toen hij haar die mp3-speler had gegeven, ging zij naar bed met de jongen die de afvoer van het zomerhuisje van haar ouders aan het repareren was, hoewel ze een paar dagen daarvoor nog tegen Caetano had gezegd dat dat een idioot was, dat ie heel harige knokkels had en naar afvoerputjes stonk. En toen Caetano die mp3-speler terug wilde hebben, wilde ze hem die niet geven. Zoiets?'

'De asymmetrie lijkt inderdaad wel heel uitgesproken als er meisjes in het spel zijn,' merkt Ruprecht op.

'Wauw, Ruprecht, denk je echt dat meisjes in een ander universum niet net zo asymmetrisch zullen zijn?'

'Ik zou niet weten waarom niet,' zegt Ruprecht, terwijl hij pedanterig zijn bril rechtzet. 'Zoals ik al zei: de patronen die op een kwantumniveau voorkomen, worden op elke andere schaal herhaald.'

'Dat is geweldig, Blowjob,' mengt Dennis zich weer in de discussie. 'Dan hoeft Skippy dus alleen maar een manier te bedenken om in een parallel universum terecht te komen.'

'Theoretisch is het mogelijk,' zegt Ruprecht.

'Nou, is het theoretisch dan ook mogelijk dat jij iets bedenkt waar hij daadwerkelijk wat aan heeft?'

'Zoals?'

'Weet ik veel, een laserstraal om Carl mee dood te schieten of zo.'

'Geweld is nooit een oplossing,' verklaart Ruprecht schijnheilig.

'Geweld lost alles op, idioot. Kijk maar naar de wereldgeschiedenis. Als ze een probleem hebben, klooien ze eerst een tijdje aan, en dan laten ze er geweld op los. Dat is de enige reden dat ze wetenschappers hebben: om geweld nog gewelddadiger te maken.'

'Zo te horen is je begrip van de geschiedenis ongeveer even ontwikkeld als je beheersing van de fagot,' snauwt Ruprecht.

'Steek maar in je reet, Ruprecht, en die stomme theorie van je erbij.' Dennis gaat met een onheilspellende blik achterover in zijn stoel zitten. 'De waarheid is dat Skippy in een parallel universum nog steeds een loser zou zijn. We zouden allemaal losers zijn, zelfs in een universum vol piepkleine, meisjesachtige mieren.'

In de hal staan een paar van de zwemmers om het mededelingenbord heen. 'Hé Juster. Moet je kijken!' Antony Taylor roept hem.

Coach heeft het team voor de wedstrijd bekendgemaakt. Je naam staat als tweede van onderen.

'Niet te geloven dat hij jou heeft geselecteerd,' zegt Siddartha Niland. 'Hij kan verdomme net zo goed een baksteen in het water gooien.'

'Ik zou het maar niet verkloten, Juster,' zegt Duane Grehan.

'Waarom heeft ie jou nou geselecteerd?' Siddartha schudt zijn hoofd. 'Het slaat gewoon nergens op.'

Boven bel je je vader om hem het nieuws te vertellen. 'Dat is geweldig, maatje!' Je vaders stem ruist van veraf.

'Denk je dat jullie kunnen komen?'

'Ik hoop het, knul, ik hoop het echt.'

'Wat zegt dokter Gulbenkian ervan?'

'Wat hij ervan zegt?'

'Hij zou toch langskomen?'

'O ja – ach, je weet wel, hetzelfde als anders. Je kent hem. Hoor eens, D, het is hier vandaag een gekkenhuis, dus ik moest maar eens gaan. Maar geweldig nieuws, geweldig nieuws. Daar zullen we van opkikkeren.'

Je hangt op, loopt naar het raam en kijkt door de telescoop. Vanaf de achterkant van de deur kijken de dode plastic ogen van de zwembril naar je.

Je weet niet waarom Coach je heeft geselecteerd. Je hebt de slechtste tijden van de hele ploeg. Het is niet gewoon dat je langzaam bent; als je tegenwoordig zwemt, is het alsof er een of andere geheime getijdenstroom is die alleen op jou ligt te wachten; en terwijl alle andere jongens in rechte lijnen naar de finish snellen, terwijl Coach in zijn handen klapt en hen vooruitschreeuwt, probeert die stroom je weg te voeren, naar een ongeziene plek onder water, een donkere deur waarachter een kamer ligt die je, merk je als je ernaar afzakt, bijna herkent ... en dan begin je, als in een droom wanneer je je realiseert dat die is omgeslagen in een nachtmerrie, in paniek te raken, met je armen te zwaaien en te slaan, wat het voor die donkere magneten alleen maar makkelijker maakt je naar beneden te trekken, tot het echt lijkt alsof je gaat verdrinken, daar in de ondiepe wateren van het schoolzwembad – pas op het allerlaatste moment schiet er weer iets in je terug. Je verzet je, worstelt naar het oppervlak en klauwt zo snel mogelijk naar de kant. 'Weer als laatste, Daniel', en achter je verdwijnt ie dan weer, zinkt weg in het onschuldige blauw, wachtend tot de volgende keer ...

Ze is niet buiten. Je loopt weg bij de telescoop, loopt achteruit door de kamer. Het kruis van de wedstrijd brandt rood op de kalender. De pillen roepen naar je vanuit het nachtkastje. Diep ademhalen, Skip. Onthoud wat Coach zei. Er kan een hoop gebeuren tussen nu en dan. Een zeemeerman die op school komt en je uit het team stoot. Dat je in een lift vast komt te zitten, je arm breekt. Of erger.

Voorlopig moet hij weer naar les, gezwollen woestijnen van grammatica, regels en feiten; het verafgelegen leven waar dat allemaal een voorbereiding op is gluurt door de ramen van het lesboek begrijpend lezen, de economische modellen en rollenspelen-om-je-vocabulaire-op-te-krikken ...

'Goedemorgen, meneer, ik wil graag een fiets *kopen*.'

'Uitstekend, meneer. Wat voor fiets zoekt u? Is hij bedoeld voor *dagelijks gebruik*?'

'Ik heb hem nodig om naar mijn werk te *forenzen*. Ik zoek naar iets *duurzaams*, *draagbaars* en *niet te duur*. Kunt u me uw *assortiment* laten zien?'

... dat maar een fractie minder desolaat lijkt dan de voorbereidingen zelf, en de slechte invloed van de bloeduitstorting die nog steeds haar kwaadaardige werk doet, als een antiamulet, een ongeluksmunt waar je niet van af kunt komen …

'O, meneer Juster …'

Roept je terug naar de deuropening van het nu lege lokaal. Hangt erin als een spin in een onzichtbaar web. 'In gedachten verzonken, meneer Juster …?'

'Eh, ja, vader.' Hij blijft maar tegen je práten.

'Zit je iets dwars, mijn zoon?'

'Nee, vader.' Je probeert niet te gaan wriggelen onder zijn licht ontvlambare blik.

'Ze hebben je anders behoorlijk te grazen genomen.'

'Eh … tegen een deur gelopen.'

'Mmm.' De vingers die naar je pulpige slaap reiken en hem aanraken zijn koud, vochtig en merkwaardig gruizig, zoals ze op Aswoensdag voelen als ze natte as op je huid wrijven. … 'Dat was dan niet al te snugger, hè?'

'Nee, vader.'

'Wat moeten we nou met u, meneer Juster?'

'Ik weet het niet, vader.'

'Als je al niet gewoon een déúr door kunt lopen.' De pater laat een stilte vallen. Een zucht gaat als een rimpeling door zijn mes-achtige lijf. 'Nou ja, jongens blijven jongens, zullen we maar zeggen.' De zwarte ogen fonkelen. 'Of niet soms, meneer Juster?'

'Eh … ja, vader.'

'Zo is het,' ademt pater Green uit, alsof hij het tegen zichzelf heeft. 'Zo is het …' En dan deinst hij achteruit, als rook die uit een schoorsteen wordt gezogen; jij kunt gauw weglopen, wrijven over de plek waar de vingers je hebben aangeraakt, de botten die dwars door je huid lijken te duwen, zo je ziel in …

Als Ruprecht die avond terugkomt uit het lab, zit Skippy met het dekbed om zich heen gewikkeld en het licht uit te strijden tegen een dodelijk-witte hydra die vorst uitademt en zijn ledematen om zich heen gooit als sneeuwstormen van scheermesjes.

'Dat type ziet er akelig uit,' zegt hij.

'IJsdemon.' Skippy, die met zijn benen over elkaar op de grond zit, rukt de joystick naar links en naar rechts; zijn mond is een gespannen lijntje, zijn uitdrukking is er een van enorme concentratie; als meneer Tomms door de gang loopt om te roepen dat het licht uit moet, zet hij de computer uit en stapt zonder verder een woord te zeggen zijn bed in.

Dan, net als Ruprecht zeker weet dat hij slaapt, zegt hij vanuit de duisternis: 'Dat Carl me sloeg hoeft niet per se iets met Lori te maken te hebben.'

'Niet?'

'Carl is een klootzak. Hij doet de hele tijd dat soort dingen. Daar heeft ie geen reden voor nodig.'

'Dat is waar,' geeft Ruprecht toe.

Er valt een stilte. Dan klinkt de stem weer, over de kloof van vloer tussen de bedden in heen. 'En trouwens, hoe moet hij nou weten dat ik haar ge-sms't heb?'

Veren kreunen als Ruprecht gaat verliggen, zijn handen op zijn buik vouwt en dwangmatig met zijn duimen draait. 'Nou ja, je zou kunnen aannemen dat je vriendin het hem heeft verteld ...'

Hierop volgt weer een stilte, als in telefoongesprekken over grote afstand in de dagen van weleer; dan het opstandige antwoord: 'Dat zou ze nooit doen.' Hij gaat op zijn zij liggen, met zijn gezicht naar de muur, en kort daarop klinkt er heel zachte muziek uit zijn koptelefoon, een miniatuurversie van het liedje van BETHANI, als een veld vol samen zingende sprinkhanen in de verte.

Ruprecht, die nog steeds stuitert van de suiker van de lading donuts die hij eerder op de avond heeft gegeten, kan niet slapen. Hij staat op, opent het SETI-scherm, kijkt een tijdje hoe de computer het betekenisloze nieuws verwerkt dat het universum brengt; hij maakt een lijst van willekeurige woorden die beginnen met een M – MUILEZEL, MARKEERSTIFT, MELK, MEERKOET – om te kijken of hij een bijzonder verband ziet; hij kijkt naar het zachtjes rijzen en dalen van het silhouet van zijn vriend, opgekruld in zijn nimbus van nanomuziek.

Hij denkt na over asymmetrie. Dit is een wereld, denkt hij, waarin je op bed naar een liedje kunt luisteren terwijl je droomt van iemand van wie je houdt, en dan resoneren je gevoelens en de muziek zo krachtig en totaal dat het onmogelijk lijkt dat die geliefde, wie of wat hij of zij ook is, dat niet wéét; het signaal niet oppikt dat uit je hart pulseert, alsof jij en de muziek en de liefde en het hele universum zijn versmolten tot een kracht die gebundeld de ruimte in kan worden gestuurd om die boodschap over te brengen. Maar in feite is het niet alleen zo dat hij of zij dat niet zal weten, er is zelfs niets wat diegene ervan weerhoudt op precies datzelfde moment op zijn of haar bed naar datzelfde liedje te liggen luisteren en aan *totaal iemand anders te denken* – die identieke gevoelens op volstrekt iemand anders te richten, die op zijn beurt op bed aan weer iemand anders kan liggen denken, een vierde persoon, die weer aan een vijfde ligt te denken, enzovoort, enzovoort; dus in plaats van een universum van paartjes die netjes elkaars gevoelens beantwoorden, waarin liefde en beantwoorde liefde keurig en symmetrisch door de lucht fladderen als evenzovele paren vlindervleugels, zitten wij met kettingen van verlangen, die zich uitstrekken en meanderen en uitlopen in een oneindig aantal losse eindjes.

Net zoals de vorm van natuurlijke objecten zoals regenbogen, sneeuwvlokken, kristallen en bloeiende bloemen is afgeleid van de symmetrische manier waarop quarks zijn gerangschikt in een atoom – een overblijfsel van de verloren gegane staat van volmaakte symmetrie van het universum –, zo is Ruprecht ervan overtuigd dat de ongelukkige toestand van de liefde terug te voeren is op het subatomaire niveau. Als je je inleest in de snaartheorie, zul je erachter komen dat er twee soorten snaren zijn: met gesloten en met open eindes. De gesloten snaren zijn O-vormige lussen die rondzweven als engelen, die niet worden gehinderd door de eisen van ruimtetijd en geen enkele rol spelen in onze realiteit. Het zijn de snaren met open einde, de eenzame, incomplete, U-vormige snaren, die zich wanhopig vastklampen aan de kleverige materie van het universum; die worden de bouwstenen van de realiteit, de deeltjes, de uitwisselaars van energie, de krioelende voortbrengers van al die complicaties. Ons universum is, zou je kunnen zeggen, *opgebouwd uit eenzaamheid*; en die fundamentele eenzaamheid zet zich door naar boven, en kwelt alle inwoners ervan. Maar zou de situatie in andere universums misschien anders kunnen zijn? Hoe zou in een universum waar bijvoorbeeld alle snaren gesloten waren, de liefde er uitzien? En energie? En ruimtetijd? De sirenenzang der vraagtekens; zijn gedachten dwalen zijwaarts en onvermijdelijk af van Skippy en zijn probleem naar grootsere zaken: universums die voluptueus opgekruld liggen in geheime dimensies, uitgestrekte vlakten van puur anders-zijn, geplooide topografieën waarin vormen verborgen liggen die zelfs niet zijn bezoedeld door het feit dat iemand ze zich heeft kunnen voorstellen ...

Een geluid brengt hem terug in de realiteit – een nauwelijks hoorbaar tikken tegen het raam. Het is een mot die een zinloze tatoeage van verlangen naar de maan aan de andere kant van het glas tikt – nog een verhaal van onbeantwoorde liefde, denkt Ruprecht. Hij schuift het raam omhoog om hem eruit te laten, loopt dan naar zijn schrift en schrijft op: MOT, MAAN. Halverwege het tweede woord stopt hij, en blijft even bewegingsloos zitten, alsof hij verstijfd is boven de bladzijde; dan loopt hij gauw terug naar het raam en staart naar buiten, alsof hij daar in het donker het snel opwaarts slaande klappen van piepkleine vleugeltjes zou kunnen ontwaren ...

Eén keer per week, en vaker als zijn werkrooster het toestaat, onderneemt pater Green de tocht van de hooghartige garnizoenen van de bourgeoisie naar St. Patrick's Villas, om de leden van de gemeente te bezoeken die te ziekelijk of teer zijn om naar de mis te komen. De tocht bestrijkt minder dan anderhalve kilometer, maar de Villas horen bij een andere wereld, een wereld die is aangetast door verwaarlozing en stinkt naar menselijk afval. Hij beklimt de afbladderende trappen om bij met graffiti bekladde deuren te komen; zelfs nadat hij heeft gezegd wie hij is, zal een angstig oog hem toch nog van top tot teen opnemen door een kier voor het laatste kettinkje los wordt gemaakt. Het zijn bijna zonder uitzondering vrouwen. Mrs. Doran, Mrs. Coombes, Mrs. Gulaston: met levervlekken, blauwe kleurspoelingen, vergeten, en toch zijn ze er op de een of andere manier nog. Binnen zal de televisie respectvol op *mute* zijn gezet, maar niet zijn uitgeschakeld; bloemetjesbehang met daarop een web van vochtige afbeeldingen van Pater Pio en Johannes Paulus II naast foto's in ovale lijstjes van al lang geleden overleden echtgenoten, of van kinderen en kindskinderen die tegenwoordig in Ongar wonen of in Spanje of het gewoon te druk hebben om naar de ontroostbare klaagzangen van de oude dag te luisteren. Hij zal in de keuken gaan zitten; ze zullen thee voor hem halen en hij zal zichzelf dwingen te luisteren terwijl ze hem vertellen over hun ellende: het elektrische kacheltje dat het niet doet, de zweren op hun benen, het verval van de buurt. 'Het gaat allemaal naar de bliksem, vader. Het is net een jungle. Erger dan een jungle! Die jonge gasten die auto's stelen en ermee door de straat racen. Flessen kapotgooien. Op alle uren staan te krijsen en schreeuwen. Uitschot is 't, allemaal aan de drugs! De drugs, daar is de buurt kapot aan gegaan. Vroeger was het hier heel fijn, vader, dat weet u nog wel. Een heel fijn buurtje. Nu durf je 's avonds niet eens meer naar buiten. Op klaarlichte dag ben je je leven al niet zeker. Ze lopen je zo ondersteboven. Ze zijn je flatje al in voor je halverwege de deur bent.'

Pater Green knikt, neemt een slokje van zijn thee. Eerlijk gezegd is dit nooit een fijn buurtje geweest, niet in de twintig jaar dat hij hier komt. De economische *boom* is hier nooit doorgedrongen; als je uit het raam kijkt, zou het net zo goed nog de jaren tachtig kunnen zijn, het hoogtepunt van de heroïneplaag, terwijl de politie niets doet, de politiek niets doet. Dezelfde gezichten die rondhangen op het pleintje voor de dichtgespijkerde garage, trots op hun onhandelbaarheid, op hoe berucht hun buurt is. Ze dragen hun falen als een eremedaille, generatie op generatie, ouders en kinderen. Iedereen weet wat ze hier doen; je kunt de politie bellen als je wilt, met een verveeld klinkende jongeman praten, en als ze daartoe genegen zijn, rijdt er een uur later een patrouilleauto langs. Dan gaat het groepje uiteen tot die weg is, of verzamelt zich weer voor het winkelcentrum of in het park. Maar er verandert niets, en niemand maakt zich daar al te veel zorgen om, zolang 'het probleem' maar daar blijft: in de achterbuurt.

Voor pater Green vandaag vertrekt, maakt hij een tussenstop bij de grot voor Onze-Lieve-Vrouw. Vroeger bleef deze kleine uithoek, wat voor verschrikkingen er ook omheen raasden, smetteloos. Nu zijn haar aanbidders te oud en broos om het te onderhouden, en het schilderwerk en het gipsen beeld zijn met de tijd verbleekt; haar sereniteit is in uitputting veranderd, haar gebaar van voorzienigheid in schouderophalen. Over de balustrade reikend vist hij er een blikje uit, chipszakjes, een condoom; mensen wervelen om hem heen, werpen in het voorbijgaan een vluchtige, onverschillige blik op hem, zoals ze zouden doen bij een zwerver die in een vuilnisbak rommelt. Hij sleept zich pijnlijk getroffen de straat weer over, zijn arm vol afval tegen zijn borst gedrukt, en gaat op zoek naar een vuilnisbak – als er plotseling een man voor hem gaat staan …

Een zwárte man van een jaar of vijfenveertig, met een glanzende huid, gespierd, het tegendeel van de lusteloze, uitgebluste buurtbewoners; in pater Green draait een klok met onnatuurlijke snelheid terug, en in de gelige ogen van de man lijkt een corresponderende herkenning tot leven te komen, en hij heft zijn handen, enorm, dierlijk …

Hij strekt ze voorzichtig uit en neemt de lading van hem aan. 'Dank u, eerwaarde,' zegt de stem. Die vertrouwde, moeizame klinkers: 'Dak u, eewaade.'

'Graag gedaan,' fluistert pater Green, als de man weer naar binnen gaat met het afval. Door de deuropening kun je een glimp opvangen van draaipoortjes en schimmige gezichten: een winkel, een nieuwe winkel, lijkt het.

Hij trilt nog steeds als hij terugkomt op school. Tijdens het avondeten in de residentie van de paters wil hij zijn ontmoeting graag bespreken. Hij wacht tot het gesprek op het verleden komt, wat zo vaak gebeurt, zodat hij er terloops over kan beginnen. 'Weet je,' zegt hij als de tijd daar is, en hij hoort de woorden hoog en vals klinken in zijn oren. 'Weet je, toen ik vandaag mijn rondes liep door St. Patrick's Villas, viel me op hoeveel Afrikanen er in de buurt zijn verschenen. Een paar leken me net oud genoeg om les van me te hebben gehad tijdens de missie!'

En hij wacht, zich schrap zettend, af wat ze daarop zullen zeggen.

'Ik begrijp nooit waarom iemand in godsnaam uit Afrika weg zou gaan om hiernaartoe te komen,' merkt pater Zmed op. 'Al die zonneschijn opgeven om hier in de sloppen te gaan wonen!'

'Het land van de onbegrensde mogelijkheden,' antwoordt pater Crookes. 'Beschaving. Daar lezen ze over in hun schoolboeken – logisch dat ze het dan met eigen ogen willen zien.'

'Dus het is onze schuld,' zegt pater Dundon somber.

'Wat ik bedoel te zeggen ...' probeert pater Green het gesprek weer op koers te krijgen, 'denken jullie dat het mogelijk is dat dezelfde kinderen die wij les hebben gegeven door puur toeval in Seabrook terecht zijn gekomen? Zou dat ... zou dat niet geweldig zijn?'

Pater Zmed richt vanaf de overkant van de tafel zijn glinsterende, diamantachtige, samengeknepen ogen op hem. Wat zou hij denken?

'Ik zou denken dat de meesten van hen inmiddels wel dood zullen zijn, Jerome,' zegt pater Crookes met een hap van zijn toetje in zijn mond. 'Weet je wat de gemiddelde levensverwachting van een Afrikaanse man is?'

Pater Dundon zucht. 'Ik vraag me vaak af of we er überhaupt goed aan hebben gedaan. Ik hoorde laatst een vent op de radio de

Kerk de schuld geven van de verspreiding van aids daar. Hij zei dat de paus verantwoordelijk was voor de dood van tweeëntwintig miljoen mensen.'

'Nou, dat is gewoon onzin ...'

'Nog nooit zo'n ...'

'Dat is twee keer zoveel als Hitler,' zegt pater Dundon.

'Ach, kom op ...' Ze weten dat het niet klopt, alleen niet waarom niet; ze kijken naar pater Green, in de hoop dat hij het zal weerleggen. 'We kunnen het woord van God niet herschrijven,' zegt hij gehoorzaam. 'En een ziekte is nog geen vrijbrief voor immoreel gedrag. Zelfs niet in Afrika.'

'Maar niet iedereen is zoals wij,' zegt pater Zmed tegen pater Green – hij kijkt hem weer aan met die merkwaardig doordringende blik, die nauwelijks zichtbare glimlach. 'Niet iedereen heeft ... genoeg morele kracht voor onthouding.'

'Dan moeten ze daar maar voor bidden,' zegt pater Green, en hij maakt samenvattend een prop van zijn servet.

Dood dus. Hij blijft met een gerust hart tot diep in de avond bij hen aan tafel zitten, oude sterke verhalen uitwisselen over wat ze hebben gedaan, wat ze hebben bereikt. Jonge mannen die voor een onmogelijke taak stonden: een continent, een heel continent ondergedompeld in hekserij! Inboorlingen die naast je knielden om te bidden, en vervolgens, als de zonsondergang was weggesmolten in het struweel, bij zonsopkomst gedrenkt in het bloed terugkwamen, met ogen die rolden als bij krankzinnigen. Elke nacht lag je halfwakker te wachten op voetstappen bij je tent – doezelde weg in de verwachting dat je zelf wakker zou worden op een altaar! Of in een kookpot! Geen tijd voor subtiliteiten – hen doodsbang maken was een waterdichte methode. Zijn naam is Satan. Hij woont op een plek vol vlammen. Dat begrepen ze. Witte ogen die de woestenij in priemden. 'Ja, ja, de hel. Alleen God kan jullie beschermen.' En dan las je ze voor uit Dante. Soms werd je er zelf bang van! Maar het werkte, dat was het punt! Ze kwamen om genezen te worden! Ze konden leren, ze konden uit die misère worden getild! Bij al die primitieve wildheid was er hoop! Alleen al door het aantal geredde zielen kwam je thuis met het gevoel dat je iets had gedaan! Geen wonder dat ze daar nu hun toevlucht toe nemen, tot die verhalen die ze allemaal al honderd keer hebben gehoord, als het heden niets dan ambiguïteit en beschuldigingen brengt, bedoeld om alles te ontmantelen waar zij in geloofden.

Perverselingen, monsters, hersenspoelers.

Pater Green gaat naar zijn kamer, en blijft nog een uur op om huiswerk na te kijken. Hij zit in een vijvertje van lamplicht, overdenkt de kleurige saaie weergaven van de wereld – fietsen die gehuurd moeten worden, aankopen die gedaan moeten worden – die de jongens in hun werkboeken moeten afmaken. Hij werkt gestaag, ongehaast, en hoewel hij precies weet waar in de stapel het exemplaar van Daniel Juster ligt, doet hij net alsof dat niet zo is; als hij er is aanbeland, streelt hij niet over de bladzijden terwijl hij zich voorstelt dat de hand van de jongen eroverheen gaat; hij staat ook niet lang stil bij het handschrift – de argeloze, zorgvuldige lussen en kruisen –, snuffelt ook niet aan het papier, kust niet o zo zachtjes de bittere inkt.

Handschrift. Kalk op leitjes. Kale bomen voor een kerk, wind die aan komt waaien uit de woestijn, zorgeloos lachende kinderen die halfnaakt en ebbenhoutgespierd door het lokaal van de ernstige jonge pater zigzaggen ... Die kinderen! Onweerstaanbaar! Je moest wel glimlachen – en nu, decennia later alleen in zijn bed, terwijl al die kinderen dood zijn, veilig dood, speelt er weer een glimlach over het gezicht van pater Green, die hem de slaap in voert, een slaap vol van vlammen, duizend piepkleine gloeiend hete woestijntongetjes die hem overal likken, schroeien en branden, een kwelling van schuldgevoel die ook een afschuwelijke, onuitsprekelijke extase is.

Ruprecht voert iets in zijn schild. Hij doet nu al twee dagen alsof hij ziek is om onder zijn lessen uit te komen – stopt zijn bed vol kussens en verkast naar zijn lab. Maar wat hij daar doet blijft zelfs voor zijn kamergenoot een mysterie; tot Skippy op een late vrijdagavond wakker wordt en er een mollig silhouet over zijn bed heen gebogen staat. 'Wat doe jij nou?' mompelt hij door de overblijfsels van zijn dromen heen.

'Ik sta op de rand van een historische doorbraak,' zegt het silhouet.

'Kan dat niet wachten tot morgen?'

Blijkbaar niet, want Ruprecht blijft over hem heen hangen, snuffelig ademhalend in het donker, tot Skippy met een kreun de dekens van zich af gooit.

Een uur later staan hij en de anderen rillend op stukken piepschuimen verpakkingsmateriaal nog steeds te wachten op wat er ook gaat gebeuren, terwijl Ruprecht, met een laboratoriumbril op en een soort cape om, kabeltjes vastmaakt aan printplaten en met een soldeerbout aanpassingen doet aan wat zo op het oog voor verscheidene honderden euro's aan aluminiumfolie is. Het is ijskoud in de kelder, en hun geduld begint op te raken.

'Verdomme, Blowjob, gaat het nog veel langer duren?'

'Bijna klaar,' antwoordt Ruprecht enigszins gesmoord.

'Dat zegt hij steeds,' moppert Mario stug.

'Ruprecht, het is midden in de nacht,' smeekt Geoff, terwijl hij over zijn armen wrijft.

'En het stikt hier van de spinnen,' vult Skippy aan.

'Nog heel even,' stelt de stem hen gerust.

'Kun je in elk geval zeggen wat het is?' zegt Niall.

'Het ziet eruit als een soort teleporteermachine,' merkt Geoff op.

'Het principe is vergelijkbaar,' beaamt Ruprecht als hij even opduikt uit een woud van kabels. 'Een Einstein-Rosen-brug, maar dan geherkalibreerd voor de elfdimensionale matrix. Hoewel het doel van de teleporteermachine alleen maar was om een verbinding te leggen tussen twee verschillende gebieden in de ruimtetijd, terwijl dit ... dit ...' Hij laat een geheimzinnige stilte vallen, en verdwijnt vervolgens weer met een spatel in zijn schepping.

'Het ziet er anders niet uit als een brug,' zegt Mario, terwijl hij de wigwam van aluminiumfolie wat beter bekijkt.

'Ik vraag me af waar die brug heen leidt,' peinst Geoff met schorre stem.

'Nergens heen, sukkel,' snauwt Dennis. 'Dat ding stuurt je hoogstens met een kluitje in het riet. Verdomme, het is vrijdagavond! Realiseer je je wel dat er op ditzelfde moment miljoenen mensen seks hebben? Ze hebben seks en ze drinken bier, terwijl wij hier zitten te kijken hoe Von Blowjob met zijn speelgoed klooit.'

'Hmm, nou ja,' antwoordt Ruprecht, onderweg naar een van zijn computers. 'Ik vraag me ernstig af of de mensheid veel zal hebben aan seksen en bier drinken als hun hele toekomst op het spel staat. Ik betwijfel of ze dan nog veel bier zullen drinken, als de hele planeet onder water staat en het leven met uitsterven wordt bedreigd.'

'Ik heb het gevoel dat ik nu al uitgestorven ben, als ik zo naar jou zit te luisteren,' moppert Dennis.

Maar het lijkt erop dat het moment van de waarheid eindelijk is aangebroken, want nu doet Ruprecht een stap naar achteren, weg van zijn zilveren insectenpop, en fatsoeneert zijn cape. 'Mario?'

'Yo.' Mario zwaait met zijn mobieltje met camera. 'Ik ben er klaar voor.'

'Uitstekend.' Ruprecht trekt zijn cape recht en schraapt zijn keel. 'Nou, jullie vragen je waarschijnlijk af waarom ik jullie hierheen heb laten komen. Het concept van het multiversum ...'

'*Cut!*' zegt Mario.

'Wat nou?' Ruprecht kijkt hem geprikkeld aan.

Mario legt uit dat zijn camera alleen clipjes van tweeëntwintig seconden kan opnemen.

'Dat is prima,' zegt Ruprecht. Zijn ogen vernauwen zich, en hij zet zijn historische toespraak voort in sprintjes van tweeëntwintig seconden. 'Het concept van het multiversum is niet nieuw. Het idee van parallelle werelden gaat terug tot de oude Grieken. Maar met de M-theorie hebben we de sterkste aanwijzing tot nog toe in handen voor hoe de structuur van het multiversum eruit zou kunnen zien: een elfdimensionale zee van Niets, die we delen met entiteiten van verschillende afmetingen, van speldenknoppen tot negendimensionale hyperuniversums. Volgens de theorie zijn sommige van die entiteiten minder dan de breedte van een haar van ons verwijderd; dat wil zeggen, mijne heren, dat ze op ditzelfde moment bij ons in deze kamer zijn.' Er volgt een diepe stilte op zijn woorden, afgezien van het bijna onhoorbare ruisen van de haartjes die rechtovereind gaan staan in ieders nek. Hij spitst zijn sponzige vingers en strijkt ze een voor een glad, het crepusculaire licht van het computerscherm glinstert op zijn vochtige voorhoofd. 'Het probleem is natuurlijk hoe je erbinnen moet komen. De hogere dimensies zijn zo stevig opgevouwen dat de huidige technologie op aarde bijlange na niet de hoeveelheid energie kan genereren die nodig is om tot ze door te dringen, of ze zelfs maar te zien. Maar vanavond heb ik iets gekregen wat je alleen maar als een openbaring kunt omschrijven.'

Hij loopt naar een ezel waarop in grote letters TEKENLOKAAL! NIET VERWIJDEREN! staat en slaat het eerste vel om om een sterrenkaart te onthullen. 'Mag ik jullie voorstellen: Cygnus X-3.' Hij houdt zijn aanwijsstokje bij een van een ontelbaar aantal stippen en vlekken. 'Wat het precies is weten we niet. Misschien is het een grote, ronddraaiende neutronenster, misschien ook wel een zwart gat dat een zon aan het verzwelgen is. Maar wat we wel weten is dat er gigantische hoeveelheden straling van afkomen waar de atmosfeer van de aarde dagelijks mee wordt gebombardeerd, met energiesterktes variërend van honderd miljoen elektronvolt tot honderd biljoen biljoen elektronvolt. Over ongeveer' – hij werpt een vluchtige blik op zijn horloge – 'twaalf minuten zullen we de krachtigste stralingsbundel zien sinds afgelopen zomer. Op de schoolklok is een speciale receptor gemonteerd die klaarhangt om die energie op te vangen.'

'Net als in *Back to the Future*!' roept Geoff uit.

'Vanuit die receptor,' zegt Ruprecht, die opmerking negerend, 'zal die energie naar deze Escher-lus worden geleid.' Hij wijst op een dikke kabel die over de vloer kronkelt, onder de benen van de jongens door de deur uit. 'Die lus heeft een radius van ongeveer een kwart mijl, om de rugbyvelden heen en weer terug. De kosmische stralen worden door de lus gepompt met gebruikmaking van Eschers vrije-acceleratieproces, waardoor er steeds meer energie in wordt opgebouwd, tot er genoeg is opgewekt voor onze doeleinden. En vervolgens komt die energie terug naar deze Kosmische-Energiecompressor. Als hij zijn volledige capaciteit heeft bereikt, zal de gravitatiekamer in de capsule worden geactiveerd, waardoor we, als alles goed gaat, een klein spleetje in de ruimte zullen kunnen maken. Wat we in feite doen, is de energie van een groot, ver weg gelegen zwart gat lenen om een klein, plaatselijk, controleerbaar zwart gat te creëren, hier in de kelder.' Hij zwijgt even om de gelegenheid te geven voor bewonderend gemompel, vervolgt dan: 'Uit Einsteins vergelijkingen weten we dat, wil een zwart gat wiskundig gezien kloppen, er aan de andere kant een spiegeluniversum moet zijn. We weten ook dat de oneindige zwaartekracht van het gat alles wat erbinnen gaat onmiddellijk zal vermorzelen. Maar als we het precies gelijk houden aan de aslijn ervan, is het misschien mogelijk om, vlak voor de spleet zich weer sluit, een voorwerp ongeschonden door het middelpunt van het gat te steken, naar wat zich ook maar aan de andere kant ervan bevindt. Vanavond zal deze speelgoedrobot onze Columbus zijn.' Hij haalt een rood-grijze androïde van plastic van ongeveer vijfentwintig centimeter uit een schooltas.

'Optimus Prime,' fluistert Geoff goedkeurend. 'De leider van de Autobots.'

Er komt een laag zoemgeluid uit de met folie bedekte capsule. Ernaast verschijnen onbegrijpelijke getallenreeksen op computerschermen, als digitale bezweringen, of het extatische gebabbel van een of andere verafgelegen realiteit die nu heel dichtbij is ...

'Hé Ruprecht ... Die andere universums ... Zullen we daarheen kunnen? Als die doorgang van je werkt?'

'Als deze doorgang werkt,' zegt Ruprecht, terwijl hij hun allemaal plechtig een laboratoriumbril aanreikt, 'betekent dat een totaal nieuw hoofdstuk in de geschiedenis van de mensheid.'

'Holy smoke ...'

'Vaarwel, aarde! De mazzel, kloteplaneet – behalve Italië dan.'

'Moet je je indenken, Skip. Misschien zijn er wel miljoenen parallelle Lori's! Hele universums vol!'

'O, tuurlijk,' doet Dennis zijn duit in het zakje. 'En planeten vol lingeriemodellen die verslaafd zijn aan seks? Melkwegen vol meisjes die hun complete beschaving hebben opgebouwd in afwachting van de komst van de Maagden uit de Ruimte die in hun kleine jumpsuits op bezoek komen?'

Ruprecht kijkt op zijn horloge. 'Het is tijd,' zegt hij. 'Getuigen, zet jullie brillen op, alsjeblieft. En ik moet jullie voor je eigen veiligheid verzoeken afstand te houden. Er kan wat straling uit de vortex komen.'

Skippy en de anderen laten hun maskers zakken en zelfs Dennis is niet ongevoelig voor het verwachtingsvolle getinkel dat de krappe kelder vult, het onloochenbare gevoel dat er iets op het punt staat te gebeuren. Ruprecht voert wat laatste getallen in in de computer, en laat Optimus Prime vervolgens in een soort metallic kribbe zakken. En dan, op zijn knieën bij de met folie bedekte capsule, houdt hij even in – als de moeder van Mozes, misschien, met haar biezen mandje aan de oever van de Nijl – en kijkt nadenkend in de geschilderde ogen van de robot, denkend dat wat hij ook doet, episch of alledaags, voorbestemd voor glorie of tot mislukken gedoemd, op zijn eigen manier een afscheid van de wereld betekent; dat de grootste overwinningen daarom nooit gevrijwaard zijn van de schaduw van verlies; dat elk pad dat je kiest, hoe verheven of stralend ook, je niet alleen kwelt met de herinnering aan wat je achterliet, maar ook met de spoken van alle onbewandelde paden, die je nu nooit meer kunt inslaan, en die er parallel aan lopen …

Dan, zich verheffend, zet hij de schakelaar om.

Er gaat een schijnbaar lang moment voorbij waarin er niets gebeurt. Dan, net als Dennis triomfantelijk wil gaan krassen, begint de capsule te brommen en vult de kamer zich heel snel met warmte. Geoff kijkt naar Skippy. Skippy kijkt naar Geoff. Mario staart ingespannen naar het piepkleine schermpje van zijn telefoon, waarop de gebeurtenissen in miniatuurvorm worden weergegeven, hoewel er voorlopig nog niets te zien valt; er is alleen dat gebrom, dat steeds luider wordt en ook met elke seconde minder gelijkmatig, meer gaat trillen, terwijl het vergezeld gaat van verontrustend gepiep en geratel … De hitte neemt ook met de seconde toe, pulseert uit de kabel onder hun tenen, tot ze algauw bijna ondraaglijk is, alsof je in een sauna bent, of een machinekamer, of een machine, alsof je daadwerkelijk in een machine zit; voorhoofden druipen van het zweet, en Skippy begint zich af te vragen hoe gezond deze toestand eigenlijk is, als zijn blik toevallig op Ruprecht blijft rusten, die op zijn vingertoppen zit te knauwen en zenuwachtig naar de zoemende capsule kijkt, en plotseling het uitermate verontrustende gevoel krijgt dat zijn vriend geen énkel idee heeft waar hij mee bezig is. Dan: een hard elektrisch *zap!* en een oogwenk van een verblindend wit licht, alsof ze nu in een gloeilamp zitten, en vervolgens absolute duisternis.

Een alarmerend moment lang is de duisternis ook een stilte, met alleen het gesis van de Escher-kabel om Skippy ervan te verzekeren dat hij nog in de kelder is en zelf niet in een zwart gat zit, of dood is; dan klinkt, iets rechts van hem, de beverige stem van Ruprecht op: 'Niets om jullie zorgen over te maken … Blijf alsjeblieft op je plek …'

'Dikke idioot dat je bent!' zegt Mario onzichtbaar, links van Skippy. 'Probeer je ons te vermoorden of zo?'

'Volkomen normaal … kleine stroomstoring … geen reden voor ongerustheid …' Er klinken geluiden op uit Ruprechts deel van de duisternis, alsof iemand zich van de grond hijst. 'Ik moet … de, eh, begrenzer lijkt … Wacht even …' De smalle lichtbundel van een zaklantaarn verschijnt en zwaait door de kamer, terwijl Ruprecht probeert zichzelf weer onder controle te krijgen. 'Heel vreemd.' Hij schraapt gewichtig zijn keel. 'Ja, wat ik me voorstel dat er gebeurd is …'

'Ruprecht – kijk!'

De lichtbundel zwenkt rond om Skippy's verbijsterde gezicht te beschijnen, en gaat dan naar de plek waar hij naar wijst: het open deurtje van de capsule, waar de ellips van licht even blijft hangen voor hij naar de vloer wordt gericht als Ruprechts hand slap langs zijn lichaam valt.

'Hij is wég …' fluistert Mario.

Optimus Prime ligt niet meer in zijn kribbe.

'Holy shit, jongens,' werpt Geoff ertussen. 'Dennis is ook weg!'

'Ik ben hier,' roept een zwakke stem vanaf de andere kant van de kamer. Met zijn sleutelhangerzaklamp schijnt Ruprecht op een hoop stoffige dozen en moederborden waar Dennis uit komt klauteren.

'Hoe ben je daar nou terechtgekomen?'

'Door een soort krácht ...' zegt Dennis versuft, met zijn armen om zijn borst geslagen. 'Ik zat naar die capsule te kijken, en toen ... en toen ...'

'Ruprecht,' zegt Skippy kalm, 'wat is er net gebeurd?'

'Ik weet het niet,' fluistert Ruprecht bijna onverstaanbaar.

'Waar is Optimus Prime?' vraagt Geoff. 'Is hij verdampt, of ...?'

Ruprecht, die nog verbaasder lijkt dan zij, schudt zijn hoofd. 'Als hij was verdampt, zouden er sporen zijn,' mompelt hij, starend naar de lege kribbe.

'Dus dat betekent ...?' probeert Skippy de lege plekken te vullen.

Ruprecht kijkt hem aan, terwijl een uitdrukking van onversneden verrukking zich verspreidt over zijn gezicht. 'Ik heb geen idee,' zegt hij. 'Ik heb geen flauw idee!'

De anderen willen – als ze eenmaal genoeg hersteld zijn om te praten – meteen alle nieuwszenders bellen. 'Je hebt een robot een andere dimensie in geteleporteerd, Ruprecht! Je komt op tv!' Maar Ruprecht staat erop dat ze hun bevindingen eerst verifiëren voor ze iemand bellen.

'Kom op, Ruprecht, Optimus duikt heus niet vanzelf weer op.'

'Nee. Je zou feest moeten vieren. Verifiëren kan morgen ook nog.'

Ruprecht glimlacht goedmoedig en gaat verder met zijn werk. 'Eerst verifiëren, dan vieren. Zo doen we dat.'

Hij is merkwaardig kalm. Afgezien van een maniakale zenuwtrek die af en toe bij zijn mondhoeken zichtbaar is, lijkt de duizelingwekkende vreemdheid van wat er zojuist is gebeurd, de wereldgeschiedenisenormiteit ervan, hem te ontgaan, en zelfs geen enkel verdovend effect op hem te hebben gehad; hij beweegt zich met een kalme zekerheid door de kamer, zet de apparatuur klaar voor een volgende proef, als een man die nadat hij maandenlang over onbekend terrein heeft gedwaald nu een herkenningspunt in het landschap heeft gezien, waardoor hij weet hoe hij thuis moet komen.

'Jongens ...' Dennis zit sinds het experiment in elkaar gedoken boven een stuk piepschuim. 'Ik voel me niet goed ...'

'Je ziet er ook niet goed úít ...'

Dennis' huid is bleek en klammig, zijn handen liggen beschermend over zijn buik.

'Wat is er met hem, Ruprecht?'

'Denk je dat ie stralingsziekte heeft?'

'Dat is niet onmogelijk.' Ruprecht fronst zijn wenkbrauwen. 'Hoewel die stralen geen kwaad zouden moeten kunnen ...'

'Misschien ben je wel radioactief geworden, Dennis!'

'Holy shit, Dennis – misschien heb je nu superkrachten!'

'Ik voel me anders niet super,' zegt Dennis somber.

'Je moet maar even gaan liggen,' zegt Skippy.

'Ik wil het verifiëren niet mislopen.'
'Wij vertellen wel wat er gebeurd is.'
'Bovendien: ik kan het filmen met mijn telefoon, waarvan jij ironisch genoeg net nog zei dat ie nutteloos was.'
'Oké,' stemt Dennis met tegenzin in. Met zijn handen nog steeds voor zijn buik strompelt hij naar de deur. Maar dan blijft hij staan. 'Hé Ruprecht?'
'Mm-mm?' Ruprecht, die over zijn toetsenbord gebogen staat, draait zich een kwartslag om.
'Ik weet niet wat hier net gebeurde. Maar al die dingen die ik zei, dat je een dikke vette nepperd en een leugenaar was, en dat die doorgang van je lulkoek was waar je nog geen bord soep mee kon opwarmen, en dat je een homo was en alle wetenschappers homo's waren ...?'
'Ja?'
'Nou ... ik had het mis. Sorry.'
'Dat geeft niet,' antwoordt Ruprecht goedgunstig. Dennis loopt met een knikje zwakjes de kelder uit. Zijn onkarakteristieke berouw veroorzaakt bij de anderen een storm van bezorgdheid, gepaard aan speculaties aangaande de aard en wenselijkheid van een bestraalde of super-Dennis; maar die gaan algauw verloren in de opwinding als Ruprecht de capsule klaarmaakt, dit keer met Skippy's polshorloge erin, en ze uitnodigt hun bril weer te laten zakken.
Maar verificatie blijkt moeilijker dan verwacht. Er zou, volgens Ruprechts berekeningen, nog genoeg vermogen van de oorspronkelijke stralingsstoot over moeten zijn om een tweede teleportatie mogelijk te maken; maar hoewel de capsule net zo zoemt als eerst, de kabel oververhit raakt en de stroom uitvalt, komt dat magische hoogtepunt van het eerste experiment, dat gewijde moment waarop Optimus Prime werd weggegrist, niet meer terug.
Bij het ontbijt de volgende ochtend is de stemming danig omgeslagen. 'Ik begríjp het gewoon niet,' zegt Ruprecht, terwijl hij de leegte in staart en ontroostbaar in zijn cornflakes roert. 'Waarom zou het de eerste keer nou perfect werken en alle keren daarna helemaal niet? Het is gewoon niet lógisch.'
En om het allemaal nog erger te maken, lijkt Mario's telefoon er op de een of andere manier niet in te zijn geslaagd het oorspronkelijke, succesvolle experiment vast te leggen. 'Maar wij hebben

het gezien, Ruprecht. We hebben het gezien.'

Ruprecht is ontroostbaar. 'Wie zal nou een stelletje schooljongens van veertien geloven? Ze zullen zeggen dat we het gedroomd hebben.'

Hij laat zijn toast onaangeroerd liggen en loopt de trap weer af om nog wat te prutsen aan zijn schepping; terwijl de uren zich voortslepen, lijkt het alsof Skippy, twee verdiepingen hoger in hun slaapkamer, de wanhoop van zijn vriend nog kan voelen. De uitbundigheid van de vorige avond is volledig doodgebloed. Hebben ze het dan inderdaad allemaal gedroomd? Was het een soort gemeenschappelijke zinsbegoocheling die ze uit pure verveling hebben opgeroepen, zoals de anderen zeiden dat hij met Lori had gedaan?

Dennis wil daar niets van weten. 'Die robot is uit die capsule verdwenen,' zegt hij. 'Dat is een feit.'

'Oké, maar zelfs als het die ene keer is gelukt. Wat nou als hij het hierna nooit meer voor elkaar krijgt?'

'Nou, Skipford, ik ben geen wetenschapper, maar dit kan ik je wel vertellen: als er iemand een doorgang naar een parallel universum kan openen, is het Ruprecht wel.' Dennis zit in zijn pyjama op Skippy's bed; hij lijkt hersteld te zijn van zijn dosis stralingsvergiftiging, en hij vertoont geen tekenen van paranormale begaafdheid of andere vermogens, afgezien van een nieuwe en nogal verontrustende waardering voor Ruprecht.

'Het leek er niet op dat hij dacht dat het nog een keer ging lukken.'

'Daarom heeft hij onze steun nodig,' zegt Dennis. 'We weten misschien niet veel van wetenschap, maar we kunnen hem helpen door in hem te geloven.'

'Geloof jij dan in hem?' Verbaasd dat hij Dennis dat woord überhaupt hoort gebruiken, kijkt Skippy even op van de computer.

'Natúúrlijk,' zegt Dennis gewoon.

Maar Skippy – wiens ogen onwillekeurig en voor de honderdste keer sinds de lunch naar zijn niet-oplichtende telefoon schieten, en vandaar door het raam naar de lege binnenplaats van St. Brigid's, als een grijze voorafschaduwing van regen – weet het niet zo zeker. Wat nou als de waarheid over andere werelden is dat als ze de jouwe raken – via een doorgang, of een perfecte kus – ze dat altijd maar op één punt doen, op een enkel moment, voor het draaien van de aarde je er weer vandaan trekt? Wat als de wereld niet alleen een leeg podium is waarop magische dingen soms, maar meestal niet gebeuren, maar eerder een kracht die zich actief verzet tegen magie – zodat het niet uitmaakt of die andere werelden, doorgangen, kussen, gedroomd waren of echt, omdat je ze hoe dan ook nooit terug …

Wacht eens even …

'Heb je tieten in beeld?' Dennis klimt overeind om over Skippy's schouder naar de computer te turen. 'Wat is er … Holy shit …'

De avond valt. In de recreatiezaal voor de onderbouw vraagt de legendarische barbaarse krijger Blüdigör Äxehand, alias Victor Hero, om een time-out uit de bergachtige Mijnen van Mythia, waar hij en de andere deegachtige zielen van Lucas Rexroths rollenspelcubje zoeken naar de legendarische Amulet van Onyx, om even naar de wc te gaan. Hij loopt de deur door en door de gang als zich een grote, Lionel-vormige gestalte op hem stort.

'Kijk, kijk, als dat de Prins der Mietjes niet is, die een avondje verwijfd rond loopt te lummelen.'

'Ga van me af!' piept Victor/Blüdigör, terwijl hij vergeefs kronkelt onder Lionels gespreide, blokachtige knieën.

'Jaag je op kusjes? Wat dacht je van een kusje van je oom Lionel? Mondje open ...' Een enorme klodder spuug zakt uit Lionels mond omlaag en blijft trillend net boven Victors lippen hangen – Victor begint walgend nog harder te schudden, wat er alleen maar voor zorgt dat de slijmpendule dichter naar hem toe zwaait. En dan valt geluidloos de stroom uit. Victor maakt gebruik van het donker om onder Lionel vandaan te kruipen, die, als hij opstaat om de achtervolging in te zetten, merkt dat zijn kwijl aan zijn kin vastgeplakt zit ... 'Godverdomme!'

'Godverdomme!' Ruprecht komt in de kelder uit zijn stralingsblokker van aluminiumfolie, schijnt met een zaklantaarn door de rokerige lucht om in de kribbe te kijken. Maar Geoffs schoen ligt nog precies op de plek waar hij hem heeft neergelegd.

'Is het niet gelukt?' Geoff, die naar hem toe komt hinken, is er niet zo blij mee dat zijn schoen nog in dit universum is. Hij buigt zich voorover om hem uit de capsule te halen. 'Nou ja, het is niet het eind van de wereld ... Ik weet wat. Waarom proberen we het niet met ...' Zijn ogen schieten de kelder rond, terwijl hij zich weer in zijn schoen wringt. 'Mario, heb jij dat gelukscondoom nog?'

'Ha ha, mooi dat je dat niet in die achterlijke doodsmachine doet.'

'Maar dat het geluk brengt zou goed zijn voor het experiment,' probeert Geoff hem om te praten.

'Ik ga mijn onfeilbare geheime wapen niet afstaan aan een of andere parallelle ik in een ander universum,' zegt Mario beslist. 'Die moet zijn eigen wijven maar regelen.'

'Oké ...' Geoffs ogen beginnen weer met rondspeuren. 'En wat dacht je dan van ...'

'Wat heeft het voor zin?' onderbreekt Ruprecht hem mistroostig.

'Hoe bedoel je, "wat heeft het voor zin"?'

'Ik bedoel dat het toch niet gaat werken. Wat er met Optimus Prime gebeurde, was duidelijk een soort toevalstreffer. Misschien wel het gevolg van een externe factor waar we geen rekening mee hebben gehouden – de stand van de maan, de luchtvochtigheidsgraad. Het kan van alles zijn geweest.'

'Maar dat wil toch niet zeggen dat je het dan maar moet opgeven ...'

'Laten we er voor vandaag maar mee ophouden,' zegt Ruprecht monotoon, terwijl hij het verkoolde computertoetsenbord met zijn voet een zetje geeft. Zestien uur aan herhaalde teleurstelling hebben zich op zijn gezicht geëtst, als een acute vorm van de grijze necrose van desillusie die de anderen elke seconde van de dag meer over zich heen voelen kruipen, die hen verandert in volwassenen.

'En de toekomst van de mensheid dan?' smeekt Geoff, maar Ruprecht heeft zich al omgedraaid en schuifelt geriatrisch door de kamer, zet de computers een voor een uit, als de deur openbarst en Dennis en Skippy binnen komen rennen.

'Wacht!' roept Dennis uit.

Skippy, die een of ander printje naar voren houdt, zegt dat hij op internet op zoek was naar materiaal voor het strafopstel dat hij voor mevrouw Ni Riain moest schrijven, over de Gaelic oorspong van de naam Seabrook – 'En toen kwam ik deze site tegen.'

De site heet 'The Druid's Homepage' en beweert '*een bron voor barden, sjamanen, Mystici van Erin en allen die zoeken naar de Rituelen uit Lang Vervlogen Dagen*' te zijn. 'Het gaat voornamelijk over druïden en hoe je toverdrankjes maakt van bladeren en zo. Maar toen zag ik ineens ...' hij bekijkt de onderkant van de pagina '... *namen kunnen nog altijd een aanwijzing zijn voor de locatie van deze heilige plekken, zelfs in de moderne ...'* o ja, hier staat het '*... hoewel Seabrooks huidige vertaling van het Gaelic "Siobruth" een betekenisloze verengelsing is, is het goed mogelijk dat Seabrook, waar nu een kerk en een bekende school staan, zijn oorsprong vindt in "Sidhe an Broga", uitgesproken als "Shee an Brugga", wat "Elfenhuis" betekent. Dat is de naam die werd gegeven aan de grotachtige, in kamers verdeelde* cairns *die in de Oude Legendes werden gezien als de traditionele huizen van de Sidhe en de toegangspoorten tot de "Anderwereld". De correcte term voor deze heuvels is "tumuli"; ze worden vaak aangetroffen, zoals op vergelijkbare plekken als Stonehenge in Engeland en de Brú na Bóinne in Meath, op het kruispunt van leylijnen om gebruik te kunnen maken van het rasterwerk van elektromagnetische energie dat over de aarde ligt. Vele experts geloven dat deze tumuli, die zijn gecreëerd volgens astronomische specificaties die zo precies zijn dat ze tot op de dag van vandaag nog steeds boven de macht van de meest geavanceerde computers liggen, het werk waren van een ras van buitenaardse wezens die voor korte tijd onder ons hebben geleefd en ze gebruikten als poorten voor hun reizen door en buiten het universum ...'*

'Waarom vertel je me dit allemaal?' zegt Ruprecht.

'Buitenaardse wezens, Ruprecht!' schalt Dennis. 'Die heuvels zijn gebouwd door buitenaardse wezens! En er ligt er eentje ergens in Seabrook!'

Ruprecht, die met een doekje de olie van zijn handen veegt, gromt alleen maar.

'Denken jullie dat die *mound*, die heuvel, iets te maken heeft met wat er met Optimus is gebeurd?' vraagt Geoff.

'Denk er nou eens over na,' zegt Dennis. 'Weet je nog wat mevrouw Ni Riain ons vertelde, over die oude Ierse legendes, weet je wel, over dat ras van magische wezens die op het platteland leefden, maar die het grootste deel van de tijd onzichtbaar waren? Sluit dat niet aardig aan bij wat jij vertelde, Ruprecht, over die hogere dimensies, en dat het er allemaal is, vlak onder onze ogen, maar dat we niet kunnen zien wat erin gebeurt? Lijken die sprookjes niet precies mensen, of iets, te beschrijven die weten hoe ze hogere dimensies in en uit moeten komen? En die heuvels zijn de toegangspoorten die ze hebben gebouwd tussen onze wereld en die van hen, met buitenaardse kennis.'

'Ach, die verhalen zijn gewoon verhalen,' zegt Mario, 'verzonnen door dronken Ierse mensen uit de dagen van weleer.'

'Tuurlijk, dat dacht ik ook toen ik ze voor het eerst hoorde,' zegt Dennis. 'Want waarom zou een ras van hyperintelligente buitenaardse wezens in godsnaam in Seabrook willen wonen? Maar na wat er gisteren is gebeurd ...'

Ruprecht luistert niet eens meer; hij heeft zich omgedraaid om op te ruimen.

'... en toen herinnerde ik me weer wat er met Nialls zus is gebeurd ...' gaat Dennis verder.

Mario en Geoff kijken elkaar aan. 'Wat is er dan met Nialls zus gebeurd?'

'Je hebt me nooit over haar verteld,' zegt Skippy.

'Niet? Wat er in de gymzaal is gebeurd?' Dennis schudt zijn hoofd. 'Nou, het was ongelooflijk. De zus van Niall zit in de vierde klas van St. Brigid's. Ze zit bij het toneelgezelschap, en ze heeft een grote rol in het kerststuk van dit jaar.'

'Wat voeren ze op?' vraagt Geoff.

'*Oliver!*'

'*Oliver!* op een meisjesschool!' zegt Mario vol walging. 'Dat slaat echt helemaal nergens op.'

'Hoe dan ook, zij en een ander meisje zijn na de les op school gebleven om hun scènes extra te repeteren. Ze gebruiken een lokaal bij de gymzaal. St. Brigid's lijkt een beetje op deze school, met een nieuw en een oud gedeelte. Het oude gedeelte wordt niet veel meer gebruikt. Er is een lokaal voor Latijn, en een lokaal dat ze gebruiken voor naailessen en dat soort dingen. Er is nog een lokaal, dat altijd op slot zit. Als je de nonnen ernaar vraagt, zeggen ze dat het gewoon een oude opslagplaats is, en dat ze hem op slot hebben gedaan omdat de vloer verrot is en het niet veilig is om er te lopen. Maar er doen ook allerlei verhalen over de ronde, dat een meisje zich daar heeft opgehangen, of dat een non de as uit de open haard aan het vegen was toen ze de duivel door de schoorsteen naar beneden zag komen, dus dat ze de kamer toen hebben afgesloten.'

De anderen geven hem nu hun volledige aandacht; zelfs Ruprecht ontmantelt de machinerie minder luidruchtig dan voorheen.

'Oké, dus op een avond een paar weken geleden – het moet zo'n beetje in dezelfde tijd zijn geweest als de Hop, denk ik – zitten Nialls zus en haar vriendin dus in die kamer te repeteren. Ze gaan behoorlijk op in waar ze mee bezig zijn, dus ze blijven langer daarbeneden dan ze van plan waren.'

'Die vriendin, is dat een lekker wijf?' vraagt Mario. 'Niall zus heb ik weleens gezien – nee, dank je –, maar hoe zit het met die vriendin?'

'Ik ken haar niet,' zegt Dennis. 'En voor het verhaal maakt het ook weinig uit.'

'Ja, ja, ga verder.'

'Maar goed, plotseling merken ze allebei dat het heel koud is geworden. Echt ijskoud. Dus ze besluiten er voor die avond mee op te houden. Ze beginnen terug te lopen naar de hoofdingang, als haar vriendin ineens de arm van Nialls zus vastpakt en vraagt of zij ook iets hoort. Ze blijven als aan de grond genageld staan en luisteren zo goed mogelijk, en Nialls zus hoort heel vaag muziek. Die lijkt van onder hen te komen. Ze kijken elkaar aan. Het is na vijven en ze dachten niet dat er nog iemand was. Ze keren op hun schreden terug, de hal weer door. De muziek klinkt nog steeds heel zachtjes, bijna te zacht om te kunnen horen, alsof ze heel in de verte wordt gespeeld. Maar het lijdt geen twijfel waar ze vandaan komt: uit de afgesloten kamer.'

De stilte rond de luisteraars lijkt zich te verdiepen.

'Nialls zus zegt tegen haar vriendin dat ze op de deur moet kloppen. Die vriendin zegt tegen Nialls zus dat zij dat maar moet doen. Nialls zus daagt haar uit, dus de vriendin klopt aan. Er reageert niemand. De muziek blijft klinken ...'

'Wat voor soort muziek?' vraagt Geoff.

'Prachtige muziek. Met harpen en zo.'

'Net als in dat Ierse verhaal,' zegt Geoff hees.

'Afijn, ze kloppen, en vervolgens roepen ze: "Hallo, is daar iemand?" Geen reactie. Nialls zus pakt de deurknop en draait hem om. De deur zit uiteraard op slot. Maar die vriendin van Nialls zus heeft sleutels. De conciërge heeft die aan haar gegeven, zodat ze het lokaal kon afsluiten als ze klaar waren met repeteren. Maar ze wil ze niet proberen. Ze is bang, ze wil weg en het tegen een van de nonnen gaan zeggen. Maar Nialls zus weet dat de nonnen het nooit goed zullen vinden dat ze erbij blijven om te zien wat er in die kamer is. Dit is hun enige kans. Dus beginnen ze die sleutels in het slot te steken. Er zitten veertig sleutels aan de ring. Ze passen geen van alle. Ze proberen de laatste, en vervolgens staren ze naar de deur, volkomen perplex. Ze horen die prachtige muziek nog steeds; die lijkt zelfs luider geworden. Dan pakt Nialls zus, zonder te weten waarom, weer de deurknop vast en draait hem om. En dit keer gaat de deur open.'

Geoff, Mario en Skippy staren Dennis met grote ogen aan, als drie wasberen gevangen in de koplampen van een auto. Van een afstandje frunnikt Ruprecht onaangedaan aan zijn astma-inhaler.

'Die vriendin zegt: "Oké, nu moeten we echt iemand gaan halen." Maar Nialls zus heeft de deur al opengeduwd. Achteraf zei ze dat het net was alsof de muziek haar in trance had gebracht. Er klonk een harde *piiiieeep*. Ze kropen tegen elkaar aan en gingen naar binnen. En raad eens wat ze daar aantroffen?'

'Wat dan?' fluistert Geoff.

'Niets,' zegt Dennis.

'Niets?'

'Niets. De kamer was volkomen leeg.'

'Maar ...' brengt Mario met verstikte stem uit. 'Die muziek dan?'

'Die muziek horen ze nog steeds, glashelder. En er hangt ook een verrukkelijke geur, net een veld vol bloemen, hoewel het bijna winter is en de kamer geen ramen heeft en onder het stof en de spinnenwebben zit. Maar bijna onmiddellijk vervagen de geur en de muziek gewoon ... En ze staan daar in die lege kamer.' Dennis laat een afrondende stilte vallen en zegt dan: 'Sindsdien beweert die vriendin van Nialls zus dat die muziek ergens anders vandaan moet zijn gekomen. Dat een van de interne leerlingen misschien muziek aan had staan op haar kamer of zo, en die door een ventilatiegat of de afvoerpijpen had geklonken. Maar de kamers van de interne leerlingen zijn helemaal aan de andere kant van de school. Nialls zus weet zeker dat die muziek op de een of andere manier uit die kamer kwam.'

'Wauw,' zegt Geoff.

'Maar hoe kan dat nou?' zegt Mario.

'Nou, ze moeten dat lokaal op een eeuwenoude grafheuvel hebben gebouwd,' antwoordt Geoff. 'Dat is de enige logische verklaring.'

Ruprecht staat op en beent de kamer uit, kluivend op zijn knokkels.

'We weten dat St. Brigid's een nonnenklooster was voor ze er een school van maakten.' Dennis is nu een en al ernst. 'Maar wat was het vóór die tijd? Die druïdegast beweert dat iedereen in de dagen van weleer een godin vereerde die de Witte Godin heette, en dat die heuvels en dingen van haar waren. Maar toen de Kerk kwam en het christendom zich over het land verspreidde, nam die al die magische plekken over. Veranderde de namen, maakte van de oude legendes verhalen over, je weet wel, God en zo. En anders verdoezelden ze ze helemaal. Dat is logisch. Als je een stel nonnen en monniken bent en zo, en je wilt dat iedereen in de buurt je bevelen opvolgt en doet wat je zegt. Als er dan een of ander mystiek elfenfort in de buurt is waar allerlei rare dingen gebeuren, wil je niet dat mensen dat weten. Dan bouw je er een klooster bovenop en sluit je het af, zodat niemand er in de buurt kan komen.'

Ruprecht staakt zijn zwerftochten en draait zich nogal woest om naar Dennis. 'Nou, zelfs al is het het eeuwenoude Seabrook-elfenfort, zelfs al heeft Nialls zus die muziek gehoord – wat dan nog? Wat heeft dat allemaal met mijn experiment te maken?'

Geoff neemt die vraag voor zijn rekening. 'Jeetje, Ruprecht, je zei toch dat er misschien een verborgen factor was die de uitkomst van gisteravond beïnvloedde ...?'

Ruprecht doet zijn mond open om antwoord te geven, maar hij houdt zich in en keert hun zijn rug toe, terwijl hij onverstaanbaar mompelt en met zijn handen zwaait als een zwerver in een spoorwegtunnel. 'Leylijnen, elfen – dat is toch geen wetenschap. Wie heeft er nou ooit gehoord van een experiment met elfen?'

'Het klinkt inderdaad behoorlijk onorthodox,' geeft Dennis toe. 'Maar heb je niet zelf gezegd dat een wetenschapper voor alles open moet staan, hoe raar ook?'

'Dat heb je inderdaad gezegd, Ruprecht,' bevestigt Geoff.

'En zei je niet dat de M-theorie raarder was dan elke andere theorie in de geschiedenis van de wetenschap?' zet Dennis door. 'En heeft die professor Tamashi van jou niet altijd beweerd dat de enige manier waarop we de hyperspace op tijd onder de knie kunnen krijgen om de aarde te redden waarschijnlijk zou zijn dat er een superieure beschaving moest komen om ons de technologie te geven? Nou, als die technologie er nou al ís? Wat als die buitenaardse wezens drieduizend jaar geleden al langs zijn geweest, maar ze hun toegangspoorten hebben achtergelaten? Wat nou als de oplossing van de M-theorie al de hele tijd letterlijk voor je neus heeft gelegen?'

'Mound begint wél met een M,' stelt Mario bedachtzaam vast.

'Holy smoke, Ruprecht – en muziek ook!'

'Oké!' Terwijl hij zijn verzet opgeeft, krimpt Ruprecht in elkaar van de zelfhaat. 'Laten we nou eens aannemen dat het inderdaad mogelijk is. Waarom zou die heuvel ... Waarom zou die het experiment dan ineens níét meer beïnvloeden?'

'Dat weet ik niet. Misschien ...' Dennis tikt tegen zijn slaap, alsof hij een oud horloge aan de praat probeert te krijgen. 'Misschien fluctueert de invloed. Misschien was er wel een golf precies op het moment van het eerste experiment, maar reikt die normaal niet verder dan dat ene kleine kamertje.'

'Dus als we op de een of andere manier toegang tot dat kamertje konden krijgen ...'

Voor het eerst sinds de verdwijning van Optimus Prime vult het toekomstzwangere gevoel van gisteravond, het gevoel dat er iets overweldigends vlakbij is, de kamer weer, vult de hoeken en zwelt langzaam aan ...

Dan piept Skippy's telefoon dat hij een nieuw bericht heeft, en ze realiseren zich allemaal, nog vóór ze naar Skippy's met stomheid geslagen gezicht kijken, dat hij weet van wie het is.

De nacht nadat ze uit elkaar gingen, sliep Halley op de bank. Ze weigerde het bed te nemen, hoe hij ook smeekte; het was duidelijk dat ze liever was vertrokken, als ze daar de energie maar voor had kunnen opbrengen. Het verbaasde Howard hoe snel ze had gecapituleerd. Hij had geschreeuw verwacht, klappen, dat hij gevild zou worden. In plaats daarvan liet ze zich gewoon op de bank vallen, alsof hij haar een dreun op haar achterhoofd had gegeven; ze huilde langer en harder dan alle andere keren dat hij haar had zien huilen bij elkaar. En hij kon haar niet troosten; hij was veranderd in een of ander monsterlijk wezen waarvan de aanraking alleen maar pijn veroorzaakt.

De volgende ochtend vertrok ze. Sindsdien heeft hij haar niet meer gezien. Hij neemt aan dat ze logeert bij een van dat ongeregelde zootje Amerikanen dat ze op forums voor expats had ontmoet, andere emigrés en schipbreukelingen die in de marges van het Dublinse leven waren gestrand. Ze gaat naar het huis om haar spullen op te halen als hij niet thuis is; elke keer als hij terugkomt van zijn werk is er weer iets kleins weg, alsof er in afleveringen wordt ingebroken.

Het huis voelt anders zonder haar. Hoewel er nog kleren van haar in de kast hangen, hoewel haar föhn nog op de kaptafel ligt, haar scheermesje op het plankje in de douche, lijken de kamers leeg, kaalgeslagen; haar afwezigheid domineert het huis – wordt, paradoxaal genoeg, een soort fysieke aanwezigheid, met een vaste vorm en tastbaar, alsof zij uit het huis is getrokken en die leegte in is getrokken om de ruimte in te nemen die ze achterliet. Er heerst ook een nieuw soort stilte, die de stereo, als hij die zo hard mogelijk zet, maar voor een deel kan opvullen; de lucht die hem tegemoetkomt als hij de deur opendoet is nu helder en schoon, rookloos, geurloos, te ademen.

'Ik wou dat je haar niet had verteld van Aurelie,' zegt Farley. 'Je had het moeten doen zonder haar dat te vertellen.'

'Dat was niet eerlijk geweest, als ik haar het halve verhaal had verteld.'

'Maar nu is er geen weg terug meer. Ze neemt je niet terug.'

Howard zucht. 'Wat moest ik dan, Farley? Als je je hand in het vuur steekt, weet je wel?'

'Pardon?'

'Dat zei mijn vader altijd: als je je hand in het vuur steekt, zul je uiteindelijk moeten accepteren dat de enige oplossing is dat je hem er weer uit haalt. Aurelie was de katalysator, meer niet. Het was vroeg of laat toch gebeurd.'

Maar hij weet niet zeker of dat waar is. Als hij Aurelie niet had ontmoet, was het misschien wel nooit gebeurd; misschien had hij dan nooit de moed gehad om bij Halley weg te gaan; misschien was hij bij haar gebleven, waren ze getrouwd en had hij de rest van zijn leven nooit geweten hoe echte liefde kon voelen – hoe bijzonder, hoe gloeiend, hoe compleet. Aurelie veranderde alles, en de waarheid is dat toen hij het aan Halley opbiechtte, hij dat deels voor háár deed – als een soort gebed aan haar, een geloofsbelijdenis waar ze een ander leven op konden bouwen.

Een poging ook om haar terug te roepen van de wolk waar ze achter verdwenen was. Ze was na de vakantie niet teruggekomen; volgens de Automator hadden 'onvoorziene omstandigheden' haar gedwongen haar vakantie te verlengen. Howard ziet haar klassen elke dag vertwijfeld van het aardrijkskundelokaal naar de studiezaal lopen, of devoot bundels karton en papier naar de recyclebakken dragen, hun gezichten gespannen, hoopvol, als indianen die een regendans uitvoeren. Hij weet hoe ze zich voelen. Sinds de vakantie verkeert hij in een continue staat van spanning, zet zich telkens schrap, omdat dit weleens het moment kan zijn dat haar eindelijk terugbrengt. Zelfs als hij niet op school is, alleen, als hij boodschappen doet in de supermarkt, voor stoplichten zit te wachten, merkt hij dat hij zijn adem inhoudt. Maar de dagen zijn een reeks schijnzwangerschappen, die niets opleveren.

'Onvoorziene omstandigheden'. Hij kan zich wel voorstellen wat – of wie – dat inhoudt. Seabrook moest een adempauze in haar carrière worden, een overgangsfase; ze was niet van plan een relatie met iemand te krijgen, zeker niet met iemand die al een relatie heeft. Nu vraagt ze zich af waar ze in verzeild is geraakt, en of er nog tijd is om eraan te ontsnappen. Kon hij maar met haar praten! Kon hij haar maar laten weten dat dit serieus voor hem is, serieuzer dan alles wat er ooit eerder is gebeurd! Of, beter nog: hen op de een of andere magische manier transporteren naar het moment in de toekomst waarop ze samen een leven zijn begonnen, waarop de chaos en kwellingen van deze tussengelegen weken al zijn vervaagd, de sneeuwstorm van verwaaiende momenten die het verleden is vervangen door iets opwindends, sereens, vanbinnen verlichts …

Wat Halley betreft, afgezien van Farley vertelt hij niemand dat ze weg is. Omdat hij nog weet wat er al die jaren geleden met Jim Slattery gebeurde, wordt hij gekweld door de gedachte dat de jongens er op de een of andere manier achter zullen komen. Maar tot dusverre lijkt het nieuws hen nog niet te hebben bereikt. Sterker: zijn lessen verlopen ongebruikelijk goed. Vooral die tweede klas: dankzij wat hij in de vakantie allemaal over de Eerste Wereldoorlog heeft gelezen, waar hij omdat hij niets beters te doen had mee is doorgegaan toen Halley was vertrokken, kan Howard met ongewoon gezag over zijn onderwerp praten, en tot zijn verrassing luisteren de jongens. Ze luisteren, praten, formuleren theorieën; in de limbodagen na de vakantie, terwijl hij wacht tot Aurelie terugkomt en zijn nieuwe leven begint, zijn die lessen – die zelf zo vaak hebben geleken op een loopgravenoorlog, een enorme hoeveelheid arbeid en bloedvergieten voor een meelijwekkend beperkte terreinwinst – zowaar iets geworden waar hij naar uitkijkt.

Dit weekend is zijn eerste weekend als vrijgezel in bijna drie jaar. Hij heeft verzuimd plannen te maken en brengt het grootste deel thuis door. Het lijkt, in het begin, erg op de keren dat zijn ouders hem als puber alleen thuis hadden gelaten. Hij kan zo laat opblijven als hij wil, zo hard naar muziek luisteren als hij wil, eten wat hij wil, drinken wat hij wil, porno downloaden, boeren laten, in zijn boxershort rondlopen. Om zeven uur is hij dronken, om acht uur is het nieuwtje eraf en hangt hij over de keukentafel te kijken hoe de magnetron een bevroren loempia ontdooit. Dan hoort hij de sleutel in de deur en komt Halley binnen.

Ze verstijven allebei, zij bij het lichtknopje, hij aan tafel. Het moment is behoorlijk opwindend in zijn koude, ongebreidelde directheid – niet helemaal als een spook, meer alsof je, door het gezicht van de ander, ontdekt dat je zelf een spook bent geworden.

'Ik dacht dat je er niet zou zijn,' zegt Halley.

'Nee,' is alles wat Howard uit weet te brengen. Hij wilde dat hij een broek aanhad. 'Wil je iets drinken? Thee?'

Hij weet niet precies welke tactiek hij bij haar moet volgen – gelouterd? Bezorgd? Teder? Stoïcijns? Het is een overbodige vraag: 'Er staat iemand te wachten,' zegt ze, gebarend naar de weg, waar een niet te onderscheiden gestalte in een auto zit. Ze loopt naar de slaapkamer en begint dingen in een doos te gooien. Hij wacht in de keuken tot ze klaar is, wat vijftien à twintig minuten duurt – ze schiet weer door het huis en wenst hem een goede avond met de warmte van een brief van een advocaat. Dan is ze weg, en hij blijft achter met het gezoem van de elektriciteit, en kan, als hij dat wil, de slaapkamer inlopen om te zien wat ze heeft meegenomen.

Hij drinkt de rest van het bier op en gaat vroeg naar bed, maar hij kan niet slapen. De rouwende hond aan de overkant heeft de gewoonte opgevat tot in de kleine uurtjes te janken, lange jammerklachten vervuld van woede en rouw om zijn gestorven metgezel. Howard blijft een uur of twee liggen luisteren naar het gejank en naar het plafond staren; dan gooit hij met een zucht de lakens van zich af, loopt naar de keuken en gaat aan de bar zitten met een bibliotheekboek (dat inmiddels te laat is, waar een boete op staat, laat het uitleenformulier dat aan de binnenkant van het omslag geplakt zit hem streng weten, van een penny per week).

Hij heeft inmiddels zoveel boeken over de oorlog gelezen dat hij een fanaat dreigt te worden. Hij is zelfs Ideeën gaan ontwikkelen. Op een bepaald moment tijdens het lezen realiseerde hij zich dat het conflict zich tot twee afzonderlijke oorlogen had ontwikkeld. De eerste, de oorlog van de generaals, de geleerden en ook de saaie schoolboeken, verspreidt zich met doelen, strategieën, belangrijke veldslagen, en wordt uitgevochten in het morele licht van de zogenaamde 'Grote Woorden': Traditie, Eer, Plichtsbesef, Patriottisme. Maar in de andere oorlog, de oorlog die de soldaten daadwerkelijk hebben ervaren, zijn die zaken nergens te bekennen. In die oorlog lijkt elke omspannende betekenis, zelfs eenvoudige vijandigheid tussen de twee partijen, in het niets op te lossen, en de enige constanten zijn chaos, vernietiging en het gevoel verdwaald te zijn in een machine die te gigantisch en te krachtig is om haar te begrijpen. Zelfs de slagvelden van die oorlog – die zo duidelijk staan aangegeven op de met pijlen bezaaide reliëfkaarten van de eerste – zijn ontworteld, vluchtig, gooien zich zonder waarschuwing de lucht in, maken markeerpunten, plaatsnamen en afmetingen betekenisloos. De twee onvergelijkbare verhalen doen Howard gek genoeg denken aan wat Farley die avond in de Ferry zei over de verschillende verklaringen van het universum – de relativistische of die van de kwantummechanica, of het heel grote en het heel kleine. De generaals tijdens en de geleerden na afloop wilden niets liever dan dat de oorlog logisch was, het klassieke concept van het conflict belichaamde, dat het, kortom, op een oorlog zou lijken, precies zoals Einstein de hele schepping in dat ene volmaakt geometrische schema van hem probeerde te passen; maar precies zoals de subatomaire deeltjes zich tegen elke poging tot een verklaring ervan verzetten, rebelleerden tot er een steeds heftigere en schemalozere wanorde overbleef, zo kwam de oorlog, naarmate de leiders het tegendeel benadrukten, steeds meer terecht in een neerwaartse spiraal van onbegrijpelijkheid, terwijl meer en meer soldaten bij tientallen, honderden, duizenden werden afgeslacht. Vanuit het perspectief van die soldaten was de oorlog ondertussen een uitgestrekte, zinloze verwarring, een vier jaar durend verhaal zonder enig te onderscheiden doel, los van het logenstraffen van niet alleen de grote woorden en doelen van de generaals, maar ook het hele idee van een begrijpelijke en door God gezegende wereld – wat Howard in elk geval behoorlijk kwantum lijkt.

'Je zou kunnen volhouden dat de Grote Oorlog in historische termen zoiets was als de oerknal: een enkele gebeurtenis, waarvoor geen enkele verklaring voldoet, maar waar onze hele beschaving tegelijkertijd op is gebaseerd. De kracht ervan sloeg de eeuw uit elkaar. Van een strikt geordend regime, waarin iedereen zijn plaats kende, waarin alles volgens keurige, harmonieuze symmetrieën was gerangschikt, kwam de westerse wereld terecht in een periode van grote turbulentie en tweespalt, die de dichter T.S. Eliot "een immens panorama van futiliteit en anarchie" noemde, en waar we, zou je kunnen zeggen, nog steeds in leven. In dezelfde tijd waarin Einstein werkte aan zijn theorieën die de klassieke ideeën over wat ruimte en tijd waren, hoe de realiteit in elkaar zat, volkomen op hun kop zouden zetten, was de oorlog bezig ons hele begrip van wat beschaving betekende te herdefiniëren. Rijken die eeuwenlang hadden bestaan verdwenen van de ene dag op de andere; mensen verloren hun vertrouwen in instituties waar ze zonder er zelfs maar bij na te denken in hadden geloofd, zoals kinderen hun ouders vertrouwen. De oude wereld viel en onze moderne wereld werd geboren als een direct gevolg van de oorlog – niet zozeer door de uitkomst van de veldslagen als wel door de afgrijselijke dingen die de soldaten, gewone mannen, hadden gezien en ondergaan.

Hoe was die oorlog dan voor de gewone soldaat? Om überhaupt bij het front te komen, moest hij dertig kilometer per dag marcheren, met een uitrusting op zijn rug die tussen de twintig en vijftig kilo woog. Als hij aan de frontlinie was, stond hij soms de hele dag tot zijn oksels in modderig water. Hij sliep zelden meer dan twee uur aan één stuk, en uitputting was een van de voornaamste oorzaken van trauma's tijdens het conflict. Sterker: bijna vijftig procent van de sterfgevallen aan het westelijk front was niet het gevolg van gevechtshandelingen maar van de omstandigheden waaronder de mannen moesten leven. Loopgravenvoet. Hoofdluis. Ratten. De oorlog betekende hoogtijdagen voor ratten. Twee ratten konden in een jaar achthonderd nakomelingen produceren, dus algauw waren er tientallen miljoenen, die over de lijken kropen ...'

De jongens luisteren met open mond. Ze vreten dit soort details, hoe gruwelijker, hoe beter – maar wat kan dat voor kwaad? Is het voornaamste niet dat het ze daadwerkelijk interesseert? Hoewel – toegegeven – niet iedereen er zo tegenaan kijkt.

'Ik vraag me gewoon af of er naar dit soort dingen wordt gevraagd bij het examen,' zegt Jeekers Prendergast met dat neuzelige, nerveuze stemmetje van hem. 'Ik bedoel, als het niet in het boek behandeld wordt.' De klas kreunt, maar Jeekers houdt voet bij stuk. 'Het punt is dat we, eh, volgens het lesrooster deze week de Paasopstand moeten behandelen ...'

'Ja, wanneer gaan we eens wat aan Ierse geschiedenis doen?' Jeekers heeft een onverwachte bondgenoot in de vorm van Muiris de Bhaldraithe, die misnoegd piept vanaf de achterste rij.

Howard spreidt kalmerend zijn handen. 'Ik beloof jullie dat we voor allebei tijd hebben ...' Zijn hoofd draait onwillekeurig als hij buiten het geluid van wielen op het grind hoort; zou het? – maar nee, het is pater Green maar, die terugkomt van een van zijn boodschappen. Hij herstelt zich en wendt zich weer tot de jongens. 'We komen vanzelf op de Paasopstand,' zegt hij. 'Het lesrooster is niet in steen gehouwen. En trouwens, Muiris, de oorlog is onderdeel van de Ierse geschiedenis. Nog afgezien van het feit dat de Opstand voortkwam uit de Eerste Wereldoorlog, hebben heel veel Ieren aan de kant van de geallieerden gevochten, aan het westelijk front en elders.'

'Eh, volgens het schoolboek niet, meneer,' zegt Jeekers, terwijl hij zijn eigen zorgvuldig gekafte exemplaar openhoudt bij een schema waarin de oorlogsdoden in categorieën worden onderverdeeld.

'Nou, in dat geval zit het geschiedenisboek ernaast,' zegt Howard.

'Ja, mijn overgrootvader heeft in de oorlog gevochten,' zegt Daniel Juster.

'Kijk aan,' zegt Howard tegen Muiris. 'Ik weet zeker dat veel van jullie familieleden in de oorlog hebben gevochten, zelfs al weten jullie dat niet. En degenen die niet meegevochten hebben, werden er toch door geraakt. De oorlog veranderde alles. Dus het lijkt me wel de moeite waard er wat langer bij stil te staan.' En hoewel hij het niet tegen Muiris zegt, het zelfs nauwelijks aan zichzelf wil toegeven, heeft hij het gevoel dat hij, door zichzelf en de klas in de oorlog te blijven onderdompelen, op de een of andere manier de verbintenis met Miss McIntyre in stand houdt.

Na de les blijven Ruprecht Van Doren en Geoff Sproke op hem wachten.

'Ja, heren?'

Er volgt een snelle, stilzwijgende uitwisseling tussen hen, alsof ze moeten beslissen wie de vraag gaat stellen; dan zegt Ruprecht voorzichtig: 'We vroegen ons af of u meer wist over de geschiedenis van Seabrook – het oudere gedeelte van de geschiedenis?'

'De dagen van weleer en zo?' doet Geoff Sproke zijn duit in het zakje.

'Dat hangt ervan af,' zegt Howard. 'Over welk deel van de dagen van weleer heb je het precies?'

Ruprecht denkt hier even over na en zegt dan, opnieuw met behoorlijk wat omzichtigheid: 'Toen de wereld werd geregeerd door een of andere godin?'

'En toen ze van die heuvels bouwden?' flapt Geoff eruit, voor hij door een blik van Ruprecht tot zwijgen wordt gebracht.

'Hmm,' Howard strijkt over zijn kin. 'Dat klinkt naar voorchristelijke tijden. Dat is niet echt mijn vakgebied, jongens, sorry. Maar waar gaat dit eigenlijk om?'

'O, nou ja,' zegt Ruprecht vaagjes.

'Het leek ons gewoon interessant om meer te weten over de plek waar onze school op is gebouwd,' vult Geoff geïnspireerd aan.

'Ik zal eens rondvragen,' zegt Howard. 'En als ik iets te weten kom, horen jullie het.'

'Dank u, meneer Fallon.' Ze lopen haastig weg, druk in gesprek. De ondoorzichtigheid van de geest van veertienjarigen – Howard glimlacht in zichzelf en vervolgt zijn weg.

Als hij de deur van de lerarenkamer opendoet, wordt hij begroet door een ongebruikelijk rumoer. Leraren verdringen zich midden in de kamer, staan allemaal op onkarakteristieke jubeltoon te praten. Vanaf de periferie wendt de secretaresse van de school, Miss Noakes, zich tot Howard. 'Hij is terug!' zegt ze, naar hem glunderend alsof ze onder invloed is van een geweldige drug. De betekenis ervan ontgaat Howard, maar hij krijgt er een slecht voorgevoel van. Terwijl zijn eigen glimlach verwelkt als een verwaarloosde plant, wringt hij zich door de knoop van lichamen, en in het hart ervan, tronend op de bank, ziet hij Finian Ó Dálaigh zitten, de aardrijkskundeleraar.

'Niet zo hard!' roept hij lollig uit tegen collega's die hem op zijn schouder slaan. 'Ik heb nog hechtingen!' In zijn hand heeft hij een potje waar iets ronds en grijs in zit ongeveer ter grootte van een golfbal, waarvan iemand achter hem Howard vertelt dat het zijn galsteen is.

'Howard!' Ó Dálaigh ziet hem; hij stapt naar voren, zet haastig zijn glimlach weer op. 'Wat vind je hiervan, Howard?' Ó Dálaigh wiebelt met het potje onder zijn neus. 'De dokter zei dat het de grootste was die hij ooit had gezien.'

'Echt waar ...?' kirt Howard zwakjes.

'Ja, en hij zei dat de galsteen ook behoorlijk groot was!' Het gezelschap lacht inschikkelijk, hoewel deze grap inmiddels al voor de vierde of vijfde keer voorbijkomt.

'Fantastisch,' zegt Howard met op elkaar geklemde kaken en een dikker wordend glazuur van onwerkelijkheid. 'Dus ... betekent dat dat je binnenkort weer aan de slag gaat? Hoe lang gaat het herstel ongeveer duren?'

'Het herstel kan me wat,' verklaart Ó Dálaigh, terwijl hij op zijn borst slaat. 'Ik verveelde me te pletter toen ik thuis lag te kijken hoe het gras groeide. De dokter zegt dat ik fit genoeg ben. Zegt dat hij nog nooit zo'n herstellend vermogen heeft gezien als dat van mij. Ik ga hier herstellen, op eigen benen. Terwijl ik aardrijkskunde geef!' Een schorre uitbarsting van instemming van zijn collega's. 'Die kleine huppeldepups zullen niet weten wat ze overkomt!' voegt Ó Dálaigh, die geniet van zijn moment, eraan toe, wat op nog meer gejuich wordt onthaald.

Howard doet alsof hij met hen meedoet, en als de herrie wegsterft, merkt hij op, alsof hij in zichzelf praat: 'Dus dan zal Miss McIntyre wel niet meer terug hoeven komen.'

Maar die naam zegt de aardrijkskundeleraar niets; hij haalt zijn schouders op en begint aan een nieuw verslag van zijn operatie tegen iemand die net binnenkomt. Wat de anderen betreft: maar een paar lijken hem te horen, en ze knipperen Howard afwezig toe, alsof hij hen abusievelijk voor leerlingen heeft aangezien en tegen hen is gaan staan oreren over een of ander denkbeeldig getal in een lesboek.

'Heeft jouw opa echt in de oorlog gevochten, Skippy?'
'Het was mijn overgrootvader. De opa van mijn moeder. Zijn rechterhand is eraf geschoten.'
'Wauw ...' Dennis maakt een inwendig rekensommetje. 'Betekent dat dat je een voorvader hebt die géén mietje was?'
'Weet je wat ik denk ...' werpt Mario tussen. 'Als je een leger van zombies op de been moest brengen, dan zou dat westelijk front een goeie plek zijn om te beginnen.'
'Mario, waarom zou je in vredesnaam op een leger van zombies zitten te wachten?'
'Ik zit zélf niet op een leger van zombies te wachten. Ik wil alleen maar zeggen dat áls je er eentje op de been wilde brengen, dat westelijk front een goeie plek zou zijn om heen te gaan. Vanwege alle dode mensen die daar liggen, uit de oorlog?'
'Het zou helemaal geen goeie plek zijn, stomme spaghettivreter, want ze zouden allemaal armen en benen missen en zo.'
'Krijg de klere, Hoey, je bent zelf een spaghettivreter, want als je doodgaat en weer tot leven wordt gewekt, kun je je ledematen weer vastzetten, toevallig.'
'Dat is gelul.'
'Het is helemaal geen gelul. Dat weet iedereen.'
'Het is ontzettend gelul.'
'Nou, dan kunnen ze hun armen en zo naar je gooien,' gaat Mario kranig verder.
'Waarmee dan, Mario? Waarmee kunnen ze hun armen dan naar je gooien? Met hun mond? Met *Il Duce*?'
Maar nu piept Skippy's telefoontje weer en het gesprek maakt plaats voor een charivari aan gekir en kusgeluidjes als Skippy, die is veranderd in een gigantische, dommige grijns, naar zijn zak reikt.
Uiteindelijk bleek het heel simpel! Lori's vader had haar op de avond van de Hop voor de poort van haar huis met Skippy zien

zoenen en was door het lint gegaan – hij vindt haar nog te jong om met jongens om te gaan, en heeft haar twee weken huisarrest gegeven en zelfs haar telefoon in beslag genomen. Daarom had ze niet gereageerd op Skippy's gedicht, en dat vond ze heel erg, want het was zo mooi! En ze had hem heel erg gemist.

Eerst kon Skippy het niet geloven. Toen hij het eerste bericht kreeg, in de kelder, was het net alsof er een sloopkogel door de muur was gedenderd en hij ineens de avondlucht in keek. Maar hij beantwoordde het berichtje, en zij beantwoordde zijn antwoord, en het antwoord op haar antwoord; en hoewel hij zeker wist dat elk volgend bericht het hele magische kaartenhuis weer kon laten instorten, bleef zijn telefoon maar zoemen van haar antwoorden, die allemaal een klein, gouden aanslagje waren dat rechtstreeks naar zijn hart ging, tot vandaag aan toe, tot het lijkt alsof ze nooit van elkaar gescheiden zijn geweest!

OMG IERS IS ZOOO SAAAAAAAI WAT HEB JE ERAAN?

IK HEB GODSDIENST. DA'S NOG ERGER.

ONZE LERARES ZIET ERUIT ALS EEN DIKKE AASGIER

DIE VAN ONS LIJKT OP DIE ENE UIT DIFFERENT STROKES, ALLEEN IS IE NIET ZO KLEIN EN OOK NIET ZO GRAPPIG

SMERIG BROODJE CAMEMBERT ALS LUNCH. WAT HEB JIJ?

RICOTTA IS NET OPGEWARMD BEHANGPLAKSEL

WAT BEN JIJ GRAPPIG!!

Tijdens de les ligt zijn telefoon onder het bankje op zijn schoot. Hij staat op mute, maar licht telkens op als er een nieuw bericht is, alsof hij net zo opgewonden is als hij; hij probeert eraan te denken dat hij met een half oog naar de leraar moet blijven kijken, want als hij betrapt wordt, wordt zíjn telefoontje in beslag genomen, wat een ramp zou zijn – maar op de een of andere manier kan hij zich er niet toe brengen zich zorgen te maken, de wereld om hem heen lijkt zo ver weg, een vage vlaag spoken, warme, lawaaierige, ingekleurde spoken …

'Je komt heus niet op het goede antwoord door naar je schoenen te staren. Meneer Juster, *je vous en prie*.' Wakker worden, watje. Concentreer je.

Maar wanneer zal hij haar weer zien? Dat ze zo dichtbij is en toch buiten zijn bereik is bijna nog erger dan de marteling om helemaal niets van haar te horen. Zal haar vader haar nooit meer onthuisarresten?

IK BEN BLIJ DAT IE HET NIET WEET VAN T DRINKEN + DE PILLEN, DAN ZOU IE ME WRSCHLK NAAR EEN KOSTSCHOOL STUREN!!!!

HIJ KLINKT ENG

NEE HOOR IK HOU VAN HEM MAAR MISSCHIEN DENKT IE DAT ALLE JONGENS ZIJN ZOALS HIJ OP ZN 14E!! ;-)

SORRY JE HEBT GELIJK TIS MIJN SCHULD DAT JE HUISARREST HEBT SORRY

MAAKT NIET UIT TIS NIET VOOR ALTIJD

schrijft ze, hoewel dat – aaargh – nu niet zo'n troost is.

En dan, halverwege de natuurkundeles, na een korte radiostilte, ontvangt hij dit:

KHEB EEN IDEE DJ …

Ze noemt hem DJ in haar sms'jes, als in *Last Night a DJ Saved My Life* …

… WAAROM KOM JE NIET BIJ ME THUIS LANGS!

Ergens een triljoen kilometer van hem vandaan vertelt meneer Farley de klas over elektriciteit in de natuur.

SERIEUS?

WAAROM NIET ZE HEBBEN GEZEGD DAT IK HET HUIS NIET UIT MAG MAAR NIET DAT ER GEEN VRIENDEN LANGS MOCHTEN KOMEN EN DAN KUNNEN ZE ZIEN HOE JE BENT!!>

Da's waar. Maar bij haar thúís? Met haar overdreven beschermende vader erbij, die hem haat? Oké, en dan kunnen ze daarna gaan picknicken op de Noordpool? Of naar Atlantis zwemmen?

TSTELT NIKS VOOR DJ!!! KOM NA SCHOOL JE BENT ZO LIEF DAT ZE DOL OP JE ZULLEN ZIJN – DAN HOUDEN ZE OP MET ZEUREN. NEEM GEWOON JE FRISBEE MEE. WORDT LEUK EN HET KOMT ALLEMAAL GOED.

Bij die laatste woorden blijft hij even hangen. *Het komt allemaal goed*. Het is al zo lang geleden dat hij dat gedacht heeft, dat hij zich zelfs maar kon voorstellen dat hij dat zou denken. En nu staat het daar. Het komt allemaal Goed! De Toekomst, het Universum, alles komt Goed!

OK WAT DACHT JE VAN VRIJDAG?

DAT DUURT NOG EEUWEN ZO LANG KAN IK NIET WACHTEN! KOM GEWOON MORGEN!! VOLGENS MIJ WEET JE WAAR MIJN HUIS IS? ;-)

En hij lacht alsof ze naast hem zit en hem kan horen lachen.

'Vindt u iets grappig aan de term "bolbliksem", meneer Juster?' vraagt Farley hem.

'Eh ...' Skippy, die die triljoen kilometer terug wordt gesleurd naar het lokaal, fladdert hulpeloos rond. Maar meneer Farley glimlacht alleen maar en gaat verder; en het is net alsof de hele ruimte gevuld is met zonlicht, te fel om iets anders te kunnen zien.

'Greg? Heb je even?'

'Nee maar, Howard!' De Automator draait weg van het raam waardoor hij naar de binnenplaats stond te turen. 'Wat doe jij hier nog?'

'Eh, ja, ik had een ...'

'Zie je ertegen op om naar huis te gaan, is dat het?'

'Nee, ik was eigenlijk bezig met, eh ...'

'Ik plaag je maar, Howard, kom verder. Je bent hier altijd welkom. Je ziet een beetje bleekjes, maatje, gaat het wel?'

'O, ja hoor. Ik wilde alleen even vragen of ... O, sorry, heb je slecht nieuws gehad?'

'Nieuws? O, dit bedoel je?' De Automator werpt een blik op de zwarte band om de mouw van zijn overhemd. 'Nee, nee ... Nou ja, dat wil zeggen, er is inderdaad wel nieuws, Howard. En hoewel het niet zo slecht is als het misschien lijkt, kun je het ook niet bepaald goed noemen. De toestand van die ouwe is verslechterd. De artsen zeggen dat hij elk moment weg kan zakken. Sterker: ze begrijpen niet echt dat hij nog leeft.'

'O ...' Howard buigt plechtig zijn hoofd, en probeert een toepasselijke platitude te bedenken.

'Maar ik zou hem nog maar niet opgeven. Als Desmond Furlong ten onder gaat, kun je erop rekenen dat dat niet gebeurt voor hij flink heeft geknokt.' Hij heft zijn kin op, kijkt ernstig voor zich uit. 'Er zijn veel dieren in de jungle, Howard. Ara's, parkieten, flamingo's, en dat zijn alleen nog maar de vogels. Dan heb je nog neushoorns, orang-oetans, tapirs, verschillende soorten reptielen, noem maar op. Maar er is maar één beest dat de Koning van de Jungle wordt genoemd, en dat is de leeuw. De leeuw heeft niet bereikt wat hij bereikt heeft door naar mieren te scharrelen of van boom naar boom te slingeren. Hij zet het leven naar zijn eigen hand. Hij houdt voet bij stuk. Als hij handelt, doet hij dat voor de volle honderd procent doortastend en met geloof in zichzelf. Daarom kiezen de dieren, als ze bij elkaar komen om hun koning te kronen, jaar na jaar altijd de leeuw. Want die eigenschappen kenmerken een leider, niet hoe goed je bent in sap uit een boom zuigen of sonar gebruiken om te navigeren in de nacht. Desmond Furlong was zo'n leeuw.' Hij zwijgt even. 'Wat vind je, Howard? Ligt het er te dik bovenop?'

Hoe hij ook zijn best doet, Howard kan hem alleen maar aanstaren, als een man in een stolp.

'Je hebt gelijk – Trudy, schrap dat hele stuk over de leeuw maar. Dat gaat te ver.' Trudy gaat de printjes die op haar bureau liggen ijverig te lijf met een rode pen. 'Maar ik zal je dit vertellen, Howard: wat er ook gebeurt, met het Pater Desmond Furlong Herdenkingsconcert krijgt die ouwe precies het afscheid dat hij verdient. Overmorgen beginnen we met de audities, hoewel we de meeste acts natuurlijk al van tevoren hebben geselecteerd.'

Howard is in verwarring gebracht. 'Is dat een ander concert dan dat voor het honderdveertigjarig ...'

'Nee, Howard, precies hetzelfde, behalve dat het nu dubbel gedenkwaardig wordt, aangezien het niet alleen een belangrijke jubileummijlpaal in de geschiedenis van de school markeert, maar ook het verscheiden van een van zijn lichtende voorbeelden. Het Pater Desmond Furlong Herdenkingsconcert klinkt goed, vind je niet? Geeft het extra cachet.'

'Maar hij is toch nog niet echt dood?' stelt Howard zo voorzichtig mogelijk vast.

'Nee, nog niet. Nee hoor, die artsen zullen nog wat beleven als ze denken dat ze met een verschrompelend kasplantje te maken hebben.'

'Dus kan dat dan niet betekenen dat ... hij er als het concert wordt georganiseerd nog ...?'

'Nou, in dat geval is er des te meer om te vieren, nietwaar? Maar helaas is dat helemaal niet waarschijnlijk, Howard – helemaal niet, ben ik bang, volgens de laatste prognose. Hij heeft inmiddels een wonder nodig, die arme man. Wat me eraan doet denken: hoe gaat het met de tekst voor het programma? Een schat aan informatie, hè, als je eenmaal de schoolarchieven in duikt?'

'O ... absoluut,' zegt Howard, terwijl hij zich het lege schrijfblok voorstelt dat thuis onder zijn bibliotheekboeken ligt. 'Ja, het begint al aardig te komen ...'

'Uitstekend, Howard, ik wist dat ik op je kon rekenen. Maar wilde je me iets vragen?'

'O ja ... Ik dacht erover mijn tweede klas op excursie mee te nemen naar het museum ...'

'O ja?' De Automator draait zich weer om en haalt de lamellen van zijn luxaflex van elkaar. 'Een excursie dus?'

'Ja, we zijn op het moment de Eerste Wereldoorlog aan het behandelen, en ik zat al een tijdje te denken dat het goed zou zijn voor de jongens om een paar van de uniformen en wapens en zo te zien. Die worden in het lesboek niet echt behandeld namelijk, en het zou het een beetje voor ze tot leven wekken, in plaats van dat het alleen maar dode feiten op papier blijven ...'

'Wordt het niet in het lesboek behandeld?'

'Niet diepgaand, nee. Het is moeilijk te geloven, ik weet het, maar de hele oorlog wordt in een halve bladzijde afgedaan, en de rol van Ierland wordt helemaal niet genoemd. Een excursie zou een manier zijn om de jongens er persoonlijk bij te betrekken, ze te laten zien wat hun leeftijdgenoten van negentig jaar geleden hebben ervaren – er zullen ook vast wel jongens van Seabrook naar het front zijn gegaan, dus we zouden zelfs ...'

'Jajaja,' werpt de Automator ertussen, zo te horen behoorlijk minnetjes. 'Ik moet zeggen dat er altijd alarmbellen afgaan in mijn hoofd als er wordt afgeweken van het lesboek, Howard. Die "dode feiten op papier", zoals jij ze noemt, zijn dezelfde feiten die je klas zal moeten kunnen reproduceren tijdens hun examens volgend jaar. De jongens erbij betrekken is allemaal leuk en aardig, maar het is op de eerste plaats jouw taak om te zorgen dat die feiten van de pagina in hun hoofd terechtkomen, hoe dan ook. Niet om ze in verwarring te brengen met een hele lading nieuwe feiten.'

'Ik heb toch het gevoel dat ze er veel aan zullen hebben, Greg ...'

'Natuurlijk heb je dat, maar waar houdt het op? Er zijn verdomd veel feiten in deze wereld, Howard, er is een verdomde hoop geschiedenis. Als je al die geschiedenis in een boek zou willen stoppen, zou dat zo groot worden als een pakhuis en kostte het je duizend jaar om het te lezen, waarna er uiteraard alweer duizend jaar geschiedenis zou zijn verstreken. Tot ze om te beginnen een supergeschiedeniscomputer uitvinden die de hele toestand op een chip kan krijgen, en vervolgens nog een manier om al die informatie rechtstreeks in je hersens te downloaden, moeten we selectief zijn in de gebieden waarop we ons concentreren, snap je waar ik heen wil?'

'Het zou maar een uitstapje van een halve dag zijn,' zegt Howard. 'Als we in de lunchpauze vertrekken, zijn we om vier uur weer terug.'

'Er kan een hoop gebeuren tussen de lunch en vier uur,' verklaart de Automator omineus. 'Ik kan het niet helpen dat ik terug moet denken aan wat er de vorige keer gebeurde toen ik een groep tweedeklassers onder jouw leiding heb achtergelaten. Dat soort toestanden wil ik niet graag terugzien in de straten van onze hoofdstad.'

Howard voelt, niettegenstaande het feit dat hij het hele idee van die excursie alleen maar heeft bedacht als een excuus om de Automator naar Aurelie te kunnen vragen, woede in zich opkomen. 'Dat vind ik een beetje oneerlijk van je, Greg,' zegt hij, met moeite beleefd blijvend. 'Dat was een eenmalig incident. Het zijn prima jongens, en ik kan aardig met ze overweg.'

'Mmm-mm.' Zijn vraag aan het luchtledige stellend: 'Dat Slippyjoch zit toch in jouw tweede klas?'

'Daniel Juster?'

'Precies. Hoe gaat het tegenwoordig met hem?'

'Prima, hoor. Ik heb totaal geen problemen met hem gehad.'

'Dat zal wel niet,' zegt de Automator zachtjes, terwijl hij door de luxaflex tuurt als een roofdier dat wacht tot er een prooi in zijn val loopt.

'Ik denk echt dat je een verkeerde indruk van hem hebt, Greg. Het is een heel slimme jongen. Alleen een beetje verlegen.'

'Hmm.' De Automator klinkt niet overtuigd. 'Howard, kom eens even hier, wil je? Ik wil je iets laten zien.'

Howard komt gehoorzaam uit zijn stoel, en Trudy gaat gauw uit de weg, zodat hij naast de Waarnemend Rector bij het raam kan gaan staan. Onder hen, door de smalle kier van de luxaflex, is de schemerige binnenplaats verlaten, op een paar auto's na en, ziet Howard nu, een kleine gestalte die alleen in de schaduw staat. In zijn grijze trui en broek gaat hij bijna volledig op in de monochrome achtergrond, maar nu, terwijl Howard toekijkt, draait hij zijn bovenlijf helemaal naar één kant, schiet als een springveer de andere kant op, en er vliegt iets uit zijn hand. Het voorwerp legt maar een korte afstand af voor het treurig naar de grond hobbelt, waar het tot stilstand komt met een lelijk schraapgeluid waarvan Howard zich realiseert dat het al een tijdje aan de rand van zijn bewustzijn aanwezig is.

'Weet je wie dat is, Howard?'

'Moeilijk te zeggen,' zegt hij ontwijkend.

'Het is Juster, Howard. Hij staat daar al een halfuur.' Ze kijken toe hoe de jongen naar het voorwerp slentert op de plek waar het neergekomen is, en het vervolgens teruggooit naar waar het vandaan kwam. Dit keer gaat het nog slechter; het wijkt af naar rechts en rolt de bosjes in, begeleid door een hoorbare vloek van ongenoegen van de eenzame gestalte buiten.

'Enig idee waar hij mee bezig is?'

'Zo te zien is hij aan het frisbeeën.'

'Hij staat alléén te frisbeeën, Howard. Hij staat alleen te frisbeeen, in het donker. Heb jij ooit alleen in het donker staan frisbeeën?'

'Zo te zien kan hij wel wat oefening gebruiken.'

'Howard, misschien is dit in jouw ogen een grote grap. Maar verdomme, je kunt niet uit het raam kijken en volhouden dat dat normaal gedrag is. Ik krijg al de rillingen als ik naar hem kijk. En dan zeg jij dat je dat figuur los wilt laten lopen in de stad? Mijn god, wie weet wat hij daar uithaalt.' Hij gaat met zijn rug naar het raam staan. 'Moet je hem nou zien, Howard. Hij voert iets in zijn schild. Maar wat? Wat gaat er om in dat hoofd van hem?' Dat brengt hem op een gedachte: 'Trudy, moest Al Foley geen verslag over dat joch voor ons schrijven? Verdomme, hoe lang kan het nu duren om je oren te laten uitspuiten?'

'Hij zou over een paar dagen terug moeten zijn, Greg,' zegt Trudy.

'Nou, zodra hij er is, wil ik dat Juster boven aan zijn prioriteitenlijstje staat.' Hij draait zich om naar zijn ondergeschikte, staart somber de schemering in en slaat hem op zijn schouder. 'Sorry, Howard. Het gaat gewoon niet. Maar ik waardeer je initiatief. Misschien kunnen we de volgende keer iets regelen. Maar laten we tot die tijd niet meer afwijken van het lesboek, goed? Het lesboek staat aan jouw kant. Het is een soort landkaart. Als je afwijkt van die kaart, een verkeerde afslag neemt, dan kom je op het territorium van de indianen, beste vriend. Dat ruiken die kinderen zo, en dan grijpen ze je, Howard. Ze grijpen je.' Hij geeft hem een joviale 'vort maar'-klap op zijn arm. 'En ga nou maar lekker naar huis. Het vrouwtje zal zich wel afvragen waar je blijft.'

Howard is zo ontmoedigd dat hij bijna weggaat zonder de vraag te stellen waar hij voor is gekomen. Dan schiet ie hem in de deuropening weer te binnen. 'Finian Ó Dálaigh is terug,' zegt hij, in een zangerige burleske van nonchalance.

De Automator stapt nog nagloeiend weg van het raam. 'Reken maar. Heb je gezien hoe groot die steen is die ze uit zijn bast hebben gehaald? De dokter zei dat het de grootste was die hij ooit had gezien. Maar ik zal je dit zeggen: al had die Ó Dálaigh daar een kanonskogel zitten, dan had die hem nog niet van het schoolbord afgehouden. Door en door een Seabrook-man.'

Howard schudt in sprakeloze bewondering zijn hoofd, zegt dan, als iets wat ineens bij hem opkomt: 'Dus komt Aurelie McIntyre dan nog terug voor de kerst, of ...'

'Daar heb ik het nog niet met haar over gehad, Howard. Bij mijn weten is ze nog op vakantie. Die hele toestand op de Hop heeft haar blijkbaar nogal aangegrepen. Ze heeft gevraagd of ze haar verlof mocht verlengen. Daar heb ik mee ingestemd. Ik was al blij dat ze geen schadevergoeding heeft gevraagd.'

'Dus ze is nog weg?' Howard springt naar deze onverwachte reddingsboei.

'Ik geloof het wel, ja. Kennelijk heeft haar verloofde haar verrast met een cruise. Toen ze belde, hadden ze net aangemeerd bij de Seychellen.'

Het universum stort geluidloos om Howard heen in elkaar. 'Haar verloofde?' herhaalt hij, zelfs voor hemzelf nauwelijks hoorbaar.

'Ja, de avond ervoor had hij haar ten huwelijk gevraagd. Een hele voorstelling, zo te horen. Bij zo'n vrouw kun je maar beter bereid zijn wat geld uit te geven, denk ik.' Hij grinnikt in zichzelf. 'Niet dat hij daar gebrek aan heeft, als ik het goed heb begrepen. Ken je hem, Howard? Heeft op Clongowes gezeten, nog in hun Cup-team gespeeld destijds. Heeft zich opgewerkt in de consultancy, goeie baan, een jaar of twee jonger dan jij?'

'Nee, ik heb hem nooit ontmoet.' Het stof van Howards dromen wervelt om hem heen; zijn keel raakt er verstopt van.

'Maar goed, nu Finian er weer is, hoeft ze eigenlijk niet meer terug te komen,' gaat de Automator ergens in de verte verder. 'Misschien komt ze nog wel om hier en daar een paar uurtjes te geven, buitenschoolse activiteiten, met het milieu en dat soort dingen. Maar waarschijnlijk gaat ze weer aan de slag in het bankwezen, daar zou ik mijn geld op inzetten. Daar laten de mensen hun geld, nietwaar?' Hij schudt zijn hoofd. 'Maar, tjonge jonge, zo groot als die galsteen was. Probeer maar eens les te geven als er zo eentje rondratelt in je milt, Howard. Maar hij ging dapper door. Ik moest hem bijna vastbinden om hem naar het ziekenhuis te laten gaan ...'

Howard loopt met kleine, gekwelde stapjes het kantoor uit, alsof hij net van de intensive care is gekomen, met een nog steeds gapende wond in zijn zij.

'En, wat ga je doen op je date, Skippy?'

'Ik weet niet ... Misschien een tijdje frisbeeën, voor het te donker wordt? En daarna een dvd'tje kijken of zo?'

'Dat is fout geantwoord,' zegt Mario streng. 'Je gaat maar voor één ding naar dat huis, en dat is om seks met alles erop en eraan te hebben met een meisje. Dacht je dat het nationale elftal van Italië in 1982 tussendoor even een potje is gaan frisbeeën op weg naar het winnen van het WK? Dacht je dat Einstein even een pauze inlaste om naar een dvd'tje te kijken toen hij zijn beroemde relativiteitstheorie uitvond?'

'Dat weet ik niet.'

'Nou, dan zal ik het je vertellen: dat deden ze niet. Je moet je focussen op je doel. Keiharde seks, met alles erop en eraan. Frisbeeën en zo komt daarna wel.'

'Niet te geloven dat je echt naar haar huis gaat,' zegt Dennis. 'Het lijkt gewoon niet te kloppen, op de een of andere manier.'

'Nou, ze heeft me zelf uitgenodigd.'

'Dat weet ik wel. Alleen, nou ja, jíj, met háár – dat ... dat klopt toch gewoon niet?' vraagt hij aan de anderen. 'Een beetje ongeloofwaardig en zo?'

'Een heel klein beetje misschien,' geeft Geoff toe.

'En Carl dan?'

'Wat heeft Carl er nou mee te maken?'

'Hmm ... nou ja, hij heeft je al praktisch in coma geslagen omdat je een of ander flikkerig Japans gedichtje naar haar stuurde. Wat denk je dat hij gaat doen als hij erachter komt dat je bij haar thuis bent geweest? Hij trekt je kop van je romp.'

'Dat is waar,' zegt Geoff fronsend. 'Hij trekt je kop waarschijnlijk inderdaad van je romp, Skip.'

'Hij trekt je kop van je romp en zeikt in je nekgat,' weidt Dennis uit. 'En daarná wordt ie fysiek.'

'Hij heeft er niks mee te maken,' zegt Skippy. 'En trouwens, hoe moet hij er nou achter komen?' Daarop houdt Dennis, die het grootste gedeelte van de dag bezig is geweest aan mensen te vragen of die hele toestand met Skippy en Lori niet heel raar lijkt, en dat het een behoorlijke klap in Carls gezicht moet zijn, abrupt zijn mond en gaat Ruprecht zoeken.

Sinds hij op de avond van het experiment is bestraald, heeft Dennis een plotselinge bewondering opgevat voor Ruprecht en steunt hij hem met een geestdrift die mensen die hem kennen bijna eng vinden. Hij haalt donuts voor Ruprecht als ze tot laat in de avond in het lab werken, hij luistert naar Ruprechts eindeloze verhandelingen over wiskunde – hij komt zelfs netjes opdagen voor de repetities van het Kwartet, speelt alleen de noten waarvan hem wordt opgedragen ze te spelen, nadat Ruprecht het aantal tot ongeveer de helft heeft teruggebracht.

Hij heeft ook een sleutelrol gespeeld in de poging de capsule de meisjesschool in te smokkelen. Vanmiddag kwam Nialls zus met de beloofde plattegrond van St. Brigid's, en nu schakelt het plan – dat Ruprecht al de codenaam 'Operatie Condor' heeft meegegeven, waar hij de voorkeur aan gaf boven, evengoed bedankt, Mario's 'Operatie Heuvel' en Dennis' 'Operatie Onbevlekte Penetratie' – naar de volgende versnelling.

Het ziet ernaar uit dat de meisjesschool binnenkomen maar net iets minder moeilijk wordt dan toegang krijgen tot de hogere dimensies. De poort van de hoofdingang gaat om vijf uur dicht, waarna alleen de ingang voor voetgangers overblijft, die je vlak langs het poortwachtershuisje leidt, waar een befaamd waakzame conciërge woont die Brody heet en ook Brody's kleine, maar bloeddorstige hond Nipper. Iedereen die ongezien langs die twee weet te komen, zal merken dat de voordeur van de school op slot zit, en dat de achterdeur rechtstreeks toegang biedt tot het administratieve gedeelte, bestaand uit het kantoor van de Decaan van de Kostgangers, het kantoor van de rector, het secretariaat en de Lounge van de Prefecten – kortom, het hol van de leeuw.

'Het enige punt waar we realistisch gesproken naar binnen kunnen,' zegt Dennis, 'is hier, via de nooduitgang.' Hij wijst naar een symbool op de plattegrond dat de ijzeren brandtrap aangeeft. 'Via het raam bovenaan kom je rechtstreeks in de nonnenvertrekken.

Van daaraf is het een kwestie van vanaf de tweede verdieping in de kelder komen aan de andere kant van de school, waarbij je de nonnen, de boobytraps die zijn gelegd om insluipers te verminken, met hockeysticks uitgeruste prefecten en dergelijke moet vermijden. Daarna hoeven we alleen nog maar in de afsloten kamer met de grafheuvel eronder te komen, de capsule daarbinnen weer in elkaar te zetten, een kabel over de muur te leiden om verbinding te maken met de Kosmische-Energiecompressor, en de toegangspoort te openen, waarbij we dit keer moeten zorgen dat we het allemaal filmen. Volgende halte: de Nobelprijs.'

'Voor ons geen school meer,' zegt Mario. 'We worden wereldberoemd.'

'Nou ja, ik dan,' corrigeert Ruprecht.

'Denk je dat het zal lukken?' vraagt Skippy.

Ruprecht denkt van wel: sinds die avond in de kelder is hij heilig gaan geloven in de mysterieuze krachten van eeuwenoude grafheuvels. 'Ik heb er wat meer over gelezen op internet, en wetenschappelijk gesproken zijn er allerlei vreemde fenomenen aan verbonden die nog verklaard moeten worden. Het is een onconventionele benadering, dat weet ik best. Maar zoals professor Tamashi zegt: "Wetenschap is het gebied van de voormalige onmogelijkheden."'

'Maar wat gebeurt er als de nonnen je betrappen?'

'Dat risico moeten we dan maar nemen,' zegt Ruprecht.

'De Condor vliegt morgenavond uit, Skip,' zegt Dennis. 'We kunnen nog een plekje voor je inruimen in ons team.'

'Nou, zelfs als ik zou willen, zou ik morgen niet mee kunnen,' zegt Skippy. 'Dan ga ik naar Lori's huis.'

Op elk ander moment was Skippy misschien jaloers geweest op Dennis en zijn nieuwe rol in het middelpunt van Ruprechts leven, maar als hij vanavond in bed ligt, denkt hij alleen maar aan morgen – niet aan Dennis, niet aan Carl, niet aan pillen of de zwemwedstrijd of Operatie Condor; aan morgen en aan niks anders. Hij is zo opgewonden dat hij niet zou weten hoe hij in slaap moet komen; maar dat moet toch gelukt zijn, want ineens is het zes uur, en duikt hij – *pow!* – vers chloorwater in.

De mazzelaars die de selectie hebben gehaald hebben de hele week extra trainingen, elke ochtend een halfuur voor de anderen beginnen; door het perspex dak is de lucht nog pikkedonker, het zou middernacht kunnen zijn. Vanaf de zijkant van het zwembad klapt Coach een ritme, terwijl zij heen en weer racen, heen en weer, een eindeloze reis over dezelfde korte afstand. Borstcrawl, rugslag, vlinderslag: Skippy's armen en benen maken de bewegingen vanzelf, terwijl hij als een passagier ergens in zijn lichaam zweeft. In flitsen, door het schuim heen, verschijnen Garret Dennehy en Siddartha Niland in parallelle banen aan weerszijden, als scherven van weerspiegelingen, andere Skippy's in andere werelden.

Voor de douches gaat het team, terwijl de anderen zich wassen, op een kluitje bij elkaar staan, armen om glibberige koude lichamen geslagen, terwijl ze met ernstige, volwassen uitdrukkingen op hun gezicht naar Coach luisteren. Nog maar drie dagen tot de wedstrijd!!! Hij geeft hun het reisschema en deelt hen in in paren. 'Daniel, jij deelt een kamer met Antony, net als de vorige keer ...' 'Ha ha, da's pech hebben, Juster!' 'Ik zou maar oordopjes meenemen!' Antony 'Air Raid' Taylor, de hardste snurker van de hele school, die je als hij eenmaal slaapt tot de volgende morgen niet meer wakker kunt krijgen, tenzij je een emmer water over hem heen gooit.

'Oké, douchen maar. En denk eraan: zorg de komende dagen goed voor jezelf. Geen gedonder. Ik wil niet dat al het werk dat we verzet hebben verspilde moeite is, omdat iemand een spier heeft verrekt met worstelen of op een spijker is gaan staan.'

Op een spijker, een glas, op zuur, op brandende kolen. Of je loopt onder een steiger door en er valt een balk boven op je, of je loopt brandwonden op bij een brand, of je wordt gekidnapt door terroristen? Als je erover na gaat denken, kunnen er zoveel dingen misgaan! Maar Skippy denkt daar niet over na, zijn hersens zitten vol LORI LORI LORI LORI! Hij kan nergens anders aan denken, tijdens het zwemmen, tijdens het ontbijt, bij Duits, godsdienst, tekenen; door de gedachte aan haar lijkt alles prachtig onwerkelijk, zoals de laatste schooldagen, als je over de rand van juni loopt en hoewel de lessen nog niet zijn afgelopen de zomer toch al overal in trekt als gemorst sinaasappelsap in je schrift, de zomer die sterker is dan school, Lori die als een eenmeisjeszomer is ...

Bij Engels behandelen ze een gedicht dat *The Road Not Taken* heet, over een gast, Robert Frost, die in een bos loopt waar meneer Slattery, als ze het lezen, om onverklaarbare redenen emotioneel van wordt.

'Een leven, begrijpen jullie ... Robert Frost wil zeggen dat een leven iets is wat je moet kíézen, als een pad door een bos. Maar het lastige voor ons is dat we in een tijd leven die ons een stortvloed aan keuzemogelijkheden lijkt te bieden, een doolhof van kant-en-klare paden. Maar als je beter kijkt, blijken veel daarvan gewoon andere versies van hetzelfde te zijn: producten kopen bijvoorbeeld, of de voorgebakken verhaaltjes slikken waarin ze willen dat we geloven. Een religie, een land, een voetbalelftal, een oorlog. Het idee je eigen keuzes te maken, bijvoorbeeld niet te geloven, niet te consumeren, is nog net zo'n weinig betreden pad als altijd ...'

'Hé Skip!' sist Mario, terwijl hij zich voor Geoff langs buigt om Skippy tegen zijn arm te porren. 'Heb je al een cadeautje om mee te nemen voor het vrouwtje?'

'Moet ik een cadeautje meenemen dan?'

Mario slaat met zijn hand tegen zijn voorhoofd. '*Mamma mia!* Geen wonder dat jullie Ieren tot je veertigste maagd blijven!'

Tijdens de lunchpauze lopen ze naar het winkelcentrum om een cadeautje voor Lori uit te zoeken. Van al het geld in zijn portefeuille koopt Skippy het op een na kleinste doosje bonbons. Op de terugweg doet Dennis, die voor zijn doen ongebruikelijk stil is geweest in de lunchpauze, zijn mond open. 'Ik heb na lopen denken over dat gedicht van Robert Frost,' zegt hij. 'Volgens mij gaat dat helemaal niet over keuzes maken.'

'Waar dan wel over?' zegt Geoff.

'Anale seks,' zegt Dennis.

'Anale seks?'

'Hoe kom je daarbij, Dennis?'

'Nou, als je het eenmaal doorhebt, ligt het nogal voor de hand. Kijk maar wat ie schrijft. Hij is in een bós, toch? Hij ziet twee wégen voor zich. En hij neemt de minder bewandelde weg. Waar kan dat anders over gaan?'

'Eh, over bossen?'

'Een eindje wandelen?'

'Luisteren jullie dan nooit tijdens de les? Een gedicht gaat nooit over waarover het zegt dat het gaat, dat is het hele punt. Mevrouw

Frost, of wie dan ook, zal natuurlijk niet al te blij zijn als hij de hele wereld gaat vertellen over die keer dat ie haar in haar kont neukte. Dus dat verdoezelt hij slim door het in een gedicht te zetten dat voor het ongeoefende oog gewoon gaat over een saaie wandeling in een of ander nichterig bos.'

'Maar, Dennis, denk je dat meneer Slattery het zou behandelen als het echt over anale seks ging?'

'Wat weet meneer Slattery er nou van?' schampert Dennis. 'Dacht jij dat hij zijn vrouw ooit langs de minder bewandelde weg had genomen?'

'Tss, wanneer heb jij de minder bewandelde weg genomen dan?' werpt Mario hem voor de voeten.

Dennis wrijft over zijn kin. 'Nou, tijdens die magische nacht met jouw moeder bijvoorbeeld ... Ik probeerde haar nog tegen te houden!' Hij duikt weg als Mario naar hem uithaalt. 'Maar ze was onverzadigbaar! Onverzadigbaar!'

Als ze langs de haveloze esdoorns lopen, zien ze een opstootje bij de ingang van de kelder. Jongens lopen kriskras door elkaar, terwijl boven hun hoofden rookflarden drijven. Als ze dichterbij komen, maakt Mitchell Gogan zich los uit de groep die met rekkende nekken bij de deur staat en gaat buiten adem naast hen lopen. 'Hé Juster ...' zegt hij. Hij kan zijn vrolijkheid nauwelijks bedwingen. 'Is kluisje nummer 181 niet van jou?'

Ja, en het staat in brand. Skippy duwt zich door de menigte en ziet dan de vlammen door het open deurtje slaan en binnenin bezitterig razen; vonken schieten omhoog naar het plafond en komen weer neer, een spoor van roetdeeltjes achterlatend als neerstortende vliegtuigen. Jongens kijken toe, grijnzen, hun gezichten hels oranje gekleurd; en tussen hen in – hem aanstarend met ogen die in het gothic licht net de ramen van een leeg huis zijn – staat Carl. Skippy gaapt hem geschokt aan, kan niet wegkijken. Dan klinkt er van achter hem een schorre stem op, en Noddy verschijnt van tussen de lichamen, zijn klonterige trollengezicht rood aangelopen, de brandblusser in zijn hand. 'Ah, jezus!' roept hij. 'Wat is dit nou, verdomme!'

Hij richt de brandblusser, en de omstanders springen met een kreet van plezier naar achteren als het schuim de vlammen in spuit. In minder dan een minuut is het vuur uit. De jongens lopen alle kanten op, maar Skippy blijft beschroomd hangen terwijl Noddy in de verkoolde inhoud van het kluisje pookt en de laatste sintels dooft. 'Is dit jouw kluisje?' vraagt hij aan Skippy. 'Zat er vuurwerk in, of aanstekerbenzine of zo?'

Skippy schudt zwijgend zijn hoofd, terwijl hij in het drijfnatte zwarte hart staart.

'Wat is er dan gebeurd?'

Noddy's zure adem slaat tegen zijn neusgaten. Door de rook ziet hij Carl naar hem kijken, onbeweeglijk als een wassen beeld. 'Ik weet het niet.'

'Ik weet het niet,' bauwt de conciërge hem na, en hij draait zich weer om naar het verwoeste kluisje. 'Nou, dat ding is volkomen naar de klote – hé, waar ga jij heen, ik moet je naam hebben, ik ...'

Maar Skippy heeft zich losgescheurd en is weggestoven. Voor hij het weet is hij op zijn kamer. De lucht door het raam is ijskoud; roetdeeltjes klampen zich vast aan de linten van het microscopisch kleine doosje bonbons. Zonder erbij na te denken grijpt hij naar zijn pillen – dan houdt hij in. Dennis, Geoff, Ruprecht en Mario zijn achter hem opgedoken. Ze staan als de Bremer stadsmuzikanten opgesteld in de deuropening en nemen hem bedrukt op.

'Wat nou?' zegt hij.

'Gaat het, Skip?'

'Prima.'

'Zaten er veel spullen in?'

'Dat maakt niet uit.'

'Wat ga je nou doen?'

'Hoe bedoel je?'

Er valt een stilte; ze wisselen blikken uit, en dan zegt Ruprecht: 'Skippy, wat er met je kluisje is gebeurd, zou volgens mij weleens geen ongelukje kunnen zijn.'

'Je kunt niet naar Lori's huis gaan!' flapt Geoff eruit. 'Carl maakt je af.'

'Ik ga toch,' zegt Skippy vastberaden. 'Carl houdt me niet tegen.'

'Maar, eh, Skip, wat nou als ie je wél tegenhoudt?'

'Dat mag hij proberen,' zegt Skippy uitdagend.

'Wat wil je daar nou mee zeggen?'

'Misschien wordt het tijd dat iemand hém eens tegenhoudt.' Hij weet niet eens dat hij dat denkt tot de woorden zijn mond al uit zijn, maar zodra ze dat doen, weet hij dat hij het meent.

'Waar heb je het over? Je hebt geen schijn van kans tegen hem!'

'Straks ben je je meisje kwijt en word je nog de grond in gestampt ook.'

'En over drie dagen heb je een wedstrijd!' helpt Geoff hem herinneren. 'Skippy, hoe moet je nou zwemmen als je de grond in bent gestampt?'

Beneden hangt de bittere rook van het goedkope hout van het kluisje nog steeds in de lucht. Mensen draaien hun hoofd om en grinniken om Skippy terwijl ze weer naar hun lokaal lopen. Hij negeert hen, kamt de gangen uit van links naar rechts, tot hij hem daar in de deuropening van het tekenlokaal ziet staan: de enige die Skippy kent wiens rúg er zelfs boos uitziet ... Zijn hart bonst in zijn oren als een keteltrom. Met een daadkracht die van elders lijkt te komen loopt hij door de tunnel van lucht die hen tweeën verbindt, en steekt zijn hand uit om Carl op zijn schouder te tikken.

Om hen heen komt de gang tot stilstand. Carl draait zich langzaam om in de deuropening en zijn bloeddoorlopen ogen blijven leeg op Skippy rusten. Ze vertonen geen enkel teken van herkenning; ze vertonen geen teken van wat dan ook. Het is alsof je in een afgrond kijkt, een bodemloze, onverschillige afgrond ...

Skippy slikt, steekt dan van wal: 'Jij hebt mijn kluisje in brand gestoken!'

Carls gezichtsuitdrukking verandert niet; als hij eindelijk iets zegt, is het alsof elk woord een ton weegt en met kettingen en katrollen vanuit zijn voeten opgehesen moet worden. 'Wat wou je daaraan doen?' zegt hij.

Bied je verontschuldigingen aan! Loop weg! Bedank hem dat hij zo grondig te werk is gegaan! 'Na schooltijd,' zegt Skippy, biddend dat zijn stem niet zal breken. 'Achter het zwembad. Jij en ik.'

Er klinkt een laag gegons op uit de menigte om hen heen. Het duurt even voor Carl reageert; dan laat hij zijn kaak langzaam zakken en komt er een loden reeks lachjes uit zijn mond. Ha! Ha! Ha! Ha! De holle lach van een robot die lacht zonder te weten waarom dingen grappig zijn. Hij legt voorzichtig een hand op Skippy's schouder en terwijl hij zich naar zijn oor buigt, fluistert hij: 'Ik maak je af, flikker.'

Binnen een paar minuten heeft het nieuws zich over de hele school verspreid. Nu kan hij er niet meer onderuit, zelfs al zou hij willen. De algemene reactie lijkt simpele verbijstering te zijn.

'Ga jíj met Carl vechten?!'

Skippy knikt.

'Jíj?!'

Skippy knikt opnieuw.

'Hij slacht je af,' zegt Titch of Vince Bailey of wie dan ook.

Skippy weet nog net zijn schouders op te halen.

'Nou, succes,' zeggen ze, en ze lopen weg.

De hele les lang blijven gezichten Skippy's kant op schieten. Ze bekijken hem nauwkeurig, alsof hij een hagedis van anderhalve meter is die daar aan zijn tafeltje zit; en de dag, die zich zo tergend langzaam voortsleepte, begint te razen, alsof de tijd zelf hijgt van ongeduld om het gevecht te zien. Skippy probeert zich aan de lessen van de leraren vast te klampen, al was het maar om de tijd langzamer te laten gaan. Maar het is alsof de woorden zelf ook weten dat ze niet voor hem bedoeld zijn en zo aan hem voorbijgaan. Zo moet het voelen om dood te zijn, de levenden te achtervolgen als een spook, denkt hij. Alsof alles van glas is, te glibberig om vast te pakken, zodat je zelfs als je stilstaat het gevoel hebt dat je valt.

Twee minuten na de laatste bel verschijnen de eerste jongens op het lapje grind achter de aanbouw. Omsloten door het zwembad aan de ene kant, het ketelhok aan de andere kant en een eeuwig voortwoekerende wirwar van braamstruiken aan weerszijden. Je kunt het vanaf geen enkele andere plek op school zien; als er een rekening moet worden vereffend, gebeurt dat al sinds mensenheugenis hier. Binnen de kortste keren staat het er afgeladen vol, en uit het gebabbel wordt duidelijk dat er weinig twijfel is aan de uitkomst: de menigte is niet aangetrokken door de belofte van een strijd tussen aan elkaar gewaagde partijen, maar door de kans daadwerkelijk lichamelijk letsel te zien.

'Dit is een krankzinnige manie,' zegt Mario somber. 'Carl verpulvert hem. Skippy mag al van geluk gespreken als ie ooit nog naar een vrouw kan kijken.'

'Vind je dat we iets moeten doen?' zegt Niall.

'Iets doen?' herhaalt Dennis. 'Zoals wat?'

‘Nou, hem op de een of andere manier tegenhouden of zo.’
‘En die neanderthaler ervandoor laten gaan met de liefde van zijn leven, bedoel je?’ Zoals veel pessimisten krijgt Dennis er merkwaardig genoeg energie van als de dingen er daadwerkelijk op hun beroerdst voor staan. ‘Moet hij gewoon blijven zitten en zich nog vier jaar lang laten pesten en over zich heen laten lopen, en dan als hij op een dag een accountant is, getrouwd met een of ander middelmatig meisje dat de bullebakken niet wilden hebben, wraak nemen door de bv Carl eens aan een heel grondige belastingcontrole te onderwerpen?’
‘Maar wat heeft een gevecht voor zin als hij geheid gaat verliezen?’
‘Ik weet niet wat het voor zin heeft,’ erkent Dennis. ‘Maar er wordt in deze klotetent nou al negen jaar met ons gesold, en als iemand nu het lef heeft om daar iets aan te doen, zal ik hem niet tegenhouden. Misschien inspireert het de rest van ons wel om niet meer zo’n stelletje losers te zijn. Dit is nou precies waar Robert Frost over schreef in dat gedicht.’
‘Ik dacht dat jij zei dat dat over anale seks ging.’
‘Gedichten kunnen over meer dan één ding gaan. Jullie kunnen zeggen wat je wilt, maar ik sta achter Skippy. Hij weet wat hij doet. Wacht maar af.’

Skippy heeft zich opgesloten in een wc-hokje. In zijn hand houdt hij het buisje pillen. Hij weet dat hij het waarschijnlijk beter niet kan doen. Maar hij heeft het gevoel dat zijn hoofd op het punt staat weg te vliegen, en misschien zou een half pilletje net genoeg zijn om de kamer te laten ophouden met draaien …
De telefoon gaat. Zij is het. ‘Daniel, ga je met Carl vechten?’
Hoe weet ze dat? ‘Ga ik wat?’ zegt hij, terwijl hij de pillen gauw in zijn achterzak stopt.
‘O mijn god,’ kreunt ze. ‘Ga je dat doen, Daniel?’
‘Het heeft niets met jou te maken,’ zegt hij.
‘O god,’ zegt ze opnieuw, ademloos. Ze klinkt nog meer van slag dan hij, wat ondanks alles een klein sinteltje van warmte ontsteekt in zijn hart. ‘Daniel, Carl is geváárlijk, je weet niet wat hij …’
‘Mag ik je wat vragen?’ Hij wil het niet, maar hij kan zich niet inhouden. ‘Zijn jij en hij … zijn jullie, eh …’

Ze zucht zo diep dat het bijna een kreun is. 'Luister, Daniel ...' Ze zwijgt even en zucht opnieuw; hij wacht, al zijn ingewanden vormen een onmogelijk strakke veer die zijn kin tussen zijn schouders trekt. 'Ik heb Carl al sinds vlak voor de Hop niet meer gezien. Maar hij haalt zich dingen in zijn hoofd. Hij is wild, Daniel. Blijf bij hem uit de buurt.'

'Maak je maar geen zorgen,' zegt Skippy eenvoudigweg en niet onheroïsch.

'Arrgh – ik meen het. Het is stom om met hem te vechten. Dat hoef je niet te doen. Begrijp je? Kom gewoon naar mijn huis, zoals we afgesproken hadden, oké? Blijf gewoon bij Carl uit de buurt en kom regelrecht hiernaartoe.'

'Oké.'

'Beloofd?'

'Beloofd,' zegt hij, zijn vingers kruisend, en hij doet de deur van het wc-hokje open.

Achter het zwembad blijven jongens zich verdringen in de steeds krappere ruimte. De lucht is zwaar van de sigarettenrook en onzichtbare boodschappen schieten heen en weer, er blijft nauwelijks genoeg zuurstof over om adem te halen; het moreel in het kamp-Juster heeft nog een extra klap opgelopen door de ontdekking dat Damien Lawlor weddenschappen op het gevecht is gaan aannemen en de inleg teruggeeft als Carl in twintig seconden of minder wint, en tien keer de inleg als Skippy een ambulance nodig heeft, onder voorwaarde dat er daadwerkelijk een ambulance verschijnt en hij daar op een brancard naartoe moet worden gedragen. Hij beantwoordt hun afkeuring met zijn goed geoefende blanco blik. 'Wat nou?' zegt hij.

'Dat is gelul, Lawlor.'

'Wat heeft Carl ooit voor jou gedaan? Hij heeft je vaak genoeg in elkaar geramd, dat heb ik zelf gezien.'

'Hoor eens,' zegt Damien, die even inhoudt om vijf euro aan te nemen van Hal Healy, die zijn geld erop inzet dat Carl Skippy met één klap knock-out slaat, elf tegen twee, 'in mijn hart sta ik volledig, voor de volle honderd procent achter Skippy. Ik heb een volkomen onwankelbaar geloof in hem. Dit is een zakelijke onderneming die daar helemaal los van staat, geleid door mijn hoofd. Die twee dingen hebben niets met elkaar te maken.' Hij staart van het ene ijzige, sceptische gezicht naar het volgende. 'Jullie moeten onderscheid leren maken,' zegt hij tegen hen.

'Hoeveel betaal je als Skippy wint?' wil Geoff weten.

'Als Skippy wint ... eens kijken ...' Damien doet alsof hij door zijn notitieboekje bladert. 'Aha, dat is ... honderd keer de inleg.'

'Dan zet ik vijf euro op Skippy,' zegt Geoff vastberaden.

'Weet je dat zeker?' zegt Damien verbaasd.

'Ja,' antwoordt Geoff.

'Ik ook,' zegt Mario, die ook een biljet tevoorschijn haalt. 'Vijf euro op Skippy.'

Dennis en Niall volgen hun voorbeeld, net als Ruprecht, zij het enigszins aarzelend, aangezien hij zelf de winstkans heeft berekend en op een astronomisch veel hoger getal is uitgekomen. 'Vijf euro dat Skippy wint. Honderd tegen één,' herhaalt Damien monter, terwijl hij Ruprecht zijn bonnetje aangeeft. 'Succes, heren.'

'Wat is honderd tegen één?' Ze zien Skippy geen van allen aankomen; hier in de kou en omringd door oudere jongens ziet hij er bleker en pieriger uit dan ooit; en hoewel hij kurkdroog is, maakt hij op de een of andere manier ook de indruk dat hij doorweekt is.

'Niks,' zegt Mario gauw.

'Hoe voel je je?' vraagt Ruprecht hem.

'Geweldig,' zegt Skippy rillend, en hij steekt zijn handen in zijn zakken. 'Waar is Carl?'

Carl is er niet; de menigte begint onrustig te worden. Vijf over vier wordt tien over en kwart over; het begint te motregenen als de schemering invalt, aan de rand van de groep vertrekken de eerste mensen, en Geoff Sproke besluit zichzelf toe te staan de heel vage hoop te koesteren dat Carl niet zal komen opdagen – dat hij zo stoned is dat hij het vergeet, of dat hij onderweg wordt gearresteerd door de politie wegens brandstichting in kluisjes, of dat hij gewoon een nalatig type is dat te lui is om te komen. Sterker: zodra Geoff het toelaat, stuit hij op allerlei redenen waarom het gevecht niet door zou kunnen gaan, en de vage hoop springt op en breidt zich uit, tot het plotseling bijna een zekerheid is, en Geoff voelt een soort vervoering, en hij staat net op het punt Skippy, die daar zo bedachtzaam en grijs uitgeslagen staat, een por te geven en hem uit te leggen dat hij zich geen zorgen hoeft te maken, omdat Carl niet zal komen, wat betekent dat de overwinning automatisch naar hem gaat en dat hij naar Lori kan gaan en dat alles goed zal komen, voor hen allemaal, voor altijd … als er collectief naar adem wordt gehapt, het geroezemoes dezelfde toonhoogte krijgt, iedereen zich naar één kant omdraait, Geoffs glimlach verdwijnt en de hoop in een oogwenk verschrompelt en wordt uitgedoofd.

Eerst lijkt Carl de menigte niet eens op te merken – hij blijft even rondhangen bij het ketelhok om een sigaret op te roken. Dan, zijn peuk wegschietend, kuiert hij naar hen toe. De lichamen om Skippy heen deinzen meteen terug, en hij staat ineens midden op een volmaakt ronde open plek, hoewel Mario nog steeds aan zijn kop staat te zeuren over een of andere honderd procent onfeilbare en dodelijke karatetrap die ze in Italië gebruiken …

'Italiaans karate?' mompelt Skippy.

'Dat is de dodelijkste vorm van karate die er is,' zegt Mario, en hij wil nog meer zeggen, maar Skippy hoort hem niet meer. Hij is volledig geconcentreerd op Carl, die in zichzelf staat te lachen alsof hij niet kan geloven dat hij überhaupt de moeite neemt dit te doen. En andere mensen lachen ook, want als hij dichterbij komt, kun je pas goed zien hoe enorm hij is en wat een belachelijk idee het is dat Skippy met hem gaat proberen te vechten. Skippy bloost als hij zich realiseert dat dit grootse gebaar eigenlijk een grap is, net zo gênant als het pijnlijk zal zijn. Maar toch herhaalt op datzelfde moment een stem in hem almaar: elke demon heeft een zwakke plek – elke demon heeft een zwakke plek –; telkens weer, alsof de uil uit Hoopland op zijn schouder zit – élke demon heeft een zwakke plek. Dan trekt Carl zijn schooltrui uit en stroopt de mouwen van zijn overhemd op, en de stem valt tegelijk met alle andere stemmen stil.

Zijn arm is van de pols tot aan de elleboog bedekt met lange, dunne snijwonden. Het moeten er zeker honderd zijn, in uiteenlopende gradaties van versheid – sommige zijn helderrood, andere vaag, uitlopend in korstjes. Er lopen er zoveel over zijn onderarm dat er bijna geen onaangetaste huid meer te zien is, alsof hij pas geweven is uit piepkleine rode draadjes. Hij kijkt Skippy nu voor het eerst aan, en hoewel hij nog steeds glimlacht, ziet Skippy achter zijn ogen zijn hersens steigeren en bruisen en kortsluiten in de greep van een of andere flitsende, kletterende kracht, en hij begrijpt plotseling en heel duidelijk dat Carl geen remmingen heeft, geen geweten of iets dergelijks, en dat toen hij zei dat hij hem ging vermoorden, dat ook precies was wat hij bedoelde …

'Goed dan.' Dat zegt Gary Toolan, uiteraard, die achtergebleven toeschouwers uit de ring stuurt en de twee kemphanen naar elkaar toe drijft om ze elkaar de hand te laten schudden. Het is alsof hij de Dood een hand geeft. Skippy voelt hoe het leven uit hem wordt gezogen, en hij realiseert zich net pas dat hij eigenlijk nog nooit heeft gevochten, niet eens weet wat je hoort te doen. Het idee naar iemand toe te lopen en diegene te slaan lijkt absurd. Dan roept Gary Toolan: 'En, vechten maar!' Carl komt op hem afrennen, en hij weet nog maar net weg te duiken. In een oogwenk is de menigte getransformeerd, schreeuwend, jankend uitzinnig geworden, zoals wanneer je de schakelaar van een blender omzet. Hun stemmen vormen een bloeddorstig gegorgel waaruit maar zelden zelfstandige woorden opklinken – *maak 'm af – ram – verdomme – neer* –, zoals hun gezichten ook voornamelijk een waas zijn, wat waarschijnlijk maar goed is ook, want de twee of drie die zich soms en onverklaarbaar aan Skippy opdringen zijn verwrongen tot maskers van zulke pure, onversneden haat dat als hij er even bij zou stilstaan … In plaats daarvan probeert hij zich de bewegingen van Djed in Hoopland te herinneren – da's beter dan niks, toch? – als die het opneemt tegen de IJsdemon, de Vuurdemon, naar voren rolt en stoot, een achterwaartse trap uitvoert, een heupworp – soms oefent Skippy die bewegingen in zijn slaapkamer als Ruprecht er niet is, hoewel nooit tegenover een waardiger tegenstander dan een kussen –, maar ze zijn nu meteen uit zijn hoofd verdwenen, als de vuisten op hem afkomen en hij opnieuw maar net weg weet te duiken – alleen lukt dat niet. Carl heeft hem vastgegrepen. Er klinkt een scheurend geluid als Skippy's trui kapotgaat en Carls vuist naar achteren gaat en dit is het dan, dit is het eind van het gevecht al …

En dan klinkt er een vrolijk elektronisch wijsje uit Carls zak. Carl blijft staan waar hij staat, zijn vuist roerloos in de lucht. Het wijsje gaat verder – mensen lachen. Het is dat liedje van BETHani, *3 Wishes*. Carl laat Skippy op de grond vallen en haalt de mobiel tevoorschijn. 'Hallo?' zegt hij, en hij loopt weg, naar de bomen toe.

Ruprecht klungelt naar voren en helpt Skippy zonder een woord te zeggen overeind. Hij blijft in een snel afkoelend schuim van zweet wachten – zijn vuisten nog gebald, terwijl zijn hele lijf trilt en hij geen van de toeschouwers aankijkt die tien seconden geleden nog schreeuwden om zijn bloed –, terwijl Carl met de mobiel heen en weer ijsbeert onder de laurieren. Hij praat gedempt tussen op elkaar geklemde kaken door; even later gooit hij, met een zuur 'Oké', de mobiel op de grond. Dit keer is er geen glimlach te bespeuren als hij weer naar hem toe beent – zelfs de omstanders deinzen onwillekeurig terug, en Skippy ontdekt dat hij nog een heel ander register van angst kent ...

'Vechten!'

... en ze staan meteen weer in de blender, de wervelwind van geschreeuw, de haatmaskers, waar de wit geoverhemde gestalte van Carl doorheen komt denderen. Hij beweegt zo snel dat het net is of er tientallen van hem zijn, die van alle kanten op Skippy afkomen, bliksemsnelle vuisten, steeds iets dichterbij, die maar een paar millimeter van hem vandaan door de lucht suizen, terwijl Skippy bukt, kronkelt, duikt, met het laatste beetje energie dat hij in zich heeft. Het lijkt uren te duren, maar waarschijnlijk is het maar een handjevol seconden ...

En dan struikelt hij, een enkel glijdt onder hem vandaan.

Het lijkt allemaal behoorlijk langzaam te gaan.

Carl heft twee vuisten als een hamer, hoog boven zijn hoofd ...

Skippy staat daar maar, te wankelen ...

en iedereen brult, omdat ze weten dat hij er zodra hij geraakt wordt is geweest, en dan begint de gein pas goed ...

Terwijl de vuisten neerkomen, haalt hij blind uit ...

hij weet niet of het bedoeld is als een klap of om af te weren ...

maar hij raakt Carls kaak:

de impact schiet door zijn botten terug, door zijn armen; het hoofd van Carl gaat met een ruk opzij ...

en hij gaat neer ...

en hij staat niet op.

Een lang moment gebeurt er helemaal niets; het is alsof alle geluid uit de wereld is gezogen. En dan staat iedereen te juichen! Maniakaal, ongelovig, extatisch aan het juichen, alsof dit de eerste keer in hun hele leven is dat ze echt hebben gejuicht – ze lachen en brullen en springen op en neer als de Munchkins in *The Wizard of Oz* als Dorothy's huis op de Heks landt, dezelfde mensen die net nog tegen Carl brulden dat ie Skippy's ingewanden eruit moest rukken. Skippy zou dat vreemd kunnen vinden, maar hij is te verdwaasd om ergens over na te denken, en nu wordt hij overspoeld door zijn vrienden.

'Een glazen kin,' zegt Niall verbijsterd. 'Wie had dat kunnen denken?'

'Het lag aan die beweging van hem,' legt Mario uit. 'Die Italiaanse karatebeweging, zag je die niet?'

Het lijkt wel alsof Skippy zelf de enige is die niet feestviert, afgezien van Damien Lawlor, die door zijn knieën is gezakt en met een asgrauw gezicht in zichzelf fluistert: 'Ik ben geruïneerd ...' In plaats daarvan staart hij naar de plek op het grind die net nog werd ingenomen door Carls gevallen lichaam. Waar is hij gebleven?

'Die is 'm gesmeerd,' verklaart Niall.

'Dat is hem geraden ook,' merkt Ruprecht dreigend op.

'Kom op, Skip.' Mario pakt hem bij zijn arm. 'We moeten je opknappen voor je naar je meisje gaat. Je hebt op z'n best al weinig om mee te werken.'

'Aan de kant voor de kampioen!' roept Geoff, een pad naar de Toren banend.

En tien minuten later – zijn haar getemd, zijn tanden gepoetst, zijn onherstelbaar gescheurde trui verruild voor een schone met een capuchon – vertrekt Skippy alweer. Hij peddelt op Nialls fiets heuvelop naar de poort. De regen is overgetrokken en de wolken maken plaats voor een zonsondergang die diep en vurig bloost, weelderige tinten roze en warme roden op elkaar gestapeld in een ademloos jagende wirwar als een verliefd hart; en als hij gewichtsloos het verkeer in slingert en de laatste woorden van advies achter zich laat – 'Echte, ruige seks!' 'Niet over haar heen kotsen!' – om de avond in te verdwijnen, bloeit de euforie eindelijk in hem op, en die blijft met elke meter die hij aflegt sterachtig groeien. De ernstige baldakijnen van de bomen boven hem versmelten met de invallende schemering; de tweebaansweg suist langs hem heen, de hoge straatlantaarns lijken te zingen in het tweeduister; de ketting en wielen zoemen onder zijn voeten, de bonbons zwaaien in hun tasje aan het stuur als hij de bocht omgaat haar straat in, langs de oude bakstenen huizen rijdt met hun sluiers van klimop, en bij de poort van haar huis stopt. En daar, aan het eind van de oprit, staat ze, precies zoals hij het zich had voorgesteld – in het lamplicht, op het trapje, te lachen alsof hij net de beste grap ter wereld heeft verteld.

In het begin moet hij zichzelf steeds knijpen om zich eraan te herinneren dat dit echt gebeurt; het lijkt onwerkelijk, als zo'n Kinder-reclame waarin iedereen in een andere taal is nagesynchroniseerd.

'Je bent er!' roept ze uit, haar armen naar hem uitgestrekt. Haar blik valt op de blauwe plek bij zijn slaap en ze buigt zich naar voren om hem te kussen, maar ze zegt er niets over. 'Mijn ouders willen je dolgraag ontmoeten,' zegt ze in plaats daarvan, en ze pakt zijn hand om hem naar binnen te leiden. Ze lopen door een hal vol schilderijen een ruime keuken in met een enorm daklicht, waar een lange, enigszins woest uitziende vrouw in een zwarte jurk een courgette staat te snijden. Skippy veegt zijn handpalmen af aan zijn broek, klaar om haar een hand te geven, maar Lori loopt straal langs haar heen de glazen deur door. 'Hé mam, kijk eens wie er is!'

De vrouw die languit op de bank ligt is het evenbeeld van Lori: dezelfde magnetische groene ogen, hetzelfde roetzwarte haar. 'O, hemel!' Ze legt haar tijdschrift weg en zwaait haar blote voeten naar de vloer. 'Dus dit is hem! Dit is de beroemde ...'

'Daniel,' zegt Lori.

'Daniel,' herhaalt Lori's moeder. 'Nou, je bent van harte welkom, Daniel.'

'Fijn dat ik mocht komen,' mompelt Skippy, en dan schiet hem te binnen: 'Ik heb bonbons meegenomen.' Hij geeft Lori het doosje, dat er in de kathedraalachtige serre ronduit microscopisch uitziet; niettemin maken beide vrouwen precies hetzelfde aaaah-geluid.

'Wat een schatje,' verklaart Lori's moeder, terwijl ze haar vingertoppen over Skippy's wangen laat glijden.

'Mogen we wat sinaasappelsap?' vraagt Lori.

'Natuurlijk, liefje,' zegt haar moeder, en ze roept door de deur naar de andere vrouw: 'Lilya, pak even wat sinaasappelsap voor de kinderen, wil je?', en knielt dan voor Skippy op de vloer, zodat haar parfum zijn neus in dwarrelt en het onmogelijk wordt niet in haar decolleté te kijken. 'Ik wist wel dat er een jongen moest zijn. Hoewel Lori het eindeloos bleef ontkennen.'

'Maham!' kreunt Lori.

'Je zult het misschien niet geloven, jongedame, maar ik ben zelf ook een meisje geweest. Ik ken alle trucs.'

'Mam, ga je pilatesoefeningen nou maar doen of zo,' smeekt Lori, terwijl ze richting keuken loopt.

'Oké, oké ...' Ze weerstaat haar dochter lang genoeg om Skippy waarderend op te nemen en nog eens te verklaren: 'O, hij is té schattig', waarna ze, lachend, weer naar de bank verdwijnt.

'Sorry, ik had je moeten waarschuwen,' zegt Lori. 'Mijn moeder is zo'n beetje de grootste flirt ter wereld.' Ze reikt naar twee glazen SunnyD die op het aanrecht zijn verschenen naast een groot bord vol chocolate chip cookies, en beschijnt Skippy met een vuurtorenglimlach. 'Kom op, dan leid ik je even rond.'

Er komt geen eind aan het huis. Elke kamer maakt plaats voor een nog grotere, elke een grot van Aladdin vol schermen, sculpturen en stereo-installaties. Terwijl Skippy Lori volgt, half luisterend naar haar gebabbel, voelt hij zich gelukkig maar ook vreemd, als een schaduw die een of andere wedstrijd heeft gewonnen en die voor één dag een echt persoon mag zijn en niet alleen maar een vage vorm op de vloer. 'En dit is mijn kamer,' zegt ze.

Hij schrikt wakker uit zijn dagdroom. Holy shit! Het is waar! Ze staan in haar slaapkamer! De muren zijn roze en bedekt met meisjesachtige posters – twee paarden die met hun snuit tegen elkaar staan, de Sad Sam-hond, een jongenscherubijn die een kus steelt van een meisjescherubijn, BETHani in een bijna-maar-niet-helemaal-doorzichtig zwempak, en nog eens, op een uit een tijdschrift geknipte foto, hand in hand met haar vriendje, die gast uit Four to the Floor. Op de ladekast staan een foto van Lori, de beeldschone moeder en een man die Lori's vader moet zijn, die er een beetje uitziet als G.I. Joe als die van hout was en een pak droeg. Ze zien er perfect uit samen, als de voorbeeldfoto die bij het lijstje wordt meegeleverd.

'Laten we tv-kijken!' zegt ze. Er staat hier een tv, maar ze loopt de trap al af naar een van de woonkamers, waar ze ongeveer een halve meter bij hem vandaan op de bank gaat zitten, de kat opgekruld op haar schoot en haar gepantoffelde voeten comfortabel onder een kussen. *The Simpsons* is bezig. Skippy vraagt zich af of hij haar boven had moeten kussen. Ze gedroeg zich niet alsof ze dat van hem verwachtte. Moet hij haar nu dan kussen? Ze lijkt anders behoorlijk op te gaan in het programma. Ach wat, misschien is dit helemaal geen afspraakje! Misschien zijn ze wel vrienden!

'En, zwem je nog steeds?' vraagt ze tijdens een reclameblok.

Hij vertelt haar over de zwemwedstrijd van komend weekend.

'Wauw, wat spannend,' zegt ze.

'Ja,' zegt hij knikkend. (Geraakt door een op hol geslagen hotdogwagentje, over een kat struikelen, waterpokken krijgen, tekort aan water → de zwembaden overal leeg.) 'Het zijn de halve finales.'

'Cool.' Ze krabt bedachtzaam aan haar neus. 'Dus je bent niet gestopt?'

'Gestopt?'

'Ja, toen ik je op de avond van het feest sprak, zei je dat je wilde stoppen.'

'O ...' *Toen ik je op de avond van het feest sprak?!* '... eh, nou ja, het is wel hard werken. We moeten om halfzes opstaan om te trainen en zo. Het is hard werken dus, dat bedoelde ik.'

'Je zei dat je het afschuwelijk vond,' zegt ze.

'Afschuwelijk, ik?'

Ze knikt, haar ogen strak op hem gericht.

'Tja ...' zegt hij vaagjes. 'Ja, soms heb ik dat wel een beetje.'

'Waarom zou je iets doen wat je afschuwelijk vindt?'

'Nou ja, mijn ouders vinden het heel leuk en zo ...'

'Die willen toch ook niet dat je iets doet wat je afschuwelijk vindt, of wel?'

'Nee, maar ...' Het Spel, zelfs hier! Het rijst als een monoliet op uit de grond, als een starende grafsteen: gevangen in de schaduw ervan valt hij stil, zit daar zwijgend, voelt zich ellendig, terwijl hij wilde dat ze ophield met zo naar hem te kijken. Dan gaat de deur open en komt de lange man van de foto binnen.

'Papa!' roept Lori, en ze springt op van de bank.

'Daar is mijn prinsesje!' De man zet zijn boodschappentassen neer, zodat hij haar kan optillen en rondzwaaien. 'En wie hebben we hier?' zegt hij, als hij kijkt naar Skippy, die in elkaar gedoken op de bank zit.

'Dat is mijn vriend Daniel,' zegt Lori.
'Aha ... dus dit is de man die je tot diep in de nacht uit je slaap houdt?' zegt haar vader. 'Kijk aan. Gavin Wakeham.' Hij loopt soepeltjes op hem af om Skippy's hand in de zijne fijn te knijpen en hem onderzoekend aan te kijken.
'Daniel zit op Seabrook,' zegt Lori tegen haar vader.
'O ja?' Zijn gezicht klaart op als hij dat hoort. 'Ik ben zelf ook een oude Blue-and-Gold! Het examenjaar van '82. Zeg eens, Daniel: hoe is het met Des Furlong? Is die alweer terug?'
'Nee, hij is nog steeds ziek,' zegt Skippy. 'Meneer Costigan heeft nu de leiding.'
'Greg Costigan! Ik heb nog op school gezeten met die klootzak. Wat vind jij van hem, Daniel? Lult behoorlijk uit zijn nek, niet? Zeg maar dat ik dat gezegd heb, goed? Zeg maar dat Gavin Wakeham zegt dat hij uit zijn nek lult, wil je dat voor me doen?' Zijn grote gezicht kijkt Skippy begerig aan, als een hongerig monster dat een schaal vol bonbons heeft ontdekt. Skippy weet niet wat hij moet zeggen. 'Goed zo, hij is loyaal aan zijn school!' buldert Lori's vader terwijl hij op zijn knie slaat. 'Greg is eigenlijk een goede vriend van me. Ik ga nog steeds af en toe een biertje met hem drinken op de rugbyclub. Speel jij ook, Dan?'
'Daniel zit in de zwemploeg,' zegt Lori, knus onder zijn arm gekropen. 'Er komt een belangrijke wedstrijd aan. Ze zitten in de halve finale.'
'Is dat zo? En wie coacht jullie? Toch niet nog steeds pater Connolly, of wel? Pater Knuffel-me, noemden we hem altijd.'
'Meneer Roche doet het nu,' zegt Skippy.
'Ach ja, Tom Roche, natuurlijk. Tragisch verhaal. Ken je het?'
'Ja,' zegt Skippy, maar Lori's vader begint het toch te vertellen. 'Waarschijnlijk de beste slagman van zijn generatie. Had in de nationale ploeg kunnen zitten. Dat had gekund, als het niet gebeurd was. En nu hoor ik dat die andere kerel ook weer terug is op Seabrook, die kerel die hem in zijn plaats heeft laten vallen, hoe heet ie ook weer ...?'
'Papa, wat heb je gekocht?' Lori rukt aan zijn elleboog.
Als hij in haar naar boven kijkende ogen staart, klaart zijn gezicht weer op. 'Alleen wat ditjes en datjes voor de gym.'
'Nog méér spullen voor de gym?'

'Een paar dingen maar.'
'Mam doet je wat.'
'Aha,' zegt hij zelfvoldaan, 'mooi niet, want dat heb ik al geregeld.' Hij haalt een plastic tasje uit de grotere en schudt ermee naar haar.
'En ik dan?'
'Wat is er met jou?'
'Het zou niet eerlijk zijn als iedereen wat kreeg behalve ik.'
'Nou, dat spijt me dan.'
'Laat me eens in die tas kijken.'
'Ik dacht het niet.'
'Laat kijken, pap!' Ze duikt naar de tas, hij tilt hem buiten haar bereik, als een matador, en Skippy doet een stap naar achteren als de twee een giechelende, worstelende kluwen worden. De vrouw uit de keuken verschijnt in de deuropening. Ze blijft even staan, werpt een korte, uitdrukkingsloze blik op Skippy aan de andere kant van het worstelende stel; dan kondigt ze met een vampierachtig monotone stem aan: 'Het eten wordt opgediend.' Lori's vader en Lori gaan uit elkaar, naar adem happend en nog een paar laatste restjes gelach slakend.
'Oké, Lilya, dank je,' zegt haar vader. 'Alsjeblieft, kleine dame, hoewel je het niet verdient ...'
Hij werpt Lori een tasje toe met een paar lippen op de zijkant, en ze straalt helemaal als ze er een plastic doosje uit haalt. 'O, dankjewel, pap!'
'Zonder make-up ziet ze eruit als de achterkant van een bus,' zegt haar vader met een knipoog tegen Skippy; en dan streng tegen Lori: 'Maar je mag het alleen bij speciale gelegenheden dragen, als je moeder en ik zeggen dat het mag, oké?'
'Ja, papa.' Ze knikt ernstig, pakt zijn hand vast en stiefelt naast hem de eetkamer in, Skippy achter hen aan.
Ze gaan aan tafel zitten terwijl de in het zwart geklede vrouw zwijgend borden voor hen neerzet. 'Is dit nou niet fijn?' zegt Lori's moeder. 'Ik kan me nauwelijks herinneren wanneer we voor het laatst samen aan tafel zijn gegaan.'
'Papa moet áltijd maar werken,' zegt Lori tegen Skippy.
'Iemand moet dit allemaal betalen, of niet?' zegt Lori's vader met een mond vol eten. 'Jullie meisjes lijken te denken dat het geld

zomaar uit de lucht komt vallen.' Lori en haar moeder rollen op exact dezelfde manier met hun ogen. 'En wat doet jouw vader voor de kost, Daniel?'

'Pardon?'

'Je vader, wat doet die?'

'O, die is ingenieur.'

'En je moeder? Werkt zij ook?' Aan de overkant van de tafel spannen de spieren van zijn gebruinde armen terwijl hij in zijn karbonade zaagt.

'Ze geeft les aan een montessori. Nou ja, nu even niet, maar ...'

'Dat is geweldig. En hoe vind je het op school?'

'Gaat wel,' zegt Skippy.

'Daniel is een van de slimste jongens van zijn klas,' zegt Lori.

'Goed zo,' zegt haar vader. 'En wat voor loopbaan zie je voor je, Daniel?'

Lori's moeder legt lachend met een rinkelend geluid haar vork op het bord. 'Gavin, geef die jongen even een kans om te eten!'

'Hoe bedoel je?' zegt Lori's vader. 'We voeren gewoon een gesprek, meer niet.'

'Je neemt hem een kruisverhoor af. Nog even en hij begint met een brandende sigaret in je voetzolen te drukken,' zegt Lori's moeder met een twinkeling in haar ogen tegen Skippy.

'Ik probeer hem gewoon een beetje te leren kennen,' mengt Lori's vader zich weer in het gesprek. 'God verhoede dat ik de jongen met wie mijn dochter al een maand over de straten schuimt een beetje probeer te leren kennen ...'

'Ik schuimde de straten helemaal niet af,' zegt Lori opgewonden.

'Nou, je zat ook niet bij Janine naar *Buffy* te kijken, of wel soms?'

Wacht eens even. Wat?

'Laat haar met rust, Gavin,' zegt haar moeder bestraffend.

'Ik vind het gewoon prettig om enig idee te hebben wat je eigen kind ...'

'Daar hebben we het al over gehad. Ach, kijk nou.'

Lori's hoofd is gebogen en schudt van het snikken.

'Ach, lieveling ... Liefje, ik bedoelde niet ...' Hij reikt met zijn hand over tafel, legt hem op Lori's sprankelende zwarte haar. Ze reageert niet; een traan drupt in haar half opgegeten maaltijd.

'O god,' zegt hij bedrukt. 'Hoor eens, ik begrijp echt niet waar jullie zo'n drukte over maken. Dan en ik kunnen het prima met elkaar vinden, of niet, Dan?'

'Ja,' zegt Skippy. Er valt een gespannen stilte, alleen gevuld door Lori's gesnuf. Hij schraapt zijn keel. 'Ik denk eigenlijk dat ik graag games zou ontwerpen. Als ik later groot ben.'

'Games?' zegt Lori's vader.

'En anders wil ik wetenschapper worden. Het soort dat geneesmiddelen voor ziektes ontdekt en zo.'

'Wat voor spelcomputer heb je? Nintendo of Xbox?'

Lori's vader blijkt behoorlijk veel van games te weten en daar praten ze geanimeerd over. Na een tijdje houdt Lori op met huilen, en de in het zwart geklede vrouw draagt een citroenschuimtaart naar binnen op een dienblad. 'En wie lopen er tegenwoordig nog meer rond op Seabrook?' vraagt Lori's vader. 'Is Bugsy O'Flynn er nog? En Dikke Vette Johnson? En pater Green, sleurt die nog steeds jongens het getto in? Ha ha, ik weet nog dat ik een keer met dozen liep te slepen in een of ander krot – doodsbang was ik. Maar ik dacht er wel aan om mijn kont naar de muur gekeerd te houden. Die ouwe Père Vert!'

'Jij met die school,' lacht Lori's moeder, en als de vrouw weer binnenkomt om de borden af te ruimen, zegt ze tegen Lori's vader: 'Denk je dat onze dochter Daniel een uurtje terug mag hebben voor ze aan haar huiswerk begint?' Lori's vader grijnst en zegt: 'Ach, welja ... oké, wegwezen, jullie twee.'

Lori en Skippy lopen terug naar de woonkamer. Dit keer gaat Lori vlak tegen hem aan op de bank zitten. 'Mijn ouders zijn dól op je.' Ze glimlacht. Ze heeft haar benen opgetrokken en haar tenen wiebelen tegen zijn heup.

'Ze zijn heel aardig,' zegt hij.

Er is een oude film op tv, die ene over die gozer op een high school in Amerika die erachter komt dat hij een weerwolf is. Skippy heeft hem al gezien, maar dat maakt niet uit. Zijn hand ligt in die van Lori en haar pink streelt afwezig de zijne en het hele universum draait om die twee pinkjes. Op de tafel begint haar mobiel te rinkelen, maar ze drukt het gesprek weg, draait zich weer naar hem om en glimlacht. Nadat hij lang heeft zitten prakkiseren of hij zijn arm om haar schouder moet slaan en uiteindelijk besluit van wel, en hij net zijn elleboog op de rugleuning van de bank legt, gaat de deurbel. Ze schrikken er allebei van. Lori springt op van de bank om door de gordijnen te gluren. Dan – hoort hij haar adem zachtjes stokken? – rent ze naar de deur, roept: 'Ik ga wel even!', de hal door.

Als ze weg is, probeert Skippy zich op de film te concentreren, waarin die gast ontdekt dat hij, als hij een weerwolf is, heel goed is in basketbal. Maar hoewel hij niet kan verstaan wat er wordt gezegd, hoort hij haar stem – gedempt, schijnbaar dringend – in de hal en de stem van wie er ook bij de poort staat, die vervormd door de intercom boos klinkt, woedend ...

Lori komt de woonkamer weer in. 'Iemand die de weg wilde vragen,' zegt ze, terwijl ze haar handen afveegt aan haar spijkerbroek.

'O,' zegt Skippy.

Ze gaat weer naast hem zitten, maar nu met haar voeten op de vloer en haar lichaam naar voren gebogen. Ze staart met haar mond stijf dicht naar het beeldscherm. Zijn hand rust nu droevig en onbemind boven op zijn knie. Hij doet alsof hij het misselijke gevoel in zijn maag niet opmerkt. 'Wil je aan de bonbons beginnen?' vraagt hij haar.

'Ik ben eigenlijk op dieet,' zegt ze.

'O.'

'Niet tegen mijn ouders zeggen. Die weten het niet.'

'Oké,' zegt hij, en dan, galant: 'Maar volgens mij hoef je helemaal niet op dieet.'

Ze lijkt hem niet te horen; ze staart naar de tv, waar de weerwolfjongen een indringend gesprek voert met het meisje op wie hij verliefd is.

'Zeg, weet je nog dat je het had over dat ik wilde stoppen met de zwemploeg?' zegt Skippy.

'Wat is daarmee?'

'Nou ja, vind jij dat ik het moet doen? Gewoon stoppen?'

Ze kromt haar rug, draait met haar schouders, eerst de ene, dan de andere, alsof de kat zich daar aan haar vastklampt. 'Ik weet niet,' zegt ze. 'Ik bedoel, het klinkt nogal saai.' Ze draait zich weer om naar de tv. 'Is dat die gozer niet die in die ene serie zat en die smerige ziekte heeft?'

Skippy weet niet precies wat er is veranderd, maar alles is wel veranderd. Ze kijken zwijgend naar de rest van de film. Dan gaat de deur open, en daar staat Lori's moeder. 'Tijd voor je huiswerk, dame.'

Lori kijkt met een teleurgesteld 'ah'-gezicht naar haar op.

'Het is een doordeweekse avond,' zegt haar moeder. 'Daniel moet vast ook huiswerk maken.'

'Mag ik Daniel nog even snel iets laten zien in mijn kamer?'

Haar moeder glimlacht. 'Oké. Maar wel snel.'

Lori werpt Skippy een vluchtige glimlach toe. 'Oké?' zegt ze. Skippy staart haar even alleen maar niet-begrijpend aan, alsof ze een nieuwe letter in het alfabet is. Dan komt hij bij zijn positieven, mompelt iets en volgt haar gehoorzaam terwijl ze de trap weer oploopt en hem haar kamer in leidt.

Dit keer heeft de avond haar raam in volstrekte duisternis ingelijst, en vlak voor ze het licht aandoet, schijnen de sterren hem nadrukkelijk tegemoet, alsof ze hem iets proberen te vertellen; dan doet Lori de gordijnen dicht en gaat voor hem staan. Haar ogen zijn gesloten en ze staat daar als een slaapwandelaar, haar mond een beetje open, haar handen iets geheven. Hij probeert iets te bedenken om te zeggen, tot de betekenis van die gesloten ogen eindelijk tot hem doordringt. Plotseling is het alsof er een dolgedraaid carnavalsorkest in hem losbarst. Alle instrumenten spelen in het verkeerde tempo in de verkeerde toonsoort, alles draait en buitelt over elkaar, terwijl de kamer buiten hem zo kalm lijkt, zelfs de wind is niet te horen door de dubbele beglazing, en Lori is zo stil, met haar lippen van elkaar. Hij buigt zich naar haar toe en haar mond zuigt zich vast aan de zijne, een buitenaards wezen dat zich vastzuigt aan zijn gastheer. Maar hij moet steeds denken aan die stem door de intercom. Was het dezelfde als degene die belde? Met wie schuimde ze de straten af? Zijn ogen schieten open en zien de hare; ze staren hem vlammend groen aan, vlakbij als planeten die een *Star Trek*-lucht vullen. Nu zijn ze dicht, haar wenkbrauwen fronsen even – hij sluit de zijne ook. Ze pakt zijn hand en steekt die onder haar blouse. Zijn hand sluit zich om haar borst en knijpt – hard? zacht? – door rasperige synthetische stof heen. Ze maakt zachte, klokkende geluidjes, haar tong likt zijn tong. Waarom is hij niet blij? Waarom voelt het anders?

Er wordt op de deur geklopt. Het is alweer voorbij. Lori loopt monter weg om de deur open te doen. Haar moeder staat daar met haar arm geheven om opnieuw te kloppen. 'Sorry, jongens. Het is acht uur.'

'Oké,' zegt Lori. 'Daniel stond toch op het punt weg te gaan.' Ze duikt onder haar moeders arm door naar de trap, en nu kijkt hij toe hoe haar glanzend zwarte haardos verdwijnt, de trap af, babbelend tegen haar moeder alsof er helemaal niks is gebeurd.

In de keuken legt Lori's vader zijn PalmPilot neer en staat op van tafel. 'Leuk om je te ontmoeten, Dan.' Hij steekt zijn hand uit. 'Geef 'm van katoen bij die zwemwedstrijd, oké? Laat ze maar eens zien hoe we dat doen op Seabrook.'

'Zal ik doen,' zegt Skippy.

Lori gaat schuchter naast hem staan en pakt zijn hand. 'Bedankt dat je me kwam opzoeken,' zegt ze.

'Jij bedankt,' zegt Skippy, betekenisloos.

'Wil je nog eens langskomen?'

'Wil jij dat?' Hij is verbaasd.

'Tuurlijk,' zegt ze, terwijl ze zijn hand een beetje heen en weer zwaait.

'Ach, wat zien jullie er schattig uit met z'n tweeën!' zucht haar moeder met een pruilerig babystemmetje.

'Misschien kunnen we vrijdag iets doen? Ik heb geen huisarrest meer ...' Ze werpt haar vader een boze blik toe, maar die doet alsof hij opgaat in zijn PalmPilot.

'We kunnen naar de film gaan?' zegt hij.

'Ja, en daarna een ijsje eten,' zegt ze.

'Té schattig!' roept Lori's moeder uit, met haar handen tegen haar wangen. 'Ik kan niet meer naar jullie kijken. Ik bestérf het gewoon!'

'Ma-hám,' zegt Lori blozend, maar ze kan zich er niet van weerhouden te grijnzen terwijl ze naar haar schoenen kijkt. Skippy grijnst ook, maar hij weet niet waarom. Het is net alsof hij in een tv-komedie zit, maar niet kan vinden waar ze zijn in het script. Misschien dat het niemand opvalt als hij maar gewoon blijft glimlachen. Misschien was er toch niks mis – misschien zijn tweede kussen altijd anders dan de eerste.

Ze loopt met hem mee naar de deur om afscheid te nemen.

'Ontzettend bedankt dat je langs bent gekomen,' zegt ze opnieuw.

Ze wordt omkaderd door het gele licht van de deuropening als een speelgoedelfje in een doosje.

'Het was leuk,' zegt hij. Hij staat inmiddels buiten, op de tuintegels; terwijl hij daar staat voelt hij hoe de kou zich haastig uit de voeten maakt door de warmte van zijn lichaam, hongerige kobolden die toevallig op een onbewaakte bakkerij stuiten.

'Nou, ik moest maar eens aan mijn huiswerk beginnen,' zegt ze.

'Oké,' zegt Skippy. 'Dag.'

'Dag.'

De deur gaat dicht. Hij pakt zijn fiets en draait zich verdwaasd om naar de duisternis. De hekken glijden langzaam voor hem open, een mond die hem uitspuugt. Dan hoort hij achter zich het haakje van de deur.

'Daniel, wacht!' Ze rent over de tuintegels, haar blote armen lichtgevend in de schemering. 'Wacht,' zegt ze als ze bij hem is.

Hij merkt op dat haar ogen soms, zelfs als die open zijn, gesloten blijven, zoals net toen ze hem kuste boven; nu zijn ze weer open-open, stralen iets dringends uit.

Ze wordt weer kalm, onderdrukt haar rillingen. 'Dat was heel dapper, wat je vandaag hebt gedaan.'

Skippy haalt halfslachtig zijn schouders op, doet alsof hij niet weet waar ze het over heeft.

'Het was ... Ik bedoel, ik weet wel dat ik zei dat je het niet moest doen, maar het blijft ongelooflijk dat iemand zoveel om me geeft dat ie dat zou doen, zoals als ...' Er is nog meer, maar het is alsof ze het niet onder woorden kan brengen; in plaats daarvan staart ze hem alleen maar aan, smekend, bijtend op haar lip, een blos op haar wangen van de kou, alsof ze wil dat hij raadt wat het is, of alsof ze denkt dat hij misschien zelfs wel weet wat het is; maar Skippy weet het helemaal niet, en kijkt alleen maar hulpeloos terug. 'O,' kreunt ze, alsof dit iets is wat ze eigenlijk niet zou moeten doen, en voor hij het weet is ze hem weer aan het zoenen, en dit keer is het net zoals die eerste keer, alsof ze een droom in tuimelen, warm en zoet van de slaap, terwijl ze alles boven hen miljoenen kilometers achter zich laten – grappig toch dat een kus, niet meer dan twee monden, zo kan voelen, als een eeuwigheid, oneindig.

'Oké.' Ze maakt zich van hem los, zodat ze hem aan kan kijken.

'Ik bel je nog over vrijdag,' zegt hij, niet in staat zich ervan te weerhouden te glimlachen, maar hij weet zichzelf in elk geval tegen te houden voor hij 'Ik hou van je' zegt.

Ze kijkt aandachtig naar zijn gezicht voor ze antwoord geeft, plotseling, om de een of andere reden, heel ernstig. 'Goed hoor,' zegt ze. 'Dag, Daniel.' Ze gaat gauw weer naar binnen, en de deur klikt achter haar dicht.

Skippy stommelt de oprit af de weg op. Hij wil haar naam schilderen in de lucht. Hij wil hem uit alle macht uitschreeuwen. Hij baant zich door de met sterren overladen avond een weg terug richting Seabrook, merkt nauwelijks op dat de tijd verstrijkt, hoewel hij de fiets van Niall naast zich moet voortduwen – hij moet op weg hiernaartoe door glas zijn gereden of zo, want toen hij uit haar huis kwam, waren allebei de banden lek.

In het nagenieten van Skippy's overwinning is de stemming in Ruprechts kamer, waar het Team Condor bij elkaar is gekomen om het strijdplan nog een keer door te nemen, uitbundig. Ze hadden zich geen beter voorteken kunnen wensen dan het gevecht; en nu lijkt de weg vrij voor een tweede bijdrage aan de geschiedenisboekjes.

De volledige opstelling ziet er als volgt uit: R. Van Doren (Aanvoerder en Wetenschappelijk Directeur), D. Hoey (Eerste Officier) en M. Bianchi (Navigator en Cameraman) vormen de 'A-unit' die de capsule St. Brigid's in zal brengen; G. Sproke heeft een dubbelrol als 1) Conciërge Eenheid en 2) Coördinator in het Seabrook hoofdkwartier.

Het plan is simpel en gedurfd. Terwijl de conciërge van St. Brigid's, Brody, wordt afgeleid door Geoff, die zoekt naar een verloren voetbal die eerder op de avond is verstopt, zal de A-unit – nadat ze Brody's hond Nipper hebben uitgeschakeld met hondenkoekjes – de scheidingsmuur bedwingen met een touwladder, waarbij Geoff hen op de hoogte blijft houden van de exacte locactie van hemzelf en de conciërge door nonchalant het herkenningsmelodietje van *Bunnington Village* te zingen, dat blijkbaar het enige liedje is waarvan hij de volledige tekst kent. Als het hoofdgebouw van de school eenmaal succesvol is bereikt, zal de A-unit doorstoten naar de Gesloten Kamer en de afgesloten Gesloten Kamer openen met behulp van Ruprechts SesamOpenU!™-loper, 'Gegarandeerd 100% Effectief op Elk Bekend Slot', die wordt aangeraden door de Mossad en door Ruprecht is aangeschaft op eBay; een elektrische boor, geleend uit het handarbeidlokaal van Aardappelhoofd Tomms, zal meegenomen worden als back-up. Als de capsule eenmaal in de Gesloten Kamer is opgesteld en het snoer door Geoff is teruggeleid naar het lab, zal er een doorgang naar de hogerdimensionale ruimte worden geopend, dit keer vastgelegd door een werkende camera, en internationale roem en rijkdom, krantenkoppen in de trant van NIEUW TIJDPERK INGELUID DOOR SCHOOLJONGEN, het op het laatste moment van een ecologische ramp redden van de aarde, een gouden eeuw van harmonie en vrede etc., etc. zullen volgen.

'Zijn er nog vragen?'

'Hoe zit het met die Spooknon?' zegt Mario.

Ruprecht hoont die gedachte weg. 'Er bestaat geen Spooknon. Dat is gewoon een stom verhaaltje dat ze vertellen om te zorgen dat de meisjes zich gedragen.'

'O,' zegt Mario, die er niet helemaal overtuigd bij kijkt.

Het moment om toe te slaan is vastgesteld op negentienhonderd uur, als de bewoners van St. Brigid's, zowel personeel als leerlingen, in de eetzaal zullen zijn. Met nog twintig minuten te gaan staat alles klaar. De capsule ligt op de vloer in een sporttas, te wachten op zijn grote moment. Geoff staat gebukt over de instructies voor de Kosmische-Energiecompressor. Victor Hero heeft opdracht gekregen de presentielijst in de studiezaal voor het Team te tekenen. Ruprecht ijsbeert, werkt aan zijn speech voor de camera: '... geschiedenisboeken zijn met potlood geschreven ... al zijn we jong, bespot ons niet ... (*verbijsterde blik*) Kan het echt zo zijn? Zijn wij de gelukkige zielen voor wie God de deur op het haakje heeft laten staan? (*Met een toenemend gevoel van verrukking*) In wat voor stralende toekomst hebben wij de eerste stap gezet?'

En hoewel niemand iets zegt, lijkt diezelfde stralende toekomst in deze kamer al haar intrede te hebben gedaan, om te bruisen bij hun poriën, alsof de Heuvel, in afwachting van hun komst, al zijn afgezanten heeft gestuurd om hen tot haast te manen. Of liever: háár afgezanten. Eerder op de avond heeft Geoff, net zo goed om de nerveuze leemte te vullen als om extra informatie te zoeken, zich gewend tot de Druïdewebsite, en daar ergens een weggestopt gedicht van Robert Graves gevonden, dat gaat over de Witte Godin die de Anderwereld regeert:

Als er vreemde dingen gebeuren waar zij is,
Zodat mannen zeggen dat graven opengaan
En de doden lopen, of dat het hiernamaals
Een baarmoeder wordt, en de ongeborenen worden gebaard,
Dan moet men zich niet verwonderen over die voorboden,

Want het zijn tourbillionen in de Tijd, geschapen
Door de sterke aantrekkingskracht van haar geslepen geest
Door dat immer onwillige element.

Ze weten geen van allen precies wat het betekent ('Wat is een tourbillion?') en Ruprecht zegt dat het niet relevant is voor de taak die ze te volbrengen hebben, maar sinds dat moment hebben ze allemaal een helder beeld voor ogen van de Godin zelf, gevangen onder vloerplanken, metselwerk en eeuwen van gedwongen ongeloof, ergens onder hun zusterschool; en ze voelen allemaal dat merkwaardig buiten henzelf staande ongeduld, alsof er iets aan hun mouwen trekt ...

Dan, vijf minuten voor het uur U, klinkt er een kreun vanuit de deuropening; als ze zich omdraaien, zien ze Dennis gepijnigd tegen de deurpost staan. 'Ik weet niet wat ik heb,' krast hij. 'Net voelde ik me nog prima, en toen begon ik me ineens heel beroerd te voelen.'

'Hoe bedoel je, "beroerd"?'

'Ik weet niet ... Een beetje tintelig? En geladen? Het is volkomen onverklaarbaar.'

'Holy smoke,' Geoff kijkt verwilderd om zich heen naar de anderen, 'dat zal zijn stralingsziekte zijn die terugkomt.'

'Nee, nee,' wijst Dennis die suggestie van de hand. 'Hoewel de symptomen, nu je het zegt, precies hetzelfde zijn.'

'Kun je meedoen aan de missie?' wil Ruprecht weten.

'O, ja hoor, absoluut,' zegt Dennis, en vervolgens zakt hij in elkaar.

'Wat moeten we nou doen?' zegt Geoff als ze hem eenmaal naar het bed hebben gedragen.

'We moeten naar de zuster,' zegt Niall.

'Geen zuster,' antwoordt Ruprecht gespannen. 'Zusters stellen vragen.'

'Maar Ruprecht, hij is ziek.'

'We mogen de missie niet in gevaar brengen. Niet nu.'

'Misschien kun jij in zijn plaats gaan?' stelt Geoff aan Niall voor.

'Ik moet naar pianoles,' mompelt Niall schaapachtig.

'Jij dan, Victor?'

'Mooi niet,' zegt Victor. 'Straks word ik van school gestuurd.'

'Het ziet ernaar uit dat we het zullen moeten uitstellen tot morgenavond,' zegt Mario tegen Ruprecht.

'We kunnen het niet nog een nacht uitstellen,' antwoordt Ruprecht tussen op elkaar geklemde kaken door. 'Vanavond eindigt de stralingsuitbarsting van de Cygnus X-3. Het móét vanavond gebeuren.'

Maar met één vleugel kan de Condor niet uitvliegen, dat weet iedereen. De Operatie is ernstig in de problemen en het moet gezegd dat de reactie van de Aanvoerder op de crisis wel wat te wensen overlaat: hij loopt door de kamer te stampvoeten als een reusachtige, agressieve peuter, schopt tegen de prullenbak, pantoffels en alles wat verder maar zijn pad kruist, terwijl de rest van het team terneergeslagen het hoofd buigt, ongeveer zoals nederige bananenboeren zouden doen in een tropische storm. En dan grijpt het lot in, in de vorm van Mario's kamergenoot Odysseas Antopopopolous, die aan de deur komt om wat antischimmelzalf te lenen.

Vijf paar konkelende ogen blijven op hem rusten.

'Nou ja, ik weet niet of het echt een schimmel is,' zegt Odysseas. 'Misschien is het ook wel een allergische reactie op rayon.'

De situatie wordt hem vliegensvlug uitgelegd. Na afloop is niet duidelijk of Odysseas enig idee heeft waar hij zich precies in mengt, maar na maanden van luisteren naar Mario's fantasietjes over het onderwerp wil hij de binnenkant van St. Brigid's graag eens met eigen ogen zien. De Condor kiest het luchtruim weer! Voorts bezit Odysseas een hele garderobe aan zwarte schermkleding die geknipt is voor geheime operaties en waar het Team gebruik van mag maken.

Als het uur U slaat op de schoolklok – Geoff Sproke is vooruitgegaan om de beveiliger in zijn kraag te vatten – gaan de andere drie op een kluitje bij de deur staan en synchroniseren hun mobieltjes. In hun donkere uitdossing zien ze er niet zozeer uit als condors, maar eerder als voortvluchtige leestekens: twee gedachtestreepjes en een volgevreten punt. 'Tot ziens, Victor! Tot ziens, Niall! We zullen jullie een ansichtkaart sturen uit de volgende dimensie!'

Dat gezegd hebbende rennen ze de deur uit, de trap af en de geschiedenisboekjes in.

Vijf minuten later, terwijl Skippy met Lori's ouders aan tafel gaat, zitten ze schrijlings op de scheidingsmuur. Ergens in de duisternis daarachter is het herkenningsmelodietje van *Bunnington Village* te horen, terwijl Geoff met de poortwachter van St. Brigid's door weegbree ploegt. Recht onder hen zit, aandachtig naar hen starend en op een overduidelijk onheilspellende manier kwispelend met zijn stompe staart, een kleine, bruin-met-witte beagle.

'Misschien wil hij gewoon spelen,' oppert Odysseas.

'Ha,' zegt Mario. De ogen van de hond glinsteren hun door de duisternis tegemoet; zijn lange tong likt langs een grijnzende rij tanden.

'*In a glade in a forest*,' dwarrelt de stem van Geoff Sproke vaagjes naar hen toe, '*where there's magic in the air ...*'

Een kille, met regen afgezette wind speelt over hun wangen.

'Mooi plan is dit,' zegt Mario schamper als Ruprecht smadelijk zwijgt. 'Ja hoor, duidelijk het werk van een meesterbrein.'

Het blijkt dat Condors Aanvoerder en Wetenschappelijk Directeur ergens in de aanloop naar de missie de koekjes heeft opgegeten die bedoeld waren om Nipper uit te schakelen.

'*Here comes William Bunnington*,' zingt Geoff zenuwachtig, '*with his friend Owl – he's the Mayor ...*'

'Hondenkoekjes! Je stelt een heel ingewikkeld plan op, met toeters en bellen, en vervolgens eet je nog vóór we vertrekken de hondenkoekjes op!'

'Ik kon er niks aan doen,' antwoordt Ruprecht ongelukkig. 'Als ik nerveus ben, krijg ik honger.'

'Het waren hóndenkoekjes!'

'Nou ja, we kunnen hier niet eeuwig blijven zitten,' zegt Odysseas.

'Ik ga mijn ballen er daarbeneden niet af laten bijten,' verklaart Mario, en hij krabt aan zijn oor. 'Ik krijg jeuk van dat kloterige rayon!'

'*Bunnington Village*,' zingt Geoff met groeiende urgentie, '*where the squirrels make Nut Soup ...*'

'Knul, waarom maak je in godsnaam steeds zo'n rotherrie?' klinkt de schorre stem van Brody de conciërge.

'Dan kan ik me beter concentreren,' horen ze Geoff antwoorden. 'Als ik naar dingen zoek.'

'Weet je wel zeker dat die bal van je hier is?'

'Ik geloof het wel,' zegt Geoff.

Onder hen rekt de hond zich uit, alsof hij het zich gemakkelijk maakt.

'Misschien moeten we de missie maar gewoon afblazen,' zegt Mario.

'Geen sprake van!' klinkt het koppige antwoord links van hem.

'Nou, wat moeten we dan – de hele avond hier boven blijven?'

Ruprecht geeft geen antwoord.

'Is dat daar geen voetbal?' horen ze de bewaker zeggen.

'Waar?' zegt Geoffs stem.

'Daarzo, recht voor je neus.'

'O ja, hmm, ik weet niet of dat míjn voetbal is ...'

'Nou, hij lijkt me goed genoeg ...'

'*A bunny place, a funny place ...*' wanhopig ...

'Ach, jezus, man ...'

'... *an always bright and sunny place, Bunnington will keep a space for you ...*'

'Hou op! Naar huis nu! Ik wil je hier nooit meer zien!' De bewaker klapt in zijn handen en roept de hond. De hond begint, zonder zijn blik af te wenden van de bovenkant van de muur, te blaffen. 'Wacht eens, zo te horen heeft Nipper iets gevonden ...'

'Wacht!' smeekt Geoff. 'Ik moet u iets vertellen! Iets heel belangrijks!'

'Nou, *commandante*?' vraagt Mario zuur. 'Kunnen we nu alstublieft naar huis?'

Voor Ruprecht kan antwoorden, heeft Odysseas zijn zwarte trui uitgetrokken en is hij van de muur gesprongen om die om de hond heen te gooien. 'Snel!' spoort hij de andere twee aan, terwijl de trui blindelings naar links en naar rechts uitvalt, steeds kwader klinkende, gedempte blafjes slakend. Mario en Ruprecht komen pijnlijk neer op het natte asfalt, net op het moment dat de wraakzuchtige snuit van de hond tevoorschijn komt. 'Vooruit!' roept Odysseas uit, terwijl hij beschermend voor hen gaat staan; en ze krabbelen overeind en rennen de schaduw van de school in. Gegrom en het geluid van scheurende stof echoën over de lege binnenplaats. Maar ze hebben geen tijd om zich dingen af te vragen of te rouwen, en ze kunnen ook niet terug. De voetstappen van de bewaker dreunen over de grond; de bundel van zijn zaklantaarn schiet alle kanten op. Ze haasten zich zonder nadenken naar de achterkant van de school en de gammele metalen trap op, wrikken het raam open en werpen zich erdoorheen ...

Pas als ze opstaan van het door motten aangevreten tapijt, realiseren ze zich dat ze er zijn. In St. Brigid's: achter de grijze muren die hen al zo lang aangapen, hen tarten met de geheimen die erachter verborgen liggen. Ze zijn er nog niet klaar voor om te praten of te bewegen. Elke ademtocht lijkt een explosie van duizend decibel. De jongens rollen in stilzwijgend ongeloof met hun ogen naar elkaar.

Eén aspect van het plan is in elk geval geslaagd: er lijkt niemand te zijn. Ruprecht en Mario sluipen zwijgend en voorzichtig weg van het raam, de donkere kantelen van Seabrook achter zich latend. De verlaten hal is zowel vreemd als bekend, als een landschap in een droom. Er is een afgebladderde lambrisering en een schilderij van Jezus, met net zulke onschuldige ogen en roze wangetjes als een zanger in een boyband; als ze langs de slaapkamer van de meisjes lopen, zien ze door de open deuren gekreukelde dekbedden, een prop aluminiumfolie, posters van voetballers en popsterren, huiswerkschema's, flesjes lotion tegen jeugdpuistjes – het lijkt allemaal verbazingwekkend veel op hun slaapkamers in Seabrook, maar dan op een niet te plaatsen maar fundamentele manier *totaal anders.*

Als ze de trap afdalen om de begane grond te doorkruisen, neemt dat enge, schizofrene gevoel alleen maar toe. Overal waar ze kijken, zien ze spiegelingen van hun eigen school: lokalen vol bankjes en volgekalkte schoolborden, printjes op memoborden, prijzenkasten met trofeeën en tekenlokaalposters – bijna identiek, maar tegelijkertijd, het verschil te subtiel voor het blote oog maar toch alomtegenwoordig, helemaal anders. Alsof ze een parallel universum in zijn gestapt voor de doorgang überhaupt is geopend, waar alles in plaats van uit atomen bestaat uit een of andere mysterieuze andere entiteit, quarks of tot nu toe onbekende kleuren ... Het is heel anders dan Mario zich inbreken in een meisjesschool had voorgesteld, en het idee dat deze plek er al de hele tijd was, *al bestaat zolang hij hier is*, vindt hij bijzonder verontrustend.

Als Ruprecht hier al door wordt getroffen, laat hij daar niets van merken; hij dendert zwijgend door, vijf of zes stappen voor Mario uit, terwijl de capsule zachtjes galmt in de tas die over zijn schouder hangt. Dan horen ze even verderop voetstappen, en Ruprecht sleurt Mario een leeg lokaal in, net als twee grijsgejurkte nonnen de hoek omkomen. Ze hurken op de achterste rij achter de bankjes, badend in het zweet. Mario ademt zwaar en jachtig ...

'Je maakt te veel lawaai!' sist Ruprecht tegen hem.

'Ik kan er niets aan doen!' gesticuleert Mario. 'Ik krijg de rillingen van die nonnen ...'

De nonnen zijn voor de deur blijven staan. Ze hebben het over een Braziliaanse priester die in het voorjaar op bezoek komt. Een van de nonnen stelt voor dat ze hem meenemen naar Knock. De andere houdt het op Ballinspittle. Er volgt een beleefde woordenwisseling over de wedijverende merites van de Mariaverschijningen op die twee plekken, waarvan de ene breder is erkend en de andere recenter is, en dan ... 'Hoorde jij ook iets?'

Mario staart onder zijn bankje vol afschuw naar zijn mobiel, waaruit zojuist twee luide, zelfgenoegzame piepjes opklonken, en nu nog twee. Mario frunnikt hysterisch aan de knoppen, probeert het ding het zwijgen op te leggen ...

'Zouden het muizen kunnen zijn?' vraagt een van de nonnen op de gang zich af.

'Rare muizen,' zegt de andere, haar toon verhardend.

'*Coronation Street* begint zo.'

'Ik zal even snel kijken ...'

Het licht gaat aan; de ogen van de non zoeken de lege oppervlakten van de tafeltjes af. De jongens houden hun adem in, spannen al hun spieren, zich pijnlijk bewust van de mufheid van zweet, hormonen en geuren die uit al hun poriën pompt, wachtend tot een neusgat herkennend gaat trillen ...

'Hmmmph.' Het licht gaat weer uit, en de deur dicht. 'Dat vond ik niet als een muis klinken, weet je.'

'Niet?'

'Het klonk eerder als een rat.'

'O gut, nee toch ...'

De stemmen sterven weg; Mario trekt zijn bivakmuts af en zuigt longenvol lucht naar binnen. 'Die nonnen,' hijgt hij. 'In Italië zijn ze overal, overal!'

Tegen de tijd dat hij genoeg is gekalmeerd om verder te gaan, begint hun ruimte om te ontsnappen er behoorlijk krap uit te zien.

Het avondmaal loopt om acht uur af, en hoewel de leerlingen vanuit de eetzaal naar de studiezaal zullen lopen, zullen de nonnen, voor wie Mario een pathologische angst lijkt te koesteren, waarvan Ruprecht vindt dat het iets is wat toch echt gemeld had moeten worden vóór ze het klooster binnengingen, vrij rondlopen.

Ze gaan het lokaal uit en vervolgen haastig hun door de plattegrond aangegeven weg. Ze zijn nu gespannen en de verbazingwekkende vertrouwdheid van hun omgeving desoriënteert hen paradoxaal genoeg juist, zorgt ervoor dat ze herhaaldelijk een verkeerde kant opgaan ... 'Dat was het scheikundelab, dus het gymlokaal moet die kant op zijn!' 'Nee, want het lab was rechts, naast het Audiovisuele Lokaal.' 'Nee hoor.' 'Wel waar, vertrouw mij nou maar, het is deze kant op – o.' 'O, dus dit is de gymzaal? De gymzaal die ze hebben vermomd als een tweede Audiovisueel Lokaal dat er precies hetzelfde uitziet? En daar badmintonnen ze met de televisie en hockeyen ze met de videorecorder? Wauw, die meisjes moeten wel heel sterk zijn, dat ze zware apparatuur gebruiken in plaats van ballen ...' Het begint erop te lijken dat de school zelf hen misleidt, vijandig reageert op hun aanwezigheid – dat, óf de gangen sluiten gewoon niet lineair op elkaar aan, corresponderen niet met de plattegrond, maar gehoorzamen aan een soort circulair, rizomatisch vrouwelijk principe, beïnvloed door de Heuvel misschien ...

En dan, volstrekt toevallig, staan ze ineens in een zichtbaar ouder deel van de school. Er zitten hier gaten in het beschot en de muren bladderen af; zelfs het licht lijkt gedempter, grijzer. Ze haasten zich langs vervallen kamers volgestouwd met stoelen, tot ze bij twee houten deuren komen. Ruprecht draait heel zachtjes de deurknop om en gluurt naar binnen. Binnen staan klimrekken en minivoetbaldoeltjes: het gymlokaal. 'Dat betekent dat dit' – hij draait zich honderdtachtig graden naar de deur aan de overkant van de gang – 'de Gesloten Kamer moet zijn.' Hij kan de huivering niet uit zijn stem houden.

De deur is, uiteraard, op slot als ze hem proberen open te doen. Ruprecht zet zijn gereedschap op de grond, haalt de SesamOpenU!™-loper tevoorschijn en steekt die in het sleutelgat. Nadat hij even heeft gewriemeld, probeert hij de deur opnieuw te openen. Hij zit nog steeds op slot. 'Hmm,' zegt Ruprecht, en hij wrijft over zijn kin.

'Wat is er?' vraagt Mario. Hij vindt deze gang maar niks. Er komen ergens mechanische geluiden vandaan, en een onnatuurlijk aanvoelende tocht cirkelt om zijn enkels. Ruprecht bekijkt zonder antwoord te geven de baard van de sleutel en steekt hem weer in het sleutelgat.

'Wat is er?' herhaalt Mario, van de ene voet op de andere hoppend.

'Dit ding zou elk normaal slot open moeten krijgen,' zegt Ruprecht, terwijl hij eraan draait.

'Lukt het niet?'

'Ik kan op de een of andere manier niet ...'

'Hier hebben we geen tijd voor! Probeer iets anders!'

'Er zat een garantiebewijs bij,' zegt Ruprecht.

'Gebruik gewoon de boor, dan hebben we dat gehad.'

'De boor maakt te veel lawaai.'

'Met die boor zijn we binnen twee seconden klaar.'

'Oké, oké ...' Hij kijkt Mario verwachtingsvol aan.

'Wat nou?' zegt Mario.

'Nou, geef hem dan aan.'

'Ik dacht dat jij hem had.'

'Waarom zou ik hem hebben?'

'Omdat ik hem niet heb ...' Het dringt gelijktijdig tot hen door; Mario's schouders gaan hangen. 'Ik dacht dat je zei dat je dit gepland had.'

'Dat is ook zo,' zegt Ruprecht nederig. 'Dat plan maakte ik alleen voordat ik wist wat er zou gebeuren.'

Dan horen ze de stem. Aan de toonhoogte is duidelijk te horen dat het een vrouw is, maar elke vrouwelijke zachtheid is lang geleden uitgedroogd en vervangen door een griezelige donkerte, begeleid door iets wat erg lijkt op het knippen van een spookachtige snoeischaar ... Ze blijven even als aan de grond genageld staan, en dan: 'Rennen,' gorgelt Ruprecht. Dat laat Mario zich geen twee keer zeggen. Hij graait zijn tas van de vloer en begint de gang door te hollen als een hand zijn arm vastpakt ...

'Wat dóé je nou?!' sist Ruprecht.

Mario kijkt hem bijna apoplectisch van angst aan. 'Ik rén.'

'Het komt daarvandaan.' Ruprecht staart hem aan.

'Niet waar, het komt dáárvandaan ...'

Ze blijven even staan, klampen zich bijna maar net niet helemaal aan elkaar vast, hun oren gespitst. Het afgrijselijke uitgedroogde gekras komt onherroepelijk dichterbij – schijnbaar, of het nou komt door een eigenaardigheid van de architectuur, het soort steen in het metselwerk misschien of de merkwaardige bocht in de gang, van twee kanten tegelijk. De jongens bazelen hulpeloos tegen elkaar. De temperatuur daalt nu scherp met elke verstrijkende seconde, het grijze licht wordt vager; de afgrijselijke stem scandeert zijn boodschap, necrotisch en in het Latijn, telkens opnieuw, alsof hij gedoemd is het te herhalen, tot in de eeuwigheid gedoemd, een doem die ze elk moment zullen delen, als de eigenares van de stem die hoek omkomt, of de andere hoek om, of misschien zelfs beide hoeken om, en hen daar sidderend zal aantreffen ...

En dan reikt een hand – wiens hand kunnen ze zich na afloop geen van beiden herinneren, maar het is een wanhopige hand – naar de deur, die dit keer op miraculeuze wijze meegeeft. Zonder zich een moment te bedenken haasten ze zich naar binnen en hurken erachter ineen, hun oren tegen het hout gedrukt, terwijl de stem buiten, nu begeleid door een lelijk slepend geluid, hun zo voorbijloopt, niet meer dan een paar centimeter bij hen vandaan (ze kunnen een huivering niet onderdrukken) ... en dan neemt het af, of liever: ebt weg, of eigenlijk nog eerder: drijft weg ...

Zodra het weg is, voelen ze zich warmer, dapperder; ze staan op, slaan het stof van zich af, lachen spottend om het idee dat ze ook maar even hebben geloofd dat dat daarbuiten de Spooknon was: 'Ik geloof niet eens in die stomme Spooknon.' 'Nee, ik ook niet.'

De geur zorgt ervoor dat ze zich weer bewust worden van hun omgeving, als een vinger die hen op hun schouder tikt. Krachtig, vreemd en diep. De geur doordringt de lucht zo dat hij hem bijna lijkt te vervangen. Als ze inademen, realiseren ze zich dat hij er de hele tijd al heeft gehangen, maar tot nu toe te ijl om hem op te merken. Wat het mysterieuze gevoel van anders-zijn ook is, dit is de bron ervan, de omphalos.

'We, eh, lijken in de Gesloten Kamer te zijn ...' zegt Ruprecht uiteindelijk.

'Ja,' zegt Mario.

Er valt een stilte, stilte en duisternis. *De doden lopen ... Het hiernamaals wordt een baarmoeder ...*

'Goed dan,' zegt Ruprecht, met gespeelde bravoure. 'Aan de slag.' Hij stampt met zijn capsule de schaduwen in; Mario loopt haastig achter hem aan, het geklingel van Ruprechts tas volgend, terwijl hij niet probeert te denken aan de legendes waar Nialls zus het over had – en dan ziet hij het: het blauwe lijk van een meisje dat aan de nokbalk hangt, dat vlak voor hem bungelt!

Gelukkig is hij te geschrokken om te gillen. En als hij zijn zenuwen weer een beetje in bedwang heeft, realiseert hij zich dat het helemaal geen meisje is, alleen maar een schoolblouse die daar gewichtloos in de ruimte hangt.

Hij duikt eronderdoor en loopt verder. Zelfs in het donker lijkt de kamer aanmerkelijk groter dan verwacht. Als hun ogen zich aanpassen, doen ze verschillende verrassende ontdekkingen. De kamer is bijvoorbeeld niet leeg.

'Laat me die plattegrond nog eens zien,' zegt Ruprecht. Hij brengt hem vlak bij zijn gezicht en bestudeert hem nauwkeurig. 'Hmm,' zegt hij.

Dit is ontegenzeggelijk de juiste kamer. En toch zijn er, in plaats van spinnenwebben en krakende vloerplanken, droogrekken, wasmachines en extra grote dozen wasmiddel. 'Meer een waskamer dan een lokaal,' peinst Ruprecht bij zichzelf. Een verlaten waskamer misschien? En toch zien de trainingsjasjes met het wapen van St. Brigid's, de rokjes en truien, sommige vochtig, andere droog, op een hoop in manden of aan kriskras de ruimte doorsnijdende waslijnen opgehangen, er geen van alle erg oud uit ...

Hij bekijkt de plattegrond opnieuw. 'Je hoort toch geen muziek, of wel?' vraagt hij Mario. 'Een soort bovennatuurlijke muziek?'

Mario geeft geen antwoord. Met nog een *Hmm*, een soort verwoord fronsen van zijn wenkbrauwen, loopt Ruprecht verder door het dichte gebladerte van natte stof. Er is geen enkel bewijs van een naderende Anderwereld te zien; als hij achter in de kamer komt, is zijn enige nieuwe ontdekking drie enorme zakken boordevol meisjesslipjes die klaarliggen om gewassen te worden. Dat doet, wat Ruprecht betreft, de deur dicht ...

'Er is hier helemaal geen Heuvel!' roept hij uit. 'Alleen maar bergen en bergen ondergoed van schoolmeisjes!'

Een geluid van buiten. Er komt iemand aan! Deze stemmen zijn ondubbelzinnig eigentijds, vitaal, wat rauw, het soort stemmen dat elkaar kameraadschappelijk zou toeschreeuwen boven de herrie van de was uit ...

'We moeten hier weg!' zegt Ruprecht. 'Snel, het raam!'

Hij wrikt de bout los, duwt het schuifraam open, en staat op het punt zich erdoorheen te wringen, als hij zich realiseert dat hij alleen is.

'Mario!'

De cameraman en navigator van Team Condor staat als aan de grond genageld met open mond te staren, alsof hij in trance is.

'Mario!' roept Ruprecht. 'Wat mankeert je, Mario?!'

De stemmen buiten vallen abrupt stil. Maar Mario reageert nog steeds niet. Er verspreidt zich langzaam een gelukzalige glimlach over zijn gezicht, als een man die de achterdeur naar het Beloofde Land heeft gevonden; dan maakt hij zich, een enkele, onverstaanbare kreet slakend, zoiets als *waaah* of *aaargh*, los van Ruprecht en duikt met zijn kop naar voren de hoop slipjes in …

Skippy is weer in zijn kamer. De anderen zijn nog bezig met hun operatie; hij weet hier te komen zonder met iemand te praten. Hij weet wat hij nu moet doen, hij wil geen tijd meer verspillen. Hij doet de deur dicht en knipt alle lichten uit op de lamp boven zijn bureau na. Hij haalt een blanco vel papier van de stapel in Ruprechts printer en gaat zitten.

De zwembril staart hem aan vanaf de deur. De zwemtrofeeën glinsteren van de kleine flarden van herinneringen. Door Thurles rijden in de krakerige oude bus. De dag als elastiek, dat steeds verder uitrekt tot het moment van de race, als alle tijd wegschiet. De lege plek op de tribune waar mama en papa niet zitten. Het groene onderwaterhotel, de kamer waarin je niet kunt slapen, de nummers die in goud aftellen naar die ene deur ...

Opschieten, Skippy, opschieten! Je moet het nu doen!

Het is alsof hij die deuropening weer ziet.

Kom op, kom op!

Die langzaam opengaat, de stromen van de toekomst die zich om hem heen wikkelen en hem naar voren trekken, naar binnen ...

Nee! Hij pakt zijn pen op. Hij schrijft: *Beste Coach,*

Als de lichten uit moeten, is Ruprecht nog steeds niet terug. Maar als Skippy de volgende morgen zijn ogen opendoet, ligt hij in zijn onderbroek op het dekbed naar het plafond te staren, alsof dat hem een groot onrecht heeft aangedaan.

'Hoe ging je missie?' vraagt Skippy.

'Niet zo best.' Er zitten stukjes van wat bladeren lijken in zijn haar.

'Heb je nog hogere dimensies bezocht?'

'Nee.'

'Heb je de Heuvel gevonden?'

'Nee.'

Skippy krijgt het gevoel dat hij niet staat te trappelen om erover te praten, en houdt erover op. Maar tijdens het ontbijt is Dennis minder geduldig.

'Ik begrijp het niet,' zegt hij met een bezorgd gezicht. 'Heb je de plattegrond gevolgd?'

Ruprecht staart somber in zijn ontbijt, zegt niets.

'Hmm, misschien had je het aan een van die nonnen moeten vragen,' merkt Dennis bedachtzaam op. 'Heb je het aan ze gevraagd, Ruprecht? Heb je die nonnen gevraagd je hun heuvel te laten zien?'

Ruprechts ogen vernauwen zich, maar hij blijft zwijgen; dan gaat de deur open en Mario komt de eetzaal binnen. Als hij Ruprecht aan de tafel ziet zitten, houdt hij in. 'O,' zegt hij, en hij blijft daar drentelen, alsof hij niet zeker weet hoe het nu verder moet. Nog steeds zonder iets te zeggen staart Ruprecht hem lang en vijandig aan. Dan staat hij op, laat zijn half opgegeten ontbijt staan en loopt de zaal uit.

Als hij eenmaal weg is, kan Mario enig licht werpen op Ruprechts Stygische stemming. Het blijkt dat ze, nadat ze werden 'afgeleid' door iets waar Mario verder niet op ingaat, in de waskamer van

St. Brigid's zijn verrast en ternauwernood hebben kunnen voorkomen dat ze gevangen werden genomen, om vervolgens twee uur in een boom te zitten om zich schuil te houden voor de hond van de conciërge. (Odysseas blijkt al in die boom te hebben gezeten, na een eerder incident, en is vanmorgen naar de ziekenboeg gebracht met onderkoelingsverschijnselen en beetwonden.)

'Maar niemand heeft jullie dus gezien?'

'Nee. Maar we moesten de capsule wel achterlaten.'

Ruprechts razernij wordt nu begrijpelijk. Een pandimensionale reis in de palm van je hand hebben, en die dan moeten achterlaten in de waskamer van een meisjesschool … 'Holy smoke, Mario, je denkt toch niet dat die nonnen zullen uitvogelen hoe ze hem moeten gebruiken, en de Nobelprijs zelf opeisen?'

'Dat is net iets voor hen, die achterbakse nonnen,' zegt Mario bitter.

'Wat deden jullie eigenlijk in de waskamer?' vraagt Skippy.

'De plattegrond volgen,' zegt Mario. 'Daar stond de Heuvel aangegeven.'

'Wat vreemd,' zegt Dennis hoofdschuddend. 'Zou het kunnen dat Nialls zus zich heeft vergist? Dat zullen we wel nooit weten, denk ik.'

'Ruprecht kan toch een andere capsule maken? Ik bedoel, hij bestond voornamelijk uit aluminiumfolie.'

'Het probleem is dat hij geen blauwdruk heeft. Hij blijft het oorspronkelijke ontwerp steeds maar aanpassen, maar die aanpassingen schrijft hij niet op. Dus het is onmogelijk hem exact na te bouwen.'

Later die dag spreekt Ruprecht Skippy aan. Hij heeft een koortsachtige uitdrukking op zijn gezicht. 'Ik heb een waterdicht plan bedacht om mijn capsule terug te halen uit St. Brigid's,' zegt hij. 'Ik noem het "Operatie Valk".'

Skippy kijkt twijfelend.

'Dit is je kans om mee te doen!'

'Vergeet het maar, Ruprecht. Niet na wat er de vorige keer is gebeurd.'

'Dat was Operatie Condor. Dit is Operatie Valk. Het is een totaal andere operatie.'

'Sorry.'

Ruprecht sjokt weg om de anderen te peilen.

Hoeveel medelijden hij ook met zijn kamergenoot heeft, Skippy kan niet ontkennen dat hij persoonlijk een geweldige dag heeft. Toen hij die ochtend wakker werd, lag de herinnering aan de vorige avond op hem te wachten, als een gouden ketting verstopt onder zijn kussen. En telkens als hij eraan denkt, wat hij om de paar seconden doet, wordt hij overmand door een grote, dommige glimlach.

'Je hebt haar weer gezoend, hè?' Dennis vindt Skippy's onkarakteristieke gelukzaligheid verontrustend en zelfs een beetje aanstootgevend.

'Wauw, Skip ...' Geoff is verbijsterd. 'Dat betekent dat ze je vriendin is. Holy shit, je hebt een vriendin!'

En dan loopt hij tijdens de lunchpauze het wiskundelokaal uit, zo tegen Carl op.

Om de een of andere reden is hij na het gevecht van gisteren helemaal uit Skippy's gedachten verdwenen; hij heeft er niet bij stilgestaan dat ze elkaars pad onherroepelijk weer zouden kruisen. Maar door de manier waarop de jongens om hem heen meteen blijven staan, door hoe de lucht in de hal versnelt, realiseert hij zich dat ze de hele ochtend op dit moment hebben gewacht. Hij kan niets anders doen dan zich schrap zetten voor de klap die komen gaat – de onverwachte klap, de geniepige trap tegen zijn enkels, het snelle knietje in zijn kruis ...

Maar Carl lijkt hem niet eens te zien; hij drijft langs als een oude, grijze haai die lomp door een school vrolijk gekleurde visjes zwemt, zich niet bewust van de spottende kreten aan het adres van zijn verdwijnende, kolossale lijf.

Tijdens de geschiedenisles van vandaag wil Howard de Lafferd – die eruitziet alsof hij de laatste tijd niet veel heeft geslapen, of zich heeft gewassen, of geschoren – het hebben over verraad. 'Daar draaide de oorlog eigenlijk om: het verraad van de armen door de rijken, de zwakken door de sterken, en bovenal de jongeren door de ouderen. "*If any question why we died / Tell them, because our fathers lied*" – zo drukte Rudyard Kipling het uit. Er werden jonge mannen allerlei verhalen op de mouw gespeld om hen zover te krijgen te gaan vechten. Niet alleen door hun ouders uiteraard. Ook door hun leraren, de regering, de pers. Iedereen loog over de redenen om oorlog te voeren en over de ware aard van de oorlog. Dien je land. Dien je koning. Dien Ierland. Doe het in naam van de eer, in naam van moed, voor het kleine België. Aan de andere kant van het water werd jonge Duitse mannen hetzelfde verteld. En als ze bij het front aankwamen, werden ze weer bedrogen, door incompetente generaals die hen golf na golf het machinegeweervuur instuurden, door de kranten, die in plaats van het ware verhaal van de oorlog te vertellen praatjes over de dappere heldendood van de soldaten verkochten, waardoor het allemaal één groot avontuur leek, wat nog meer jonge mannen ertoe aanzette in dienst te gaan. Na de oorlog ging het bedrog verder. De banen waarvan de soldaten was beloofd dat ze voor hen vastgehouden zouden worden, waren op mysterieuze wijze verdwenen. Ze mochten dan helden zijn en medailles dragen, maar niemand zat te wachten op "door de oorlog beschadigd materiaal". Graves' vriend Siegfried Sassoon noemde de oorlog "een vuile truc waar mijn generatie en ik in trapten" ...'

'Leek hij jullie ook een beetje uit zijn evenwicht?' vraagt Mario na afloop.

'Nog even en hij komt binnen met uniformen voor ons en dan marcheren we allemaal naar de Somme,' zegt Dennis, en hij haalt zijn liniaal tevoorschijn en zet Howard vijf plaatsen hoger op de Zenuwinzinkingsranglijst, zodat hij nu net onder broeder Jonas en mevrouw Timony staat.

'Verraad,' peinst Ruprecht bij zichzelf, terwijl hij zijn blik op Dennis laat rusten.

'Wat zei je?'

'O, niks,' zegt Ruprecht luchtig. 'Dat woord zeg ik gewoon graag: verraad. Verraad.'

'Wat moet je nou, klootviool?'

'Verraad,' peinst Ruprecht. 'Dat klinkt wel goed, vind je niet? Verraad.'

'Krijg de pest, Blowjob, probeer mij er nou niet de schuld van te geven dat je die nichterige capsule van je bent kwijtgeraakt.'

'Kom op, jongens,' zegt Geoff smekend. 'De auditie is over twee uur.'

Dat is zo, en om vier uur lijkt zich een soort muzikale dierentuin te hebben verzameld voor de gymzaal. Folk- en rockbandjes, koren en kwartetten, zowel tap- als breakdansers; hier, toonladders op en af stommelend, heb je Tiernan Marsh, de vierdeklasser die bij alle officiële gelegenheden moet opdraven om zijn engelachtige tenorstem met het publiek te delen, hoewel hij bij het leerlingenbestand bekender is vanwege zijn neiging om zijn eigen korstjes op te eten; daar staat Roland O'Neil, bastovenaar van Funkulus, die een beetje staat te rillen in zijn roze legging onder de spottende blik van John Manlor, de langharige zanger van MANLOR, zonder meer de indrukwekkendste act van de school als het om bakkebaarden gaat; daar staat Titch Fitzpatrick voor de honderdste keer zijn MC-act door te nemen en te doen alsof hij het onmiskenbaar honende gezicht van zijn rivaal voor die rol, Gary Toolan, niet opmerkt, alsof hij Gary Toolans net-niet-sotto-genoege opmerkingen niet hoort, zoals: 'Wat gaat ie doen, op het podium een luier verschonen of zo?'

Net voor het Van Doren Kwartet in de rij staat Trevor Hickey, alias 'de Graaf', die zonder zichtbare middelen om muziek mee te maken voor zich uit staat te staren en in zichzelf een toespraak mompelt: '... *sinds het begin der tijden ... onze oudste en meest onverslaanbare vijand ...*'

Geoff vangt er steeds flarden van op, en uiteindelijk wordt zijn nieuwsgierigheid hem te veel. 'Eh, Trevor, welk instrument bespeel jij?'

'*Choqueren en verbazen* – o, ik ga geen muzikaal optreden doen.'

'Geen muzikaal optreden ...?' herhaalt Geoff, en dan valt het kwartje. 'Zeg, je gaat toch geen Diablos doen, hè?'

'Mmm-hmm.'

Geoff staart hem met een mengeling van bewondering en bezorgdheid aan. 'Maar,' zegt hij na een korte stilte, 'je weet toch dat de Automator daarbinnen zit?'

'Mmm-hmm.' Dat Trevor eindeloos van de ene voet op de andere staat te hoppen, heeft maar deels met zenuwen te maken; hij heeft voor en na het slapengaan vijf blikken bonen gegeten om een ruime voorraad aan darmgassen op te bouwen, of, zoals hij dat noemt: 'De Kracht'.

'Ik vraag me alleen af of het kerstconcert niet meer een, je weet wel, optreden voor het hele gezin is.'

'Laten ze bij jou thuis geen scheten dan?' werpt Trevor hem voor de voeten.

'Nou, over het algemeen steken ze ze niet in de fik in elk geval ...'

'Dat is juist het mooie van wat ik doe, zie je,' werpt Trevor met een glinstering in zijn ogen tegen, nu al opgaand in zijn eigen mythe. 'Ik maak van saaie lichaamsfuncties een magische ontmoeting met de elementen – dat is waar de hele wereld van droomt ...'

Naast hem staat Brian 'Jeekers' Prendergast hier groen van de spanning naar te luisteren. Dankzij dat belachelijke gedoe met capsules en heuvels heeft het Kwartet veel te weinig gerepeteerd; en alsof dat nog niet erg genoeg is, lijkt de oude frictie tussen Ruprecht en Dennis de kop weer te hebben opgestoken, heviger dan ooit. Ruprecht heeft tegen Jeekers gezegd dat hij zich geen zorgen hoeft te maken, dat het stuk zo makkelijk is dat het onmogelijk fout kan gaan – maar hij is niet degene die Jeekers' ouders onder ogen moet komen als ze niet aan het concert mee mogen doen.

'Volgende!' De deur zwaait open en Gaspard Delacroix, de schepper van en enige artiest in *De kleine mus: Gaspard Delacroix zingt de liedjes van Edith Piaf*, beent opgewonden de gang op, terwijl hij zijn punkpruik van zijn hoofd trekt en iets mompelt over 'filistijnen'. Patrick 'Da Knowledge' Noonan en Eoin 'MC Sexecutioner' wisselen een nerveuze blik; dan zetten ze met een zucht hun showbizzgezicht op en marcheren naar binnen.

De gymzaal is helemaal leeg, op een klaslokaalbankje na, dat midden op de vloer staat en waar de Automator en pater Laughton, de dirigent van het concert, achter zitten; Trudy, de echtgenote van de Waarnemend Rector, staat aan de zijkant met haar clipboard.

De jongens beklimmen het podium met rinkelende gouden kettingen en lopen een tijdje sloom heen en weer geheimzinnig in zichzelf te mompelen. Dan, als er een keiharde, naakte drumbeat uit de gettoblaster van MC Sexecutioner barst die de hele zaal op zijn grondvesten doet schudden, beginnen ze op de planken op en neer te stuiteren, onbegrijpelijke handgebaren te maken, terwijl hun enorme broeken als zeilen om hen heen flapperen, en grijpt Knowledge de microfoon: '*I got X-ray* EYES, *but she's wearin lead* PANTS, *so I got to get her* BOOTY *wi...*'

'De volgende!' Het oordeel van het panel klinkt al onverbiddelijk voordat de Sexecutioner zijn eerste *motherfucker* heeft kunnen plaatsen. De jongens blijven even met een weinig gangsterachtige gekwetstheid als aan de grond genageld staan, bespot door de drumbeat die nog steeds om hen heen dreunt; dan halen ze de stekker van de gettoblaster uit het stopcontact, klauteren van het podium en beginnen aan hun beschamende aftocht naar de uitgang.

'Wat was dat in godsnaam?' zegt de Automator zodra ze zijn vertrokken.

Trudy tuurt omlaag naar haar clipboard. '"Oorspronkelijk materiaal".'

'Ach ja, onze oude vriend oorspronkelijk materiaal,' zegt de Automator grimmig. 'Ik heb weleens problemen met mijn leidingen gehad die een beetje klonken zoals die jongens.'

'Het had wel een zekere rauwe vitaliteit,' zegt pater Laughton sussend.

'Ik heb al vaker gezegd, padre: dit concert draait niet om rauwheid. Het draait niet om "je best doen". Ik wil *professionaliteit*. Ik wil *pit*. Ik wil dat dit concert de naam van Seabrook op de kaart zet, de wereld laat zien waar we voor staan.'

'Onderwijs?'

'Kwaliteit, verdomme. Een merk dat helemaal boven aan het

hoogste segment van de markt staat. God weet dat het niet makkelijk zal worden. Ik heb er serieus over gedacht andere, getalenteerde kinderen binnen te halen, zodat we het doek niet al na een halfuur hoeven te laten zakken ...'

'Ik weet niet of dat helemaal, eh, in de geest van het concert zou zijn,' sputtert pater Laughton.

'Het was maar een idee, padre, het was maar een idee. En nu we het daar toch over hebben: ik heb nog een paar ideetjes die ik met je door wilde spreken. Om te beginnen: ik dacht dat we broeder Jonas misschien wel een plekje konden geven – je weet wel, om Afrika te vertegenwoordigen, de verschillende volkeren die de Paracleten daar hebben geholpen, de mooie toekomst die ze kunnen hebben als iedereen zijn steentje bijdraagt – dat werk.'

'Hmm, hmm.' Het gebogen hoofd van pater Laughton wordt eerst kersroze en dan felmagenta.

'Misschien kan hij een traditioneel gewaad dragen, en een paar woorden van dank spreken in de taal van zijn stam. Ik wil mensen herinneren aan de lange en voortdurende geschiedenis van charitatief werk van deze school.'

'Gaat, eh, gaat de opbrengst van het concert dan naar Afrika?'

'Nou, we hebben nog niet helemaal besloten hoe die besteed gaat worden. De nieuwe vleugel aan het 1865-gebouw bouwt zichzelf ook niet. Maar goed, dat is het eerste idee. Het andere is dit: vader, wat schiet je het eerst te binnen als je dit woord hoort?' De Automator laat een theatrale stilte vallen voor hij met een klik van zijn vingers zegt: 'Dvd.'

Pater Laughton knippert met zijn ogen. 'Dvd?'

'Herdenkingsconcerten draaien om gedenken, herinneren, nietwaar? Hoe kun je het jubileum nou beter herdenken dan met een speciale jubileum-dvd? Ik zal het je uitleggen. Als je een evenement zoals dit organiseert, zullen er altijd ouders zijn die hun camera meenemen om het vast te leggen. Dat is de psychologie van het publiek in de eenentwintigste eeuw: mensen leggen het spektakel graag vast, willen het bezitten. Noem het een neveneffect van het kapitalisme, noem het een poging het onvermijdelijke verglijden van het leven af te wenden. Het punt is, op dit soort waardevolle momenten willen ze hun kleine jongen allemaal op band hebben. Dus ik dacht: laten wij ze voor zijn. We filmen de hele toestand, en dan kan de papa van die kleine jongen in plaats van een schokkerige met de hand opgenomen registratie inclusief het gehoest van tante Nel naast hem en het geritsel van snoeppapiertjes, een professioneel geëditte, digitaal bewerkte dvd krijgen, voor het luttele bedrag ... Ja, ja, kom verder ...' Die laatste woorden zijn gericht tot Trevor Hickey, die al een paar minuten met een glazige blik op het podium staat te drentelen, en nu haastig aan zijn toespraak begint: 'Dames en heren, het staaltje waaghalzerij waar u zo dadelijk getuige van zult zijn, zal u choqueren en verbijsteren. Vuur, de oudste en meest onverslaanbare vijand van de mens ...'

'Ik heb een beetje navraag gedaan bij een paar vriendjes die in die branche zitten, en ze beweren dat we de schijfjes kunnen laten maken voor vijftig cent per stuk. En voor de verpakking kan ik waarschijnlijk ook wel wat ritselen. De voornaamste kosten zullen in de opnames gaan zitten – belichting, huur van de camera's en de geluidsinstallatie, manuren. Maar wat we ook uitgeven, we verdienen het tienvoudige terug. Moet je je voorstellen: zo'n dvd is het perfecte kerstcadeau. Iedere oom, opa en verre neef zal er eentje willen hebben.'

'De oude Griekse filosoof Heraclitus geloofde dat het universum uit vuur bestond,' zegt Trevor.

'En ze zullen blij zijn ook. Want ze krijgen niet alleen ruige rock-'n-roll door klassiek opgeleide muzikanten, Franse-hoornspel van de hoogste orde en vaderlandslievende ballades in onze eigen, nationale taal, het Iers, allemaal op hetzelfde historische affiche, maar met de opbrengst zullen ze ook investeren in de toekomst van Seabrook – da's helemaal niet gek, noteer dat even, Trudy: een stukje geschiedenis, een investering in de toe... Jezus christus, waar is dat joch in godsnaam mee bezig?! Wat doe je daar, verdomme?!'

Trevors geschrokken gezicht verschijnt van achter de eclips van zijn achterste, dat naar de zaal is gericht met een lucifer in de aanslag. Zijn artiestenflair laat hem in de steek, terwijl hij stamelend opnieuw begint aan zijn toespraak: 'Dames en heren, het staaltje waaghalzerij waar u zo dadelijk getuige van zult zijn, zal u choqueren en verbijsteren ...'

'Vergeet het maar ...' In wat een enkele sprong lijkt, staat de Automator op het podium, en tilt Trevor Hickey bij kop en kont het trapje af. 'Morgenochtend negen uur in mijn kamer,' brult hij hem na als hij de jongen de deur uit slingert. 'Als je iemand zoekt die je het vuur aan de schenen legt, nou, dan heb je 'm gevonden. Een week nablijven. Eens kijken of dát je choqueert en verbijstert.'

Met een kleur als een baksteen loopt hij, zijn handen aan elkaar afvegend, terug naar het tafeltje. 'Zie je nou? Met dat soort onzin hebben we te stellen. Willen we Des Furlong zo soms herdenken? Willen we hiermee de man bedanken die tweeënveertig jaar lang de Paters van de Heilige Paraclete heeft gediend? Met een of andere idioot die op het podium zijn scheten aansteekt?'

'Nee,' protesteert pater Laughton. 'Nee, natuurlijk niet ...'

'Reken maar van niet.' De Automator installeert zich nog nasudderend weer achter het tafeltje. 'Het moet een avond van kwalitatief hoogstaand muzikaal entertainment worden, al moet ik elk liedje verdomme zelf zingen. Nou, wie volgt? Ah!' Zijn gezicht klaart op als het Van Doren Kwartet binnenkomt. 'Wat spelen ze ook alweer, pater?'

'De *Canon in D* van Pachelbel,' zegt pater Laughton, waar hij na een zwijgende overpeinzing aan toevoegt: 'Misschien dat u het herkent van de reclame voor de Citroën Osprey.'

De Automator knikt. 'Kwaliteit,' merkt hij op, en hij gaat achterover in zijn stoel zitten.

Het Kwartet lijkt eerst een beetje gespannen: er lijkt een woordenwisseling plaats te vinden tussen de Franse hoorn en de fagot, en de altviool ziet er ronduit misselijk uit. Maar een noot van de triangel roept hen tot de orde, en Ruprecht gaat het viertal – nadat hij duidelijk hoorbaar tegen de fagot heeft gezegd: 'Zachtjes spelen' – voor in de kalmerende omcirkelingen van de canon. Terwijl ze zich ontvouwt, de langzame, aflopende harmonie van herhaling en uitbreiding, verspreidt zich een gelukzalige vredigheid over pater Laughtons roze, puntige gezicht, en naast hem mompelt de Automator, misschien onbewust: 'Citroën Osprey ... Kilometer na kilometer een van de best presterende auto's in zijn klasse.'

DE AMULET ... DIE HEEFT ME GERED.

Djed zit aan de oever van de rivier, geknield bij de stroming. Onder hem gloeien de ogen van de prinses vanaf de oppervlakte van het water naar hem op. De rivier stroomt onder haar doorluchtige verschijning door, doet haar rimpelen en schitteren. Het piepkleine harpje van de amulet, met het vermogen de vlammen van een demon te veranderen in warme rustgevende muziekakkoorden, bungelt tussen hen in, boven zijn knieën, draait slaapliedjeslangzaam rond als een blad in de nagalm van een harde windvlaag.

JE HART HEEFT JE GERED, DJED.

Haar woorden worden in bubbels naar de oppervlakte gedragen, in elke bubbel een woord, die in volgorde naar boven komen om haar zin opnieuw te vormen. Ze projecteert zichzelf vanuit de demonische gevangenis waarin ze in ijs bevroren ligt – ze heeft nog net genoeg toverkracht over om dat te kunnen doen. Zijn weerspiegeling is in het bleke beeld van haar gezicht nog net zichtbaar, alsof ze in elkaar aan het veranderen zijn.

Het is nacht. Aan de horizon, op een halve dag rijden, is de schaduw van het kasteel verdwenen van de berg. Als je de Vuurdemon doodt, storten de muren in en komt de hele vallei tot bloei; er verschijnen niet alleen bloemen, varens, gras en bomen, maar ook muizen, vleermuizen, wormen, kikkers, zwanen en eenden, herten en paarden; ze verschijnen in je ooghoek, allemaal tegelijk, in een straal zilver licht die doorbreekt waar de wolk is weggeëbd en de maan zich erdoorheen vecht.

JE KOMT AAN HET EIND VAN JE QUEESTE, DJED! JE MOET NOG MAAR ÉÉN TEGENSTANDER BEVECHTEN! Haar ogen glinsteren met de rivier, versnellen en doven dan uit als vallende sterren. MAAR HET WORDT DE ZWAARSTE STRIJD VAN ALLEMAAL. IK WOU DAT IK AAN JE ZIJDE KON STAAN. Ze heft haar gezicht smekend op. MAAR

DJED ... EEN HART IS EEN POORT NAAR EEN ANDERE WERELD, EN ALS JE DIE MAAR EENMAAL HEBT GEOPEND, GAAT HIJ NOOIT MEER ECHT DICHT. DUS HOEWEL JE ME MISSCHIEN NIET KUNT ZIEN ... ZAL IK ER ALTIJD VOOR JE ZIJN.

En op de een of andere manier komt haar hologram hier tot leven; het frêle beeld maakt zich los van de oppervlakte van het water, de bleke hand reikt naar boven om zijn wang aan te raken ...

Wacht eens even, om zíjn wang aan te raken?!

De naschok schiet door hem heen, zoals hij daar zit op de vloer van zijn slaapkamer, vonkt ijzig door zijn armen naar zijn vingertoppen.

Wat is er nou net gebeurd?

VAARWEL, DJED. SUCCES. De prinses ligt alweer sereen in het water, bekijkt hem van onder haar drijvende wervelwind van gulden haar. Hij probeert zo goed mogelijk weer bij de les te komen, doet zijn mond dicht, grijpt de controller opnieuw vast; haar brede, droevige ogen vangen voor even de zijne; dan lost ze langzaam op in de duisternis.

Meteen daarna wordt er op de deur geklopt. Zijn hoofd zwenkt om, en Skippy loopt erheen om open te doen.

Coach staat daar de gang te vullen.

'Daniel,' zegt hij. 'Ik wilde even met je praten.'

Zijn gezicht ziet er niet boos uit, heeft helemaal geen uitdrukking. Hij houdt een opgevouwen vel papier in zijn hand.

'Mag ik binnenkomen?'

Uit de recreatiezaal klinkt het *pok-pok* van de tafeltennistafel en een herhaling van *Saved by the Bell* op tv. Dan gaat de deur dicht en Coach staat binnen.

Hij is te groot voor de kamer, het ziet er verkeerd uit. Hij draait zijn hoofd langzaam en neemt de bedden, de bureaus, de boeken en de computer in zich op. Door zijn ogen moet alles er klein en breekbaar uitzien, speelgoed in een kinderspelletje.

'Je was vanochtend niet op de training,' zegt Coach.

Skippy kijkt naar de vloer.

'Je kunt zo vlak voor de wedstrijd geen sessies missen, Daniel. We hebben nog maar twee dagen om ons voor te bereiden. Voelde je je niet goed? Was dat 't? Was je ziek?'

Vloer vloer vloer vloer.

Het lichaam van Coach kraakt en neemt een andere houding aan. 'Ik heb dit vandaag ontvangen, Daniel.' Het geluid van papier dat open wordt gevouwen, als het lemmet van een guillotine dat naar beneden komt.

'"Beste meneer Roche, Tot mijn spijt moet ik u meedelen dat ik, wegens persoonlijke omstandigheden, niet meer naar trainingen of wedstrijden zal kunnen komen. Met verontschuldigingen voor mogelijk ongemak. Hoogachtend, Daniel Juster."'

Het papier vouwt zich weer dicht. De vingers van Coach drukken steeds langs de vouwen, heen en weer.

'Heb jij die brief geschreven, Daniel?

Ik ben niet boos op je. Eerlijk gezegd ben ik vooral in verwarring gebracht. Maar heb je hem inderdaad geschreven?

Goed, tenzij je nu het tegendeel beweert, zal ik maar aannemen dat jij deze brief geschreven hebt.

Oké. Nou, dat hebben we dan in elk geval vastgesteld. Nu is de vraag: waarom? Waarom, Daniel? Na zoveel voorbereidingen en al dat werk? Nog maar drie dagen voor de wedstrijd? Waarom zou je dat je ploeggenoten aandoen? Waarom zou je het jezelf aandoen? Ik bedoel, alleen de ...

Sorry. Het spijt me. Ik ben echt niet boos, ik wil alleen, je begrijpt toch wel hoe frustrerend het voor me is dat een van mijn beste atleten zich op het laatste moment terugtrekt, zonder ook maar een verklaring te geven?'

Voetstappen stommelen buiten door de gang. Coach draait zich om en wacht tot ze voorbij zijn. Dan ziet hij het kruis op de kalender. 'Dat kruis daar, staat dat er om de dag van de wedstrijd aan te geven?

Toen je dat zette, was je dus van plan naar de wedstrijd te komen. Dat is nog niet zo lang geleden. Goed, wat we moeten vaststellen is wat er tussen toen en nu is gebeurd dat je deze brief zou willen schrijven.

Ik heb een verklaring nodig, Daniel. Als dit je besluit is, dan respecteer ik dat, maar je moet me toch een verklaring geven. Dat ben je me wel verschuldigd.

Die "persoonlijke omstandigheden" waar je het over hebt, kun je me vertellen wat die zijn?

Ik ben het, Daniel, Coach. Ik ben je vriend, weet je nog? Met mij kun je praten.

Waar zit je mee, knul? Vind je de trainingen te zwaar, is dat het? Is het te veel, boven op je lessen?

Pesten de jongens je? Siddartha en Garret?

Is er thuis iets mis?

Is het je moeder?

Daniel, als er iets ernstigs aan de hand is, dan vind ik dat je me dat moet vertellen. Met dingen opkroppen schiet je niets op. Ik maak me zorgen om je.

Ligt het aan mij?

Daniel, ik moet zeggen dat ik behoorlijk genoeg begin te krijgen van dat stommetje spelen van je. Dat begin ik verdomme behoorlijk zat te raken.

Luister je überhaupt wel naar me?

Is het iets wat er in Thurles is gebeurd?

Is dat het soms?

Wat is er daar gebeurd, Daniel?

Wat denk je dat er gebeurd is?'

De seconden verstrijken. Je denkt: hoe kunnen ze nou blijven verstrijken? Maar toch doen ze dat, en ondertussen staan jullie daar maar, met z'n tweeën in dat piepkleine kamertje, seconde na seconde na seconde …

De mobiel piept en trilt op de tafel.

'Laat liggen!'

<<LORI GSM>>

'Leg neer.' Het gezicht van Coach is lijkbleek.

'Skippy, leg die telefoon neer.

Daniel' – zijn vingers spannend en ontspannend – 'als je niet wilt praten, kan ik je daar niet toe dwingen. Maar ik denk dat je een ernstige fout maakt, een fout waar je spijt van zult krijgen. Dus ik stel voor dat we het volgende doen. Ik stel voor dat we deze brief verscheuren …'

Scheur, scheur, scheur; de lange driehoeken dwarrelen op de grond.

'… en dat we gewoon verdergaan waar we gebleven waren. Jij komt morgen naar de training, je zwemt zaterdag tijdens de wedstrijd, zoals we al maanden gepland hebben, en daarna, na een

korte adempauze, kunnen we mogelijke problemen samen tackelen.
Wat vind je daarvan, Daniel?
Mag ik die stilte als een "ja" opvatten?'

Hij buigt pijnlijk door zijn knieën zodat hij kan neerhurken en je kan aankijken. 'Hoor eens, maatje, ik weet niet wat er in je hoofd omgaat. Het moet wel behoorlijk ernstig zijn als je er dit door doet. Maar wat er ook gebeurt, ik hoop dat je altijd het gevoel blijft houden – ik hoop dat je weet dat je me in vertrouwen kunt nemen, me alles kunt vertellen wat je ... moeilijk aan iemand anders kunt vertellen.'

Knipper, knipper ...

'Oké.' Het hoofd van Coach zakt even omlaag, gaat dan omhoog met de rest van zijn lichaam. 'Oké.'

De deur gaat achter hem dicht. Triljoenen deeltjes borrelen in Skippy's hoofd omhoog; zijn shirt plakt aan zijn ijskoude rug en is doorweekt, alsof hij net heeft gezwommen op de Noordpool – alsof hij duizend kilometer heeft gezwommen en al zijn spieren volkomen leeg zijn. De pillen onder het kussen, overbodig geworden, aan de muur Ruprechts maankaart, een miljoen plekken waar je heen kunt. En dan:

'Lori?'

'Hé DJ, ik belde je net.'

'Ik weet het, sorry. Ik stond met een van mijn leraren te praten. Wat ben je aan het doen?'

'Gewoon een beetje hangen.' Op de achtergrond het opgewekte geluid van Lori's huis. Stemmen op tv, warme kamers met open deuren. 'Het is Daniel,' hoort hij haar tegen iemand zeggen. 'Mijn vader zegt dat je volgende week weer eens langs moet komen,' zegt ze als ze het spreekgedeelte weer naar haar mond heeft gebracht. 'Hij heeft nog meer saaie verhalen over zijn schooltijd voor je. Wat doe jij daar?'

'Niks. O ja, ik ben uit de zwemploeg gestapt, geloof ik.'

'Echt waar? Wanneer dan?'

'Vandaag. Net.'

'O, hartstikke goed! O, Daniel, wat ben ik daar blij om! Je leek er helemaal geen lol in te hebben.'

'Had ik ook niet. Ik had alleen iemand nodig om me dat te vertellen.'

'Ik ben blij dat ik het je kon vertellen.'

'Daar ben ik ook blij om.'

'En, wil je vrijdag nog iets gaan doen samen?' vraagt ze.

'Zeker weten!'

'Mooi!'

Regenboogbaai Baai van de Liefde Baai van de Harmonie! Hij is Coach alweer helemaal vergeten, hij zit ver weg op de maan! Meer van de Blijdschap Meer van de Hoop Meer van de Vreugde – hij sluit zijn ogen, hij springt gewichtloos over de zilveren avond …

De jongens hebben de hoop uiteindelijk opgegeven dat Miss McIntyre nog terugkomt. Colablikjes en papier worden met de andere rotzooi in de prullenbak gegooid; er wordt met overgave deodorant en haarlak gebruikt; de Chinese regering kan bouwen wat ze wil, zonder door de leerlingen van Seabrook College lastig te worden gevallen.

Kon Howard zich er ook maar zo makkelijk overheen zetten. Maar hij wordt dag en nacht door haar gekweld – ze kirt naar hem vanaf het door de maan beschenen dek van een oceaankruiser, door een guirlande van gespierde armen heen; knipoogt naar hem vanaf een hemelbed, waarop ze verstrengeld ligt met haar gezichtsloze verloofde. Soms is zijn jaloezie verkleed als razernij – hoe kon ze zo tegen hem liegen? Hoe kon ze zo tegen zichzélf liegen? – en dan balt hij in het donker zijn vuisten, vaart tegen haar uit op het dek van haar denkbeeldige schip; andere keren verlangt hij zo hevig naar haar dat hij het nauwelijks kan verdragen.

Maar tegelijkertijd wordt hij overspoeld door herinneringen. Zijn hersens zijn onafhankelijk van hem de Halley-vormige gaten gaan invullen. Dan zit hij midden in de nacht te lezen in de keuken, en realiseert hij zich ineens dat hij zit te wachten tot ze binnenkomt – hij kan haar bijna zien, in haar pyjama, zoals ze in haar ogen wrijft en vraagt wat hij aan het doen is, vergeet te luisteren naar het antwoord als ze opgaat in een onderzoek naar de inhoud van de koelkast. Ze staat achter het fornuis roerei te maken; ze loopt door de woonkamer om schrijlings op hem te gaan zitten als hij tv zit te kijken; ze is verdiept in een of andere bedrijfswebsite met een sigaret in haar mond en een verbeten uitdrukking op haar gezicht; ze staat voor de spiegel haar tanden te poetsen als hij zich scheert – algauw dwalen er duizend verschillende spoken van haar door het huis, met een miljoen dienstdoende, oneindig kleine details, dingen waarvan het hem nooit was opgevallen dat ze hem waren opgevallen. Ze komen niet met een bedoeling, of met een begeleidende soundtrack; ze beroeren zijn hart niet en veroorzaken geen reactie die hij met zekerheid kan benoemen als liefde, of als gemis; ze zíjn er gewoon, overvloedig en uitputtend.

Farley zegt dat de hele toestand hem aan een mop doet denken.

'Heel fijn, Farley. Daar zit ik net op te wachten.'

'Ik kan er toch ook niks aan doen waar het me aan doet denken, of wel? Nou, wil je die mop horen of niet?'

Howard maakt een berustend gebaar.

'Goed dan. Een man loopt een kroeg binnen, en ziet twee barkrukken verder een gozer zitten met het kleinste hoofd dat ie ooit heeft gezien. Zijn lichaam is volkomen normaal, maar zijn hoofd is niet groter dan een biljartbal. Hij probeert hem niet aan te gapen, maar na een paar minuten houdt hij het niet meer, dus hij loopt naar die vent toe en zegt: "Het spijt me als dit onbeleefd lijkt, maar zou u me willen vertellen wat er met uw hoofd is gebeurd?" Die gast met zijn piepkleine hoofd vertelt hem met een hoog stemmetje dat hij jaren geleden, in de Tweede Wereldoorlog, bij de marine zat. "Mijn schip werd door een torpedo getroffen en al mijn scheepsmaatjes verdronken," zegt ie. "Ik had ook moeten verdrinken, maar toen ik naar de bodem zakte, voelde ik handen om me heen die me naar boven trokken. Toen ik weer bijkwam, lag ik op een rots midden in de oceaan, en een prachtige zeemeermin gaf me mond-op-mondbeademing. Ik realiseerde me dat ze mijn leven had gered en ik vroeg haar hoe ik dat ooit goed kon maken. Ze zei dat ze niets wilde. 'Er moet toch iets zijn wat ik voor je kan doen?' zei ik. 'Nee,' zei ze, maar ze was zo geroerd door mijn dankbaarheid dat ze besloot me drie wensen te verlenen. Nou ja, het enige wat ik echt wilde, was naar huis, weg uit die verdomde oorlog. Dat zei ik tegen haar, en ze knipte met haar vingers, en voor ik het wist, waren we vlak bij de kust en zag ik mijn eigen huis dat op me stond te wachten. 'En nu?' vroeg ze. 'Je hebt al zoveel voor me gedaan dat het moeilijk is om nog meer te vragen,' zei ik. 'Maar wat geld misschien. Net genoeg om het even mee te kunnen uitzingen?' Ze knipte met haar vingers en plotseling puilden mijn zakken uit van het geld. 'Geregeld,' zei ze. 'Je zult nooit meer geldgebrek hebben. En wat is je derde wens?' Daar dacht ik lang en diep over na," zegt die soldaat, "terwijl ik naast haar dreef. Uiteindelijk zei ik: 'Ik wil niet brutaal zijn. Maar je hebt niet alleen mijn leven gered, me thuisgebracht en me rijker gemaakt dan ik me me in mijn wildste dromen had kunnen voorstellen – je bent ook het mooiste schepsel dat ik ooit heb gezien. Ik weet dat jij terug zult gaan naar de oceaan en dat ik straks weer aan land ga, en dat we elkaar nooit meer zullen zien. Maar voordat dat gebeurt, zou ik, liever dan wat ook ter wereld, graag een keer de liefde met je bedrijven. Dat is mijn derde en laatste wens.' De zeemeermin keek bedroefd. 'Ik ben bang dat dat de enige wens is die ik niet in vervulling kan laten gaan,' zei ze, 'want ik ben een zeemeermin en jij bent een mens, en het is onmogelijk elkaar in vleselijke zin te kennen.' 'Echt?' zei ik. Ze knikte vol spijt. Ik dacht er even over na. 'Oké,' zei ik, '*how about a little head*?'''

Er gaan een paar seconden voorbij voor Howard zich realiseert dat hij klaar is. 'Is dat het?' vraagt hij. 'Dus ik lijk op die vent met dat kleine hoofdje – is dat het?'

'Het doet me er alleen maar aan denken,' protesteert Farley. 'Je weet wel. Kijk uit met wat je wenst en zo.'

'Ik heb dit helemaal niet gewenst, of wel soms? Ik heb niet gewenst dat Aurelie McIntyre een verloofde had en dat ze me zou laten zitten. Waarom zou ik dat in godsnaam wensen?'

'Ik weet het niet, Howard. Waarom denk je zelf?'

Nu gaat de deur open en Howard duikt weg achter zijn krant, terwijl Tom zich naar binnen sleept. Elk jaar in november, als het jubileum van het ongeluk in de steengroeve eraan zit te komen, overvalt een somberheid Coach; dit jaar lijkt Howard meer dan ooit te kunnen voelen hoe zijn woede zich opbouwt, er scheurtjes verschijnen in zijn nobele sportersachtige façade, tot het net lijkt alsof hij in Toms hoofd zit, zijn furieuze neiging deelt om zich met zijn verwoeste lijf op Howard te storten en hem net zo lang in elkaar te rammen tot Howard net zo verminkt is als hij. Soms zou hij willen dat hij het maar gewoon deed. Dan hadden ze dat gehad.

'Hoe gaat het met Tom?' begroet Farley hem.

Coach gromt en loopt langs de bank naar zijn postvakje.

'Zit je ergens mee?' vraagt Farley onschuldig, terwijl Howards maag salto's maakt.

'Drukke dag,' antwoordt Tom onwillig. 'Ik probeer de laatste dingen voor de zwemtrip te regelen. Tien jongens, en het dichtstbijzijnde hotel heeft maar vier kamers.'

'Dan prop je ze toch allemaal bij je in bed?' stelt Farley voor. 'Dan blijven jullie allemaal warm in deze koude winternachten.'

'Hilarisch,' zegt Tom toonloos. 'Heel, heel grappig.' Met enveloppen in zijn achterzak gepropt loopt hij mank de deur weer door.

'Op een dag,' zegt Howard, als hij zijn krant weer laat zakken, 'slaan bij die vent de stoppen door. En dan mag ik de klappen opvangen.'

'Howard, ik zweer het je: je hebt de fantasie van Stephen King,' zegt Farley.

'Waarom kijkt hij dan al de hele week naar me alsof hij voor twee biertjes mijn ingewanden uit mijn lijf zou snijden?'

'Omdat je een paranoïde figuur bent die te veel tijd overheeft. Te veel tijd en een piep-, piepklein hoofdje.'

Op donderdagochtend wordt het programma van het concert op het mededelingenbord gehangen. Het Van Doren Kwartet staat erop, tot Jeekers' buitensporige opluchting; hij blaast de aftocht, het zweet van zijn voorhoofd vegend.

'Zitten wij erbij?' vraagt Eoin 'MC Sexecutioner' Flynn, die achter aan de menigte staat die het bord bestudeert, bezorgd.

Patrick 'Da Knowledge' Noonan kijkt de lijst nog eens af, en wendt zich dan met een norse blik af. 'Nee.'

'Niet?' Eoin is geschokt.

'Wat had je dan verwacht, man?' Patrick werpt zijn handen ten hemel. 'Moet je dat programma zien: allemaal bleekscheten!'

'Hé, Skip, wat is dat voor briefje waar jouw naam op staat?'

'Wat is dat wat?' Zelfs als hij op zijn tenen gaat staan, kan Skippy het bord niet zien.

'Wacht maar even ...' Geoff reikt over de verzamelde hoofden heen en geeft Skippy een piepklein envelopje aan met het wapen van de school erop.

'Ik moet naar een gesprek met de decaan.' Skippy bestudeert het memokaartje. 'Met pater Foley.'

Als ze die naam horen, worden handen tot kommetjes gemaakt en naar oren gebracht. 'Pater wie?' 'Wat zeg je?' 'Praat eens wat harder, jongeman!'

'Waarom moet ik een gesprek met de decaan hebben?'

'Ze hebben je door, Skippy,' zegt Dennis pesterig, terwijl hij met zijn vinger in zijn gezicht zwaait. 'Ze wéten het.'

'Hebben ze misschien hun vermoedens over Condor?' zegt Ruprecht met gefronste wenkbrauwen. 'Skippy, als iemand ernaar vraagt, dan was ik de hele avond bij jou, om je te helpen met wiskunde. Rustig blijven. Ze kunnen niets bewijzen.'

Niet? Tijdens de Duitse les blijft zijn bezorgdheid toenemen. Zijn ze het aan de weet gekomen van hem en Lori? Misschien houden ze er niet van als je een vriendinnetje hebt? Hij stuurt haar een sms'je om hallo te zeggen, maar ze antwoordt niet.

'*Nicht* maakt een werkwoord negatief,' zegt de leraar. '*Ich brauche nicht*, ik heb niet nodig. *Ich liebe nicht*, ik hou niet van. Laten we even naar het tekstboek kijken. *Was hast du heute nicht gekauft, Uwe? Ich habe ein Schnitzel für meine Mutter nicht gekauft.* Wat heb je vandaag niet gekocht, Uwe? Ik heb geen schnitzel voor mijn moeder gekocht.'

'Ik heb wel een schnitzel voor zijn moeder.'

'Mario, aan die schnitzel van jou heeft een muis nog niet genoeg.'

Ik ga niet ik eet niet ik zie niet ik hoor niet.

Hij steekt zijn hand op, laat het briefje zien om het lokaal uit te mogen.

Pater Ignatius Foley zit met een pen horizontaal tussen de toppen van zijn wijsvingers en denkt na over het hoopje jeugd dat in elkaar gedoken aan de andere kant van zijn bureau zit. Na een lange en onaangename operatie aan zijn oor lag er bij terugkomst van zijn ziekteverlof een stapel noodgevallen op zijn aandacht te wachten, en deze knul lag bovenop. Een bleek, tenger gebouwd joch dat eruitziet alsof hij geen vlieg kwaad zou doen; maar als je in zijn dossier kijkt, zie je Gedragsproblemen, Niet Opletten, Neigingen de Les te Verstoren, Overgeven Tijdens de Les en In Zijn Eentje met een Frisbee Gooien. Problemen heb je in alle soorten en maten – als je al zo lang jongelui begeleidt als Ignatius Foley, dan weet je dat.

'Weet je waarom je hier zit, jongen?' Pater Foley laat hem volop genieten van zijn krachtige bariton. De jongen krimpt een beetje ineen, staart naar zijn duimen, mompelt iets. Pater Foleys ogen vernauwen zich. Hij weet het best. Onder dat onschuldige uiterlijk schuilt een zekere sluwheid, de blik van iemand die zal proberen onder de regels uit te komen. Nou, daar zal hij hier weinig ruimte voor krijgen.

Maar eerst vouwt hij zijn handen, zet zijn vriendelijke, vaderlijke glimlach op. Stelt hem op zijn gemak. 'Maak je maar geen zorgen, Daniel. Niemand probeert je "te pakken". Je Waarnemend Rector heeft alleen maar opgemerkt dat je cijfers de laatste tijd achteruit zijn gegaan, en heeft me gevraagd eens te kijken of ik kon helpen.'

Pater Foley staat op uit zijn stoel. 'Nou, vertel maar eens in je eigen woorden waarom jij denkt dat je cijfers achteruit zijn gegaan.'

Terwijl de jongen de gebruikelijke uitvluchten begint op te sommen, loopt pater Foley langzaam in kringen de kamer door, tuurt weer in het dossier. Het geval is enigszins ongebruikelijk; deze jongen lijkt niet op de verbijsterde imbecielen die meestal in zijn kantoor aanspoelen. Zijn cijfers zijn uitstekend, of ze waren in elk geval tot voor kort uitstekend – je zou bijna de exacte dag kunnen aanwijzen waarop ze begonnen aan hun diepe val. Pater Foley heeft een vermoeden, en als je al zo lang in het vak zit als hij, dan leer je op je vermoedens te vertrouwen.

'Drugs!' Hij draait zich met een ruk om en wijst priemend in het gezicht van de jongen, die, verrast als hij is, opspringt uit zijn stoel.

'Ik wil dat je me recht aankijkt,' beveelt pater Foley, 'en me vertelt of je ervaring hebt met een van de volgende middelen.' De jongen knikt timide. Pater Foley leest voor uit de folder van het ministerie van Onderwijs. '"Cannabis, ook wel ganja, hasj of hasjsigaretten genoemd."' Hij staart de jongen aan. Niets. '"Marihuana, wiet, stuff."' Nee. '"Speed, whiz, Billy Whiz, crank, ketamine, Special K."' Waarom staat Special K er in vredesnaam tussen? '"Cocaïne, coke, Charlie, snuif, blow. Heroïne, horse, shit, junk, China White, de Witte Dame."'

Als er iets aan zijn gezicht af te lezen viel, zou pater Foley het zien, of het nou een zenuwtrekje, knipperen met de ogen of een druppel zweet was wat hem verraadde. Deze jongen geeft geen enkele reactie op de drugs op zijn controlelijstje. Toch heeft pater Foley sterk het gevoel dat hij iets achterhoudt. Maar wat?

Hij loopt terug naar zijn bureau, kijkt de kamer rond op zoek naar inspiratie en richt zijn zoeklicht op een ingelijste foto uit zijn tijd als missionaris – zijn jongere zelf staat op een landingsbaan midden in de woestijn, onverschrokken, met gouden lokken en zijn arm om een zwartje wiens naam hem ontschiet. In dat vliegtuig op de achtergrond had pater Foley echt gevlogen, de piloot liet hem de stuurknuppel vasthouden terwijl ze met hun belangrijke vracht bijbels over de bergen scheerden. Hij glimlacht liefdevol naar zijn knappe avatar; en dan glijden zijn ogen van de foto naar de wattenbolletjes die ernaast liggen en zijn glimlach vervaagt als hij wordt overvallen door onaangename herinneringen aan de afgelopen twee weken, toen hij werd gepord en bepoteld door kleine Aziatische verpleegsters die tegen elkaar liepen te kleppen in wat voor taaltje het ook was – *por*, *por*! Denken ze soms dat ieders oren hetzelfde zijn? Begrijpen ze niet dat sommige mannen ongebruikelijk complexe oren hebben?

Maar dan schieten zijn ogen terug naar het vliegtuig. Vliegen. Dat gedoe met in zijn eentje met een frisbee gooien. Pater Foley kreeg er een nare smaak van in zijn mond toen hij dat voor het eerst tegenkwam in het verslag; nu denkt hij dat hij weet waarom. Hij hoest hees. 'Zeg eens, Daniel ... ben je de laatste tijd ... iets gaan vóélen?'

Hij ziet dat de lippen van de jongen, nadat hij de vraag even heeft overdacht, beginnen te bewegen. Zei hij nou 'gedachten'? Het klonk alsof hij iets over gedachten zei. Kijk eens aan. De puzzelstukjes beginnen op hun plek te vallen. De verdwenen ambitie, die lege blik, de sociopathische houding, de constante zenuwtrekken – Puberteit, we ontmoeten elkaar dus weer.

'Daniel,' begint hij, 'je bent in de fase van je leven gekomen dat je kinderachtige dingen achter je laat en een man wordt. Dat kan een verwarrende ervaring zijn, met al die veranderingen in je lichaam, haar dat op onverwachte plekken verschijnt, groeispurts enzovoort. Volwassen seksualiteit brengt, hoewel het een van de dierbaarste geschenken is die de Schepper ons heeft gegeven, bepaalde verantwoordelijkheden met zich mee. Want als je haar misbruikt, kan dat een man in dodelijk gevaar brengen. Ik doel op onzuivere handelingen.

Die handelingen kunnen aanvankelijk heel onschuldig lijken. Iets om een ledig moment mee te vullen, waar je misschien via een vriend mee hebt kennisgemaakt. Maar geloof me, er is niets onschuldigs aan. Het is een hellend vlak, een erg hellend vlak. Ik heb gezien hoe goede, voorbeeldige mannen door die walgelijke activiteiten op hun knieën werden gedwongen. Niet alleen slechter wordende cijfers. Ik heb het over schaamte, vernedering, uitstoting. De naam van fatsoenlijke families voor generaties bezoedeld. En – dat is het gevaarlijkst van allemaal – je zet je onsterfelijke ziel op het spel.'

Pater Foley kan aan het schotelogige gestaar van de jongen zien dat hij op het goede spoor zit.

'Gelukkig heeft God ons, in Zijn wijsheid, de middelen gegeven om die dodelijke valkuilen voor de ziel te vermijden, in de vorm van de prachtige gave van sport. *Mens sana in corpore sano*, zoals de Romeinen zeiden. Je bouwt geen rijk als het Romeinse Rijk op als je niet een paar dingen weet. Zij wisten natuurlijk niets van rugby, maar ik denk dat we kunnen aannemen dat als die sport destijds wel al was uitgevonden, ze het dag en nacht hadden gespeeld. Het is ongelooflijk hoeveel van de problemen van het leven gewoonweg verdwijnen na een opwindend potje rugby.' Hij maakt een torenspitsje van zijn vingers en kijkt de jongen welwillend aan. 'Jij speelt geen rugby, hè Daniel?' zegt hij. De jongen schudt zijn hoofd. Een geval uit het boekje, uit het boek... Wacht eens even, hij zegt iets. 'Goeie god, jong, als je zo tegen je borst blijft praten, kom je nooit ergens. Wat zei je nou? "Winnen"? Nou ja, we hebben hier op Seabrook aardig wat trofeeën binnengehaald. Maar, zoals ik altijd zeg: het gaat niet om het winnen, maar ... Wat? Memmen?! Dat is wel het laatste waar je nu aan moet denken. Neem één ding van me aan, en blijf uit de buurt van ...'

Maar dat is het ook niet. De jongen gebaart en grimast, hij blaft steeds maar hetzelfde woord ... O, wacht, zwémmen, dát zei hij. Hij zit in de zwemploeg. Nee – nog meer mimespel en geprotesteer – hij zit juist níét in de zwemploeg.

'Nou, wat is het nou, knul? In godsnaam.'

De jongen verklaart zo hard hij kan dat hij uit de zwemploeg is gestapt.

'Je bent eruit gestapt?' herhaalt pater Foley. Deze knul is het toppunt! Wanneer heeft iemand ooit iets bereikt door ergens uit te stappen? Nou? Is Onze-Lieve-Heer er soms uit gestapt toen Hij met het kruis de berg Golgotha opliep? Het wordt duidelijk tijd dat iemand deze jongens eens flink onder handen neemt. 'Nou, dan moeten we je om te beginnen meteen weer inschrijven,' zegt hij, en hij verheft zijn stem boven het te verwachten kattengejank van protest uit. 'Geen gemaar! Het is hoog tijd dat we dit verderf een halt toeroepen.'

Nou! Springt die jongen me toch uit zijn stoel en begint tegen pater Foley te schrééuwen! Een ellenlange speech, met zo te zien geen gebrek aan emotie, die hij keihard uitschreeuwt. In al zijn jaren in het onderwijs heeft pater Foley nog nooit zoiets gezien!

Maar hij kan verdorie ook schreeuwen! Hij laat zich in zijn eigen kantoor niet koeioneren! Hij komt overeind en overschreeuwt hem: 'Het is voor je eigen bestwil! Het is voor je eigen bestwil, dus je gaat nu meteen weer zitten en ophouden ... Ophouden met huilen!' Want de tranen stromen nu echt over de wangen van de jongen, vliegen zijn bureau en het tapijt op! 'Ga zitten, ga zitten!'

Uiteindelijk gehoorzaamt de jongen, die nog steeds tranen lekt. Gut, gut, is het al zover gekomen? Zo'n vertoning zou je misschien op St. Brigid's verwachten, maar van een Seabrook-man? Pater Foley zwaait rond in zijn stoel, masseert zijn slapen, en gluurt af en toe over het bureau heen in de hoop dat de jongen is opgehouden.

'Daniel, ik zal er geen doekjes om winden,' zegt hij als het ergste achter de rug lijkt. 'De Waarnemend Rector heeft ernstige bedenkingen met betrekking tot jouw toekomst op deze school. Feit is dat niet iedere jongen geschikt is voor Seabrook, en noch de school, noch de leerling heeft er baat bij een relatie voort te zetten die tot mislukken gedoemd is.' Dat snoert hem de mond wel; de tranen lijken te bevriezen op zijn gezicht. 'Maar voordat hij een besluit neemt, je ouders erbij betrekt en dergelijke, heeft de Waarnemend Rector me gevraagd hoe ik over de zaak denk. Mijn verslag zal zijn weerslag hebben op welk besluit hij ook neemt.' Het sonore gewicht van die woorden – 'verslag', 'weerslag', 'besluit', volwassen woorden, woorden van een man met verantwoordelijkheden – doet hem genoegen, en hij vervolgt met hernieuwde vastberadenheid zijn betoog. 'Je lijkt me een veelbelovende leerling, als ik op je cijfers af moet gaan. Ik heb het gevoel dat je die demonen van je kunt bedwingen, dat je best nog iets bij te dragen hebt aan het leven op Seabrook. Maar ik kan je onmogelijk met een zuiver geweten een aanbeveling geven als ik geen bewijs zie dat je in elk geval probéért weer op het goede spoor te komen.'

Hij pakt zijn pen weer op, laat hem door zijn vingers glijden terwijl de jongen verdergaat met zijn geluidloze huilen. 'Dat hele gedoe dat je uit de zwemploeg stapt – ik kan niet zeggen dat dat in je voordeel spreekt. Maar tegelijkertijd weet ik niet of zwemmen je als sport wel de dosis teamgeest meegeeft die je nodig hebt. En daarbij heb ik ervaren dat chloorwater de pest is voor je oren. Als je per se wilt zwemmen, dan zij dat zo, maar ik zou er de voorkeur aan geven dat je rugby nog eens probeert. Denk er in het weekend maar eens over na, dan kunnen we het er maandag over hebben. Misschien praat ik wel even met meneer Roche, om te horen hoe hij erover denkt. In de tussentijd moeten we de Waarnemend Rector laten zien dat je bereid bent je best te doen. Ik weet dat pater Green op zoek is naar vrijwilligers voor zijn voedselpakketten.' Jerome heeft zelfs zo'n nijpend gebrek aan vrijwilligers dat hij heeft voorgesteld dat de paters hun steentje bijdragen! 'Ik stel voor dat je onverwijld met hem gaat praten. Als je wat tijd met de minderbedeelden doorbrengt, dringt het misschien tot je door hoe goed je het hier op Seabrook hebt.'

De jongen denkt hierover na terwijl hij naar zijn schoenen staart. Dan kijkt hij, zijn hoofd optillend, de pater schijnbaar heel lang aan met roodbehuilde ogen; en dan zegt hij – wat zegt hij nou? Pater Foley kan het niet helemaal verstaan. Maar de boodschap is duidelijk.

'Graag gedaan,' zegt pater Foley.

De jongen blijft even stijfjes op zijn plek zitten; dan staat hij op uit zijn stoel en verlaat het kantoor, waarbij hij de deur geruisloos achter zich sluit.

Geruisloos. Het duurt even voor dat feit tot pater Foley doordringt. Die deur piepte altijd ontzettend irritant. Hij zat die lapzwans van een conciërge voortdurend achter zijn vodden dat hij langs moest komen om de scharnieren te oliën. Nu komt hij overeind en waggelt ernaartoe. Open, dicht. Open, dicht. Geen piep. Hmm. Hij moet ernaar gekeken hebben toen pater Foley weg was. Open, dicht.

Als hij weer zit, vouwt pater Foley zijn handen achter zijn hoofd, leunt achterover en kijkt een paar minuten lang tevreden naar de stille deur.

'Je als vrijwilliger opgeven?' Nu hij alleen met hem in het lokaal is, lijkt de pater te zoemen van een soort dolle energie – alsof hij, terwijl hij daar volkomen stilstaat, vier spookledematen heeft die onzichtbaar om hem heen graaien, een spookachtige spin.

'Ja, vader.'

'Nou, ik kan natuurlijk altijd een paar extra handen gebruiken ... jazeker ...' Zijn twinkelende beleefdheid wordt weersproken door zijn zwarte, doordringende ogen, als smeulende gaten in de ruimte. 'Vele handen maken licht werk, zeggen ze toch?'

Skippy blijft zonder te antwoorden staan drentelen, als een gevangene die wacht op zijn straf.

'Uitstekend, uitstekend ... Nou, ik ben toevallig van plan van het weekend de ronde te doen, dus als je nou, eens kijken, morgen na de les naar mijn kantoor komt. Laten we zeggen om halfvijf?'

Morgen na schooltijd heeft hij met Lori afgesproken!

Maar voedselpakketten maken kan toch niet de hele avond duren, wel?

En trouwens, hij heeft toch geen keus.

'Ja, vader.'

Hij draait zich om om weg te lopen, maar wordt teruggeroepen. 'Gaat alles wel goed, meneer Juster?'

'Ja, vader.'

'Je ziet eruit alsof je ... gehuild hebt?'

'Nee hoor, vader.'

'Niet?' Die priemende ogen. 'Goed dan.' Hij heft zijn hand om door Skippy's haar te woelen. De dode vingers lijken van een mummie of iets opgezets. 'Ga zo door, meneer Juster, ga zo door.'

Hij loopt haastig terug naar het schoolbord; als Skippy vertrekt, neuriet hij in zichzelf, wrijft over de vage resten van Franse werkwoordsvormen alsof het vlekken op zijn ziel zijn.

Na de lunch in de eetzaal gaan ze met Ruprecht naar Ed's. Hij heeft geen vrijwilligers voor Operatie Valk gevonden, en is nu vast van plan de capsule zelf terug te halen.

'Ga je via de brandtrap, net als de vorige keer?'

Ruprecht schudt zijn hoofd. 'Te riskant,' zegt hij met een mond vol donut. 'De capsule kan inmiddels overal zijn. Ik heb een dekmantel nodig, niet alleen om binnen te komen, maar ook om rond te kunnen lopen zonder argwaan te wekken.'

Wenkbrauwen fronsen zich. 'Waarom doe je niet alsof je een inspecteur bent?' stelt Geoff voor. 'Zeg tegen de nonnen dat je een inspecteur bent die een muis op het spoor is. Dan kun je de hele school door lopen, en alleen, omdat de nonnen vast bang voor muizen zijn.'

'Is hij niet een beetje aan de kleine kant voor een inspecteur?' werpt Niall op.

'Hij kan toch een dwerginspecteur zijn?' zegt Geoff.

'Waar moet ik nou een uniform van een dwerginspecteur vandaan halen?' zegt Ruprecht.

Geoff geeft toe dat dat weleens moeilijk zou kunnen worden.

'En wat dacht je van een dwergtelevisiereparateur?' oppert Mario.

'Of een dwergloodgieter?'

'Zullen we dat hele dwerggedoe buiten beschouwing laten?' zegt Ruprecht.

'De oplossing ligt voor de hand: verkoper van vibrators,' zegt Mario. 'Dan zullen de nonnen je er niet alleen in laten, maar ik durf te wedden dat je er nog een hele voorraad verkoopt ook.'

'Hé, Skip, waar wilde Wattenoor met je over praten?' zegt Dennis.

'Niks. Loopbaangedoe. Het was nogal zinloos.'

'Man, wat kun jij liegen,' zegt Dennis.

Skippy kijkt geschrokken op.

Dennis buigt zich over de tafel heen en maakt een web van zijn vingers. 'Hij wil je van pater Green afpakken, hè? Hij wil je helemaal voor zichzelf ...'

'Haha,' zegt Skippy, maar hij staat op om weg te lopen.

Op de terugweg naar school probeert hij haar weer te bellen. Hij maakt zichzelf wijs dat het is om haar te vertellen over de voedselpakketten. Maar eigenlijk wil hij alleen maar haar stem horen. Er is iets *verkeerd* gaan voelen; het is alsof hij in een auto zit die geleidelijk aan steeds harder gaat rijden, en hoewel het er voor iedereen om hem heen volkomen normaal uitziet, weet je dat de remmen zijn doorgesneden. Ze neemt niet op; hij laat een bericht achter op haar voicemail, vraagt of ze hem terug wil bellen.

In de loop van de nacht wordt het kouder, het soort kou dat in je botten dringt als je ligt te slapen en, als ze er eenmaal is, tot de lente niet meer weggaat. Armada's van bladeren zeilen met elke nieuwe windvlaag weg, en de schooldeuren lijken in de verte, onkarakteristiek genoeg, een gezegende veilige haven, waar je je naartoe moet haasten.

'Moet je niet trainen vandaag?' vraagt Ruprecht, verrast dat Skippy nu pas opstaat. Nee, geen training. Je hoeft niet voor dag en dauw op te staan, je niet uit te kleden in een ijskoude kleedkamer, je lichaam niet te pijnigen tot elke spier pijn doet voor je aan het ontbijt zit. In plaats daarvan heb je een extra uur om te dromen, als je nog doezelig van de slaap in de eetkamer aankomt ...

'Hé, Juster, wat heb jij, verdomme?' Siddartha komt op hem afstuiven, met Duane Grehan in zijn kielzog.

'Je bent verdomme weer niet komen trainen.' Onder zijn sproeten is Siddartha roze van woede. 'De wedstrijd is mórgen al, klootviool. Waarom ben je niet komen trainen?'

Skippy zegt niets, blijft gewoon hangen in het briesje dat om hem heen in de gang lijkt te zijn opgestoken, nors en zwijgzaam.

'Wat een bullshit is dit,' briest Siddartha. 'Coach had je nooit moeten selecteren. Je bent zijn billenmaatje, dat is de enige reden.' Achter hem staart Duane Skippy met uitdrukkingsloze ogen aan. 'Klootzak,' zegt Siddartha bij wijze van afscheidssalvo.

'Ben je niet gaan trainen?' zegt Geoff als ze weg zijn.

'Ik had geen zin,' zegt Skippy vaagjes.

'O,' zegt Geoff, en verder zegt hij niets.

's Middags is er in het winkelcentrum een enorme zilvernaaldige kerstboom geïnstalleerd, waardoor de mensen die eromheen open neergaan op de roltrappen eruitzien als piepkleine sierengeltjes in regenjassen en fleecevesten.

'Waar ga je vanavond heen met je vriendin, Skip?'

'Dat weet ik nog niet – misschien naar de film? Ze belt me straks nog.'

'De film is een goed idee,' zegt Mario goedkeurend. 'Ik ben op afspraakjes al heel vaak naar de film gegaan – maar veel films heb ik niet gezien!

Omdat ik aan het neuken was,' voegt hij er even later aan toe, voor het geval de anderen dat niet begrepen. 'In de bioscoop.'

Gisteren heeft ze niet meer teruggebeld. In de studiezaal stond een nieuwe tekst in het bureau gekerfd: CARL KOMT AL IN DE HAND VAN EEN MEISJE KLAAR VOOR ZE ZIJN PENIS AANGERAAKT HEB.

Maar nu, alsof hij zijn twijfels de kop wil indrukken, begint zijn mobiel te piepen. Dat moet haar zijn! Hij loopt gauw de gameswinkel uit en frommelt zijn mobieltje open. Nee, het is zijn vader maar. 'Dag, pap.' Hij probeert zijn stem niet teleurgesteld te laten klinken.

'Hé, D. Ik dacht: ik bel maar eens, om te horen of je klaar bent voor de grote wedstrijd morgen.'

'O ja.'

'Hoe voel je je? Heb je er zin in?'

'Ja hoor, best.'

'Zo klink je anders niet.'

Skippy haalt zijn schouders op, realiseert zich dan dat zijn vader dat niet kan zien, en zegt in plaats daarvan: 'Nee, echt wel.'

'Oké,' zegt zijn vader. Op de achtergrond hoort Skippy de printer zoemen en de telefoon rinkelen. Er valt een lange, vreemde stilte. Zijn vader haalt diep adem door zijn neus. 'Hoor eens, Danny,' zegt hij. 'We werden gisteravond gebeld.'

'O ja?' Hij verstijft, draait zich een beetje om naar de gegroefde muur.

'Ja. Door meneer Roche, je zwemcoach.'

Skippy blijft stokstijf staan.

'Ja,' peinst zijn vader, alsof hij nadenkt over een omschrijving in een kruiswoordraadsel, maar je kunt horen dat zijn stem strakgespannen is, alsof hij op een pijnbank ligt. 'Hij vertelde dat je uit de ploeg bent gestapt.'

Hij staat verstijfd tegen de muur naast de winkel voor keukenbenodigdheden.

'Danny?'

'Ja.'

'Het verraste me nogal dat te horen, moet ik zeggen. Ik bedoel, ik weet hoe je uitkeek naar de wedstrijd.'

'Ach, nou ja ...'

'Wat nou, nou ja?'

'Ik ben de laatste tijd een beetje moe.'

'Is dat zo?'

'Ja.'

'Van het zwemmen?'

'Ja.'

Ze cirkelen in een denkbeeldige ruimte die geen winkelcentrum of kantoor is om elkaar heen: Skippy's hoofd is een open plek in een winterbos waarin de zon zich aan de stammen van de kale bomen vastklampt.

'Nou, dat is een verrassing,' zegt zijn vader langzaam. 'Want je bent altijd dol geweest op zwemmen, al vanaf dat je een kleine dreumes was.'

Stille nacht gespeeld op panfluit komt als zenuwgas naar beneden uit de speakers. Plotseling voelt Skippy een zwaar gewicht aan hem trekken, aan het hele winkelcentrum trekken, het omlaagtrekken naar een enkel punt.

'Je coach was ook verrast. Hij zei dat je een natuurtalent bent. "Een fenomenale natuurlijke aanleg", zo drukte hij het uit.'

Zijn vader zwijgt even, maar Skippy zegt niets. Hij weet wat er komen gaat en hij kan niets doen om het tegen te houden. Om hem heen beginnen de muren van het winkelcentrum te trillen.

'Hij vroeg zich af of het misschien aan hem lag, of hij je te hard heeft aangepakt op de trainingen. Nou, ik heb tegen hem gezegd dat je daar tegen mij nooit iets over hebt laten vallen.'

Schroeven draaien uit hun gaten, steunbalken kraken.

'Hij zei dat je het over persoonlijke omstandigheden had.'

Alles vibreert, alsof het winkelcentrum een grote stemvork is.

'Danny, ik heb hem verteld over mam.'

Skippy sluit zijn ogen.

'Ik moest wel, Danny. Ik moest wel.'

Ramen exploderen, enorme stukken metselwerk komen naar beneden, de muren van het winkelcentrum storten in.

Het Spel aan gruzelementen.

'Ik weet dat we een afspraak hadden en zo. Maar ik heb me al vaak afgevraagd of dat wel goed voor je was, knul. Ik bedoel, op school zijn er mensen, er is een hulpstructuur, juist voor dit soort dingen ... Ik had je moeten vertellen ... Ik weet niet, ik wilde alleen ...' Zijn vaders handen vallen hulpeloos langs zijn zij, ze vallen allebei naar de grond, Skippy en zijn vader, in het hoofd geschoten. 'Ik heb het gevoel dat ik je in de steek heb gelaten, jongen. En dat spijt me. Het spijt me heel erg, Danny.'

In de glazige, kerstkleurige verte trekt Mario in de deuropening van de gameswinkel een 'Is zij het?'-gezicht naar Skippy. Skippy sleurt zijn gezicht in de glimlachstand en zwaait naar hem.

'Maar goed ... Nou, daar raakte die meneer Roche behoorlijk van van zijn stuk, natuurlijk. Maar hij zei dat het veel verklaarde wat je houding van de laatste tijd betreft. Hij zei dat het duidelijk was dat je onder grote druk had gestaan. Maar hij zei ook – en dat ben ik met hem eens – dat het slechtste wat je kunt doen is die druk je ervan laten weerhouden de dingen te doen die je graag doet.'

Skippy knikt alleen maar. Ongeloof is het enige wat hem op de been houdt; het bloed pompt door zijn hoofd, terwijl sterren heen en weer suizen door het winkelcentrum, langs de lichamen van het winkelende publiek, dat achter de felle streken ervan vervaagt tot een negatief.

'Hij zegt – het lijkt me een beste vent, een heel fatsoenlijke man, hij is zelf een heel veelbelovende rugbyspeler geweest, wist je dat? Maar goed, hij ... hij weet alles van gemiste kansen, zo bracht hij het onder woorden. En los van kansen en potentieel en al dat soort dingen: je bent dol op zwemmen, Dan. Daar ben je altijd dol op geweest. God, ik vertelde hem dat we toen je nog maar een jaar was een zwembad lieten aanleggen, en dat jij rondstoof als een, als een dolfijn!' Zijn vader lacht in zichzelf. Dan houdt hij op. 'Ik weet dat je je zorgen maakt om je moeder, knul. Misschien is het wel onmogelijk gewoon door te gaan met je leven terwijl dit aan de hand is. Maar je weet hoe graag ze morgen naar de wedstrijd wilde komen, je weet hoe hard ze gewerkt heeft om sterk genoeg te worden om naar je te komen kijken. Als ze ook maar even dacht dat je vanwege haar hebt moeten stoppen, dat je na al die voorbereidingen om haar bent gestopt ... nou, dat zou haar hart breken, knul, echt waar.'

O, jezus.

'Ik wil je niet onder druk zetten. Ik zal je steunen wat je ook beslist, en je coach ook. Hij zal het er met niemand op school over hebben, en ook niet met jou als je dat niet wilt. Maar hij wilde wel dat je wist dat als je van gedachten verandert, als je dat doet, dat er dan nog een plekje voor je is in de bus.'

'En jullie komen niet.' Hij weet van tevoren al wat het antwoord is.

'Dat gaat niet, Danno. Ik weet dat we beloofd hebben dat we zouden komen, en ik vind het vreselijk. Maar dokter Gulbenkian zegt dat het onverstandig zou zijn. Op dit moment zegt hij dat hij het niet kan adviseren. En ik ... ik wil nu niet van huis weg zijn. Het spijt me, knul, echt waar. Maar je hebt mij toch niet nodig om lol te hebben?'

'Was zij het? Was het Lori?' vragen ze als hij de winkel weer inkomt.

Hij schudt zijn hoofd. 'Het was mijn vader maar, die me succes wilde wensen voor morgen.'

'Kampioenen hebben geen geluk nodig!' verklaart Geoff Sproke.

Kort daarop vertrekken ze, zigzaggen van de roltrap af. Een man met een hoge hoed op en witte handschoenen aan geeft hun met tegenzin gratis chocolaatjes van een zilveren dienblad. Bij de schuifdeuren staan mensen arm in arm heen en weer wiegend kerstliedjes te zingen. Ze zingen *Winter Wonderland.*

'Help in de strijd tegen kanker!' Een van hen, een jonge man met een bril op en een regenjas aan, duwt een emmer onder Skippy's neus, zegt dan 'Sorry', en haalt hem weer weg.

Als je weer op school bent, ga je je steeds slechter voelen. De pillen roepen naar je van onder het kussen. Ga je zo hard dat je de macht over het stuur kwijtraakt, Skip? Kijk, daar is de rem! Zou je niet graag weer Danielbot zijn? Onverstoorbaar?

Je probeert Lori's mobiel weer, maar je wordt meteen doorgeschakeld naar haar voicemail.

'Heeft ze al gebeld, Skippy?'

'Nog niet.'

'Ach, nou ja, misschien is haar beltegoed op.'

'Daar gaan we weer,' zegt Dennis sarcastisch.

'Wat bedoel je daarmee?'
Dennis houdt zijn mond, kijkt uit het raam.
'Ze belt echt wel,' zeg je.

Zijn rooster zit zo in elkaar dat pater Green na twee uur geen lessen meer heeft; meestal brengt hij de tijd daarna door in zijn kantoortje om de verschillende administratieve taken te verrichten die voortvloeien uit zijn liefdadigheidswerk. Deze middag ging voorbij terwijl hij aan de telefoon zat met de koekjesfabriek, om te proberen een donatie voor de kerstvoedselpakketten van dit jaar bevestigd te krijgen. Het bedrijf is in het verleden altijd heel gul geweest, maar nu is de man met wie pater Green gewend was te onderhandelen vertrokken, en zijn vervanger – jonger, verveeld klinkend – houdt vol dat giften aan liefdadigheidsinstellingen onder pr vallen, die ze hebben 'geoutsourcet' bij een ander bedrijf. Dus pater Green belt dat andere bedrijf, waar hij te woord wordt gestaan door een vrouw die niet begrijpt wat hij wil. Gaat het om T-shirts? Aandacht op tv? Een beroemdheid als ambassadeur? Het gaat gewoon om een schenking koekjes die bezorgd moeten worden bij huishoudens in arme gebieden, legt pater Green haar uit. O nee, dat is een beslissing die de koekjesfabrikant zelf moet nemen, vertelt ze hem, en nadat ze wat op haar toetsenbord heeft gerammeld, geeft ze hem de naam van de man met wie hij eerder al heeft gesproken.

Hij hangt op, kijkt op zijn horloge. Tien voor halfvier. De lessen zijn zo afgelopen.

Jerome.

Hij zet de waterkoker aan, gaat zitten om een la met correspondentie open te trekken.

Ik kan je hartslag horen, Jerome. Wanneer heeft het voor het laatst zo snel geslagen?

Het handschrift van oude vrouwtjes, meelijwekkend breekbaar. Hij reikt over het bureau naar zijn leesbril.

In Afrika?

Het water kookt. Hij schenkt het in zijn mok, hangt het theezakje in het water, kijkt hoe de amberkleurige wolken omhoogkomen.

Hij weet waar je naar verlangt, Jerome. Als je naar hem kijkt, trilt hij. Zo ongewoon mooi, zo hunkerend naar liefde.

Hij haalt het zakje er met een lepeltje uit, schenkt er een beetje melk bij, een wolkje, uit een klein pak.

Je zult hem laten zien hoe hij de voedselpakketten moet inpakken, waar elk onderdeel moet komen. Hij zal daar geknield voor je zitten, zwijgzaam zitten werken terwijl jij de rekeningen doorneemt. Dan zul je afwezig zijn haar beginnen te strelen. Hij protesteert of klaagt niet. Nee, hij legt zijn hoofd langzaam tegen je dij, je ziet zijn wimpers dichtfladderen – dan neuk je hem in zijn kleine rozenknopje, over het bureau heen neuk je hem!

De mok valt om, thee morst over het vernis, verslindt de brieven van de leden van zijn gemeente ...

Ha ha ha ha!

En de lucht vult zich met brandende wind, die kolkende stamppot van lichamelijkheid: dierlijk zweet, de stank van ongewassen lendenen, witte ogen die naar je omhoogrollen terwijl zwarte armen smachtend tegen de muren van de kerk rammelen, die piepkleine buitenpost van het fatsoen, zo lachwekkend onbenullig in de rusteloze hitte ...

Wat heb je het gemist, Jerome. Die stem, die Oude Bekende, is nu zo dichtbij dat de woorden die hij spreekt en zijn eigen gedachten bijna niet meer van elkaar te onderscheiden zijn. *Waarom zou je ontkennen wat er in je hart is? Waarom zou je jezelf het leven ontzeggen?*

De hitte! Hij voelt haar nu weer, alsof hij al in de hel was! Golven ervan, die door de metalen muren van zijn hut slaan, de hele nacht, die dromen en de woestijn versmelten tot een overrompelende carrousel, zweet doordrenkt de lakens en hij staat met het koude lemmet tegen zijn huid, tranen in zijn ogen terwijl hij God smeekt om de kracht om het te doen, om zichzelf eens en voor altijd te ontdoen van die immer bloeiende wortel van het kwaad, die bliksemschicht voor alles wat onzalig is ...

Maar je hebt het niet gedaan.

Hij heeft het niet gedaan – hij kon het niet!

Omdat je de waarheid kende.

Hij kon alleen maar wegvluchten uit Afrika, de poort naar die herinneringen, die vlammen van verlangen en hoe die werden geblust, met latten dichttimmeren! En sindsdien heeft hij ze elke dag horen ratelen.

Opendoen, Jerome.

Heeft hij niet gebeden dat die stem zou zwijgen? Heeft hij er niet om gebeden gezuiverd te worden? Heeft hij God niet gesmeekt hem het licht te laten zien, hem te geleiden naar het goede? En toch is er alleen het verlangen, de verleiding, de duivel die vanuit elke zandkorrel naar hem gluurt, vanaf elk weelderig, zinnelijk paar lippen. Van Christus nog niet de zwakste gloed van aanwezigheid, nog niet de vaagste verschijning in een droom, in bijna zeventig jaar geen spoor!

Je wist dat niemand het had gezien.

Hoe moet een mens die strijd winnen? Waar moet hij de kracht vandaan halen?

Het uur is gekomen, Jerome. Dit is mijn laatste geschenk aan jou. Je zult nog één keer een lijf tegen het jouwe voelen. Liefde. En daarna, misschien, vrede.

Hij hoort op de gang een bel gaan, deuren zich openen, duizend jeugdige voetstappen die de vrijheid tegemoet snellen.

Je sjokt door de gangen naar het kantoor van de pater, elke Loriloze stap voelt alsof je aan stukjes wordt gescheurd. Je haalt je mobiel tevoorschijn. Die staart leeg en kalm naar je terug. Je stelt je voor dat je bij haar bent en haar vertelt wat je vader heeft gezegd, misschien vertel je haar wel alles, en zij zegt lieve dingen, verstandige dingen. Het is maar een zwemwedstrijd, Daniel, niks bijzonders. Hé, maak je geen zorgen, D, alles komt goed. Je stelt je voor dat ze bij je is, een pleister op een wond.

WAAR BEN JE?

Je tikt het berichtje en wist het weer, je hebt al twee keer ingesproken op haar voicemail, er zijn regels voor dit soort dingen, je wilt niet wanhopig overkomen. Maar je bént toch wanhopig? En het niet-verstuurde bericht stuitert kwellend rond in je hoofd,

WAAR BEN JE WAAR BEN JE?

als een bijtende pingpongbal. Je loopt de trap af naar de kelder, langs Ruprechts laboratorium. Stilte achter de deur van de pater.

Dan is het vreemd genoeg even alsof je röntgenogen hebt, alsof je hem aan de andere kant ziet zitten wachten, een bidsprinkhaan die daar roerloos klaarzit. Je klapt je mobiel weer open. Ach, fuck it! Tikt het bericht in en verstuurt het,

WAAR BEN JE?

Je klopt op de deur.

'Kom binnen,' antwoordt de stem.

Je gaat naar binnen en ziet pater Green achter zijn bureau zitten, een porseleinen mok aan zijn getuite lippen en een klein zwart missaal tussen zijn vingers. 'Ach ja, Daniel, heel goed,' zegt hij. 'Doe de deur even dicht, wil je? We zijn vandaag maar met z'n tweetjes.'

Pok, pok, pok: als pingpong je sport is, dan is de recreatiezaal voor de onderbouw de plek waar je moet wezen. De tafel tikt als een dolgedraaide klok, terwijl de regerend kampioen Odysseas Antopopopolous, ondanks zware bijtwonden aan zijn enkel, alle uitdagers blijft verslaan.

De uittocht van kostschoolgangers voor het weekend is al lang uitgedruppeld; van degenen die zijn achtergebleven lopen sommigen haastig slaapkamers in en uit, lukraak aftershave sproeiend, en elkaar de avond in duwend; anderen hebben een alternatieve vorm van vermaak gevonden.

'Hé, Geoff, dit ben jij toen je vanmorgen je tanden stond te poetsen.'

'Hé, kijk, dat ben ik!'

'Hé, Victor, hier heb je Barton Trelawney die je voor je kop staat te rammen, weet je nog?'

'O ja!'

Mario, die in elkaar gedoken op een bankje zit, neemt de verzameling videofilmpjes op zijn telefoon door. 'Geoff, hier ben je weer, toen je spullen uit je kluisje stond te halen. Hé Dennis, hier sta jij tegen me te zeggen dat ik moet ophouden je te filmen.'

'Godverdomme, heb je geen porno op dat ding?'

Op dat moment gaat de deur open en Ruprecht komt de recreatiezaal in, met een schoolblazer aan, manchetknopen, en in het algemeen van top tot teen brandschoon.

'Hé, ziet er goed uit, Blowjob!'

'Waar ga jij heen, Ruprecht? Ga je de nonnen mee uit vragen?'

Terwijl hij een overtollige wolk haarlak over zijn stekeltjes spuit, doet Ruprecht de nieuwste versie van Operatie Valk uit de doeken, d.w.z. dat hij vermomd als zichzelf, Ruprecht Van Doren, aan de nonnen gaat uitleggen dat zijn natuurkundeproject, oftewel de capsule, door pestkoppen over de muur is gegooid, en gaat vragen of hij hem alsjeblieft terug mag hebben.

'Niet slecht,' vindt Dennis. 'Dat klinkt als iets wat nog kan werken ook.'

'Het gevaar is dat ze me misschien door het raam van de waskamer hebben zien ontsnappen,' zegt Ruprecht. 'Maar dat risico moet ik maar nemen.' Hij bekijkt zichzelf in de spiegel boven het fonteintje.

'Stelletje flikkers,' voegt Darren Boyce het groepje toe op weg naar de wc. Als hij naar buiten loopt, komt Skippy binnen; dat wil zeggen, hij staat plotseling in de deuropening, hoewel hij zo in de greep is van een tastbaar gevoel van gewicht dat je je moeilijk kunt voorstellen dat hij daadwerkelijk ergens naartoe beweegt, alsof hij onderhevig is aan een soort oerzwaartekracht waardoor hij zijn ledematen onmogelijk kan optillen. In zijn hand heeft hij, zinloos, een frisbee.

'Yo, Skipford, hoe was het voedselpakketten maken?'

'Je hebt je toch niet door pater Green laten palen, hè?'

'Ik hoop dat ie in elk geval eerst met je uit eten is geweest!'

Skippy sleept zich zonder te reageren over de drempel.

'Hé, wat moet je met die frisbee, Skip?'

'Wat is er met je afspraakje gebeurd?'

'Ze heeft net gebeld.' Voetstappen sloffen zombieachtig over het linoleum. 'Ze kan niet mee uit, ze is ziek.'

'Ziek? Wat heeft ze dan?'

Hij haalt zijn schouders op. 'Ze moet steeds hoesten.'

'Kut, zeg.'

'Da's klote.'

'Misschien kun je bij haar thuis langsgaan?'

'Ze klonk niet alsof ze dat wilde.'

'Ach, meisjes vertellen je nooit wat ze echt willen,' verklaart Mario. 'Dat is de eerste les in omgaan met meisjes. Je moet er gewoon naartoe gaan en haar een dikke kus geven.'

'En zelfs als je haar niet kunt zoenen, dan kun je in elk geval aan haar tieten zitten, toch?' stelt Victor Hero voor.

'Victor heeft gelijk,' beaamt Mario. 'Ik ben geen dokter, maar volgens mij is er nog nooit iemand ziek geworden van aan de tieten van een meisje zitten.'

'Je wordt eerder ziek van níét aan de tieten van een meisje zitten,' merkt Victor een tikje weemoedig op.

'Maar als je er geen zin in hebt,' zegt Geoff, omdat Skippy hier niet erg van lijkt op te vrolijken, 'dan kun je toch ook hier blijven? Waarom schrijf je je niet in voor tafeltennissen?'

'Of anders doe je mee aan een potje Russische roulette,' stelt Dennis voor. 'Ik speel het zelf met vijf kogels.'

'Of, hé ...' Mario klapt zijn mobiel weer open. 'Moet je kijken, Skip, hier heb je Geoff die zijn tanden staat te poetsen, zie je wel? En hier heb je een meeuw op het rugbyveld ... en hier alleen het rugbyveld, zonder de meeuw ... en hier kom jij binnen, weet je nog?'

'Mario, in godsnaam, dat is drie minuten geleden, natuurlijk weet hij dat nog.'

'Jawel, maar het filmpje ervan heeft hij nog niet gezien.'

'Mietjes,' zegt Darren Boyce, op de terugweg van de wc.

Doe je ogen dicht en de lucht is vol brandende vliegtuigen. De avond wordt veroorzaakt door ____________, hij knarst met zijn tanden, hij schraapt langs zijn armen. De lucht voelt als het haar van een meisje, de maan is een oog dat achteroverrolt in zijn kas, hier heb je een lekkere lolly bitch hoe vind je die je vond jezelf toch zo geweldig nu weet je dat je maar beter kunt doen wat ik zeg

Dat moet je niet zeggen, Carl. Janines stem zit in zijn hoofd, legt hem het Plan uit. *Je moet zeggen wat ik zeg. Dan doet ze alles wat je wilt*

de O is als een roze mond die wijd openstaat en zich straks als een hand om je sluit en schrijnt tegelijk als snijwondjes op je arm het grijze dak als kraters op de maan de lucht suist en wiebelt alsof je net een vette lijn hebt gesnoven vind je dat lekker slet smaakt het hoeveel pillen wil je hiervoor hebben

Wat wil je dat ze doet? Wil je dat ze aan je pik zuigt?

Zo?

O mijn god.

Het Plan werkt ze komt naar hem toe gewikkeld in een trui met capuchon en een sjaaltje om Daniel mag me niet zien *Het is zo lang geleden zeg maar* Het is zo lang geleden *en dan Wat zie je er mooi uit* Wat zie je er mooi uit ze pakt je hand en haar vinger streelt langs de snijwondjes als een tong Waarom doe je dat Omdat ik me

verveel denk je maar je zegt Omdat ik je mis ze begint te huilen
Dan zeg je dat je van haar houdt
Zo
Ik hou van je
gisteren in de kas van Janines oma Hoort dit bij het Plan? een geheim onderdeel het kon hem niet schelen
Ik hou van je, Carl, ik hou van je
op z'n hondjes in de aarde tussen de planten en lege miniatuurflesjes gin met vaseline zodat het geen pijn doet Het doet toch pijn Nou hier heb je iets wat nog meer pijn doet BAM dat verdient ze ze kotst gin tussen de planten van haar oma na afloop zette je de verwarming uit zodat de planten doodgaan
Ik hou van je, zeg je
O, Carl!
Het Plan werkt als een zonnetje de rits gaat naar beneden
Ik hou ook van jou
Ha ha slet de smaak die je in je mond proeft is het kontje van je vriendin jij wint de grote prijs daar komt ie – dat zeg je niet
om je heen is de avond ijskoud smelt
de spleetogen van die poepchinees aan het eind van een lange, zwarte loop
de O staat zo helder aan de hemel brandt van de napalm
'alles ruikt naar benzine en met het afgezaagde geweer nee met een vlammenwerper maak je die spleetoog af hij valt door de deur met een afgebrand gezicht en dan naar de school je laat de vlammen de hal in spuiten lichamen buitelen ogen huilen bloed iedereen leraren Zuster Barry Mark Lori Daniel nee wacht voor jou heb ik een speciaal plan ze weet niet haar in haar gezicht schieten met HET GROOTSTE GEWEER VAN DE HELE WERELD …
Mmmf Lori's hoofd komt omhoog tussen je benen kokhalst en ze draait zich om om haar tas te pakken er druipen klodders geil op je spijkerbroek van Diesel ze heeft een Kleenex in haar hand gaat ze het gewoon uitspugen? je linkerhand schiet naar voren en pakt haar bij haar kaak ze wriggelt rond doet *mmmf mmmf* tot je haar uiteindelijk hoort slikken en je ziet haar keel op- en neergaan laat haar los ze gaat weer zitten en veegt haar ogen af, snikkend, waarom deed je dat?
Je hoofd voelt nu zo zwaar en slaperig

Waarom ben je toch zo'n klootzak?
en dan ziet ze het mobieltje in je hand, ze verstijft, en haar groene ogen worden groot: 'Waar ben jij verdomme mee bezig?'
Niks, je kijkt haar niet eens aan
en plotseling duikt ze als een wilde kat boven op je en ze schreeuwt zo hard ze kan en krabbelt en graait probeert erbij te komen hoewel het al te laat is ha ha ha en je duwt haar terug en weg schreeuwt zo hard je kunt hou je bek trut hou verdomme je bek rothoer

'Hé, iemand heeft me een videobericht gestuurd!' roept Mario uit, en hij springt van zijn stoel. 'Ha ha, zie je nou, pummel, iemand heeft me een videobericht gestuurd! Ik zei toch dat die telefoon geen geldverspilling was?!'
'Van wie komt 't, Mario?'
'Geen nummer,' leest Mario. 'Maar wie het ook is, hij heeft goed spul. Moet je kijken.' Vier hoofden verzamelen zich gretig rond de telefoon, botsen tegen elkaar op als onhandige manen.
'O-ho-ho! Dat lijkt er al meer op!'
'Wat is het? Ik kan het niet zien.'
'Ja, ga eens opzij, Victor ... Holy shit, hé Skip, moet je zien.'
Het beeld is gruizig en donker, maar daar, midden in beeld, in een maalstroom van schaduwen, is een gepixeld gezicht te zien dat vastzit aan een anonieme penis.
'Wauw, dat wijf weet er wel raad mee.'
'Dat is mijn soort vrouw,' zegt Mario goedkeurend.
'Is dat je moeder niet, Mario?'
'Flikker op, Hoey.'
'Flikker jíj maar op, je kunt het niet eens goed zien op die stomme telefoon van je.'
'Nou, dan kijk je toch niet, dan genieten wij wel van deze porno.'
'Lekker wijf ... Je kunt het niet goed zien en zo, maar volgens mij is het een lekker wijf.'
'Hou je kop, hij gaat zo – daar komt het ... O ja! Pak aan, bitch!'
Hij spuit, gejuich vermengd met teleurstelling. 'Waarom spoot hij niet in haar gezicht?' 'Er kwam wel wat op haar gezicht.' 'Jawel, maar ik zou alles op haar gezicht spuiten.' 'O, tuurlijk, als je een jaar of honderd bent, eindelijk je spaarvarken open hebt gekregen en naar een of ander smerig straathoertje gaat, zeker?'

'Speel nog eens af, Mario.' De menigte om de telefoon heen is nu aangezwollen tot de hele zaal. Iedereen schreeuwt aanmoedigingen terwijl het korrelige gezicht, niet veel groter dan een vingernagel, aarzelend weer aan de slag gaat.

'Hé ...' Iemand – Lucas Rexroth – steekt een vinger uit. 'Wat is dat op de achtergrond?'

'Waar?'

'Daar, in de hoek, zie je? Dat ringding?'

'Ik weet het niet, een bord of zo?'

'Het lijkt een beetje op ...'

Maar daar komt de rommelige finale weer, en de jongens juichen alsof er wordt gespeeld om de rugbybeker en Seabrook zojuist een try heeft gescoord.

Het is vanavond precies elf jaar geleden dat Guido LaManche, de in hawaïshirt gehulde paria van de eindexamenklas van Seabrook, Ed's Doughnut House binnenkwam en zijn voorstel deed.

'Ze noemen het "bungeejumpen",' zei hij. 'In Australië doen ze het al jaren.'

'Waarom?' vroeg Farley.

'Hoe bedoel je, "waarom"?'

'Waarom zou je jezelf van een klif gooien met een stuk elastiek aan je benen?'

Het Doughnut House was een paar weken daarvoor net geopend; Guido's olijfkleurige huid glom door de lampen toen hij zich omdraaide naar Tom en zijn entourage aan het volgende tafeltje – Steve Reece, Paul Morgan en een trio zachtharige meisjes van St. Brigid's die eruitzagen alsof ze net uit hun verpakking waren gehaald – en met een spottend gebaar, de handpalmen omhoog, zei: 'Omdat het spannend is, daarom. Zodat je als je een grijze ouwe zak bent die in zijn soep zit te kwijlen, in elk geval iets hebt om je eraan te herinneren dat je ooit hebt geleefd. Serieus, je hebt nog nooit zo'n kick gevoeld. Het is net zoiets als seks tot de duizendste macht verheven – wat goed is, trouwens.' Hij werpt een vluchtige blik op Farleys tafeltje en wordt beloond met een lach van de sportieve types.

'Het klinkt gevaarlijk,' zegt een van de in kasjmier gehulde meisjes twijfelend.

'Reken maar dat het gevaarlijk is. Wat is er nou gevaarlijker dan een afgrond van driehonderd meter inspringen? Maar het is tegelijkertijd honderd procent veilig, vanwege dat elastische touw en het harnas, begrijp je? Ik heb het persoonlijk al vijftig keer getest, en het is volkomen waterdicht. Hoewel het misschien niet iets voor dames is.' Hij werpt weer een sluwe, theatrale blik op de plek waar Farley zit met Howard en Bill O'Malley. 'En ook niet voor alle heren.'

Guido LaManche was, hoewel hij was gezakt voor elk examen waar hij ooit aan had deelgenomen, een waar genie als het ging om de psychologie van de puberjongen: zelfs als je wist dat hij je bespeelde, was het onmogelijk weerstand te bieden. 'Nou, waar gebeurt dat dan?' zei Farley, en hij zette zijn cola met een dreun op het tafeltje. 'Waarom laat je het ons niet eens zien, in plaats van dat je er alleen maar over zit te praten?'

Hierop aarzelde Guido en vouwde zijn handen als een kapelaan. 'Als iemand denkt dat ie klaar is voor de ultieme uitdaging, dan breng ik hem er nu persoonlijk heen. Het enige wat ik daarvoor terugvraag is een kleine tegemoetkoming in de onkosten – laten we zeggen twintig pond de man?'

'Twintig pond?!' sputterde iemand ongelovig. Maar Farley stond al.

Howard greep hem bij zijn arm. 'Wat doe je nou?'

'Dat wil ik weleens zien,' antwoordde Farley.

'Ben je gek of zo?'

'Hier is toch niks te beleven. Straks zitten we hier de hele avond, laten we wel wezen, zonder met meisjes te praten. En trouwens, jullie hoeven niet mee.' Hij draaide zich om, graaide in zijn zakken tot hij een briefje van twintig vond. 'Ik doe mee,' zei hij, en hij legde het met een klap in Guido's handpalm.

'Oké dan!' zei Guido. 'Er is hier vanavond in elk geval één dappere ziel.'

Tom, Steve Reece en de anderen keken elkaar ontsteld aan.

'Ga nú nou niet,' smeekte een blonde stem. 'Het is net de Noordpool buiten.'

Maar de vernedering overbluft te worden door een nerd was te groot; er werden al jassen aangedaan, sjaals om nekken geslagen, en voor Howard het wist, zat hij met twee blonde meisjes op de achterbank van Toms Audi gepropt en reden ze over de tweebaansweg achter Guido's brommer aan.

Ondanks zijn bedenkingen kon hij een golf van opwinding niet onderdrukken. Eerder die week had Tom vijf try's gescoord in de wedstrijd om de Paraclete Cup tegen St. Stephen's; Howards eigen vader, die zelden interesse toonde in enig aspect van de wereld dat niet door een pondteken vooraf werd gegaan, was toen hij thuiskwam lyrisch over die 'wonderjongen' over wie iedereen het had, en zijn vooruitzichten om volgende maand tijdens de Cup Final een eind te maken aan de reeks van vijf jaar dat Seabrook de cup niet had gewonnen. Zelfs als hij half slapend in een lullig klaslokaal zat, straalde Tom onverschrokkenheid uit, vitaliteit, het gevoel dat er elk moment iets kon gebeuren; hij bewoog zich met brede, krachtige schreden, sloeg zich moeiteloos door de complicaties en aarzelingen heen waar het leven voor de meeste mensen uit bestond. Howard zag hem als een soort anti-Howard, een bliksemschicht die contrasteerde met Howards zich immer verspreidende mist. En nu zat Howard in zijn auto!

Hij zou al tevreden zijn geweest als hij daar gewoon de rest van de avond mocht blijven; het was er warm, en zijn dijbeen zat van zijn heup tot zijn knie tegen het blonde meisje naast hem aangedrukt – ze heette, dacht hij, Tarquin, en ze was Toms vriendin, of was dat in elk geval geweest. Maar na tien minuten sloeg het rode oog van de brommer van de tweebaansweg af en reed door een reeks donkere, steeds smaller wordende straatjes; toen ging hij door een poort en kwam sputterend tot stilstand op een onverlicht parkeerterrein omgeven door door de storm verwaaide bomen. Guido stapte, zilvergekleurd door de koplampen van de auto's, af, zette zijn helm af en begon zijn haar met een kammetje te ordenen tot het gebruikelijke nest van krullen.

'Zijn we er allemaal klaar voor?' vroeg hij vrolijk toen de tweede auto was gestopt en iedereen was uitgestapt. Farley deed nonchalant, rookte een van Steve Reece' sigaretten. Howard probeerde zich voor te stellen dat hij zich van een klif wierp. Misschien kon het hem nog uit zijn hoofd worden gepraat als hij het goed aanpakte. Jaren van zorgvuldig handelen in zijn eigen belang hadden Howard geleerd dat je in bijna elke situatie een achterdeur had, waar je als verstandig mens discreet doorheen kon schieten.

'Het is verdomme ijskoud,' zei een karamelblond meisje vanuit de andere auto, met haar handen onder haar oksels.

'Waar zijn we eigenlijk?!' vroeg Tarquin, die vol walging om zich heen keek naar de parafernalia van de Natuur.

'Killiney Hill,' vertelde Bill O'Malley haar.

'Kom op.' Guido was al half verdwenen in de schemerige bomenrij. Het gezelschap liep vloekend achter hem aan.

In de verte, op de top van de heuvel, stak het silhouet van een obelisk uit als het puntje van een vulpen die een wolkerige handtekening zette onder het schimmige contract van de avondlucht, een geheim pact tussen de wereld en de duisternis. Toen hij jonger was, had Howard verhalen gehoord over satanisten die hier kwamen om zwarte missen op te voeren. Vanavond hoorde hij niet veel meer dan de wind en het vochtige knappen van twijgen onder zijn voeten.

Ze kwamen bij een splitsing en liepen noordwaarts naar de kust, het park uit, de compacte wildernis daaromheen in. Het pad liep steil omhoog tot de bomen terugweken en er alleen nog gras, rotsen en heide waren.

'Dalkey Quarry,' kondigde Guido aan, zijn stem verheffend om boven de wind uit te komen. 'Een bijna verticale afgrond van zo'n honderd meter tot de grond. Het is niet de Grand Canyon, maar geloof me, jullie zullen merken dat het hoog genoeg is.'

Ze gluurden en masse over de rand. De rotswand dook snel de schaduwen in, lang voor hij bij de grond was.

'Dat kun je niet menen,' zei het platinablonde meisje.

'Ik zei toch: het is honderd procent veilig!' wierp Guido geërgerd tegen, puffend terwijl hij een metalen harnas onder een inham in de gaspeldoorns vandaan sleepte. 'Ik heb zelf al een keer of twintig gesprongen.'

'In de pub zei je nog dat je 't vijftig keer had uitgeprobeerd,' zei Tarquin ijzig.

Guido rolde met zijn ogen. 'Ik heb het niet getéld, jezus christus. Het was vaak, oké? Vertrouw me nou maar gewoon.'

Ze staarde hem lang aan, met haar armen voor zich gevouwen, terwijl Guido deed alsof hij volledig opging in het ontwarren van het touw; toen liep ze wankelend weg, naar Tom, die met een opgewekt gezicht naar de woordenwisseling had staan luisteren terwijl hij een sigaretje rookte en uitkeek over de lichtjes van de Southside, de exclusieve postcodes die je vanaf de kustlijn tegemoet sprankelden – zijn wereld, dacht Howard.

'Ik maak me gewoon zorgen dat je iets krankzinnigs gaat doen,' kweelde ze, terwijl ze smekend over zijn kin wreef.

'Het is gewoon een lolletje,' zei Tom. 'Maak je niet druk.'

'Proost, Tommo!' Er glinsterde iets door de lucht: een heupflesje dat door Paul Morgan naar hem toe werd gegooid. Tom nam een slok, hapte naar adem, en gooide het toen naar Steve Reece.

'Nou, ik ga hier niet staan kijken hoe jij zelfmoord pleegt,' besloot Tarquin ontstemd. 'Ik ga weer naar beneden en wacht wel in de auto.'

'Ik ook,' zei het platinablonde meisje.

'Best!' riep Guido, met het touw knielend bij een boomstam. 'Ga maar!'

'Wacht!' Het karamelblonde meisje struikelde achter hen aan toen ze het pad af marcheerden.

Farley stond aan de rand van de steengroeve met een ondoorgrondelijke uitdrukking op zijn gezicht naar de afgrond te kijken. Toen hij weer over de rand gluurde, leek de diepte in Howards ogen nog dieper geworden. 'Weet je heel zeker dat je dit wilt doen?'

'Hé, Farley, proost!' riep Steve Reece. Farley draaide zich net op tijd om om de heupfles tegen zijn buik te drukken. Hij keek er even met een lege blik naar, woog hem in zijn hand. Toen draaide hij hem open en dronk eruit tot hij hoestte. 'Geef die jongens ook wat,' instrueerde Steve Reece.

Farley gaf de heupfles naar adem happend door aan Howard. 'Ik denk dat het wel leuk wordt,' zei hij met een whiskyfalsetstem.

'Wij doen het ook,' zei Bill met zware stem. Howards keel was dichtgeknepen door de alcohol; hij kon alleen maar knikken.

Ze liepen naar de plek waar de anderen stonden te wachten tot Guido klaar was met zijn voorbereidingen. Metalen voorwerpen klingelden in zijn handen. 'Bijna klaar ...'

'Wat doen jullie nou?' riep Tom geamuseerd over zijn schouder. Howard draaide zich om en zag de omtrek van het kluitje meisjes aan het eind van het pad staan.

'We willen niet alleen door het bos lopen,' piepten ze terug. 'Dus we wachten hier wel.'

Tom slaakte een bulderlach. 'Meisjes!' zei hij, en hij ontblootte zijn tanden naar Howard.

'Ja,' antwoordde hij met onvaste stem.

'Alles staat klaar.' Guido, met in zijn handen iets wat eruitzag als een dwangbuis met een oranje touw eraan, kwam overeind, begeleid door gehoorzaam gejoel van opwinding uit het groepje jongens, dat de wind al leek op te slokken voor het hun mond had verlaten. 'Voor we verdergaan, zal ik jullie bijdragen moeten ontvangen, heren.' Zijn befaamd slangachtige ogen schoten van het ene gezicht naar het andere. 'Twintig pond de man.'

Toen ze in hun portefeuille keken, realiseerden Bill en Howard zich dat ze niet genoeg geld bij zich hadden. Howard zag heel even een ideale uitvlucht. Toen kwam Tom tussenbeide en stelde voor het bedrag voor te schieten. Steve Reece deed hetzelfde voor Bill. 'Dank je,' mompelde Howard. 'Je krijgt het van de week van me terug.'

'Dat komt wel goed,' zei Tom.

De briefjes verdwenen in Guido's achterzak. Howard dacht in zijn stem een spoortje van een huivering te horen. 'Wie gaat er eerst?'

Niemand zei iets. Howard was druk bezig met in de afgrond turen, ongeveer zoals hij altijd naar zijn vingernagels staarde als de leraar tijdens de les een vraag stelde, tot hij er misselijk van begon te worden en een stap achteruit deed. Guido hopte van de ene voet op de andere.

'Wat is er? Het is echt honderd procent veilig. In Australië doen ze het al jaren. Maar als jullie te bang zijn – geen probleem, hoor. Dan gaan jullie maar staan wachten bij de meisjes.'

Nog steeds reageerde er niemand. De zee sloeg tegen de rotsen; nachtvogels krijsten; de wind gierde spottend.

'Jezus christus!' riep Guido uit. 'Wat is het probleem? Zijn jullie mietjes of zo?'

'Fuck it ...' Tom deed een stap naar voren en greep het harnas. Maar Steve Reece had op precies hetzelfde moment hetzelfde idee, en nu brak er een luidruchtige ruzie los over wie er als eerste zou gaan.

Uiteindelijk werd er besloten dat de eerlijkste oplossing zou zijn dat ze lootjes trokken om te bepalen wie dat voorrecht had.

Tom haalde een duur uitziende pen uit zijn jasje en schreef hun zes namen op een flyer van een Indiaas restaurant. Zelfs in zijn slordige handschrift zag het lijstje eruit als iets onheilszwangers; niemand zei iets toen hij het aan Guido gaf, die het in strookjes scheurde, de strookjes opvouwde tot propjes en ze in zijn helm liet vallen. Hij deed zijn ogen dicht, reikte erin en plukte er een balletje uit. De jongens trokken allemaal een gezicht van gapende onverschilligheid. Guido vouwde het strookje papier open en strekte zijn handpalm uit, zodat iedereen het kon zien:

'Geweldig,' zei Howard stijfjes.

Guido pakte het rinkelende harnas op.

'Succes,' zei Bill O'Malley. Farley knikte zwijgend, terwijl hij Howard bijna karikaturaal schuldbewust aankeek.

De anderen gaven een stomp tegen zijn schouder en zeiden met gespannen stem: 'Goed zo, Fallon, gefeliciteerd.'

Howard tilde verdwaasd zijn armen op en het harnas werd om hem heen vastgemaakt. Guido gaf naast hem de laatste instructies: '... elastisch ... laatste moment ... adrenaline ...' Maar hij was zich alleen nog bewust van zijn verdoofde vingers en het woeste gebons van zijn hart, de wind die beneden stormde als een verwond beest, en de sombere, versteende gezichten van de andere jongens, die verontrustend veel leken op een rij rouwenden bij zijn begrafenis ...

'Maak je geen zorgen.' Guido dook weer op in zijn blikveld. 'Er kan onmogelijk iets misgaan.'

Howard knikte en stommelde, als een man die net uit de diepvriezer was gestapt, naar de rand.

De afgrond bij zijn tenen gaapte en kolkte, een onverschillige duisternis die geen enkel verband hield met iets aards, maar eerder met een of andere angstaanjagend letterlijk geworden toestand die net buiten het bereik van het menselijk bevattingsvermogen lag ...

'Klaar ...' Guido stond vlak naast hem.

Die afgrond, realiseerde hij zich in een flits, leek op zijn eigen toekomst ...

'En ... nu!'

Howard verroerde zich niet.

'Wat is het probleem?' vroeg Guido.

'Niks, ik heb alleen even nodig ...' Hij boog zijn knieën, een karikatuur van een duiker.

'Wil je een duwtje?' stelde Guido voor. Howard deed onwillekeurig een stap opzij, bij hem vandaan, en hief afwerend zijn hand op. 'Wat nou?' zei Guido. 'Ga je nou springen of niet?'

'Oké, oké ...' Howard liep terug naar de rand, deed zijn ogen dicht, klemde zijn kaken op elkaar.

De wind in de bomen, op de rotsen, als het lied van een sirene.

'Wat is er aan de hand?' De meisjesstem klonk alsof hij van de andere kant van de wereld kwam.

'Fallon wil niet springen,' zei Steve Reece. 'Kom op, Fallon, in godsnaam. Mijn kloten vriezen eraf hier.'

'Ja, Fallon, kom op.'

'Hij hoeft niet te springen, als hij niet wil,' hoorde hij Farley zeggen.

'In godsnaam!' herhaalde Steve Reece met zware stem – en toen sleepte een hand hem weg van de steile rotswand.

'Ík ga wel. Jezus christus.' Tom maakte het harnas los; Howard liet hem zijn gang gaan, zoog lucht naar binnen alsof hij uit zee was gehaald, stommelde toen hij eenmaal los was op zwabberbenen weg en zeeg op een lapje gras op veilige afstand ineen, nog te gedesoriënteerd om zich te schamen.

'Jezus christus, Fallon,' zei Paul Morgan. 'Wat ben jij een mietje.'

'Howard de Lafferd,' zei Tom, terwijl hij zich in het harnas wurmde.

'Howard de Lafferd!' lachte Steve Reece verrukt.

In de verte hoorde hij het gelach van de meisjes, als het getsjilp van bosdieren, en hij gloeide van vernedering, had het gevoel dat hij dan eindelijk was ontmaskerd, dat er was onthuld wat hij eigenlijk was.

'Gaat er vanavond niemand springen?!' Guido deed alsof het voorval een persoonlijk affront was. 'Moet ik jullie dan maar gewoon naar huis brengen?'

'Kalm aan, LaManche.' Tom had de riem van het harnas vastgeklikt en stapte nu naar voren om de afgrond te bezien. 'Is alles klaar?' vroeg Guido. 'Juist,' zei Tom opgewekt, en hij wierp zich over de rand.

De anderen bogen zich naar voren om getuige te zijn van zijn afdaling, zijn gespierde lichaam dat binnen een paar seconden zo klein werd als een speelgoedje terwijl het door de ruimte viel, recht naar beneden, zonder te draaien of te keren, en met een doffe dreun de grond raakte.

Even reageerde er niemand: ze bleven gewoon boven de afgrond gebogen staan, keken neer op die piepkleine, gevallen, kleurige stip die roerloos op de bodem lag. Toen zei Guido geluidloos: 'O, shit.' En vanaf hun plek aan de rand van de bomen begon een van de meisjes te gillen.

Elf jaar later, twee uur na zijn laatste les, spookt Howard nog steeds door de school. Eerst woont hij een vergadering bij over het aanstaande Pater Desmond Furlong Herdenkingsconcert, waar hij voornamelijk aan bijdraagt met hoofdknikken en onduidelijke keelschraapgeluiden; vervolgens installeert hij zich in de lerarenkamer, waar hij, zijn voordeel doend met de stilte, opstellen van een hele klas nakijkt over de Land Acts, waaraan hij nauwgezette persoonlijke kritiek en advies voor toekomstige projecten toevoegt. Hij is verdergegaan met mogelijke vragen voor het kerstexamen van de vierde klas als de schoonmaker nadrukkelijk onder zijn voeten begint te stofzuigen. Hij erkent zijn nederlaag en sluipt stilletjes naar de deur.

Het is vrijdag, en Farley heeft regelmatig sms'jes gestuurd vanuit de Ferry, die Howard heeft genegeerd; Tom is er vast bij, en uitgerekend vanavond zou hij hem liever ontlopen. Maar als hij bij zijn auto komt, realiseert hij zich dat zelfs het vooruitzicht tot moes te worden geslagen aanlokkelijker is dan alweer een avond in zijn eenzame huis. Misschien kan hij zich ongezien in een hoekje verschansen? Het is het proberen waard. Hij stopt zijn sleutels in zijn zak, en keert zich om richting pub.

Het is na zessen, en bijna al zijn collega's zijn, om met henzelf te spreken: 'goed geolied.' Tot Howards ontzetting staat Farley met Tom te praten, opvallend opgewonden en te hard lachend. Hij salueert stijfjes naar ze en loopt naar het zitje, waar zich een klein gezelschap heeft verzameld rondom Finian Ó Dálaigh, de herstelde aardrijkskundeleraar, die net halverwege een tirade is over die klootzakken van het ministerie voor Onderwijs. 'Die klootzakken doen niks anders dan in hun fraaie overheidsgebouwen slagschipje zitten spelen. Ik wil die gasten weleens zien als ze vierhonderd maniakken onder controle moeten houden die over een grindveld lopen te rennen ...'

'H-bom.' Farley verschijnt naast hem. 'Waarom kwam je niet naar me toe?'

'Je stond te praten met ...' Howard knikt heimelijk over zijn glas richting Tom, die aan de bar met zijn rug naar hen toe staat te wachten.

'Nou en?' zegt Farley. 'Hij bijt je heus niet, toch?'

Howard gaapt hem aan. 'Hoe weet jij dat nou? Weet je niet wat voor dag het vandaag is?'

'Vrijdag?'

'Het is de dag van het ongeluk, sukkel. Precies elf jaar geleden.'

'Ach ...' Farley maakt een wegwerpgebaar bij het idee. 'Ik zweer het je, Howard: behalve jij is geen mens zich daarvan bewust. Vergeet het toch, in godsnaam. Je hebt al genoeg om je zorgen over te maken.' Hij drinkt zijn glas leeg en zet het neer op een nabijgelegen richel. 'Aha, perfecte timing,' zegt hij terwijl Tom naast hen gaat staan en hem een biertje aangeeft.

'Sorry, Howard,' zegt hij. 'Wil jij er ook een?'

'Ik heb nog,' mompelt Howard.

'Die is bijna op – pardon.' Tom pakt de serveerster vast en bestelt nog een biertje. Dit is het eerste drankje waar hij hem ooit op heeft getrakteerd; Howard trekt verbijsterd zijn wenkbrauwen op. Farley haalt zijn schouders naar hem op. Nou ja, misschien heeft hij ook wel gelijk, denkt Howard, misschien is hij wel de enige die zich aan het verleden vast blijft klampen, die obsessief de kalender in de gaten heeft gehouden. Tom is vanavond in elk geval duidelijk in een betere stemming dan hij de laatste tijd is geweest – ontspannen en joviaal, zij het niet direct nuchter. Howard is degene die stijf en terughoudend blijft doen, niet op zijn gemak raakt; hij is dankbaar als Jim Slattery aan komt kuieren.

'Ik moest laatst nog aan je denken, dat je *Dolce et Decorum est* behandelde in de vierde klas. Dat gedicht ken je vast nog wel, van Wilfred Owen ...?' Hij brengt zijn hoofd orakelachtig naar achteren: '"*Dim, through the misty panes and thick green light / As under a green sea, I saw him drowning ...*" Daar kan die Graves nog een puntje aan zuigen, niet? Verdrinken aan land. Een heel treffend beeld. Mosterdgas,' legt hij de anderen uit. 'Daar is Hitler nog mee bestookt in de Eerste Wereldoorlog, hoewel die ploert er niet dood aan is gegaan.'

'Aha,' zegt Farley.

'Owen heeft het trouwens opgedragen aan een lerares. Een vrouw die Jessie Pope heette en chauvinistisch kreupelrijm had geschreven waarin ze jongelui aanspoorde zich aan flarden te laten schieten. "Wie is er klaar voor het spel?" en dat soort onzin.' Hij zucht boven zijn gingerale. 'Geen wonder dat die jongens niet meer naar hun leraren luisteren.'

'Dat zou nu nooit meer gebeuren,' beaamt Howard bits.

'Dat doet me eraan denken. Je zei laatst iets over een van je jongens die een voorouder had opgedoken die in de oorlog had gevochten. Dat leek me een heel interessant project voor ze – achterhalen wat hun eigen voorvaderen in de oorlog deden, bedoel ik.'

'Ja,' zegt Howard nietszeggend.

'Ze zullen natuurlijk aardig wat moeten spitten als ze iets van betekenis boven tafel willen krijgen. Dingen over de oorlog vastleggen was in Ierland niet al te populair, dat weet je zelf ook. Maar dit is waarschijnlijk de eerste generatie die zelf research zou kunnen doen – dus je zou op allerlei manieren baanbrekend werk verrichten.'

'Dat zou zeker interessant zijn,' zegt Howard. En waarschijnlijk is dat ook zo; maar in zijn dubbele eenzaamheid heeft hij de laatste paar dagen moeilijk enthousiasme kunnen opbrengen voor wat dan ook, zelfs niet voor de lessen waar hij zo van genoot.

'Nou ja, het is maar een idee,' zegt de oudere man. 'Je hebt zelf vast genoeg te behandelen.' Hij kijkt op zijn horloge. 'Sodeju – ik moet maar eens naar huis, anders staat het vuurpeloton me op te wachten. Succes, Howard.' Hij tikt op het handvat van zijn schooltas naar de anderen: 'Tot maandag, heren.'

Howard draait zich met een bedroefd gezicht weer om naar Farley en Tom, die verwikkeld zijn in een discussie over de kansen van de zwemploeg van de onderbouw bij de wedstrijd in Ballinasloe van morgen. Tom wordt met de minuut dronkener, gebaart zo uitgebreid dat hij op een bepaald moment het glas van Peter Fletcher achter hem finaal uit diens handen slaat, hoewel dat op de een of andere manier niet kapotvalt en Tom doorgaat zonder het zelfs maar op te merken, terwijl Fletcher stoïcijns terugloopt naar de bar. Howard besluit zijn voorbeeld te volgen, omdat hij niet met Tom achter wil blijven, mocht Farley weggeroepen worden.

Hij baant zich een weg door de glinsterende vrijdaggezichten, de van alcohol doordrenkte gesprekken die in kringetjes ronddraaien. Het ligt niet alleen aan Tom; sinds Halley weg is, zijn al die uitwisselingen, de talloze kleine sociale interacties waar de dag uit bestaat, onmogelijk moeilijk geworden. Hij zegt steeds de verkeerde dingen, vat wat anderen zeggen verkeerd op; het is alsof de wereld een fractie is geherkalibreerd, waardoor hij nu chronisch uit de pas loopt. In het soort stemming waar hij nu in verkeert, zou zijn lege huis misschien toch beter zijn. Hij bestelt een drankje voor Farley en Tom en slaat zelf over met als excuus dat hij nog moet rijden, hoewel hij met twee biertjes achter de knopen al ver over zijn taks zit.

Buiten de overvolle pub is het een heldere avond, en als hij terugloopt naar de school, voelt hij zich weer meer zichzelf. De donkere, door vorst bespikkelde sportvelden, omzoomd door laurierbomen, glinsteren om hem heen, en het silhouet van de Toren doemt op aan de andere kant van de verlaten binnenplaats alsof het opduikt uit het verleden. Hij doet de auto open en blijft even in de strenge gloed van het door de maan beschenen schoolterrein staan voor hij de sleutel omdraait in het contact.

En dan staat er ineens een jongen voor zijn auto. Hij verschijnt uit het niets en vlamt fosforescerend op in de koplampen – Howard geeft een slinger aan het stuur, mist hem maar net, schiet het trottoir op en komt tot stilstand op het gemanicuurde gazon dat de woonvertrekken van de paters omgeeft, waar hij scheef in het koude interieur blijft zitten, terwijl het bloed suist in zijn oren en hij niet zeker weet wat er zojuist is gebeurd. Dan zet hij de motor uit en klimt uit de auto. Tot zijn ongeloof – tot zijn woede – loopt die jongen vrolijk verder, de laan af.

'Hé!'

De gestalte draait zich om.

'Ja, jij, ja! Terugkomen!'

De jongen komt met tegenzin teruglopen. Als hij dichterbij komt, wordt een spierwit gezicht zichtbaar. 'Juster?' zegt Howard ongelovig. 'Jezus christus, Juster, waar ben jij nou mee bezig?! Ik reed je bijna ondersteboven.'

De jongen kijkt hem onzeker aan, kijkt dan naar de auto, die op het gras staat, alsof hem wordt gevraagd een raadsel op te lossen.

'Het scheelde zó'n stukje of ik had je aangereden,' schreeuwt Howard, terwijl hij de afstand met duim en wijsvinger aangeeft. 'Wil je dóód of zo?!'

'Sorry,' zegt de jongen werktuiglijk.

Howard knarst met zijn tanden, waarachter hij een verwensing binnenhoudt. 'Als ik je had geraakt, dan had je pas echt iets gehad om spijt van te hebben. Waar kom je verdomme vandaan trouwens? Waarom zit je niet in de studiezaal?'

'Het is vrijdag,' zegt de jongen, met die gekmakende monotone stem.

'Heb je toestemming om buiten de poort te zijn?' zegt Howard, en dan ziet hij dat de jongen, surrealistisch genoeg, een witte frisbee in zijn hand heeft. 'En wat doe je daarmee?'

De jongen kijkt hem blanco aan, volgt dan Howards vinger naar de plastic schijf in zijn eigen hand, schijnbaar verrast die daar aan te treffen. 'O – eh, ik wilde gaan frisbeeën.'

'Met wie dan?'

'Eh ...' De jongen tuurt het asfalt af, brengt een hand naar zijn hoofd. 'In mijn eentje.'

'In je eentje,' herhaalt Howard sardonisch. Greg had gelijk: er is iets ernstig mis met die jongen. Iemand moet hem eens goed de waarheid vertellen. 'Vind je het niet een beetje raar om in het donker te gaan frisbeeën, in je eentje?'

De jongen geeft geen antwoord.

'Begrijp je dan niet ...' – Howard voelt zijn woede aanwakkeren – '... dat er een goede en een foute manier is om de dingen te doen? Je maakt deel uit van een gemeenschap, de gemeenschap van deze school. Je bent geen eiland dat gewoon ... gewoon maar kan doen wat het wil. Hoewel, ik zal je dit zeggen: als je een eiland wilt zijn, als je een of andere geïsoleerde gek in de marge wilt zijn, dan heb je gelijk natuurlijk. Ga vooral zo door, meneertje! En voor je het weet steken mensen de straat over om je te ontlopen. Is dat wat je wilt?'

De jongen zegt niets, gaat alleen maar in elkaar gedoken staan, blijft naar de grond staren alsof hij zijn weerspiegeling in het asfalt kan zien; maar zijn ademhaling heeft dat snufferige gekregen dat voorafgaat aan tranen. Howard rolt met zijn ogen. Als je ook maar iets tegen die jongens zegt, storten ze meteen in. Het is onmogelijk,

onmogelijk. Plotseling voelt hij zich leeg, alsof de uitputting van deze achtbaanweek hem in een enkele golf heeft getroffen.

'Oké, Juster,' geeft hij zich over. 'Ga maar naar binnen. Een fijn weekend. En in godsnaam, als je wilt frisbeeën, zoek dan iemand die dat met je wil doen. Serieus, mensen krijgen de rillingen van je.' Hij loopt terug naar zijn auto, doet het portier open. Maar Juster blijft staan waar hij staat, zijn hoofd gebogen, terwijl hij de frisbee door zijn vingers laat gaan als de hoed van een vaudeville-artiest. Howard voelt een steek van schuldgevoel. Heeft hij hem te hard aangepakt? Half in zijn auto en half erbuiten zoekt hij naar een neutrale opmerking ten afscheid. 'En succes bij je zwemwedstrijd morgen! Ben je er klaar voor? Heb je er vertrouwen in?'

De jongen mompelt iets wat Howard niet verstaat.

'Goed zo, jongen,' zegt Howard. 'Nou, ik zie je maandag!'

Terwijl hij, bij afwezigheid van een reactie van Juster, beamend knikt, klimt hij in zijn auto.

Bij het hek kijkt hij in zijn spiegel. Eerst lijkt het alsof de jongen weg is; maar dan ziet hij de frisbee, een donkere dubbelganger van de maan, een paar meter boven de grond zweven, op dezelfde plek waar Howard hem heeft achtergelaten. Hij tuit zijn lippen. Die jongens willen dat je hun hele leven voor hen leeft. Leer me dingen! Vermaak me! Los mijn problemen op! Vroeg of laat moet je een stap terug doen. Je kunt als leraar maar zoveel doen. Gelukkig maar dat hij de remmen heeft laten maken. Een dode leerling, daar zit hij net op te wachten.

Ed's Doughnut House is altijd halfleeg op vrijdagavond, als iedereen met een leven en een vals identiteitsbewijs ergens heen gaat waar ze alcohol schenken. Maar KellyAnn gaat gewoon dóód als ze niet even een Double-Chocolate Wonderwheel haalt. Dus daar zitten ze dan.

'Ik zit er de hele tijd naar te smachten of zo,' zegt ze, terwijl ze de chocola van haar vingers likt. 'Ik kan het niet verklaren, 't is echt een heel raar, eh, smachten?' Als ze even een stilte heeft laten vallen voor suggesties die niet komen, legt KellyAnn zelf het verband. 'Het zal wel komen doordat ik zwanger ben,' zegt ze bedachtzaam.

Janine rolt met haar ogen.

'O mijn god, die dingen zijn zó ... lékker,' verklaart KellyAnn met een mond vol karamelprut. 'Weten jullie zeker dat jullie er niet eentje willen?'

'Ik wil hier weg,' zegt Janine. 'Het is 't Losers Hoofdkwartier hierzo.'

'Oké,' zegt KellyAnn. Het is haar opgevallen dat Janine vanavond een tikje snauwerig is. Maar daar gaat ze geen hele scène om schoppen. 'Waar is Lori vanavond?' zegt ze, terwijl ze haar duimen schoon zuigt.

'Al sla je me dood,' zegt Janine schouderophalend.

'Heeft ze afgesproken met die Daniel?'

'Ik heb geen idee,' verklaart Janine theatraal.

KellyAnn pakt nog een donut uit. 'Hij klinkt heel lief – weet je zeker dat je er niet eentje wilt?'

'Ik heb geen honger.'

'Ik heb tegenwoordig altíjd honger. Ik word zo groot als een huis!' Ze grinnikt bij zichzelf, herinnert zich dan: 'Ja, Titch kent hem wel. Hij klinkt nou niet helemaal als Lori's type. 't Is een beetje een sukkel, toch? Maar wel aardig. En iedereen is beter dan die gestoorde Carl. Ik bedoel, mijn god. Die komt nog eens in

America's Most Wanted terecht of zo.'

Janines ogen vernauwen zich en boren een gat in haar, en haar stem is net een mes: 'We zitten in Ierland, KellyAnn, niet in Amerika.'

'Ja, maar je weet wel wat ik bedoel.' KellyAnn reikt naar een servetje en veegt haar vingers een voor een af. 'Ik begrijp gewoon niet hoe ze op zo iemand kan vallen, weet je wel, die aan de drugs is en omgaat met dat schorem uit die flats en in zijn eigen arm snijdt. Ik bedoel, hál-lo?! Zal wel niet de ware zijn, of wel?'

Janine geeft geen antwoord, maakt een piepklein balletje van het vettige donutpapier.

'Mijn moeder zegt dat meisjes die op dat soort jongens vallen waarschijnlijk een negatief zelfbeeld hebben,' zegt KellyAnn. 'Maar waarom zou Lori een negatief zelfbeeld hebben? Iedere jongen in Zuid-Dublin is stapelverliefd op haar.'

Nu propt Janine het papier door het spleetje dat voor een rietje in haar lege drinkbeker is gesneden.

'Ze is zo mooi en zo,' gaat KellyAnn verder. 'Ze kan iedere jongen krijgen die ze wil.'

Janine zegt daar ook niets op.

'Maar goed, ik ben blij dat ze iemand heeft gevonden met wie ze gelukkig kan worden. Nu hoeven we alleen nog maar een leuke jongen voor jou te vinden!'

'Doe geen moeite,' zegt Janine.

'O, Janine, nou niet opgeven!' KellyAnn reikt over de tafel om over haar arm te aaien. 'Ik weet zeker dat er iemand voor jou rondloopt!'

'Daar ben ik juist zo bang voor.' Janine draait zich om als ze de deur open hoort gaan, en draait gauw weer terug als er weer vier sukkels met strohaar binnenkomen. 'Mannen zijn ontzettende klootzakken,' zegt ze.

'Titch is geen klootzak,' zegt KellyAnn met nadruk. 'Hij geeft om me.'

'Ze zijn allemaal hetzelfde,' merkt Janine met een suikerzoete stem op. 'En kunnen we hier nou weg, alsjeblieft? Misschien kunnen we dan eindelijk ergens heen waar er daadwerkelijk iets kan gebéúren?'

Nu ben je diep in het bos, zoekt naar het kasteel van de laatste Demon. De zon gaat onder, de boomstammen gloeien bleekzilver op, vanaf de wortel naar boven in spinnenweb gewikkeld. Je hebt je paard in de vallei laten staan, je kon het met geen mogelijkheid meenemen. Waar moet het heen? Een vriendelijk iemand zal het wel onder zijn hoede nemen, en na afloop kun je het gaan ophalen.

Na afloop.

Toen je terugkwam van Lori, was Ruprecht er nog niet, hij was bezig met zijn missie. Je legde de frisbee in de kledingkast en haalde het buisje met pillen onder je matras vandaan. Door het raam van de slaapkamer is de lucht net zo doods zwart als de lege binnenplaats van de school, alsof ze hem geasfalteerd hebben, en op je bureau ligt, als een geel blad, het briefje dat je op de deur aantrof: BUS VERTREKT OM 8 UUR NAAR BALLINASLOE. ZIE JE DAAR! ☺

Niemand weet veel van de Derde Demon. Zelfs op internet is er moeilijk informatie te vinden. Je hebt het Rijk nu drie keer doorkruist, op zoek naar zijn Kasteel. Je laat de bossen nu achter je en gaat de moerassen in, in het felle maanlicht noordwaarts. Je rent tot je niet verder kunt en op de grens van het Rijk stuit, de onzichtbare muur waarachter het gras en water verdergaan tot de einder terwijl je benen bewegen zonder je ergens heen te dragen. Oké, naar het westen dan maar.

Volgens een oplossing van de M-theorie is ons universum een HYPERSFEER, wat wil zeggen dat het de vorm van een bubbel heeft. Dat betekent dat als je zo ver zou rennen als je kon, d.w.z. vijftien triljoen lichtjaren ver, je uiteindelijk weer op precies dezelfde plek zou uitkomen als waar je begonnen was. Dus hoe zou je dan ergens anders moeten komen? Nou, als je binnen in de bubbel was, dat wil zeggen in hyperspace, dan kon je overal heen waar je wilde. Terug in de tijd bijvoorbeeld? Terug, vooruit, naar elk punt in de ruimte, en dan hebben we het nog niet eens over de andere universums, een oneindig aantal misschien wel. Maar hoe kom je in die bubbel? Tja, daar wordt het lastig. Omdat we te groot en te zwaar zijn voor de dimensies? Zo zou je het kunnen stellen.

Djed die rent en rent, steeds verder naar het westen, door de duisternis voor het ochtendgloren. Nu kom je bij een splitsing in het pad waarvan je je niet herinnert dat die er eerder al was. De twee kanten zien er identiek uit, omzoomd met bomen en mist. Je kiest er willekeurig een en begint te lopen. Algauw wordt de mist dikker. Binnen de kortste keren bedekt hij alles, laat alleen schimmen van bomen, schimmen van paden achter.

Slaap trekt aan je oogleden. De klok tikt, duwt je steeds dichter naar morgen toe.

BUS VERTREKT OM 8 UUR NAAR BALLINASLOE.

Griepepidemie, ebola, de pest. Bus die ontploft, revolutie, de skeletten van dinosauriërs die in het museum tot leven komen en chaos veroorzaken. Een invasie van buitenaardse wezens. De dood.

ZIE JE DAAR! ☺

Er komt geen eind aan de mist. Terwijl je verder loopt, komen er dingen op in je gedachten, flarden van herinneringen die om je heen dwarrelen en samenkomen, zich verzamelen als spoken uit het donker. De zwemwedstrijd, de vorige, in Thurles. Volwassenen die zich op de plastic tribune persten: plattelandsouders in kanten blouses en truien met ruitpatroontjes, Seabrook-ouders met zonnebrillen op, sieraden, zonnebankbruin. De andere ploegen praatten plat en hadden brede schouders, in de kleedkamer noemden ze jullie 'stadse flikkers', jullie zaten in elkaar gedoken in een hoek zonder iets te zeggen, met jullie zwembrillen op zagen jullie eruit als bange insecten. Toen haalde Coach jullie de zaal in. 'Jullie kunnen het, jongens! Ze zijn nu al bang voor jullie! Omdat jullie beter zijn dan zij!' Toen klonk het fluitje.

Steeds verder, dieper de mist in.

Zodra je het water raakte, was je niet meer bang. Water is overal hetzelfde! Je lichaam bewoog zonder dat je erbij nadacht, je realiseerde je dat al die keren ervoor, op trainingen, maar dat waren schaduwen van dit moment en de echtheid ervan gaf je vleugels. Het gejuich van de tribune klonk als zware golven van geluid, de ademhaling van een monster dat telkens als je bovenkwam om naar lucht te happen tegen je aan sloeg. Je armen brandden, ze ploegden en groeven alsof je door de aarde heen moest. Je wist niet wat er om je heen gebeurde, bleef jezelf gewoon vooruitgooien tot je vingers de muur raakten. Toen zag je Coach opspringen met een vuist in de lucht.

De metalen trofee gemaakt in Korea in de dikke vingers van het jurylid. Het blauwe overhemd van Coach zwart van het jou op zijn schouders dragen. De lege plek in het publiek waar je vader en moeder hadden moeten zitten, daar bleef je telkens naar kijken. 'Ze kan nu niet aan de telefoon komen, knul.' 'Oké, pa, later misschien.' Een zwart gat is een regio waar de regels niet meer gelden, waar we niet weten waarom er gebeurt wat er gebeurt. Het woord 'kanker' staat ook niet voor een bepaalde ziekte, maar je ziet het als een naam die we geven aan een enorm gat in onze kennis, een blanco vlek op de kaart als het ware.

'Wie wil er een hamburger?!!!' Bij de McDonald's in Thurles smaakte die anders dan thuis. Daarna terug naar het hotel, dat groen was als muntijs dat jarenlang in de regen had gestaan. In het bed naast je viel Antony Taylor meteen in slaap. De anderen zaten in de kamer van Siddartha naar *Dunston Checks In* te kijken. 'Is ze nu wakker?' 'Ze is net naar bed, knul. Maar ze is ontzettend trots op je, Danny, dat moest ik tegen je zeggen.'

Je lag daar in het donker. Het gesnurk van Antony klonk als een betonmolen. Je wilde alleen maar met haar praten! Je wilde dat ze je vertelden wat er aan de hand was! En toen voelde je been alsof het vanbinnen gewrongen werd, je kon niet stil blijven liggen. Het wrong je zo het bed uit! Je stond op, je hinkte rond. Toen deed je de deur open; het behang in het hotel was ook groen, het zag eruit alsof je onder water was, de gouden kamernummers op de deuren telden af, je hief je hand om te kloppen – en toen …

Hoe lang loop je nou al rond in de mist?! Hij is nu zo dik dat alles is weggevaagd. Het enige wat je nog kunt zien is die eindeloze, parelgrijze zee. Verdomme, misschien had je op die splitsing de andere kant op moeten gaan. Nu loopt het pad dood. Je draait je om, loopt de kant op waar je vandaan kwam, maar het lijkt niets uit te maken. Oost, zuidoost, naar het zuiden. Alleen maar mist. Je begint je af te vragen of het spel misschien gecrasht is, zodat je nu vastzit in een of andere hoek aan de rand van de kaart, en je buigt je naar voren om op de resetknop op de console te drukken als je oog ergens op valt, heel in de verte.

Eerst lijkt het niet veel – een stipje, meer niet, bijna te klein om te zien. Maar het stipje wordt algauw een stip, en de stip een donkergrijze vlek tegen de achtergrond van zilverige mist. Als je je ernaartoe haast, realiseer je je dat wat-het-ook-is ook op jou afkomt. *Bons, bons*, doet je hart. Je handen op de controller zijn glibberig van het zweet. Je weet dat het de Demon is, zelfs op deze afstand, dat kun je merken aan hoe de haartjes op je armen overeind gaan staan. De kamer bonst met je hartslag mee, de avondkleuren vallen weg en pulseren mee in het ritme. En nu stapt hij eindelijk naar voren uit de mist.

De realiteit springt links en rechts naast voren.

Omdat je zijn gezicht herkent.

Je wrijft in je ogen. Je knijpt in je arm, kijkt vluchtig om je heen. De kamer is er nog; je zit nog steeds met gekruiste benen op de vloer, jouw vloer. Achter je bliept Ruprechts SETI-scan zachtjes in zichzelf. Door het raam zie je de gebruikelijke sterren en in de verte hoor je het geluid van Casey Ellington die achter Cormac Ryan aan rent over het parkeerterrein met een geschud blikje Dr Pepper.

Maar als je weer naar het scherm kijkt, is er niets veranderd. Aan de ene kant Djed, met zijn gouden haar, zijn Zwaard der Liederen, de amulet van de prinses. Aan de andere kant …

Aan de andere kant staat Coach.

Hij ziet er precies zo uit als altijd, met zijn sweater met het wapen van Seabrook aan, een fluitje aan een koord om zijn nek. Zijn lichaam helt licht naar één kant over, zijn handen hangen leeg langs zijn lijf. Hij kijkt je aan.

Je weet niet wat je moet doen. Hoort dit te gebeuren? Is dit het spel nog wel? Je lacht, omdat het zo belachelijk is. Maar er is niemand om je te horen lachen. Je wilde dat Coach je niet zo bleef aanstaren, op het scherm. Maar hij houdt niet op. En nu zegt hij: 'Zwemwedstrijd.'

Je hele lijf springt op. De muren van de kamer draaien rond als een kermisattractie.

Misschien verbeeld je je het wel. Maar dan begint hij weer te praten. 'Zwemwedstrijd,' zegt hij.

Gebeurt dit echt?

'Zwemwedstrijd.'

'Coach?' zegt hij tegen het scherm.
Maar hij zegt het gewoon weer, 'Zwemwedstrijd', en nog een keer, luider: 'Zwemwedstrijd.'
'Hou op!' schreeuw je terug.
Nu komt hij op je af. 'Zwemwedstrijd.'
Dit kan niet, je zit in een spel ...
'ZWEMWEDSTRIJD.'
Je pakt de controller op waar je hem hebt laten vallen, aan je voeten. Misschien kun je langs hem heen rennen? Maar hij verspert je, schijnbaar zonder te bewegen, de weg. Je probeert een andere kant. Daar is hij weer, vlak voor je. Het wordt steeds moeilijker om na te denken. De mist rolt over jullie heen, als een kring van spoken die kijken naar een vechtpartij op het schoolplein. En nu komt hij op je af ... op je af, op je af, alsof hij door het scherm heen gaat komen. 'ZWEMWEDSTRIJD,' zegt hij.
Je slaakt een kreet, stormt met het zwaard op hem af. Je slaat naar zijn armen en zijn hals. De slagen hebben geen effect, hij blijft naar voren komen. 'ZWEMWEDSTRIJD.'
'Hou je KOP!' Je haalt de Bijl der Onoverwinnelijkheid tevoorschijn en rent op hem af. Je hakt op hem in, op zijn gezicht en zijn lichaam. Je spreekt toverformules uit, Vuurstorm, Omkering, Verbanning.
'ZWEMWEDSTRIJD ZWEMWEDSTRIJD ZWEMWEDSTRIJD.'
Nu begin je te huilen. 'Hou je kop?' smeek je.
'ZWEMWEDSTRIJD,' zegt hij.
Je gilt. Je schopt tegen de monitor.
'ZWEMWEDSTRIJD.'
Je duikt naar de console, maar er is iets mis, want je krijgt hem niet uitgeschakeld, je haalt het knopje steeds om maar er gebeurt niets, en nu is het gezicht van Coach tegen het scherm gedrukt en zegt steeds maar weer:

ZWEMWEDSTRIJD ZWEMWEDSTRIJD ZWEMWEDSTRIJD

en er klinkt een geluid alsof er een deur opengaat en je deinst terug van het scherm omdat hij, alsof hij wordt opgeroepen, verschijnt, recht voor je, de Deur, met zijn gouden kamernummer, en je ziet jezelf naar binnen lopen
een hotelkamer in
'Hé Daniel, hoe gaat ie?' Hij komt uit zijn stoel, op het nacht-

kastje de pillen en een glas raar smakende cola, en je weet wat er gaat gebeuren, maar het is alsof je vastzit in de beweging, alsof je naar jezelf staat te kijken …

'Ontspan je maar, je hoeft nergens bang voor te zijn,' zegt hij, zijn hand strekt zich naar je uit

Ja, nu weet je het weer, hè

In je haar, stroef van het chloor

terwijl ma op haar rug ligt met buisjes in haar lijf

En je ziel glijdt van een hellend vlak je lijf is zwarte magie gevangen in ijs dat nooit meer zal ontsnappen of veranderen of groeien

En morgen zal het allemaal opnieuw gebeuren.

BUS VERTREKT OM 8 UUR NAAR BALLINASLOE. ZIE JE DAAR! ☺

Begrijp je het nu, Skippy? Je kunt niet meer vluchten. Je hebt vijftien triljoen lichtjaren afgelegd, en nu ben je weer terug op de plek waar je bent begonnen. Zo zit het universum in elkaar, dat heet Zo Gaan Die Dingen, het is een deur die je als een zwart gat de toekomst in zuigt; en alles wat belooft je ervandaan te halen – een meisje, een spel, een doorgang – dat zijn allemaal niets meer dan verdwaalde straaltjes en sprankjes licht die je tegemoet schijnen vanaf een plek waar je nooit zult kunnen komen.

Op de monitor draait de Derde Demon zich uitdrukkingsloos om en loopt de mist weer in.

Nu lig je met je hoofd op het tapijt. Ergens boven je tikt een klok. Je lichaam voelt als lood, voelt alsof je al dood bent. Maar dan merk je iets op.

Op het *game over*-scherm zie je, uit zijn in mist gehulde lijf, Djeds ziel naar boven fladderen. Steeds verder naar boven, een dansende bal van licht, tot hij boven aan het titelscherm is, om de prinses heen stuitert die in haar glinsterende kooi van ijs zit te wachten. Hij blijft maar om haar heen dansen. En plotseling denk je:

Zijn zíél.

Je gaat rechtop zitten.

Een ziel weegt niets, heeft geen omvang.

Op het scherm twinkelen de ogen van de prinses je tegemoet.

De dimensies zijn overal, te klein om opgemerkt te worden door lompe menselijke lichamen. Maar als je alleen maar een ziel was …

Dan kun je ze zien! Alsof er een sluier is weggetrokken, zie je dat de lucht vol kleine deurtjes is! Ze zweven daar, door de hele kamer, en je krabbelt overeind om erdoorheen te gluren, je ziet wat er aan de andere kant is! Elk deurtje leidt naar een andere tijd, een andere plek! Door deze zie je Ruprecht die in zijn kelder aan het Onzichtbaarheidsgeweer zit te werken …

En daar heb je de Hallowe'en Hop, als de dingen die ze vanavond in haar portiek zei nog niet bestaan, en je realiseert je dat Lori's omtrek precies is wat er ontbrak in je armen …

Hier heb je morgenochtend, acht uur, de sombere lucht spijkerbroekblauw, rillende jongens met otterachtige ochtendogen, Siddartha en Garret en Antony Taylor, die een voor een het trapje van de bus opklimmen, vechten om het achterste bankje, terwijl Coach op zijn horloge kijkt, op zijn clipboard, weer op zijn horloge, naar de deuren van de school, die niet opengaan …

('Sneller, Skippy!' spoort een stem, de stem van de prinses, je aan, terwijl de kamer zwemt, de deeltjes uit elkaar spatten, de snaren zich ontrafelen als een oude schooltrui)

En hier is het zomer, jaren geleden, voor dit allemaal begon, en ma is in de tuin en doet Dogley voor het eerst in bad, hij is nog een pup, hij weet niet wat water is, schuimvlokken vliegen in het rond, hij keft en kronkelt, hapt naar alles binnen zijn bereik, en ma zegt: 'Als jij hem zo vasthoudt, kan ik …' en dan schiet hij uit je armen de lucht in als een stuk zeep, komt neer op het gras, draait zich om en blaft naar je, schudt het water van zich af, zodat het allemaal over je heen schiet, en ma lacht zo hard dat ze op het gras moet gaan liggen, haar haar is goudkleurig, haar buik rond met Nina erin, de regenboogbubbels zweven door de tuin als perfecte, gloednieuwe universums, het geluid van haar gelach klinkt als muziek, het is muziek, en die leidt je naar de deur, tegen de stroom van de tijd in, je zwemt uit alle macht, er steeds dichter naartoe …

'Waar ben jij nou mee bezig?!'

Je doet je ogen open. Ruprecht torent met een verbijsterd gezicht boven je uit.

'Zeker in slaap gevallen …' Je tilt je hoofd van het tapijt. 'Ik zat een spelletje te spelen,' zeg je, en je gebaart naar de monitor. Maar die staat niet aan. Je sleept jezelf naar het bed en gaat rechtop zitten.

'Wat is dit?' Ruprecht heeft een leeg, amberkleurig buisje van de vloer geraapt.

'Niks,' zeg je, 'ik was gewoon wat spullen aan het opruimen.' De slaap suist in je gedachten als de ruis van een radio. De kleine deurtjes zijn verdwenen. 'Heb je je capsule teruggekregen?'

Ruprecht kijkt grimmig uit het raam. 'Die klotehond,' zegt hij. Zijn maag rommelt. 'Je hebt zeker geen eten bij je?'

'Nee,' zeg je. Was het dan toch allemaal een droom? De teleurstelling brandt in je binnenste, tranen in je ogen, bijna niet te verdragen.

'Hmm.' Ruprecht kijkt op zijn horloge. 'Ed's is nog open ...'

Hij draait zich om om de munten in zijn spaarpot te tellen. Je kijkt naar ZIE JE DAAR! ☺ en probeert niet te huilen. En dan realiseer je je dat je een paar centimeter boven de grond zweeft.

Holy shit! Wat gebeurt er? Ruprecht staat met zijn rug naar je toe, hij zegt iets over een nieuwe capsule maken, en ondertussen stijg je langzaam op naar het plafond! Je probeert niet te lachen – het is alsof er een onzichtbare hand onder je voeten is gegleden en je optilt, steeds hoger ...

Ruprecht draait zich om. Je staat meteen weer op de grond. 'Wat is er gebeurd met het Frisbeemeisje?' zegt hij. Hij kan ze niet zien, maar quarks en elektronen schieten door de lucht, vonken uit zijn lichaam als een miljoen piepkleine, veelkleurige bliksemschichten.

Je haalt je schouders op. 'Een ander keertje.'

'O.' Er komt weer hevig gerommel uit zijn maag. 'Ik heb niet genoeg kleingeld,' zegt hij.

'Ik betaal wel voor ons allebei,' zeg je. 'Dan kunnen we een wedstrijd houden.'

'Een wedstrijd?'

'Waarom niet?' Je atomen trekken weer naar omhoog. Je voelt je met de seconde lichter en lichter worden! *Stel nou dat we vanavond terug in de tijd zouden gaan, zouden we dan zo ver terug kunnen gaan als we wilden?*

Ruprecht slaakt een van zijn spottende lachjes. 'Mijn beste Skippy, ik ben al vijftien wedstrijden achter elkaar ongeslagen. En toen had ik niet eens honger.'

'Nou ...' Je ritst je jack dicht. Door het raam schijnt het neon donutbord je tegemoet, de deur der deuren, de poort naar alles erachter, vandaag en gisteren en eergisteren, alle momenten en mensen waar je ooit van hebt gehouden. 'Misschien is vandaag wel mijn geluksdag,' zeg je.

III

Spookland

Want waar er Ieren zijn, daar is onsterfelijke herinnering,
En als we vergeten, is het Ierland niet meer!

– Rudyard Kipling

'SERVICE: Serene glimlach, Efficiency, Rust, Verschaffen van productinformatie, Integriteit, Continu aandacht voor nieuwe klanten, Erkende kwaliteit.

Serene glimlach. De glimlach is je persoonlijke etalage. Het is het eerste contact tussen de Klant en het Café-restaurant, en dient net zo zorgvuldig te worden onderhouden als het espressoapparaat en de uitgestalde waren op de toonbank.

Efficiency. Ed's Doughnut House streeft er met toewijding naar de Klant de twee K's te bieden: Kwaliteit, K...'

De jongen doet niet eens alsof hij luistert; hij kauwt kauwgum, wat op de allereerste pagina van het *Handboek voor personeel* wordt verboden, en staart naar de bovenste regionen van de keukenmuren, waarvan Lynsey opmerkt dat die verkleurd zijn van het vet. Ze gaat toch maar door, en hoe meer hij zucht en zijn schouders ophaalt, des te langzamer vertelt ze haar verhaal, gewoon om hem eraan te herinneren wie er hier de baas is.

'Dat zijn de basisprincipes,' besluit ze. 'Er wordt van ieder Personeelslid Niveau Eén verwacht dat hij ze uit zijn hoofd kent, voor hij of zij ook maar begint te denken aan Niveau Twee. Goed, laten we verdergaan met het espressoapparaat. Maak eens een skinny mochaccino voor me.'

Daar gaat ie. Slof slof frons frons, alsof ze hem zojuist om een liter bloed heeft gevraagd.

Onder normale omstandigheden zou iemand als Zhang geen schijn van kans hebben Niveau Twee te bereiken. Maar het zijn natuurlijk geen normale omstandigheden. 'We moeten voorzichtig zijn, Lynsey,' zei Senan tegen haar. 'Deze zaak heeft ons al genoeg problemen bezorgd. Een personeelslid dat beweert een trauma te hebben opgelopen is wel het laatste wat we kunnen gebruiken. Maak eens een babbeltje met hem, pols 'm. Als hij ontevreden lijkt, kan een promotie hem misschien een beetje zoet houden.'

Nou, Lynsey weet nog zo net niet wat ze daarvan vindt. Oké, Zhang heeft een traumatische ervaring gehad, dat is waar, dat ontkent ze niet. Dat er iemand doodgaat tijdens je dienst, dat is behoorlijk pech hebben. Maar aan de andere kant, hij heeft helemaal niet om promotie gevraagd, en, Tragedie of niet, als je het haar vraagt zou het erg oneerlijk zijn tegenover Ruby en alle andere Personeelsleden van Niveau Eén als Zhang promotie kreeg en zij niet. Want, nou ja, wanneer is hij nou níét ontevreden? Hij doet altijd zo. Maar Senan is de regiomanager, dus zijn wil is wet – en daar komt bij dat hij erop zinspeelde dat er voor Lynsey ook weleens een promotie in het vat kon zitten als ze deze puinhoop ooit zou weten op te lossen. En waarom niet? Wat ze de afgelopen week allemaal heeft gedaan valt buiten haar taakomschrijving! Het management dat haar elke dag belde uit Londen om updates te krijgen, de mensen van de Voedsel- en Waren Autoriteit die rond kwamen neuzen, hoewel de kranten toch wel het ergst waren – ze laten je gewoon niet met rust, die lui. Iemand heeft ooit gezegd dat slechte publiciteit niet bestaat. Nou, in de café-restaurantbusiness bestaat die wel!!! Tenzij je denkt dat mensen staan te springen om ergens te gaan eten waar iemand is dóódgegaan!!! Dus Lynsey heeft rondgevlogen als een vlieg met een blauwe reet, nauwelijks een oog dichtgedaan, terwijl ze haar best deed de telefoontjes te beantwoorden en de vragen te pareren en, zoals Sean zei, volkomen duidelijk te maken, zo diplomatiek mogelijk uiteraard, onder de gegeven omstandigheden, en met alle respect richting de familie, dat de dood van de jongen in kwestie, hoe tragisch ook, NIET is veroorzaakt door, voortkomt uit of op wat voor manier dan ook verband houdt met een product van Ed's Doughnut House. De politie zei zelfs dat hij helemaal niets had gegeten in het café-restaurant, in tegenstelling tot zijn kleine varkensachtige vriendje, dat een stuk of vijfentwintig donuts had gegeten. Ze moet de woorden 'tragedie' en 'geen verband' de afgelopen week zeker vijf miljoen keer hebben gebruikt – haar vader houdt een plakboek bij van al haar optredens in kranten en tijdschriften, tien al met al, hoewel vier daarvan haar naam verkeerd spelden en er in eentje stond dat ze dértig was!!! Pardon?! En wie krijgt er zijn eigen krantenkop? Spa-kop, natuurlijk – ZHANG: HEROÏSCH OPTREDEN. Het was inderdaad wel heldhaftig van hem dat hij de Heimlichmanoeuvre deed en zo, hoewel die Daniel helemaal niet stikte, maar het lijkt toch een beetje oneerlijk tegenover Ruby en de andere personeelsleden, alsof er werd gesuggereerd dat zij níét heroïsch zijn, alleen maar omdat ze elke dag gewoon hun werk deden, terwijl als zulke alledaagse mensen er niet waren, de wereld krakend stil zou vallen en de economie te gronde zou gaan.

Bovendien, dit is de slechtste mochaccino die ze van haar leven heeft geproefd.

De rector van Seabrook College is ook nog met haar komen praten, een paar dagen nadat het was gebeurd. Het was een lange, dynamische man, eind dertig misschien? In feite deed hij hetzelfde als zij. Hij probeerde het imago van de school te beschermen en uit te leggen dat het, hoewel het een tragedie was, maar om één doorgedraaide jongen ging, en dat het verder niemands schuld was. 'Dat gezegd hebbende' – hij legde zijn hand op haar arm – 'wil ik namens de school mijn verontschuldigingen aanbieden voor het ongemak dat het u en uw personeel heeft bezorgd.' Hij schudde zijn hoofd. 'Ik zit nu bijna twintig jaar in het onderwijs,' zei hij, 'en dit vind ik volkomen onbegrijpelijk.'

Lynsey begrijpt het ook niet. Hij is véértien, en dan neemt hij een overdosis, alleen maar omdat zijn vriendinnetje hem gedumpt heeft? Jezus, relax! Zo is het leven! Mensen worden gedumpt! Als Lynsey zich elke keer als een of andere egocentrische klootzak haar had gedumpt van kant had gemaakt, dan ... Nou ja, dan zou ze inmiddels behoorlijk dood zijn. En trouwens, hij had kunnen weten dat het vroeg of laat zou gebeuren, want dat meisje was veel te hoog gegrepen voor hem, dat zag je zo aan de foto's – daar was uiteraard geen gebrek aan, *Beeldschoon* hier, *Tragische Schoonheid* en *Tiener Hartenbreekster* daar; om nog maar te zwijgen van *Oogverblindende Julia in Waargebeurd Romeo en Julia-verhaal*, wat, hal-lo, alleen ergens op zou slaan als a) dat meisje Julia heette, en dat is niet zo, ze heet Lori, en b) als diegene ooit *Romeo + Juliet* had gezien, zou hij weten dat die film helemaal niet lijkt op wat er in het café-restaurant is gebeurd.

Hoewel, aan de andere kant ... Je kunt niet ontkennen dat het romantisch is, dat hij met zijn laatste adem haar naam schreef. Op een bepaalde manier heeft dat meisje zo'n geluk – de meeste vrouwen zullen in hun hele leven niets meemaken wat ook maar bijna zo romantisch is. Ze vraagt zich af hoe hij was, Daniel Juster. Ze stelt zich de irritante jongens van Seabrook voor die zich hier rond de lunchpauze altijd verdringen, en dat hij daar dan ergens opzij stond, anders, een beetje stil, droevig en melancholiek ... Het leven is zo verdrietig, en de liefde is zo oneerlijk. Ze vraagt zich af of Zhang in China een meisje heeft op wie hij verliefd is. Misschien spaart hij wel om terug naar huis te kunnen en met haar te trouwen. Misschien mist hij haar wel en is hij daarom zo chagrijnig. Ze heeft heel even medelijden met hem en geeft hem twaalf van de twintig punten voor Warenkennis, ook al had hij eigenlijk nul antwoorden goed.

'Zhang, zullen we het even over die avond hebben? Hoe voel je je? Gaat het wel?'

Hij kijkt haar leeg aan.

'Ik bedoel, na wat er is gebeurd. Met die jongen?' Hallo, aarde aan medewerker! Weet je nog, hij had een stuk of vijfduizend pijnstillers geslikt? Stierf daarzo, voor de jukebox? Je hield hem op dat moment in je armen? 'We vroegen ons alleen maar af of je er nog naweeën van hebt gehad. Moeite met inslapen, flashbacks – dat soort dingen? Misschien heb je moeite met het vervullen van je taken op je werk? Misschien heb je een paar dagen vrij nodig?'

Hij haalt rasperig adem, doet zijn hoofd naar achteren. 'Jai wil minde ure geve?'

God, wat is hij toch weerzinwekkend. Ze stoot een licht, fladderig lachje uit. 'Nee, we willen je niet minder uren geven. We willen alleen maar zeker weten dat, hoewel het bedrijf op geen enkele manier verantwoordelijk is voor de gebeurtenissen van afgelopen week, je er geen dusdanig negatieve gevolgen van ondervindt dat het verder vervullen van je verantwoordelijkheden, zoals vastgelegd in je contract, nu of in de toekomst kan leiden tot angstgevoelens, depressies of gelijksoortige aandoeningen. En ook dat je ervan overtuigd bent dat het bedrijf je alle tijd en middelen ter beschikking heeft gesteld die je eventueel nodig mocht hebben om uiteindelijk volledig te herstellen.'

Achterdocht maakt weer plaats voor die lege blik. Lynsey haalt een kaartje uit haar agenda. 'Als je ooit behoefte mocht hebben om met iemand te praten, dan is dit het begeleidingsteam dat voor alle personeelsleden van het bedrijf klaarstaat. Je kunt bellen tegen een speciaal laag tarief.'

Hij draait het kaartje tussen zijn vingers om. Het is moeilijk te zeggen of er iets van het verhaal tot hem doordringt. Maar hij ziet er in elk geval niet uit alsof hij hun vanwege die Tragische Gebeurtenis een poot zal uitdraaien. Ze kan teruggaan en tegen Senan zeggen dat hij kan ontspannen, en de opluchting en het plezier waarvan ze zich voorstelt dat ze zich bij die mededeling over Senans gezicht zullen verspreiden, zorgen ervoor dat ze een onverwachte golf van medeleven en dankbaarheid jegens Zhang voelt. Ze belooft hem zo snel mogelijk te zullen handelen naar zijn functioneringsgesprek, en als ze vertrekt, bedenkt ze dat ze hem, zelfs al is het niet in hem opgekomen hen voor de rechter te slepen (god, als er die avond een Ierse gozer achter de kassa had gestaan! €€€!), toch maar zal laten opschuiven naar Niveau Twee. Het is tenslotte maar twintig euro extra per maand.

Halverwege de deur blijft ze staan, stelt zich voor dat ze nog een spoortje aardbeiensiroop op de vloertegels kan zien, en ze verzinkt in een dagdroompje over Senan die haar naam daar schrijft – maar dat hij in plaats van dood te gaan opstaat en haar, Lynsey, diep in de ogen kijkt, zijn trouwring afdoet en over zijn schouder gooit ... Ze zouden een huis hebben in Ballsbridge, vlak bij het park, en nog eentje in Connemara, aan zee, en drie jongens die Senan elke ochtend naar Seabrook College zou brengen. Maar ze zou ze hier niet laten komen. Als je eenmaal weet wat er in die donuts zit, zijn ze eigenlijk heel walgelijk.

De dagen tussen de 'Tragische Gebeurtenis', zoals die is gaan heten, en de begrafenismis in de kapel van Seabrook zijn een droomachtige mengeling van chaos en een vreemde, onaangedane sereniteit, alsof je kijkt naar een rel op televisie met het geluid uit. Lessen worden afgelast, en in het vacuüm dat dat oplevert lijkt de realiteit ook opgeschort, de grenzen en voorschriften die de schooldag normaal gesproken beheersen, die tot nu toe fundamentele wetten van het universum hebben geleken, zijn er gewoon niet meer: de bel die elke drie kwartier gaat is niet meer dan een betekenisloos geluid, de gangen vol mensen die ronddwalen als robots in een of andere computersimulatie.

Alsof ze willen bijdragen aan de vreemde sfeer, komen er elk uur ouders door de klapdeuren denderen die de trap opstormen om de Waarnemend Rector te belagen. Als je afging op hun gezichtsuitdrukking, een mengeling van de onverzettelijke vastberadenheid van ontevreden klanten en kinderlijke hulpeloosheid, zou je denken dat die ouders, wier zoons vaak niet eens in dezelfde klas zitten als Daniel Juster, meer overstuur zijn dan ieder ander. En misschien is dat ook wel zo; misschien, denkt Howard, is Seabrook College voor hen wel echt een bolwerk van traditie, stabiliteit, consistentie, al die dingen die in de folder staan, en zien ze, niettegenstaande hun ongetwijfeld goede bedoelingen, de Tragische Gebeurtenis, de zelfmoord van die jongen die ze niet kennen, als een vijandige daad, een soort vandalisme, een vloek die moedwillig in het zwarte schilderwerk van hun leven is gekrast. 'Waarom zou hij zoiets doen?' vragen ze, telkens weer, in hun handen wringend; en de Automator zegt hetzelfde tegen hen als tegen de journalisten en journalistes die aan de poorten van de school verschijnen, voor de deuren, door Our Lady's Hall sluipen – dat de school een grondig onderzoek heeft ingesteld, dat hij niet zal rusten voor er een verklaring is gevonden, maar dat de eerste prioriteit voor hen allemaal nu de zorg voor en geruststelling van de jongens moet zijn.

Op de dag van de dienst loopt het hele jaar van tweehonderd jongens, omdat de schoolkapel te klein wordt geacht, begeleid door Howard en vijf andere leraren krokodilachtig over het omtrekkende pad door de poorten het dorp Seabrook in. Normaal gesproken zou een dergelijke operatie een logistieke nachtmerrie zijn; vandaag marcheren ze de dikke kilometer naar de dorpskerk bijna zonder een kik te geven. De gezichten van de jongens zien er net zo bleek, net-geschrobd en vagelijk otterachtig uit als wanneer ze net uit bed komen, en ze knipperen met hun ogen als ze over de drempel van de kerk lopen – alsof de doodskist daar niet onbeweeglijk in het gangpad stond, maar als een gesel met ongekende krachten boven hun hoofd hing, een splinter van iets supermassiefs en onverzettelijks dat naar beneden is komen tollen, zoals die onbegrijpelijke zwarte plaat steen in *2001*, vanuit die angstaanjagende gene zijde, om hun ielige poppenhuisjeslevens te verpletteren.

Vlak voor de dienst begint, wordt een contingent meisjes van St. Brigid's door een non naar binnen geleid. Hoofden worden omgedraaid en er klinkt een ingehouden maar hoorbaar gemompel van ongenoegen op dat aangeeft dat het meisje dat aan de basis van deze hele toestand staat zich onder hen bevindt. Howard herkent haar van de krantenfoto's – hoewel ze tengerder is dan ze daarop leek, en jonger, nauwelijks meer dan een kind, met delicate gelaatstrekken die ritmisch verschijnen en verdwijnen achter een sluier van zwart haar. Het verhaal dat de ronde doet is dat Juster, hoe onwaarschijnlijk dat ook klinkt, op de een of andere manier in een romance met dat meisje was verwikkeld, die op die fatale avond – minder onwaarschijnlijk – ten einde kwam. Ze heeft in elk geval een gezicht dat gemaakt lijkt om harten te breken; maar toch, Howard heeft moeite dit melodrama te rijmen met de non-descripte jongen die tijdens zijn geschiedenislessen in de middelste rij zat.

Het orgel klinkt en de jongens staan als één man op: Tiernan Marsh gaat het koor voor in het gezang waarmee alle ceremonies aan Seabrook College worden geopend: *Here I Am, Lord.* Terwijl ze zingen kijkt Howard heimelijk de rijen jonge gezichten af, die strak voor zich uit kijken, de spieren gespannen om elke uitdrukking van emotie te voorkomen; maar het lied is zo prachtig, en de stemmen van het koor klinken zo zoet, dat terwijl hij toekijkt de haarscheurtjes zich verspreiden, ogen rood worden, hoofden zakken. Aan het eind van een bankje ziet hij tranen over de wangen van Tom Roche stromen; het is choquerend, alsof je je vader ziet huilen. Als hij zijn blik afwendt, kijkt hij recht in de ogen van pater Green. Hij buigt haastig zijn hoofd, en ze gaan weer zitten.

Pater Foley draagt de mis op met zijn lippen te dicht bij de microfoon; de luidspreker ploft bij elke plosief, waar de jongens van in elkaar krimpen. 'Hoe veelzeggend is het niet,' zegt hij in zijn preek, terwijl hij met zijn illustere goudgelokte hoofd schudt, 'dat Daniels korte leven ten einde kwam in een restaurant dat is gewijd aan donuts. Want is onze moderne manier van leven in sommige opzichten niet te vergelijken met een van die donuts? "Junkfood" dat slechts tijdelijk verzadigt, een "snelle oplossing" biedt, maar waar middenin een gat in zit? Is dat niet de vorm die elke gemeenschap heeft die het contact met God is kwijtgeraakt? Op Seabrook College streven we ernaar dat gat te vullen met traditie, met spirituele educatie, met gezonde buitenactiviteiten en met liefde. Vandaag staat op het rapport dat onze Heilige Vader ons heeft gegeven dat we beter ons best moeten doen. Daniel is nu met Hem verenigd. Maar de andere jongens, en wijzelf ook, moeten leren oplettender te zijn, waakzamer tegenover de krachten der duisternis, in de vele aanlokkelijke vermommingen waarin die krachten hebben geleerd zich te hullen ...'

Na de dienst staat er een fotograaf te wachten op de trappen. Als de deuren opengaan, springt hij in een goede positie, maar voor hij ook maar één opname kan maken, is Tom Roche naar hem toe gestoven om hem te hinderen. De man komt half overeind om met zwaaiende handen zijn zaak te bepleiten; Tom luistert niet, blijft hem naar achteren dringen, tot de fotograaf zijn evenwicht verliest en van de trappen tuimelt. De Automator legt discreet een hand op Toms schouder, maar de man blaast de aftocht al, bitter klagend over censuur.

Na de teraardebestelling is er een receptie op school. De meisjes van St. Brigid's worden haastig weggebracht door hun begeleiders, maar veel van de tweedeklassers komen terug om slappe thee te drinken en zweterige, plasticachtige broodjes ham en kaas te eten die van een schraagtafel in Our Lady's Hall worden geserveerd. De slanke vader in het donkere pak die met een van de priesters staat te praten is Justers vader; hij ziet er uitgeput uit, uitgewrongen, alsof hij de afgelopen zeven dagen in een centrifuge heeft gezeten. Zijn vrouw is tegen hem aan aangespoeld, klampt zich levenloos vast aan zijn arm als zeewier, doet geen enkele moeite te veinzen dat ze naar de prietpraat van de priester luistert. Howard zoekt om zich heen naar Farley, vraagt zich af hoe lang hij moet wachten voor hij met goed fatsoen kan vertrekken. Dan: 'Ah, Howard, daar ben je,' zegt een stem in zijn oor. 'Ik wil je graag even aan iemand voorstellen.' Voor hij kan protesteren of ontsnappen, heeft de Automator hem al regelrecht naar de rouwende ouders geleid.

Ze begroeten de stotterende indringer vreugdeloos; maar als hij zijn naam hoort, verandert het gezicht van Justers vader volkomen – het gaat op een merkwaardig letterlijke manier open, waardoor hij er veel jonger uitziet, terwijl hij terugdenkt aan zijn zoon. 'De geschiedenisleraar,' zegt hij.

'Dat klopt.' Howard weet niet zeker hoe breed hij moet glimlachen.

'Daniel had het vaak over uw lessen. U behandelt de Eerste Wereldoorlog.'

'Ja, ja,' brabbelt Howard dankbaar, grijpt ernaar als naar een reddingsvest, maar kan de woorden niet vinden om het gesprek voort te zetten.

'Hij vertelde er laatst nog over. Hij heeft zelf een overgrootvader die in de oorlog heeft gevochten, aan zijn moederskant – nietwaar, schatje?'

De lippen van Justers moeder vormen zich even tot iets wat een glimlach benadert; dan knijpt ze in de mouw van haar echtgenoot en hij buigt zich naar haar toe, zodat ze een gekromde hand naar zijn oor kan brengen. Hij knikt, en zij glimlacht en maakt een buiging naar Howard en de anderen, trekt zich terug en loopt de zaal door. 'Mijn vrouw is ernstig ziek,' zegt hij bijna terloops; dan, op een bedachtzamer toon: 'Ja, hij heette Molloy, William Henry Molloy. Maar hij heeft in Gallipoli gediend, niet aan het westelijk front. Ik geloof dat Sinead nog wel wat dingetjes in huis heeft die van hem zijn geweest. Zouden die interessant voor u kunnen zijn? Ik zou ze wel voor u kunnen opscharrelen, als u wilt.'

'Ach, nou ja, doet u geen moeite ...'

'Nee hoor, geen moeite ...' De man verzinkt in gedachten, wrijft met een duimnagel over zijn onderlip en zegt dan, weer bij zijn positieven komend, langs zijn neus weg: 'Hij wilde niet dat ik iemand over zijn moeder vertelde – hij zal het met u ook wel niet over haar hebben gehad, hè?' Hij kijkt vluchtig, met omkringde ogen, naar Howard, die er even over doet zich te realiseren dat ze het weer over Juster hebben. Hij schudt stijfjes zijn hoofd.

'Kinderen zijn gesloten op die leeftijd – dat hoef ik u vast niet te vertellen.' De man glimlacht vriendelijk naar Howard. 'Hebt u zelf kinderen?'

'Nog niet,' zegt Howard, waarbij hij terwijl hij het zegt wordt bezocht door het beeld van zijn lege huis, de vloer bezaaid met pizzadozen en niet-afgemaakte sudoku's.

'Ze hebben heel rigide ideeën over hoe dingen gedaan moeten worden.' Hij lachte dat rare, afwezige glimlachje weer. 'Ik had natuurlijk niet naar hem moeten luisteren, dat realiseer ik me nu wel. Ik had iemand moeten vragen een beetje op hem te letten. Dat had hij niet hoeven weten. Ik was alleen zo afgeleid. Weet u, zo'n ziekte wordt echt een marathon – het eindeloze wachten op onderzoeksresultaten, op de volgende behandelingsronde. En ik denk dat ik ergens in mijn achterhoofd hetzelfde dacht als hij: dat als we allemaal maar stil bleven zitten, de hele toestand misschien vanzelf zou verdwijnen. Ik dacht er niet bij na wat een druk het op zijn schouders legde dat hij het in zijn eentje moest verwerken. Nu is het te laat.'

Hij valt stil, pakt het lepeltje op om in zijn thee te roeren, legt het weer terug zonder het kopje naar zijn lippen te brengen, terwijl Howard als een bezetene zoekt naar wat troostende woorden. 'Maar volgens meneer Costigan' – de andere man zegt het eerst iets, spreekt Howard op resolute toon toe – 'hebt u een paar keer met Daniel gepraat. Daar wilde ik u graag voor bedanken. Ik ben blij dat hij wist dat hij ergens naartoe kon.'

'Graag gedaan.' De woorden fluiten zwakjes tussen Howards lippen door, alsof er een verdovend middel in zijn mond is gespoten; hij steekt zijn hand uit om de uitgestoken hand van de man te schudden, terwijl hij voelt hoe zijn lichaam vanbinnen in as verandert. Dan stapt hij dankbaar opzij als Tom de man komt condoleren, zijn knappe, smalgekaakte gezicht zwaar van medeleven.

Justers moeder zit buiten in de auto te wachten, en het duurt niet lang voor haar man, nadat hij de staf nogmaals heeft bedankt, vertrekt om zich bij haar te voegen. Kort daarop beginnen de cateraars het vuile servies op te ruimen.

Veel bezoekers zijn al vertrokken, en de achterblijvers die nog even naar de Ferry gaan bestaan louter uit leraren. De stemming die ze met zich meenemen is somber en bedrukt, en om drie uur gaan drinken maakt die er niet beter op. Binnen een uur is iedereen aangeschoten en instabiel. De vrouwen, van wie de meesten moeder zijn, deppen tranen weg; opkomend zonlicht stroomt door het raam en schalt vanaf het spuuglelijke bloementapijt, wat Howard, in combinatie met het bier, hoofdpijn bezorgt. Hij wil naar huis, maar is in een hoek gedreven door Farley, die dubbele whisky's staat te drinken en net is begonnen aan een lange, bittere tirade die niet echt een onderwerp heeft, maar wel steeds blijft terugkomen op de preek van pater Foley. 'Dat is dan een man van God. Gaat daar staan en begint zo'n stom, nietszeggend verhaal … Ik bedoel, heeft hij er ook maar even bij stilgestaan hoe mensen zich zouden voelen?'

'Zo slecht vond ik hem niet,' zegt Howard vlak. 'Ik bedoel, niet slechter dan je zou verwachten.'

'In godsnaam, het leven lijkt op een dónut?! Heeft die arme jongen niet genoeg doorgemaakt? Moet hij ook nog de hoofdrol spelen in een metafoor voor de moderne samenleving?'

'Nou ja, hij had anders wel een punt,' zegt Howard. 'Ik geef toe dat het misschien niet heel kies was …'

'Juster is niet gestorven aan het eten van een donut, Howard. Hij is gestorven aan een gigantische overdosis kloterige pijnstillers.'

'Dat weet ik wel, maar dat van dat junkfood, en de wereld die we doorgeven aan onze kinderen …'

'Dat ontken ik geen moment. Het is een klotewereld, dat lijdt geen twijfel, en die kinderen staan midden in de vuurlinie. Krijgen te horen: koop dit, koop dat, val af, kleed je als een hoertje, zorg dat je meer spieren krijgt – door volwassen mannen, Howard, volwassen mannen en vrouwen doen ze dat aan, ik bedoel, het cynisme ervan is ongelooflijk, maar mijn punt is, mijn punt …' Hij zwijgt even, terwijl zijn hoofd in vage cirkels ronddraait als een op hol geslagen kompasnaald, '… die idioot, die dwaze oude man, en de Automator en het hele stelletje, ze blijven allemaal doen alsof het búíten is, alsof alle slechte dingen buiten zijn, en wij een gewapende veste zijn die ze daartegen beschermt, terwijl we het zelf ook zijn, Howard, terwijl wij ze ook volstoppen met ons eigen gelul over traditie of wat dan ook; we stomen ze klaar om hun plek boven op de stronthoop in te nemen alsof dat iets nobels is, terwijl het alleen maar om geld draait, terwijl wie ze zijn er niet toe doet, ze zijn alleen maar middelen om ervoor te zorgen dat Seabrook hetzelfde kloterige Seabrook blijft ...'

'Ik zie niet in wat dat allemaal met Juster te maken heeft,' zegt Howard zachtjes, zich ervan bewust hoe luidruchtig Farley is gaan praten.

'Het kan niemand wat schelen, Howard, dát heeft het met hem te maken! Als er iemand op die jongen had gelet, was dit allemaal niet gebeurd, dat garandeer ik je – ik garandéér het je,' zegt hij boven Howards gemompelde protesten uit, 'maar dat deed niemand, omdat het niemand wat kan schelen. We bewijzen alleen maar lippendienst aan betrokkenheid, zoals we ook lippendienst bewijzen aan liefdadigheid en al die christelijke waarden waar we zogenaamd voor staan, terwijl we in elkaar gezakt achter onze plasma-tv's met ongelooflijk hoge resolutie zitten of naar ons vakantiehuisje rijden in onze SUV. Ik bedoel, vind jij het dan geen zieke grap om dat een christelijk leven te noemen? Denk jij dat Jezus verdomme zou hebben rondgereden in een SUV?'

'Zeg,' komt Tom ruw tussenbeide. Ze kijken op: hij kijkt hen dreigend aan met rode, betraande ogen; zweet glinstert op zijn voorhoofd.

'Wat nou?' zegt Farley bits.

'Ik weet niet waar je over staat door te eikelen,' zegt Tom, 'maar laat Jezus erbuiten.'

'Waarom?'

'Daarom. Toon een beetje respect.'

'"Toon een beetje respect" is gewoon een andere manier om tegen mensen te zeggen dat ze hun kop moeten houden,' zegt Farley.

'Oké, hou je kop dan.'

'Zie je nou? Dit is precies wat ik bedoel,' riposteert Farley, terwijl iedereen inmiddels naar hem kijkt. 'We zijn de hele tijd bezig met elkaar feliciteren wat een geweldige school dit is, we gaan elke dag de lokalen in en stoppen de hoofden van die jongens vol lulkoek, maar als je iets probeert te zeggen over hoe de wereld echt in elkaar steekt, dan zegt meteen iemand tegen je dat je je kop moet houden en een beetje respect moet tonen ...'

'Weet je wat jouw probleem is, Farley?' Tom verheft zijn stem.

'Ik weet het niet, Tom ...' Farley verheft zijn stem net zo hard. 'Wat is mijn probleem? Ik ben benieuwd.'

'Jouw probleem is dat je een afkraker bent. Zo'n typische Ierse kloteafkraker. Terwijl fatsoenlijke mensen met hun kop naar beneden aan de slag gaan en hun stinkende best doen, hop jij als een klein vogeltje rond, zit overal met je snavel in te poeren, ieders moreel te ondermijnen, omdat je zelf te weinig ruggengraat hebt en te egoïstisch bent om je ergens voor in te zetten ...'

'Je hebt volkomen gelijk, Tom, volkomen gelijk. Ik heb geen ruggengraat. Ik ben een waardeloos, egoïstisch figuur en ik zet me nergens voor in. Maar weet je wat, jij ook niet, en niemand in deze kloterige tent. We doen niet meer dan het absolute minimum. En verder zorgen we alleen voor mensen zoals wijzelf, omdat we weten dat er anders weleens dingen daadwerkelijk kunnen veránderen ...'

'Kalm aan,' zegt Howard tegen hem, en als dat geen effect heeft, tegen Tom: 'Hij heeft een flinke slok op.'

'Flikker op, Fallon, jij bent nog erger dan hij.'

'Dingen kunnen weleens veranderen,' herhaalt Farley, die daar nu staat met gestrekte armen, 'en misschien moeten we wel vréémden toelaten in ons kleine boomhutje. Arme mensen! Buitenlanders! Hoe zou je dat vinden, Tom? Hoe zou jij het vinden als er in die gekoesterde school van je ineens allemaal armoedzaaiers en vluchtelingen rondliepen?'

'Dat zou in elk geval beter zijn dan flikkers zoals jij,' mengt Tom zich weer in het gesprek.

'Alsjeblieft, jongens,' smeekt Miss McSorley.

'Zo, dus nou ben ik ineens een flikker?' vraagt Farley.

'Kom op nou, jongens,' brengt Slattery in. 'Dit is niet het moment of de plek.'

'Volgens mij ben je zelf een flikker,' zegt Farley.

'Als je dat nog één keer zegt, sla ik je neer,' belooft Tom.

'Volgens mij ben jij een reetgekke homo, een gierende, laaiende, poepstampende nicht, en denk je van 's morgens vroeg tot 's avonds laat alleen maar aan jongens in hun mooie kleine zwembroekjes ...'

Tom duikt op Farley af, maar verscheidene mannen komen tussenbeide en houden hem tegen, en zijn klap treft geen doel. Maar Farley lijkt er wel van bij zijn positieven te komen; hij staart Tom met open mond van verbazing aan.

'Kom op, we gaan hier weg.' Howard trekt aan zijn arm.

Terwijl Tom worstelt met zijn gevangennemers, duwt hij Farley de pub uit. De straat buiten is winters en monochroom. Erboven flakkert een bloedrode zon door de wolken, als een laatste brandende kool tussen de sintels van de stervende seizoenen. Als ze op een veilige afstand zijn, draait hij zich naar hem om. 'Waar ben jij verdomme mee bezig?! Wat had dat nou voor zin?'

'Ik weet het niet, Howard.' Farley kijkt somber in de verte, naar de zee. 'Het is gewoon zo ... het zijn nog maar kinderen, weet je? En de mensen die voor hen moeten zorgen, ze dingen moeten leren over volwassenheid en verantwoordelijkheid – wij zijn nog erger dan zij.'

Howard duwt hem weg, knarst met zijn tanden. Ze lopen langs de hoofdweg, waar Howard na vijf minuten een taxi uit het verkeer weet te plukken. Hij slaat Farleys uitnodiging om mee te gaan naar diens appartement en nog wat te drinken af.

Als hij thuiskomt, zijn er geen berichten op zijn antwoordapparaat. Hij pakt Graves op en slaat verdoofd de pagina's om. *We zagen de oorlog niet langer als een strijd tussen rivaliserende handelsnaties: de voortzetting ervan leek gewoon een offer dat de idealistische jongere generatie bracht aan de stommiteit en de uit eigenbelang voortkomende angst van de oudere.*

Als er iemand op die jongen had gelet, was het allemaal niet gebeurd.

Volgens de kranten was Howard de laatste volwassene die Daniel Juster levend had gezien. Levend, in de achteruitkijkspiegel, opgaand in de schemering, alsof hij op dat moment op de drempel stond van een duistere deur die Howard niet kon zien. Maar hoe had hij dat moeten weten? En zelfs al had hij het geweten, wat had hij dan moeten doen? Hem mee naar huis nemen? Zijn auto aan de kant zetten en met hem spelen op dat ijskoude parkeerterrein?

Was alles dan op de een of andere manier in orde gekomen? Omdat hij met een frisbee was gaan gooien alsof hij veertien was? Wanneer had hij überhaupt voor het laatst gefrisbeed?

Maar terwijl hij erover nadenkt, herinnert hij zich die laatste keer ineens heel levendig, en met een ontwapenende helderheid is hij niet zozeer in de greep van een herinnering als wel teruggegleden naar die tijd, naar de vorm en het gevoel van veertien zijn – de smaak van appelkauwgum in zijn mond, de vernedering van een puistje op zijn kin, de eindeloze onrust, de eindeloze worsteling om zijn hoofd boven water te houden in die kolkende zee van emoties, en de duizenden uren die hij op het grind doorbracht, vastbesloten een volstrekt nutteloze vaardigheid onder de knie te krijgen – de frisbee, de jojo, de hacky sack, de boemerang – in de onwankelbare overtuiging dat daarin zijn redding lag. Een deel van hem probeerde uit alle macht zichtbaar te worden, terwijl hij eigenlijk alleen maar wilde verdwijnen. God, hoe had hij dat ooit doorstaan?

Er wordt op de voordeur geklopt. Howard is de tijd uit het oog verloren, maar hij weet dat het laat is: tegen beter weten in hopend – Halley! – springt hij op uit zijn stoel om de deur van het slot te doen. Hij kan net op tijd wegduiken om de vuist te ontwijken die in het donker op hem afkomt.

En in het dorp smakt de wind de wielronde deksels van vuilnisbakken in het niets, en in de bioscoop stuitert de Hulk rond en zwaait met zijn vuisten, en in de gameswinkel zijn de kerstspellen binnen, en bij Ed's hebben ze een speciale aanbieding: twee dozen donuts voor de prijs van één. Iemand zegt dat dat is vanwege wat er gebeurd is, maar iemand anders zegt van niet en dat ze het in alle filialen doen. Maar het maakt niet uit waar je heen gaat, het lijkt nergens groot genoeg voor jou, zelfs als je midden in het winkelcentrum staat, lijkt dat nu op de een of andere manier ondiep, zoals toen je jonger was en probeerde je Transformers op bezoek te laten komen in je legodorp, en de schaal gewoon niet klopte, het werkte niet – zoiets is het, maar misschien ook niet, want je voelt je ook pietepeuterig klein, je voelt je als een brok in iemands keel, of wat maakt het eigenlijk uit hoe je je voelt, en overal waar je gaat kom je andere in het grijs geklede jongens uit je jaar tegen, die opdoemen als vreselijke spiegelbeelden – Gary Toolan, John Keating, Maurice Wall, Vincent Bailey en al die andere hoogtepunten van de evolutie die zo lang geleden begonnen is met die ene depressieve vis tegen wie je, als je hem nu tegen zou komen, zou zeggen dat ie beter in de zee kon blijven. Daar heb je ze, met bleke gezichten, maar ook een zelfgenoegzaam glimlachje, hun mouwen opgerold, en hoewel het treurig is, treuriger dan een hond met drie poten, is het ook zo gewoon, je wordt er kwaad van, dus als mensen zeggen dat Skippy een homo was, ben je daar bijna blij om, omdat je met ze op de vuist kunt, en zij zijn ook blij, dus je gaat op de vuist, tot iemands trui scheurt en de beveiliger je het winkelcentrum uit jaagt, en het andere winkelcentrum ben je al uit gejaagd, en het is te koud om naar het park te gaan, en je denkt dat het al bijna tijd moet zijn om naar bed te gaan, maar dat is niet zo, het is pas tijd voor het avondeten, dat bestaat uit een autoband met slijmsaus die je bijna onaangeroerd laat liggen, en heimelijk denk jij ook dat Skippy een homo is, je denkt: fuck you, Skippy, hoewel je ook denkt: hé, waar is Skippy? Of: Skippy, heb jij mijn … En dan denk je: o fuck, en alles schudt weer aan de randen en je moet je stevig vasthouden aan je gelukscondoom of je Tupac-sleutelhanger of je echte geweerkogel, en als je die dingen niet bij de hand hebt, dan moet je je handen dieper in je zakken steken of een steen naar een zeemeeuw gooien of naar een armoedzaaier in het dorp roepen dat zijn moeder gisteravond in vorm was en dan gauw wegrennen, en dromen dat je de Hulk bent, of een Transformer in een legodorp en je *boem! knal! pats!* het hele dorp aan gruzelementen stampt, de kleine geelhoofdige legomensen verbrandt met je laserogen tot die glimlach zo van hun gezicht smelt.

Op het schoolplein is het lispelen van de laatste gevallen bladeren die over het asfalt schaatsen het enige geluid, verder is alles volkomen stil, zelfs als er mensen praten, het is alsof iemand een schakelaar heeft omgezet en de polariteit van alles heeft omgekeerd, zodat in leven zijn nu dood zijn lijkt, als zombies, grijze lichamen schuifelen met losse ledematen door de eeuwigdurende schemering, of als universums, wat maakt het uit, materie en energie die rondzweven in het niets, neerdalen als sluiers in de duisternis. De lessen beginnen weer, maar dat maakt niet uit, die lege stoel is er nog steeds, en in de wiskundeles zegt Lurch, als hij de presentielijst opleest: 'Daniel Ju… O nee, natuurlijk niet', en hij *streept zijn naam door*, vlak voor je neus. Scheten blijven onbestraft, duidelijke ongelukssituaties worden genegeerd, Pokémonkaarten niet geruild; de recreatiezaal voor de onderbouw is verlaten, de tafeltennistafel opgevouwen en vastgebonden in een hoek, de poolballen op een rij in hun perspex baarmoeder, de televisie staat, wat nog nooit eerder is voorgekomen, uit. Je praat Er niet over, en je praat er ook niet over dat je Er niet over praat, en algauw is het Er-niet-over-praten iets echts en tastbaars geworden, een afgrijselijke surrogaat-Skippy als een kwaadaardige tweeling, een donkere blastula die steeds nadrukkelijker tegen jullie levens drukt. In de gangen van het slaapgebouw zijn alleen gesloten deuren te zien, en daarachter gesloten gezichten, verborgen onder koptelefoons of opgesloten in zwijgende dialogen met oplichtende schermen. Geoff heeft zijn zombiestem niet meer opgezet sinds die ene avond in de eetzaal toen die hem zonder erbij na te denken ontschoot, '*Wat een* GRAF*stemming, hier*', en anders klonk dan voorheen – harder dan de bedoeling was, en niet grappig, zelfs een beetje beangstigend, alsof die stem iets wist wat jij niet wist.

En dan ga je op een ochtend naar je kluisje en tref je een briefje aan van Ruprecht die je uitnodigt voor een belangrijke vergadering op zijn kamer, en hoewel het waarschijnlijk gelul is, beklim je de trappen van de Toren naar zijn slaapkamer.

De anderen zijn er al, zitten tegen elkaar aan gedrukt op Ruprechts bed, omdat niemand op dat van Skippy wil zitten, ook al is zijn dekbed weg, net als zijn andere spullen. Ruprecht ziet er koortsachtig en uitgeput uit. Sinds die ene avond rent hij, te midden van alle rare leegte, heen en weer van en naar zijn laboratorium, met een pen in zijn mond en nog eentje achter zijn oor, stapels papier en sterrenkaarten en tekendriehoeken onder zijn armen. Hij wacht tot iedereen gaat zitten, en dan rolt hij een schets uit met een bekende vorm erop.

'De Van Doren-doorgang 2.0,' zegt hij. 'Laat ik om te beginnen zeggen dat de wetenschappelijke basis hiervan verre van stabiel is. Deze operatie zal, als ze al lukt, buitengewoon gevaarlijk zijn. Maar door de capsule opnieuw te bouwen, en die te herkalibreren in een monotemporele matrix, heb ik berekend dat het misschien wel mogelijk is terug te reizen naar een nodaal punt in de tijd, d.w.z. naar de Hallowe'en Hop, en Skippy zoals hij toen was naar het heden te halen. Als we de getallen van de oorspronkelijke teleportatie aanpassen naar een temporele "zuiging" van ...'

'Aaaaargh!' roept Dennis uit.

Iedereen draait zich naar hem om. Hij is ijsbleek, ademt snel, en staart Ruprecht onverklaarbaar fel aan.

'Wat nou?' zegt Ruprecht.

'Meen je dit nou?' zegt Dennis.

'Ik weet dat het vergezocht klinkt, maar er bestaat een kleine maar reële kans dat we de capsule kunnen gebruiken om Skippy te redden. In feite doen we hetzelfde als wat we met Optimus Prime deden, alleen met een kleine aanpassing om ...'

'Aaaargh!' brult Dennis weer.

Ruprecht kijkt hem verbijsterd aan; Dennis gooit met een vreemde, ingewikkelde beweging zijn armen boven zijn hoofd alsof hij dat beschermt tegen een bominslag, of alsof hij zelf op ontploffen staat, en dan staat hij op en beent de kamer uit. De anderen kijken verbaasd om zich heen, maar vóór iemand de kans heeft gehad iets te zeggen, is Dennis weer naar binnen komen marcheren en duwt hij Ruprecht iets in zijn handen. 'Hier!' schreeuwt hij. 'Speciale zending uit de elfde dimensie!'

'Optimus ...?' Ruprecht draait de plastic robot verbijsterd rond; dan schiet zijn blik weer omhoog naar Dennis. 'Maar ... Hoe? Ik bedoel ... Waar was hij dan?'

'In mijn wasmand, onder een paar onderbroeken,' vertelt Dennis.

Ruprecht is stomverbaasd. 'Een soort wormgat ...?'

Dennis slaat met een vlakke hand tegen zijn gezicht, wat een felrode plek achterlaat. 'O mijn god – daar heb ik hem gestopt, Ruprecht! Ik heb 'm daar gestopt!'

'Jij ...' Ruprechts stem sterft weg. Zijn mond wordt een angstige O, als die van een baby die zijn speen is kwijtgeraakt.

'Begrijp je nou wat ik zeg? Die capsule van je *werkt niet*! Hij *werkt niet*! Ík heb die robot weggehaald! Die uitvinding van je deed helemaal niks! Je uitvindingen doen nooit iets!'

'Maar ...' zegt Ruprecht, steeds meer van streek, '... de Heuvel dan? En die muziek?'

'Dat heb ik allemaal verzónnen, idioot! Dat heb ik verzonnen! Dat leek me grappig! En dat was het ook! Het was heel erg grappig!'

De anderen krimpen meelevend ineen; Ruprecht klapt heel langzaam dubbel, met een uitdrukking van intense concentratie op zijn gezicht, alsof hij onkruidverdelger heeft gedronken en een studie maakt van de effecten daarvan. Van de aanblik wordt Dennis nog meedogenlozer.

'Weet je wat jouw probleem is, Blowjob? Jij weet altijd zeker dat je gelijk hebt. Je weet zo zeker dat je gelijk hebt, dat je alles gelooft. Je doet me denken aan die krankzinnige God-lastigvallende stiefmoeder van me. Ze spreekt de godganse dag haar kleine toverspreukjes uit: Jezus dit, Maagd Maria dat, Heilige daarzo, dat zeg je dan negen keer, je strooit dit of dat over je schouder, en: presto! Ze is zo druk bezig dat ze niet eens merkt dat al die dingen waar ze voor bidt nooit gebeuren. Het kan haar niet eens schelen of ze gebeuren, omdat ze eigenlijk alleen maar iets wil hebben waardoor ze met haar hoofd in de wolken kan lopen. En jij bent precies hetzelfde, behalve dan dat jij het met wiskunde doet in plaats van met gebeden, en met je flikkerige universums en, laten we die vooral niet vergeten, die buitenaardse wezens die naar beneden zullen komen en een ruimteschip voor ons bouwen voor de aarde uit elkaar knalt!'

Op het bed kijkt Ruprecht leeg de ruimte in, zijn lichaam ineengekrompen.

'Skippy is dood, Blowjob! Hij is dood, en je kunt hem niet weer tot leven wekken! Jij niet, en geen enkele mieterige wetenschapper in geen enkel laboratorium waar ook ter wereld!' Dennis laat zwaar ademend een stilte vallen, en richt dan zijn afgrijselijke blik op de anderen. 'Jullie sukkels moeten het tot je door laten dringen dat dit écht is. Al die stomme lulkoek waar we onszelf mee afleiden helpt niet meer. Spider-Man zal ons niet te hulp schieten. Eminem komt niet helpen. En een of andere stomme kloterige tijdmachine van aluminiumfolie ook niet. Dat is allemaal voorbij, begrijpen jullie dat dan niet? Hij is dood! Hij is dood, en hij blijft dood, voor altijd!'

'Dat moet je niet zeggen,' sputtert Ruprecht.

'Dood,' scandeert Dennis, 'dooda, doodstad, dooderama, doodington ...'

'Ik meen het!'

'Dood-dood-dood,' op de wijs van de *Marseillaise*, 'dood-do-do-dóód-dood-dood, dood-do...'

Ruprecht staat op van het bed, en terwijl hij zichzelf opblaast als zo'n Japanse kogelvis, stort hij zich, met een verrassend angstaanjagend effect, op Dennis. De laatste geeft een stoot die regelrecht Ruprechts middenrif treft, maar zijn vuist raakt gewoon verdwaald in de plooien van Ruprechts blubber; een fractie van een seconde verspreidt zich een angstige blik over zijn gezicht voor hij om wordt gegooid en verdwijnt onder zijn tegenstander, die op hem blijft stuiteren als een kwaadaardige boeddha.

'Hou op, hou op!' roept Geoff. 'Kom op, je doet hem pijn!'

Er zijn vier man nodig om Ruprecht van hem af te trekken. Dennis sleept zich van de vloer, slaat het stof van zich af en steekt met witte wangen een vervloekende vinger op naar Ruprecht. 'Skippy is dood, Blowjob. En zelfs al werkten die stomme plannen van je ooit, dan zou het nog te laat zijn. Dus hou eens op met iedereen valse hoop geven.' Dat gezegd hebbende strompelt hij de kamer uit.

Zodra hij weg is, gaan de anderen in een kluitje om Ruprecht heen staan om hem meelevend en geruststellend toe te spreken. 'Je moet niet naar hem luisteren, Ruprecht.' 'Vertel ons de rest van je plan maar, Ruprecht.'

Maar Ruprecht wil niets meer zeggen, en na een tijdje vertrekken ze een voor een.

Als ze weg zijn, blijft Ruprecht een poosje op zijn dekbed liggen, met Optimus Prime, de leider van de Autobots, losjes in zijn handen. Aan de andere kant van de kamer gromt het lege bed, de lakens omgeslagen, fris en ziekenhuiswit, naar hem als een locomotief.

De zon is al lang onder, en het enige licht in de kamer is nu afkomstig van het computerscherm, waar SETI ijverig door de barrage van onbegrijpelijke geluiden ploegt die de aarde elke seconde bereikt, op zoek naar alles wat ook maar enigszins lijkt op een patroon. Ruprecht blijft er vanaf zijn bed een paar minuten naar kijken, hoe de staafjes over het scherm gaan en weer wegvallen. Dan staat hij op en zet de computer uit.

Het Schoolbestuur is al bijna drie uur in conclaaf als broeder Jonas op de deur van het lokaal van zijn vierde klas klopt en Howard naar het kantoor van de Waarnemend Rector roept.

Toms gezicht is het enige dat niet zijn kant op draait als hij binnenkomt. Naast pater Green, de Automator en pater Boland, de directeur van de school – een van die slanke, zilverharige, leeftijdloze mannen die prestige en macht weten te suggereren zonder ooit uiting te hebben gegeven aan ook maar één gedenkwaardige gedachte –, zitten er nog twee mannen die Howard niet kent. Een ervan is een pater, klein en schraal, met een verzameling vosachtige, jezuïtische gelaatstrekken en een beweeglijke kaak die voortdurend maalt, alsof hij op onverteerbaar voedsel kauwt; de ander is een onbeduidende kalende man van een jaar of veertig met een randloze bril op. Broeder Jonas blijft bij de deur drentelen; Trudy, de enige vrouw in de kamer, zwaait verwachtingsvol met haar pen en aantekenblok.

'Nou, laten we om te beginnen vaststellen dat we het over een aantal dingen eens zijn,' verklaart de Automator gewichtig. 'Howard, heb je nog iets toe te voegen, in te trekken of te veranderen met betrekking tot de verklaring die je vanochtend hebt afgelegd?'

Zeven paar ogen boren zich in hem. 'Nee,' zegt Howard.

'Want het zijn ernstige beschuldigingen die je uit,' waarschuwt de Automator.

'Het zijn geen beschuldigingen, Greg. Ik heb precies aan je doorgegeven wat Tom ... wat meneer Roche gisteravond tegen me heeft gezegd.'

Die opmerking wordt met een ijzige stilte beantwoord; de zilverharige directeur permitteert zich een licht hoofdschudden. Howard wordt rood. 'Suggereer je nou dat ik het niet had moeten doorgeven? Suggereer je dat ik had moeten aanhoren hoe hij een misdaad bekende, en hem vervolgens een schouderklopje had moeten geven en hem monter naar huis had moeten sturen? Is dat 't?'

'Niemand suggereert hier wat dan ook, Howard,' snauwt de Automator. 'Laten we proberen professioneel te blijven.' Hij masseert even met gesloten ogen zijn slapen en zegt dan: 'Oké. Laten we het nog een keer doornemen. Trudy?'

Trudy komt, terwijl ze haar papieren op orde brengt, overeind uit haar stoel en leest met een heldere, neutrale stem Howards verslag van zijn avontuur van gisteravond voor: dat hij ergens tussen elf en twaalf de deur opendeed en meneer Roche daar in geagiteerde staat aantrof; dat meneer Roche hem, nadat hij hem mee naar binnen had genomen en een kop thee voor hem had gezet, vertelde dat Daniel Juster op de avond van de zwemwedstrijd voor de onderbouw in Thurles naar zijn hotelkamer was gekomen omdat hij leed aan hevige pijnen in zijn benen; dat de jongen, nadat meneer Roche hem met de hand had behandeld tegen kramp, overstuur was geraakt en hem had verteld dat zijn moeder, die naar de wedstrijd zou komen, ernstig ziek was; dat Juster steeds meer over zijn toeren was geraakt, tot meneer Roche het besluit nam hem een verdoving toe te dienen in de vorm van pijnstillers die hij bij zich had vanwege de blessure aan zijn ruggengraat. Kort daarop had de jongen het bewustzijn verloren door de pijnstillers, waarop meneer Roche hem seksueel misbruikte.

'"Afgezien van een paniekaanval in de bus op de terugweg naar Seabrook de volgende dag, waarvoor hij hem weer een verdoving gaf, vertelde meneer Roche dat de jongen er geen blijk van gaf dat hij zich bewust was van wat er was gebeurd. Maar toen schreef Juster hem afgelopen woensdag, drie dagen voor de halve finale van het onderbouwteam in Ballinasloe, een brief waarin hij liet weten dat hij uit de zwemploeg stapte. Meneer Roche raakte gealarmeerd. Hij nam contact op met Justers vader en haalde hem over de jongen ervan af te brengen uit de zwemploeg te stappen. De gezondheid van Justers moeder was precair en hij wist dat de jongen bang was iets te doen of te zeggen wat haar overstuur zou kunnen maken. Zijn vader belde Juster op en bij die gelegenheid stemde de jongen ermee in naar de wedstrijd te gaan. Maar kort daarop nam hij een overdosis pijnstillers."' Trudy kan zich er, terwijl ze afrondt, niet van weerhouden haar neergeslagen ogen snel van links naar rechts te laten schieten, met de tevredenheid van een leerling die haar les goed heeft geleerd.

'Ben je blij met die weergave?' vraagt de Automator aan Howard.

'Ik ben er niet blíj mee ...' sputtert Howard. De Automator wendt zich tot zijn buurman. 'Tom?'

Tom zegt niets; een traan glijdt als een regendruppel langs zijn versteende wang. Er klinkt een collectief zuchten en kraken van stoelen. De kleine, vosachtige man haalt een zakhorloge uit zijn zak, bewasemt het glas met zijn adem en poetst het met zijn mouw op, terwijl hij verzucht: 'Gut, gut, gut.'

De Automator verbergt zijn hoofd in zijn handen. Als hij knipperend weer tevoorschijn komt, zegt hij: 'Jezus christus, Tom, was je van plan het weer te doen? Nam je hem daar mee naartoe om het nog eens te doen?'

'Nee!' stoot Tom uit. 'Nee.' Hij kijkt niet op. 'Ik wilde hem laten zien dat het in orde was. Daarom wilde ik dat hij meekwam. Als het dit keer goed ging ... dan zou het misschien zijn alsof ... de vorige keer nooit ...' Hij barst in snikken uit. 'Ik wilde helemaal niet dat het gebeurde,' gorgelt hij. 'Ik hield van die jongen. Ik hou van al mijn jongens.'

De Automator hoort het onbewogen aan, zijn mond een strakke lijn. Dan, terwijl hij zich tot de hele tafel richt, zegt hij: 'Nou, kijk eens, we moeten beslissen wat we hier in 's hemelsnaam mee aan moeten.' Er klinkt een algemeen geritsel van papieren en broekspijpen. 'Ik ben geen man Gods, ik heb geen directe lijn naar God, dus ik kan er helemaal naast zitten. Maar als je het mij vraagt, is niemand erbij gebaat als we dit naar een volgend stadium brengen.'

'Bedoel je met het volgende stadium de zaak overdragen aan de politie?' verheldert pater Green op zijn eigen, omzichtige manier. Als hij dat woord hoort, slaakt de Automator een kreun en begraaft zijn gezicht weer in zijn handen.

'Dat is precies wat ik bedoel, vader. Het simpele feit is dat de jongen dood is. Daar kunnen we niets aan veranderen. Als we de klok terug konden draaien, zouden we dat doen. Maar dat kunnen we niet. En, op het gevaar af cynisch te klinken, ik denk dat we ons nu moeten afvragen wat we erbij zouden winnen, de familie van de jongen incluis, als we de politie hierbij betrekken. In mijn ogen zouden de voordelen behoorlijk beperkt zijn. En aan de andere

kant zou de schade, voor de school en voor zijn familie, enorm zijn.'
Howard schrikt op. 'Wacht eens even. Stel je nou voor dat we het onder het tapijt vegen?'
'Verdomme, Howard, luister nou eens vijf seconden naar me, wil je? Er is hier meer om over na te denken dan een of andere abstracte notie van gerechtigheid. Zoiets kan een school ruïneren. Dat heb ik al vaker zien gebeuren. Zelfs zoals de zaken er nu voor staan, dreigen er al vier paar ouders hun kinderen van school te halen. Als dit uitkomt, vertrekken ze in drommen. Iedere jongen die hier ooit zijn teen heeft gestoten, zal een rechtszaak aanspannen. En wat de media betreft, daar is het een buitenkansje voor. Die wachten al hun hele leven op zoiets. We mogen van geluk spreken als we aan het eind een schoolbord overhebben. Dus voor je hoog van de toren gaat blazen, Howard, moet je me eerst maar eens precies vertellen wie er nou bij gebaat is om deze hele toestand in de openbaarheid te brengen. Justers ouders? Denk je dat die er iets mee opschieten? Zijn zieke moeder? Of de jongens, denk je dat het goed voor hen zal zijn?'
Howard geeft geen antwoord, werpt hem alleen maar een norse blik toe.
'Als dit soort zaken in het verleden aan de orde kwam ...' De vosachtige, delicate pater heeft, als hij praat, precies de stem die Howard zich voorstelde: hoog en vrouwelijk, zo droog en broos als een tissue, '... bleek het altijd bevredigender die in beslotenheid af te handelen.'
'Ik ben het eens met pater Casey,' zegt de Automator. 'Het lijkt me het beste dit intern af te handelen, via onze bestaande disciplinaire kanalen.'
'Dus zoals we begonnen zijn, zullen we verdergaan, hè?' Pater Green spreekt het parmantige mannetje toe, dat alleen maar vreugdeloos lacht en zijn hand op de knie van zijn kompaan legt.
'Ach, Jerome, als het aan jou lag, wie van ons zou er dan niet in de boeien geslagen worden?'
Iets grotesks aan zijn gelach triggert iets in Howard; terwijl het gesprek om hem heen op en neer golft, strompelt hij er zonder iets te horen doorheen, misselijk en duizelig alsof hij gedrogeerd is, tot hij zijn eigen hand voor hem omhoog ziet gaan en hij zijn stem hoort zeggen: 'Wacht, wacht ... Er is een jongen dood. Juster is

dóód. Het maakt niet uit wat de school erbij te winnen heeft of niet. We kunnen dit niet zomaar ...' Absurd genoeg wendt hij zich tot Tom, 'Sorry Tom, maar we kunnen dit niet zomaar ... laten passeren.'

De zilverharige directeur begint geluiden te maken over inspecties, hoorzittingen en sancties, maar de Automator legt hem met een handgebaar het zwijgen op. 'Howard ...'

'Hij heeft gelijk,' werpt pater Green tussenbeide.

'Pardon, vader, maar hij heeft geen gelijk – Howard, niemand beweert dat we dit laten passeren. Niemand beweert dat we Juster maar moeten vergeten. Maar als Tom voor de rechter moet komen, wordt het een volksgericht, en dat weet je best. Ze zullen hem zonder een moment te aarzelen het gevang insturen, zelfs al zijn de feiten in werkelijkheid verre van helder ...'

'De feiten zijn volkomen duidelijk, Greg. Hij heeft een volledige bekentenis afgelegd.'

'Ik bedoel de feiten en omstandigheden rond Daniel Justers dood. We weten niet wat er door het hoofd van die jongen spookte, dat zullen we nooit weten. Wie van ons kan met zekerheid zeggen dat de gebeurtenissen die hebben plaatsgegrepen aangaande Tom uiteindelijk en onweerlegbaar datgene waren wat hem over de rand duwde? We weten dat er nog andere dingen waren die hem dwarszaten. Zijn zieke moeder bijvoorbeeld, en dat meisje, die toestand met dat meisje.'

'Ja, maar ...'

'En feit is dat die pillen die Tom hem naar verluidt heeft gegeven de vraag opwerpen of hij zich überhaupt bewust is geweest van wat er gebeurd was, dus nog afgezien van de vraag of het goed of verkeerd was: we kunnen niet met zekerheid ...'

'Jezus, Greg, hij heeft hem meegenomen naar zijn kamer, gedrogeerd en misbruikt. Hoe kun je nou ...'

'Even rustig, jij!' onderbreekt de Automator hem. 'Even rustig, meneertje. Hier op Seabrook beoordelen we een man naar de som van zijn daden – de sóm. In dit geval hebben we te maken met een man die meer dan wie ook toegewijd is aan deze school en de jongens op deze school. Maakt een verkeerde inschatting, hoe ernstig ook, al het goede dat hij heeft gedaan met één pennenstreek ongedaan? Het goede van die zorg?'

'Een verkeerde inschatting?' zegt Howard, met stomheid geslagen.
'Precies, we zouden allemaal ...'
'Een verkeerde inschatting?!'
'Dat zei ik, ja, verdomme,' brult de Automator, baksteenrood opgloeiend. 'Daar heb je er zelf ook een van gemaakt, of weet je dat niet meer? Drieënhalf miljoen naar de haaien in minder dan een minuut – minder dan een minúút! Toen je hierheen kwam, was je de risee van de City of London! Kansloos op de arbeidsmarkt! Maar wie ontfermde zich over je? Wie ontfermde zich over je toen niemand anders dat deed? Deze school, omdat wij voor onze eigen mensen zorgen! Dát bedoelen we hier met zorg!'
'Wat heeft' – Howard is overeind gekomen – 'een beetje geld verliezen nou in vredesnaam te maken met het fysiek drogeren en misbruiken ...'
'Dat zal ik je vertellen!' De Automator komt ook overeind en torent boven hem uit. 'Kijk nou eens naar die man, Howard! Kijk voor je over schuldvragen begint nou eens goed naar die man! Deze man was een held! Deze man zou een van de grootheden van de sport aller tijden in dit land worden! En in plaats daarvan is hij een invalide die constant pijn lijdt, dankzij jou! Door jouw lafhartigheid! Jij hebt het over gerechtigheid. Als er gerechtigheid bestond, had jíj onder in die steengroeve gelegen, niet hij!' Dat snoert Howard de mond wel. Naast de Waarnemend Rector knikt de directeur bedroefd. 'Na zo'n klap was ieder ander waarschijnlijk voorgoed in zijn schulp gekropen. Maar Tom Roche niet. Hij heeft zich met volledige toewijding gestort op het onderwijzen van die jongens. Ik zou zelfs willen beweren – het zal je niet bevallen, maar ik zou zelfs willen beweren dat juist die toewijding hem ertoe heeft gebracht die afgrijselijke fout te begaan. Maar daar gaat het niet om. Waar het om gaat is dat toen hij probeerde het goede te doen, toen hij uitgerekend naar jou toe kwam om op te biechten wat hij gedaan had – terwijl anders niemand er ooit achter was gekomen –, wilde jij hem alleen maar aan de hoogste boom laten opknopen! Nou, laat ik je dit zeggen: jij zit er ook tot over je oren in!'
'Ik?!'
'Ik heb jou erop afgestuurd om met Juster te praten. Dit is een jongen met problemen, zei ik, ga eens met hem praten. En dat leverde geen jota op!'

'Had ik dan een pistool tegen zijn hoofd moeten zetten? Had ik een pistool tegen zijn hoofd moeten zetten, en moeten zeggen: "Oké, Juster, en nou praten ..."?'

'Daniel,' mompelt Tom.

'Wat zeg je?' De Automator draait zich met een ruk om.

'Hij wilde liever Daniel genoemd worden,' herhaalt Tom, ongemakkelijk voorover in zijn stoel als een klassiek beeld dat vervoerd wordt, door een patina van tranen en slijm heen.

De mannen vervallen in sudderend stilzwijgen.

'De vraag is: hoe moeilijk zou het zijn de kwestie intern te houden?' merkt de vosachtige pater uiteindelijk op. 'Als ik afga op wat ik hoor, lijkt de vader van die jongen me niet het type om voor problemen te zorgen.'

'Is hij er eentje van ons?' informeert de hangwangige directeur op vlakke toon.

'De eindexamenklas van '84,' zegt de Automator. 'Hij was vooral een tennisser. Ze hadden destijds een behoorlijk goed team. Ja, die heeft genoeg aan zijn hoofd met de kanker van z'n vrouw, zou ik zeggen.'

'Niettemin zou het in ons voordeel kunnen zijn als we een duidelijke richting aan ons onderzoek geven,' adviseert de vosachtige pater.

'Nou, hij was overstuur over dat meisje,' zegt de directeur. 'Is dat niet het perfecte alibi dan?'

'Ik wil die Romeo en Julia-onzin niet aanwakkeren,' zegt de Automator. 'Anders gaan ze straks als lemmingen.'

'Dan is de moeder misschien de aangewezen invalshoek,' zegt de vosachtige pater.

'Dat zou mijn voorkeur hebben. Mam ligt op sterven, de jongen kan er niet meer tegen, game over. De pers is het nog niet op het spoor gekomen. We kunnen ze een paar hints geven, en hier de nazorg een beetje opschroeven, misschien.' Hij maakt een aantekening op een notitieblok. 'Nou, heren, ik denk dat we het er allemaal over eens zijn dat we het best maar kunnen afwachten. Als Desmond Furlong erbij was, zou hij ongetwijfeld hetzelfde hebben gezegd.' De leden van het bestuur rond de tafel knikken ezelachtig, op pater Green na, wiens hoofd in een nadenkende hoek gebogen is, alsof hij geniet van de geur van een voorjaarsweide, en de onbekende kale man, die de Automator aankijkt.

'O ja, dat is ook zo ...' Hij zoekt in de papieren op zijn bureau en spoort een dun stapeltje van drie of vier velletjes op. Hij houdt het Howard voor. 'Dit is van Vyvyan Wycherley, Howard, een oud klasgenootje van me. Pater Casey en hij hebben dit voor je opgesteld om te ondertekenen.'

'Wat is het dan?'

'Het is je nieuwe contract. Het doet me deugd je een baan aan te bieden als eerste schoolarchivaris in de geschiedenis van Seabrook. Dat komt bij je bestaande taken als onderwijzer. Betaalt niet gigantisch, maar toch heel aardig. Je kunt werken wanneer je wilt, op elk gebied dat je interesseert ...'

Howard bladert de pagina's zwijgend door – taakomschrijving, salaris, en dan, tegen het eind, valt zijn oog op een korte paragraaf ...

'Dat is een geheimhoudingsclausule. Die zul je ongetwijfeld nog kennen uit je tijd in de City. Als je die ondertekent, ben je wettelijk verplicht geen vertrouwelijke informatie over schoolzaken te onthullen, inclusief wat we hier vandaag hebben besproken.'

Howard gaapt hem stompzinnig aan. 'Meen je dat nou?'

'Het is maar een voorzorgsmaatregel, Howard, om te zorgen dat we het aan alle kanten hebben afgedekt. Je hoeft hem niet halsoverkop te tekenen. Neem hem maar mee naar huis, denk er rustig over na. Als je wilt weigeren, de eerzame weg wilt bewandelen, dan kan ik je niet tegenhouden. Je vindt vast makkelijk genoeg elders emplooi. Het schijnt dat er vacatures zijn aan St. Anthony's. Daar is vorige week nog een leraar neergestoken.'

'Niet te geloven dat je me dit aandoet, Greg,' zegt Howard zachtjes.

'Zoals ik al zei, Howard: het is aan jou. Hier op Seabrook zorgen we voor elkaar. Als je je aan de regels houdt, luistert naar de aanvoerder, dan is er altijd een plek in het team voor je. Maar als je niet achter je school blijft staan als het tegenzit, waarom zouden we dan achter jou blijven staan?'

Howard bladert nog een keer met verdoofde vingers door de dicht getypte, moeilijk te doorgronden tekst, tot hij op de laatste pagina is, waarop hij zijn eigen naam ziet staan, met een lijn erboven voor zijn handtekening en de datum er al bij. Hij voelt de heimelijke en neergeslagen blikken op hem rusten, tegen hem aan drukken als lichamen in een volle lift.

Van zo dichtbij klinkt de stem van pater Green als een bel, in een vrolijke samenzang: 'En zal Gód op de hoogte worden gebracht van wat zich heeft voltrokken?'

Er klinkt geërgerd gemompel rond de tafel. De pater herformuleert zijn vraag. 'Ik vraag alleen maar, als punt van orde, of, op de Dag des Oordeels, als God ons naar onze zonden vraagt, onze belofte om dit vertrouwelijk te houden betekent dat we er dan ook over moeten zwijgen?'

'Met alle respect, vader,' zegt de Automator, zichtbaar geërgerd, 'dit lijkt me niet het moment.'

'Je hebt uiteraard volkomen gelijk,' zegt pater Green. 'Ik durf te zeggen dat we nog voldoende tijd zullen hebben om daarover na te denken, als we eenmaal zijn verdoemd tot het eeuwige hellevuur.'

De snelogige, vosachtige pater draait zich geprikkeld om. 'Waarom moet jij toch altijd zo middelééuws doen?'

'Omdat dit een zónde is!' De knokige hand van de priester bonst op de tafel, zodat de theekopjes en hun schoteltjes en de plastic balpennen opspringen, en een woedende blik raast over tafel om hen allemaal een voor een aan te kijken. 'Het is een zónde,' herhaalt hij. 'Een allerverschrikkelijkste zonde jegens een onschuldig kind! We kunnen ons verschuilen achter onze mooie praatjes over het algemeen belang, maar we kunnen het niet verbergen voor God de Heer!'

De rest van de dag, terwijl de school ergens in de onzichtbare verte zijn gangetje gaat, dwaalt Howard alleen door een klamme, kwaadaardige mist. Farley vraagt of hij na het werk meegaat om wat te drinken, en Howard durft hem nauwelijks aan te kijken. Hij voelt hoe het geheim zich elke seconde dieper in hem wurmt, zich in hem nestelt als een monsterlijke parasiet.

Als dit soort zaken in het verleden aan de orde was – die woorden werden zo nonchalant uitgesproken, als een ouder die de wisseling der seizoenen uitlegt aan een kind. Heeft hij hier al die tijd in geleefd? Oude verhalen komen boven uit de diepten van zijn geest – de afdwalende handen van de ene pater, de sadistische trekjes van een andere, deuren die op slot werden gehouden, ogen die te lang bleven rusten in kleedkamers. Maar verhalen; hij had ze altijd gezien als niet meer dan verhalen, loze roddels die werden bedacht om de tijd te doden, zoals alles op Seabrook. Want hoe konden die mannen hier anders nog rondlopen? Met ichtusvisjes in hun revers? Bij zo'n mate van hypocrisie zou God of wie dan ook zich toch zeker geroepen hebben gevoeld in actie te komen?! Nu is het alsof er een paneel is weggeschoven en hij een vluchtige blik heeft geworpen op de geheime machinerie van de wereld, de volwassen wereld, waarin zaken aan de orde komen – deuren van hotelkamers worden opengeduwd, pillen worden in glazen cola gedaan, lichamen worden ontbloot, terwijl de wereld buiten in onwetendheid doordraait – en weer worden afgehandeld, door kleine kaders van mannen in kamers, de paters in hun conclaaf, de Automator en zijn team van advocaten, het doet er eigenlijk niet toe. Een leugentje om bestwil in het algemeen belang. Zo houden we de boel aan de gang.

Zijn laatste lesuur is roostervrij, en vandaag heeft hij geen zin om te blijven hangen, dus pakt hij zijn spullen bij elkaar en loopt naar buiten. Thuis haalt hij het contract uit de envelop en legt het op tafel, van waaraf het hem aanstaart, poolwit.

Halleys telefoon gaat drie keer over voor ze opneemt. Als ze dat doet, is het een schok om haar stem te horen – buiten zijn eigen hoofd, onafhankelijk van zijn geheugen. Hij realiseert zich dat hij zich haar heeft voorgesteld alsof ze vastzat in een of andere atemporele staat; pas nu dringt het tot hem door dat ze, vlak voor hij belde, en in alle momenten daarvoor in de afgelopen weken, andere dingen heeft gedaan, dagen heeft doorgemaakt waar hij niets van weet, net zoals er voor hij haar ontmoette nog duizend andere dagen zijn geweest die voor haar net zo echt waren als haar hand voor haar gezicht waar hij nooit ook maar een flauw vermoeden van zal hebben, waarin hij zelfs als idee nooit een rol heeft gespeeld.

'Howard?'

'Ja.' Hij heeft niet gepland wat hij zou gaan zeggen. 'Dat is een tijdje geleden,' weet hij uiteindelijk uit te brengen. 'Hoe is het? Hoe gaat het met je?'

'Met mij gaat het prima.'

'Logeer je nog bij Cat? Bevalt dat?'

'Prima.'

'En met je werk? Hoe gaat dat, is het ...?'

'Het gaat prima met mijn werk. Wat wil je, Howard?'

'Ik wilde alleen maar even horen hoe het met je gaat.'

'Nou, het gaat prima,' zegt ze. De stilte die daarop volgt heeft het definitieve voorkomen van een geheven guillotine.

'Met mij ook,' zegt Howard mismoedig. 'Hoewel, ik weet niet of je het hebt gehoord, maar we hebben wat problemen gehad op school – een jongen, hij zat in mijn geschiedenisklas ...'

'Ik heb het gehoord.' Het ijs in haar stem smelt, zij het maar een klein beetje. 'Het spijt me.'

'Dank je.' Hij heeft de neiging haar alles te vertellen, over Coach, de vergadering van het bestuur, de geheimhoudingsclausule. Maar hij bedenkt zich op het laatste moment, omdat hij niet zeker weet of het in zijn voordeel zal zijn haar de besmette wereld te laten zien waar hij in leeft. In plaats daarvan stoot hij uit: 'Ik heb een fout gemaakt. Dat wilde ik tegen je zeggen. Ik ben dwaas geweest. Ik heb zulke afschuwelijke dingen gedaan. Ik heb je pijn gedaan. Het spijt me, Halley, het spijt me ontzettend.'

Een enkel woord: 'Oké', als een verlaten atol in een oceanische stilte.

'Nou, ik bedoel, wat denk je ervan?'

'Wat ik ervan denk?'

'Kun je me vergeven?' Zo hardop uitgesproken klinkt de vraag lachwekkend misplaatst, alsof hij ineens teksten uit *Casablanca* is gaan citeren. Maar Halley lacht niet. 'En die andere vrouw van je dan?' zegt ze met een onverschillige, onaangedane stem. 'Heb je het wel met haar besproken?'

'O.' Hij maakt een wegwerpgebaar met zijn hand, alsof het verleden een rokerig beeld is dat je in één klap kunt verdrijven. 'Dat is afgelopen. Het was niets. Het stelde niks voor.'

Ze antwoordt niet. Terwijl hij afwezig door de kamer ijsbeert, zegt hij: 'Ik wil het weer proberen, Halley. Ik heb na zitten denken – we zouden hier weg kunnen gaan. Ergens anders opnieuw beginnen. Misschien zelfs terug naar de States; we zouden kunnen trouwen en verhuizen naar de States. Naar New York. Of waar je maar heen zou willen.'

Eigenlijk is dit een plan dat hij nu pas heeft bedacht, maar als hij het uitspreekt, klinkt het zo perfect! Een nieuw, verbonden leven, ergens ver van Seabrook! Al zijn problemen zouden in één klap opgelost zijn!

Maar als ze antwoordt, klinkt haar stem, hoewel er weer een beetje genegenheid in is teruggekeerd, bedroefd en vermoeid. 'Als je je hand in het vuur hebt, hè?'

'Wat?'

Ze zucht. 'Je bent altijd op zoek naar een uitweg, Howard. Ontsnappingsroutes uit je eigen leven. Daarom vond je mij ook leuk: omdat ik hier niet vandaan kwam, en ik iets nieuws leek te bieden. Toen ik niet nieuw meer was, ging je met die andere vrouw naar bed, wie dat ook was. En nu je me niet meer hebt, lijk ik weer een uitweg. Je hebt iets om naar te streven, je bent op een queeste om me terug te krijgen. Maar begrijp je dan niet dat als je me eenmaal terug hebt, de queeste voorbij is en je je weer zult vervelen?'

'Dat gebeurt niet,' zegt hij.

'Hoe weet je dat?'

'Omdat ik anders zal zijn, omdat ik me dan anders vóél.'

'Gevoelens zijn niet genoeg. Hoe kan ik mijn leven nou in handen leggen van een gevoel?'

'Waarin anders?'

'Er moet iets anders zijn,' zegt ze. Hij kan niets bedenken om daarop te zeggen, en terwijl hij daarnaar zoekt, begint zij weer te praten. 'Het punt is dat het leven geen queeste is, Howard. En het is niet het soort vuur waar je zomaar even je hand uit kunt halen. Dat moet je accepteren, en je moet ermee om leren gaan.'

De vijandigheid is nu uit haar stem verdwenen en ze praat met de bedachtzame mengeling van urgentie en medelijden van iemand die een zelfdestructieve vriend probeert te redden. Howard wacht even als ze uitgesproken is, en zegt dan zachtjes: 'En hoe moet het dan met ons?'

Het zoemen van de lege telefoonlijn is als een mes dat ronddraait tussen zijn ribben.

'Ik weet het niet, Howard,' zegt ze uiteindelijk met een treurig, timide stemmetje. 'Ik heb tijd nodig. Ik heb wat tijd nodig om uit te zoeken welke kant ik met mijn leven op moet. Ik bel je over een poosje, oké?'

'Oké.'

'Oké. Zorg goed voor jezelf. Dag.' De lijn klikt dood.

De dag na de bestuursvergadering komt pater Green niet opdagen voor zijn ochtendlessen. De officiële verklaring is dat hij ziek is, maar dat wordt vrijwel direct tegengesproken door de aanblik van de pater die dozen door Our Lady's Hall loopt te zeulen, fris en gezond, of zo fris en gezond als hij maar kan zijn. Hij komt ook niet opdagen voor zijn middaglessen, en dan duikt het nieuws op – niet van een bepaalde bron; het ís er gewoon ineens, drijft rond in de ether – dat hij is gestopt met lesgeven om zich te concentreren op zijn liefdadigheidswerk.

Het wordt met ongeloof begroet. Dat de pater een bloedhekel had aan de Franse taal, en trouwens ook aan zijn leerlingen, is nooit een groot geheim geweest; maar toch, de meeste mensen hadden verwacht dat hij tot zijn dood door zou gaan met lesgeven, al was het maar om hen dwars te zitten, en zichzelf misschien ook wel (en van degenen die dat dachten waren er behoorlijk wat die heimelijk geloofden dat hij nooit dood zou gaan). Maar nu is hij zomaar ineens weg, midden in een schooljaar; hoewel hij er natuurlijk gewoon nog is. Hij loopt binnen met leveringen voor zijn voedselpakketten, draagt voedselpakketten naar zijn auto, maakt ritjes naar St. Patrick's Villas en de sombere appartementencomplexen ten noorden en westen van de stad.

Het is allemaal heel vreemd en plotseling; en dan herinnert iemand zich dat Skippy op de dag dat hij overleed in pater Greens kantoor was geweest om voedselpakketten te maken, en ze leggen het verband.

'Hoe bedoel je?'

'Hè hè, wat denk je zelf? Na een miljoen jaar lesgeven houdt hij er van de ene dag op de andere mee op, zonder dat hij wordt vervangen? Dat zouden ze nooit toestaan als er niet iets heel ernstigs aan de hand was.'

'Ja, en het was op die dag, moet je rekenen. En er was niemand bij, alleen Skippy en Cujo ...'

'Holy shit ...'

'Maar, wacht nou eens even. Kom op, als hij dat had gedaan, zouden ze hem daar toch niet zomaar mee weg laten komen, of wel?'

Na een moment van nadenken realiseren ze zich dat dat precies iets is wat Ze zouden doen. Hoe meer de jongens erover nadenken, hoe meer ze pater Green zijn rondes zien maken, met zijn onveranderlijke air van kille rechtschapenheid, die uitstraling dat hij op een hoger spiritueel plan verkeert waarin zij de rol spelen van vrij rondzwevende klonten vuil, des te meer kristalliseert het gerucht uit tot een zekerheid.

'Wat een gelul,' zegt Geoff Sproke, met gebalde vuisten, voor de tigste keer. 'Dit is verdomme volkomen gelul.'

Het is ook volkomen gelul, maar wie moet daar iets aan veranderen? Geoff, die huilde om het eind van *Free Willy 2*? Niall, die altijd de held speelt in schooltoneelstukken? Bob Shambles, met zijn verzameling in de natuur voorkomende hexagonen? Victor Hero, de jongen met de waarschijnlijk minst toepasselijke naam in de geschiedenis van de school?

Nee, zij niet. En Ruprecht ook niet. Ruprecht loopt tegenwoordig meestal rond met zijn mond vol donuts, en zelfs op de zeldzame momenten dat hij niet eet zegt hij weinig. Hij krabbelt geen vergelijkingen meer op stukjes papier; hij kijkt niet meer op de computer of er al signalen uit de ruimte binnen zijn; de opgestoken arm van Ruprecht, die voor zoveel leraren een baken was, verdwijnt van de horizon van het leslokaal, en als Lurch vastloopt in een som, kijkt hij alleen maar toe, onbewogen op zijn kauwgum kauwend, terwijl de wiskundeleraar steeds geagiteerder raakt en de wirwar van verkeerde getallen zich geleidelijk aan over het hele bord verspreidt. Als iemand hem een sukkel noemt, hem een schop onder zijn kont geeft of tegen zijn achterhoofd slaat, gaat het net zo; hij struikelt maar valt niet, recht zijn rug, en loopt door zonder zich ook maar om te draaien.

De rest van de vriendengroep had die ontwikkelingen best eens zorgwekkend kunnen vinden, en zou er misschien zelfs iets aan hebben gedaan, maar het punt is dat de vriendengroep eigenlijk niet meer lijkt te bestaan. Zonder dat er ooit iets over is gezegd, hebben ze nieuwe plekken uitgezocht in verschillende uithoeken van het lokaal; na de lunch, die ze zo snel naar binnen werken als de misselijkmakendheid ervan toestaat, gaat Mario nu voetballen op het schoolplein, terwijl Dennis en Niall de gewoonte hebben opgevat met Larry Bambkin en Eamon Sweenery sigaretten te gaan roken bij het meer in Seabrook Park, en Geoff eindelijk is bezweken voor de aantrekkingskracht van het rollenspelgroepje van Lucas Rexroth, en zijn lunchpauze doorbrengt met het verkennen van de gevreesde Mijnen van Mythia in de gedaante van Mejisto de Elf. Als hun paden elkaar kruisen, op de gang, in de studiezaal of de recreatiezaal, voelen ze zich opgelaten zonder precies te weten waarom; van dat niet-weten raken ze nog opgelatener, en ze nemen het de anderen kwalijk dat ze zich zo voelen, dus algauw schakelen ze over van elkaar ontlopen op elkaar actief kwellen – ze tikken tegen oren, bespotten kleine zondes, en vertellen geheimen die ze elkaar in gelukkiger tijden hebben toevertrouwd door aan derden, zoals Dennis op een avond in de recreatiezaal: 'Hé allemaal, weten jullie waar Geoff bang voor is? Voor drilpudding!' Hij stak een schaal pudding naar hem uit, terwijl Geoff piepte en ineenkromp. 'Wat is er, Geoff? Wiebelt ie te veel voor je?' Tot Geoff, tot het uiterste getergd, eruit flapte: 'Dennis' stiefmoeder is zijn stiefmoeder helemaal niet, het is zijn echte moeder. Hij doet alleen maar alsof omdat hij een bloedhekel aan haar heeft!' Verbijsterde stilte van Dennis, gegiechel en gejoel van Mitchell Gogan en de anderen aan zijn tafeltje, hoewel het hun uiteindelijk helemaal niet kan schelen.

Het is alsof Skippy zo'n onbeduidend ogend pinnetje is geweest dat de hele machine bij elkaar houdt; of misschien geven ze er allemaal heimelijk de anderen de schuld van dat ze iets hebben gezegd of gedaan wat de hele toestand heeft veroorzaakt, of dat ze iets niet hebben gezegd of gedaan wat het allemaal had kunnen voorkomen. Wat de reden ook is, hoe minder ze elkaar zien, des te beter; en Ruprecht, die sowieso altijd meer Skippy's vriend was dan die van hen, kan ongestoord verdergaan in zijn neerwaartse spiraal.

Maar daar is hij niet uniek in. Er is nog iemand die heel vergelijkbare symptomen vertoont, hoewel dat, omdat ze zich aan verschillende uiteinden van het academische spectrum bevinden, niemand lijkt te zijn opgevallen. Carls catatonische toestand is uiteraard gewoon de laatste fase in een lang proces van onthechting;

voorts wordt die toestand, in tegenstelling tot die van Ruprecht, gekenmerkt door voortdurende tics en zenuwtrekjes – rondspiedende ogen, blikken over zijn schouder, opspringen naar schaduwen. Maar ze lopen precies eender: ze slepen hun zware lichamen door de gangen als wassen beelden, om niet te zeggen: als overledenen.

Ondanks dat alles lijkt het normale leven enigszins te zijn teruggekeerd op de school. De lessen worden weer opgepakt, repetities gegeven, spelletjes gespeeld; het verhaal verdwijnt langzaam uit het nieuws en Skippy uit de naaste herinnering; er wordt alleen nog over hem gesproken in obscure terzijdes in gesprekken als een fataal voorbeeld van een verkeerde aanpak: 'Het is zoals Tupac al zei, maat: *money before bitches*.' '*Word up*.'

'Het leven gaat verder, Howard,' zegt de Automator. 'We dragen allemaal een stukje van Juster mee in ons hart, en dat zal altijd zo blijven. Maar je moet vooruit. Daar draait het leven om. En dat is wat die jongens doen. Ik moet zeggen dat ik trots op ze ben.' Hij draait zich om naar de jongere man. 'Ik ben ook trots op jou, Howard. Je hebt een zware beslissing genomen. Daar waren volwassenheid en een sterk karakter voor nodig. Maar ik wist wel dat je het in je had.'

De avond daarvoor heeft Howard het contract ondertekend. Hij weet niet precies waarom – een definitieve daad van zelfsabotage? Een resolute, totale uitroeiing van al zijn hoop? Hij heeft niet de behoefte er al te lang bij stil te staan. In plaats daarvan overziet hij zijn nieuwe leven, en put een pervers genoegen uit het schuldgevoel dat van 's morgens vroeg tot 's avonds laat pijn doet in zijn kaak als een rotte kies. Als hij in de lerarenkamer zit, benijdt hij de andere leraren om hun nietszeggende gebabbel, hun oudbakken grappen, hun klachten en gemopper, alsof het een wereld is waar hij geen deel meer van kan uitmaken. Hij benijdt pater Green ook, en als die vertrekt op zijn missies, voelt Howard soms de neiging om bij hem in de auto te stappen, een Handje te Helpen, iets goeds te doen. Maar als ze elkaar zwijgend tegenkomen in de gang, is de minachting van de pater allesoverheersend.

Wat Tom Roche betreft, Howard kan zijn kont tegenwoordig nauwelijks keren zonder hem tegen het lijf te lopen. Er is besloten dat hij overgeplaatst moet worden, weg uit Ierland, gewoon voor de zekerheid; maar terwijl het bestuur een geschikte plek zoekt, zal hij les blijven geven en de zwemploeg blijven coachen alsof er niets is gebeurd. En dat doet hij ook, behoorlijk overtuigend; en daar zullen, denkt Howard, ook wel volwassenheid en een sterk karakter voor nodig zijn.

Lori moet een Persoonlijke Tragedie verwerken. Op school maakt ze er geen punt van – ze gedraagt zich net als altijd, ze glimlacht en lacht net als anders en pas als je heel goed oplet, zul je merken dat ze iets stiller is dan normaal, iets bleker ook. En soms kijkt ze weg, uit het raam, en trekt er een soort droefenis over haar gezicht. Maar mams en paps maken zich ernstig zorgen over haar. Ze laten steeds kleine cadeautjes achter in haar slaapkamer voor als ze thuiskomt, en zaterdag zei mam ineens dat ze een Meisjesuitstapje gingen maken – met z'n drietjes: mam, Lori en de creditcard! Ze lieten hun haar doen, een gezichtsbehandeling, en daarna gingen ze naar Brown Thomas om schoenen te kopen; dat was zo leuk! Maar toen ze in een café zaten, legde Lori's moeder haar hand op die van Lori en zei: 'Ach, liefje', en Lori zag tranen van achter haar zonnebril naar beneden biggelen, en toen begon zij ook te huilen en ze omhelsden elkaar en huilden; al die andere vrouwen in het café moeten gedacht hebben dat ze niet goed wijs waren!

'Het was een lieve jongen, maar hij had problemen,' zei mam toen ze waren uitgehuild. 'Je vader stond laatst te praten met de rector van Seabrook, die een heel goede vriend van hem is, en die zei dat het helaas een jongen met veel problemen was. Dat soort mensen heb je in deze wereld en je moet accepteren dat je ze maar tot op zekere hoogte kunt helpen, en daarna kun je niets meer doen. En' – mam begon weer te sniffen – 'lieverd, ik weet dat het nu onmogelijk lijkt, maar op een dag zal je hart geheeld zijn, en dan zul je van iemand anders kunnen houden.'

En Lori voelde even een ware mochaccinogloed opkomen in haar buik, maar toen zei mams dat paps wilde dat ze naar een kinderpsycholoog ging, en het gevoel werd misselijk koud. Een kinderpsycholoog die in haar hoofd ging peuren, overal achter wilde komen? Die tegen mams en paps zou zeggen wat er echt was gebeurd? Lori dacht even dat ze ter plekke over tafel zou kotsen, maar toen zei mam: 'Maar ik heb tegen hem gezegd dat ik niet dacht dat dat nodig was, omdat we er zelf heel goed mee om kunnen gaan, al met al. Je bent zo dapper geweest,' zei ze, 'en ik ben zo trots op je', en toen begon ze te praten over die vrouw van het modellenbureau die had gebeld nadat ze foto's van Lori in de krant had gezien en die wilde dat ze langs zou komen. 'We moeten echt een nieuwe outfit voor je kopen,' zei mam, 'en misschien ook nog even naar de tandarts om je gebit te laten bleken. Je krijgt maar één kans bij die mensen.'

De leraressen, nonnen en meisjes in haar klas waren over het algemeen heel aardig voor haar geweest, maar, zoals BETHani zegt, als iemand aandacht krijgt of succes heeft, zullen er altijd hatelijke types zijn en mensen die diegene naar beneden proberen te halen met negativiteit, bijvoorbeeld zoals gisteren, toen ze Mirabelle Zaoum hoorde zeggen: 'O god, je bent op deze school al een grote ster als iemand je naam op de vlóér schrijft.' Janine zegt: 'Je moet je niet op je kop laten zitten, Lori', en ze maakte een kaartje voor haar waarop stond: *Never frown even when ur sad, coz u never know whose falling in love with ur smile!* En dat is waar! Dus als ze door de deuren van de school loopt, het krioelende warme nest vol blauw-geüniformeerde meisjes in, doet ze dat met een grote glimlach naar iedereen, ☺☺☺!

Janine is de enige aan wie ze haar ware gevoelens laat zien. Als je haar niet kent, kan Janine een ontzettende bitch lijken, maar eigenlijk heeft ze een reusachtig hart. Ze wilde zo graag helpen om Carl en Lori weer bij elkaar te brengen. Het was haar schuld niet dat het plan niet werkte, en sinds het gebeurde, is ze de beste vriendin geweest die je je maar kunt wensen. Lori zou het heel fijn vinden als Janine iemand vond om van te houden – onder haar stoere uiterlijk is dat eigenlijk het enige wat ze wil! En ze ziet er tegenwoordig geweldig uit; ze is dat kleine, je zou het niet meteen een zwembandje noemen, maar goed, dat is bijna helemaal weg. Maar toch is Lori blij dat ze haar helemaal voor zichzelf alleen heeft, tot alles weer normaal wordt.

Ze gaan vandaag in de lunchpauze naar het winkelcentrum. Denise en Janine hebben het over KellyAnn, die iedereen knetter maakt door de hele tijd te praten over die stomme baby van haar; je zou denken dat ze zich ervoor schaamde, maar ze houdt haar kop er maar niet over en zet steeds zo'n wijze-oude-vrouwenstem op, praat heel *llllaaaaaaangzaaammmm* en *zaaaaachtjessssss* en zo, alsof zij iets weet wat jij niet weet, alleen maar omdat ze dronken is geworden en die eikel van een Titch Fitzpatrick haar met jong heeft laten schoppen.

'Ik zou het nog niet zo erg vinden als ze me maar niet steeds advies over relaties wilde geven,' zegt Denise.

'Ik ook,' zegt Janine. 'Ik zeg zo van: KellyAnn, jij hebt je hele leven naar de donder geholpen. Als ik ooit advies van jou nodig heb, trek dan maar een zak over mijn hoofd en schiet me neer.'

'Wat denk je dat er gebeurt als zuster Benedict erachter komt? Denk je dat ze van school wordt gestuurd?'

'Dat weet ik niet,' zegt Janine, 'maar als KellyAnn een beetje koppiekoppie had, dan zou ze gaan sparen voor een korte vakantie.'

Lori is geschokt. 'Bedoel je een abortus?'

'Die gaat echt geen abortus laten plegen,' zegt Denise.

'Wat moet ze er anders mee?'

'Nou, misschien helpt Titch haar om ervoor te zorgen?'

Janine lacht. 'Heb je de moeder van Titch weleens gezien? Dat is net Godzilla als travestiet. Die laat het leven van haar lieve Tom-Tom echt niet in de vernieling helpen, alleen maar omdat een of ander sletterig meisje van Brigid's haar benen niet bij elkaar kon houden.'

'Ik heb gehoord dat ze hem alleen maar heeft gepijpt,' zegt Denise.

'Van pijpen kun je niet zwanger worden,' zegt Janine.

'Ik ken een meisje dat een zus had met een vriendin die een jongen pijpte, en toen werd ze zwanger, ook al was ze maagd.'

'Heeft ze het uitgespuugd?' vraagt Janine.

'Dat weet ik niet,' zegt Denise.

En het is raar, maar het ene moment zit Lori nog naar haar vriendinnen te luisteren, en het volgende ligt ze op de grond en de winkels op de begane grond draaien rond haar hoofd als van die vogeltjes in oude tekenfilms als de coyote een aambeeld op zijn kop krijgt of zo.

'O mijn god, o mijn god,' fladdert Denise boven haar als een magere vogel. Janine zit gehurkt naast haar. 'Ach, liefje!' Er verschijnt een beveiligingsbeambte, die op haar neerkijkt met donkerbruin haar en een vriendelijk, dom gezicht. 'Gaat het wel met haar?' vraagt hij met een stem die precies zo klinkt als die van Lilya. 'Het gaat prima,' zegt Janine. 'Ze heeft alleen een beetje frisse lucht nodig.' Hij komt dichterbij. 'Het gaat prima met haar,' snauwt Janine, en die gast loopt ineengekrompen weg, als een hond waar je een steen naar hebt gegooid. 'Liefje,' mompelt ze weer en ze omhelst haar en voor even kan Lori zich verstoppen in de warme, vriendelijke duisternis, de Janine-geur die ze zo goed kent. Maar dan valt alles weer op haar, de dag de avond het Plan, ze wist zodra ze hem belde dat het niet zou werken; zodra ze opnam toen Daniel belde, wist ze dat het een slecht idee was, zo tegen hem liegen voelde verkeerd, ze werd er kwaad van, en hij bleef haar maar vragen stellen – Wat is er aan de hand? Hoe lang heb je dat al? Heb je koorts? –, dus moest ze steeds meer liegen, terwijl ze alleen maar wilde dat hij wegging, en ze vond het heel vreselijk maar ze is een slecht mens, want zodra Carl verscheen, was ze Daniel straal vergeten, alles wat Lori normaal gesproken maakte tot wie ze was, zoals herinneringen en dingen die ze leuk vond, werd direct weggespoeld en het enige wat overbleef waren zij en Carl die door het park wandelden; hij zag er zo droevig uit ik heb je gemist zei hij het was voor het eerst dat hij zoiets zei en ze begon te huilen en toen hij haar vasthield begon ze te lachen en te huilen tegelijk ik heb jou ook gemist en dat was nog maar het begin want toen begon hij te praten echt te praten zoals hij nog nooit had gedaan over dat hij dacht dat ze niet om hem gaf en zo en dat hij dacht dat ze verliefd was op Daniel hoe kon hij dat nou denken terwijl hij wist van Janines Plan maar hij dacht het wel hij dacht dat ze niet van hem hield niet zoals ik van jou hou zei hij o mijn god maar ik hou wel van je ik hou van je ik hou van je maar hij dacht van niet omdat ze niet met hem naar bed wilde dat heeft er niets mee te maken zei ze maar hij wilde haar niet geloven daarom deed ze het op het dak van de donutwinkel schrijnde aan haar knieën de donut was als een gigantische halo rond zijn hoofd hij zei maar steeds ik hou van je ze had het gevoel dat ze dronken was van geluk zijn ding smaakte vreemd maar niet heel vies maar het was raar zoals hij bewoog in haar mond alsof hij leefde een klein blind wezentje ze vond het prettig zoals zijn handen door haar haar gingen maar toen spoot hij zijn spul en hij wilde het haar niet uit laten spugen en het liep door haar keel het bleef maar komen ze kon geen adem krijgen het was alsof ze verdronk en toen zag ze waar hij mee bezig was o mijn god waarom Carl waarom het lukte niet hem de telefoon af te pakken hij schreeuwde ze maakte zich los en sprong van het dak ze verstuikte haar enkel en moest er helemaal op naar huis rennen ze huilde en toen haar moeder vroeg waarom moest ze zeggen dat de kat van Amy Doran was aangereden en toen mam haar probeerde te omhelzen wilde ze dat niet toelaten omdat ze bang was dat ze het spul kon ruiken ze kon de smaak niet uit haar mond krijgen ze voelde het achter haar tanden helemaal slijmerig ze maakte een hele fles mondwater op het hielp niks en dan roept mam haar ineens naar beneden uit haar kamer en daar staat Daniel met een frisbee waarom nam hij midden in de winter een frisbee mee hij deed alles altijd raar zoals haar gedichten sturen die niet eens rijmen maar goed hij kijkt haar aan helemaal wit en met grote ronde ogen en ze weet dat hij die video heeft gezien en misschien had ze gewoon kunnen doen alsof er niets was gebeurd hij had haar geloofd maar voor hij iets kan zeggen voor ze weet wat ze doet begint ze tegen hem te schreeuwen, te schreeuwen zo hard ze kan Maak dat je wegkomt, maak dat je wegkomt, flikker op, wat mankeert jou, ik wil je nooit nooit nooit meer zien, te schreeuwen en te schreeuwen de vreselijkste dingen die in haar hoofd opkwamen zo hard ze kon tot pap tevoorschijn kwam zijn armen om haar heen sloeg en tegen hem zei dat hij waarschijnlijk maar beter kon gaan en hij keek achterom naar haar vader alsof hij niet wist waar hij was en zij draaide zich om en rende naar boven naar haar kamer en ineens belt KellyAnn haar huilend op uit de donutwinkel en dan komen er politieauto's voor haar huis en het spijt me zo, het spijt me zo, Daniel, het spijt me zo! Maar terwijl dat allemaal gebeurde, wist ze nog steeds zeker dat ze het niet ging vertellen van Carl.

En nu noemt Zora Carpathian haar het Meisje des Doods en iemand schrijft telkens door de hele school LORI L'S DANIEL 4 EVER. Het zal Tara Gately wel zijn, die doet alles na wat Lori doet, ze heeft al haar dingen – armbandjes, haarbandjes, een button van BETHani op de riem van haar schooltas. Ze heeft zelf waarschijnlijk nog nooit iemand gezoend nou als ze haar zo graag wil zijn dan wilde Lori dat ze haar haar gang kon laten gaan, tegen haar kon zeggen oké jij mag Lori zijn kijken hoe leuk je dat vindt en dan ben ik niemand ik ben gewoon lucht ergens boven waar niemand die in kan ademen maar wat zou ze dan moeten met CarlCarlCarlCarl

Ze zijn terug op de wc's op school. Janine veegt Lori's ogen en wangen af. Denise en Aifric Quinlavan staan een sigaret te roken en te praten over jongens. 'Zou je het doen als je hem echt leuk vond?'

'Ik zou nooit iemand leuk vinden die wilde dat ik zoiets deed.'

'Ze willen het allemaal doen,' zegt Aifric. 'Ze zien het op internet en dan willen ze het doen. Je zou eens moeten zien wat mijn broer allemaal op zijn computer heeft staan, zó smerig.'

'Wat voor dingen dan?'

'Nou, je weet wel, mannen die hun je-weet-wel in het gezicht van meisjes spuiten? Hun zaad en zo?'

'Gadver, wat vies!'

'Of dat ze hun ding in je reet steken.'

'Dat ga ik mooi niet doen, nooit,' zegt Denise. 'Waarom zou iemand dat willen?'

'Je kunt er niet zwanger van raken,' zegt Janine. 'Als ze je in je reet neuken, kun je niet zwanger worden.'

'Wat romantisch,' zegt Denise.

'Het is alsof je naar de wc gaat, maar dan omgekeerd,' zegt Aifric. 'Het kan me niet schelen wat je zegt, het is ziek.'

Hij probeerde met Lori te praten bij de begraafplaats, maar ze rende voor hem weg. Ze heeft zijn nummer geblokkeerd op haar mobieltje en ze hangt op als paps de telefoon thuis opneemt. 's Avonds kan ze voelen dat hij buiten in het donker onder de bomen naar haar raam staat te kijken, en een deel van haar wil ondanks alles naar hem toe. Maar Janine zegt: 'Blijf bij hem uit de buurt.' Ze zegt dat hij ook heeft geprobeerd met haar te praten, een keer na schooltijd. 'Wat zei hij dan?' 'Ik heb niet geluisterd, heb hem gewoon genegeerd. En dat moet jij ook doen, Lori. Er is iets mis met die gozer, ik zweer het je.'

En dat is waar. Wat voor psychopaat doet nou zoiets? Terwijl hij wist van het Plan, terwijl ze had uitgelegd dat het niet echt was! Maar vanbinnen weet ze waarom hij het heeft gedaan. Omdat hij jaloers was op haar en Daniel. Als hij maar niet jaloers was geworden, als hij maar had geloofd dat ze alleen van hem hield! (Hoewel ze dan denkt aan Daniels hand op haar borst ...) En ze denkt aan hoe hij rondhangt met al die rare knakkers die drugs verkopen; ze krijgt de rillingen van ze, en aan die afschuwelijke vader van hem die seks heeft gehad met een meisje uit de zesde klas, en aan zijn moeder die door het huis loopt te dwalen, stinkend naar drank, terwijl ze kettingrookt en luistert naar Lionel Richie, en Carl zegt wel dat het hem niet kan schelen als ze uit elkaar gaan, maar daarom doet hij raar, zelfs voor zijn doen, dat kan niet anders, en ze weet dat wat hij echt nodig heeft iemand is die voor hem zorgt.

Janine zegt: 'Die jongen deugt niet, Lori, ik meen het. Er ontbreekt iets aan hem. Hij is gevaarlijk.'

'Jij kent hem niet zoals ik hem ken,' zegt Lori.

Janine denkt even na. 'Misschien niet,' zegt ze dan. 'Maar toch kan ik het merken.'

En ze heeft gelijk, dat weet Lori ook wel. Hij is slecht, hij is volkomen verknipt, dat kun je zien aan de littekens op zijn armen, en als haar vader ooit ook maar een vermoeden had dat een gozer zoals hij bij haar in de buurt was geweest, zou hij haar binnen de kortste keren naar een kostschool sturen, want je weet gewoon dat hij nooit oké of goed zal worden, en hij vloekt en is altijd in een slecht humeur en het enige waar hij over praat is dat hij seks met haar wil hebben geeft hij überhaupt wel echt om haar maar dan denkt ze aan zijn tanden die precies scheef genoeg staan en ze denkt aan zijn lichaam dat op het hare drukt als een deur naar een wereld vol mmmmm en dingen waar ze nog nooit aan heeft gedacht niet echt en nu ligt ze maar steeds in bed en haar moeder kwam binnen ik dacht aan jou ik had mijn ogen dicht o mijn god dat heb ik nog nooit gedaan en als je tegen een lijf aan drukt had je gedacht dat het dan zo heet kon worden alsof je huid in brand staat en alles eronder als een vulkaan is en zelfs als je me niet aanraakt is het alsof je dat wel doet alsof ik het geheime vuur onder alles kan zien zelfs als we gewoon buiten voor de McDonald's staan of op het dak van Ed's die keer dat je papieren vliegtuigjes aanstak en ze naar die gozer op de grond gooide ik had een blikje gedronken mijn hoofd tolde ik heb nog nooit zo hard gelachen en toen hield ik op met lachen en ik legde mijn hoofd neer en keek naar jou en naar de zwarte lucht en ik hield van je en de lucht was vol vlammen vol vonken die van de vurige vliegtuigjes kwamen vol snoepexplosies vol suikervlammen vol honingvuur vol droomruïne-ongehoorzaam, ik ga nooit meer naar huis …

'Jij was een eind heen,' zegt mam.

'Dacht je aan je tv-carrière?' zegt pap met een grijns. 'Laatste nieuws: Lori Wakeham gaat beroemd worden!'

'Het is maar een screentest, papa,' zegt ze. 'Misschien zeggen ze wel nee.'

'Ze gaan jou echt niet afwijzen. Kijk nou eens naar jezelf, je bent geboren om op televisie te komen! Ik zal je een geheimpje vertellen: ik heb altijd wel geweten dat je ontdekt zou worden.'

'Ach, schei toch uit,' lacht ma. 'Je brengt haar in verlegenheid!'

'Serieus, de dag dat je geboren werd, keek ik naar je en ik dacht: die meid heeft het. Sterpotentie.' Pap gaat achteroverzitten en legt zijn handen onder zijn hoofd. 'Misschien komt er nog iets goeds voort uit deze hele toestand,' zegt hij tevreden. 'En dat heb je verdiend ook, na alles wat je hebt doorgemaakt.'

Ze is weer thuis. Paps en mams zijn helemaal opgewonden, omdat die vrouw van dat modellenbureau overdag weer heeft gebeld, en nog een andere vrouw van een ander modellenbureau, en een PRODUCER van een tv-maatschappij die denkt dat ze weleens geknipt kan zijn voor een nieuw kinderprogramma waar ze mee bezig zijn. Misschien heeft pap wel gelijk, misschien komt alles toch nog op zijn pootjes terecht. Maar vanavond kan ze zich er niet op concentreren.

Ze heeft zo'n raar gevoel in haar maag.

Paps praat over een of andere belangrijke deal op zijn werk, geheime plannen om een ander bedrijf over te nemen.

'Mond dicht als we aan het eten zijn, lieverd,' zegt mam. 'Niemand laat je op tv komen met een mond vol gekauwd eten.'

'Sorry,' zegt Lori.

Het is anders dan eerst. Toen voelde ze zich alleen maar leeg. Dit is absoluut een soort *tintelen*, alsof er daarbeneden iets *leeft*.

Lilya komt binnen en ruimt de borden af. Mam vertelt paps over een nieuw soort bruining die je onder je huid kunt laten spuiten. 'Misschien moeten we Lori maar trakteren op een sessie onder de zonnebank voor haar screentest …'

En nu beginnen de zorgen te bonzen in haar hoofd. Ze voelt ze met elke nieuwe golf bloed tegen haar slapen en wangen slaan en ze buigt haar hoofd, zodat paps en mams het niet zien. (*Wat nou als het spul door haar maagwand heen haar baarmoeder in lekt?*) (Doe niet zo spastisch, zo werkt dat niet, dat weet je best!) (Maar als het nou wél zo is?!) (Maar Janine zei toch dat je het niet kon worden van alleen maar een pijpbeurt?) (Maar Denise zei van wel.)

O fuck. Weer een golfslag van zorgen, nu wordt ze misselijk en er staan tranen in haar ogen en die Smaak in haar mond en het tintelen in haar buik worden erger. Waarom denkt ze hier nu pas aan? Waarom heeft ze er niet eerder aan gedacht? Je kunt die magische pil kopen die Janine heeft gehaald toen ze het met Oliver Crotty had gedaan.

'Het is een kinderprogramma, dus ze willen echt niet dat ze binnen komt walsen alsof ze net uit Saint Tropez komt,' zegt paps. 'Ze willen de natuurlijke look. Dat is wat Lori heeft. Natuurlijk, fris, onschuldig.'

'Maar geloof me nou, zo zien ze er tegenwoordig allemaal uit,' zegt mam. 'Stel nou dat ze naar die screentest gaat en alle andere meisjes hebben een bruin kleurtje. Wat dan?'

Lori probeert zich de seksuele voorlichting te herinneren die ze op school heeft gehad en wat ze toen zeiden over zwanger worden. Maar het enige wat ze zich kan herinneren zijn de tekeningen van de Geslachtsorganen, al die apparatuur die daar heimelijk zit weggeborgen, opgerold als een bom in een koffer *die ligt te wachten*, en die afschuwelijke, griezelige woorden, *baarmoeder*, *uterus*, *eileider*, die klonken als de namen van buitenaardse wezens, niet als haar eigen binnenste ...

'Laten we haar anders zelf laten beslissen,' zegt mam. 'Liefje?'

'Wat?' zegt Lori.

'Als je kon kiezen, zou je dan liever model worden of televisiepresentatrice? Modellenwerk heeft meer klasse, vind ik.'

'Maar op tv heb je meer exposure,' merkt paps op.

'Ik weet niet.' Dat is alles wat Lori weet te mompelen.

'Als je het mij vraagt, is het zonde om een meisje met Lori's uiterlijk zomaar op televisie te donderen,' zegt ma.

In de gemiddelde ejaculatie zitten ruwweg 350 miljoen spermacellen, dat is ook iets wat ze zich herinnert. *350 miljoen!* Het is net een leger, alsof er een compleet lánd door haar binnenste marcheert – haar inneemt, zoekt naar de eicel – en plotseling is het alsof ze ze kan zíén, in de grote, lege holte van haar buik: witte, glibberige terroristen die zich verschuilen in de schaduwen, wachten tot de avond valt om dan andere delen van haar lichaam in te kruipen, terwijl hun kikkervisjesachtige staartjes bijna te snel rondkrioelen om ze te kunnen zien – o god, hou op, anders moet ik …

En dan komt Lilya binnen en zet een kom voor Lori neer.

'Wat is dat in godsnaam?' hoort ze paps heel in de verte vragen.

'Tapiocapudding,' vertelt mam hem. 'Weet je nog dat ik het daar met je over had, over retrotoetjes?'

'Retro, dat kun je wel zeggen, ja. Ik heb dit in geen twintig jaar gegeten.' Paps zet zijn lepel in de witgrijze troep en brengt hem naar zijn mond.

'Het is wel een beetje slijmerig …'

'Mag ik van tafel?' zegt Lori.

En zodra ze de kamer uit is, begint ze te rennen. Ze haalt net op tijd de wc. Als ze boven de toiletpot hangt, hoort ze de stem van zuster Benedict door haar hoofd schallen, die zegt: '*Hoewel God almachtig is, kan Hij een maagd die gevallen is niet meer optillen.*' Ze ziet de nonnen in een kring om haar heen staan, starend naar haar dikke buik. Ze schudden hun hoofd en fluisteren 'slet' tegen elkaar …

En mam die geen 'slet' zegt, maar het wel denkt, en pap die helemaal niets zegt, alleen maar rood wordt en naar beneden loopt naar de gym en daar drie uur lang bankdrukt, en de vrouw van de productiemaatschappij die zegt: 'Het spijt me ontzettend, maar we willen GEEN SLETTEN.' Maar ze is geen slet, ze wilde alleen maar dat hij haar leuk vond, ze wilde alleen maar dat hij niet dacht dat ze frigide was, of lesbisch! Haar buik doet zo'n pijn, de spieren daar brullen het uit, en zij brult ook, de tranen druppen in de pot als kinderen die van een waterglijbaan glijden, en als ze klaar is, voelt ze die dingen nog steeds in haar buik! Ze zitten er nog! En in de verte klinkt de intercom en ze hoort mam en iemand anders mompel- mompelmompelen, en dan schalt haar moeders stem: 'Lorelei!'

O mijn god, wie is daar? Ze kijkt in de spiegel; ze ziet er afgrijselijk uit, haar ogen zijn helemaal rood en haar wangen ook, haar haar is sliertig en overal zit snot. 'Lori!' roept mam weer. O nee, is het die producer? Dit moet God zijn die haar straft, hoewel ze als Hij haar op deze manier straft misschien niet zwanger zal worden

– 'Momentje,' roept ze naar beneden, en ze schrobt haar gezicht in de wasbak zodat het eruitziet alsof ze zich alleen maar aan het wassen was en niet aan het huilen was. Ze snuit haar neus waar wat spuug in is gekomen, doet wat lipgloss op en gaat naar beneden.

Maar het is de producer niet en ook niet de vrouw van het modellenbureau. Het is een extreem dikke jongen in een Seabrook-uniform. Tenzij ze het zich verbeeldt, kijkt hij haar heel vuil aan. Ze zegt met een kille *Falcon Crest*-achtige stem: 'Ja?'

'Ik heb een boodschap voor je,' zegt de dikke jongen, en op datzelfde moment, nog voor de dikke jongen verdergaat, voelt Lori haar hart volkomen stilvallen en bevriezen, alsof een spook zijn handen eromheen heeft geslagen. 'Van Skippy.' Ze kijkt omlaag naar mams, in de hoop dat die zal zeggen: 'Het spijt me, knul, maar we zitten net te eten.' Maar ma is de eetkamer alweer ingelopen.

'Kom maar even mee naar boven,' zegt ze op gedempte toon tegen hem.

Sommige dikke mensen kunnen er, hoewel ze niet daadwerkelijk aantrekkelijk zijn, wel knuffelig en vrolijk uitzien. Hij is niet op die manier dik. Als hij naar haar toe klimt, hapt hij naar adem. De trap kreunt onder zijn voeten en als hij bovenaan is, parelt er zweet op zijn voorhoofd.

Ze gaat hem voor naar haar slaapkamer, waar hij rondtuurt alsof hij nog nooit in een meisjeskamer is geweest, wat behoorlijk waarschijnlijk is. 'Was jij een van Daniels vrienden?' vraagt ze, terwijl ze haar elastiekje uit haar haar laat glijden en haar weelderige zwarte haar losschudt. 'Ik was zijn kamergenoot op school,' zegt hij, terwijl hij de foto's aan haar muur bestudeert: de paarden, BETHani en haar vriendje. 'Het was zo afschuwelijk, wat er met hem gebeurd is,' zegt ze op vrome toon. Daar zegt hij niets op. Er ontsnapt hem alleen een soort sisgeluid, als stoom uit een snelkookpan. Plotseling wordt ze weer misselijk. Ze wilde dat hij wegging. 'Wat was de boodschap die je aan me moest doorgeven van hem?'

'Hij wilde dat ik tegen je zei dat hij van je hield,' zegt de dikke jongen. Hij zegt het toonloos, ijzig, als een leraar die tegen je zegt dat er nooit iets van je terecht zal komen. 'Dat was zijn laatste wens,' zegt de dikke jongen.

'Dat weet ik,' zegt ze.

'En nu is hij dood,' zegt de jongen.

Lori wordt rood. Ze vindt het niet prettig als dat woord in haar kamer wordt uitgesproken. Ze overweegt hem te vragen weg te gaan, maar een ander deel van haar adviseert haar voorzichtig te zijn, diplomatiek.

De jongen is in een stoel geploft en blijft ineengezakt en bewegingsloos zitten, hij staart naar de grond. Er straalt een zwarte woede van hem af.

'Was er verder nog iets?' zegt ze koel, zoals haar moeder praat tegen winkelbediendes.

De jongen geeft geen antwoord. Hij blijft zijn dikke vuisten maar steeds ballen en ontspannen. Dan zegt hij zachtjes en gemeen: 'Jij was het, op dat videofilmpje.'

Lori knippert. 'Hè, wat?' zegt ze.

'Jij was het op het dak van de donutwinkel. Jij en Carl.'

'Ik weet niet waar je het over hebt,' zegt Lori met kalme stem.

'Je deed alsof je van hem hield,' gaat de jongen verder, 'zodat jij en Carl dat geintje uit konden halen. En nu is hij dood.'

ZE VINDT HET NIET PRETTIG ALS DAT WOORD WORDT UITGESPROKEN, ze vindt het niet prettig, en in een flits weet ze dat Carl buiten staat en dat ze alleen maar hoeft te roepen, en dat dat dikke joch dan alles zal weten van dood. Maar in plaats daarvan zegt ze: 'Ik begrijp niets van wat je allemaal zegt.'

Hierop ontploft de dikke jongen. Zijn maanachtige gezicht vertrekt tot een afgrijselijk masker van haat, en hij schreeuwt: 'Je hebt tegen hem gelogen! Je hebt hem gekust, hem laten geloven dat je om hem gaf, je hebt hem gebruikt!'

'Dat is niet waar!' Lori merkt dat haar hele lichaam trilt, misschien wel gelijk vibreert met die dikke jongen, die wiebelt als een drilpudding gemaakt van explosieven, zijn gezicht een grote, opgezwollen zwarte bes. Maar dan wordt hij heel stil. Hij staart haar in de ogen en fluistert: 'Je bent een slecht iemand. Je bent iemand die doet alsof ze van mensen houdt, zodat je macht over ze hebt. Maar je geeft om niemand, alleen om jezelf.'

Lori wil weer uitroepen: 'Dat is niet waar!', maar dat gaat niet, omdat ze zich afvraagt of het misschien wel waar is en de golf van schuldgevoel slaat haar even achterover. Maar dan komt er een andere golf in haar op, een golf van woede, woede gericht op Daniel omdat hij haar dit heeft aangedaan, haar zich zo laat voelen, haar heeft opgezadeld met het gewicht van de dood om er voor altijd mee rond te zeulen, terwijl ze hem nauwelijks kende! Ze kende hem nauwelijks! En nu schreeuwt ze, opspringend, tegen die dikke jongen die haar huis is binnengekomen om haar dit aan te doen: 'Daniel kende me niet eens! Ik heb hem in mijn hele leven drie keer gezien! Ik heb hem toch niet gevraagd mijn naam op de vloer te schrijven?! Ik heb hem helemaal niks gevraagd!' Vonken schieten van haar af. Ze is jongens zo zat en alles wat ze van haar willen, eindeloos, eindeloos willen, en hoe ze aan haar trekken en haar uitputten. 'Hij kende me niet, ik kende hem niet. Ik wist niets van zijn leven, wist niets van zijn zieke moeder ...'

De kleine, samengeknepen oogjes van de pad sperren zich verrast open. 'Zijn moeder?' zegt hij.

'Wist je dat niet?' Lori's vader had het haar verteld; die had het gehoord van zijn vriend, de rector van Seabrook. Maar zo te zien is het nieuw voor padjongen. 'Ze ligt op sterven,' zegt ze. 'Hoe kun je dat nou niet weten? Je was toch een vriend van hem?'

De padjongen ziet er in verwarring gebracht uit.

'En de zwemploeg, heeft hij je daar wel over verteld?'

'De zwemploeg?'

'Dat hij daaruit wilde stappen, maar dat hij dat niet kon?'

De padjongen fronst zijn wenkbrauwen. Lori lacht, dit is gewoon te grappig. 'Wauw, mooie vriend ben jij,' zegt ze. 'Weet je überhaupt iets van hem?'

De pad geeft geen antwoord. Hij is totaal in de war, omdat hij is gekomen om haar te straffen, wraak te nemen, haar de schuld te geven van wat er is gebeurd, maar nu komt hij erachter dat het misschien niet zo simpel is als alleen dat videofilmpje, dat er misschien nog wel een paar dingen waren die Daniel dwarszaten, waar iemand anders hem mee had kunnen helpen, namelijk zijn vetklep van een zogenaamde vriend. Je kunt zien hoe het tot hem doordringt, hij zakt achterover in zijn leunstoel met een geschokte uitdrukking op zijn gezicht, maar in plaats van dat ze hem een beter gevoel wil geven en zegt 'Hé, het geeft niet, we zitten in hetzelfde schuitje', en de pijn deelt die ze allebei voelen, merkt ze dat ze hem nu de rollen zijn omgedraaid de genadeklap wil geven; ze wil hem betaald zetten wat hij heeft gedaan, dat hij haar het gevoel heeft gegeven dat ze slecht en liefdeloos is, dat ze zich rot en zwart voelde vanbinnen, terwijl hij, als hij ook maar iets van haar wist, zou weten dat ze een heel lief en leuk iemand is die iedereen aardig vindt, en dat de Liefde het enige is waar ze om geeft en de hele dag aan denkt, toevallig, dikke pad, walgelijk monster, gigantische, afstotelijke pad die nooit iemand zal willen kussen, al is ze blind; ze wilde dat hij ook ergens morsdood in een graf lag, ze zou dolgraag zorgen dat hij daarin terechtkwam, ze zou hem dolgraag echt pijn doen, dolgraag naar hem toe lopen en zijn gezicht krabben, krabben en krabben, klauwen en klauwen, tot er niets van zijn gezicht over is, alleen het rood als op een bord spaghetti Bolognese nadat je alle spaghetti eraf hebt gegeten, en ze staat zelfs op en zet een stap naar hem toe en als hij ontwaakt uit zijn dagdroom, ziet ze dat hij zijn ogen openspert van angst ...

'Alles in orde hier?' Mams gezicht in de deuropening.

'Ja hoor, dank je, mam.' Lori kijkt haar lief en kalm aan.

'Wil je vriend misschien een glaasje sinaasappelsap? Of een cola?' vraagt mam zich af.

'Nee, dank u, mevrouw Wakeham,' zegt dat paddending.

'Hij wilde net weggaan,' voegt Lori daaraan toe.

De dikke jongen komt op dat teken uit zijn stoel. Mam knikt en doet de deur weer dicht. Lori en de dikke jongen staren elkaar aan. Hij trilt. In zijn ogen schuilen wanhoop en onbegrip, zo ver als ze kan kijken. 'Dag,' zegt ze. Hij loopt naar de deur en gaat de trap af. Ze hoort hem de voordeur open- en dichtdoen. Ze loopt naar de andere kant van de overloop en schuift het gordijn terug, zodat ze hem op de oprit kan zien. Hij staat daar in het licht van een beveiligingslamp, met zijn hoofd in zijn handen alsof hij enorme pijn heeft. Misschien is het wel dezelfde pijn die zij in haar buik voelt. Hij staat daar zo lang zonder zich te verroeren dat de beveiligingslamp uitgaat. Ze trekt het gordijn met een snelle ruk dicht, laat zich op het bed zakken en huilt tot het dekbed doorweekt is.

'Ik hield wél van hem,' zegt ze schor, door haar snot en tranen heen, tegen Lala de teddybeer, en terwijl ze het zegt, weet ze dat het waar is, en ze weet dat Carl het ook wist, nog eerder dan zij. Daarom deed hij wat hij deed. En ze realiseert zich dat de liefde niet in rechte lijnen gaat, niet maalt om goed of fout of een goed mens zijn, of zelfs of je er gelukkig van wordt of niet; en ze ziet, als in een visioen, dat het leven en de toekomst veel ingewikkelder zullen zijn dan ze ooit had verwacht – onmogelijk, ondraaglijk ingewikkeld en moeilijk. Op datzelfde moment voelt ze zich ouder worden, alsof ze een level in een computergame heeft afgerond en onzichtbaar naar een volgend niveau is gegaan; het is een vermoeidheid die haar lichaam in bezit neemt, een vermoeidheid zoals ze nog nooit eerder heeft gevoeld, alsof ze een gewicht van een ton heeft ingeslikt ...

En dus is ze blij als haar mobieltje zoemt dat ze een nieuw bericht heeft en ze er niet meer over hoeft na te denken. Als ze kijkt, ziet ze dat ze zelfs berichten van een heleboel mensen heeft ontvangen in het afgelopen uur – van Janine, van Denise, van KellyAnn, Shannan, Richard Dunstable (Seabrook), Graham Canning (St. Mary's) en Leo Coates (Gonzaga); ze leest ze een voor een, replyt, replyt op de reply's, de tijd verglijdt, het mobieltje zoemt, de berichten wikkelen zich om haar heen als een cocon, beschermen haar tegen gedachten aan de padjongen, aan wat er in haar buik zit, aan alles.

Het bericht van Shannan verwijdert ze natuurlijk zonder het te lezen. Lori en Janine negeren Shannan sinds Lori erachter is gekomen dat Shannan tegen Kimberley Cross heeft gezegd dat Janine een bloedhekel heeft aan Lloyd Dalton, hoewel ze weet dat Kimberleys vriendje en Lloyd Dalton beste vrienden zijn. Op het moment dat ze bezig is het bericht te verwijderen, valt het idee haar in. Als er iets irritants, stoms of slechts in je leven is, zoals Shannan, kun je maar het best doen alsof het niet bestaat. Dus dat moet zij ook met de indringers in haar buik doen! Zolang ze daarbinnen leven, zal ze haar buik uit haar leven bannen, net zoals Janine en zij Shannan hebben uitgebannen. Ze zal doen alsof hij er niet is, tot ze zeker weet dat het probleem is opgelost.

Ze weet dat haar lichaam dat niet fijn zal vinden. Haar lichaam wil eten, groeien en sterker worden. Haar buik zeurt nu al van de honger, niet wetend dat ie in handen van de vijand is. Maar ze weet ook wat ze daaraan moet doen. Sterker: de oplossing heeft er al die tijd gelegen, weggestopt in haar favoriete beer. Een zakje met minstens honderd pillen, genoeg voor minstens een paar weken. Ze reikt naar Lala, zoekt naar de geheime scheur onder haar linkerarm. Ze zal beginnen met één pil, of misschien twee. Binnenkort heeft ze alles weer onder controle.

Iets achtervolgt Carl.

In het begin voelt hij het alleen, in de klas, in de Texaco, voor Lori's huis. Het kijkt naar hem, maar laat zich niet zien. Hij draait zich om en het is weg. Hij vraagt Barry of hij iets heeft gemerkt.

'Zoals wat?' zegt Barry.

'Net alsof iemand ons volgt.'

'Shit, bedoel je smerissen of zo?'

Maar Carl bedoelt geen smerissen. Hij weet niet wat hij bedoelt. Maar dat hij niet weet wat het is, weerhoudt het er niet van naar hem te kijken, zelfs op plekken waar dat onmogelijk kan, zoals in Deano's flat of in zijn eigen kamer, of in zijn dromen, waar hij het ook begint te voelen, hetzelfde paar ogen dat hem onzichtbaar opspoort als hij wakker is, zwijgend aanwezig in de droomruimte. Maar heel lang ziet hij het niet, het is alleen een gevoel, dus rookt hij steeds meer superskunk en probeert het te begraven onder het gevoel van niets.

En dan is hij op een avond bij Janine. Ze zitten in de kas te praten over hoe het nu verder moet met het Plan, dat naar de knoppen is, omdat Carl het heeft verpest. Hij weet niet meer waarom hij het heeft gedaan. Het was een heel goed plan, zoals Janine het uitlegde. 'We laten Lori's pa en ma geloven dat ze met Skippy gaat, maar eigenlijk komt ze naar jou. Ze zullen niets van jou weten. Skippy zal ook niets van jou weten. De enigen die iets van jou weten, zijn wij drieën. Lori zal soms een beetje met Skippy om moeten gaan, anders werkt het Plan niet. Maar dat zal niets te betekenen hebben. En dan kunnen jullie samen zijn,' zei Janine, 'liefje', en ze liet haar tong over Carls nek glijden. En Carl begreep het. Lori zou soms bij Skippy zijn, maar het zou niets betekenen, net zoals het niets betekende als hij bij Janine was. Het was gewoon een truc om haar ouders voor de gek te houden, zodat ze kon zeggen: 'Ik ga even naar Skippy', en dan zou ze naar Carl komen. Hij begreep het, hij zag wel in dat het een prima plan was. Maar toen realiseerde hij zich op het laatste moment, toen het daadwerkelijk gebeurde, dat hij het niet begreep. Het grootste deel van hem wel, maar hij kon het niet uitleggen aan het deel dat het niet begreep. En hij maakte zich zorgen of die Skippy het wel begreep. Daarom stuurde hij dat filmpje vanaf het dak van Ed's, zodat iedereen zou weten dat Lori van hem was. Maar zie je, dat hoorde niet bij het Plan. Dus wat er toen gebeurde was dat het, in plaats van Lori en hem dichter bij elkaar te brengen, hen uit elkaar dreef, en nu zit hij in de kas van Janines oma en alles is anders. Ze vertelt hem dat Lori hem niet wil zien, niet met hem wil praten. Ze huilt. Hij maakt de bloempotten van haar oma kapot. Ze smeekt hem daarmee op te houden. Ze zegt dat het wel overwaait, dat Lori wel bijdraait, dat ze met haar zal praten. Ze zegt: 'Je kunt het jezelf niet kwalijk nemen, Carl!' Ze klimt maar steeds in zijn been en probeert hem te kussen, en hij duwt haar steeds weg, maar dan komt ze zo dichtbij dat hij iets ziet. 'Ik hou van je,' zegt ze, maar hij hoort haar niet, hij staart diep in haar ogen.

De dode jongen staart terug.

Carl heeft altijd gedacht dat hij het was. Nu weet hij het zeker.

Als die Dode Jongen dapperder wordt, zal hij niet alleen in ogen en dromen verschijnen, maar ook als een hologram naast Carl, of achter hem, of voor hem; hij is er en is weer weg, steeds een fractie van een seconde. Niemand anders kan hem zien, alleen Carl. 'Of ik wát zie?' zeggen ze. 'Iemand.' 'Ja hoor. Heb je nooit de uitdrukking gehoord dat je niet high moet worden van je eigen handelswaar?', en dan lachen ze. En die Dode Jongen staat dan zomaar tussen hen in, staat Carl met grote, lege ogen aan te kijken.

Carl probeert aan hem te wennen en hem te negeren. Dan probeert hij met hem te vechten, hem te schoppen, te steken. Als hij hem op een dag op school in het raamkozijn ziet staan, gooit hij een stoel naar hem, schreeuwt tegen hem in zijn slaapkamer: 'Blijf uit mijn buurt!' Maar niets helpt. Zijn moeder verschijnt alleen maar met verward haar in de deuropening en vraagt of hij een slaappil wil.

Het wordt moeilijk zich op dingen te concentreren. Mark geeft hem klusjes te doen, en na afloop kan hij het geld niet vinden. Is hij vergeten het aan te nemen? Heeft hij het ergens laten liggen? 'Ik zou maar zorgen dat je het ergens vandaan haalt, gast,' zegt Barry. 'Anders flipt ie.' Dus uiteindelijk betaalt Carl het zelf. Na een tijdje begint hij door zijn geld heen te raken. Maar ma heeft haar pincode achter op haar adresboekje geschreven.

'Wakker worden,' zegt Barry. 'Als je in deze business ligt te maffen, ga je eraan, maat.'

Barry is jaloers, omdat Carl een week is geschorst omdat hij die stoel heeft gegooid. Maar geschorst-zijn is niet zo geweldig. Hij gaat meestal gewoon naar Deano's hok. Deano woont in de flats achter het winkelcentrum met zijn moeder, alleen noemt hij haar Ma. Ze ziet eruit als zijn oma en ze blijft meestal in de keuken kopjes thee zitten drinken en doet alsof ze niet weet waar ze mee bezig zijn. Buiten ruikt alles naar pis. De jongens zijn allemaal patsers in trainingspakken en de meiden lelijke spoken met hun haar in een staart en oorbellen zo groot als hun hoofd. Ze lachen Carl uit en noemen hem een Seabrook-schooier en kakker. Maar niemand probeert hem te fucken, omdat ze weten dat Deano een geweer met afgezaagde loop in een sporttas onder zijn bed heeft liggen. Hij zit daar met de anderen naar *Ren & Stimpy* te kijken en te roken, en Dode Jongen flitst tevoorschijn en verdwijnt, en Carls hart schreeuwt Lori Lori Lori Lori tot de wiet het wegvaagt.

'Waar komt al dat spul eigenlijk vandaan?' vraagt Barry op een avond.

'Wat?' zegt Mark.

'Al dat spul dat we roken en verkopen, waar komt dat vandaan?'

'Dat komt een ooievaar brengen,' zegt Deano.

'We kopen het van de fokking maffia,' zegt Ste.

'Echt?' zegt Barry.

'Nee, stomme sukkel,' zegt Ste. Barry wordt rood.

'Wat kan het jou verdomme schelen waar het vandaan komt?' zegt Knoxer. 'Ben je stage aan het lopen of zo?'

'Stage!' zegt Deano, en hij lacht zo hard dat er snot uit zijn neus komt.

Knoxer is een klootzak met vet haar. 'Jeetje, Ren,' zegt Stimpy. Hij heeft een bord vol kots in zijn handen.

'Het komt van verschillende plekken,' zegt Mark. 'De pillen maken ze voornamelijk in Nederland. Coke komt allemaal uit Zuid-

Amerika. En de heroïne komt van de papaverplanten die die theedoekkoppen in Afghanistan kweken.'

'Van papaverplanten? Ik bedoel … papaver?'

'Ja, en dan komt het vanuit Spanje hierheen, via Afrika.'

'Het lijkt verdomme wel aardrijkskundeles,' zegt Knoxer. 'Ik ga even schijten.'

De &(* DODE JONGEN→% draait om de @@:/ DODE JONGEN *¥Ђ.

'Maar hoe komen júllie er dan aan?' zegt Barry. Deano kijkt naar Mark. Mark haalt zijn schouders op.

'Wij krijgen het van een *mysterieuze Druïde*,' zegt Deano met een spookachtige stem. Barry kijkt naar Mark.

'Een gozer die zichzelf de Druïde noemt,' zegt Mark.

'Flikker op,' zegt Barry.

'Ik meen het,' zegt Mark.

'Serieus,' zegt Deano, 'zo heet ie.'

'Waarom?'

'Zo noemt ie zichzelf. Hij is knetter. Jij zou het goed met hem kunnen vinden,' zegt hij tegen Carl.

'Wat is een druïde?' zegt Carl.

'Wanneer kunnen we hem zien?' zegt Barry.

'Waarom zou je hem willen zien?' vraagt Deano.

'Het lijkt me gewoon dat we hem een keer moeten zien,' zegt Barry. 'Als we bij de bende horen.'

'De bende,' zegt Ste grinnikend.

'Geloof me, je mist niks aan hem,' zegt Deano. 'Dolgedraaid. Volkomen de weg kwijt. Ik krijg de rillingen van 'm.'

'Nou, mogen we de volgende keer mee?' zegt Barry. 'Wanneer is de volgende keer dat jullie naar hem toe gaan?'

Mark zegt niets, Deano ook niet.

'Zaterdag,' zegt Ste vanaf de bank.

'Wat?' zegt Barry.

'We gaan zaterdag naar hem toe,' zegt Mark. Achter de deur wordt de wc doorgetrokken. 'Er komt spul binnen.'

'Mogen we mee?' vraagt Barry.

'Jullie mogen in plaats van mij, als jullie willen,' zegt Deano. 'Mij hoor je niet klagen.'

Barry's ogen gloeien alsof hij meespeelt in *Reservoir Dogs*. Rens ogen puilen uit en ontploffen.

'Hur-hur-hur,' zegt Ste. 'Je bent net Ren, en die dommelige maat van je is Stimpy,' zegt hij tegen Barry.

Carls mobieltje roept naar hem door de muur van nevel die zijn geest omgeeft. Waar is ie? Hij ligt vlak voor je neus. Janine praat. 'Kom naar me toe,' zegt ze. 'Het is belangrijk.' Hij rolt met zijn ogen, maar staat wel op. De deur door en de gang op. Knoxer heeft zijn hand in de zak van Carls jack, dat bij de trap hangt. Als hij Carl ziet, haalt hij hem eruit, glimlacht en geeft Carl een klopje op zijn wang. Dan loopt hij de woonkamer in, naar de anderen. Carl blijft even staan met een kolkende woede in zijn maag, maar hij heeft geen idee waarom, dus vertrekt hij maar.

Janine staat te wachten op het parkeerterrein bij de kerk. Ze kunnen niet meer naar de kas, haar oma heeft de politie gebeld toen die gesloopt was. 'Maak je geen zorgen, ze denkt dat de Roemenen het hebben gedaan,' zegt Janine. Het kan Carl niet schelen wat ze denkt. Hij haat Janine, maar zij is de enige manier die hij nog heeft om boodschappen aan Lori over te brengen. Hij zegt elke dag iets wat ze aan haar door moet geven, en zij komt telkens met niets terug. Maar hij moet toch iets kunnen zeggen waardoor ze weer met hem wil praten?! Dat moet wel!

'Lori is vandaag tijdens de les ingestort,' zegt Janine tegen hem.

Ze staan achter de bomen naar de regen te kijken.

'Ze heeft al dagen niet gegeten,' zegt ze. 'Al dagen niet. Vandaag moest ze bij Engels gaan staan om iets voor te lezen en ze viel gewoon om. De dokter kwam erbij en ze moest naar het ziekenhuis.'

Ze legt haar hand in de zijne. Als ze het deurtje in Carls ziel open kon doen waar 'Janine' op staat, zou ze op een muur van zwarte kots stuiten die naar buiten zou stromen en waar ze in zou verdrinken. 'Volgens mij heeft ze als een bezetene zitten malen over Daniel,' zegt ze.

Carl zegt niets. Hij pakt Janines hoofd niet vast en ramt het niet tegen de muur. Want als ze zou willen, zou Janine Lori kunnen vertellen wat hij met haar heeft gedaan, en dat zou het totale, absolute einde van alles zijn. Dus hij moet Janine blijven zien om haar ervan te weerhouden tegen Lori te vertellen dat hij bij Janine is geweest! Het is net een raadsel! Het is net een kooi met onzichtbare tralies! Ze staart hem spastisch aan. Dode Jongen flitst op in haar ogen, hij lacht Carl uit.

'Ik heb meer vitamines nodig,' zegt ze.

Hij haalt een klein zakje uit zijn zak. 'Ze zijn gratis,' mompelt hij.

'Ik wil ervoor betalen,' zegt ze. Ze kust hem op zijn wang. Het is alsof je tegen de natte grond wordt gedrukt.

'Maak je geen zorgen,' zegt ze tegen hem, terwijl ze haar hand onder zijn shirt laat glijden, 'dit is puur zakelijk.' Ze zuigt aan zijn nek als drijfzand, ze wrijft over zijn broek. Hij kijkt weg, naar de regen en de gevallen bladeren. Ze roept uit: 'Hou nou eens op met aan haar denken, Carl!'

En ze kust hem wanhopig, als een uitgehongerd dier, en Carl kust haar terug om te voorkomen dat ze praat, en hij steekt zijn hand in haar broek zodat ze haar ogen sluit, zijn vingers glijden in haar, dieper dieper dieper, alsof ze denken dat dat een weg terug is naar Lori.

Hij is erheen gegaan om een verklaring te eisen. Ruprecht heeft altijd geloofd in verklaringen; hij heeft het universum altijd gezien als een reeks vragen die aan de bewoners ervan werden gesteld, en waarvan de antwoorden lagen te wachten als trofeeën voor de jongen die gelukkig en ijverig genoeg was om ze te vinden. Geloven in verklaringen is goed, want dat betekent dat je misschien ook gelooft dat er onder de chaotische, zinloze warboel van alles, onder die afschuwelijke kloof die je voelt tussen jezelf en alles wat je niet bent, een heimelijke harmonie heerst, een samenhang en kloppendheid als een geslaagde vergelijking die voorlopig buiten je bereik ligt, maar die zich ooit volledig zal onthullen. Hij wist dat de gruwel van wat er was gebeurd niet ongedaan kon worden gemaakt. Maar toch, misschien zou een verklaring het mettertijd oplossen, het afsluiten, het het zwijgen opleggen. Hij had zich voorgesteld dat ze zou instorten en alles zou opbiechten, zoals mensen dat op tv doen, dat ze antwoorden zou afscheiden als tranen, terwijl hij haar aanhoorde tot hij het eindelijk begreep.

Maar dat was niet wat er gebeurde. In plaats daarvan had ze hem, als een theorie die alles belooft maar niets oplevert, die zich verspreidt als een virus en alles wat je dacht te weten tot nul reduceert, alleen met vragen achtergelaten, afschuwelijke vragen. Waarom had hij Ruprecht niet over zijn moeder verteld? Waarom wilde hij uit de zwemploeg stappen? Ruprecht is in zijn dromen nu elke nacht terug in het Doughnut House – terug tussen het geschreeuw, de lichten, de huilende mensen, donuts verspreid over de vloer, en Skippy, die in ijltempo een figuur uit het verleden wordt en languit ligt te verdrinken op de tegels onder hem, terwijl de zee in de verte op de rotsen slaat, niet te horen boven het geraas van het verkeer uit, een donkerblauwe streep verloren in de diepere duisternis van de avond – 'Waarom?!' schreeuwt Ruprecht in die dromen tegen hem. 'Waarom, waarom, waarom?' Maar Skippy geeft geen antwoord, hij zakt weg, weg, glipt door zijn vingers terwijl Ruprecht hem vasthoudt, hoewel hij hem zo stevig vasthoudt als hij kan.

In de dagen daarna neemt Ruprechts donutconsumptie exponentieel toe. Hij eet ze aan de lopende band, op elk uur van de dag of nacht, alsof hij verwikkeld is in een eindeloze wedstrijd met een onzichtbare, onverbiddelijke tegenstander. De andere jongens vinden dit maar griezelig, gezien wat er is gebeurd, maar voor Ruprecht is het alsof ze naarmate hij meer eet steeds minder gaan betekenen, en hoe minder ze betekenen, des te meer hij ervan kan eten, alsof het echt nullen worden die geen ruimte innemen, in zijn maag samenkomen, een buik vol nietsen. Zijn huid wordt pokdalig van de woest uitziende uitslag, en hij krijgt het bovenste knoopje van zijn broek niet meer dicht – Dennis grapt dat het maar goed is dat hij die nieuwe doorgang niet heeft gemaakt, omdat hij anders misschien halverwege een parallel universum klem was komen te zitten, maar Niall moet daar nou eens een keer niet om lachen.

Tijdens de les is hij niet meer een wegkwijnende niet-deelnemer, maar hoewel hij voortdurend zijn hand opsteekt, geeft hij nooit de juiste antwoorden. Acht kleuren in de regenboog? Oslo de hoofdstad van Zweden? Erosie, een geleidelijk proces van afslijting, afgeleid van het Griekse woord *eros*, dat 'liefde' betekent? Niemand is er ooit eerder getuige van geweest dat Ruprecht een verkeerd antwoord gaf; aanvankelijk is er sprake van een zeker leedvermaak om dat tijdelijke gebrek aan perfectie, zelfs onder de leraren. Maar het verwordt algauw van simpele onjuistheid tot iets veel verontrustenders. Een waterstofatoom heeft twee *vaders*, het belangrijkste exportproduct van Rusland is *C grote terts*, Jezus vertelt ons dat we *zonlicht moeten breken*; telkens als de leraren een vraag stellen, komt Ruprecht, vaak al voor ze hem hebben afgemaakt, met een of ander duizelingwekkend onjuist antwoord op de proppen, en als ze hem negeren, roept hij dingen door de klas, maakt hun zinnen af, verandert complete lessen in koeterwaals, lawines van onzin die zo diep zijn dat de verbijsterde leraren vaak geen andere keus hebben dan het op te geven en van voren af aan te beginnen. Ze geven hem het voordeel van de twijfel, hopen dat hij er vanzelf weer mee ophoudt; maar de tijd verstrijkt en Ruprechts gedrag wordt alleen maar erger, zijn cijfers lager, zijn huiswerk obscener, tot ze hem uiteindelijk, met het gevoel alsof ze hun eerstgeborene in de steek laten, beginnen te verzoeken het lokaal te verlaten. Algauw brengt hij grote delen van zijn dag op de gang door, of in de studiezaal – of in de ziekenboeg met een zak ijs op zijn neus, omdat de krachten van de duisternis ook niet dol zijn op deze nieuwe, rebelse Ruprecht, zijn afwijking van zijn aangewezen rol in de hiërarchie niet verwelkomen. De briefjes op zijn rug worden steeds venijniger, en de klappen worden ook heftiger; slaan met de vlakke hand verandert in vuistslagen, trappen tegen de schenen en kruiswaarts; elke keer dat hij gaat pissen, duwt iemand hem in het urinoir. Ruprecht gaat verder alsof er niets gebeurt.

'Hou alsjeblieft op,' smeekt Geoff Sproke hem.

'Waar moet ik mee ophouden?' vraagt Ruprecht vlakjes.

'Wees ... wees gewoon weer jezelf?'

Ruprecht knippert alleen maar met zijn ogen, alsof hij niet weet wat Geoff bedoelt. En hij is niet de enige. De hele tweede klas ondergaat een duistere psychische metamorfose, waardoor ze allemaal minder zichzelf zijn. De repetitiecijfers duiken omlaag, ongehoorzaamheid viert hoogtij – jongens praten onderling, draaien leraren hun rug toe, zeggen dat als ze daar bezwaar tegen hebben, ze op kunnen lazeren, naar de pomp kunnen lopen, opflikkeren. Elke dag is er een nieuw schandaal. Neville Nelligan, die voorheen werd gezien als een muizig type, vraagt aan mevrouw Ni Riain hoe ze het zou vinden om aan zijn pik te zuigen. Kevin Wong geeft meneer Fletcher een opdoffer tijdens de scheikundeles. Barton Trelawney vermoordt de hamster van Odysseas Antopopopolous, Achilles, door hem uit zijn kooitje te halen en met zijn blote handen tot moes te knijpen. Bushaltes worden vernield, frietkramen ontsierd door gegooide klodders currysaus. Op een ochtend staat Carl Cullen midden in een wiskundebijles op, tilt zijn stoel op en gooit hem zo door het raam van het lokaal.

Een tijdlang doet de Automator de toenemende anomie af als een proces van 'tot rust komen'. Maar algauw begint de malaise zich over de hele school te verspreiden. Als het rugbyteam van de zesde klas in de eerste ronde van de Paraclete Cup wordt verslagen door de eeuwige verliezers van Whitecastle Wood, komt de Waarnemend Rector onder vuur te liggen. Dat team ís Seabrook; deze vernedering lijkt uitdrukking te geven aan iets wat grondig mis is in de kern van de school. Er wordt gefluisterd onder de ouders en in de hogere echelons van de alumnivereniging; de paters die niet achter de vernieuwingsplannen van de Automator staan, die ernstige twijfels hebben bij het hele idee van een leek als rector, geven steeds duidelijker uiting aan hun ongenoegen – zeker sinds het bericht uit het ziekenhuis is gekomen dat pater Furlong buiten levensgevaar is en aan de beterende hand.

'Des Furlong komt niet meer terug. Laten ze dat eerst maar eens goed tot zich door laten dringen. Het hart van die man is net bladerdeeg, hoe kunnen ze nou denken dat hij in staat is een school te leiden?' Er is de laatste dagen een volkomen nieuwe ader verschenen die klopt op het voorhoofd van de Automator. 'Leraren lopen tegen mij te zeuren omdat zij geen orde kunnen houden tijdens hun lessen. Ouders klagen door de telefoon omdat hun kinderen onvoldoendes halen. De coach van de rugbyploeg zegt tegen me dat zijn team geen moreel heeft. En iedereen verwacht dat ik de oplossing heb. Ik heb het gevoel – verdomme, ik heb het gevoel dat ik deze hele tent in mijn eentje moet runnen! In mijn eentje!'

'Thee?' Howard schrikt van de zachte stem bij zijn elleboog. Hij vergeet telkens dat broeder Jonas er is: hij heeft een angstaanjagend vermogen om op te gaan in zijn omgeving. Trudy is met ziekteverlof; de afwezigheid van haar vrouwelijke hand verhoogt de militaristische sfeer in het kantoor van de Waarnemend Rector.

De Automator wendt zich tot Howard met die nieuwe karakteristieke uitdrukking op zijn gezicht, een mengeling van intimidatie en gesmeek. 'Ik wil graag je professionele mening, Howard. Wat mankeert die kids, verdomme?'

'Ik weet het niet, Greg.'

'Nou, jezus, je kunt me toch wel een beetje houvast geven? Jij bent op de werkvloer. Je moet toch wel enig idee hebben wat ze dwarszit?'

Howard haalt diep adem. 'De enige reden die ik kan bedenken is Juster. Het is allemaal begonnen nadat Juster … na wat er is gebeurd. Misschien reageren ze daar op de een of andere manier op.'

De Automator wijst dat direct van de hand. 'Met alle respect, Howard, wat heeft Juster nou met het Cup-team van de zesde klas te maken? Die zagen hem helemaal niet staan! Waarom zou het hun in godsnaam kunnen schelen wat er met hem is gebeurd?'

Howard staart vol walging naar de glimmende witte boord van de Automator. Dit is niet de eerste van deze ingelaste vergaderingen; blijkbaar stond er een verborgen clausule in zijn contract die hem aanstelde als vertrouweling en biechtvader van de Automator. Hij haalt nog eens rustig adem, zoekt naar woorden. 'Nou, ik weet het niet, Greg. Ik weet niet waarom hun dat wat kan schelen.'

'Ik bedoel, je hebt toch aan niemand vertéld wat we hier besproken hebben, hè?' Zijn ogen vernauwen zich en kijken Howard aan: een jager die een prooi op de korrel neemt.

'Ik heb helemaal niets gezegd,' zegt Howard.

'Nou dan!' stoot de Automator uit, alsof het doel van de oefening was Howard als een sukkel over te laten komen. 'Je zit op het verkeerde spoor, Howard. Dit heeft niets met Juster te maken. Die kids zijn kort van memorie, die hebben het achter zich gelaten.'

De Automator heeft uiteraard gelijk: de jongens weten niet wat er is gebeurd, dus hebben ze ook geen reden om te reageren. En toch heeft Howard het gevoel dat, hoewel alle feiten van de toestand met Juster binnen deze vier muren zijn gebleven, de géést van die feiten dat niet is; die lijkt ontsnapt om als gifgas langs de trappen en door de gang te drijven, langzaam in alle hoeken te dringen, in alle hoofden. Rationeel gezien slaat het nergens op, dat weet hij ook wel; maar toch, hij kan het elke ochtend proeven in het lokaal, dezelfde duisternis waar hij die dag in dit kantoor mee te maken kreeg.

Hij weet wel beter dan dit aan de Automator voor te leggen. In plaats daarvan zegt hij: 'Er doet een gerucht de ronde dat pater Green ... dat hij op de een of andere manier betrokken is geweest bij de dood van die jongen.'

De mond van de Automator verstrakt, half van hem afgewend. 'Daar ben ik me van bewust,' zegt hij.

'In dat geval moet het erop lijken dat wij hier gewoon toelaten ...'

'Verdomme, Howard, ik zei toch dat ik me ervan bewust ben!' Hij loopt naar het aquarium, waarin drie nieuwe vissen zijn uitgezet – 'Seabrook Specials' noemt de Automator ze, grote blauw-metgouden knapen, geïmporteerd uit Japan. 'Jerome Green heeft ons bepaald geen dienst bewezen toen hij er zomaar ineens de brui aan gaf. Ik weet hoe het overkomt. Maar ik kan er uiteraard niets over zeggen zonder het alleen maar erger te maken. En ik kan Jerome niet zomaar de laan uit sturen, hoe graag ik dat ook zou willen.'

'Misschien zou het helpen als de school wat nadrukkelijker stilstond bij Justers ... bij zijn dood.'

'Erbij stilstaan?' herhaalt de Automator, alsof Howard ineens Swahili is gaan praten.

'Dat we gewoon laten zien dat het, nou ja, dat het ons wat doet. Dat we het niet gewoon maar onder het tapijt vegen.'

'Natúúrlijk doet het ons wat, Howard. Dat is iedereen duidelijk. Wat wil je nou zeggen? Dat we met z'n allen het bos in moeten gaan om in onze boxershort in een kring te gaan zitten janken? Moeten we een monument voor Juster oprichten op de binnenplaats soms? Jezus christus, is het al niet erg genoeg dat dat joch een jaar verpest dat een mijlpaal had moeten zijn? Dat hij ons honderdveertigjarig-jubileumconcert naar de gallemieze helpt? Moeten we nou ook nog met z'n allen tot in juni depressief blijven?'

Howard kijkt hem stijfjes aan. 'Misschien is het een kwestie van ethiek,' verklaart hij droog.

De Automator kijkt hem woedend aan, en draait zich vervolgens om om wat te schuiven met papieren op zijn bureau. 'Dat is allemaal leuk en aardig, Howard, maar ik moet een school leiden. We moeten een manier vinden om het moreel op te krikken, het spel weer op de wagen te ...' Zijn stem sterft weg; er verschijnt een nieuwe twinkeling achter in zijn ogen. 'Wacht eens even. Wacht eens even.'

Die middag kondigt de Automator tijdens een speciale bijeenkomst voor de tweedeklassers aan dat het honderdveertigjarig-jubileumconcert – dat na de recente tragedie op losse schroeven stond – toch door zal gaan. Maar als teken van respect, in de geest van nagedachtenis, zal een deel van de opbrengsten van het evenement nu worden aangewend om Daniel Justers geliefde zwembad te renoveren.

'Het was eigenlijk Howards idee,' legt de Automator na afloop uit. 'En je moet toegeven dat het, hoe je het ook bekijkt, logisch is.' Aan de ene kant geeft het de jongens de kans iets te doen voor hun vriend; aan de andere kant zorgt het ervoor dat het concert op poten wordt gezet, en verleent het er een zeker cachet van ernst aan, wat het zeker kan gebruiken nu het erop lijkt dat pater Furlong erbovenop komt. Op een bepaalde manier hebben ze zelfs behoorlijk geluk gehad dat ze Juster achter de hand hadden, bij wijze van spreken, zonder er al te bot over te willen doen. Ze begrijpen wel wat hij bedoelt. De Automator hoopt dat het vernieuwde concert het zieltogende leerlingenkorps zal revitaliseren. 'Dan hebben ze iets om enthousiast over te raken. Ze af te leiden van al die somberheid.'

Het lijkt Howard dat er heel wat meer dan een kerstconcert voor nodig zal zijn om de jongens uit hun huidige zwaarmoedigheid te laten ontwaken; hij is toch zeker niet de enige die hoopt dat Greg te veel hooi op zijn vork heeft genomen. Maar de Waarnemend Rector heeft een plan. De dag na de mededeling trekt hij zich terug op zijn kantoor en pleegt telefoontjes; de dag daarop volgt een tweede speciale bijeenkomst, en brengt hij het nieuws dat de RTÉ ermee heeft ingestemd live radioverslag te doen van het evenement.

'Zo'n historische gebeurtenis op een van de meest prestigieuze scholen van het land – waarom zouden ze ons niet willen uitzenden?' grapt de Automator na afloop, als het personeel hem feliciteert met zijn coup. 'Het kon natuurlijk geen kwaad dat er zoveel oud-leerlingen rondlopen daar in Montrose, die klaarstonden om de juiste mensen te overtuigen.'

Het lijkt erop dat de Automator de jongens beter kent dan Howard had gedacht. Het nieuws van het concert – of, specifieker: van het liveverslag op de radio – zorgt voor een gegons in de gangen dat hij in maanden niet heeft gehoord. Alle grieven die de jongens mogelijk hebben gekoesterd zijn vergeten, de sfeer van introversie en dreiging verdwijnt net zo snel en mysterieus als hij is verschenen; zelfs leerlingen die niet bij het evenement betrokken zijn (een steeds kleiner wordende groep, aangezien de Automator een stortvloed aan nieuwe vacatures bedenkt, zoals Concert-pr (enveloppen volstoppen) en Concert Tech Assistentie (de vloer van de gymzaal vegen)) worden door de opwinding aangestoken. 'Een rijzend tij tilt alle boten op, Howard,' merkt de Automator goedkeurend op. 'Dat is een simpele kwestie van economie.' In de zalen klinkt het geluid van repeterende instrumenten weer op, en het begint erop te lijken dat 'de Show', zoals de Automator het is gaan noemen, niet alleen een keerpunt in het annus horribilis zal betekenen, maar de vijanden van de Waarnemend Rector ook voorgoed het zwijgen zal opleggen.

En dan, acht dagen voor het doek opgaat, verschijnt de dirigent van het concert, pater Connie Laughton, in tranen aan de deur van de Automator.

Pater Laughton, een verfijnde man met een nerveus gestel, heeft boven alles een hekel aan onenigheid. Hij deinst altijd terug voor hij iemand werkelijk tegenspreekt; hij kan zelfs de meest ontregelende leerling niet de klas uit sturen zonder daar twintig seconden later spijt van te krijgen en de gang door te rennen om hem terug te halen. Als gevolg daarvan zijn zijn muzieklessen berucht om hun anarchie – sterker: ze doen anarchie lijken op een kalme dag in de bibliotheek – en toch worden ze tegelijkertijd gekenmerkt door een soort goede wil, en de pater lijkt altijd heel tevreden, zoals hij daar in de mêlee meeneuriet met een larghetto van Field of een mazurka van Chopin, terwijl om hem heen papieren vliegtuigjes, etuis, boeken en grotere voorwerpen door de lucht vliegen.

Maar onenigheid, daar kan hij niet tegen.

Aangezien hij al een aantal jaar dirigent van de muzikale evenementen op Seabrook is, is pater Laughton inmiddels goeddeels immuun voor slecht spel. Maar waar hij vanmorgen aan werd onderworpen tijdens de repetitie van het Kwartet – het afgrijselijke timbre, de toenemende atonaliteit, de veronachtzaming van zelfs de meest rudimentaire beginselen van timing –, dat was van een heel andere orde, iets wat in zijn oren opzettelijk klonk, een met voorbedachten rade en bewust gepleegde aanslag op de muziek zelf; als hij er alleen al aan terugdenkt, begint het theekopje in zijn hand te trillen. En toen hij zich realiseerde dat de boosdoener niemand minder was dan Ruprecht Van Doren! Ruprecht, zijn beste leerling! Ruprecht, de enige jongen die muziek daadwerkelijk net zo leek te begrijpen als hij, die in de symmetrie en rijkdom ervan een interpolatie van perfectie herkende in onze inconsistente wereld! Nou! Wetend dat de jongen de laatste tijd de nodige moeilijkheden heeft gehad, onthield hij zich zo lang mogelijk van commentaar, maar uiteindelijk – het speet hem, hij kon het niet verdragen, hij kon het gewoon niet verdragen. Hij vroeg Ruprecht heel beleefd of hij er bezwaar tegen had zich te houden aan de partituur zoals Pachelbel die had geschreven.

'En wat zei hij toen?'

'Hij zei ...' De pater wordt scharlakenrood als hij eraan terugdenkt. 'Hij zei dat ik de pip kon krijgen.'

'Zei hij dat je de pip kon krijgen? Waren dat zijn exacte woorden?'

'Ik ben bang van wel.' Pater Laughton bet geërgerd zijn voorhoofd. 'Ik zie niet in hoe ik ... hoe ik kan werken met iemand met zo'n houding. Dat gaat gewoon niet.'

'Natuurlijk niet, vader, ik begrijp het volkomen,' stemt de Automator in. 'Zit er maar niet over in, ik zal de kwestie bij de kop vatten.'

De Automator is uiteraard op de hoogte van het gekakel in de lerarenkamer met betrekking tot de plotselinge neergang van de voormalige favoriet. Maar tot nu toe heeft hij zich erbuiten gehouden. Van Dorens verwachte prestaties bij de staatsexamens van volgend jaar zullen het gemiddelde van de school volgens de berekeningen met vier procent doen toenemen; hij, of zijn genialiteit, verdient een zekere extra speelruimte.

Hij nodigt Ruprecht later die dag uit op zijn kantoor en herinnert hem er bij een kopje thee met biscuitjes aan hoe belangrijk het recital van het Kwartet is voor het concert. Hij mijmert over het concert zelf, een unieke en prestigieuze historische gebeurtenis die, laten we dat niet vergeten, live op de landelijke radio uitgezonden zal worden. Hij probeert omkoping, biedt aan dat Ruprecht zijn slaapkamer voor zichzelf mag houden, en vervolgens dreigementen, als hij speculeert over de positieve effecten die het kan hebben als een moeizamer leerling, te weten Lionel, op één kamer zou worden geplaatst met een heel begaafde leerling, te weten Ruprecht. Uiteindelijk verliest hij zijn geduld en gaat hij vijf minuten lang tegen hem tekeer. Dat resulteert in dezelfde reactie als alle andere tactieken.

'Hij weigerde überhaupt iets te zeggen! Dat joch zat daar maar, als een zoutzak –' De Automator zakt in elkaar, steunt en kreunt boven zijn bureau, zoals dr. Jekyll dat wellicht deed als hij in zijn duivelse alter ego veranderde.

Howard trekt zijn boord recht. 'Kunnen ze niet zonder hem spelen?'

'Het is een kwartet, verdorie, wie heeft er nou ooit gehoord van een kwartet dat maar uit drie muzikanten bestaat? En Van Doren is de enige met een beetje talent. Als je die andere drie als trio de bühne op stuurt – je kunt het publiek nog beter met gifgas bestoken! Of ze gewoon om hun oren slaan met een slopershamer!' Hij schopt zijn prullenbak om, waardoor er papier en klokhuizen over de vloer schieten; broeder Jonas komt meteen vanuit een hoek aankruipen, als een tamme spin, om ze op te ruimen. 'We hebben Van Doren nodig, Howard. Het hele concert draait om hem – hoge kwaliteit, tijdloos entertainment. En, verdomme ...' De bloeddorstige ogen staren zonder hem te zien naar broeder Jonas, die verdwaalde nietjes uit het vezelige turquoise tapijt aan het pulken is. 'Ik laat zo'n klein stuk onbenul niet zomaar tegen me opstaan. Mooi niet – als hij oorlog wil, kan hij oorlog krijgen.'

Tijdens de volgende lunchpauze ondernemen de drie leden waar het Van Doren Kwartet niet naar is vernoemd een pelgrimage naar Ruprechts kamer. Niemand reageert als ze aankloppen, en de deur gaat met tegenzin open, de doorgang geblokkeerd door donutdozen, Pepsi-flesjes, vuil ondergoed. Binnen treffen ze Ruprecht aan die, op de eerste dag van een driedaagse schorsing, op bed ligt met zijn ogen dicht. De Franse hoorn staat in een dronken hoek tegen de klerenkast, de hoorn tot de rand gevuld met Snickers-wikkels. Op de vloer zit zijn buurman uit de belendende kamer, Edward 'Hutch' Hutchinson, aan Ruprechts computerscherm gekleefd, terwijl hij toekijkt hoe een enorme paarse dildo keer op keer in een zorgvuldig onthaarde vulva wordt gestoken.

'Het punt is,' begint Geoff Sproke, waarna hij stilvalt; telkens als hij zijn hoofd omdraait, wordt hij geconfronteerd met een reusachtige close-up van een clitoris, wat heel afleidend is. Hij kucht nadrukkelijk, gaat ergens anders staan, en probeert het nog eens. 'We zaten te denken: we hebben allemaal een hoop werk in dat concert gestoken. Het lijkt ons jammer als dat allemaal voor niks is geweest, weet je?'

Ruprecht weet het niet, laat zelfs op geen enkele manier blijken dat hij hen heeft gehoord. Geoff schudt zijn hoofd, en richt zijn blik op Jeekers, die enigszins bedeesd naar voren stapt.

Jeekers heeft te maken met tegengestelde belangen. Aan de ene kant heeft Geoff inderdaad gelijk; hij heeft hard gewerkt voor dat concert, en hij heeft het gevoel dat een kans weggooien om in het openbaar te schitteren – zijn ouders hebben al kaarten gekocht, niet alleen voor henzelf, maar ook voor een breed spectrum aan familieleden – in plaats van alleen op tweemaandelijkse rapporten extreem lichtzinnig is. Maar aan de andere kant, de vreemde apathie die Ruprecht heeft bevangen is sterk in Jeekers' voordeel geweest. Nadat hij schijnbaar een heel mensenleven in Ruprechts slagschaduw heeft geploeterd – uren heeft doorgebracht met het zich overmatig voorbereiden op elke repetitie, heeft gehoopt op een enkel minuscuul overwinninkje, dat alleen hij op waarde zou kunnen schatten, om vervolgens weer te worden overtroefd, moeiteloos, telkens opnieuw – is Jeekers nu officieel de Knapste Jongen van de Klas, en dat is net zo fijn als hij had verwacht. De loftuitingen die de Waarnemend Rector achter op zijn tweemaandelijkse rapport krabbelde; de jaloerse blikken van Victor Hero en Kevin 'What's' Wong; de trotse stem van zijn vader, die aan de eettafel uitroept: 'Meer worteltjes! Meer worteltjes voor de Knapste Jongen van de Klas!' – hoe graag hij Ruprecht ook mag, hij weet niet of hij al bereid is dat allemaal op te geven.

En dus zegt hij, in plaats van een beroep te doen op vaardigheden die hij in de Debatteerclub heeft geperfectioneerd, een appel te doen op Ruprechts liefde voor de Kunsten, hem te herinneren aan de plicht die mensen als Jeekers en Ruprecht hebben om de schonere zaken hoog te houden tegenover de holbewoners die hen omringen – in plaats daarvan zegt hij, na enig aarzelend keelschrapen, alleen maar: 'Al onze ouders komen naar het concert, en ze zijn vast behoorlijk pissig als we niet spelen. Ik weet dat jij wees bent, maar probeer je eens in te denken hoe wij ons voelen als onze ouders pissig op ons worden, alleen maar omdat jij niet wilt spelen.' Daarop doet hij een stap naar achteren, en hij haalt opgewekt zijn schouders op naar Geoff, zonder verandering te hebben gebracht in Ruprechts catatonische staat.

Geoff kijkt in zijn wanhoop Dennis recht aan.

'Wat nou?' zegt Dennis.

'Kun jij niks tegen hem zeggen?'

'Waarom zou ik iets tegen hem zeggen? Ik wil niet eens meedoen aan dat stomme concert. Wat mij betreft bewijst hij me een dienst.'

'Maar het gaat niet alleen om het concert, het is ...' Hij aarzelt even, omdat hij weet dat oprechtheid voor Dennis is wat zout is voor een slak. 'Misschien zou het helpen als je, nou ja, als je zou zeggen dat het je spijt.'

'Dat het me spijt?' zegt Dennis ongelovig. 'Wat dan?'

'Dat hele gedoe met Optimus Prime. En wat je allemaal gezegd hebt?'

'Ik probeerde hem alleen maar te helpen,' betoogt Dennis. 'Ik probeerde hem te helpen om niet meer zo'n klootzak te zijn.'

Geoffs mond wordt een strakke lijn. 'Nou, waarom ben je hier dan?'

Dennis haalt zijn schouders op. Hij weet niet precies waarom hij gekomen is. Om Ruprecht te zien in zijn erbarmelijke staat, ontdaan van zijn vernislaagje van genialiteit, waardoor de groteske, zachte, wriemelige larf van zijn ware aard voor iedereen te zien zou zijn? Opdat alles wat Dennis in de loop van de jaren heeft gezegd glorieus wordt bevestigd, dat wil zeggen dat alles wat goed is een fatale smet in zich draagt, dat het leven inherent slecht is, dat het om die redenen geen zin heeft iets te proberen, ergens om te geven of hoop te koesteren? Iets in die trant, in elk geval.

Geoff blijft hem aanstaren; Dennis haalt zijn schouders weer op en loopt de kamer uit.

In de recreatiezaal gaat hij in zijn eentje aan een tafel zitten, en grijnst om te laten zien hoe niet-schuldig hij zich voelt. Hij kijkt een tijdje naar het tafeltennis, draait zich dan om naar het raam. Terwijl hij kijkt, komt er iets het parkeerterrein beneden op. Het is een busje, een donkerbruin busje, en er staat in gouden letters op:

VAN DOREN DRAINAGE
– legen van chemische toiletten
– wc's ontstoppen
– lekkages repareren
VOOR AL UW LOODGIETERSWERK
GEEN KLUS TE KLEIN!

Het busje parkeert naast de bloembedden, en een kleine, onbekommerde man in een slecht zittend pak en een volumineuze vrouw met een bloemenhoed op – ze komen hem allebei op de een of andere manier bekend voor – stappen aan weerszijden uit. Dennis kijkt toe hoe ze haastig naar de deuren van de school lopen. Er verspreidt zich langzaam een wolfachtige glimlach over zijn wangen. 'Kijk aan, kijk aan,' zegt hij in zichzelf. 'Kijk eens wie daar terug zijn uit het Amazonegebied.'

De juiste indruk maken is, zoals pater Foley nooit moe wordt de jongens voor te houden, in elke situatie het halve werk. Je kunt alleen maar tienen op je examenlijst hebben staan, maar als je het kantoor van een mogelijke werkgever inloopt met afgetrapte schoenen of een ongepaste stropdas, heb je je kansen zo goed als door de plee gespoeld. Daarom heeft pater Foley, hoewel hij het gisteravond nog heeft gewassen, omdat hij de ernst van de onderhavige situatie inziet, de moeite genomen zijn haar vanochtend nogmaals te wassen, en is hij het kwartier voorafgaand aan het gesprek bezig geweest het net zo lang te modelleren tot hij van mening was dat het precies goed zat.

Zet daar de jongen die aan de andere kant van het bureau zit eens tegen af. Hier hebben we een knul die duidelijk geen jota om indrukken geeft. Hij heeft een slonzige lichaamshouding, hij is veel te dik, en dan weigert hij ook nog een mond open te doen! Hij zegt geen woord! Pater Foley heeft verscheidene minuten lang geprobeerd 'tot hem door te dringen'; nu richt hij zijn opmerkingen louter nog tot de ouders en laat hij de jongen erbuiten. Eens kijken hoe hij dat vindt.

'Er zijn vijf stadia van rouw,' zegt hij tegen hen. 'Ontkenning, Woede, Onderhandelen, Depressie en Acceptatie.' Daar heeft hij net over gelezen op internet – erg interessant eigenlijk. 'De jonge Ruprecht hier zit op het moment duidelijk in de Woedefase. Dat is volkomen natuurlijk, een uiterst belangrijk onderdeel van het rouwproces zelfs. Niettemin beginnen we op het punt te belanden dat Ruprechts rouw een negatieve invloed heeft op het ordentelijke reilen en zeilen van de school. Dus de Waarnemend Rector en ik hoopten nu dat als we onze koppen bij elkaar steken, we misschien een manier kunnen bedenken om Ruprecht zo snel mogelijk in de Acceptatiefase te krijgen, als het ware, of in elk geval in een van de andere, minder ontregelende fases, zodat hij constructief kan deelnemen aan de normale schoolactiviteiten, zoals het honderdveertigjarig-jubileumconcert.'

De vader van de jongen, een man van weinig woorden, knikt ernstig. De vrouw met de hoed op klapt heel zachtjes in haar handen en zegt geluidloos: 'Een concert!'

Pater Foley vertelt haar met genoegen wat meer details over het evenement. Sommige paters hebben de neiging neer te kijken op het hele gebeuren, maar pater Foley weet uit zijn studies in de psychologie hoe belangrijk het is dat de jongens zich kunnen uiten.

Hing een zekere pater Ignatius Foley in zijn jongere jaren zelf niet af en toe een gitaar om, om wat 'hits' te spelen, om de langdurig en terminaal zieke kinderen in het ziekenhuis te vermaken? Zoals die jongelui naar hem keken! Hij was een behoorlijke 'popster'!

'En het ontroerende,' gaat hij verder, 'is dat een deel van de opbrengst is vrijgemaakt voor de renovatie van het zwembad, ter nagedachtenis aan die ongelukkige jongen, Daniel Juster.'

De moeder van de jongen, die sommige mensen waarschijnlijk behoorlijk aantrekkelijk zouden noemen, kirt daar goedkeurend bij. Pater Foley werpt haar een vriendelijke glimlach toe. 'Dat lijkt ons de meest gepaste manier om bij de gebeurtenis stil te staan,' zegt hij. 'Hier op Seabrook geloven we niet in dingen onder het tapijt vegen. Het is een manier voor ons, voor de jongens evengoed als voor het lerarenkorps, om te zeggen: Daniel, je zult altijd een plek in ons hart hebben, ondanks, dat wil zeggen, de, eh, omstandigheden van je verscheiden.'

Terwijl hij een losse streng goudkleurig haar van zijn voorhoofd veegt, wendt hij zich tot Ruprecht, die hem met onverholen haat aanstaart. Kan hij echt haar zoon zijn? Misschien is ze een tweede vrouw, ze lijkt althans aanmerkelijk jonger – maar nee, alleen een moeder zou zo'n afstotelijk wezen kunnen koesteren. 'Er zijn twee woorden waarvan ik graag zou willen dat je ze in deze moeilijke tijd in je achterhoofd houdt, Ruprecht. Het eerste is "liefde". Je hebt geluk dat er zoveel mensen van je houden. Je vader en je' – hij kan de verleiding niet weerstaan – 'buitengewoon charmante moeder' (een twinkelend, bruisend glimlachje!) 'je Waarnemend Rector, ikzelf en de rest van het personeel, en uiteraard je vele vrienden hier op Seabrook College. En, bovenal, God. God houdt van je, Ruprecht. God houdt van heel Zijn Schepping, tot de laagste wezens aan toe, en Hij zal zijn ogen nooit van je afwenden, zelfs niet als je denkt dat je helemaal alleen bent op de wereld. Daniel is, hopelijk, op dit moment bij Hem in de Hemel, en daar is hij gelukkig, gelukkig in Gods liefde. Dus laten we niet zelfzuchtig zijn. Laten we onze rouw niet het goede, eerlijke werk van onze leeftijdgenoten in de weg laten staan. Ja, we hebben een enorm verlies geleden. Maar laten we wel op gepaste wijze rouwen om Daniels verscheiden, op een liefdevolle wijze, bijvoorbeeld door deel te nemen aan het aanstaande kerstconcert, en ervoor te zorgen dat

dat een heel bijzondere gelegenheid wordt waar hij trots op zou zijn.'

De moeder van de jongen hangt aan zijn lippen – de vader ook trouwens. Pater Foley is zelf ook heel tevreden over deze kleine preek. 'Het tweede woord,' zegt hij, 'is "teamsport". In de dagen van het Romeinse Rijk ...'

Na afloop blijft hij voor het kantoor van de Automator wachten, terwijl de ouders binnen een vertrouwelijk gesprek voeren. Darren Boyce en Jason Rycroft komen langs, gaan aan de overkant van de gang staan en staren hem aan. Als zijn ouders naar buiten komen, loopt hij met hen mee naar het busje. Ze zouden graag langer blijven, maar vader heeft het ontzettend druk. Op het parkeerterrein neemt moeder Ruprechts gezicht in haar handen. 'Liefste Ruprecht, we houden heel veel van je. Beloof me dat je dat altijd onthoudt, wat er ook gebeurt, mama en papa zullen altijd van je houden.'

'En nu geen rare fratsen meer, Ruprecht,' zegt vader. Hij veegt zijn mond af met een papieren zakdoekje.

Ruprecht gaat alleen terug naar zijn kamer. Op zijn kussen is, netjes, een wc-borstel gelegd. Die verwijdert hij, en hij gaat liggen.

Moeder houdt van Ruprecht. Lori houdt van Skippy. God houdt van iedereen. Als je de mensen zo hoort, zou je denken dat iedereen de hele tijd niets anders doet dan van elkaar houden. Maar als je ernaar zoekt, als je op zoek gaat naar die liefde waar iedereen het voortdurend over heeft, dan is die nergens te bekennen; en als iemand liefde bij jou zoekt, merk je dat je die niet kunt geven, dat je het vertrouwen en de dromen niet kunt koesteren waarvan iedereen wil dat je ze koestert, net zomin als je water vast kunt houden in je armen. Stelling: liefde bestaat, als ze dat al doet, primair als een *georganiseerde mythe*, die van gelijksoortige aard is als God. Of: liefde is analoog aan de zwaartekracht, zoals die is gepostuleerd in recente theorieën, dat wil zeggen, wat wij vagelijk en sporadisch als liefde ervaren is in feite het verre uitvloeisel van een andere wereld, het in de verte gloeien van een liefdesuniversum dat als het eenmaal bij ons is aangekomen bijna geen warmte meer overheeft.

Als hij opstaat, trapt en stampt hij een uur lang tegen zijn Franse hoorn, zodat hij er niet meer op hoeft te spelen. Muziek, wiskunde

– het zijn dingen waar hij niets meer van begrijpt. Ze zijn te perfect, ze horen hier niet. Hij weet niet hoe hij ooit heeft kunnen geloven dat dit universum een symfonie kon zijn die gespeeld werd op supersnaren, terwijl het klinkt naar stront, gespeeld op stront.

Nu zijn ware afkomst is onthuld, worden de laatste sporen van Ruprechts waardigheid aan repen gescheurd. Hij wordt, waar hij ook gaat, achtervolgd door een golf van loodgietergerelateerde bespottingen; zijn hoofd wordt zo vaak in de zwanenhalzen van de toiletten van Seabrook geduwd – 'Het is een poort naar een andere dimensie, Ruprecht!' (spoel) – dat hij nooit helemaal opdroogt. Hoe erger het wordt, des te erger wordt het, want op school is iedereen die je niet van je af kunt slaan je vijand, dus hoe meer vijanden je hebt, des te meer mensen staan er in de rij om mee te doen. Ruprecht sleept zich erdoorheen als een kolossale golem. Hij schreeuwt het niet uit als iemand een elastiekje tegen zijn oor schiet, een liniaal tussen zijn billen steekt of erin prikt met de punt van een passer, natte tissues in zijn oren propt, op zijn rug spuugt of een drol in zijn schoen achterlaat. Hij klaagt niet als Noddy de deur van zijn laboratorium dichtspijkert; hij protesteert niet als hij moet nablijven nadat verscheidene van zijn niet-waterbestendige bezittingen een van de wc's bij de slaapzalen blijken te verstoppen; hij geeft er geen enkele blijk van dat het hem iets kan schelen als zijn kamer al weer is versierd met wc-papier. In plaats daarvan trekt hij zich gewoon nog meer in zichzelf terug – in het almaar uitdijende fort van cellulitis dat hij dagelijks versterkt met donuts en een nieuwe milkshake bij Ed's die SweetDreamz heet, die geen melk bevat en, op de een of andere manier, meer calorieën dan pure suiker.

'Ik ben alleen bang dat de houding van de school misschien wat al te zeer de confrontatie lijkt te zoeken ...'

'Van Doren is de enige die de confrontatie zoekt, Howard. Streng maar rechtvaardig, dat zijn we. Nietwaar, vader?' Een rank, ebbenhouten knikje van de schildwacht in de hoek.

'Maar de jongens – er lijken aanwijzingen te zijn dat de jongens misschien wel tegen hem samenspannen.'

'De jongens kennen de regels, Howard, en als ze worden betrapt bij het overtreden van die regels, worden ze daarvoor bestraft. Maar tegelijkertijd hebben ze allemaal veel tijd en moeite in dit concert gestoken, en als één iemand dat dan zomaar voor iedereen verpest, dan begrijp ik wel dat ze boos zijn. En ik begrijp ook dat ze er behoefte aan hebben uiting te geven aan die boosheid.'

'Jawel, maar ...'

'Niemand is belangrijker dan deze school, Howard.' Het attachékoffertje van de Automator klikt dicht als de kaken van een krokodil. 'Daar komt Van Doren vroeg of laat wel achter. Ik hoop voor hem maar dat het vroeg is.'

En dus kijkt Howard alleen maar toe, terwijl de vetzuchtige globe van Van Dorens gezicht met de dag breder en bleker wordt, neigt naar serviesgoedwit, en zijn verlangen om hem apart te nemen – hem te troosten, gewoon even met hem te praten – wordt opgeheven door een even kwellend schuldgevoel. Wat zou Howard nou in vredesnaam tegen hem kunnen zeggen dat geen glasharde leugen was? En als hij hem de waarheid zou vertellen, wat zou hij daar dan mee opschieten?

Dus zegt hij maar niets. In plaats daarvan loopt hij een andere kant op, begraaft zich in zijn geschiedenisboeken zoals Ruprecht zich wikkelt in een cocon van onverzadigde vetten. Hij ratelt zijn lessen werktuiglijk af, zonder dat het hem kan schelen of de jongens luisteren of niet, terwijl hij ze in stilte veracht omdat ze zo voorspelbaar zijn wat ze zijn: jong, egocentrisch, ongevoelig; hij wacht net als zij tot de bel gaat, zodat hij zich weer in de loopgraven van het verleden kan storten, in de eindeloze verslagen van mannen die met tienduizenden tegelijk hun dood tegemoet werden gestuurd, als evenzovele torens van gekleurde fiches die door dikke handen over het groene vilt van een casinotafel worden geschoven – verhalen die, in hun gereglementeerde verspilling, hun oneindige, zinloze vernietiging, meer dan ooit lógisch lijken, lijken te staan voor een archetype waarvan de schooldag met zijn guurheid en verveling een vage, verwarde schaduw is. Vrouwloze werelden.

Buiten wordt de winter ondertussen sadistisch. Koude regen slaat op hem neer zodra hij de deur uit gaat; hij wordt elke ochtend wakker met een mond vol gravel, alsof hij drie dagen lang heeft gezopen. Hij herinnert zich Halleys magische camera, die van alles Californië kan maken. Hij hoopt elke avond dat ze zal bellen, maar dat doet ze niet.

En dan wordt er op een dag een pakketje voor hem bezorgd op school. Er zit een brief in, geschreven in een keurig, krullerig handschrift. Hij is van Daniel Justers moeder.

> *Ik hoorde van mijn echtgenoot dat Daniels klas bezig is met de Eerste Wereldoorlog, en ik dacht dat uw jongens dit misschien wel interessant zouden vinden. Het is van mijn grootvader geweest, William Henry Molloy. Nadat hij Seabrook had verlaten, heeft hij gevochten bij Gallipoli met de Koninklijke Musketiers van Dublin. Hij heeft nooit over zijn ervaringen gesproken, en hij bewaarde zijn uniform verstopt in een doos boven op een klerenkast waar hij dacht dat niemand van ons het ooit zou vinden. Daniel was te jong om zich zijn overgrootvader te herinneren, maar niettemin was hij heel opgewonden toen hij hoorde van zijn deelname aan de oorlog en hij had dit graag met zijn klas gedeeld.*

In de doos, zorgvuldig verpakt in vloeipapier, zit een kaki militair uniform. Howard vouwt het uit en houdt het op in het licht dat door het raam van de lerarenkamer komt. De ruwe stof is smetteloos schoon en ruikt licht muf; hij laat hem door zijn handen glijden als bliksemschichten van pure tijd.

'Wat heb je daar, Howard?' vraagt Finian Ó Dálaigh hem.

'Niets, niets ...' Howard werpt hem een vluchtige glimlach toe, vouwt het uniform weer op en stopt het gauw weg in zijn kluisje.

Later, als ze de kamer voor zichzelf hebben, laat hij het aan Jim Slattery zien. De oudere man bekijkt de grove stof aandachtig, alsof het verhaal van de missie in de keper gegrift is. 'Zevende Bataljon,' zegt hij. 'Dat is nog eens een verhaal. Ben je ze nog niet eerder tegengekomen? De D-Compagnie? Gallipoli? De Baai van Suvla?'

Howard is zich er vagelijk van bewust dat Gallipoli een beruchte ramp was waarbij duizenden Australiërs zijn omgekomen, maar meer ook niet. 'Niet alleen de ANZAC's, de soldaten van het Australian and New Zealand Army Corps, waren erbij,' vertelt Slattery. 'Ik heb er nog wel een paar boeken over liggen, als je interesse hebt.'

Die avond – nadat hij bijzondere dispensatie heeft gekregen van zijn vrouw – spreekt Slattery met Howard af in een hoekje in de

Ferry, en vertelt het tragische verhaal van de D-Compagnie, vanaf het moment dat ze bij elkaar kwamen in Dublin bij het uitbreken van de oorlog tot hun bijna volledige uitroeiing op een obscure berg op het schiereiland Gallipoli. Howard heeft, zonder precies te weten waarom, Molloys uniform meegenomen in zijn tas, en terwijl het verhaal zich ontvouwt wordt hij zich steeds meer bewust van de aanwezigheid ervan: een modderig olijfkleurig spook dat hun gesprek bijwoont.

'Het waren vrijwilligers, de eerste vrijwilligers, die dienst namen vanuit rugbyclubs in het hele land. De meesten waren profs geweest, hadden op bekende scholen gezeten, waaronder Seabrook, en werkten nu als zakenman, bankier, advocaat, klerk. Ze waren zelfs al behoorlijk beroemd in Ierland, nog voor ze naar het slagveld gingen, omdat ze officier hadden kunnen worden als ze dat hadden gewild, maar ze bleven liever bij hun vrienden. Ze werden de "Dublin Maten" genoemd, en op de dag dat ze naar Engeland vertrokken, kwam er een enorme menigte opdagen om hen door de stad te zien marcheren.

Ze gingen in het leger in de veronderstelling dat ze naar het westelijk front gestuurd zouden worden, en ze kwamen er pas toen hun schip al was uitgevaren achter dat ze koers zetten naar Turkije. Churchill had het plan opgevat een doorgang door de Dardanellen te forceren, zo een nieuwe bevoorradingsroute naar Rusland te creëren en de Duitsers weg te lokken van het front. De vorige poging om aan land te gaan bij Gallipoli was op een enorme ramp uitgelopen. Ze hadden een paard van Troje-truc geprobeerd – een divisie in een oud kolenschip gestopt die tot vlak bij het strand was gevaren om de Turken te verrassen. Maar de Turken stonden hen op te wachten, met machinegeweren. De hele baai schijnt rood te hebben gezien van het bloed. Dit keer waren de officieren die het commando voerden zo paranoïde dat ze hun plannen helemaal voor zich hielden – in die mate zelfs dat verder niemand wist wat ze eigenlijk moesten doen. De D-Compagnie en de rest van de Dubliners werden op de verkeerde plek aan land gezet, zonder kaarten en zonder orders. De temperatuur liep op tot boven de veertig graden, de Turken hadden de waterbronnen vergiftigd, het regende granaatscherven. Ze wachtten op het strand terwijl hun generaal probeerde uit te vogelen wat ze nu moesten doen ...'

Het ellendige verhaal gaat maar door. Vanaf deze afstand lijkt het bloederige einde onvermijdelijk, en het avontuur van de Maten – die vrijwillig goede banen hadden achtergelaten, makkelijke leventjes, vrouwen en kinderen, op jacht naar een opgeklopt idee van eer en glorie – pijnlijk naïef; alsof ze hadden gedacht dat de oorlog niet meer was dan een voortzetting van hun strijd op het rugbyveld, het verhoogde gevaar alleen een garantie voor de glorie die ze zouden verwerven.

'Maar het ergste was wat er na afloop gebeurde,' zegt Slattery, terwijl hij zijn glas op de tafel omdraait. 'Ik bedoel, ze kwamen naar huis en werden vergeten. Niet alleen vergeten, maar ook verbannen uit de geschiedschrijving. Na de Opstand, de Onafhankelijkheidsoorlog, bleken ze ineens verraders te zijn. De worstelingen die ze hadden geleverd, de verschrikkingen, de ontberingen – allemaal voor niets. Dat moet echt een mes in hun rug zijn geweest.' Hij kijkt op naar Howard. 'Moeilijk te geloven dat zoiets groots zomaar weggestopt kon worden, alsof het nooit was gebeurd. Maar het kan, dat is het tragische. Je betaalt er een afgrijselijke prijs voor, maar het kan.'

'Ja,' zegt Howard, die zijn wangen rood voelt worden.

'Hoewel er wel dingen veranderen, denk ik ...' De oude man laat zijn handen weer over de stof van het uniform glijden. 'Maar goed, het zal een mooi verhaal zijn voor de jongens.'

Howard maakt een onduidelijk geluid. Eigenlijk heeft hij al besloten dat hij de jongens niets over het uniform zal vertellen. Het zou ze niets zeggen; er valt niets bij te winnen het bloot te stellen aan hun onverschilligheid. Het verbaast Slattery dat te horen – hij neemt er, denkt Howard, zelfs een beetje aanstoot aan. 'Ik dacht dat ze graag dingen hoorden over de oorlog ...?'

Dat had Howard ook gedacht, maar door de recente gebeurtenissen is het tot hem doorgedrongen hoe verkeerd hij hen heeft beoordeeld. Hij ziet hen elke dag onderling kakelen over het nieuw leven ingeblazen concert, en zonder erbij stil te staan om de lege stoel in het lokaal heen zwermen; de gebeurtenissen van – wat, drie weken geleden? –, zijn allang uit hun geheugen verdwenen, en uiteindelijk begrijpt hij dat ze gewoon niet het vermogen hebben zich in het verleden te verplaatsen, dat van zichzelf of van wie dan ook. Ze leven in een voortdurend, manisch heden, waarin dingen onthouden een klus is die wordt overgelaten aan computers, zoals je het opruimen van je kamer overlaat aan een werkster uit de derde wereld. Als de oorlog even tot hun verbeelding heeft gesproken, deed die dat alleen maar als een arena van geweld en bloederige taferelen, niet anders dan hun dvd's en computerspelletjes, de videoclips van auto-ongelukken en verminkingen die ze uitwisselen als voetbalplaatjes. Hij neemt het hun niet kwalijk, het was zijn fout.

De oude man laat de ijsblokjes rondgaan in zijn glas. 'Ik zou hen nog niet helemaal afschrijven, Howard. Het is mijn ervaring dat als je ze iets tastbaars kunt laten zien, ze als het ware uit het lokaal kunt trekken, dat een behoorlijk verbazingwekkend effect kan hebben. Zelfs een recalcitrante klas kan je nog flink verrassen.'

'Ze hebben me al verrast,' zegt Howard afgemeten, en dan: 'Ik denk gewoon niet dat het hun iets kan schelen, Jim. Ik weet niet wat hun wel iets kan schelen, eerlijk gezegd. Afgezien van op tv komen misschien.'

'Nou, dan moet je ze leren dat het hun iets moet kunnen schelen, of niet soms?' zegt Slattery. 'Daar draait het allemaal om.'

Howard reageert hier niet op, behalve dat hij zich afvraagt hoe de oude man zo lang zo sentimenteel heeft kunnen blijven. Ziet hij de jongens gewoon niet, is dat het? Hoort hij niet wat ze zeggen?

Hij neemt Slattery's boeken mee; als hij thuiskomt vergelijkt hij de foto van Molloy in de geschiedenis van zijn compagnie met een foto van de rugbyploeg in een van de oude jaarboeken van de school die hij heeft doorgenomen voor de tekst in het programmaboekje. Daar is ie, grijnzend in de middelste rij. Zijn zorgvuldig gekapte, glanzende haar geeft hem iets gespierds en paardachtigs. Dezelfde man duikt op tussen de portretten van de Maten, alsof hij gewoon van het ene boek in het andere is gesprongen, klaar om de loopgraven op Chocolate Hill te bestormen, precies zoals hij Port Quentin aan Lansdowne Road bestormde. Hoe kon hij weten wat hem te wachten stond? Een catastrofale nederlaag, zinloze vernietiging, uit de geschiedenis verdwijnen, dat is niet het lot dat je verwacht als jongen van Seabrook ...

Zijn gedachten hierover brengen hem weer op Juster, die lege stoel in het lokaal als een ontbrekende tegel in een mozaïek. Verbeeldt hij het zich, of ziet hij een familiegelijkenis tussen Molloy en zijn achterkleinkind? In de loop van de generaties is de vastberaden mond onzeker geworden, terughoudend, alsof de genen zelf nooit helemaal waren hersteld van de desintegratie bij de Baai van Suvla en de nasleep daarvan, alsof er een oneindig klein maar vitaal onderdeeltje verloren is gegaan in de maalstroom van de tijd. En toch lijkt het alsof Daniel Juster, of de man die hij had kunnen worden, erin zit, hem vanuit het gezicht van de soldaat aankijkt als een weerspiegeling in glas; en als hij terugkijkt in de door kaarsen verlichte huiskamer, merkt Howard dat de haartjes op zijn armen en in zijn nek rechtovereind staan. Het uniform zweeft aan zijn hanger; alleen in de door kaarsen verlichte kamer wordt Howard overvallen door een merkwaardig gevoel van *convergentie*, alsof hij is aangewezen als een eindpunt in een mysterieus circuit.

Misschien had Slattery wel gelijk, denkt hij. Misschien is dit wel wat de jongens nodig hebben om hen wakker te schudden; misschien is dit de manier om Daniel terug te brengen in het lokaal en hen te dwingen hem te zien. Twee spoken, voor even ontrukt aan de vergetelheid – een kleine daad van protest, een kans om iets goed te maken.

De volgende ochtend gaat hij vroeg naar school om bij het kopieerapparaat te kunnen; hij staat in de lerarenkamer foto's van rugbyteams van voor de oorlog te vergelijken als de Automator binnenkomt. Hij loopt snel de kamer door naar de leunstoel waarin Tom de sportpagina's van *The Irish Times* zit te lezen. 'Heb je even?' zegt hij.

Tom kijkt hem leeg aan. 'Tuurlijk, Greg, wil je even naar ...?' Hij gebaart naar de deur.

'Nou, misschien vind je het niet erg als ik dit ook met de anderen deel,' antwoordt de Automator, en hij haalt een envelop met het wapen van de Paracleten uit zijn jasje. Hij komt van het hoofdkwartier van de Congregatie in Rome; de brief die erin zit, die de Automator hardop voorleest, verklaart dat Tom is uitverkoren om les te gaan geven aan de Maria Immaculata School op Mauritius. Tom slaakt een vreugdekreet; de Automator slaat hem lachend op zijn rug.

Het duurt even voor Howard begrijpt dat hij getuige is van een act, opgevoerd voor de toeschouwers. Het treft hem hoe overtuigend ze zijn – Tom helemaal opgewonden en optimistisch, de Automator met een vaderlijke arm om zijn schouder; er valt niets heimelijks of berekenends van hun gezichten af te lezen. Het is alsof hun leugen in hun ogen al is vervangen door de waarheid, en die leugen zich nu, terwijl hij toekijkt, naar buiten uitkristalliseert, met hulp van zijn argeloze collega's in de werkelijkheid etst, terwijl zij om hem heen gaan staan en Tom enthousiast de hand schudden.

'Dus je gaat ons verlaten ...'

'Ja, het was een moeilijke beslissing, maar ...'

'Ik zou zeggen dat het je bijna genekt moet hebben. Mauritius nog wel!'

'Dan hoef je dat gezeik hier niet meer te doorstaan.' 'Ricky' Ross, de economieleraar, gebaart lollig naar het lugubere Ierse weer buiten.

'Nee, hoewel ze daar ook weer zo hun problemen hebben, natuurlijk ...'

'En wij dan? Hoe moet het nou verder met Seabrook zonder jou?'

'En met de Ferry? Die gaat straks failliet!'

'We wisten niet eens dat je erover dacht te vertrekken.' Miss Birchall en Miss McSorley worden door emoties overmand. 'Dat heb je nooit verteld, ondeugende jongen.'

'Ja, nou ja, het kwam nogal onverwacht. Greg vertelde dat die vacature er was, en ik besloot ervoor te gaan. Mijn hart ligt natuurlijk bij Seabrook, maar, nou ja ...'

'Tom had het gevoel dat ze hem daar meer nodig hadden,' doet de Automator voorzichtig zijn duit in het zakje. 'Ze hebben het niet makkelijk, die arme jongens.'

'Ga je er lesgeven of coachen?' vraagt Pat Farrell.

'Een beetje lesgeven – Engels of wat ze me maar laten doen. Maar ik ga voornamelijk de rugbyploeg trainen. Ze hebben een heel behoorlijke sportafdeling daar – heeft pater McGowran die niet opgezet, Greg?'

'Klopt, Tom. Pater Mike heeft daar echt titanenwerk verzet, om die school op poten te krijgen. Maar hij kan het niet allemaal in zijn eentje. En God weet dat hij nog niet tegen een rugbybal kan trappen als het 'm zijn leven zou redden!'

Ze lachen. Dan zegt Ó Dálaigh omzichtig: 'Dus je staat straks weer op het rugbyveld?'

'Bij wijze van spreken.'

'Maar dat is evengoed een tijdje terug.'

'Het is tijd,' zegt Tom, en hij werpt hun een ontwapenende, scheve glimlach toe. 'Vroeg of laat moet je het verleden toch onder ogen zien, nietwaar?'

'Inderdaad, inderdaad.' De verzamelde collega's zijn tevreden over het idee. Howard heeft het gevoel dat zijn hoofd elk moment kan ontploffen; hij loopt naar de deur, maar raakt verstrikt in de menigte en wordt ongewild weer richting Tom geleid. Van dichtbij lijkt de coach langer dan eerst, viriel, vitaal, alsof zijn gebroken ruggengraat op miraculeuze wijze is genezen; zijn onschuldige ogen kijken sereen naar Howard, die zich in vergelijking met hem een spook voelt, zijn botten bijna kan horen ratelen als hij Tom de hand schudt. 'Gefeliciteerd,' zegt hij werktuiglijk.

'Dank je, Howard. Dank je.' Bij die gemeende, mannelijke handdruk wordt Howard plotseling bevangen door misselijkheid. Hij schiet weg naar de wc en kotst slappe thee.

Als hij later naar het Bijgebouw loopt, wordt hij klemgezet door Farley. 'Heb je het nieuws al gehoord?' vraagt Farley, terwijl hij naast hem oploopt.

'Van Tom, bedoel je?'

'Die heeft het goed bekeken,' zegt Farley. 'Ik denk er de laatste tijd ook weleens over zoiets te doen.'

Howard voelt zich net een stuk drijfhout dat wordt voortgedreven op een stormachtige zee van ironie. 'Naar Mauritius gaan?'

'Ergens heen gaan waar ze me echt nodig hebben. Ergens waar je een verschil kunt maken. Daar hoef ik denk ik niet zo ver van huis voor te gaan.'

Howard heeft Farley de laatste tijd ontlopen, maar van een afstandje heeft hij gezien dat er iets aan zijn vriend veranderde, dat hij een morbide, ongerichte woede over zich heeft gekregen. 'Ze hebben je hier ook nodig, Farley. Iedereen heeft een goede leraar nodig, arm of rijk.'

'Deze kids niet,' zegt Farley. 'Waarom zouden ze? Ze zitten voor het leven gebeiteld, en dat weten ze heel goed.'

'Het is niet hun schuld dat hun ouders geld hebben.'

'Natuurlijk is dat hun schuld niet. Niks is iemands schuld,' antwoordt Farley droog. 'Het ligt niet alleen aan de jongens, Howard. Het ligt aan deze hele tent, de hypocrisie ervan.'

Als geroepen komt pater Green voorbijzeilen – hij doet alsof hij hen niet ziet, houdt zijn blik strak gericht op een denkbeeldig punt boven hun hoofden, als een missionaris in de laatste dagen van Sodom die vastberaden is de wereldlijke duisternis te negeren.

'Dat loopt maar rond alsof er niks is gebeurd,' zegt Farley somber. 'Walgelijk gewoon.'

'We weten helemaal niet of hij er iets mee te maken had.'

'We kunnen de verbanden wel leggen, toch?'

Iemand schrijft steeds met Tipp-Ex PEDO op de deur van het kantoor van de pater. Noddy krabt het er elke ochtend af, en na de lunchpauze staat het er weer.

'Hoe eerder deze school die klotepaters de deur uit werkt, des te beter,' zegt Farley. 'Greg mag dan een onbenul en een fascist zijn, hij doet zich in elk geval niet anders voor dan hij is. Hij doet niet alsof hij een of ander superieur moreel inzicht heeft. Alleen maar ouderwetse inhaligheid.'

'Pater Green heeft veel goeds gedaan,' zegt Howard zwakjes. 'Als je het toch hebt over een verschil maken: hij is waarschijnlijk de enige op de hele school die dat daadwerkelijk heeft gedaan.'

'Machtswellust, meer is het niet. Junks en verschoppelingen zijn de enige mensen tegenover wie hij zich nog superieur kan voelen. Hoewel hij beter met hen kan omgaan dan met kinderen.' Hij stoot een kort, bitter lachje uit, zwijgt dan en schudt zijn hoofd. 'Het deugt niet, Howard. Het deugt gewoon niet.'

In zijn lokaal leunt Howard zwaar op de lessenaar terwijl de leerlingen zich naar binnen slepen. Ruprecht komt als een-na-laatste binnen, opgezwollen als een zieke douairière. Hij wacht tot ze zo rustig zijn als ze zullen worden, en roept zichzelf dan tot de orde. 'Ik wil jullie vandaag iets bijzonders laten zien,' zegt hij. Er klinkt een algemeen gegrinnik op. Hij haalt het uniform uit de tas.

'Dit is van een Ierse soldaat geweest die in de Eerste Wereldoorlog heeft gevochten,' zegt hij. 'Hij heette William Molloy en hij heeft op deze school gezeten – hij was Justers ... hij was Daniel Justers overgrootvader.' De naam voelt verkeerd, vreemd aan in zijn mond, en hij sorteert geen enkel effect bij de jongens; ze kijken hem ongeïnteresseerd aan, zoals ze zouden kijken naar een ongeïnspireerde straatartiest terwijl ze op hun bus stonden te wachten.

'Hij moet zich in 1914 als vrijwilliger hebben aangemeld, als Lord Kitchener ...'

Achter in het lokaal is gegiechel te horen; blijkbaar gebeurt er iets amusants, buiten, voor het raam. Howard valt stil en als hij zich omdraait, ziet hij Carl Cullen over het parkeerterrein naar de school wankelen.

'Hij is vergeten dat hij geschorst is,' merkt iemand genotvol op. 'Dat is al de tweede keer deze week.'

'Hij is niet goed bij zijn hoofd,' stelt iemand anders vast.

Zelfs op deze afstand staan Carls ogen zichtbaar verdwaasd, en in zijn gestrompel voorziet Howard een verlammend moment lang iets afschuwelijks ... maar hij heeft geen jasje aan, en ook geen tas bij zich, dus er valt moeilijk te zien waar hij een vuurwapen zou moeten verbergen; en trouwens, houdt Howard zichzelf voor, dat soort dingen gebeurt alleen in Amerika, niet hier, nog niet althans ... Nu komt er een leraar de school uit om hem te onderscheppen. 'Slattery,' zegt iemand.

'Misschien wil hij wat xtc scoren.'

Howard ziet dat de oude man de jongen bij zijn schouders pakt, zich naar zijn slap hangende gezicht buigt, hem zachtjes en kort toespreekt, hem vervolgens honderdtachtig graden ronddraait en wegstuurt.

'Het is maar goed dat de Automator hem niet heeft gezien,' zegt Vince Bailey. 'Dan zou hij nog een week geschorst worden.'

'Ja, het kan Carl vast wat schelen dat ie geschorst wordt,' zegt Conor O'Malley spottend.

'Flikker op, klootviool.'

'Oké, oké.' Howard tikt op de lessenaar. 'We hebben werk te doen. Laten we eens kijken wat we uit dit uniform kunnen opmaken.'

Hij houdt het op, alsof het een heilige graal-kracht bezit om door de mist van de dag heen te dringen. Maar in het ochtendlicht, onder de gauw afgeleide, corroderende puberblikken, lijkt het uniform hun weinig meer te zeggen. Het lijkt niet meer beladen met geschiedenis, noch met iets anders, afgezien van de geur van mottenballen; en als Howard het heldere inzicht van de vorige avond weer probeert op te roepen, de catharsis die hij bij hen teweeg zou brengen – dan ziet hij alleen die kleine scène in de lerarenkamer voor zich: de vreugde op Toms gezicht als hij zijn vluchtroute krijgt aangereikt; de genegenheid en trots, echte, oprechte genegenheid en trots op dat van de Automator; het personeel dat zich verzamelt om hem te feliciteren, Howard zelf die de coach de hand schudt.

Iemand plukt met zijn tanden aan een elastiekje, iemand geeuwt.

Waarom zouden ze geven om wat de D-Compagnie heeft gedaan? Waarom zouden ze ook maar iets geloven wat hij hun vertelt, of wat wie dan ook binnen de muren van deze school hun vertelt? Ze weten hoe het gaat, ze weten hoe het werkt op plekken zoals deze – zelfs als ze het niet weten, weten ze het.

'Jezus christus,' zegt hij.

De jongens kijken hem ontregeld aan, en plotseling heeft Howard het gevoel dat hij stikt, alsof er niets meer in het vertrek is wat in te ademen valt. 'Oké,' zegt hij. 'Allemaal opstaan en jullie jassen aan. We gaan de deur uit.'

Er gebeurt niets. Howard klapt in zijn handen. 'Kom op, ik meen het. In de benen.' Hij weet niet wat hij bedoelt; hij weet alleen dat hij geen moment langer in dit lokaal kan blijven. Nu maakt de algehele apathie plaats voor een ontluikende interesse als de jongens zich realiseren dat, wat er ook met hem is gebeurd, hij meent wat hij zegt. Tassen worden opgetild, boeken worden haastig ingepakt voor hij van gedachten kan veranderen.

Jeekers steekt zijn hand op. 'Gaan we op excursie, meneer?'

'Juist,' zegt Howard. 'Precies.'

'Maar hebben we daar geen toestemming van onze ouders voor nodig?'

'Dat regelen we achteraf wel. Als er iemand niet mee wil, is dat prima. Dan kunnen jullie de rest van het lesuur naar de studiezaal.'

'De mazzel, sukkel.' Simon Mooney draait op weg naar de deur Jeekers' oor om. De magere jongen aarzelt; dan klautert hij achter zijn tafeltje vandaan, pakt zijn tas en loopt haastig achter de anderen aan.

Binnen een paar seconden zijn de jongens terug van hun kluisjes, met hun jassen aan. Howard brengt een vinger naar zijn lippen – 'Laten we de andere lessen vooral niet verstoren' – en leidt hen door Our Lady's Hall, langs het oratorium en de studiezaal naar de door daglicht omlijste deuren – en dan staan ze buiten, scheren over de kronkelende laan tussen de rugbyvelden.

Hij loopt met ze naar het station en neemt een trein de stad in. Hij heeft nog steeds niet besloten wat ze gaan doen, maar als ze Lansdowne Road passeren, de plek waar internationale en schoolrugbyfinales worden gehouden, 'Seabrooks tweede thuis', vertelt hij de jongens plotseling dat Justers overgrootvader en honderden andere mannen met een vaste baan binnen een paar weken na het uitbreken van de oorlog elke avond na hun werk naar het stadion kwamen om militaire training te krijgen, onder wie velen die later bij de D-Compagnie zouden gaan. Nadat ze uit de trein zijn gestapt, gaat hij hun voor door Pearse Street, om College Green heen, door Dame Street, dezelfde route, vertelt hij hun, die de 'Maten' hadden gevolgd tijdens hun triomfantelijke mars de stad uit.

Als ze via Temple Bar doorsteken naar de rivier, passeren ze de bioscoop waarvoor Howard Halley voor het eerst ontmoette; dat stukje geschiedenis deelt hij niet met de jongens. Hij herinnert zich hoe hij met haar langs de rivier liep, maar pas als ze over de Ha'penny Bridge lopen – waarbij de bejaarde constructie lijkt te wankelen onder hun ongeduldige voeten, terwijl de kades van de stad zich aan weerszijden uitstrekken – herinnert hij zich dat ze op die dag ook op weg was naar het museum, dat hij haar had beloofd haar daar mee naartoe te nemen, maar dat nooit had gedaan, in plaats daarvan was hij verliefd op haar geworden, en had hij haar meegenomen de achterafstraatjes van zijn leven in. Nu was hij eindelijk op weg ernaartoe, maar dan met zesentwintig hormonale tienerjongens in plaats van met haar. Knap gedaan, Howard.

De jongens beklimmen de heuvel, door de poorten van het museumterrein. Gerry Coveney en Kevin Wong roepen 'Echo!' naar de muren van de enorme binnenplaats. Hier en daar lopen groepen toeristen over de kinderkopjes: kolossale Amerikanen als runderlappen, keurige Japanse dames in het zwart, allemaal met camera's die om hun nek in de aanslag hangen. Bij de ingang staat een horde lagereschoolkinderen om een belaagd uitziende man in een rode sweater heen. 'Een museum,' zegt hij tegen ze, 'is een plek met een heleboel voorwerpen uit het verleden. Door die objecten te bestuderen leren we over dingen die heel lang geleden zijn gebeurd ...'

De kinderen knikken ernstig. Ze kunnen niet veel ouder dan zes of zeven zijn; voor hen is alles lang geleden. Hun leraar kijkt van een veilig afstandje naar hen, met een mengeling van genegenheid en dankbaarheid dat hij even rust heeft.

Howard neemt de jongens mee naar binnen en spreekt een man bij de receptie aan. 'Ik wilde graag even met mijn klas rondkijken ...'

'We kunnen waarschijnlijk wel een rondleiding organiseren, als u wilt,' zegt de receptionist. 'Hebt u belangstelling voor een bepaald tijdvak?'

'We zijn de Eerste Wereldoorlog aan het behandelen,' zegt Howard.

Het gezicht van de receptionist betrekt. 'Het spijt me,' zegt hij, 'maar op het moment hebben we eigenlijk niets over de oorlog.'

Achter Howard leidt de man met de rode sweater de kinderen met een opgejaagde blik de ingewanden van het museum in. 'Voorwerpen! Voorwerpen!' roepen ze al lopend uitzinnig uit.

'Helemaal niets?' zegt Howard als het lawaai achter de rug is. 'Geen uniformen van Ierse regimenten? Geweren, bajonetten, medailles, kaarten?'

'Het spijt me,' herhaalt de man schaapachtig. 'Daar is op het moment niet veel vraag naar. Hoewel we hopen er op een toekomstige tentoonstelling plaats voor te hebben.'

'Wanneer in de toekomst?'

De receptionist rekent. 'Over drie jaar?' Als hij Howards mond ziet openvallen, zegt hij: 'U zou ze mee kunnen nemen naar de Memorial Gardens in Islandbridge. Dat is eigenlijk gewoon een park. Maar ik ben bang dat dat het enige is.'

Howard bedankt hem en gaat weer naar buiten, terwijl de klas achter hem aan wappert als een mompelende mantel; op de kinderkopjes gaan ze verwachtingsvol om hem heen staan. 'Sorry,' zegt hij. 'Mijn fout, ik had van tevoren moeten bellen. Het spijt me.'

Hij weet dat ze alleen maar teleurgesteld zijn omdat ze bang zijn dat dit het eind van het uitstapje zal betekenen. Maar toch, zoals ze daar in het zwakke, door wolken gefilterde zonlicht hangen, een beetje schuifelen, wachten tot hij zegt wat ze gaan doen, lijken ze anders dan op school: jonger, minder cynisch, lichter zelfs, alsof Seabrook een gewicht was dat ze moesten torsen en ze, nu ze ervan verlost zijn, zo de lucht in zouden kunnen zweven …

Het verkeer hijgt op de kades in een flauw schijnsel van monoxides. Het park klinkt niet erg inspirerend; Howard overweegt net of ze hun verlies maar moeten nemen als zijn telefoon gaat. Het is Farley.

'Waar zit je in godsnaam, Howard?'

'In de stad,' zegt Howard. 'Op een excursie.'

'Een excursie?! Zomaar, zonder het tegen iemand te zeggen?'

'Het was een beetje een opwelling,' antwoordt Howard, die zijn stem zorgvuldig neutraal laat klinken.

'Greg is door het dolle heen, Howard. We hebben hem net uit zijn hoofd gepraat om de politie te bellen. In 's hemelsnaam, ben je gek geworden? Ik bedoel, waar ben je nou mee bezig?'

'Ik weet het niet,' zegt Howard als hij er even over heeft nagedacht.

Farley slaakt een beknelde zucht. 'Hoor eens, als je ook maar een kans wilt hebben om je baan te houden, dan zou ik maar direct terugkomen. Greg klimt tegen de muren op. Ik heb hem nog nooit zo kwaad gezien.'

'O,' zegt Howard.

'Sterker: misschien moet je meteen maar even met hem praten – blijf even hangen, dan geef ik hem en kun je ...'

Howard hangt op en zet zijn telefoon uit. 'Oké,' zegt hij. 'Laten we die Memorial Gardens maar eens gaan zoeken.'

De gezichten van de jongens klaren zichtbaar op, en ze lopen voor hem uit de straat in.

Hij heeft over de tuinen gelezen, maar hij is er nooit geweest. Islandbridge ligt in een nogal afgelegen en niet erg uitnodigend deel van de stad. Verbleekte posters van optredens van bands van vorig jaar verzorgen de meeste kleur; afgetrapte pubs staan in doolhofachtige straten waarin plaatselijke prostituees rond de vorige eeuwwisseling in de behoeften voorzagen van Britse soldaten die waren ingekwartierd in de barakken waar nu het museum is gehuisvest. Het mag dan niet meer de grootste hoerenbuurt van Europa zijn, maar je kunt hem ook niet van veryupping beschuldigen; als ze afslaan richting rivier, wordt de omgeving steeds groezeliger, de flats worden verwaarloosder. De jongens zijn gefascineerd. 'Meneer, is dit een getto?' 'Mond houden.' 'Kopen mensen hier drugs?' 'Sst.' 'Zijn die mensen aan de drugs?' 'Willen jullie terug naar school? Nou?' 'Sorry.' Hun vertrouwen in hem is tegelijkertijd ontroerend en alarmerend – hun vertrouwen dat ze veilig zijn, alleen maar omdat hij bij hen is, alsof de aanwezigheid van een volwassene elke mogelijke bedreiging zou afweren, voor een ondoordringbaar krachtveld zorgt.

De poort naar de Memorial Gardens bevindt zich aan het eind van een laantje, tussen een schroothandel en een psychiatrische inrichting. Ze lopen er een voor een doorheen; Howard weet niet of hij blij moet zijn of niet als het park verlaten blijkt.

'Waarom is er niemand?' vraagt Mario.

'Misschien hebben ze wel gehoord dat jij kwam, Mario.'

'Ja, Mario, ze hebben gehoord dat de grootste flikker van Dublin onderweg was, en toen zijn ze 'm allemaal gesmeerd.'

'Je bent zelf een flikker, klootzak.'

‘Mond houden, allemaal,’ snauwt Howard.

Van hieraf zien de Memorial Gardens er, afgezien van de spookachtige verlatenheid, uit zoals elk park. Het grassige gazon strekt zich uit tot in de verte en loopt links omhoog, een heuvel op; de wind maakt rimpelingen op het water van de rivier rechts en fluistert door de bladerloze bomen die de laan omzomen. Het enige gebouw dat er te zien is, is een klein stenen tuinhuisje. Ze lopen ernaartoe en gaan met z’n allen naar binnen. Er is een strofe uit een gedicht van Rupert Brooke in de vloer gegraveerd:

Wij leven veilig in de eeuw’ge dingen:
de wind, de morgen, menschenlach en traan,
de nacht, jagende wolken, vogelzingen,
slaap, vrijheid en de herfstelijke maan.

‘Kijk ...’ Henry Lafayette wijst de heuvel op. Er is nu een hoog stenen kruis te zien, dat uittorent boven de top. Ze klimmen ernaartoe, praten nu minder; uitwaaierend over het gras, zien ze er in Howards ogen weer jonger uit, alsof ze teruggaan in de tijd.

Op de top van de heuvel komen ze in een langgerekte tuin terecht, omringd door bomen en door klimop omhulde zuilen. Water sijpelt in de bassins van twee identieke fonteinen, winterrozen groeien in de borders. De omringende stad is niet meer te zien: ze zouden evengoed in de tuin van een groot landhuis kunnen staan, als dat boven hen uittorenende kruis er niet was geweest, en, ongeveer honderdvijftig meter voor hen, een witstenen sarcofaag.

‘Opdat hun namen eeuwig voortleven,’ leest Dewey Fortune van de zijkant.

‘Wier namen?’

‘Van de Ierse soldaten, sukkel.’

‘Dat hebben ze dan mooi mis,’ zegt Muiris.

Lucas Rexroth huivert. ‘Het is eng hier.’

Die opmerking wordt begroet door een koor van spookachtige woehoes, maar Lucas heeft gelijk.

De kille lucht die hun stemmen doet verschrompelen, het natte gras en de eenzaamheid, de vreemde afzondering van de wereld eromheen, het onverklaarbare gevoel dat je iets verstoord hebt ... Ze geven de tuin het karakter van een hiernamaals, het soort plek waarvan je je kunt voorstellen dat je er wakker wordt, languit op het gras, vlak na een of andere afgrijselijke botsing. De vochtige lucht wervelt om hen heen; geleidelijk aan verstomt het gekakel van de jongens en ze schuifelen ongemakkelijk rond, tot ze allemaal met hun gezicht naar Howard toe staan. Hij wacht even, wil de vreemd zingende stilte niet meteen verbreken. Dan zegt hij: 'Oké. De Dublin Maten.' En hij begint hun te vertellen wat Slattery hem heeft verteld over de D-Compagnie: dat ze samen vanuit schoolrugbyclubs in dienst gingen, dat ze, terwijl Robert Graves zat te rillen en ratten van zich af sloeg in een greppel in Frankrijk, naar de oven van de Dardanellen werden verscheept. 'Ze werden op stranden langs het schiereiland Gallipoli aan land gezet – bij honderden tegelijk, opeengepakt in een piepkleine ruimte, en wachtten tot hun werd verteld wat ze moesten doen. Dagen verstreken; dysenterie, enteritis en koorts braken uit, boven hun hoofden ontploften voortdurend granaten, gewonde en dode mannen werden op brancards langsgedragen, terwijl enorme zwermen vliegen boven hun lijken zoemden en in de monden van de levenden vlogen, zodat het bijna onmogelijk was om te slapen of te eten.

Uiteindelijk kwam het bevel een aanval uit te voeren op Kiretch Tepe Sirt, een langgerekte richel die uitkeek op de baai. De mannen vertrokken in de ondraaglijke hitte, die in de loop van de dag alleen maar erger werd. Ze hadden niet genoeg water gekregen en de Turken hadden de bronnen vergiftigd. Ze hadden ook niet genoeg munitie gekregen, dus daar waren ze ook snel doorheen. Toen ze bijna boven aan de bergkam waren, werden ze klemgezet door Turks afweergeschut. Ze vroegen om versterking, maar die kwam niet. Het werd zo heet dat de bergengte vlam vatte, en ze moesten aanhoren hoe hun eigen gewonden levend verbrandden.

Ze zaten die nacht gevangen op de berg, waar ze een voor een werden uitgeschakeld. Toen hun kogels op waren, gooiden ze stenen. Een Maat, soldaat Wilkin, begon Turkse granaten te vangen en ze terug te gooien – dat deed hij vijf keer, waarna de zesde granaat in zijn hand ontplofte. Eindelijk, na uren te hebben toegekeken hoe hun vrienden werden afgeslacht, voerden de mannen – mannen van Seabrook, Clongowes, St. Michael's en anderen, van wie de meesten tot een week daarvoor nog nooit het land uit waren geweest, laat staan dat ze door vijanden onder vuur waren genomen – met bajonetten een aanval uit op de Turkse machinegeweren. Tijdens die bestorming werd Justers overgrootvader, William Molloy, in zijn hand geschoten en moest hij tot achter zijn eigen linies kruipen. Hij was een van de gelukkigen. De helft van de Maten sneuvelde die avond.

Na die episode gooiden de geallieerden hun plannen om. De divisie pakte haar biezen en de overgebleven Maten werden van elkaar gescheiden en overgebracht naar Salonika. Toen ze wegzeilden, toen ze hun vrienden achterlieten op de kliffen en heuvels, zwoeren de mannen dat hun offer, wat er daar was gebeurd, nooit vergeten zou worden. Maar zoals we hebben kunnen zien, werd het wel vergeten. Of liever: het werd moedwillig uitgewist. Dat lijkt nogal ongelukkig, nadat ze zoveel afgrijselijke ontberingen en zinloos sterven hadden meegemaakt. Maar dat is wat er gebeurde. De jaren verstreken en de Maten werden opnieuw slachtoffers – van de geschiedenis deze keer.'

Hij stopt zijn aantekenboekje in zijn tas en kijkt op naar de jongens, die hem aankijken, in kluitjes van drie of vier verspreid over de blauwgroene zoden, als door regen ommantelde standbeelden.

'Het is voor ons, die in vredestijd leven, moeilijk ons de geestesgesteldheid voor te stellen van mensen die de oorlog hebben meegemaakt. Er zijn zoveel mannen gedood, één van iedere zes die dienden, en er was nauwelijks iemand die niet op de een of andere manier door verlies werd getroffen. Vaders, moeders, broers, zussen, vrouwen. Vrienden. Het was een wereld die werd overmand door rouw, en die rouw kon zich op behoorlijk extreme manieren manifesteren. Frankrijk werd bijvoorbeeld geteisterd door grafrovers. Arme gezinnen gaven hun laatste centen uit om de lichamen van hun zonen op te sporen en mee naar huis te nemen van het front. In Engeland was er een enorme golf van spiritisme. Vaders en moeders hielden seances om te kunnen praten met hun overleden zonen. Heel respectabele, normaal gesproken behoorlijk rationele mensen deden daaraan mee. Er was zelfs een geval van een befaamde wetenschapper, een pionier op het gebied van elektromagnetische golven, die geloofde dat hij die kon gebruiken om een brug te slaan tussen onze wereld en het hiernamaals, dat hij kon "afstemmen" op de wereld van de doden.'

Hij zwijgt even, van zijn stuk gebracht door Ruprecht Van Doren, die hem met grote ogen aankijkt, alsof hij ergens in stikt. 'Maar bovenal' – hij grist naarstig naar de draad die hij op moet pakken – 'verwerkten mensen hun verdriet door te herdenken. Ze droegen klaprozen ter nagedachtenis van hun dierbaren. Ze richtten standbeelden op en bouwden grafmonumenten. En ze openden in heel Europa, in dorpen, stadjes en steden, herdenkingstuinen zoals deze. Maar deze tuin was anders dan alle andere. Kan iemand me vertellen waarom?' Hij staart van het ene bleke gezicht naar het andere. 'Deze tuin is nooit daadwerkelijk geopend. De aanleg begon pas in de jaren dertig, en werd helemaal aan het eind van de eeuw voltooid. Tussendoor werd hij decennialang overwoekerd. Mensen lieten er hun paarden grazen, dealers gebruikten hem om er drugs te verkopen. Het was de herdenkingstuin die niemand zich herinnerde. En hij stond symbool voor hoe de meeste Ieren over de oorlog dachten, namelijk als iets wat je wegstopte.

Feit is dat de Ieren die na de Paasopstand en de Onafhankelijkheidsoorlog in de Grote Oorlog hadden gevochten niet meer pasten binnen de nieuwe manier waarop het land zichzelf zag. Als de Britten onze gezworen vijanden waren, waarom hadden tweehonderdduizend mannen dan zij aan zij met hen gevochten? Als onze geschiedenis bestond uit onze worsteling om ons te bevrijden van de Britse overheersing, waarom hielpen we de Britten dan, vochten en stierven we dan namens hen? Het bestaan van die soldaten leek in tegenspraak met het nieuwe fenomeen dat Ierland heette. En dus werden ze om te beginnen in verraders veranderd. En vervolgens werden ze, op een behoorlijk systematische manier, vergeten.'

De jongens luisteren bleekjes, terwijl het lichtgevende grasgroen van het lege park om hen heen glinstert.

'Het is een goed voorbeeld van hoe de geschiedenis werkt,' zegt Howard. 'We hebben de neiging die te zien als iets solides en onveranderlijks, iets wat uit het niet verschijnt, in steen gehouwen, als de tien geboden. Maar de geschiedenis is uiteindelijk alleen maar een ander soort verhaal, en verhalen zijn iets anders dan de waarheid. De waarheid is rommelig en chaotisch, schiet alle kanten op. Vaak lijkt ze gewoon niet te vatten. Verhalen zorgen ervoor dat dingen begrijpelijk worden, maar dat doen ze door alles weg te laten wat er niet in past. En vaak is dat behoorlijk wat.

De mannen van de D-Compagnie zijn daar, net als de andere mannen die streden, tot hun schande achter gekomen. Er werden hun allerlei verhaaltjes op de mouw gespeld om ze zover te krijgen dat ze in het leger gingen, verhaaltjes over plicht en moraliteit, de vrijheid verdedigen. En er werd hun bovenal verteld wat een geweldig avontuur het zou worden. Toen ze aankwamen, kwamen ze erachter dat die verhalen allemaal niet klopten. Ze waren voorgelogen en in de gewelddadigste, meest barbaarse rotzooi in de geschiedenis van de wereld tot dat moment gestort. En de geschiedenis die over die rotzooi werd geschreven was net zo oneerlijk als de verhalen die die hielpen creëren.

Toen ze in 1914 uit Dublin vertrokken, terwijl hele menigtes hen toejuichten, moeten de Maten hebben gedacht dat ze toch op z'n allerminst konden verwachten dat ze herinnerd zouden worden. Maar aan de andere kant: na zoveel verraad waren degenen die na afloop nog leefden misschien helemaal niet zo verbaasd dat het anders liep. En misschien waren ze wel wijs genoeg om er niet mee te zitten. Ze waren als vrienden in het leger gegaan, en toen ze aan het front kwamen, toen die grote woorden vervlogen, bleef die band tussen hen bestaan. Dat ze vrienden waren gebleven, dat ze voor elkaar zorgden, daar waren de meesten het wel over eens, was wat ervoor had gezorgd dat ze niet helemaal gek werden. En dat was uiteindelijk het enige, het enige echte, wat het waard was om voor te vechten.'

Hij glimlacht de jongens resumerend toe; ze staren zwijgend terug. In hun grijze uniformen lijken ze wel een onstoffelijk peloton dat uit de winterwolken is opgedoemd om het lege park af te zoeken naar iemand die hen niet is vergeten.

Die avond zijn de bouwwerkzaamheden voor het eerst in maanden gestaakt. De stilte is zo ongerept dat het bijna niet te geloven is; Howard voelt zich licht in zijn hoofd worden als hij zijn boeken openslaat.

De jongens waren stil geweest op de terugweg naar het station. Eerst was hij bang dat hij hen gedeprimeerd had, maar toen de trein hen uit de stad weer langs de kust voerde, ontwaakten ze uit hun heimelijke overpeinzingen met vragen:

'Dus de leerlingen van Seabrook van toen, vochten die dan zeg maar allemaal in de oorlog?'

'Nou ja, ze hadden net als jullie ouders die veel geld betaalden voor hun scholing. Dus ik zou zeggen dat de meesten al eindexamen hadden gedaan voor ze het leger ingingen. Maar daarna zullen er vast veel zich als vrijwilliger hebben aangemeld.'

'En werden ze dan neergeschoten?'

'In sommige gevallen wel, denk ik.'

'Wauw. Ik vraag me af of die nog rondspoken op school.'

'Duh, ze spoken natuurlijk rond op het slagveld, spast.'

'O, sorry hoor, ik was even vergeten de wereldvermaarde spookdeskundige te raadplegen, die alles weet van waar spoken heen gaan om mensen te kwellen.'

'Als je geïnteresseerd bent ...' kwam Howard voorzichtig tussenbeide, 'dan kun je er vast wel achter komen wie er in dienst zijn gegaan en wat er met hen is gebeurd.'

'Hoe dan?'

'Dat zoek ik wel even uit, en dan kunnen we het er in de volgende les over hebben.'

Hij had ze naar de deuren van Seabrook geleid en was vervolgens snel op zijn hakken omgedraaid, nog niet klaar om zijn lot onder ogen te zien – toen hij naar zijn auto liep, stelde hij zich voor dat een gehaakte vinger een lamel van de luxaflex achter een raam op de bovenste verdieping naar beneden trok ... Maar vanavond, opgewekt door de interesse van de jongens, vraagt hij zich af of de situatie wel zo somber is. Zou het niet kunnen dat het verhaal van William Molloy, als hij er de juiste draai aan geeft, de Automator ook zal aanspreken? Een verhaal over de spirit van Seabrook die zijn werk deed op het wereldtoneel, een voormalig groot man, door de vingers van de geschiedenis geglipt, een eeuw later herontdekt door zijn schoolgenoten – zou dat geen perfect materiaal zijn voor, pakweg, een viering van het honderdveertigjarig jubileum? Perfect genoeg om ervoor te zorgen dat de Waarnemend Rector Howards onorthodoxe (briljant onorthodoxe?) leermethode door de vingers ziet, en hem door laat gaan met zijn baanbrekende werk met zijn voorheen recalcitrante klas?

Het parkeerterrein staat de volgende ochtend vol bedrijfsauto's. Vandaag is de eerste dag van de jaarlijkse melkronde waarin vertegenwoordigers van verschillende takken van de Grote Zakenwereld – Seabrook-vaders en oud-leerlingen voornamelijk – een-op-een komen praten met leerlingen in hun examenjaar. Precies zo'n gesprek had Howard, een decennium eerder, naar Londen gevoerd. Hij ziet de vader van Ryan Connolly nog achteroverleunen in zijn stoel, uitvoerig uitweidend over de effectenmarkt en het vermogen dat daarin te verdienen was, terwijl de jonge Howard aan de andere kant van de tafel ernstig nadacht over Ryan Connolly's auto, het enorme huis met zwembad van Ryan Connolly, de exotisch klinkende vakantiereizen naar Disney World, Saint Tropez, Antibes, die Ryan Connolly, Ryan Connolly's vader en Ryan Connolly's ontzettend lekkere moeder elk jaar maakten.

Hij staat in de lerarenkamer en zet water op voor thee, als hij zich realiseert dat broeder Jonas naast hem is opgedoken. 'Je laat me schrikken,' grapt hij, naar zijn borst grijpend. De kleine man beantwoordt zijn glimlach niet, staart Howard alleen maar even aan met die oneindig diepe smeltende-chocoladeogen. Dan zegt hij zangerig met die zachte, melodieuze stem van hem: 'Greg wil graag dat je naar zijn kantoor komt.' Vervolgens glijdt hij als een gidsende geest weg, zonder om te kijken of Howard hem volgt.

Een groep zesdeklassers hangt rond voor de ingang van de recreatiezaal van de bovenbouw, waar tafels en stoelen zijn neergezet voor de wervingsgesprekken. Ze hebben pakken aan – de school moedigt een professionele benadering van een en ander aan – in dezelfde smaakvol gedekte tinten als de dure bolides op het parkeerterrein. De andere kleding maakt hen zelfverzekerder; ze leunen tegen de deurstijlen, oreren zorgeloos met hun handen zwaaiend over uiteenlopende onderwerpen. De toekomst die voor hen is uitgestippeld wordt eindelijk onthuld. Howard knikt hun vluchtig toe als hij langsloopt, en zij knikken terug, bekijken hem van top tot teen, merken misschien voor het eerst de niet al te moderne snit van zijn eigen kledij op.

Als Howard het kantoor binnenkomt, treft hij de Automator achter zijn bureau aan. Hij staart strak naar een ingelijste foto van zijn jongens. Broeder Jonas, die Howard naar binnen volgt en de deur sluit, installeert zich in een hoek, van waaruit hij discreet glanst als een bedrijfskunstwerk. Het aquarium bubbelt zachtjes.

'Je wilde me spreken, Greg?' zegt Howard uiteindelijk.

'Dat zou ik niet willen zeggen, Howard. Nee, zo zou ik het helemaal niet uitdrukken.' De Automator zet de foto neer, laat een hand over zijn afgetobde gezicht glijden. 'Howard, weet je hoeveel berichten er op me lagen te wachten toen ik vanmorgen op school kwam? Doe eens een gok.'

Howard begint een vertrouwd zinkend gevoel te krijgen. 'Ik weet het niet, Greg. Een stuk of acht?'

'Acht.' De Automator glimlacht meewarig. 'Acht. Ik mocht willen dat het er acht waren. Acht hadden we er misschien nog af kunnen handelen. Het antwoord is negenentwintig. Negenentwintig berichten, die allemaal betrekking hadden op die kleine exodus van jou. En, voor de duidelijkheid: in geen van alle stond dat het zo'n uitstekend idee was.'

De schoolbel gaat voor het begin van de lessen. Howard maakt automatisch een beweging richting deur – 'Daar is al voor gezorgd,' zegt de Automator beklemd. Hij rijdt zijn stoel achteruit, weg van zijn bureau, en zegt op dezelfde matte toon: 'Vertel me eens, Howard – niet dat het ook maar enig verschil gaat maken natuurlijk, maar gewoon voor mijn begrip – vertel me eens waar je mee bezig dacht te zijn, toen je zonder toestemming met je klas het schoolterrein verliet?'

'Ik wilde ze meenemen naar het museum, Greg. Ik weet dat het onorthodox was, maar ik had echt het gevoel dat ze daar profijt van

zouden hebben. En ze leken er ook echt een hoop uit te halen.'
'Daar twijfel ik niet aan,' zegt de Automator. 'Een leraar die doordraait, ze het lokaal uit sleurt om de hele dag met ze door de stad te gaan banjeren – ze hebben zich vast kostelijk vermaakt. Maar zie je, ik probeer een school te leiden, Howard. Ik probeer een school te leiden, geen circus.' Howard realiseert zich dat de handen van de Waarnemend Rector trillen. Hij is plotseling heel dankbaar dat de broeder er is.
'Greg, het spijt me echt dat ik het je niet verteld heb. Het was een plotselinge ingeving, en achteraf gezien heb ik misschien inderdaad de verkeerde beslissing genomen. Maar om de module af te ronden waar we mee bezig zijn geweest, vond ik echt dat de klas wat historische bewijsstukken moest zien.'
'O, is dat zo?' De Automator vouwt zijn handen op zijn buik. 'Dat is bijzonder interessant, Howard, want naar wat ik hoor hebben jullie in feite helemaal geen historische bewijsstukken gezien. Wat ik hoor is dat je ze hebt meegenomen naar een park midden in Junkieville, waar je ze vervolgens hebt staan vertellen over een of andere afschuwelijke slachtpartij van honderd jaar geleden die helemaal niet is opgenomen in het lesprogramma Geschiedenis voor de Onderbouw. Klopt dat?'
'Jawel, maar ... maar het punt is, Greg, dat ze het echt begrepen. Ik bedoel dat ze er echt door gegrepen werden.'
'Waarom zouden we in godsnaam willen dat ze erdoor gegrepen worden?!' roept de Automator uit, terwijl de ader op zijn slaap twee keer zo snel begint te kloppen. 'Waarom zou een ouder die goed bij zijn hoofd is willen dat de leraar van zijn kinderen ze meeneemt naar een begraafplaats in de binnenstad om ze daar horrorverhalen te gaan staan vertellen? Net zomin als hij zou willen dat hij ze vertelt dat de geschiedenis ... de geschiedenis ...' – hij pakt een vel papier op van zijn bureau – '... "een immens panorama van futiliteit en anarchie" is. Heb je die woorden gebruikt, Howard? Waren dat jouw woorden?'
'Volgens mij schreef T.S. Eli...'
'Al was het Ronald McDonald! Denk je dat ouders tienduizend euro per jaar betalen zodat hun kinderen kunnen leren over futiliteit en anarchie? Kijk eens goed naar het lesprogramma. Zie je daar ergens "futiliteit en anarchie" in staan? Nou?!'

Voor Howard antwoord kan geven, is de Automator al voortgedenderd. 'Ik heb zelf ook wat historisch onderzoek gedaan,' zegt hij, en hij haalt een ringband tevoorschijn vol met velletjes met een dun, pietluttig handschrift erop – van wie? 'Eens gekeken wat de jongens nog meer voor interessants hebben geleerd in die lessen van jou, zoals ... O ja, dit is een goeie: "*If any question why we died, Tell them, because our fathers lied.*" Nou, geweldig, Howard! Dat onze vaders logen! Daar zie ik geen probleem in, jij wel? Daar zie ik geen moeilijkheden rond, rond autoriteit en discipline door ontstaan, nee hoor. Onze vaders logen – waarom niet? En onze moeders zijn prostituees? En zo moet je het slot van de drankkast openbreken? En dan hebben we meneer Graves nog ...' Hij zwaait met een exemplaar van *Dat hebben we gehad* – een zorgvuldig gelamineerd exemplaar. Howard doet zijn ogen dicht. Jeekers. 'Ben je je ervan bewust dat hij in het eerste deel van zijn boek tot in detail een homoseksuele verhouding beschrijft die hij heeft met een jongen op zijn kostschool? Vind je dat het soort materiaal dat een leraar aan beïnvloedbare jonge mannen op een christelijke school moet aanbieden? Of denk je soms dat alleen maar omdat pater Furlong de leiding niet heeft, de regels niet meer gelden? Zie je het zo, Howard? Iedereen kan z'n gang gaan, alles is geoorloofd?' Hij is nu overeind gekomen, zijn gezicht apocalyptisch rood. 'En ondertussen ben je kilometers achteropgeraakt met je eigen leerplan! Mijn god, Howard, ik dacht dat we het hierover hadden gehad! Ik dacht dat ik tegen je had gezegd: geen oorlog meer! Leer ze gewoon wat er in het boek staat, verdomme!'

'En als er nou niks in het boek staat?' Howard, die zijn geduld begint te verliezen, verheft zijn stem.

'Wat?!' schreeuwt de Automator terug, alsof hij aan het andere eind van een windtunnel staat.

'En als er nou niks in het boek staat, als het nou léég is?'

'Leeg, Howard?' Hij heeft het geschiedenisboek ook bij zich, hij pakt het op en bladert door de pagina's. 'Ik vind het er niet erg leeg uitzien. Zo te zien barst het van de geschiedenis. Het barst ervan.'

'Hebben we dan niet de verantwoordelijkheid ze beide kanten van het verhaal te laten horen? Om te proberen de waarheid enigszins te benaderen?'

'Je hebt de verantwoordelijkheid te onderwijzen waarvoor je

betaald wordt het te onderwijzen! Al is het de geschiedenis van boter-kaas-en-eieren, als het in het lesprogramma staat, dan ga jij het lokaal in en geef je daar les over, en wel zo dat er een piepklein kansje is dat er een flintertje van in de hersens van die jongens blijft hangen, zodat ze het kunnen opdreggen en herhalen bij de staatsexamens!'

'Aha, dus het maakt niet uit als ik leugens in stand houd? Het maakt niet uit dat dat lesprogramma van jou veertigduizend dode mannen overslaat, onder wie oud-leerlingen van deze school? Dat is in jouw ogen dus een acceptabele versie van de geschiedenis, en dingen in de doofpot stoppen is iets wat jongens vooral moeten leren ...?'

'Dingen in de doofpot stoppen?' herhaalt de Automator ongelovig. Er vliegt spuug uit zijn mond. 'Dingen in de doofpot stoppen?'

'In de doofpot, ja. Iets waar, hoewel het negentig jaar geleden is gebeurd, nog steeds niemand over wil praten ...'

'Jezus christus, Howard.' De Automator haalt zijn hand door zijn haar. 'Dit is geen enorme samenzwering! Ouders bellen me niet op omdat ze bang zijn dat jij te dicht bij de waarheid komt! Ze bellen me op omdat een of andere van de pot gerukte leraar flipte en er met hun kinderen vandoor is gegaan! Daar denken mensen over na, Howard! De realiteit! Begrijp je dat? Waarom haalt mijn zoon geen betere cijfers? Zal ik mijn nieuwe keuken in beuken of grenen laten uitvoeren? Kun je in deze tijd van het jaar een beetje golfen in de Algarve? Dit – dit is het verléden, Howard. De Eerste Wereldoorlog, de Paasopstand, een stelletje maniakken dat liep te schieten, oreren en met vlaggen liep te zwaaien – het is het verleden! En niemand geeft er iets om! Ze praten er niet over, omdat het ze er niks om geven!'

'Je moet ze leren erom te geven,' mompelt Howard, als het hem weer te binnen schiet.

'Ze leren erom te geven?' herhaalt de Automator, alsof hij met stomheid geslagen is. 'Ze leren erom ... Wacht eens even, denk je dat we in een *Dead Poets Society*-situatie zitten of zo? Denk je dat dit een soort *Dead Poets* is, waarin wij de tirannieke school zijn, en jij, eh ... verdomme, die vent, die vent die Mork speelde, en zich verkleedde als kinderjuf ...'

'Robin Williams?'

'Juist. Dat jij Robin Williams bent? Is dat het, Howard? Want als dat het is, laat me je dan eens iets vragen: in wiens belang handel je nou, als je zes weken bezig bent met iets wat hier in het geschiedenisboek in één pagina wordt behandeld? Doe je dat echt voor de jongens? Of doe je het voor jezelf?'

Nu het vuur van gerechtvaardigde woede zo hoog in hem oplaait, wordt Howard door die vraag overvallen.

'Misschien heb je wel gelijk,' gaat de Automator verder. 'Misschien laat het boek wel een heleboel weg. En misschien zal iemand het in de toekomst wel opgraven, en er een tv-documentaire over maken, en dan komen er tentoonstellingen en speciale krantenbijlagen en zullen mensen er in het hele land over praten. Maar als ze uitgepraat zijn, Howard, dan gaan ze gewoon verder met hun keukens of hun golfvakanties of waar ze daarvoor ook mee bezig waren. De "waarheid", zoals jij dat noemt, zal geen donder veranderen. Maar je bent niet achterlijk, dat weet je allemaal best. Dat gedoe over de geschiedenis heeft er niets mee te maken. Nee, je bent bezig met een soort wraakoefening vanwege dat akkefietje met Juster, dat is het. Je komt hier proberen het gewone leven op Seabrook te verstoren, je probeert de geest van mijn jongens te bezoedelen en hun gevoelens te verwringen uit schuldgevoel om wat je hebt gedaan. Wat jíj hebt gedaan, Howard. Jij hebt dat contract ondertekend, niemand heeft een pistool tegen je hoofd gehouden. Nou, ik zal je eens wat vertellen, meneertje. Ik zal je eens een paar ware feiten vertellen. Feit één: je zult falen. Je zult falen, Howard. Misschien denk je dat je ons, omdat je weet wat je weet, hebt waar je ons hebben wilt. Misschien denk je dat je Seabrook te gronde kunt richten. Maar dat is niet het geval, omdat je, als je ook maar iets wist van de geschiedenis van deze school, zou weten dat het geen school is die verliest, en wat je ook probeert, we zullen ook niet van jou verliezen. Je kunt naar de politie gaan, je kunt je contract breken, je kunt je collega's verraden; dat kun je allemaal doen, Howard, en je kunt een schandaal over deze school afroepen, maar we zullen overleven. We zullen overleven, we zullen de storm doorstaan, omdat we een team zijn, een team met normen en waarden, dat door die normen en waarden wordt verbonden en er sterk door is.

En dat brengt me bij feit twee, Howard, en dat is dat deze school goed is. Nee, niet perfect, want we leven in een wereld waarin niets perfect is. Maar deze school heeft, als je toch een geschiedenislesje wilt hebben, generaties Ierse kinderen onderwezen, niet alleen artsen, advocaten en zakenmannen voortgebracht, mannen die de ruggengraat van onze maatschappij vormen, maar ook missionarissen, welzijnswerkers, filantropen. Voorts heeft deze school een rijke traditie, een voortdurende traditie van een helpende hand uitsteken naar de armen en de verschoppelingen, in dit land en in Afrika. Wie ben jij om dat te komen ondermijnen? Wie ben jij om hier binnen te komen, terwijl je niets, niets, begrijpt van hoe dingen werken, en te proberen het reilen en zeilen van deze school te saboteren? Een mislukkeling, een lafaard zoals jij? Een man die net een kind is, die zo wordt verzwakt door zijn eigen meelijwekkende angsten dat hij zich nooit ergens voor heeft ingezet, zich nooit ergens voor zal inzetten? Dat hij nooit de moed zal hebben iets te doen voor iets of iemand?'

Hij gaat achteroverzitten, trillend in zijn stoel, pakt de foto van zijn jongens weer op, alsof hij zichzelf ervan wil overtuigen dat er nog iets goeds is in de wereld. 'Ik schors je tot nader order met behoud van salaris. Ik moet eerst overleggen met de advocaat van de school voor we definitieve stappen kunnen ondernemen, maar ik zou je ernstig willen adviseren tot die tijd uit de buurt van Seabrook College te blijven. Katherine Moore neemt voorlopig je lessen waar.' Hij kijkt mat op. 'Maak dat je wegkomt, Howard. Ga naar huis, naar je liefhebbende vrouw.'

Howard komt onaangedaan overeind en loopt zonder afscheid te nemen naar de deur. Maar dan trekt iets zijn aandacht, en hij houdt in. Drie opgeblazen blauw-met-gouden vissen cirkelen loom rond in het verder lege aquarium. 'Wat?' zegt hij. 'Wat is er met de andere vissen gebeurd?'

Broeder Jonas, die tijdens het hele gesprek zwijgend in de hoek heeft gestaan, laat nu een lachje horen – een verrassend profaan geluid, als lucht die uit een ballon piept. 'Het is een heel eind vanuit Japan!' zegt hij. 'Een heel eind zonder lunch!'

Hij lacht opnieuw; het geluid gonst nog in zijn oren als Howard naar de lerarenkamer loopt om zijn kluisje leeg te halen.

Geoff, Ruprecht en Jeekers lopen zwijgend door de gang op weg naar natuurkunde als Dennis achter een pilaar vandaan stapt.

'Ho ho, niet zo snel, losers,' zegt hij.

'Wat wil jíj nou?' antwoordt Geoff.

'Ik wil mijn vijf euro.' Dennis zwaait met een chaotisch ogend grootboek naar hem. 'Van jou en jou, en van die dikzak hier.' Hij schommelt verwachtingsvol naar achteren op zijn hakken. Niall loert hen, stinkend naar sigarettenrook, over zijn schouder aan.

'Ik ben jou helemaal niks schuldig, klootviool,' zegt Geoff.

'O nee, dacht je van niet?' zegt Dennis luchtig. 'Gaat er bij het woord "Zenuwinzinkingsranglijst" geen belletje rinkelen?'

'Wat?'

'Ik zal je geheugen even opfrissen,' zegt Dennis, en hij slaat met een weids gebaar het grootboek open. 'Eens kijken ... Geoff Sproke, negen september, een bedrag van vijf euro ingezet dat broeder Jonas als eerste door het lint gaat. Jeekers Prendergast, elf september, voor sommigen een ongeluksdatum, voorspelt Lurch, vijf euro. Ruprecht Von Blowjob, zelfde datum, vijf euro op Uiltje Slattery – slechte keuze, Blowjob, die oudjes gaan nooit kopje-onder, niet als ze hun pensioen in zicht hebben. Maar goed, jullie hebben allemaal verloren, dus hier met die poen.'

'Waar heb je het over?'

'Howard de Lafferd,' snauwt Dennis, terwijl hij geërgerd naar de voet van de trap gebaart. 'Hij is doorgedraaid. Hij is de eerste die vertrekt. Dat hebben jullie geen van allen geraden, dus nu is het tijd om te betalen.'

'Hoe bedoel je, hij is doorgedraaid?'

'Geflipt, idioot. Waarom denk je anders dat hij niet lesgaf vandaag?'

'Ik weet niet, misschien was ie wel ziek?'

'Hij is niet ziek, zijn auto staat op de parkeerplaats. Ze laten hem

niet lesgeven omdat hij gek is geworden.'
'Op mij kwam hij niet gek over,' werpt Geoff tegen.
'Eh, hij kidnapte ons van school om ons mee te nemen naar een museum met niks erin? En vervolgens liet ie ons in een ijskoud park staan en liet hij ons naar een zootje onzin luisteren dat niet eens in het boek staat?'
'Nou en?'
'Nou, wat wil je nog meer? Dat hij in de trouwjurk van zijn moeder door het Bijgebouw gaat skateboarden? Geef me die vijf euro nou maar.'
Geoff en de anderen blijven zich verzetten, maar dan komt Simon Mooney langs, die vraagt of ze al hebben gehoord dat Howard de Lafferd de zak heeft gekregen.
'De Automator heeft 'm vanochtend meteen zijn kantoor in gesleept. Jason Rycroft heeft gehoord dat Bitchface Moore dat tegen Felcher zei.'
'Holy shit,' zegt Geoff. Jeekers kijkt, als hij het nieuws hoort, zwaar ongelukkig en schuldbewust, nog meer dan anders.
'Ik bedoel maar,' zegt Dennis.
'Wat bedoel je dan?' wil Simon Mooney weten.
'Blij dat je dat vraagt, Moonbuggy, want volgens mij ben je mij vijf euro schuldig. En wat jullie betreft, heren: wordt het cash of cash?'
'Flikker op,' zegt Geoff uitdagend, en hij maakt aanstalten om door te lopen. Dennis stuift achter hem aan.
'Hier met dat geld!' eist hij.
'Vergeet het maar!' schreeuwt Geoff terug, en er klinkt een vonk van pure vijandigheid in door die alleen tussen voormalige vrienden kan bestaan.
'Geef op,' herhaalt Dennis waarschuwend.
'Je gaat het toch maar aan sigaretten uitgeven!'
'Nou en? Jij zou het uitgeven aan meerzijdige dobbelstenen voor je rollenspellen, of moet ik zeggen homospellen?'
'Van rollenspellen krijg je in elk geval geen kanker!' roept Geoff, terwijl hij zijn arm uit Dennis' tanggreep lostrekt.
'Rollenspellen zijn nog erger dan kanker!' schreeuwt Dennis terug, en het lijkt erop dat de onenigheid weer op klappen uit zal draaien als Simon Mooney vanaf het raam uitroept: 'O mijn god!'

Als ze zich omdraaien, staat hij verbijsterd naar buiten te staren. 'Zíj is er weer ...' kreunt hij. Nu de ruzie tijdelijk is onderbroken, lopen ze met z'n allen naar hem toe. Simon heeft gelijk: ze is het inderdaad, en een zuchtend moment lang worden de jongens herenigd in herinneringen aan betere dagen.

'Weet je nog dat ze dat blauwe topje aanhad, en je haar tepels zo'n beetje kon zien?'

'Weet je nog hoe ze altijd aan het puntje van haar pen zoog?'

'Ik vraag me af wat ze hier doet.'

'Denk je dat ze terugkomt?'

'Hé, kijk, daar heb je Howard ...'

'Hij staat met haar te praten!'

'Misschien gaat hij er wel met haar vandoor,' oppert Geoff. 'Misschien heeft hij wel tegen de Automator gezegd dat hij de pest kan krijgen, en komt ze hem nu ophalen en gaan ze samen op een onbewoond eiland wonen of zo.'

'Weinig kans,' zegt Dennis.

'Hij kreeg altijd een stijve van haar,' merkt Geoff op.

'Ik heb nieuws voor je, Geoff: dat je een stijve van iemand krijgt, wil niet altijd zeggen dat ze met je van bil gaat. Heb je het niet gehoord dan? Er bestaat een asymmetrie in dit universum.' Die laatste opmerking gaat gepaard met een spottende blik opzij, naar Ruprecht, die daar niet op reageert.

'Kan me niks schelen,' zegt Geoff. 'Kom op, Howard! Ga er met haar vandoor!'

Omdat hij helemaal opgaat in zijn neiging gauw de benen te nemen, loopt Howard haar straal voorbij, zonder haar te zien. Typisch zo'n perversiteit van het lot: het is waarschijnlijk voor het eerst in de afgelopen zes weken dat hij níét aan haar dacht, niet half-en-half hoopte dat ze zou verschijnen. Hij doet een onhandige poging een stapel boeken in evenwicht te houden terwijl hij zijn autosleutels uit zijn zak vist, als hij die stem achter zich hoort, koel als de wind: 'Kijk eens aan, we komen elkaar weer tegen ...'

Ze ziet er, als dat al mogelijk is, nog mooier uit dan voorheen – hoewel dat misschien wel niet mogelijk is; misschien is het wel zo dat dat niveau van schoonheid te sterk is om het in je geheugen vast te houden, net zomin als je de zon kunt fotograferen. Ze heeft een wit herenoverhemd aan waarin haar volmaaktheid zo simpel en onuitsprekelijk lijkt dat die een antwoord lijkt op elke vraag of elke twijfel die iemand ooit kan hebben gehad over wat dan ook, zo onnadrukkelijk overweldigend dat Howard vergeet dat hij haar haat, en wordt overmand door vreugde, dankbaarheid, opluchting, in elk geval tot hij zich realiseert dat dat witte overhemd waarschijnlijk van haar verloofde is.

'Da's een tijdje geleden,' zegt ze, schijnbaar niet van haar stuk gebracht door het feit dat een reactie van hem uitblijft.

'Wat doe jij hier?' Zodra hij het heeft gezegd, komt de afschuwelijke gedachte in hem op dat de Automator haar heeft opgeroepen om hem te vervangen, wat zoveel lagen ironie oproept dat hij denkt dat er kortsluiting in zijn hersens zal optreden; maar ze vertelt dat ze met zesdeklassers komt praten over carrièremogelijkheden in investment banking, en dat ze het ook even met Greg wil hebben over de portfolio van de school. Ze strijkt een lok goudkleurig haar naar achteren. 'Hoe gaat het met je, Howard?'

Hoe het met hem gáát? Vraagt ze hem dat nou serieus, nadat ze een bijl in zijn leven heeft gezet? Blijkbaar wel. Haar zeeblauwe ogen wachten met oneindige bezorgdheid op hem; van achteren beschenen door de zon lijken de contouren van haar gezicht te gloeien, alsof ze zelf in licht verandert. En Howard ziet geen ring om haar vinger. Zou het kunnen dat het Lot toch nog niet helemaal klaar met hem is? Is ze net op tijd weer opgedoken om met hem de zonsondergang tegemoet te rijden, of om zichzelf aan te bieden als een zonsondergang die hij tegemoet kan rijden? Zou als door een wonder *alles toch nog goed kunnen komen*?

'Het is weleens beter gegaan,' zegt hij somber. 'We hebben het hier de laatste tijd nogal zwaar gehad. Heb je het gehoord van Daniel Juster?'

'God, ja, afgrijselijk was dat.' Ze zegt op fluistertoon: 'Die afschuwelijke páter ... Wat gaan ze nou doen?'

'Niets,' zegt hij, inwendig huiverend bij die vraag. 'Ze hebben besloten helemaal niets te doen.'

Daar denkt ze even over na. 'Dat is waarschijnlijk het beste,' zegt ze bedachtzaam.

'En met jou? Nog nieuws?'

'Ach, je weet wel ...' Haar ogen dansen over de genadeloze bakstenen façade van het Bijgebouw. 'Niks eigenlijk. Werk. Het gaat wel. Een beetje saai. Het is fijn om hier terug te zijn. Ik was vergeten hoe ik ervan heb genoten leraresje te spelen.'

'Ooit in de verleiding geweest om terug te komen?' zegt hij, waarin hij een dubbelzinnigheid door laat klinken, mocht ze daarop in willen gaan.

Ze lacht melodieus. 'O, ik dacht het niet. Ik ben niet zoals jij, Howard. Voor mij is het geen roeping.'

'De jongens vonden je leuk.'

'Ze vonden het leuk om naar mijn tieten te staren,' zegt ze. 'Dat is niet hetzelfde.'

'Ik vond je leuk.'

'Hmm.' Ze schermt haar ogen af met haar hand, draait zich om en staart het parkeerterrein op, naar de winterse bomen. 'Moeilijk te geloven dat het al bijna kerst is. De tijd vliegt, vind je niet? Die gaat steeds sneller. Voor je het weet zitten we allemaal in een bejaardentehuis.'

Howard raakt steeds gefrustreerder door dit gesprek. Blijven ze zo doorgaan, aardig, charmant en beleefd tegen elkaar doen? 'Weet je,' zegt hij, 'we hebben nooit de kans gekregen het erover te hebben.'

'Het erover te hebben?'

'Ik was van plan je telefoonnummer te achterhalen, na wat ...' Zijn stem sterft weg; ze staart aandachtig in een van zijn ogen, dan in het andere, alsof hij knettergek is. 'Ik ben weg bij mijn vriendin,' flapt hij eruit.

'O, Howard. Dat spijt me voor je. Ze klonk zo aardig.'

'Jezus christus ...' Hij keert haar even zijn rug toe, zodat hij met zijn tanden kan knarsen, zijn vuisten kan ballen en ontspannen. 'Doe je dit nou echt? Verwacht je nou echt van me dat ik alles zomaar vergeet?'

'Wat moet je dan vergeten?'

'O, dus dat verwacht je inderdaad. Oké.'

'Ik begrijp niet wat je wilt dat ik zeg.'

'Ik wil dat je doet alsof wat er tussen ons gebeurd is ook daadwerkelijk is gebeurd!' roept Howard uit.

Ze geeft geen antwoord, klemt haar lippen alleen maar op elkaar, alsof ze een onbetrouwbare benzinemeter bekijkt tijdens een lange rit.

'Hoe kun je nou een verloofde hebben? Wat voor iemand doet dat nou?' Hij heeft nog steeds de stapel boeken uit zijn kluisje in zijn handen; hij legt ze op het dak van de auto, waar ze omkukelen en overheen glijden. 'Ik bedoel, was er iets waar van wat je zei? Voelde je überhaupt iets voor me? Heb je Robert Graves wel gelezen?'

Ze reageert niet; hoe kwader hij wordt, des te serener wordt zij, waar hij nog bozer van wordt.

'Is dit gewoon wat jij doet: mensen verliefd op je laten worden, en ze vervolgens laten vallen, alsof het niets is? Alsof niets tot iets anders leidt? Alsof het allemaal alleen maar tijdverdrijf is, ik, en die jongens in je aardrijkskundeles die je helemaal opzweepte met dat gedoe over de opwarming van de aarde en recyclen – ik bedoel, kan dat je allemaal iets schelen? Geef je om je werk? Om je verloofde? Geef je om wat dan ook, of is het allemaal maar een spelletje voor je?'

Ze blijft zwijgen, en zegt dan impulsief, of iets wat impulsief lijkt: 'We zijn niet allemaal zoals jij, Howard. Het leven is niet voor iedereen zwart-wit.'

'Waar heb je het over?'

'Ik bedoel dat niet iedereen het vermogen heeft dat jij hebt. Het vermogen om om dingen te geven. Je hebt geluk. Dat realiseer je je niet eens, maar je hebt het wel.'

'Laat me dan om jou geven! Als ik er zo goed in ben, waarom laat je me het dan niet doen, in plaats van weg te rennen?'

'Ik heb het niet over mij. Ik heb het over de kinderen.'

'De kinderen?'

'De jongens. Die mogen je. Ze luisteren naar wat je zegt. Ontken het maar niet, ik heb het zelf gezien.'

Wat krijgen we verdomme nou? 'Heb je het over lésgeven?!' Howard is verbijsterd. 'Wat heeft dat er nou mee te maken?'

'Ik wil maar zeggen dat niet iedereen de kans krijgt iets goeds te doen. Die jongens zullen uitgroeien tot betere mensen omdat ze bij jou in de klas hebben gezeten. Daarom heb je geluk.'

'O, wauw, zo heb ik het nooit bekeken,' zegt Howard. 'Nu voel ik me een stuk beter.'

'Dat zou wel moeten,' zegt ze. 'Ik moest maar eens gaan. Dag, Howard. Ik hoop dat het allemaal goed komt voor je.'

'Wacht, wacht ...' Zijn hoofd tolt alsof hij een fles wodka achterover heeft geslagen; hij pakt lachend het hengsel van haar tas vast. 'Wacht, vertel me nog één ding – wat je op de Hop zei, weet je nog dat je zei dat je op je eigen schoolfeest, toen je een meisje was, dat er toen niemand met je wilde dansen? Dat was gelogen, toch? Bevestig dat nou even voor me, dat dat gewoon weer een leugen was?'

Ze werpt hem een koele, vuile blik toe en trekt het hengsel uit zijn hand. 'Heb je ook maar een woord gehoord van wat ik zei?'

'Het spijt me,' zegt Howard opgewekt. 'Nou, dag dan maar. Veel succes met de zesdeklassers. Ze zullen vast heel geïnteresseerd zijn in wat je over je werk te vertellen hebt, en over alle mooie spullen die je kunt krijgen door rijke oude mannen nog net wat rijker te maken.'

Ze stapt bij hem vandaan, blijft hem nog even aankijken. 'Veel rijker,' zegt ze met een uitdrukkingsloos gezicht. 'Ze betalen me om hen veel rijker te maken.' Daarop draait ze zich om en loopt weg, de school in. Howard kijkt toe, bevangen door een vreemde euforie vol haat; dan, als hij naar zijn auto loopt, kijkt hij toevallig op en ziet achter een raam op de bovenste verdieping een handjevol van zijn tweedeklassers – Mooney, Hoey, Sproke, Van Doren – verslagen op hem neerkijken, en zijn kortstondige gevoel van triomf wordt meteen en grondig vervangen door een verpletterend gevoel van falen. Hij zwaait slap naar ze, en stapt in zijn auto zonder te kijken of ze terugzwaaien.

Maar het verleden is nog niet klaar met hem. Howard zit die avond naar het journaal te kijken – al bezig aan zijn vierde biertje, een voordeeltje van morgen niet naar zijn werk hoeven – als hij zich realiseert dat hij naar beelden van zijn eigen huis kijkt. Het verschijnt naast dat van zijn buren, een reeks flauw hellende driehoeken als silhouetten boven op de heuvel, achter de flamboyante verschijning van een verslaggeefster.

Hij schrikt op; en dan buigt hij zich, met het beangstigende gevoel van een naderende revelatie van het soort dat misschien alleen de inwoners van het televisietijdperk kennen, naar voren en zet het geluid harder.

Het verhaal gaat over het nieuwe Science Park. Het schijnt dat de bouwvakkers tijdens het uitgraven van de fundering op een of ander prehistorisch fort zijn gestuit. Maar dat hebben ze, in opdracht van de projectontwikkelaar, stilgehouden en ze zijn gewoon doorgegaan met hun werk. Blijkbaar zou het hele geval weggebulldozerd zijn als een ontevreden Turkse arbeider, die al vier weken achter elkaar niet betaald was voor zijn overwerk, de noodklok niet had geluid. 'Archeologen noemen het "een vondst van onschatbare waarde"', zegt de verslaggeefster. 'We hebben de beschuldigingen voorgelegd aan het hoofd Publiciteit van het project, Guido LaManche.'

'Nee,' zegt Howard hardop.

Maar hij is het wel: Guido LaManche, de jongen die onderbroeken in bilspleten trok, berucht schetenlater, kampioen donut-eten, pionier van het bungeejumpen in Ierland – daar staat hij nu in zijn keurige maatpak, de verslaggever te vertellen dat die commentatoren voor zover hij kan beoordelen een hoop lawaai maken, maar weinig ophelderen.

'"Een vondst van onschatbare waarde",' brengt de verslaggeefster hem in herinnering.

Guido permitteert zich een voorzichtig, enigszins flirterig gegrinnik. De jaren hebben hem goedgedaan; hij is slanker en fitter, en hij spreekt met het zelfvertrouwen en de stelligheid van iemand die de wereld vormgeeft. ‘Nou, Ciara, eerlijk gezegd kun je in een land als Ierland nog geen zandkasteel bouwen zonder op een vondst van onschatbare waarde te stuiten. Als we een hek om elke historische zus-of-zo die we ontdekten zouden zetten, dan zou er letterlijk geen plek overblijven waar mensen konden wonen.’

‘Dus u beweert dat de bulldozer er maar overheen moet,’ zegt de verslaggeefster.

‘Wat ik beweer is dat we ons moeten afvragen waar onze prioriteiten liggen. Want wat we hier proberen te bouwen is niet zomaar een Science Park. Het is de economische toekomst van ons land. Het gaat om banen en zekerheid voor onze kinderen en onze kleinkinderen. Willen we een ruïne van drieduizend jaar geleden echt boven de toekomst van onze kinderen stellen?’

‘En degenen die zeggen dat die “ruïne” een uniek inzicht geeft in de oorsprong van onze cultuur dan?’

‘Nou, laat ik die vraag eens omdraaien: als de situatie omgekeerd was, denk je dan dat die mensen van drieduizend jaar geleden de bouw van hun fort hadden stilgelegd zodat ze de ruïne van ons Science Park in stand konden houden? Natuurlijk niet. Ze wilden vooruit. De enige reden dat we vandaag de dag een beschaving hebben – de enige reden dat jij en ik hier staan – is dat mensen vooruit zijn gegaan in plaats van achterom te kijken. Iedereen in het verleden wilde deel uitmaken van de toekomst, net zoals iedereen in de derde wereld vandaag de dag bij de eerste wereld wil horen. En als ze de keus hadden, zouden ze zo met ons ruilen!’

‘Vooruit!’ Howard klapt in zijn handen alsof hij een renpaard aanmoedigt; op dat moment valt de stroom uit, en blijft hij in het donker achter met zijn biertje.

Vooruit. Na die bungeejump was Guido vertrokken naar een privéschool op Barbados en nooit meer teruggezien. Het had weinig verschil gemaakt; in de ogen van de school was Howard de schuldige. Lafheid, dat was de onvergeeflijke zonde voor een jongen op Seabrook. De meeste mensen waren zo vriendelijk het hem niet recht in zijn gezicht te zeggen, maar hij wist het bij elke ademtocht, en sindsdien heeft hij er elke dag en nacht mee geleefd.

Maar Guido leefde er niet mee. Guido ging verder. Hij zou een vluchtige episode niet het hele verloop van zijn verdere leven laten bepalen. Voor Guido was het verleden, net als een derdewereldland, gewoon weer een bron die hij kon uitbuiten en achterlaten als de tijd rijp was; en daarom wordt de beschaving opgebouwd door mensen zoals hij en de Automator, en niet door mensen zoals Howard, die nooit helemaal hebben begrepen welke verhalen je kunt weggooien en in welke verhalen, als die er al zijn, je kunt geloven.

Hij lacht nog steeds – of huilt hij? – als de telefoon gaat. Het duurt even voor hij hem weet te vinden in de chaotische duisternis, maar de beller is een volhouder. Als hij opneemt, wordt hij toegesproken door een norse mannelijke stem die zijn jeugdigheid net niet helemaal kan verhullen. 'Meneer Fallon?'

'Met wie spreek ik?'

Een voorzichtige stilte volgt. Dan: 'Met Ruprecht. Ruprecht Van Doren.'

'Ruprecht?' Howard krijgt een verwarrend gevoel van werelden die op elkaar botsen. 'Hoe kom je aan dit nummer?'

Er klinkt een ritselend geluid, alsof er knaagdieren vechten in struikgewas, en dan: 'Ik moet met u praten.'

'Nu?'

'Het is belangrijk. Kan ik langskomen?'

Howard laat zijn blik verdwaasd over het clair-obscur van zijn verwaarloosde huis gaan. 'Nee ... Nee, dat lijkt me niet gepast.'

'Nou, in Ed's afspreken dan? Over een halfuur in Ed's?'

'Ed's?'

'Naast de school. Het is belangrijk. Over een halfuur, oké?' De jongen hangt op. Howard blijft even in opperste verwarring staan, terwijl de kiestoon zoemt in zijn oor. Dan dringt de betekenis van de afgesproken plek tot hem door, en daarbij het inzicht dat er maar één reden kan zijn waarom Ruprecht hem dringend zou willen spreken: hij is op de een of andere manier de coach gaan verdenken.

Hij trekt een jasje aan en snelt naar buiten. De avond heeft tanden gekregen, en de kou vermengt zich met het verwachtingsvolle gevoel in zijn maag en verdrijft de mufheid van het goedkope bier. Wat heeft Ruprecht ontdekt, en hoe? Heeft hij een gesprek opgevangen? Heeft hij het netwerk van de school gehackt? Of heeft

Juster misschien een briefje achtergelaten dat nu pas boven water is gekomen? Hij klimt in zijn auto, en naarmate de afstand tussen hem en het antwoord kleiner wordt, stroomt de opwinding net zo over hem heen als de ijskoude lucht door de ventilatoren. Hij dendert ademloos de deuren van het Doughnut House door.

De zaak is bijna leeg; Ruprecht zit alleen aan een tweepersoonstafeltje met een doos donuts en twee plastic bekers voor zich. 'Ik wist niet welke smaken u lekker vond ...' Hij gebaart naar de doos donuts. 'Dus ik heb maar een mix genomen. En ik wist ook niet wat u graag drinkt, dus heb ik maar Sprite besteld.'

'Sprite is perfect,' zegt Howard. 'Dank je.' Hij gaat zitten en kijkt rond. Hij is hier in geen jaren geweest. Het is weinig veranderd: afgezaagde americana aan de muren, glimmende, van achteren verlichte foto's van gebak en croissants boven de toonbank, lucht met een anonieme geur waar je niet helemaal de vinger op kunt leggen – de geur van neonlicht misschien, of van plastic bekers, of van wat die mysterieuze, bittere vloeistof ook is die ze hier als koffie verkopen. Hij herinnert zich de opwinding op school nog toen deze tent werd geopend. Een internationale keten, in Seabrook! Destijds, toen Ierland op het wereldtoneel nog een achtergebleven gebied was, leek dat niets minder dan een geweldige zegen, alsof een missiepost een school opende in de jungle; zijn vrienden en hij dromden het saaie, homogene eenheidsworstinterieur in, dat over de hele wereld werd gereproduceerd, en voelden zich op een trotse manier onderscheiden van de door ouders gedomineerde stad buiten, één met iets bijna mythisch, iets wat de grenzen van tijd en ruimte oversteeg en een soort Elcker-ruimte was geworden, een Elcker-ruimte die van jonge mensen was.

'Het spijt me dat u bent ontslagen,' zegt Ruprecht tegen hem.

Howard wordt rood. 'Nou, ik ben niet direct, eh, het is meer een soort sabbatical ...'

'Was het omdat u ons meenam naar het park?'

Zonder te weten waarom hij zich er zo voor geneert, doet hij alsof hij dat niet heeft gehoord. 'Rustige avond,' zegt hij, glazig glimlachend.

'Mensen komen hier eigenlijk niet meer,' antwoordt Ruprecht monotoon.

Howard wil hem vragen waarom hij er dan nog wel komt, uitgerekend hij; maar in plaats daarvan zegt hij: 'Goed om je te zien, Ruprecht. Ik wilde sowieso nog even met je praten.'

Ruprecht zegt niets, kijkt naar zijn ogen. Howard merkt dat hij een droge mond heeft gekregen, slurpt van zijn Sprite. 'Aan de telefoon zei je dat je iets belangrijks met me wilde bespreken.'

Ruprecht knikt. 'Ik wilde alleen iets weten voor een project waar ik mee bezig ben,' zegt hij, waarbij hij zijn stem zorgvuldig neutraal laat klinken.

'Wat voor project?'

'Een soort communicatieproject.'

Hij kijkt Ruprecht recht in de ogen, als het kopje van een wezen dat bovenkomt om hem stiekem aan te kijken; dan schiet het terug in de ondoordringbare diepten van het hoofd van de jongen. 'Nou, dat is mooi,' zegt hij. 'Dat je met een project bezig bent. Want het lijkt erop dat je de laatste tijd een beetje uit je doen bent geweest. Je had niet zoveel belangstelling voor de lessen als eerst en zo.'

Ruprecht geeft daar geen antwoord op, tekent met het eind van zijn rietje onzichtbare ideogrammen op het tafelkleed.

'Sinds wat er, eh, met Daniel is gebeurd,' verklaart Howard zich nader. 'Ik bedoel, dat lijkt je behoorlijk te hebben aangegrepen.'

De jongen blijft zich volledig concentreren op zijn rietjestekeningen, maar zijn wangen worden donkerrood en er verschijnt een gekwelde uitdrukking op zijn gezicht.

Howard kijkt over zijn schouder. De enige andere klanten zijn een buitenlands stel, over een kaart gebogen; achter de kassa staat een verveeld ogende Aziatische jongen munten uit plastic zakjes te schudden.

'Soms heb je in dit soort gevallen,' zegt hij, 'echt behoefte aan een soort afsluiting. Dat je begrijpt wat er is gebeurd, alle losse eindjes die er misschien zijn aan elkaar knoopt. Vaak helpt dat, het aan elkaar knopen van die losse eindjes, om het achter je te laten.' Hij schraapt zijn keel. 'En als die losse eindjes aan elkaar knopen moeilijk lijkt, of zelfs gevaarlijk, dan moet je weten dat er mensen klaarstaan om je te helpen. Die je erdoorheen zullen loodsen. Begrijp je wat ik bedoel?'

Ruprechts ogen flitsen boven water gekomen over hem heen, willen hem ontraadselen.

Howard wacht gespannen af. Dan, eindelijk: 'Is dat, het aan elkaar knopen van losse eindjes, waar je het met me over wilde hebben?'

De jongen haalt diep adem. 'U had het over een wetenschapper,' zegt hij hees. 'Toen we in het park waren had u het over een wetenschapper, een pionier in elektromagnetische golven.'

Howard is even de draad kwijt. Waar heeft hij het over? Is het een soort geheimtaal?

'U zei dat hij erachter was gekomen hoe je kunt communiceren ...' Ruprecht brengt zijn stem terug tot een fluistertoon, '... *met de doden*.' Zijn ogen glinsteren van wanhoop, en ten slotte begrijpt Howard het. Ruprecht heeft geen flauwe notie van wat Coach heeft gedaan of van welk vergrijp dan ook; hij heeft helemaal geen plan om iemand ter verantwoording te roepen; dat blijft allemaal opgesloten in Howards eigen hoofd. De teleurstelling is verpletterend – zo verpletterend dat hij even op het punt staat het de jongen zelf te vertellen, hem alles te vertellen. Maar wil hij echt degene zijn die Ruprecht blootstelt aan de walgelijkheid en het cynisme van de wereld? In plaats daarvan pakt hij, om de bitterheid wat zoeter te maken, een donut en neemt een hap. Hij is verrassend lekker.

'Dat klopt,' zegt hij. 'Hij heette Oliver Lodge. Hij was destijds een van de beroemdste wetenschappers ter wereld. Hij heeft allerlei baanbrekende ontdekkingen gedaan op het gebied van magnetisme, elektriciteit, radiogolven, en in zijn latere jaren heeft hij geprobeerd die allemaal aan te wenden, als het ware, om te communiceren met de geestenwereld. Dat soort dingen had je veel aan het eind van het victoriaanse tijdperk: seances, elfen, paranormale fotografie enzovoort. Misschien was het wel een reactie op de samenleving van dat moment, die heel materialistisch was en geobsedeerd door technologie – behoorlijk vergelijkbaar met onze tijd eigenlijk. De wetenschappers van toen werden er heel kwaad om, zeker omdat die spiritisten beweerden dat ze wetenschap gebruikten, met name nieuwe uitvindingen zoals camera's, grammofoons en radio's, om contact te leggen met de geestenwereld. Dus kwam er een groep wetenschappers bij elkaar, onder wie Lodge, om bovennatuurlijke fenomenen te bestuderen, met als doel ze allemaal als oplichterij te ontmaskeren.

Maar toen brak de oorlog uit, en kwam Lodge' zoon Raymond

op het slagveld om het leven. En Lodge raakte binnen de kortste keren helemaal in de ban van de dingen die hij nou juist moest weerleggen. Hij beweerde dat hij had gecommuniceerd met zijn overleden zoon – hij schreef er zelfs een boek over, waarvan een deel hem gedicteerd zou zijn door zijn zoon, over het graf heen. Volgens dat boek, dat een enorme bestseller werd, was die andere wereld, het hiernamaals – Zomerland was de naam die zijn zoon eraan gaf – maar een fractie verwijderd van de wereld die jou en mij zo vertrouwd is. Maar hij bestond in een andere dimensie, en daardoor kon je hem niet zien.'

'Maar híj kon hem dus wel zien?'

'Nou, nee. Hij had een werkster die een medium was. Alles kwam via haar door. Maar op basis van zijn eigen werk in de natuurkunde en Raymonds beschrijving van die andere wereld geloofde Lodge dat hij op het punt stond overtuigend te bewijzen dat er leven na de dood was. De sleutel was een vierde dimensie, een extra dimensie vlak naast de onze maar ervan afgesloten door een onzichtbare sluier. Lodge dacht dat de nieuwe elektromagnetische golven die hij had ontdekt door die sluier heen konden dringen.'

'Hoe dan?' Ruprecht kijkt hem zo lynxachtig aan als maar kan voor een chronisch zwaarlijvige jongen van veertien.

'Nou, destijds bestond het idee dat de ruimte gevuld was met een onzichtbare materie die ether heette. Wetenschappers begrepen niet hoe de golven die ze hadden ontdekt – lichtgolven, geluidsgolven enzovoort – door een vacuüm konden bewegen. Er moest iets zijn wat ze geleidde. En dus bedachten ze ether. Ether zorgde ervoor dat het licht van de zon naar de aarde kon reizen. Ether verbond alles met alles. De spiritisten stelden dat die ook niet bij materie ophield. Dat ether onze ziel verbond met ons lichaam, de werelden van de levenden en de doden verbond.'

'Ether.' Ruprecht knikt bij zichzelf.

'Juist. Lodge dacht dat als elektromagnetische golven door die ether heen konden dringen, communicatie met de doden dan niet alleen wetenschappelijk mogelijk was, maar ook binnen handbereik van de technologie van zijn tijd lag. In Raymonds verslagen uit Zomerland meldden de dode soldaten dat ze vagelijk geluiden uit de wereld van de levenden konden horen – muziek vooral; bepaalde muziekstukken drongen door de sluier heen. Dus in zijn boek schetst Lodge de contouren van de basisprincipes waardoor die communicatie zou moeten werken.'

'En wat gebeurde er toen?' Ruprecht heeft zich zo ver over de tafel gebogen dat hij boven zijn stoel lijkt te zweven. Howard, die zich ongemakkelijk begint te voelen, probeert zijn stoel voorzichtig naar achteren te schuiven, maar merkt dan dat die aan de vloer is vastgeschroefd. 'Er gebeurde niets,' zegt hij.

'Niets?' Dat begrijpt Ruprecht niet.

'Nou ja, het mislukte natuurlijk. Ik bedoel, het klopte niet, er klopte helemaal niets van. Want er was geen ether. Er was geen mysterieuze substantie die alles met alles verbond. Lodge werd een lachertje, zijn reputatie was naar de knoppen.'

'Maar ...' Ruprecht kijkt vol ongeloof de tafel af, als een investeerder die te horen heeft gekregen dat zijn complete aandelenportefeuille is gekelderd. 'Maar hoe kon het nou niet werken?'

Howard begrijpt niet helemaal wat er aan de hand is, waarom Ruprecht het zo persoonlijk opvat. 'Volgens mij is het belangrijk te onthouden binnen welke context Lodge werkte,' zegt hij voorzichtig. 'Ja, hij was een groot wetenschapper. Maar hij was ook een man die zijn zoon had verloren. Andere voorvechters van het spiritisme zaten in dezelfde situatie – Sir Arthur Conan Doyle had bijvoorbeeld ook een zoon verloren in de oorlog. De mensen die Lodge' boek kochten, degenen die zelf seances hielden, de soldaten in de loopgraven die de geesten van hun vrienden zagen – het waren allemaal mensen in rouw. Het was een wereld die letterlijk gek was geworden van verdriet. Tegelijkertijd was het een tijdperk waarin wetenschap en techniek beloofden een antwoord op alle vragen te kunnen geven. Plotseling kon je praten met iemand aan het andere eind van de wereld – waarom zou je dan niet met de doden kunnen praten?'

Ruprecht hangt aan zijn lippen, met glazige ogen, met ingehouden adem.

'Maar het punt was dat dat niet kon,' zegt Howard, en hij herhaalt het nog eens: 'Het kon niet,' om zich te wapenen tegen de vijandigheid waarmee die informatie wordt ontvangen – een starende blik die het midden houdt tussen verslagen en opstandig.

'Maar hij beweert dat hij bij zijn experimenten wel met dode mensen heeft gesproken,' zegt de jongen.

'Ja, maar dat kun je het best zien als een uiting van ...'

'Dat niemand hem geloofde betekent toch nog niet dat het niet waar was?'

'Nou ...' Howard weet niet precies wat hij daarop moet zeggen.

'Er zijn een heleboel dingen waarvan mensen denken dat het niet zo is.' Ruprechts stem wordt, hoewel hij qua toonhoogte en volume hetzelfde blijft, op een ongrijpbare manier intenser, waardoor het buitenlandse stel opkijkt van hun kaart. 'En van een heleboel dingen die niet waar zijn, vertellen ze ons dat dat wel zo is.'

'Dat mag zo zijn, maar dat wil nog niet zeggen ...'

'Hoe weet u nou zo zeker dat hij het mis had? Hoe weet u dat die soldaten en andere mensen alles wat ze zagen hallucineerden? Hoe weet u dat?'

Hij zegt het allemaal met zoveel kracht, waarbij zijn bleke gezicht een kwaad soort roze wordt, als een of andere wraakzuchtige kwal, dat Howard hem liever niet tegenspreekt; in plaats daarvan knikt hij alleen maar ambivalent, staart naar de half gesmolten ijsblokjes onder in de plastic bekers. De toeristen staan op van hun tafeltje en lopen naar buiten.

'Ik zal je eens iets vertellen over een andere beroemde man uit die tijd,' zegt Howard ten slotte. 'Over Rudyard Kipling, de schrijver. Hij heeft *Het jungleboek* geschreven, onder andere – je hebt de film vast gezien, je weet wel: Baloe? *Do-be-do, I want to be like you ...*'

Ruprecht kijkt hem verbijsterd aan.

'Afijn. Toen de oorlog uitbrak, wilde Kiplings enige zoon, John, het leger in. Omdat hij pas zestien was, moest Kipling de hulp van wat kennissen inroepen om hem in dienst te krijgen. De commandant van de Ierse Garde was een vriend van hem, en via hem wist Kipling een plek voor hem te regelen. John vertrok per trein en een jaar later ging hij naar het westelijk front. Ongeveer veertig minuten nadat zijn eerste slag was begonnen, verdween hij en werd nooit meer teruggezien.

Kiplings hart brak. Hij verzonk in een zwarte, zwarte depressie. Het werd zo erg dat hoewel hij seances en hocus pocus altijd van de hand had gewezen, hij nu op het punt stond ze te proberen, in de hoop contact te kunnen krijgen met zijn zoon. Maar toen werd hij benaderd door een kolonel van de Ierse Garde. Elk regiment had een verslag gemaakt van zijn ervaringen in de oorlog, en de kolonel vroeg of Kipling dat van hen wilde schrijven.

Nu was Kipling zo Brits als maar kan. Als je in hem snijdt, komt er oranje bloed uit, zeiden ze. Hij vond de Ierse katholieken niets meer dan dieren. Maar omdat het het regiment van zijn zoon was geweest, stemde hij, waarschijnlijk de beroemdste schrijver ter wereld op dat moment, erin toe de geschiedenis van het regiment te schrijven. Dat niet alleen, hij besloot te schrijven over de mannen – niet over de officieren, niet over de beroemde veldslagen, niet over de bredere thema's van de oorlog. Hij gebruikte de dagboeken en de persoonlijke verslagen van de Ierse soldaten. En terwijl hij daarmee bezig was, raakte hij diep onder de indruk van hun moed, hun loyaliteit en hun beschaafdheid.

Hij deed er vijfenhalf jaar over om het boek te voltooien. Hij vond het ontzettend moeilijk. Maar achteraf zei hij dat het zijn grootste werk was. Hij had de kans gekregen de moed van die mannen te gedenken en de herinnering aan zijn zoon levend te houden. Een man die Brodsky heette heeft ooit geschreven: "Als er een substituut voor liefde is, is het het geheugen." Kipling kon John niet terughalen. Maar hij kon hem wel gedenken. En op die manier leefde zijn zoon voort.'

Deze parabel heeft niet helemaal het effect dat hij beoogde. Sterker: hij weet niet zeker of Ruprecht, die Sprite-spiralen op de tafel tekent met een rietje, überhaupt luistert. De knul achter de toonbank kijkt op zijn horloge en begint het koffiezetapparaat te ontmantelen; een elektrische ventilator zoemt, als het soepele geluid van de tijd die onstuitbaar onder hun voeten verglijdt. En dan mompelt Ruprecht, zonder op te kijken: 'En als ik hem me nou niet kan herinneren?'

'Wat?' Howard schrikt wakker uit zijn innerlijke overpeinzingen.

'Ik ben aan het vergeten hoe hij eruitzag,' zegt de jongen hees.

'Wie? Daniel bedoel je?'

'Elke dag zijn er meer kleine stukjes verdwenen. Dan probeer ik me iets te herinneren en dat lukt dan niet. Het wordt alleen maar erger. En ik kan het niet tegenhouden.' Zijn stem breekt; hij kijkt smekend op, zijn gezicht een wirwar van tranen. 'Ik kan het niet tegenhouden!' herhaalt hij; dan, recht voor Howards ogen, stompt hij met zijn vuisten tegen zijn hoofd, zo hard als hij kan, dan nog eens, en nog eens, terwijl hij steeds opnieuw schreeuwt: 'Ik kan het niet tegenhouden! Ik kan het niet tegenhouden!'

De Aziatische jongen kijkt van achter de toonbank verbijsterd toe. Howard merkt dat hij hem hulpeloos aanstaart, alsof hij misschien weet wat er moet gebeuren, voor hij zich realiseert dat hij zelf moet ingrijpen. 'Ruprecht! Ruprecht!' roept hij, en hij steekt zijn handen in de wervelstorm van vuisten, als twee stokken tussen de spaken van een fietswiel, tot hij greep op de armen van de jongen weet te krijgen en ze stil kan houden. Ruprechts geril maakt geleidelijk aan plaats voor kalmte, gemarkeerd door scherpe, piepende ademtochten. Hij reikt in zijn zak naar de astma-inhaler en zuigt er stevig aan.

'Gaat het?' vraagt Howard.

Ruprecht knikt, zijn hoofd nog dieper rood dan eerst, van schaamte. Dikke tranen druppen op de tafel. Howard is misselijk. Maar niettemin dwingt hij zichzelf de ondraaglijke stilte te vullen, te zeggen: 'Weet je, Ruprecht ... wat je nu voelt is volkomen normaal. Als je te maken hebt met verlies ...'

'Ik moet gaan,' zegt Ruprecht, en hij laat zich uit de plastic stoel glijden.

'Wacht!' Howard gaat ook staan. 'En dat project van je dan? Wil je dat ik een paar boeken opstuur, of ...'

Maar Ruprecht staat al op de drempel, zijn dunne 'Dank u, dag' afgekapt door het dichtslaan van de klapdeur, en Howard blijft verschrompeld in het neonlicht achter, onder de koele, schattende blik van de onbewogen Aziatische jongen die koffieprut in de vuilnisbak schudt.

Het is nacht. Janine ligt op straat. Carl staat over haar heen.

'Ik moest het haar wel vertellen, Carly, ik moest wel.'

Het is moeilijk te begrijpen wat Janine zegt. Achter de ramen van de huizen zijn de gordijnen dichtgetrokken. Het licht achter Lori's raam brandt niet meer, en ze zit niet in de auto als die door het hek schiet.

'Ik deed het voor ons,' zegt Janine. Ze gaat op haar knieën zitten, ze omhelst zijn benen, ze wriggelt haar lijf tegen dat van Carl aan als een bloedzuiger. 'Ze is weg, Carl, het is voorbij! Waarom kun je haar niet gewoon vergeten?'

Ze wil hem niet vertellen waar het ziekenhuis is en de auto rijdt te snel. Carl kan hem op de fiets niet volgen.

'Hier.' Janines stem wordt zwart en ze reikt in haar zak. 'Kijk zelf maar, als je me niet gelooft. Ik heb een foto van haar gemaakt. Nou, kijk dan, dit is het meisje op wie je verliefd bent.'

Het gezicht verwrongen als een stuk kauwgum.

'Nee!'

Dus gooit hij haar telefoon zo hard mogelijk weg en laat haar achter, huilend rondkruipend in iemands tuin. 'Wacht. Bel me even, bel me, zodat ik 'm kan vinden.'

Nu is hij thuis en probeert tv te kijken. 'Ik zou mijn reet nog niet afvegen met een Daewoo,' zegt Clarkson. Op bed ligt de nieuwe All Blacks-trui. Beneden zegt zijn moeder: 'Omdat je dat niet kunt doen!' En zijn vader zegt: 'De laatste keer dat ik het gecheckt heb, was dit nog altijd mijn huis, verdomme!' 'IK PROBEER TV TE KIJKEN!' schreeuwt Carl. Clarkson zegt: 'Dode Jongen.' Carls hoofd schiet naar het scherm. 'Geef mij maar iets met een beetje pit,' zegt Clarkson. Er loopt een rilling over Carls arm, het jeukt aan al zijn littekens.

Dan gaat de telefoon. Het is Barry. 'Het gaat gebeuren,' zegt hij.

'Wat?' vraagt Carl.

'Overmorgenavond. De ontmoeting, gast. Ze nemen ons mee naar de Druïde.'

Carls hersens graven in de bodemloze duisternis van zijn geheugen.

'Weet je wat dat betekent?' zegt Barry. 'Het betekent dat we erbij horen. We worden ingewijd.'

En dan, door de telefoon, maar het is niet Barry's stem: 'Hij zal op je wachten, Carl.'

Hij springt op van zijn bed. 'Wat zei je daar?'

Dan Barry weer, alsof er niets is gebeurd: 'Dit is zo groot, gast. Serieus, weet je wel wat dit betekent?'

Maar Carl weet niet wat het betekent.

's Nachts is het 't ergst: dan wordt hij wakker en voelt ie het, hij kan het echt voelen: weer een constellatie van momenten die uit zijn geheugen verdwijnt. Waar zat Skippy precies, die dag in de recreatiezaal? Wat haalde hij altijd van zijn hamburger, de augurk of de ui? Hoe heette die hond die hij voor Dogley had? Er zijn zoveel dingen om te onthouden! En hoewel Ruprecht zijn best doet ze op hun plek te houden – hij ligt in bed, dreunt ze op, vermijdt het met mensen te praten of naar ze te luisteren, probeert te voorkomen dat nieuwe beelden, nieuwe herinneringen de oude verdringen – blijft hij vergeten, en uiteindelijk realiseerde hij zich dat het vergeten nooit zal ophouden, dat, wat hij ook doet, de momenten zullen blijven wegsijpelen, als bloed uit een wond die nooit zal genezen, tot ze allemaal weg zijn. Dat besef was bijna nog erger dan alles wat eraan vooraf was gegaan. Hij werd er zo kwaad om! Hij stoomde, hij brieste, hij kookte van woede – woede gericht op hemzelf, op Skippy, op de hele wereld! – en in zijn razernij zwoer hij Skippy in één keer helemaal te vergeten; dan had hij het maar gehad. Maar dat bleek ook niet te lukken. Het enige wat hij kon doen was vanbinnen steeds bozer worden, terwijl hij vanbuiten steeds dikker, bleker en doodser werd.

Toen hij naar het park ging, had hij al heel lang niet aan wetenschap gedacht. Hij had zijn computer in geen weken aangezet; dat gedeelte van zijn hersens gebruikte hij niet eens meer, want wat was hij ermee opgeschoten, met de M-theorie, professor Tamashi, al dat gedoe? Had Dennis niet gelijk, was het niet allemaal een gigantische Rubiks kubus waar Ruprecht zijn uren mee kon vermorsen, zitten draaien aan de blokken en kleuren, terwijl hij heel goed wist dat hij nooit echt opgelost kon worden? En toch was het toen Howard die wetenschapper noemde, die Sir Oliver Lodge bleek te heten, alsof hij hem over de decennia heen op zijn schouder had getikt. En sindsdien bleef hij, hoe graag Ruprecht ook wilde dat hij wegging, aanwezig. Bleef maar tikken.

Maar hij had beter moeten weten. Hoe kon hij nou denken dat een leraar enig licht op de zaak zou werpen? Wat weten leraren nou van wat waar is? Kijk maar naar alle onwaarheden die ze elke dag verkondigen! De kaarten bij aardrijkskunde waarop Afrika klein lijkt en Europa en Amerika heel groot lijken, dat boek over euclidische meetkunde waarin staat dat alles uit rechte lijnen bestaat, terwijl in de echte wereld niets uit rechte lijnen bestaat, al dat gezeik over hoe goed het is om deemoedig te zijn, en dat als je deemoedig bent en je aan de regels houdt alles goed komt. Terwijl dat overduidelijk niet zo is. Dus als Ruprecht van het Doughnut House terugkomt op zijn kamer, probeert hij een andere bron. En op internet komt hij een heel ander verhaal tegen dan Howard hem heeft verteld.

Volgens dit verslag was de victoriaanse wetenschap iets heel anders dan de materialistische, conservatieve toestand die de leraar beschreef; en de experimenten van Lodge waren geen uitingen van een verwarde geest, maar slechts een element binnen een georkestreerde wetenschappelijke poging het laatste mysterie van leven na de dood te ontsluieren. Onder de overige deelnemers bevonden zich Alexander Graham Bell, met zijn telefoon, Thomas Edison, schepper van de Geestenvinder, John Logie Baird, uitvinder van de televisie (aan wie Edisons geest verscheen tijdens een seance), William Crookes, Nikola Tesla, Guglielmo Marconi – als je het op de keper beschouwde, vond bijna alle communicatietechnologie van de eenentwintigste eeuw haar oorsprong in de wetenschappelijke pogingen met de doden te spreken.

En heel even, aan het begin van de vorige eeuw, leken ze daadwerkelijk een doorbraak te naderen. De reeks van ontdekkingen, de ene na de andere – Hertz, Maxwell, Faraday, Lodge, Einstein met zijn golvende ruimte, Schwarzschild met zijn 'donkere ster' zoals hij eerst genoemd werd, en later 'zwart gat', een heus gat in het universum – en de gelijktijdige opkomst van tafeldansen, helderzienden, spookfotografen, de veelheid aan geklop op muren dat geen menselijke bron had ... Het leek in die tijd meer dan ooit tevoren alsof de hele realiteit golfde en rimpelde, alsof er onzichtbare vingers door de huid van de werkelijkheid probeerden te duwen, alsof de spoken van woorden, uitgesproken door lang vervlogen stemmen bijna hoorbaar werden in het nieuwe gesis en de nieuwe ruis …

En toen hield het allemaal op. Het spoor liep dood. Was er gewoon te veel dood om te verwerken, was dat het? Wilde de wetenschap, nadat die zich twee oorlogen lang had gewijd aan de perfectionering van nieuwe vernietigingsmethodes, gewoon niet meer horen wat de vernietigden misschien te zeggen hadden? Wat de reden ook was, de wetenschappers keerden zich af van het spookachtige, richtten hun aandacht uitsluitend nog op deze kant van de sluier. Ze bouwden computers om een nieuwe heerschappij van logica te stichten; ze schiepen kunststoffen die zich naar elke vluchtige menselijke wens konden vormen; de verborgen dimensies en de pogingen die te vinden werden zorgvuldig vergeten – natuurlijk werden die vergeten, dwaas, want Lodge had het mis, ze hadden het allemaal mis, er is geen ether, er is geen magisch element dat de hogere dimensies en die van ons verbindt, er is geen deur, er is geen brug! En jij ramt met je hoofd tegen een bakstenen muur! Ruprecht slaakt een kreet die behoorlijk lijkt op het blaten van een geit, gooit zijn ongebruikte maar zwaar afgekloven potlood weg en duwt zich weg van zijn bureau, terwijl flarden van de waarheid in zijn hoofd rondpingelen als kwaadaardige ballen in een slapeloze flipperkast. De nacht zwemt om hem heen, het zachte koor van gesnurk van de school. Hij loopt naar de wc, voornamelijk om even in een andere omgeving te zijn.

Als hij minder met andere dingen bezig was geweest, had het veelbetekenende flardje rook dat onder de deur vandaan komt er misschien voor gezorgd dat hij was uitgeweken naar de wc's beneden. Maar hij loopt door zonder het op te merken, en staat ineens oog in oog met Lionel – hij zit lusteloos breeduit op een wc-pot, neemt een lange haal van een sigaret, zonder zich te storen aan en misschien zelfs wel genietend van de stank van pis die hij met elk trekje inademt, als een boosaardige Zwarte Prins in zijn stinkende marmeren hof, die zit te wachten tot er een ongelukkige verschijnt op wie hij zijn verveling kan afreageren.

'Kijk eens aan,' begroet Lionel hem opgewekt. Hij gooit zijn sigaret in het urinoir. 'Kijk eens aan, kijk eens aan.'

De prettige afwezigheid van gezagsdragers betekent dat Lionel de tijd kan nemen; voorts heeft hij zes verschillende hokjes tot zijn beschikking, dus hij wordt niet gehinderd door het vervelende wachten op reservoirs die zich vullen. Het enige obstakel dat tussen hem en de Ultieme Pleespoeling staat is Ruprechts aanzienlijke gewicht, dat Lionel van de ene wc naar de andere moet slepen. Maar dat doet hij manhaftig, en Ruprecht lijkt algauw op een pasgeboren kind – betraand, met een paars hoofd, piepkleine oogjes die wanhopig knipperen zonder iets te zien, een mond die brult om de wreedheid van de wereld waar hij zojuist in terecht is gekomen. 'Wat zeg je?' Lionel buigt zich naar Ruprecht toe, die naar adem snakkend iets zegt. 'Je astma-inhaler? Hmm, ik zie 'm niet. Misschien is ie daarbeneden ...'

Als hij weer onder water wordt geduwd, voelt Ruprecht zijn longen en keel met iets definitiefs dichtklappen; en nu vervaagt de waterval van bedorven water en bleekmiddel van de supermarkt langzaam, maakt plaats voor iets sterreloos en zwarts dat met klampende handen naar hem reikt, zijn inktzwarte vingers om zijn hart slaat, om zijn longen, knijpt en knijpt ...

En dan, in de verte, alsof het oprijst uit de duisternis, hoort hij iets. Even later verdwijnt de druk van zijn nek, en klinkt het geluid van voetstappen die snel in de verte verdwijnen. Met zijn laatste krachten tilt Ruprecht zijn hoofd uit de wc-pot en zakt hij hijgend tegen de deur van het hokje. Vals gefluit echoot door de gang: meneer Tomms, die een zeldzame avondronde maakt. Ruprecht luistert terwijl het geluid harder wordt en langzaam verdwijnt. En dan daagt het hem.

Muziek.

Donderdag: twee dagen voor het doek opgaat bij het honderdveertigjarig-jubileumconcert. Een voelbare vervoering neemt bezigt van de school, maar in de onherbergzame Mijnen van Mythia gaat alles zijn gewone gangetje. Recentelijk heeft de noeste bende – Blüdigör Äxehand (V. Hero), Thothonathothon de Machtige (B. Shambles) en Barg de Dwerg (H. Lafayette) – bij het zoeken naar de legendarische Amulet van Onyx gezelschap gekregen van een koene nieuweling, Mejisto de Elf (G. Sproke), drager van het vermaarde Schild van Styx, dat zijn eigenaar over de woestste baren kan dragen. Vandaag heeft de onverschrokken broederschap net de mysterieuze Kist van Kwarts geopend, maar trof daarin een onaangename verrassing aan: een koppel Hellewormen, hongerig naar vlees, die de ongelukkige Mejisto de Elf belagen!

'Wie is ook alweer de elf?'

'Dat ben jíj!' roepen vier geërgerde stemmen in koor.

'O ja.'

Thothonathothon, Blüdigör en Barg schieten hun ongelukkige elfenvriend dapper te hulp met slagen van hun hellebaard (2d6 HP schade), slagzwaard (1d10) en vuurstenen staak (3d4). Maar er staat onze dappere broederschap nog een schok te wachten: een ondergrondse rivier, te woest om met gewone middelen over te steken, terwijl de ophaalbrug aan beide zijden is opgehaald!

'Wauw, hoe moeten we die nou oversteken?' vraagt Mejisto de Elf zich af.

'Hij is te woest om met gewone middelen over te steken,' herhaalt Valdor de Kerkermeester (L. Rexroth).

'Wauw,' zegt Mejisto opnieuw, hoofdschuddend.

'Met gewóne middelen,' zegt Valdor. De andere leden van de bende wisselen blikken.

'Hmm,' zegt Mejisto.

Barg de Dwerg laat een hand over zijn gezicht glijden en wrijft over zijn slapen.

'Het schild!' roept Blüdigör Äxehand ten slotte uit, in de hoop dat ze voor de lunchpauze voorbij is in elk geval vijftien meter verder komen op hun queeste. 'Het Schild van Styx! Daar is dat ding voor gemaakt, om je over de woestste baren te dragen!'

'O, fijn,' zegt Mejisto. 'Wie heeft dat dan?'

Het begint erop te lijken dat de onafscheidelijke kameraden op het punt staan zo niet uit elkaar te gaan, dan toch in elk geval dingen te zeggen waar ze weleens spijt van kunnen krijgen – maar dan zwaait de deur open en komt Ruprecht Van Doren naar binnen gedenderd. Het is lang geleden dat Geoff Ruprecht ergens binnen heeft zien denderen, maar hij merkt dat hij niet eens zo verbaasd is; een klein, amuletachtig deel van hem heeft altijd geweten dat zijn zwaarlijvige vriend op een dag door een of andere deur zou komen vliegen, met die maniakale glinstering in zijn ogen die aangeeft dat er Iets aan de Hand is. Maar aan de andere kant: wie had ooit gedacht dat zijn eerste woorden 'We moeten Dennis vinden, snel!' zouden zijn?

Onderweg naar het park doet Ruprecht zijn nieuwe plan uit de doeken. Die maniakale glinstering bedroog hen niet: dit is iets groots, iets heel groots, met veel ingewikkelde wetenschappelijke elementen, waarin Geoff vrijwel direct de draad kwijtraakt. Maar hij is te opgewonden om daarom te malen, want het lijkt zo op de goeie ouwe tijd; en als ze de heuvel afdalen naar het meer waar Dennis en zijn rookvrienden staan te roken, voelt hij een grote gele gloed van gespannen afwachting die in hem opbruist als een tablet vitamine C in een glas water.

Maar Dennis is niet al te blij om hen te zien. 'Wat moeten jullie?' zegt hij.

'Moet je horen, Dennis, Ruprecht heeft een geweldig plan!'

'Nou, ik hoef 't niet te horen,' zegt Dennis, terwijl hij een verse sigaret uit zijn pakje frommelt en in zijn mond steekt.

'Maar jij maakt er deel van uit! Het hele kwartet komt erin voor!'

'Kan me niet schelen!' schreeuwt Dennis. 'Laat me met rust! Zien jullie niet dat ik aan het roken ben?'

'Ik denk dat we een boodschap aan Skippy kunnen overbrengen,' zegt Ruprecht.

Dennis wordt spookachtig bleek en laat zijn aansteker zakken. 'Wat?' zegt hij.

'Muziek,' legt Ruprecht uit. 'Er zijn bepaalde aanwijzingen dat verschillende soorten muziek in hogere dimensies hoorbaar zijn ...'

'Hij gaat de Van Doren Golfoscillator gebruiken, Dennis!'

'Nee,' valt Dennis hem harder in de rede. 'Ik bedoel, *what the fuck?!*'

Ruprecht werpt, van zijn stuk gebracht, een onzekere blik naar Geoff.

'Skippy is dóód, Ruprecht.' De woorden verschijnen in een wolk van grafwitte rook. 'Daar hebben we het toch uitgebreid over gehad?'

Ruprecht begint te vertellen over het historische precedent, maar Dennis kapt hem af. 'Wat mankeert jou, verdomme?' zegt hij, zijn op elkaar geklemde lippen het enige deel van hem dat niet trilt. 'Skippy is er niet meer, waarom laat je hem niet gewoon met rust?'

'Maar Dennis,' komt Geoff tussenbeide, 'hij zit in de verborgen dimensies, weet je nog, zoals in die sprookjesverhalen in de Ierse les?'

'Geoff, begrijp jij nou echt waar hij het over heeft?' Dennis kijkt hem aan. 'Ik bedoel, heb je ook maar het flauwste benul?'

'Nee,' geeft Geoff toe.

'Nou, dan zal ik het je maar vertellen,' zegt Dennis. 'Het is gelul.'

'Maar je hebt het nog niet eens gehoord!'

'Ik hoef het niet te horen. Alles wat hij ons ooit heeft verteld was gelul. Het kasteel aan de Rijn, de privéleraar die uit Oxford was overgevlogen, de magische doorgang. Sprookjes, je zei het zelf al.' Hij laat zijn sigaret vallen en trapt 'm uit met zijn voet.

Ruprecht zegt, wanhopig en zonder te knipperen: 'Dit kan echt werken.'

Dennis lacht. 'Je liegt, en je weet niet eens meer dat je dat doet! Je weet niet eens meer wanneer iets waar is en wanneer het een leugen is!'

'Nee, dit is echt waar. Ik weet het zeker. Maar het moet morgenavond gebeuren. Het concert is onze enige kans.'

'Krijg de schijt, Von Blowjob. Zoek maar een andere sukkel voor dat mietjesplannetje van je.' En daarop draait Dennis zich op zijn hakken om en beent weg naar Niall en de andere rokers.

Geoff slaat zijn handen voor zijn gezicht.

'Alsjeblieft,' zegt Ruprecht.

Dennis draait zich om. 'Wat wil je eigenlijk tegen Skippy zeggen, klootzak? Wat wil je nu zeggen dat je niet eerder had kunnen zeggen, als je het niet zo druk had gehad met bewijzen wat een geweldige wetenschapper je was?'

Ruprechts hele lichaam zakt in elkaar; zijn bovenste onderkin zakt tegen zijn derde en vierde onderkin aan.

Dennis blijft hem een lang moment in de ogen kijken; dan zegt hij: 'Je kan me wat,' en beent weg.

Ruprecht kijkt hem met een gepijnigde blik na, alsof Dennis ook achter de sluier verdwijnt; zijn lippen trillen, er liggen woorden op die hij niet weet uit te brengen – en dan roept hij ten slotte, met een blaf als een geweerschot, uit: 'Ik heb geen privéleraar gehad.'

Dennis blijft staan.

Ruprecht staat verdwaasd voor zich uit te kijken, alsof hij niet weet waar die woorden vandaan kwamen. Maar dan herhaalt hij aarzelend: 'Ik had geen privéleraar. Je hebt gelijk: dat heb ik verzonnen. Ik heb op een kostschool in Roscommon gezeten. Mijn ouders hebben me op Seabrook gedaan nadat … nadat …' Hij haalt diep adem. 'Ik kreeg op een dag na het zwemmen een erectie onder de douche.'

De zee spoelt donderend over hen heen, golven van geruis als zware ladingen leegte die op de kust slaan.

'Het gebeurde gewoon,' besluit Ruprecht zwakjes. Hij buigt zijn hoofd, gestrand op het gras als op een verlaten atol.

Dennis staat nog steeds van hen afgewend. Hij zegt een hele tijd niets, maar dan ziet Geoff dat zijn schouders beginnen te schokken. Even later ontsnapt hem, boven het geluid van de wind en de golven uit, het eerste gegrinnik. 'Een stijve onder de douche …' Hij gooit zijn hoofd naar achteren en buldert. 'Een stijve onder de douche …' Hij lacht een hele tijd; hij lacht en lacht maar, tot hij dubbelklapt, tot de tranen over zijn wangen rollen. Dan stopt hij, gaat rechtop staan en bekijkt Ruprecht aandachtig. Ruprechts smekende ogen zijn als glimmende knoopjes in zijn bleke peperkoekgezicht. 'Arme sukkel,' zegt hij uiteindelijk. 'Arme, dikke sukkel.'

Die middag verspreidt het nieuws zich over de hele school dat Ruprecht Van Doren en zijn kwartet weer aan het programma van het concert zijn toegevoegd. Ceremoniemeester Titch Fitzpatrick heeft het zelf zien gebeuren, omdat hij in de Jubilee Hall zijn teksten aan het repeteren was toen Ruprecht en de anderen binnen kwamen lopen. In tegenstelling tot wat sommigen beweren, kwamen er geen tranen bij kijken, noch verklaringen of zelfs maar een verontschuldiging. Ruprecht zei gewoon dat ze weer bereid waren te spelen, als er nog plek voor hen was. Nog plek? Connie vloog hem om zijn hals als een sjaal. Het was net dat verhaal in de Bijbel waarin die gozer terugkomt van waar hij ook vandaan kwam en ze een enorm feest bouwen, ook al was die gast een beetje een lapzwans.

Begrijp hem niet verkeerd: Titch is een enorme fan van Ruprechts spel op de Franse hoorn. Maar na alles wat er is gebeurd, moet je je wel afvragen hoe verstandig het is om hem zomaar terug te laten komen. Hij wil niet hoog van de toren blazen of zo, maar als je het Titch vraagt heeft Ruprecht geen blijk gegeven van de houding waar dit honderdveertigjarig-jubileumconcert om draait. En, belangrijker: hoe kan het Kwartet nou ooit op tijd klaar zijn? Het concert is mórgen! Morgen!

Het heeft geen zin om die bedenkingen aan Connie voor te leggen, want die huppelt rond alsof hij verliefd is geworden. Daarom heeft Titch, uit hoofde van zijn functie als Ceremoniemeester, de vrijheid genomen stiekem eens te gaan luisteren wat het Kwartet gaat spelen. En verdomd, het geluid dat van achter de deur van de repetitieruimte komt, klinkt helemaal niet als klassieke muziek. Of sommige flarden wel? Maar die worden steeds overstemd door andere delen, die klinken als het ontploffen van de Death Star. En terwijl hij toekijkt, verborgen in een alkoof, komen Mario en Niall voorbijstommelen met a) een computer en b) een soort satellietschotel ...?

Aan de hele toestand zit een sterker luchtje dan aan de kut van een zeemeermin. Titch besluit de kwestie direct aan te snijden bij het hoogste gezag, d.w.z. bij meneer Costigan.

'We hebben het eigenlijk nogal druk, Fitzpatrick ...'

'Jawel, meneer, maar het is belangrijk.' Hij legt uit welke bezwaren hij heeft tegen het weer toelaten van het Kwartet, en vertelt over de vreemde geluiden die hij uit de repetitieruimte hoorde komen ...

'Death Star? Fitzpatrick, waar heb je het in godsnaam over ...?' Dan gaat de telefoon. 'Costigan – asjemenou, Jack Flaherty, ouwe rakker. Hoe gaat ie, kanjer? Hoe staat het in de petrochemie? Ik heb horen fluisteren dat jullie ... ha ha, natuurlijk niet. Luister eens, we houden hier komende zaterdag een feestje ...' De stoel zwaait om. Titch blijft daar even staan alsof hij de bons heeft gekregen, tot hij zich ervan bewust wordt dat broeder Jonas hem vanaf de andere kant van de kamer aan staat te staren.

'Waar zit je mee, mijn jongen?' zegt hij met zijn zachte, zwoele Afrikaanse stem.

Titch werpt een blik op de kleine zwarte man, en nog eentje op de Waarnemend Rector, die met zijn voeten op tafel door zit te babbelen. Hij glimlacht. 'Niets hoor, broeder, het is niet belangrijk.' Dan loopt hij het kantoor uit. Als ze hun eigen Ceremoniemeester willen negeren, dan krijgen ze straks hun verdiende loon.

Jeekers, niet Dennis, was degene van wie Geoff vooraf had gedacht dat hij het moeilijkst weer aan boord te krijgen zou zijn; hij vroeg zich heimelijk af of Ruprecht er misschien beter aan zou doen het hele seance-experimentdeel van het verhaal niet te noemen, aangezien Jeekers over het algemeen nogal braaf is en niet zo'n type om met seances te experimenteren. Vooral niet nu zijn ouders kwamen kijken. Maar tot Geoffs verrassing stemde Jeekers meteen in, met alles – hij leek zelfs blij met het clandestiene element, alsof hij net zat te wachten op een dergelijke geheime onderneming om aan deel te nemen. Maar dat wil nog niet zeggen dat de repetities soepel verlopen.

'Het klinkt gewoon niet goed.'

De drie ondergeschikte leden van het Van Doren Kwartet laten voor de zoveelste keer met een gekweld gezicht hun instrumenten zakken. 'Het klinkt zoals het altijd heeft geklonken. Hoe wil je dan dat het klinkt?!'

Dat is het 'm nou juist: Ruprecht weet het niet. Hij staart beneveld naar zijn noten. Wiskundige en muzikale symbolen kwetteren betekenisloos terug, als glyfische vlooien die over het blad springen. Ze lijken hier al jaren te zitten, terwijl ze steeds maar weer Pachelbel spelen, tot ze het zelfs horen als ze zijn gestopt; zodat als Geoff er weer over begint dat hij wilde dat hij erachter kon komen waar het hem in vredesnaam aan doet denken, Dennis hem lik op stuk geeft: 'Het doet je aan het stuk zélf denken, idioot. Het doet je denken aan de negen triljoen keer dat je het eerder hebt gehoord.'

'Volgens mij is dat het niet.'

'Geloof me nou maar.'

'Oké.' Ruprecht tikt met zijn dirigeerstokje op de Oscillator. 'Laten we het nog eens proberen.'

Ze proberen het nog eens. Als je het Geoff vraagt – en, hij moet toegeven, zijn mening als triangelspeler is niet zo belangrijk, zeker niet zo belangrijk als die van Jeekers of Dennis – klinken ze behoorlijk goed. Zeker gezien het feit dat ze een week niet hebben gerepeteerd, en het feit dat Ruprechts Franse hoorn eruitziet alsof er een vrachtwagen overheen is gereden. De zoet-droevige noten cirkelen langzaam om hen heen, *derr ... derr ... derr ... derr ... bom ... bom* – verdorie, Dennis heeft het mis, het doet hem niet aan het stuk zelf denken! Maar waaraan dan wel, verdomme? Hij wordt er knetter van – o, wacht, daar komt zijn triangelstukje – (*ping*).

'Stop, stop –' Ruprecht, die speelt met een schuin oor en zijn wenkbrauwen zo parodieachtig gefronst dat zijn voorhoofd wel een trekharmonica lijkt, steekt een hand omhoog.

'Wat nou?' zegt Dennis, wie het op zijn zenuwen begint te werken. 'Wat is er nu weer?'

'Er lijkt iets aan te ontbreken,' zegt Ruprecht mismoedig, terwijl hij aan zijn haar plukt.

De kamer is een kantwerkje van tersluikse blikken. De tijd begint te dringen.

Derr ... derr ... derr ... derr ... denkt Geoff.

'Misschien,' zegt Jeekers langzaam, 'moeten we het spelen zoals we eerst deden.'

Bom ... bom ... bom ... BOM ...

'Want wij weten in elk geval dat het voor Skippy is, en, nou ja, er wordt een voordracht gehouden en zo ...'

'Het is BETHani!' roept Geoff uit. Iedereen draait zich naar hem om. 'O, sorry. Ik weet ineens waar Pacheldinges me aan doet denken: dat liedje van BETHani! Je weet wel, dat liedje dat Skippy de hele tijd draaide? Toen hij naar dat meisje was geweest? Als je er goed naar luistert, is het hetzelfde melodietje. Sorry,' zegt hij opnieuw, terwijl blikken zich van alle kanten in hem boren. En dan: 'Wat nou?'

Vrijdagavond in de Residentie. De Residentie, zo noemt iedereen het; ze doen alsof het een of ander exclusief hotel is. Maar binnen is het net alsof je gevangenzit in de saaiste horrorfilm op aarde, een huis vol zombies met grijze gezichten en enorme holle ogen die je nakijken terwijl je van de trap loopt en je aanstaren als je in het tijdschriftenrek zoekt naar een tijdschrift dat je nog niet hebt gelezen, en als ze bewegen, bewegen ze als mensen die niet echt leven. Ze schuifelen met nul kilometer per uur over het bloemige tapijt, terwijl hun armen als oude snaren langs hun zij hangen en hun Prada-spijkerbroeken om hun stokmiddel flapperen en – het ergst van alles – hun afgrijselijk smerige adem ruikt alsof er iets rot in hun binnenste. Daarom blijft Lori meestal op haar kamer, behalve als ze naar Tijd Voor Jezelf of Groepstherapie moet. Ze ligt op haar bed, houdt Lala tegen haar borst gedrukt. De tranen komen gewoon vanzelf, ze is niet verdrietig.

Haar kamer lijkt eigenlijk wel een beetje op een hotelkamer. Er liggen verse bloemen en gerimpelde stroken op de sprei, en hoewel er geen tv staat, kun je schrijven in het dagboek dat ze uitdelen om je gedachten vast te leggen of bij het raam gaan zitten en door de tralies heen naar de tuin kijken. Sommige meisjes – er zijn alleen maar meisjes – zitten hier al maanden of zelfs nog langer. De meesten zijn zieker dan Lori, maar ze lachen haar toch uit als Lori zegt dat ze hier niet lang blijft. Sommigen zitten een klas hoger of lager bij haar op school, anderen herkent ze van het winkelcentrum of uit de kerk, of ze blijken de zus of voormalige beste vriendin van iemand te zijn. Er is een meisje met wie Lori jaren geleden op ballet heeft gezeten; ze was zo mooi vroeger, als een prachtige dansende bloem. Nu ziet ze eruit alsof een vampier al het bloed uit haar heeft gezogen en haar aan de kant heeft gegooid. Lori had even medelijden met haar en deed haar best om een praatje met haar te maken, maar toen kwam ze erachter dat dat meisje tegen iedereen zei dat Lori 's nachts op haar kamer kwam en probeerde aan haar te zitten.

De Residentie is namelijk precies zoals school, krengerig gedrag en kliekjes, waar alle meisjes meedoen aan een geheime wedstrijd wie het dunst kan worden. Bij Groepstherapie vechten ze onderling om de aandacht van dr. Pollard. Ze zuigen aan hun vingers, zwaaien hun benen heen en weer, nemen elkaar (haha) vanuit hun ooghoeken op, terwijl ze maar doorzeiken over respect; het is zielig, het is freaky, alsof je naar skeletten kijkt die erotisch proberen te zijn, je kunt hun lichamen bijna horen rammelen – in haar dagboek schrijft ze 'macaber'. Dr. Pollard is een ontzettende sukkel, hij draagt elke dag stomme kerstachtige truien en je kunt merken dat hij alleen maar iets van zelfrespect weet omdat hij er in boeken over heeft gelezen, en toch zitten ze om hem te kwijlen alsof hij het laatste stukje chocoladetaart is, dat ze na afloop toch uit zullen kotsen. Groepstherapie is eigenlijk het enige moment waarop Lori het mist dat ze mooi was. Ze zou die sletjes dolgraag laten zie hoe je dat aanpakt: dr. Pollard om haar vinger winden en dan opstaan en zo weglopen. Bij de deur zou ze zich omdraaien en hem een kusje toeblazen: droom maar lekker verder, loser!

Gisteren heeft die vrouw van het modellenbureau mam gebeld en gezegd dat ze zich geen zorgen hoefde te maken, ze konden het gesprek met Lori opnieuw inplannen als ze zich beter voelde. Dat soort dingen gebeurt heel vaak, zei ze. Het belangrijkste is dat je ingrijpt voor er blijvende schade aan de huid optreedt. Dat vertelde mam haar, en toen sloeg ze haar armen om haar heen. 'O Lori, word toch gauw beter! Gooi de kansen niet weg die ik nooit heb gehad!' Lori vindt het vreselijk om haar van streek te maken. Ze zou haast beter worden alleen om naar dat gesprek te kunnen gaan en te zorgen dat mam weer blij wordt. Maar het rare is dat het haar niet meer kan schelen of ze model wordt. Ze kan zich niet eens meer herinneren dat ze model wilde worden! Er zijn zoveel dingen die iemand anders overkomen lijken te zijn, iemand die bijna te wazig is om haar te kunnen zien.

Ze is hier nu bijna twee weken. Meestal is het wel oké, maar soms klinken er midden in de nacht sirenes, het geluid zo hard en doordringend dat ze meteen rechtop in bed zit, en als je dan de volgende ochtend wakker wordt, is er iemand weg. Je hoort de verpleegsters zeggen: 'Arm kind, ze staat voor de poorten van de hel', en dan stel je je die Poorten voor, diepzwart. Maar het hangt allemaal af van hoe je over de dingen denkt, want oké, die Poorten zijn eng, maar het woord 'sirene' doet haar denken aan zingende meisjes, dus als ze bang wordt vanwege haar Plan en dat ze door die Poorten gaat, stelt ze zich voor dat het dat ook zijn: zingende meisjes die je bij de hand nemen en hiervandaan halen. En daar wordt ze weer blij van, want ze weet dat ze haar gauw komen halen (misschien vanavond al!).

'Vertel eens over Daniel, Lori.' Dr. Pollard zit op een draaistoel, zij zit op een zitzak. Er zitten geen tralies voor de ramen. Buiten regent het – waarom stijgt die regen niet op, wordt hij geen zee die door het glas heen ramt? Er zit een soort spray in het haar van dr. Pollard om het voller te laten lijken, zodat je niet ziet dat hij kaal wordt.

'Je begon kort na zijn dood die zelfdestructieve neigingen te voelen, nietwaar? En je raakte verslaafd aan dieetpillen?'

Ze rolt met haar ogen, want het is zo saai om dit steeds maar te moeten uitleggen. Ze heeft het al een miljoen keer uitgelegd of zo: het had niets met Daniel te maken, ze begon die pillen te slikken omdat ze dacht dat ze misschien zwanger was. Maar toen kwam ze erachter dat ze niet zwanger was, en alles begon weer normaal te worden – beter dan normaal zelfs; ze zou een topmodel worden, ze ging met Janine dansen in LA Nites en zoende met een jongen, eentje uit de zesde klas, hij zat op Terenure S! Ze was met de toekomst bezig, ze was wel gestopt met die pillen slikken als ze er even over had nagedacht ...

'Waarom deed je dat dan niet?'

'Waarom deed ik wat dan niet?'

'Waarom ben je niet gestopt met die pillen?'

Ze zucht, ze schuift heen en weer op haar stoel, rolt weer met haar ogen – hoe moet je dat soort dingen nou uitleggen? Het stelde niks voor. Er begonnen haar gewoon dingen op te vallen.

'Wat voor dingen?'

'Irritante dingen. Stomme dingen. Het is allemaal ontzettend stom, het heeft niet eens zin om erover te praten.'

'Geef eens een voorbeeld.'

O, whatever. Dat haar moeder maar steeds kleren bleef kopen

voor dat gesprek bij het modellenbureau; ze ging praktisch elke dag een nieuwe outfit kopen, hoewel ze allebei hadden besloten dat de outfit die ze had perfect was. En als het geen outfit was, dan was het wel iets anders, pumps oogschaduw handtasje muiltjes, pas die eens Lori, en dat er dan bij, en pas daarna dit eens met die; o, of wat vind je van die met die? Ze wilde dat Lori een goede indruk maakte, dat was alles, het begon alleen een beetje irritant te worden, en ondertussen had pap een nieuw kamerscherm gekocht voor zijn studeerkamer en nieuwe fitnessapparaten voor de gym, alleen waren ze nog met de uitbouw bezig, dus stonden ze allemaal in de hal in kartonnen dozen, grote stapels die net zo uitpuilden als paps nieuwe spieren, en hoewel ze wist dat het haar begon te ergeren, bleef Lori zelf ook steeds dingen kopen, op zaterdag in het winkelcentrum van het geld dat mam haar gaf om zichzelf op te vrolijken, make-up en tijdschriften, bedeltjes en slips en topjes en dingen die gewoon in tassen in haar hand verschenen, en plotseling was het alsof het huis overliep van de spullen, elke dag meer, meer en meer en meer, meerenmeerenmeerenmeerenmeerenmeerenmeerenmeerenmeerenmeerenmeerenmeerenmeerenmeerenmeerenmeer als een miljoen krioelende spermacellen, die zich opstapelden en elkaar verdrongen, tot ze zich begon voor te stellen dat het op een dag allemaal door de deur zou komen denderen en haar tegen de muur zou drukken! en het enige wat zij kon doen was die pillen blijven slikken, want die konden zorgen dat er kleine ruimtes voor haar overbleven, nieuwe ruimtes voor haar scheppen waar ze in kon schieten om adem te halen, het was alsof ze moest zorgen dat ze bleef krimpen alleen maar om te zorgen dat er genoeg ruimte voor haar was.

'Dat is goed, Lori, dat is heel goed.'

Daarom is Lori's kamer hier praktisch leeg; ze heeft veel van de meubels weg laten halen, en ze vraagt de verpleegster de meeste bloemen en cadeautjes die ze van mensen krijgt beneden te bewaren. Van thuis heeft ze alleen Lala bij zich, die op haar kussen ligt, en haar BETHani-plakboek, en als pap op bezoek komt, doet ze vaak alsof ze slaapt, draait haar gezicht naar het raam terwijl hij door fitnessbladen voor mannen zit te bladeren, onbewust zijn spieren spant.

'Weet je, Lori,' – dr. Pollard laat zijn stoel ronddraaien – 'de gevoelens die je beschrijft zijn verre van ongewoon. Als je in een kwetsbare gemoedstoestand bent, kunnen de simpele feiten van het leven van alledag heel overweldigend lijken. En niet eten is een heel gebruikelijke reactie op dat gevoel van overweldigd-zijn. We kunnen voedsel zien als de fysieke schakel die ons met de wereld verbindt. Door het te weigeren, proberen we onszelf en ons lichaam los te maken van wat we zien als de schadelijke invloeden van die wereld. Maar paradoxaal genoeg kan die daad van zelfverwezenlijking juist heel schadelijk zijn.'

Hij slaat zijn benen over elkaar, zodat ze zijn walgelijke harige witte scheenbenen kan zien. Ze wilde dat meneer Scott, de leraar Frans, haar bijstond. Ze stelt zich voor dat hij naast haar bed zit en haar Franse poëzie voorleest, het vocabulaire en de beeldspraak uitlegt – *elle est debout sur mes paupières, et ses cheveux sont dans les miens ...*

'Het proces van volwassenwording zou je, psychologisch gezien, kunnen zien als beseffen en accepteren dat we gewoon niet onafhankelijk van de wereld kunnen leven, en dat we daarom moeten leren erin te leven, met alle compromissen die daarbij komen kijken.'

... en hij zou haar geen vragen stellen, en omdat hij niets vroeg zou ze het hem vertellen: hoe het voelt om in puin te liggen, iemand die het ergste wat ze zich ooit kan voorstellen heeft gedaan, wier leven een reeks leugens is geworden die ze leeft, erin gevangen als een spook, terwijl ze alleen maar weg weg weg wil zijn ...

Sst sst, zou hij zeggen, en hij zou zijn armen om haar heen slaan. En haar gewoon vasthouden? En hij zou geen smerige harige schenen hebben.

Ze weet best dat dr. Pollard haar alleen maar wil helpen, maar het zou stukken makkelijker zijn als hij haar gewoon met rust liet! Ze wilde dat ze kon uitleggen dat ze zich helemaal niet slecht voelt. Dat ze weet wat ze doet en zo. Dat ze weet dat het raar klinkt, maar dat het is alsof hoe dunner ze wordt, des te beter ze zich voelt – alsof ze op een berg staat die uit de grond omhoogkomt, haar steeds hoger tilt, de wolken in, weg van al die handen die haar misschien proberen te pakken en vast te houden. Ze vindt het niet erg als de meisjes haar komen opzoeken en hun afschuw of tevredenheid niet kunnen verhullen over hoe ze er nu uitziet, en als Janine verschijnt voor haar grote biechtscène en haar vertelt van haar en Carl, is Lori niet eens kwaad. Ze ziet Janine jankend en snikkend met haar vuisten in haar ogen wrijven. *We konden er niets aan doen, Lori, we zijn verliefd* – zoals je zou kijken naar een insect of zoiets smerigs dat op zijn rug ligt of vastzit in een afvoerputje. Ze wordt niet kwaad, ze vertelt Janine niet dat Carl haar nog steeds sms't, hoewel ze zich wel kan voorstellen dat ze dat zou zeggen en ervan zou genieten hoeveel pijn het Janine doet. Want Carl lijkt heel lang geleden, ze begrijpt nu niet meer hoe ze ooit heeft kunnen willen dat hij of wie dan ook haar aanraakte. En Janine ook – het zijn allemaal dingen die ze achter zich heeft gelaten. Ze is elke dag vrijer, *vrij van zichzelf* of van wat mensen dachten dat ze was. En binnenkort zal ze helemaal vrij zijn, zo vrij als de lucht.

In Lala zitten de pillen die ze met kussen van Carl heeft gekocht. Nu zullen het kussen voor haar zijn, kussen om te zeggen: ik hou van je, Lori. Wie zou haar anders kussen, nu ze de hele tijd de smaak van de dood in haar mond heeft? De echte smaak onder alles, en nu proeft ze die de hele tijd. Maar binnenkort zal ze nooit meer iets hoeven proeven. Het Plan ligt klaar – het nieuwe Plan, háár Plan –, de zingende meisjes zijn onderweg. Ze zullen *Lori, Lori* zingen in de wind, en zij zal wegdansen, zo gracieus als een ballerina – hé, hoort ze ze daar nou? Roept iemand haar naam? Iemand vlak onder haar raam? Maar als ze de gordijnen opzijschuift, is de gestalte die ze beneden ziet staan geen meisje. En hij is zeker niet dun.

Het verbijstert Howard hoe snel hij de draad van de dingen kwijtraakt nu het luiden van de schoolbel zijn dag niet in porties van drie kwartier hakt. De duisternis lijkt kort nadat hij uit bed is gekomen al in te vallen; hij merkt dat hij steeds afhankelijker wordt van de tv om nog enig beeld van de werkelijkheid te hebben, en telkens als de stroom uitvalt, voelt hij, in die eerste seconde van duisternis voor zijn ogen zich aanpassen, de angst dat hij in feite degene is die het licht uit heeft gedaan.

Gisteren is Finian Ó Dálaigh bij hem aan de deur gekomen met een kaart die ondertekend was door de hele Seabrook-staf. Eerst dacht Howard dat hij voor hem was, een steunbetuiging. Dat was het niet, uiteraard; hij was voor Tom Roche. Er zou een huldiging komen tijdens het concert, een eerbetoon voor zijn jaren van toewijding aan Seabrook. 'Ik vond niet dat jij erbuiten gehouden moest worden,' zei Ó Dálaigh attent. 'Dank je,' zei Howard. Hij schreef zijn naam op een lege plek aan de binnenkant; na enig nadenken liet hij het daarbij.

Een huldiging voor zijn jaren van toewijding aan Seabrook. Vandaag, op weg naar huis van de supermarkt, met een achterbank vol goedkoop bier, bleef Howard stilstaan voor het politiebureau. Hij bleef daar vijf volle minuten staan, in de kou. Toen trok hij weer op en reed naar huis.

Hij begint vroeg te drinken, en naarmate het fatale moment van het concert nadert, combineert hij dat met een halfslachtig bestrijden van de entropie die het huis sluipenderwijs heeft overgenomen. Hij komt niet ver; hij zit algauw in elkaar gezakt op de vloer met een doos vol aandenkens aan Halley: foto's, bioscoopkaartjes, plattegronden van musea in buitenlandse steden, allemaal uitgespreid voor zich. Dit gebeurt de laatste tijd veel. Hoe zwakker zijn greep op het heden wordt, des te levendiger het verleden – dat hij zo lang achter zich heeft laten verdwijnen, een schuimend kielzog dat werd verzwolgen door de koude, eindeloze oceaan van de geleefde levens in de wereld – lijkt te worden; dat gevoel wordt nog versterkt als de stroom uitvalt en hij een kaars moet aansteken om het vervagende daglicht te ondersteunen. Hij vindt het niet erg – integendeel, hij heeft het gevoel dat hij hier rustig de rest van zijn leven zou kunnen doorbrengen, terugdenkend aan stedentrips, vakanties, feestjes bij vrienden. Hij wilde alleen dat Halley bij hem was, zodat hij kon zeggen: *Hé, moet je deze zien, weet je nog zus-of-zo?* En dat hij haar dan hoorde antwoorden: *Ja, ja, zo was het.*

En dan vindt hij achter in een kastje die camera – de magische zomercamera, waar ze een paar maanden geleden een recensie over moest schrijven. Met een gevoel van opwinding, omdat hij weet dat die heuse bewegende beelden van haar bevat, zet hij hem aan; en even later ziet hij haar, die dag in de keuken, met een sigaret in haar hand en het licht dat op haar gezicht valt. Zijn hart maakt een sprongetje, terwijl hij haar hem vanaf het scherm tegemoet ziet flikkeren; en dan wordt zijn hart zwaar, terwijl het gelukkige tafereeltje, onverklaarbaar en onstuitbaar, uitmondt in een ruzie. Hij speelt het clipje steeds opnieuw af met verdoofde vingers, kijkt hoe hun gesprek zich ontspint, luistert hoe ze tegen hem zegt dat hij het moet laten zitten, dat hij dat ding weg moet doen. Zelfs op het piepkleine schermpje is de droefenis die in haar gezicht is geëtst niet over het hoofd te zien. Dat heb jij gedaan, Howard.

Alles klingelt als klokken in zijn hoofd. Hij schakelt de camera uit en zet hem neer. Hij pakt de foto's en kaartjes op, maar de doos glipt uit zijn handen en de inhoud – al die dagen die hij zich zo zorgvuldig verkeerd heeft herinnerd – glijdt over de vloer als wezen die zijn ontsnapt uit de kelder van een bruut. Hij slaakt een brul, hij bukt weer om ze op te rapen, maar dit keer slaagt hij erin zijn elleboog te schroeien aan de kaars. Fuck it! Fuck! Tandenknarsend van woede steekt hij zijn vlakke hand met de palm naar beneden in de vlam. Hij houdt hem daar zo lang mogelijk, en dan nog even, tot alle gedachten uit zijn hoofd zijn gebrand, en dan nog wat langer. Tranen lopen over zijn wangen, bliksemschichten flitsen onder zijn oogleden. De pijn is verbijsterend, als een nieuwe wereld die onder deze ligt, rauw en levendig en huiverend. De lucht vult zich met de geur van verschroeid vlees. Uiteindelijk trekt hij met een schreeuw zijn hand terug en stommelt naar de badkamer.

Zijn hele hand is gevoelloos; hij voelt als een vreemde substantie, een klompje vuur of pure pijn dat aan het eind van zijn arm is geplant. Als hij het koude water eroverheen laat stromen, is het alsof zijn hele lichaam ergens door wordt getroffen – als een ridder die aan een lans wordt geregen tijdens een steekspel, of twee golven die op elkaar klappen, materie en antimaterie. Je vergeet weleens hoe pijnlijk pijn is, hoe letterlijk en onironisch. Hij staat daar te snikken, terwijl het water zich in zijn vlees boort, de pijn schel in zijn oor als een alarm. Maar zijn geest, die boven het tafereel hangt, is plotseling kristalhelder.

Het parkeerterrein is uitgerust met blauw-met-gouden sprookjeslampen – aardig detail, Trudy's idee. Boven aan de trap naar de gymzaal ziet Waarnemend Rector Greg Costigan de gasten arriveren, in smokings en lange, elegante avondjurken uit hun auto's komen. De schooldagsoundtrack van met hoge stemmetjes uitgeroepen krachttermen op de binnenplaats heeft plaatsgemaakt voor stemmig, waardig geroezemoes. Ze kunnen hem ook zien staan, omlijst door de gloeiende deurpost van de Zaal, terwijl hij staat te wachten om hen te begroeten als, neemt hij aan, de kapitein, de kapitein van een schip. Het fraaie schip de *Seabrook*.

Terwijl hij zo uitkijkt over deze pracht en praal, is het woord dat onvermijdelijk in hem opkomt 'gerechtvaardigd'. Greg zal de eerste zijn om toe te geven dat de afgelopen maanden niet bepaald van een leien dakje zijn gegaan, hier op de *SS Seabrook*. Dat voorval met Juster, disciplinaire problemen, slechte rugbyprestaties – in onzekere tijden als deze zouden de meeste mannen in zijn positie geneigd zijn geweest hun kop laag te houden, de storm uit te zitten, zich niet te wagen aan een in het oog springende, risicovolle onderneming als deze. Maar Greg is niet het soort Waarnemend Rector dat zich door tegenslag laat afschrikken. Een dapper gebaar was precies wat er nodig was om het verval een halt toe te roepen – iets groots, flitsends en extravagants, om de aandeelhouders tevreden te stellen en het zelfvertrouwen over de gehele linie te vergroten. Want een school is, naast het feit dat die op een schip lijkt, ook net een markt, en als de markt vertrouwen heeft, maakt het in wezen niet uit wat voor kleine technische probleempjes er eventueel achter de schermen spelen.

En tot dusverre heeft dat besluit voor de volle honderd procent gunstig uitgepakt en is het gerechtvaardigd. Er heerst vanavond een sfeer van uitmuntendheid, het soort uitmuntendheid dat je niet kunt kopen, in de zaal. Verspreid tussen de ouders – het is trouwens volle bak, wat bewijst dat zijn besluit met betrekking tot de prijs van de kaartjes goed is geweest en gerechtvaardigd was – loopt een soort Best of Seabrook rond, enkelen van de kopstukken van de afgelopen dertig jaar: sporters, captains of industry, persoonlijkheden uit de media, de crème de la crème van de Ierse samenleving in feite. Een geweldige opkomst, een bewijs van de speciale band die Seabrook smeedt – zoals Greg aan Frank Hart uitlegt, uit de klas van '68, scrumhalf in het Ierse team tussen 1971 en 1978, die nu in het vastgoed zit en meervoudig miljonair is. 'Het maakt niet uit of je nou vijf jaar of vijfenvijftig jaar geleden eindexamen hebt gedaan. Je zult altijd deel uitmaken van de familie. In de moderne wereld van vandaag de dag is dat een zeldzaam en kostbaar iets.'

'Komt pater Furlong vanavond nog?' informeert Hart.

'Was het maar waar, Frank, was het maar waar. Want in zekere zin is dit zijn avond, een eerbetoon aan hem en zijn voorgangers en aan het prachtige geschenk van onderwijs dat ze aan zoveel generaties Ierse jongens hebben gegeven. Helaas is hij nog niet genoeg hersteld om het ziekenhuis te verlaten.'

'Maar zo is het podium wel vrij voor jou,' grapt Hart.

Greg lacht gemaakt. 'Het zou een hele klus worden om hem op te volgen,' zegt hij.

Frank Hart heeft uiteraard volkomen gelijk; dit honderdveertigjarig-jubileumconcert markeert de wisseling van de wacht. Zelfs de Paracleten zullen nu toch wel erkennen dat hun tijd geweest is. Je kunt je tegenwoordig niet meer achter een kruisbeeld blijven verbergen; wie er ook in de kleine en nogal verwijfde schoenen van Furlong stapt, diegene zal rekening moeten houden met de realiteit van het leven in de eenentwintigste eeuw. Had Desmond Furlong een honderdveertigjarig-jubileumconcert kunnen organiseren dat live wordt uitgezonden in het hele land? Laat staan dat hij het hoofd had kunnen bieden aan een potentieel schandaal dat de hele school had kunnen verwoesten. Op de een of andere manier denkt Greg dat in een traditionele Afrikaanse stoel naar een stel zwemmende vissen zitten kijken dit keer weleens niet genoeg geweest had kunnen zijn. En dat weten die Paracleten heel goed.

Dus in bepaalde opzichten is dit eigenlijk een droevige gelegenheid – hij verzinkt in zijn verbeelding in een soort acceptatietoespraak, gehouden in een zaal van ongeveer dezelfde grootte, gelijkelijk gevuld met notabelen – aangezien ze het einde van een tijdperk markeert. Maar in andere opzichten is het een vreugdevolle: omdat ze bewijst dat hoewel de Paracleten dan praktisch weg mogen zijn, hun normen en waarden zullen voortleven. Misschien zullen de mannen die ze uitdragen een pak met stropdas dragen in plaats van een hondenhalsband; misschien zullen ze een laptop dragen in plaats van een bijbel, en misschien zal de naam van de brug die ze gebruiken om verschillende gemeenschappen samen te brengen niet 'God' maar een 'gemeenschappelijk zakenmodel' heten. Maar hoewel de uiterlijke verschijningsvormen misschien zullen veranderen, zullen de waarden zelf hetzelfde blijven – de Seabrook-waarden van geloof, fatsoen en wat dies meer zij.

Ja, terwijl hij het schouwspel zo overziet – de gigantische geluidsinstallatie, de radiotechnicus die aan het werk is achter zijn paneel, de eerste (van twee) cameramannen die over het publiek pant, de majestueuze banieren en wimpels (die op het laatste moment van buiten de school zijn betrokken, omdat de exemplaren die de Kunstafdeling te bieden had teleurstellend slordig waren – gerafelde zomen, ongelijkmatige belettering, 'Christus' dat verkeerd was gespeld als 'Cristus' etc.), de mensen in het publiek die met interesse de inhoud doorlezen van de goudomrande, wit-met-blauwe enveloppen die op hun stoelen zijn gelegd, die opwindend nieuws bevatten over de aanstaande aan Seabrook gelieerde creditcard – denkt Greg dat vanavond hem geen kwaad zal hebben gedaan, helemaal geen kwaad. Nu hoeft hij alleen zijn ogen nog maar open te houden en te zorgen dat er niets verkeerd …

'Haha, kijk eens wie we daar hebben.' Greg is in een oogwenk door de menigte geschoten om de verkreukelde gestalte die met de kaartjescontroleur bij de deur staat te bekvechten op zijn schouder te slaan. 'Howard, fantastisch om je te zien, wat kan ik voor je doen?'

Howard kijkt knipperend naar hem op, met open mond. 'Eh, ja, nou, ik wilde naar de optredens komen kijken …'

'Hij heeft geen kaartje,' zegt de jongen aan de deur nors.

'O, jeetje, da's nou jammer, want – jezus, Howard, wat is er met je hand gebeurd?' De voormalige geschiedenisleraar zit in ongeveer een halve kilometer niet erg schoon verband gewikkeld. Hij begint iets te brabbelen over een ongelukje toen hij aan het roerbakken was, waarbij hij Gregs middenrif toespreekt.

'Ben je ermee naar een dokter geweest?' onderbreekt de Waarnemend Rector hem.

'Nou, nee, nog niet,' zegt Howard, die nog steeds oogcontact vermijdt. Hij voert iets in zijn schild, denkt Greg. Als je de hele dag omgaat met puberjongens, leer je de tekenen van een snood plan behoorlijk snel herkennen.

'Zo te zien heb je medische verzorging nodig. Als ik jou was, ging ik er meteen mee naar een dokter.'

'Ja, maar ...' mompelt Howard, 'maar ik wilde het concert niet missen.'

Greg maakt een gebaar van frustratie met zijn vuist. 'Nou, verdorie, Howard, dat is heel jammer, want het punt is dat de kaartjes helemaal zijn uitverkocht.'

Howard gaapt hem hulpeloos aan. Golven dranklucht slaan van hem af. 'Kun je niet ... Ik bedoel ...'

Greg zou er niet over peinzen hem ook maar in de buurt van het concert te laten komen, zelfs niet als hij er níét uit had gezien alsof hij de afgelopen drie dagen dronken in een greppel had gelegen. 'Ik zou het dolgraag doen, Howard,' – hij slaat zijn arm om Howards schouders en leidt hem uit de baan van de echte gasten, die beginnen te fluisteren en te wijzen – '... echt waar, maar we moeten al mensen wegsturen.'

'Ik heb alleen ...' Greg kan de radertjes in 's mans verstopte hersenen bijna horen draaien, '... ik heb alleen, nou ja, omdat ik aan het programmaboekje heb gewerkt en zo, een beetje, ik voel een soort persoonlijke ... persoonlijke wens om ...'

'Dat begrijp ik volkomen, Howard. Dat begrijp ik volkomen.' Broeder Jonas is bij zijn elleboog verschenen; Greg knikt hem betekenisvol toe. 'Weet je wat, waarom gaan we niet even lekker een luchtje scheppen buiten? Dan hebben we het er daar over.'

'Oké,' zegt Howard bedrukt, maar dan roept hij zichzelf tot de orde. 'Eigenlijk vroeg ik me af of ik even met Tom kan praten?'

'Met Tom?' Greg glimlacht bezorgd. 'Wat heb jij Tom dan te zeggen?'

'Ik wilde hem alleen maar succes wensen? Voor de toekomst?'

'Dat is heel vriendelijk van je, Howard, en ik zal de boodschap met plezier doorgeven. Maar we staan nu op het punt te beginnen, dus het lijkt me beter dat je ...'

'Oké, maar ... misschien alleen even ...'

'Nee, dat lijkt me geen goed ...'

'Ik zie hem daar staan – Tom! T... aauw!'

'Howard? Gaat het, Howard?'

'Ik ... ah ... eh ...'

'Neem even de tijd om op adem te komen, goed zo, lekker wat frisse lucht ...'

'Is er iets mis, Greg?' roept Oliver Taggart, uit de klas van '82, vanaf de trap naar de zaal.

'Ha ha, Olly, ouwe rakker! Nee hoor, alleen een beetje, een beetje plankenkoorts, dat is alles ...'

Met hulp van broeder Jonas weet Greg Howard met zachte hand een stukje verder de bossige schaduwen van de binnenplaats in te krijgen. 'Sorry, makker, ik raakte je een beetje onhandig. Ik moet per ongeluk je hand hebben geschampt ...' Howard hijgt en pruttelt in zichzelf. De man heeft duidelijk een soort zenuwinzinking. Dat kan weleens gunstig blijken. Misschien slaat hij wel helemaal door, houdt hij op met lesgeven en bespaart hij Greg een hoop kopzorgen. Het is tegenwoordig verdomd lastig om iemand te ontslaan. 'Hoe gaat het nou? Voel je je weer wat beter? Weet je wat, Howard, ik vind het erg jammer dat je er niet live bij kunt zijn, maar gezien je bijdrage zal ik je een gratis dvd van het concert sturen, van het huis. Wat zeg je daarvan?'

Howard sputtert ontmoedigd.

'Goed zo, knul. Ga nu maar naar huis en rust even lekker uit. Broeder Jonas zal je naar de poort brengen. Geniet van je vrije tijd.'

Wat hij ook van plan was, Howard erkent nu zijn nederlaag en strompelt de avond in, met de broeder een paar stappen achter hem aan. Greg blijft glimlachen en zwaaien tot hij veilig uit het zicht is. Dan zegt hij tegen Gary Toolan bij de deur dat hij hem *onmiddellijk* moet waarschuwen mocht Howard weer verschijnen. Wat een gek. Verdorie, als er ook maar een greintje gerechtigheid bestond in de wereld, dan werd Howard naar Timboektoe gestuurd, niet Tom Roche.

Het voordeel van de hele toestand is dat hij de ouverture van Tiernan Marsh bijna helemaal misloopt. Maar het is een doorslaand succes. De MC van de avond komt op, Titch Fitzpatrick, een joch met een geweldige instelling en wagonladingen charme, en kondigt de volgende act aan – het is Shadowfax, die *Another Brick in the Wall* van Pink Floyd speelt. Opgaand in de marcherende, puntige ritmes vergeet Greg algauw het hele onprettige gedoe met Howard. *We don't need no education* ... Het zou zijn leerlingen misschien verbazen als ze hoorden dat Greg ooit zelf een band heeft gehad. Ze noemden zich de Ugly Rumours, coverden ditzelfde liedje. *Hey! Teacher! Leave them kids alone!* En nu is hij Waarnemend Rector van een school! Wat kan het leven toch raar lopen.

Als hij in zijn programmaboekje kijkt (met daarin een kort essay van Gregory L. Costigan, getiteld 'Een goeie stuit van de bal: 140 jaar leven op Seabrook'), ziet hij dat het Kwartet hierna komt, dat dat wijsje van de Citroën-reclame speelt. Hij speurt de zaal af naar Connie Laughton en ziet hem verwachtingsvol drentelen aan de rand van het podium, met zijn dirigeerstokje onder zijn arm. Fijn dat Van Doren weer aan boord is, zeker voor Connie. En het publiek zal ervan smullen, wacht maar af. Het is echt een verdomd goed programma. Misschien moet hij maar vijf pond extra vragen voor die dvd's.

Titch Fitzpatrick verlaat het podium en Greg glimlacht verwachtingsvol. Maar als het Kwartet verschijnt, vervaagt zijn glimlach algauw tot een frons. Wat is er in vredesnaam met Van Dorens hoorn gebeurd? En waarom zijn ze alle vier in *aluminiumfolie* gewikkeld?

Ma is de keuken aan het schoonmaken. Daar is ze al uren mee bezig, op haar knieën in haar ochtendjas. Die emmer met spul ruikt alsof je er high van kunt worden. 'Ik ga uit,' zegt Carl. Ma hoort hem niet.

Barry staat bij Ed's te wachten als hij daar aankomt. Hij loopt heen en weer als een vastgebonden hond. Een seconde later komt de auto voorrijden en zwaait het portier open.

In de auto zijn de ogen van iedereen rood van de hasjrook. Ze lachen allemaal en zeiken elkaar af zoals altijd, maar daaronder voel je andere dingen rondcirkelen als haaien. Carl gaat in de achterbak zitten omdat er geen ruimte is. Hij kijkt naar de zaterdagavondstraten buiten, patatkramen, reclameborden, verkeerslichten, alsof een enorme hand zich om hen heen sluit.

Over Deano's schoot ligt de sporttas van onder het bed.

In zijn hoofd een zwart veld, handen die oprijzen uit het gras.

'Waar is het ergens?' zegt Barry.

'Niet ver weg,' zegt Mark.

Iedereen kauwt op de binnenkant van zijn wang. Om ze af te leiden vraagt Deano: als ze ieder wijf konden krijgen, wie zou dan hun eerste keus zijn? 'Ik ga wel eerst. Angelina Jolie, verre-fokking-weg.' Mark noemt Scarlett. Knoxer zegt BETHani. 'Eh, is die wel meerderjarig?' zegt Deano. 'Als ze oud genoeg is om te bloeden, maakt 't mij niet uit,' antwoordt Knoxer. Barry zegt Beyoncé. 'Maar die is zwart!' zegt Ste en iedereen lacht.

'En jij dan, mafkees?' zegt Deano.

Carl wil Lori zeggen, alleen maar om haar naam uit te kunnen spreken. Maar hij wil hem niet in deze auto zeggen. Het is net alsof ze nu zand is, magisch zand, waar hij nog maar een beetje van over heeft, en als hij het hier tevoorschijn haalt, waait het weg.

'Nou?'

LORILORILORI klinkt het in zijn hoofd. Hij kan wel janken. 'Ook Beyoncé,' zegt hij.

Knoxer gromt. 'Jezus, zeg.'

'Stephen?' zegt Deano tegen Ste. Ste zwijgt een hele tijd. Dan zegt hij: 'Helena van Troje.'

'Watte?'

'Wie de fok is Helena van Troje?'

'Dat was een Griekse,' zegt Ste. 'Ze hebben een oorlog om haar uitgevochten.' 'Vietnam?' vraagt Carl. 'Nee, spast,' zegt Ste. 'Duizend jaar geleden of zo, in Griekenland.'

'Dat is stom,' zegt Deano.

'Hoezo stom?'

'Omdat je niet eens weet hoe ze eruitzag.'

'Ze hebben een fokking óórlog om haar uitgevochten. Dan moet het dus wel een fokking lekker wijf zijn geweest.'

'Jawel, maar je moet iemand noemen die nog lééft,' zegt Deano.

'Waarom?' zegt Ste.

'Omdat je haar moeilijk kunt palen als ze fokking dood is.'

'Jezus, man.' Ste begint pissig te worden. 'Het is een spelletje, eikel. Het maakt niet uit wie we fokking kiezen. Dacht je soms dat Angelina fokking Jolie jou gaat beklimmen, alleen maar omdat je haar gekozen hebt? Als Angelina Jolie hier in deze fokking auto zat, dan durf ik er een miljoen om te verwedden dat ze nog eerder die mafkees hier zou neuken dan jou.'

Deano klemt zijn mond stevig dicht en kijkt uit het raam.

'Ik wil maar zeggen,' zegt Ste, 'als je het lekkerste wijf wilt kiezen, dan heb je je Beyoncés en je Angelina's en zo, maar dat ouwe besje dat naar haar bingoavond loopt te schuifelen was vijftig jaar geleden misschien wel lekkerder dan al die wijven bij elkaar. Misschien was ze wel het lekkerste wijf aller tijden. En dan heb je ook nog eens al die wijven die dood zijn. In de geschiedenis moeten er miljoenen geweldige wippen hebben rondgelopen. Maar wij zullen niet eens weten hoe ze eruit hebben gezien.'

'Waar de fok lul je nou over, achterlijke?' zegt Knoxer.

'Kweetnie,' zegt Ste. 'Het lijkt gewoon een beetje oneerlijk.'

'Misschien vindt er nog weleens iemand een tijdmachine uit, en dan kun je terugreizen in de tijd om al die dooie wijven te neuken,' zegt Deano.

'Jullie zijn fokking ráár, gasten,' zegt Knoxer. Dan stopt de auto en iedereen valt stil.

'*We're he-ere*,' zegt Mark met een *Poltergeist*-stemmetje.

Ze staan in een gewoon uitziende straat met aan weerszijden gewoon uitziende huizen. Maar vlak voor de auto, midden tussen die gewone huizen, staan die hekken. Ze doen Carl denken aan de hekken voor Lori's huis, maar ze zijn hier niet in Foxrock, hij weet niet waar ze zijn. Er loopt een muur die te hoog is om te beklimmen van de hekken tot achter de huizen.

Ze blijven even in de auto zitten, alsof ze ergens op wachten, maar Carl weet niet waarop. 'Ik kan dit niet zonder een snuifje,' zegt Mark uiteindelijk en hij reikt over Ste's benen heen naar het handschoenenkastje. Er zit een pakje in, gewikkeld in bruin papier, met daarin een blikken etuitje vol coke. Mark neemt een snuifje en geeft het door aan Ste, en daarna nemen Deano en Knoxer wat. Maar Knoxer geeft het terug aan Ste zonder dat Carl of Barry iets krijgt. Hij kijkt niet naar ze, doet alsof hij even is vergeten dat ze er zijn. 'Oké,' zegt Mark. Hij stapt uit de auto en loopt naar de intercom. Carl verstaat niet wat hij zegt. Hij stapt weer in de auto. Ze zeggen niks, de coke brandt elektrisch in de lucht. De hekken zwaaien open. Mark rijdt erdoorheen. De hekken gaan achter hen weer dicht. Hij parkeert de auto voor een huisje dat er niet uitziet alsof er iemand thuis is. De anderen stappen allemaal uit, iemand maakt de achterbak open. Er zijn geen lampen, de lucht is donkerblauw geworden en iedereen is in een schaduw veranderd. Dit is fokking raar. Net, aan de andere kant van de muur, waren ze nog in de stad. Nu is het net alsof ze op het platteland zijn. 'Kom op,' zegt Mark met het pakje in zijn hand, en hij verdwijnt meteen het donker in alsof hij in een gat is gevallen.

De grond zakt weg onder Carls voeten. Ze staan in een moeras of zo. Hij moet zich haasten om de anderen niet kwijt te raken, hij ziet geen hand voor ogen en er is iets, iets wat beweegt, op hen af komt stampen, Deano grijpt in de sporttas ...

Paarden. Ze komen zo dichtbij dat hij de omtrek van hun puntige oren kan zien. Dan blijven ze staan en wachten, terwijl er adem uit hun neus puft. Ze kijken toe terwijl zij langslopen, alsof ze iets weten. Ze weten wie er op Carl staat te wachten.

Plotseling is het ijskoud. De anderen staan onder de bomen, het geluid van ruisend water klinkt. Hun gezichten verschijnen als hij dichterbij komt, als spoken op een begraafplaats. Weten zij het ook? Een slijmerige boomstam ligt over een stroompje. Deano glimlacht. 'Dames gaan voor,' zegt hij. Carl loopt op handen en knieën over de boomstam.

'Waar is die kloot?' hoort hij Knoxer zeggen.

Ze hebben het over de Druïde, Carl! Ze weten niks van Dode Jongen, ze brengen je niet naar hem toe!

Nu zijn ze in een bos; takken slaan steeds terug in Carls gezicht.

Maar wat nou als Dode Jongen ook in hun hoofd zit, tegen hun gedachten duwt met zijn doorzichtige handen? Wat nou als dit allemaal niet eens echt is? Misschien zit Carl wel in een nachtmerrie, misschien heeft hij wel een hele zooi hasj gerookt en slaapt hij. Wakker worden, Carl! Wakker worden, wakker worden!

Maar dan, als een vonk uit een aansteker, ziet hij een piepklein oranje vlammetje ergens in het donker. 'Kijk!' roept hij. Zonder op de anderen te wachten strompelt hij eropaf, negeert de takken in zijn gezicht en de doornstruiken die aan zijn enkels trekken, tot de bossen zich openen en een veld onthullen, en de vonk verandert in een vreugdevuur.

Er staan twee mannen voor het vuur. De ene heeft lang haar en een baard, die in klitten tot op zijn borst hangt. Hij draagt een gewaad met zonnen en manen erop, en hij leunt op het heft van een enorm zwaard. De andere man is klein en scheel, en ziet er een beetje krankzinnig uit. Hij heeft een hand in de zak van zijn leren jack gestoken.

'*I went out to the hazel wood*,' zegt de lange man met de baard, '*because a fire was in my head ...*'

'Alles goed?' Mark en de anderen komen bij het vreugdevuur.

'Beter dan ooit,' zegt de man. 'Ik zie dat je een paar vrienden hebt meegenomen?' Hij knikt naar Carl en Barry.

'Dat zijn gewoon twee jonge gasten die ons een beetje geholpen hebben,' zegt Mark. 'Ze wilden graag mee.'

'Waarom niet, waarom niet,' knikt de Druïde verder. 'Hoe meer zielen, hoe meer vreugd. Kom je toch warmen.' Hij zwaait met zijn handen, en ze stappen naar het vuur. En dan is er ineens een flits, een flits van lucht, niet het soort flits dat je kunt zien. Nu is het zwaard van de Druïde uitgestoken, met de punt tegen Deano's keel gedrukt.

Even verroert niemand zich, alsof de hele wereld op de punt van dat zwaard balanceert. Dan buigt de schele man zich naar voren en grist de sporttas uit Deano's hand.

'Laten we dit maar meteen afhandelen,' zegt de Druïde. De schele man haalt het geweer uit de tas, klikt het op zijn knie open en laat de patronen er ratelend uit vallen. De Druïde laat zijn zwaard zakken. Deano zakt in elkaar alsof hij leegloopt. 'Zo, vrienden,' zegt de Druïde. 'Eerst zaken, dan plezier. Laten we ons terugtrekken in mijn kantoor.'

Hij draait zich om en loopt de heuvel op. Ze volgen hem met de schele man achter hen aan. Niemand heeft een woord gezegd sinds de Druïde met zijn zwaard zwaaide. Angst zindert in de wolken, in het hoge gras, de lichtjes van de stad rijzen op om hen heen, alsof ze komen kijken naar iets wat te gebeuren staat. En nu verschijnt er een schim boven aan de heuvel, een rotsige, zwarte schim die hen aanstaart als een doodskop.

'Wie van jullie geleerde heren kan me vertellen wat dit is?' zegt de Druïde opgewekt.

Ze zeggen geen van allen iets, en dan zegt Barry met een stem alsof hij gehypnotiseerd is: 'Een dolmen.'

'Heel goed.' De Druïde is tevreden. 'Een van de oudste vormen van een grafkelder. Ook wel een Poortgraf genoemd, aangezien het een poort naar het land van de dood is. Zoals jullie zien is het een opvallend driehoekig bouwsel, dat de drie aspecten van de Godin symboliseert.' Hij gaat met zijn blik een voor een de gezichten af. 'In vroeger tijden werden hier de offers voor de onzichtbaren achtergelaten,' zegt hij.

Even gebeurt er niets. Dan komt Mark met een schok in beweging. Hij haalt het pakketje onder zijn riem vandaan en houdt het de Druïde voor. Maar de schele man grist het uit zijn handen. Hij scheurt het papier eraf en telt mompelend het geld. De Druïde leunt op zijn zwaard en kijkt hen met een glimlachje aan, als iemand die naar spelende kinderen kijkt. Als hij klaar is tilt de schele man zijn hoofd op. Hij knikt naar de Druïde. De Druïde loopt naar de dolmen en reikt met zijn arm in het donkere gat tussen de rotsen op de grond en de stenen plaat die eroverheen ligt. Zijn hand komt tevoorschijn met een zak erin. Die gooit hij naar Mark. Mark maakt hem open. Er zitten kleinere zakjes met wit poeder in, andere zakjes met pillen, een stuk hasj in folie. Het is net als op tv. 'Alles naar tevredenheid?' vraagt de Druïde.

'Ja, perfect,' zegt Mark. 'Erg bedankt.' Hij kijkt naar Knoxer, naar Ste. Ste gebaart met een ruk met zijn hoofd richting auto. 'Nou,' zegt Mark.

De Druïde heeft zijn hoofd in zijn nek gelegd en kijkt op naar de hemel. 'Jullie gaan toch nog niet weg?' zegt hij.

Laten we gaan laten we gaan laten we gaan, denkt Carl, dat denken ze allemaal. Mark ook, maar hij weet niet wat hij moet doen.

'Kom,' zegt de Druïde. 'We zien onze vrienden maar zo zelden. Laten we bij het vuur gaan zitten.'

Aan de voet van de heuvel brandt het vreugdevuur inmiddels laag. De schele man pakt een jerrycan op en giet er benzine overheen. Vlammen schieten omhoog. De Druïde lacht. 'Ga zitten, ga zitten,' zegt hij lachend. Ze gaan er in een kring omheen zitten, als kinderen. Ste probeert Marks blik te vangen, maar die weigert hem aan te kijken. De Druïde pakt een pijp uit zijn gewaad, steekt hem aan en laat hem rondgaan. In het licht van het kampvuur kun je zien dat hij niet zo oud is – minder oud dan Carls vader.

'Ooit was dit hele land een bolwerk van de Godin,' zegt hij. 'Je ziet hier overal magische plekken. Die moderne jakhalzen zien dat natuurlijk niet, ze zouden zo beton over deze heuvel storten als je ze maar even de kans gaf. Maar iedereen met oren om te horen ...' Hij trekt zijn schouders in. Het zwaard ligt naast hem op de grond, wijzend naar het vuur als een gouden tong die drinkt. '... kan ze hóren,' sist hij. 'De doden.'

Carl krijgt de pijp. De rook smaakt raar, misschien omdat ze hier buiten zitten, in de velden, tussen de bomen. Hij probeert de doden niet te horen, hij probeert niet te denken aan dat zwarte gat tussen de rotsen van de dolmen waar de Druïde zijn hand in stopte.

'Vandaar mijn kleine onderneming,' zegt de Druïde. 'Ik ben door de Godin uitverkoren om deze heuvel te beschermen tegen schenders.'

'Hoe oud is ie dan ongeveer?' vraagt Mark, omdat de Druïde hem aanstaart. 'Die dolmen en zo?'

De Druïde valt stil, alsof hij terugdenkt aan de tijd dat hij gebouwd werd. 'Een jaar of ... drieduizend?'

Naast Carl barst Deano in gegiechel uit. Hij probeert het te onderdrukken, maar het wordt alleen maar erger. Hij blijft maar lachen, hoge hyenapiepjes, tot hij op zijn zij ligt. Dan, als hij weer iets uit kan brengen, zegt hij: 'Sorry ... deed me alleen denken aan een sukkel ... die met een fokking skelet wil neuken ...' Hij barst weer in gegiechel uit.

De Druïde staart Deano zonder te glimlachen aan. 'Het was gewoon een spelletje dat we onderweg hiernaartoe speelden,' legt Mark uit. 'Als je een vrouw kon kiezen om, je weet wel, bij te zijn. Ste koos Helena van Troje.'

'Helena van fokking Troje ...' giert Deano. 'Die maffe lul.'

Ste kijkt nog pissiger, alsof hij zich er maar net van kan weerhouden iets terug te zeggen.

De Druïde staart alleen maar. 'Helena van Troje,' zegt hij.

Barry geeft Carl de pijp weer aan. Zijn ogen zijn als de zwarte luchten boven een verloren plek, maar boven zijn hoofd zijn de sterren als miljoenen ogen. Carl doet alsof hij niet voelt dat ze naar hem kijken, en kijkt in het vuur. *V. Maar in het vuur zijn graaiende handen die je proberen te pakken!!! A. Ook niet in het vuur kijken!!!* Hij zuigt aan de pijp, probeert de muur van mist op te bouwen die hem verbergt voor de doden! Maar dit keer verbergt de rook hem niet, die leidt hem juist dieper naar binnen!

'Helena, die Helle was,' zegt de Druïde, 'was niemand minder dan Persephone, de Godin van de Dood en de Wederopstanding. Dit hele land was van haar, het is haar Poort hier boven op de heuvel.'

Ste slaakt een zucht en kijkt op zijn horloge.

'In het Erin van ooit was ze Brigit, de geëxalteerde, de vurige pijl. In Wales was ze de Negenvoudige Muze Ceridwen. Ze is Astarte, Venus, Hekate, en duizend anderen. Ze is de Godin die achter alle dingen schuilt, het ultieme object van verlangen aan wie geen man weerstand kan bieden en die geen man kan bezitten zonder vernietigd te worden, die ons allen regeerde voor haar troon haar ontstolen werd.'

En plotseling weet Carl waarom Dode Jongen hem hierheen heeft gebracht. Hij gaat Carl meenemen, door de Poort! Hij wil wel gillen, hij wil opstaan en wegrennen. Maar hij is behekst, waardoor hij een miljoen ton lijkt te wegen. Het is de heuvel die hem nu al naar zich toe trekt, het zijn de handen in het vuur die hem tegen de grond drukken. Straks zal hij de Poort open horen gaan, en dan zullen de schaduwen komen!

'Gestolen door de Kerk,' zegt de Druïde, 'door priestertjes in cellen die hun bijbels bij elkaar krabbelden, alleen belust op goud en macht! Dieven en pedofielen, die aan het hoofd stonden van een perversie! Maar ze zal gewroken worden! Ze zal ze allemaal verzengen in haar heilige vuur!'

Ste springt overeind. 'Mijn reet vriest vast met al dat gelul!' roept hij. 'Ik zie jullie in de auto!' Hij draait zich om om de heuvel weer af te lopen – maar nu staat het kleine mannetje ook op, hij stopt zijn hand in zijn jack ...

Dan valt Barry naar voren. Na een tijdje vatten de uiteindjes van zijn haar voorzichtig vlam. Er verschijnen kleine vlammetjes, als kaarsjes op een verjaardagstaart. Hij begint hard te snurken. Iedereen moet lachen, zelfs Ste, zelfs het kleine, schele mannetje.

'Volgens mij heeft iemand hier genoeg gehad,' zegt de Druïde.

'Kan niet zeggen dat ik het hem fokking kwalijk kan nemen,' zegt Deano. 'Die wiet is fokking dodelijk.'

'Het is geen wiet, knul.' De Druïde lacht een harde, buikige lach. 'Het is heroïne.' Hij lacht nog wat, en ze lachen allemaal mee. Ze lachen en lachen, iedereen lacht!

Maar Carl voelt zich o zo bedroefd.

En dan begint het geschreeuw.

'Ik vraag me alleen af of het wel helemaal veilig is ...' Jeekers staat in de coulissen.

'Ik denk niet dat er gewonden zullen vallen,' zegt Ruprecht. 'Hoewel er wel wat schade aan het gebouw kan optreden.'

'O mijn god,' jammert Jeekers in zichzelf. Maar het is te laat – Titch is ze al aan het aankondigen; en nu lopen ze het podium op. Die lampen zijn zo fel, en zo heet! Maar toch lijkt hij zelfs door de lampen heen de ijzige blik van zijn ouders nog te kunnen voelen, de gretige glinstering in hun ogen terwijl ze klaarzitten om hem een cijfer tussen een en tien te geven voor dit nieuwe gebied waarop hij zich ontplooit; en hoewel hij ze niet kan zien, en ondanks wat hij op het punt staat te gaan doen, forceert hij een waterig glimlachje en stuurt het de grote duisternis in.

Twee dagen geleden zat Jeekers in zijn eentje te lunchen op de binnenplaats, zoals hij dat elke dag doet, toen Ruprecht naast hem ging zitten en vertelde dat hij het Kwartet weer bij elkaar wilde krijgen. Jeekers was verrast dat te horen, na alles wat er gebeurd was. Maar toen legde Ruprecht uit waaróm. Hij wilde het Kwartet gebruiken om een boodschap door te geven aan Skippy. 'Ik weet dat het raar klinkt,' zei hij, 'maar feit is dat er een solide wetenschappelijk principe aan ten grondslag ligt.' En vervolgens begon hij een lijst van negentiende-eeuwse namen op te dreunen van mensen die blijkbaar iets soortgelijks hadden geprobeerd. 'Hun fout was,' zei hij, 'dat ze ons, onze vierdimensionale ruimtetijd, als *hier* zagen, en die andere dimensies als *daar*, wat betekende dat ze een of andere magische substantie nodig hadden om de kloof tussen die twee te overbruggen. Maar in feite heb je zo'n substantie helemaal niet nodig – of liever gezegd, volgens de M-theorie is gewone materie *ook in zichzelf al een magische substantie*!' Hierop liet hij een stilte vallen, en hij keek Jeekers aan met ogen die gloeiden als vuurtollen.

'Snaren,' zei hij. 'Als die de ene kant op rimpelen maken ze dingen, en als ze de andere kant op rimpelen maken ze licht, of kernenergie, of zwaartekracht. Maar in al die gevallen voeren ze die rimpelingen uit in *elf dimensies*. Elke snaar is een soort *chorus line* waartussen halverwege een doek valt, zodat de ene helft ervan in onze wereld staat, en de andere helft in de hogere dimensies. Dezelfde snaar die een quark vormt van een atoom in het handvat van je tennisracket kan op datzelfde moment in een compleet ander universum ronddraaien. Dus als élke snaar achter de sluier komt, moet het toch op de een of andere manier mogelijk zijn om een boodschap langs zo'n snaar te leiden, zodat ie aan de andere kant komt?'

'Zoals bij twee blikjes waar je een draadje tussen spant?' zei Jeekers.

'Precies!' zei Ruprecht. 'Als je het eenmaal doorziet, is het principe eigenlijk heel simpel. Het wordt alleen nog een kwestie van hóé. En daar komt het Kwartet bij kijken.

In het boek van Lodge,' legde hij uit, 'meldden de soldaten in Zomerland, zoals zij de Anderwereld noemden, dat ze bepaalde muziekuitvoeringen in de Albert Hall konden horen. Wat ze hoorden waren uitzendingen op de radio. Blijkbaar hebben bepaalde combinaties van geluidsarchitectuur en radiofrequenties een soort "amfibische" eigenschap, waardoor ze tot de hogere dimensies kunnen doordringen. Mijn theorie is dat er een soort sympathiserende resonantie aan te pas moet komen. Het lastige is vervolgens om die amfibische frequenties te vinden. In het verleden hebben ze daar menselijke mediums voor gebruikt, die ze via een intuïtief proces opsnorden. Maar met een simpele herijking van de Van Doren Golfoscillator kunnen we een medium overbodig maken door onze "geluidsboodschap" naar *elke mogelijke frequentie* te vertalen – waarvan er per definitie een degene moet zijn die de doden kunnen horen ...'

Toen hij hem zo hoorde uitweiden over zijn plan, begreep Jeekers dat Ruprecht definitief de weg kwijt was. Zijn experimenten waren naar Jeekers' smaak altijd al een beetje aan de halfgare kant geweest; niettemin zag hij in het verleden in dat ze wel degelijk een paar opwindende, zij het vluchtige raakvlakken met de werkelijkheid hadden. Maar dit – dit was een waanidee, meer niet.

Dus waarom – waarom, waarom, waarom?! – had hij dan ja gezegd? Het is niet dat hij de afgelopen weken geen medelijden met Ruprecht heeft gehad, en natuurlijk vindt hij het verschrikkelijk wat er met Skippy is gebeurd. Maar als hij erover nadenkt wat een problemen ze hiermee gaan krijgen ... en dat onder de ogen van hun ouders! Dennis en Geoff hebben makkelijk praten, die hebben geen fraaie cijferlijsten te beschermen. Maar Jeekers zet zijn hele toekomst op het spel! Waarom?

Maar op het moment dat hij die vraag stelt weet hij waarom. Hij doet het juist omdat het zinloos, idioot en niets voor hem is. Hij doet het omdat het iets is wat hij nooit ofte nimmer zou doen, omdat wat hij wél doet – de regels gehoorzamen, hard werken, Braaf zijn als een jongen die uit een catalogus is besteld – hem de laatste tijd nogal leeg is voorgekomen. Het kan er iets mee te maken hebben dat zijn vader ervoor heeft gezorgd dat meneer Fallon ontslagen werd, zelfs al heeft Jeekers hem gesmeekt dat niet te doen; of misschien ligt het aan het sluipende besef dat zijn vader van de Beste Jongen van de Klas hield, niet van Jeekers, en dat als hij gekidnapt zou worden en de Beste Jongen van de Klas in zijn plaats werd achtergelaten, zijn vader daar niet rouwig om zou zijn.

Maar goed, hier staat hij dan. En als hij zo over het podium kijkt – naar de andere drie, die klaarstaan bij hun instrumenten, Geoffs triangel die zachtjes heen en weer schommelt, als een boomblaadje dat hangt te wachten op een briesje; Dennis' spottende grijns, net zichtbaar bij het mondstuk van zijn fagot; Ruprecht die heel langzaam ademt, de blik strak gericht op de achterwand van het auditorium, op zijn schoot de gemangelde hoorn waar Jeekers nog steeds niet naar kan kijken zonder een inwendig pandemonium van alarmbellen af te laten gaan; en dan naar pater Laughton, die arme, nietsvermoedende pater Laughton, als hij zijn dirigeerstokje heft – dan is het rare dat, hoewel hij weet dat Ruprecht het mis heeft en dat dit onmogelijk kan werken, hij toch, op dat ene moment in de tijd – onder die felle lampen, trillend van de zenuwen, omringd door ouders en paters in de gymzaal op een zaterdagavond – het gevoel heeft dat de werkelijkheid *inderdaad opvallend onwerkelijk aanvoelt*, en dat wat onwerkelijk leek, dientengevolge, een stuk dichterbij lijkt dan eerst ...

En de muziek klinkt, als ze eenmaal begint, zo prachtig. Pachelbels vertrouwde melodie – die tot op de draad is versleten door tv-reclames voor auto's, levensverzekeringen, luxe zeepjes, door straatmuzikanten met smokingstrikjes om die de zakken van toeristen rollen in het hoogseizoen, door talloze pogingen Ouderwetse Elegantie op te roepen, vergezeld van hooghartige kelners met dienbladen vol blokjes kaas – lijkt vanavond volkomen nieuw voor het publiek, zozeer zelfs dat ze bijna pijnlijk fragiel wordt. Wat maakt de melodie zo smekend en zo zoet, zo verontrustend (althans voor de oudere mensen in het publiek die vanavond zijn gekomen in de verwachting dat ze zich alleen maar aangenaam zouden vervelen en nu merken dat ze een brok in hun keel hebben) persóónlijk? Misschien heeft het iets te maken met de hoorn die die dikke jongen met dat zilveren pak aan bespeelt, een nieuwbakken instrument dat eruitziet alsof er een vrachtwagen overheen moet zijn gereden, maar dat een geluid voortbrengt zoals je nog nooit hebt gehoord: een hees, verlaten geluid dat maakt dat je ...

En dan valt die stem in, en je kunt zowaar een rilling door de o zo keurige menigte zien gaan. Want er staat geen zanger op het podium, en gezien het feit dat Pachelbels *Canon* geen vocale partij heeft, zou je het de luisteraars niet kwalijk kunnen nemen dat ze de stem aanzien voor die van een spook, een of andere geest van de gymzaal die door de schoonheid van de muziek is wakker geschud en zich er niet van kan weerhouden mee te zingen, zeker aangezien die stem – een meisjesstem – iets onweerstaanbaar spookachtigs heeft, kaal, tot op het bot uitgebeend ... Maar dan zien de mensen in het publiek een voor een onder de microfoonstandaard rechts een, eh, een doodgewone mobiele telefoon liggen. Maar wie is het? En wat zingt ze?

You fizz me up like Diet Pepsi
You make me shake like epilepsy
You held my hand all summer long
But summer's over and you're gone

Holy smoke – het is BETHani! Er klinkt een nieuw gemompel van opwinding, terwijl jongere toeschouwers hun nek rekken en in het oor van hun ouders, ooms en tantes fluisteren: 'Het is 3 *Wishes*, het liedje dat ze schreef nadat ze het had uitgemaakt met Nick van

Four to the Floor, toen er allemaal foto's opdoken van haar en haar moeder die sletterige kleren aanhadden en er eigenlijk behoorlijk dik uitzagen – sommige mensen zeiden dat het allemaal een publiciteitsstunt was, maar hoe kon je dat nou denken als je naar de tekst luisterde?'

I miss the bus and the walk's so long
I got split ends and my homework's wrong
There's a hole in my sneaker and gum on my seat
And the world don't turn and my heart don't beat.

... die het meisje dat hem nu zingt zo doordrenkt van verlangen, van eenzaamheid, nog versterkt door het kraken van het telefoontje, dat zelfs ouders die BETHani met wantrouwen en afkeuring bekijken (in het geval van de vaders vaak gekleurd door een beschaamd soort fascinatie) merken dat ze worden meegesleept door de gevoelens die hij verwoordt – gevoelens die, geïsoleerd van hun r&b-arrangement en gezet op deze melancholiek wervelende muziek van driehonderd jaar geleden, zowel hartverscheurend als op de een of andere manier troostend blijken te zijn – want de droefheid ervan is een droefheid die voor iedereen herkenbaar is, een droefheid die verbindt en vertrouwd is.

And the sun don't shine and the rain don't rain
And the dogs don't bark and the lights don't change
And the night don't fall and the birds don't sing
And your door don't open and my phone don't ring

Zodat je, als het refrein weer voorbijkomt, jonge stemmen kunt horen opklinken uit het donker, die meezingen:

I wish you were beside me just so I could let you know
I wish you were beside me I would never let you go
If I had three wishes I would give away two,
Cos I only need one, cos I only want you

... zodat het een paar momenten lang echt lijkt alsof Ruprecht weleens gelijk kan hebben, dat alles, of in elk geval de kleine uithoek van alles die de Seabrook-gymzaal heet, meeresoneert met hetzelfde akkoord, hetzelfde gevoel, dat ene dat je in de loop van je leven op miljoenen manieren leert camoufleren maar dat je nooit helemaal kunt uitbannen: het gevoel dat je in een wereld van afscheiding leeft, van kloven die je niet kunt overbruggen; het is bijna alsof die vreemde stem-uit-het-niets het hele universum zelf is, een soort verborgen aspect ervan dat even uitkomt boven het snelweggeraas van ruimte en tijd om je te troosten, je eraan te herinneren dat hoewel je die afstanden niet kun overbruggen, je nog wel dat liedje kunt zingen – de duisternis in, over de scheidende afgronden heen, naar een vluchtig moment van harmonie ...

En dan – net als mannelijke handen in de hele zaal heimelijk bewegen om verdwaalde tranen weg te vegen – gebeurt er iets. Eerst valt moeilijk vast te stellen wat het precies is, behalve dan dat het verkeerd is, helemaal verkeerd. Hoofden trekken zich onwillekeurig terug; een zenuwtrek van ellende flitst over de wang van pater Laughton, alsof hij een soort transcendentale kiespijn heeft.

Het is het liedje – het lijkt op de een of andere manier te zijn vertákt; dat wil zeggen, het gaat wel gewoon verder, maar op hetzelfde moment ook in een andere toonsoort. Het resultaat is intens, nagels-over-een-schoolbord-lelijk, maar de muzikanten lijken het niet op te merken, en merken het nog steeds niet als het liedje het weer doet, zodat er nu drie versies tegelijkertijd klinken, in verschillende toonsoorten – en dan nog een, en nog een, als Canons uit parallelle universums die op de een of andere manier in hetzelfde auditorium zijn samengekomen, en ondertussen steeds harder klinken. Je kijkt verwilderd naar links en naar rechts, vraagt je af of je gek aan het worden bent, want dit is toch zeker zoals gekte moet klinken? Overal zie je handen tegen oren gedrukt, gezichten die verschrompelen als slakken die zich terugtrekken in hun slakkenhuizen. Nu, terwijl de verschillende lagen zich opstapelen, komt er een soort supralied over hen heen hangen, een lied van alle mogelijke liederen, iets wat je niet zozeer hoort als wel voelt, als een afgrijselijk bedrukkend atmosferisch gewicht dat voorafgaat aan een storm of een andere nakende catastrofe. Het volume schiet omhoog; en nog spelen Ruprecht c.s. onbewogen verder. De technicus achter het geluidspaneel kijkt vol afschuw naar zijn schuifjes; en nu komt de Automator uit de coulissen de onontkoombare herrie instommelen, die de status van *het ondenkbare, het onmogelijke* heeft bereikt en in de verste verte niet meer als lied te herkennen is; hij strompelt over het podium, als een man in een orkaan, om vervolgens, net als hij bij Ruprecht is, te worden overvallen door een galm van sonische energie die met niets op aarde te vergelijken is ...

Howard was plankgas naar Seabrook gereden – zijn hand, onhandig in een enorme gezwollen want van linnen verband gewikkeld, gilde telkens als hij moest schakelen of remmen, waardoor hij meegilde – zonder precies te weten wat hij zou doen als hij er eenmaal was. Het vage plan dat hij in zijn hoofd had, dat hij de coach voor een naar adem happend publiek zou ontmaskeren, gevolgd door een Hollywood-achtige knokpartij, Howard en Tom *mano a mano*, vertoonde een paar ernstige mankementen, dat wist hij ook wel (hoe kon hij vechten met een bezeerde hand? Hoe kon hij vechten met een *invalide man*?); voorlopig liet hij die echter liever buiten beschouwing, en hij holde vooruit naar de nasleep, waarin hij aan Halleys deur zou verschijnen, bebloed en onder de blauwe plekken van zijn gewelddadige confrontatie, maar – zoals ze meteen zou inzien – inwendig herboren. Ze zou zijn gemompelde verontschuldigingen met een vinger aan haar lippen tot zwijgen brengen; ze zou die glimlach glimlachen die hij zo had gemist – zo breed en sterk, als een vriendelijkere, warmere kameraad van licht – en hem bij zijn goede hand mee naar binnen nemen, naar haar bed.

Al die fantasietjes zijn nu definitief de grond in geboord door de Automator. Sindsdien zit Howard in de Ferry, en probeert hij de laatste restjes van zijn woede op te poken – 'Hij heeft me geslágen! Die klootzak heeft me gewoon geslágen! –, genoeg om ... ja, genoeg om wat eigenlijk? De coach achter het zwembad te sleuren om hem een lesje te leren, alsof ze allebei veertien waren? En zou alles dan weer koek en ei zijn, de orde in de wereld hersteld? Te laat: de realiteit heeft zich alweer onontkoombaar opgedrongen. En dus laat hij zijn plannen varen en drinkt alleen. De pijn in zijn hand is een uitstekend excuus. Die is martelend en heeft zich uitgebreid en zijn hele lichaam gekoloniseerd; alles bonst op hem in, als onhandige vingers op een piano – het gelach en gebral van de andere drinkers, de schoonheid van het beeldschone barmeisje, het afzichtelijke tapijt, het miasma van lichaamsgeuren ... en nu een pied-de-poulejasje dat hem bekend voorkomt.

'Ah, Howard, jou had ik hier niet verwacht ...' Jim Slattery pakt er een stoel bij, gebaart naar het barmeisje. 'Vind je het erg als ik ...?'

Howard maakt een onverschillig gebaar met zijn goede hand.

'Niet naar het concert gegaan?'

'Uitverkocht.'

'Ja, precies, zelfs mensen met kaartjes – dat wil zeggen, er kwam op het laatste moment een groep van KPMG, Greg vroeg aan mij of ik het erg zou vinden ... Ik zat er niet mee natuurlijk, zeker niet als het me de gelegenheid geeft een borrel te pakken zonder dat moeder de vrouw erachter komt – proost.' Howard krimpt in elkaar bij het geluid van de klinkende glazen, en dat in elkaar krimpen zorgt voor een kettingreactie van kleine kwellingen. 'Goeie god – wat is er met je hand gebeurd?'

'Klem gezeten in een muizenval,' is het afgebeten antwoord.

'O,' zegt Slattery gelaten. Hij nipt van zijn drankje, laat het rondgaan in zijn mond. 'Ik heb gehoord dat je de laatste tijd nogal op het oorlogspad bent geweest. Niet alleen tegen de muizen, bedoel ik.'

'Tegen allerlei ongedierte,' zegt Howard. Dan, als hij er even over heeft nagedacht, voegt hij daar somber aan toe: 'Maar ik heb het voornamelijk aan mezelf te wijten.'

'Ach, nou ja. Het komt allemaal vast wel weer goed.' Daarop gromt Howard alleen maar; de oudere man schraapt zijn keel en begint over iets anders. 'Weet je, ik kwam laatst iets tegen wat me aan jou deed denken. Een essay van Robert Graves. "Mammon en de Zwarte Godin".'

'O ja, Graves.' Howard, die vindt dat de dichter zich voor het een en ander moet verantwoorden in zijn huidige situatie, glimlacht sardonisch. 'Wat is er eigenlijk van die ouwe Graves geworden?'

'Nou, ik durf te zeggen dat je het verhaal in grote lijnen wel kent: na de oorlog getrouwd, naar Wales verhuisd, geprobeerd een huiselijk leven op te bouwen. Dat duurde niet lang, zoals je je kunt voorstellen. Hij kreeg iets met een dichteres, een Amerikaanse die Laura Riding heette, en nam met haar de benen naar Mallorca, waar ze zich vestigden met haar als zijn muze. Ze was volgens alle verhalen zo gek als een deur. Ging ervandoor met een Ier die Phibbs heette, als ik het me goed herinner.'

'Mooie muze,' merkt Howard bitter op.

'In feite paste het perfect in Graves' opvattingen. De muze is een belichaming van de Witte Godin, zie je. Als ze zich bindt en een gezinnetje met je begint, raakt ze haar krachten kwijt. Dan wordt ze gewoon maar een vrouw, bij wijze van spreken. Wat het eind van de poëzie betekent, wat in de ogen van Graves bijna net zo erg is als de dood. Maar als ze je verlaat, zoek je een nieuwe muze om je te inspireren, en begint het hele circus van voren af aan.'

'Je zou je afvragen waarom je eraan zou beginnen,' zegt Howard.

'Er moet een element van zelfkastijding in hebben gezeten, denk ik. Graves heeft zich altijd enorm schuldig gevoeld over zijn aandeel in de oorlog, over de mannen die hij had gedood en gedood had zien worden. En toen stierf zijn zoon, zie je – zijn zoon David sneuvelde in Birma, in de Tweede Wereldoorlog. Graves had hem aangemoedigd om het leger in te gaan en hem geholpen bij de Royal Welch Fusiliers te komen, zijn eigen oude regiment. Vlak na de dood van zijn zoon begon hij over de Witte Godin te schrijven, dat hele gedoe van lijden en offers brengen uit naam van de poëzie. Hij probeerde er iets zinvols in te zien, op zijn eigen krankjorume manier.'

Howard zegt niets, denkt terug aan Kipling en Ruprecht Van Doren.

'Maar dat was juist zo interessant aan dat essay,' zegt Slattery. 'Tegen het eind van zijn leven ontmoette Graves een soefimysticus, die hem vertelde over een andere godin, een Zwarte Godin. Moeder Nacht, noemden de Grieken haar. Die Zwarte Godin stond boven de Witte. In plaats van voor verlangen en vernietiging stond zij voor wijsheid en liefde – niet romantische liefde, maar echte liefde, zou je kunnen zeggen. Beantwoorde, eeuwigdurende liefde. Van degenen die hun leven wijdden aan de Witte Godin, en aan de eindeloze cyclus van verwoesting en herstel, zouden er maar een paar, als ze het wisten te overleven, uiteindelijk door haar heen gaan en de Zwarte Godin bereiken.'

'Fijn voor ze,' zegt Howard. 'En de rest dan? Al die arme sukkels die niet wisten te transcenderen of zo?'

Slattery's gezicht plooit zich tot een glimlach. 'Graves schreef dat je maar het best een goed gevoel voor humor kon ontwikkelen.'

'Gevoel voor humor,' herhaalt Howard.

'Het leven zet ons vroeg of laat toch voor gek. Maar als je je gevoel voor humor bewaart, zul je de vernederingen in elk geval nog met enige waardigheid het hoofd kunnen bieden. Uiteindelijk zijn het onze eigen verwachtingen die ons verpletteren, weet je.' Hij heft zijn glas, laat de ijsblokjes naar zijn bovenlip tuimelen, en drinkt het leeg. 'Ik moest maar eens gaan, denk ik, voor mijn eigen godin zich begint af te vragen waar ik blijf. Dag, Howard. Hou contact. Hopelijk zie ik je snel weer.'

Net op het moment dat de deur achter Slattery sluit, gaat het licht in de pub uit, en de plotselinge duisternis wordt gevuld door een behoorlijk onaards geluid – tegelijkertijd onheilspellend en op de een of andere manier mechanisch ... maar het duurt maar een paar seconden, en dan is de stroom terug en wordt alles weer gewoon. De drinkers hervatten hun gekeuvel; Howard, die niemand heeft om mee te praten, stelt zich er tevreden mee zijn drankje te koesteren en te kijken naar het barmeisje dat telkens het vertrek doorkruist, met een dienblad in haar hand – weer een muze-in-afwachting, weer een godin die alles zou veranderen, wier schoonheid je toch zeker nooit zou gaan vervelen ...

Muzen, godinnen, het klinkt zo belachelijk, maar had Halley hem dat in het begin ook niet geleken? Een flard puur anders-zijn, een stralende aanwezigheid die door de muffe feiten van zijn leven brandde als een vlam door een oude foto? Ze vertelde hem verhalen van thuis en hij hoorde iets transcendentaals; als hij naar haar keek, zag hij een andere wereld – Amerika! –, een magisch land waar dromen, als zaden, zouden ontkiemen en meteen wortel schieten, ver weg van dit piepkleine eilandje, waar je nooit van je oude bijnaam afkwam, waar mensen niet anders konden dan de posities innemen die hun vaders en moeder achterlieten, steeds dezelfden aan de top, in het midden en onderin, dezelfde namen in het jaarboek van school.

En zij had ongetwijfeld hetzelfde bij hem gedaan. Als zij naar hem keek, zag ze Ierland, of wat ze ook dacht dat dat inhield; ze had geschiedenis gezien, heidendom, romantische landschappen, poëzie, en niet een man die haar hulp nodig had om te kunnen liefhebben. Ze waren vanaf het begin eerst en vooral een vertegenwoordiger van vlees en bloed van een ander leven voor elkaar geweest, een paspoort naar een frisse, nieuwe toekomst; wat er daarna was gebeurd was niets meer of minder wreeds dan dat de echte persoon door de illusie heen was gesijpeld – geen doorgang naar wat dan ook, alleen maar iemand zoals jij, die door de dag struikelt.

Gevoel voor humor, denkt hij. Gevoel voor humor. Had iemand hem dat maar eerder verteld.

Twee uur na de chaos waarin het honderveertigjarig-jubileum-concert van Seabrook College eindigde – toen het leek alsof niets ooit meer stil kon zijn – is de rust op de school weergekeerd, hoewel iedereen die aanwezig was bij het optreden van het Kwartet nog steeds last heeft van oorsuizingen, en in de komende paar dagen veel mensen IN HOOFDLETTERS zullen praten. Alle anderen zijn naar bed; Geoff, Dennis en Mario zitten op de lattenbankjes van de onverlichte recreatiezaal.

'Wat zei hij?' vraagt Mario. 'Worden jullie van school gestuurd?'

'Waarschijnlijk wel,' zegt Dennis.

'We moeten morgenochtend vroeg naar hem toe,' zegt Geoff. 'Hij zei dat hij tijd nodig had om te besluiten wat onze straf zou zijn.'

'Shit-o-rama,' zegt Mario. 'Dat is een hoge prijs voor een mislukt experiment.'

'Het was het meer dan waard,' zegt Dennis. 'Het beste wat Von Boner in zijn hele waardeloze dikke leven heeft gedaan.'

Als het erom ging een avond entertainment volkomen te verpesten, dan was Ruprechts experiment een doorslaand succes. De multifrequentiële Pachelbel-*loop*, die zich zo onverdraaglijk opbouwde, was nog maar een voorafje, qua herrie. Net toen de Automator het podium opkwam, crashte de Van Doren Golfoscillator. De gymzaal werd onmiddellijk gevuld met het geschetter van onbeschrijflijke ruis: het schuurde, plopte, kraakte, siste, piepte, boerde, raasde, gorgelde – een gekkenhuis van volkomen vreemde geluiden die op zo'n volume losbarstten dat het tastbare fysieke wezens werden, een menagerie van onmogelijke beesten die zich door onze werkelijkheid klauwden, lichaamloze, robotachtige stemmen ertussen verstrooid, als een dolgedraaide, mechanische pinksterviering …

Het werd het publiek te veel; men vluchtte de deur uit. Hoeden werden verloren in het gedrang, brillen vertrapt, vrouwen omvergelopen; ze renden tot ze bij de ingang van het parkeerterrein kwamen, waar ze zich, op veilige afstand, omdraaiden naar de nog najammerende zaal, alsof ze verwachtten dat die zou imploderen of zo de lucht in zou vliegen. Dat gebeurde niet; in plaats daarvan kwam er na enige tijd plotseling een eind aan de herrie toen er kortsluiting optrad in het geluidspaneel en daarmee de hele stroomtoevoer van de school werd lamgelegd, waarop een grote minderheid weer naar binnen stormde om de Automator op te sporen en hem te vragen *wat voor kloterige spelletjes hij verdomme aan het spelen was.*

'Ik ga verdomme geen tienduizend pond per jaar neertellen zodat jij een terroríst van mijn zoon kunt maken ...'

'Dit was in pater Furlongs tijd nooit gebeurd!'

Er was bijna een uur van kalmeren, tot bedaren brengen en sussen nodig voor de Automator terug kon gaan naar zijn kantoor, waar het Kwartet was opgesloten. Toen hij dat deed, deed hij weinig moeite om zijn razernij te verbergen. Hij tierde, hij raasde, hij sloeg met zijn vuist op het bureau, waarbij foto's en presse-papiers door de lucht vlogen. Zijn stem had vanavond een nieuwe ondertoon. Had hij hen hiervóór nog behandeld zoals hij alle jongens behandelde – als insecten, nietig en onbelangrijk –, vanavond sprak hij hen toe als vijanden.

Ruprecht kreeg er het ergst vanlangs. Ruprecht, een opstandige die zijn ouders alleen maar schande had gebracht; Ruprecht, wiens genialiteit een diepgewortelde verdorvenheid verdoezelde waarvan deze puinhoop slechts het recentste voorbeeld was. 'Je weet heel goed waar ik het over heb, Van Doren.' De Waarnemend Rector staarde hem over het bureau heen aan, als een roofzuchtig dier door de tralies van zijn kooi. 'Er zijn me nu een hoop dingen duidelijk geworden,' zei hij. 'Een hele hoop.'

De anderen zaten allemaal te huilen, maar Ruprecht stond daar maar, zijn hoofd gebogen, terwijl de woorden hem troffen als bijlen in zijn borst.

'Ik zal eerlijk tegen jullie zijn, jongens,' besloot de Automator. 'Om uiteenlopende wettelijke redenen kan het vandaag de dag weleens lastig te regelen worden om jullie van school sturen. Het is niet onmogelijk dat jullie wegkomen met een lange schorsing. En op een bepaalde manier hoop ik ook dat dat zo is. Want dat betekent dat ik jullie leven de komende vierenhalf jaar tot een hel kan maken. Ik zal zorgen dat het een hel op aarde wordt. Stelletje klootzakken.'

'Mamma mia,' zegt Mario nu.

'Hij kan zeggen wat ie wil,' riposteert Dennis. 'Wij maken nu deel uit van de geschiedenis van Seabrook. Ik bedoel, mensen zullen nog tientallen jaren over ons praten.' De maan is van achter een wolk tevoorschijn gepiept, en hij wordt bevangen door een sluipende euforie. 'Dat gezicht van mijn moeder! O, Von Boner, wat ben je toch een genie!' Er komt een gedachte in hem op: 'Hé, misschien kan ik, als ik van school word gestuurd, zijn biografie gaan schrijven. Wat vinden jullie daarvan? *Een flop in actie; Het verhaal van Ruprecht Van Doren*.'

'Waar ís Ruprecht eigenlijk?' vraagt Mario. 'Hij is niet op zijn kamer.'

'Hij leek me nogal down,' merkt Geoff voorzichtig op.

'Nou ja, wat had je dan verwacht?' zegt Dennis. 'Dat Skippy in een grote bal van licht zou verschijnen en ons allemaal een high five zou geven?'

'Ik wilde het niet tegen Ruprecht zeggen, maar als ik in de hemel ben en net lig te vozen met een sexy engel, dan kom ik echt niet terug voor een of ander suf schoolconcert,' zegt Mario, en hij staat vervolgens met een geeuw op van het bankje. 'Maar goed, ik heb genoeg gelul gehoord voor één avond. For the record, ik hoop dat jullie niet van school worden gestuurd. Ik zou jullie missen, hoewel ik daarmee nog geen homo ben.'

'Welterusten, Mario.'

'Ja, whatever.' De deur piept achter hem dicht. De overgebleven twee blijven even zwijgend zitten, ieder opgaand in zijn eigen gedachten; Geoff is naar het raam toe gaan zitten, alsof het vage zilveren licht van de verschenen maan weleens alles wat ontbreekt kan onthullen, vlak voor hun neus, op de binnenplaats ... Dan, als hij even de tijd heeft genomen, misschien om moed te verzamelen, zegt hij nonchalant tegen Dennis: 'Je denkt toch niet dat het gelukt is?'

'Wat?'

'Ruprechts experiment – je denkt toch niet dat dat gelukt is?'

'Natuurlijk niet.'

'Niet eens een beetje?'

'Hoe kan het nou in vredesnaam gelukt zijn?'

'Ik weet niet,' zegt Geoff, en dan: 'Alleen toen die herrie begon ... dacht ik even dat ik een stem hoorde die precies op die van Skippy leek.'

'Heb je het over die Duitse vrachtwagenchauffeur?'

'Klonk die niet erg als Skippy?'

'Oké, leg me dan eens uit waarom Skippy in het Duits over vrachtwagens zou praten?'

'Dat zal wel niet,' geeft Geoff toe.

'Geoff, je zou inmiddels toch moeten weten dat Ruprechts ideeën nooit kloppen. En dit was zelfs voor zijn doen vergezocht.'

'Juist,' zegt Geoff. Zijn gezicht wordt een beetje somber, en klaart dan weer op, als hem iets te binnen schiet. 'Hé, maar ... als je dacht dat het niet zou lukken, waarom deed je dan mee?'

Dennis denkt hier even over na en zegt uiteindelijk: 'Ik zou zeggen: uit kwaadaardigheid.'

'Kwaadaardigheid?'

'Zoals de Automator al zei: kwaadaardigheid. Het concert voor iedereen willen verpesten, dat soort dingen.'

'O.' Geoff laat een beleefde stilte vallen terwijl hij doet alsof hij het tot zich door laat dringen. In het maanlicht is hij bevangen door een tintelende euforie – dezelfde sensatie die Dennis daarnet ervoer, toen hij terugdacht aan het concert, alleen heeft het bij Geoff een andere oorzaak. Dan, terwijl hij zijn genoegen probeert te verdoezelen, zegt hij: 'Ik weet waarom je echt meedeed.'

'O ja?' zegt Dennis, als één brok sarcastische verbazing. 'Nou, ik ben benieuwd.'

'Je deed mee omdat je wilde dat we allemaal weer samen zouden zijn. Je wist dat het niet zou lukken, en je wist dat we erdoor in de problemen zouden komen, maar je wist ook dat Skippy, als hij hier was, zou willen dat we allemaal nog vrienden waren. En dit was de enige manier om dat voor elkaar te krijgen. En hoewel het niet gelukt is, is het op een bepaalde manier wél gelukt, want we deden het met z'n allen. Het is net of Skippy er ook bij is, omdat we allemaal een klein puzzelstukje van hem hebben dat we onthouden, en als je die allemaal in elkaar past, en het plaatje compleet maakt, dan is het net alsof hij tot leven komt.'

Dennis blijft zwijgen, klakt dan langzaam met zijn tong. 'Geoff, hoe lang ken je me nou? Is dat nou echt iets wat je denkt dat ik zou denken? Want als dat zo is, ben ik erg teleurgesteld.'

'Hm, ja, ik wist wel dat je dat zou zeggen.'

'Ik ga naar bed,' zegt Dennis beslist. 'Ik hoef hier niet te zitten luisteren hoe mijn karakter vermoord wordt.'

Hij staat op; dan houdt hij in, snuift. 'Heb jij een scheet gelaten?' zegt hij.

'Nee.'

Dennis snuift nog eens in de lucht. 'Dat is smerig, man. Je moet toch eens ophouden met urineaanslag eten, Geoff.'

Dan is hij weg, en nu zit Geoff alleen in de recreatiezaal. Maar hij vóélt zich niet alleen, lang niet zo alleen als je je soms kunt voelen als de zaal vol mensen is die staan te tafeltennissen of huiswerk overschrijven of met natte tissues naar elkaar gooien: na Ruprechts lied lijkt alles ongebruikelijk vredig, tevreden, stil; en je kunt daar gewoon zitten, gewoon als voorwerp, net zo kleurrijk als de pooltafel of zo verlicht als de cola-automaat, en je kunt bedenken wat Skippy zou zeggen als hij hier was, en wat jij, Geoff, dan terug zou zeggen; tot je begint te geeuwen, en je opstaat en wegwandelt om je tandenborstel te pakken en naar bed te gaan – je bent ineens zo moe dat de steeds scherpere geur die in de lucht hangt je niet opvalt, net zomin als de eerste flarden kwaadaardige zwarte rook die de trap opkruipen.

Het klonk zoals wanneer je een dier in brand steekt. Vervolgens kwamen er overal om hem heen zwarte lichamen op uit het gras. Ze rezen op, ze gilden, en alleen Carl kon ze horen.

Toen stond hij op straat voor zijn huis. Hij wist niet hoe hij daar was gekomen. Het geluid was weg, maar de avond werd almaar donkerder en donkerder. Hij knipperde om dat terug te dringen, maar toen kwam het weer naar voren stormen. Lampen maakten geen verschil. De regen in de putten in het pad vormde woorden die hij niet kon uitspreken, woorden bestaand uit geheime letters. Elk woord was een schelp die een leeg universum bevatte.

De sleutel stak in de deur. Er zat modder aan zijn broek.

Carls leven was veranderd in een reeks scènes met Carl in de hoofdrol. Ze vormden soms even een geheel, als woorden gemaakt van regen in de putten in het pad, en vielen dan weer uiteen. Alles was als een antwoord dat op het puntje van zijn tong lag. Jassen. Piepkleine bloemetjes op het behang.

Hij wist niet meer hoe de dingen samenvallen!

De lichamen, de schaduwen, duizend, een miljoen, die zeiden: WIJ ZIJN DE DODEN. Wat hard, dat afgrijselijke geluid! De Druïde die Carl met open mond aanstaarde. Dan in een gloed Dode Jongen voor hen.

Dat was het moment waarop Carl was weggerend, hij had de hele weg naar huis gerend.

De huiskamer rook naar chemicaliën. *I love the smell of napalm in the morning.* Licht dat van alle kanten op je afschoot! Gloei gloei deden het hout en het glas, de tv, het roeiapparaat, de ginfles. Door het donker heen. Op de bank lag ma. Vanuit de deuropening zag het eruit als een sprookje over een prinses die in slaap was gevallen in een betoverde tuin. De gordijnen waren open, de straatlantaarn bescheen haar blote benen. Carl reikte omlaag en haalde heel voorzichtig, alsof hij een bloem plukte, de opgebrande sigaret tussen haar vingers vandaan. Hij liep ermee naar de open haard en gooide hem erin.

In de keuken schonk hij water in een glas. Hij hield het glas omhoog en keek erdoorheen. Door het glas heen was de kamer: de crèmekleurige muren, de grijze koelkast, de nooit geopende kookboeken met beroemde tv-koks op de omslagen, helemaal gebroken en vervormd. Hij dronk en voelde de kamer ijskoud wiebelen in zijn maag. Als je nu je ogen opent, zal er niets zijn.

'Carl!'

Hij deed zijn ogen open. Hij stond in de huiskamer. Ma rees zilverkleurig op uit haar slapende lichaam en zweefde boven haar hoofd. Ze keek Carl aan maar zei niets. De maan was vol, ze hadden er een straatlantaarn van gemaakt. Ze keek met een bedroefd gezicht naar beneden, alsof er iets vreselijks ging gebeuren. Maar zij was niet degene die Carls naam zei.

Vlak naast Carl stond Dode Jongen.

O, fuck!

Als je hem nu aanstaarde, verdween hij niet meer. Dat was er op die heuvel gebeurd, daarom gilde Carl. Je schreeuwde en schreeuwde: FLIKKER OP en HET SPIJT ME, en hij bleef daar maar zweven, bleef maar gewoon glimlachen. Nu was hij hier, in Carls huis. Vluchten kon niet meer.

Hij is dood. 'Ik wilde al een tijdje met je praten,' zei hij.

Kan hij praten?!

'Je moest eerst die papaver roken, zodat ik met je kan praten.'

???

'Die klaprozen zijn gemaakt van In de oorlog groeiden ze uit de lijken Uit het LAND VAN DE DOOD Mensen spuugden erop Dus gingen Ze ondergronds Om ze ANTEROGRADE AMNESIE te geven Dus als je ze rookt Nu kun je ons zien'

'Woon je in de dolmen?' zei Carl.

Dode Jongen knikte. 'Het is er erg koud,' zei hij.

Ja, dat zeiden ZIJ ook, nu weet hij het weer We hebben het koud We zijn verdrietig.

'Ik heb het ook koud,' zei hij.

'Ik weet het, Carl,' zei Dode Jongen.

Toen realiseerde hij het zich: Dode Jongen is zijn vriend! Hij wilde hem helpen! Daarom was hij telkens verschenen!

Carls ogen vulden zich met tranen. 'Lori wil niet met me praten,' vertelde hij Dode Jongen. 'Het is net alsof ik ook dood ben.'

Dode Jongen knikte.

'Ik hou van haar,' zei Carl. 'Hoe kan ik zorgen dat ze weer met me praat?'

'Je moet haar laten zien dat we nu vrienden zijn.'

'Maar hoe?'

'Je moet me helpen mijn queeste te volbrengen,' fluisterde Dode Jongen.

Alles werd donker, alsof de kamer zich vulde met miljoenen kraaien.

'Je moet de laatste Demon doden.' Nu zag hij alleen de ogen van Dode Jongen, als twee grote manen.

'Het is de pater, Carl. Het is de pedofiel. Hij is degene die me heeft vermoord.'

'Echt waar?' zei Carl.

Dode Jongen knikte traag.

Er klopte hier iets niet, maar Carl schudde die gedachte van zich af.

Alles gloeide.

'Je moet het haar laten zien.'

'Het heilige vuur,' zei ma boven de bank. Haar hand was een vlam.

En Carl wist wat hem te doen stond.

Pater Green was van plan geweest het concert van vanavond bij te wonen, al was het maar vanuit een kinderachtig verlangen om Greg te ergeren. Maar hij was op het laatste moment weggeroepen om een zieke vrouw aan de andere kant van de stad de laatste sacramenten toe te dienen. Hij reed een uur, om er vervolgens achter te komen dat ze op wonderbaarlijke wijze was hersteld. Pater Green had geen andere keus dan toe te geven dat die slag aan zijn rivaal was. Goed gespeeld, meneer! Toen hij terugkwam, was iedereen al weg. De gangen zijn leeg als hij naar zijn kelderkantoor loopt, waar hij gaat zitten om naar de wijzers van de klok te kijken.

Heb je geen werk te doen, Jerome? Dat is niks voor jou! Begin je dan toch eindelijk oud te worden?

Zo gaat het sinds die jongen is gestorven. Hij werkt niet, hij slaapt niet. Weet je dat hij hem nog voor zich ziet? In zijn kantoor, terwijl hij plichtsgetrouw kartonnen vellen tot dozen zat te vouwen, de flappen dichtklapte, zich niet bewust van de stille strijd die maar een paar meter verder werd uitgevochten, van de vleselijke roofzuchten van een oude. Zelfs nu, als hij Our Lady's Hall nadert, denkt pater Green nog dat hij voetstappen achter zich hoort; en hij kan zich er niet van weerhouden dat hij hoopvol huivert als hij zich omdraait. Maar er is natuurlijk niemand.

Aan de overkant van de hal blijft hij staan bij de kerststal – voorlopig nog maar half bemand: geen Kindeke, geen koningen, alleen de ossen en ezels om de wacht te houden bij het Heilige Ouderpaar dat knielt in het stro. Ervoor de giften voor de voedselpakketten. Hij buigt zich om de etiketten te bekijken. Mascarpone, zongedroogde tomaten, lychees. De donaties zijn teruggelopen dit jaar. Het idee dat je voedsel weggeeft, daadwerkelijk eten uit je voorraadkast haalt en in die van een ander stopt, moet vermoeiend victoriaans lijken in dit etherische tijdperk van door de lucht vliegende cijfers. Armoede is veel te letterlijk voor deze abstract denkende mensen.

Dat is niet de reden, Jerome. Het komt door jou.

Ja. Pater Green is zich bewust van de geruchten omtrent zijn persoon. Hij ziet de graffiti op zijn deur; hij hoort het gefluister, merkt de afkeurende geluiden op in de gangen, in de lerarenkamer, zelfs in de consistoriekamer. Het heeft hem al met al verrassend weinig pijn gedaan: de zegen van een niet erg sociaal mens zijn. Behalve dan dat het hem nu heeft beroofd van de weinige macht om goed te doen die hij had. Want hoe kan een crimineel op iemands geweten werken? Wie geeft er nou aan een monster? Hij wordt zelf het excuus om niet aan die afgrijselijke sloppenwijken te denken, aan die verrotte levens. O, de ironie! Je onderschat altijd het vermogen van het leven om je een kopje kleiner te maken.

Nou, waarom blijf je dan?

Dat vraagt hij zichzelf ook af als hij de trap af loopt naar het kantoor: waarom blijf ik? Hij heeft Greg zijn zondebok gegeven. Het schandaal is afgewend, de zwemcoach mag onbezoedeld de aftocht blazen, de school kan voortbestaan als een glanzend baken van de bourgeoisie. Wat ze nu van hem nodig hebben is dat hij vertrekt. Vertrekt, zodat ze zijn naam kunnen vervloeken en kunnen vergeten dat het allemaal ooit is gebeurd. En hij wíl ook weg. Hij heeft genoeg gedaan voor Seabrook. Waarom zou hij blijven, om belasterd te worden? Om te worden besmeurd met de zonden van een ander?

Dat is toch duidelijk, Jerome? Je wilde dat jij die zonde begaan had. Daarom weiger je de waarheid te vertellen, daarom weiger je te vertrekken. Je moet hier blijven en gestraft worden. Hoewel je geen misdaad hebt begaan.

Alleen maar omdat ik te bang was.

O, Jerome. Kom op, het is voorbij. Die jongen ligt onder de grond, waar alleen de wormen zijn lippen nog kunnen aanraken. Je hebt hem niets misdaan. Waarom kwel je jezelf toch zo?

Waarom?

Vanwege Afrika? Om wat er veertig jaar geleden is gebeurd? Wie herinnert zich dat nou, Jerome? Die jongetjes? Die zijn hoogstwaarschijnlijk ook al dood. Wie anders dan? God? Maar in welke God geloof jij nog?

De pater gaat achter zijn bureau zitten, bladert zonder te kijken door zijn paperassen.

Je straft jezelf liever dan dat je het alternatief accepteert, nietwaar, Jerome?

Weer dat geluid buiten. Voetstappen?

Dit doet er allemaal niet toe. Dat weiger je te aanvaarden. Het heeft er allemaal nooit toe gedaan, niets van wat je deed, het goede noch het slechte. En nu helemaal niet meer.

Er is absoluut iets daarbuiten. Een geur ook, scherp. Hij staat op, doorkruist de kamer.

Maar jij, jij zou liever branden dan dat je dat denkt. Je gaat liever het hellevuur in dan dat je naar de wereld kijkt en de waarheid ziet. Dat je niets ziet.

Tranen, of het zeurende gevoel van tranen die niet willen komen. Hij doet de deur open. Als de rode vlam hem tegemoet springt, wankelt hij naar achteren. Eerst geschokt, maar dan met een glimpje vreugde.

Het hellevuur!

Howard strompelt december in. De avond is, als hij eenmaal met zijn vingers onder zijn isolatielaag van alcohol is geglipt, exceptioneel koud, met een zure, chemische toets in de lucht. Hij loopt terug in de richting van het parkeerterrein van de school, waarbij hij tot hij er is de wetenschap opschort dat hij niet in staat is om te rijden en niet genoeg geld heeft om een taxi te nemen. Zijn geweten kwelt hem met herinneringen aan de vele keren dat Halley hem gered heeft uit vergelijkbare situaties, soms de hele stad door reed om hem op te komen halen, en hij geeft zich somber over aan zijn eerdere fantasie – dat hij bij haar aan de deur komt, aantrekkelijk bloedend van zijn confrontatie met Tom Roche, om vervolgens door haar in haar armen te worden genomen. Op de een of andere manier denkt hij dat ongehavend, ontslagen en dronken aan komen zetten niet helemaal hetzelfde effect zal hebben.

De maan is vol vanavond, en zo helder dat hij hem ziet verdwijnen als hij de poort doorgaat. Hij kijkt op, en ziet een enorme zwarte wolk afgedrukt boven de school. Hij is van een ongebruikelijke soliditeit, en hangt laag genoeg om de Toren deels aan het zicht te onttrekken. Direct daarop gaan alle lichten op de bovenste verdiepingen aan; en nu – hij merkt dat hij zich schrap zet – galmt het panische geschetter van het alarm de slapende binnenplaats op. Hij zet het op een rennen, gauw de laan door, over het parkeerterrein, terwijl die dichte zwarte wolk boven zijn hoofd maar blijft groeien, tot hij, langs de gymzaal, op de binnenplaats uitkomt.

De nooit geopende ramen boven in Our Lady's Hall zijn opengegooid, en jongens in pyama's stromen eruit als mieren uit een verstoord nest, terwijl slierten zwarte rook op enkelhoogte met hen mee naar buiten komen en opportunistisch de avond in kronkelen. De hitte is al voelbaar, een tropische warmte tegen zijn wangen. Felle, amorfe handen slaan tegen het glas in lood van de ramen, en van binnen klinkt een hartstochtelijke brul van verwoesting, vermengd met gerinkel en gedreun. Howard ziet Brian Tomms bij de deuren staan, die tegen de opgewonden jongens brult dat ze in een rij moeten gaan staan op volgorde van hun kamernummer. 'Wat is er aan de hand?' schreeuwt hij boven het alarm uit.

'Brand.' Tomms lijkt niet verbaasd Howard te zien. 'Het lijkt in de kelder te zijn begonnen. We hebben de brandweer al gebeld, maar waarschijnlijk is de Toren al half door de vlammen verzwolgen tegen de tijd dat ze er zijn.' Hij praat op kalme, afgemeten toon, een generaal die zijn slagveld overziet. 'Volgens mij is het brandstichting.'

'Kan ik iets doen?'

'De meeste jongens zijn al buiten. Dit is het laatste stel.'

Terwijl hij aan het woord is, begint de rij te slinken en Tomms loopt de trap af om de prefecten bij te staan bij het koppen tellen. De jongens staan met kleine oogjes en verwarde haren netjes twee aan twee te wachten in de rij. Een paar filmen de gebeurtenissen met hun telefoontje – de witte gestalten achter het glas als woest dansende spoken – maar de meesten kijken alleen maar met een lege blik toe, alsof ze een speciale, middernachtelijke schoolbijeenkomst bijwonen, wat het schouwspel iets vreemd vredigs geeft.

Dan wordt dat doorbroken door commotie bij de deuren. Twee vijfdejaars weten met moeite een handvol kleinere jongens te bedwingen, die schijnbaar de school weer in proberen te rennen. Tomms rent ernaartoe om de prefecten te helpen, en als ze de binnenplaats weer op worden geduwd, identificeert Howard de losgebrokenen als Geoff Sproke, Dennis Hoey en Mario Bianchi uit zijn tweede klas. De tranen op hun wangen, in het onaardse licht, verlenen hun gezichten de aanblik van smeltende was. 'Hij is nog binnen!' weet Geoff Sproke door de ketting van armen heen uit te brengen. 'Niet waar!' schreeuwt Tomms op hem neer. 'Hij is niet binnen, dat hebben we gecontroleerd!' Terwijl hij dat zegt, schiet er een pluim van vuur over het dak heen, die de toeschouwers in een krankzinnige oranje gloed doet baden. 'Ruprecht! Ruprecht!' krijsen de vrienden van de jongen, terwijl ze zich nogmaals tegen hun gevangennemers aan gooien. Het geluid klinkt meelijwekkend en dun tegen de achtergrond van de vlammen, als kittens die om hun moeder schreeuwen. Howard draait zich met een zwaar gevoel in zijn borst om en stommelt richting de deuren. Hitte slaat tegen zijn gezicht; onder het verband zingt zijn hand extatisch, alsof hij zijn gelijke herkent.

Nu hij in brand staat, is Our Lady's Hall een levend organisme geworden, iets nieuws en afgrijselijks. Vlammen razen langs de muren, grijpen en verslinden, en de saaie vorm van de school eronder – het afgebladderde houtwerk, het armoedige pleisterwerk, de deurkozijnen, de banken, het beeld van de Maagd – lijkt zich al uit de wereld te hebben teruggetrokken, half in een schaduw te zijn veranderd. Als hij verder kijkt, voelt Howard zich als een dinosaurus die de eerste meteorieten ziet vallen; alsof hij getuige is van een sprong in de evolutie, het arriveren van een onontkoombare toekomst. Hij stelt zich Gregs tropische vissen voor die koken in hun aquarium.

Tomms verschijnt naast hem op de drempel. Howard kijkt hem verdwaasd aan. 'We moeten iets doen.'

'Er is niemand meer binnen,' zegt Tomms. 'We hebben alle slaapvertrekken gecontroleerd.'

'Waar is Van Doren dan?'

Tomms geeft geen antwoord. 'Kan hij in de kelder zitten?' zegt Howard, hardop denkend.

'Als hij in de kelder is, is het al te laat. Maar waarom zou hij daarbeneden zitten?'

Daar is geen zinnige reden voor natuurlijk; en toch, als hij in het schimmenspel van botsend licht kijkt, heeft Howard het afschuwelijke gevoel dat er iets niet is gedaan. En dan: 'Wat was dat?'

'Wat?'

'Hoorde je dat niet? Het klonk als ... muziek.'

'Ik hoorde niets,' zegt Tomms. Zijn neusvleugels trekken, merken de alcohol in de adem van de andere leraar op. 'Kom op, Howard, we moeten iedereen hiervandaan krijgen.'

'Ik zou gezworen hebben dat ik muziek hoorde,' herhaalt Howard afwezig.

'Hoe kan er nou muziek klinken?' vraagt Tomms. 'Kom op, we kunnen verder niets meer doen.' Hij mag dan geen geschiedenisdeskundige zijn, zoals Fallon, en hij mag dan geen gewichtige gesprekken over de Eerste Wereldoorlog voeren met Jim Slattery in de lerarenkamer, maar van branden weet hij genoeg – hoe ze werken, hoe heet ze worden, wanneer je de held kunt uithangen en wanneer niet. 'Niets,' herhaalt hij overtuigd.

Maar voor hij hem tegen kan houden, is Howard de brandende school in verdwenen.

Bankjes branden. Stoelen branden. Borden branden. Kruisen branden. Wereldkaarten, geodriehoeken, rugbyfoto's. Alles wat je haat staat in brand. Dus waarom huil je dan?

Lang, lang geleden kwam Carl binnen door een raam van de bijkeuken. Hij was gekomen om de Demon te doden. Het was donker in de school, maar al na een paar seconden kwam die pater door de hal lopen. Carl volgde hem naar zijn kantoor. Toen de pater naar binnen ging en de deur achter zich dichtdeed, goot Carl er benzine overheen en door de hele kelder. Vervolgens stak hij het aan.

Hij bleef voor de zekerheid even wachten in het vuur. De pater deed de deur open en staarde om zich heen naar de vlammen. Toen zag hij Carl, en hij knikte alsof hij hem verwacht had. Hij kwam zijn deur uit, Carl deinsde terug, maar de pater ging de andere kant op, een eindje de gang door, en sloeg het ruitje voor het brandalarm stuk. Daarna ging hij zijn kantoor weer in en ging hij in zijn stoel zitten. De bel klonk, overal rennende jongens, leraren en prefecten. Carl ging zich verstoppen.

Dat was allemaal honderd jaar geleden, ze waren nu allemaal weg. Sindsdien liep Carl rond in de rook. Die brandt in zijn ogen, het is donker als de nacht, en elke hoek die hij omslaat leidt verder de brand in. Hij dacht dat er iets zou gebeuren als hij de Demon doodde! Dat Lori zou verschijnen, Dode Jongen hem naar haar toe zou leiden! Maar er is niets, alleen maar rook. Hij loopt, de vlammen doen hem denken aan de avond dat hij haar ontmoette, hij was een draak met vlammen uit zijn bek die de kleine meisjesachtige voeten van Morgan Bellamy brandden …

Hij blijft staan.

Omdat hij het zich net realiseert.

Vlammen uit zijn bek.

Hij is degene die me heeft gedood.

De pater is niet de Demon.
Hij is zélf de Demon.
Hij kijkt omlaag naar zijn handen. Het zijn enorme geschubde klauwen. Als hij zijn gezicht aanraakt, is het net steen.
Hij is de Demon. Hij is degene die dood moet, en dan is het game over.
Nu weet hij het, daarom huilt hij.
De rook is overal, zwart alsof de wereld is uitgekrast. Er is geen uitweg. Hij is alleen in het zwarte vuur. Hij voelt zich zo verdrietig! Maar de rook is zo zacht, hij rolt tegen hem aan als een deken. Dus gaat hij liggen.
In de verte van zijn hand gaat zijn mobieltje over. Het is de Wereld die hem wil vertellen dat het tijd is om te sterven. Maar dat geeft niet, hij denkt terug aan andere dingen. Hij denkt terug aan die eerste avond, toen Lori naar hem toe rolde en over hem heen sloeg als een helderwitte golf. Ondanks alles heeft hij die avond nog, en terwijl de rook over hem heen komt, een Deur wordt die langzaam opengaat, houdt hij die stevig vast in zijn Demonenhand.
En als hij hem toezingt – zo ver weg, daar opgekruld in zijn vingers! – stelt hij zich zelfs na alles wat er is gebeurd nog voor dat het haar stem is, een lied dat hem roept en roept en roept, lokt naar waar zij ligt te wachten, tot hij slaapt.

Maar er neemt niemand op. Ze hangt op, loopt naar het raam.

Buiten is er een vreemd rood licht in de lucht, en sirenes gieren boven de bomen en huizen uit – maar Lori kan niet zien waar ze zijn of van welke kant ze komen. De pillen liggen uitgestrooid op haar nachtkastje, ze gaat in de vensterbank zitten en wacht.

Een uur geleden is Ruprecht haar op komen zoeken. Het is nu al de tweede avond achter elkaar dat hij geweest is; als het ieder ander was, zou ze denken dat hij een beetje verliefd op haar was. Hij heeft een sleutel waarmee hij elk slot open kan maken, in dit geval van de deur achter in de tuin, hij verschijnt onder haar raam en gooit kiezels tegen het glas precies zoals in *Romeo + Juliet* (maar dan met Jabba de Hutt als Romeo en Skeletor als Julia, haha). Zuster Dingle had allebei de avonden dienst, dus Lori kon naar buiten:

'Ik wil alleen even een luchtje scheppen.'

'Oké, lieverd, maar vat geen kou!'

'Zal ik niet doen!' Even glimlachen, en ze liep langzaam naar de pergola, waar hij op haar stond te wachten.

Toen ze gisteravond door het raam keek en hem haar aan zag staren, voelde het alsof haar hart in haar borst in een klomp ijs was veranderd. Ze wist niet wat hij van haar zou moeten willen, behalve misschien weer tegen haar schreeuwen, ze wist niet waarom ze ermee instemde naar buiten te komen. Ze liep de trap af alsof ze droomde, een droom waarin je eindelijk naar de guillotine wordt gestuurd, ze liep over het gras en haar hele lichaam trilde. Hij stond op haar te wachten tussen de decemberrozen. Ze dacht dat hij haar misschien zou slaan, maar hij stond haar alleen maar aan te staren. Hij was dikker geworden sinds die avond op haar kamer – veel dikker, ze was geschokt. En hij was ook geschokt toen hij naar haar keek, hoewel hij probeerde dat niet te laten merken.

Even zeiden ze geen van beiden iets. Ze zag de gevoelens strijd met elkaar leveren in zijn gezicht, ze zag hoe hij de haat probeerde te smoren of in elk geval bedekken. Toen hij uiteindelijk iets zei, klonken zijn woorden koud en emotieloos. Hij zei tegen haar dat hij wilde dat ze meezong met zijn kwartet tijdens het Seabrook-kerstconcert.

Dat had ze niet verwacht. Ze wist niet wat ze ervan moest denken. Het eerste wat in haar opkwam was dat het een opzetje moest zijn voor een soort wraakoefening, zoals in die film waarin ze bloed over dat meisje gieten.

'We hebben een zangeres nodig,' zei hij. 'Skippy heeft me verteld dat jij kon zingen. Is dat zo?'

Ze zei niets.

'We proberen hem een boodschap te sturen,' zei hij. 'We proberen Skippy een boodschap te sturen.'

'Skippy is dood,' zei ze automatisch, en ze zag bijna direct dat afschuwelijke beeld voor zich dat ze hem kust op haar kamer, alleen is zijn huid groen geworden en zit zijn mond vol klei.

'Ik weet het,' zei hij, 'maar we proberen het toch.'

Ze wist niet wat hij bedoelde, bedoelde hij zoals op een ouijabord? Het klonk raar, en Ruprecht zag er ook niet al te best uit, hij zag eruit alsof hij koorts had.

'Hoe dan?' zei ze.

Hij begon te praten over snaren. Schijnbaar zijn er allemaal heel fijne draadjes waar alles van gemaakt is. Ooit waren die snaren onderdeel van een veel groter universum, waarin alles met elkaar verbonden was. Maar toen brak dat universum in tweeën. De ene helft werd ons universum, dat steeds groter werd en zich steeds sneller uitspreidde en zonnen en planeten maakte, waaronder de aarde. De andere helft deed precies het tegenovergestelde. Die kromp tot hij piepklein was, nog veel kleiner dan je je ooit zou kunnen voorstellen. Nu zit dat miniatuuruniversum verborgen in ons universum, alleen is het te klein om te zien of aan te raken. Maar die snaren verbinden ze nog steeds en Ruprecht dacht dat hij ze kon gebruiken om dat lied door te sturen naar Daniel.

'Dus jij denkt dat hij in dat miniatuuruniversum is?'

'Daar is een zekere mate van wetenschappelijk bewijs voor, ja,' zei hij.

Natuurkunde is altijd Lori's minst favoriete vak geweest en ze begreep niet helemaal waar hij het over had. Het klonk alsof hij het over de hemel had, en ze had een schilderij in haar hoofd van de kunst-cd-roms van haar moeder, waarop iedereen opkijkt naar de hemel die op de een of andere manier deels was weggescheurd, en er kwam licht door het gat en er stonden engelen naast Jezus, die een vlag in zijn hand had. Ze had zich nooit voorgesteld dat Daniel in de hemel was, ze dacht eigenlijk helemaal niet na over dat hij ergens was, want telkens als ze wel aan hem dacht, kneep haar keel zich samen en kreeg ze dat kleivisioen.

'Je hoeft het ook niet te begrijpen,' zei Ruprecht. 'Je hoeft alleen maar te zingen.'

Zijn ogen knipperden en smeekten achter hun dikke glazen. Ze bedacht hoe wanhopig je moest zijn om naar iemand toe te komen die je haatte en diegene dan te vragen zoiets raars te doen.

'Hoe kan ik nou meezingen?' zei ze. 'Ik mag hier niet weg.'

'Daar hebben we een plannetje voor bedacht. Maar wil je het doen?'

'Ik weet niet,' zei ze. 'Ik weet het niet.' Ooit had ze zangeres willen worden, maar voor zoiets was het nu te laat, ze was zo moe, haar lijf deed pijn als een hoop oude botten, als een spelletje Jenga dat al een eeuwigheid aan de gang was en nu alleen nog maar om wilde vallen. Toen vroeg ze Ruprecht welk lied hij zou spelen.

'BETHani,' zei Ruprecht. '3 *Wishes*.'

En een fractie van een seconde was het alsof alles in de tuin oplichtte, FOOM!, alsof er stiekem een gloeilamp van duizend watt tussen de wolken hing en iemand hem had aangedaan. Want 3 *Wishes* was het liedje dat ze die avond voor Daniel had gezongen, op weg naar huis van de Hop, en hoe vaak had ze er al niet van gedroomd dat het weer die avond was en ze het voor hem zong?

En dus ging ze de volgende ochtend – de ochtend van vandaag, hoewel het al zo lang geleden lijkt! – extra lang onder de douche en oefende ze toonladders en stemoefeningen die ze van internet had geleerd, en ze luisterde wel een triljoen keer naar 3 *Wishes*, hoewel de tekst lang geleden al in haar hart gebrand was. Toen, na het Groepstherapie-'diner', ging ze naar boven en deed haar deur op slot, en hoewel ze haar kamer niet uit ging, maakte ze zich op en deed haar haar en trok de jurk aan die mam voor het sollicitatiegesprek had gekocht.

Vervolgens haalde ze de pillen uit Lala's buik en legde ze ze op het nachtkastje met de pillen die de zuster haar had gegeven voor als ze klaar was, want zodra ze het Ruprecht had horen zeggen, wist ze dat het liedje een teken was – een teken dat het Plan klaar was, dat de sirenes haar vandaag zouden komen halen.

Het was raar dat het idee van zingen voor mensen, zelfs al was het alleen maar door de telefoon, nog beangstigender was dan dood zijn. Acht uur kwam als iets wat uit de lucht viel, steeds enormer en enormer werd, tot het het enige was wat er bestond. Ze probeerde over te geven, maar er zat niks in haar om over te geven. Ze beet op haar nagels en luisterde naar het zachte gekraak van applaus, Titch Fitzpatrick die de acts aankondigde, andere zangeressen door haar telefoontje. Toen klonk eindelijk Ruprechts stem in haar oor. 'We gaan op.'

Ze kon de muziek nauwelijks horen, maar ze zong zo goed als ze kon, hoopte alleen maar. Ze zong terwijl ze blootsvoets rondliep op haar tapijt en toen stond ze bij het raam en zong ze terwijl ze uitkeek over de bomen, de sterren, de huizen. De metronoom tikte in de hoek van haar kamer – die had Ruprecht daar de avond ervoor neergezet – ze sloot haar ogen en stelde zich voor dat ze BETHani was; toen stelde ze zich voor dat ze zichzelf was, dat ze terugliep van de Hop met regen in haar haar en Daniel naast zich. Ze stelde zich voor dat het liedje de avond om hen heen tot leven wekte, en dat als ze het maar precies goed bleef zingen, ze zo door konden lopen naar vandaag ... Toen klonk dat maffe geluid, viel de verbinding weg en stond ze alleen in een stille kamer.

Ze dacht dat Ruprecht na afloop misschien zou bellen, maar dat deed hij niet. Maar dat maakte nu eigenlijk niet meer uit, dacht ze. Ze had een vreemd, zweverig gevoel – niet zoals wanneer je niet eet en flauw gaat vallen, maar zoals toen ze klein was en door de tuin liep met een spiegel en deed alsof ze naar boven tuimelde, de bomen en de lucht in. Ze zette de metronoom stil en ging een tijdje op bed zitten, zonder te denken. Vervolgens stond ze op en liep ze naar het nachtkastje waar de pillen lagen. Ze vroeg zich af wat ze moest doen toen de kiezel tegen het raam kletterde. Ruprecht! Ze rende naar de deur en trippelde de trap af – 'Vat geen kou, Lori!' 'Zal ik niet doen' – en naar buiten, de tuin in.

Maar toen ze achter de pergola was en de uitdrukking op Ruprechts gezicht zag, werd ze verrast. Zijn ogen waren leeg en zijn enorme dikheid leek op de een of andere manier nog zwaarder dan eerst. Het was net alsof ze vergeleken met de voorgaande avond stuivertje hadden gewisseld, alsof zij zich nu lichter voelde maar hij in zichzelf was weggezonken. Hij zei met een lage, vlakke stem tegen haar: 'Het werkte niet.'

'Wat werkte niet?'

'Het experiment. Het lied.'

'O,' zei ze, hoewel ze het niet helemaal begreep. Hoe kan een lied nou niet werken?

'De Golfoscillator crashte. De feedback blies de speakers op en zorgde voor kortsluiting in het mengpaneel. We hebben maar dertig procent van de cyclus gespeeld. De boodschap is niet overgekomen.'

'O,' zei ze weer. En vervolgens: 'Dat spijt me.'

'Het was jouw schuld niet,' zei hij. 'Maar ik dacht dat je het wel zou willen weten.'

'Dank je,' zei ze. Op dat moment merkte ze de rugzak op zijn rug op. 'Ga je ergens heen?' vroeg ze.

'Ik ga weg,' zei hij.

'Weg?' Hij had ook een doos donuts in zijn hand. 'Waar ga je dan heen?'

'Dat weet ik niet precies,' zei hij. 'Waarschijnlijk naar Stanford, daar doen ze heel interessant werk met snaren.' Dat vertelde hij haar met een vlakke, zware stem, alsof het hem niet veel zou uitmaken of ze nou zeehondjes aan het doodknuppelen waren of brownies aan het bakken.

'En je gaat weg omdat het experiment mislukt is?'

Hij haalde zijn schouders op. 'Er lijkt geen duidelijke reden te zijn om te blijven.'

'En je vrienden dan?'

Hij haalde opnieuw zijn schouders op, en glimlachte een nucleaire-winterglimlach; en Lori realiseerde zich met een rilling dat hier iemand op de rand van iets afschuwelijks stond – dat, wat hij ook zei over Stanford en zo, zijn plan een plan was van iemand die geen enkele hoop meer had, die de toekomst zag als niets meer dan een UITGANG-bordje dat een zwarte leegte in leidde. Dat wist ze omdat ze het zelf ook zo zag, en ze wist dat het was vanwege Daniel, vanwege dat gat in Ruprechts wereld dat hij had achtergelaten.

Maar wat deed Ruprecht híér? Wat verwachtte hij van haar? In elkaar gedoken naast zijn opgeblazen lichaam in de koude duisternis voelde ze zich plotseling uitgeput, alsof zijn gewicht haar mee naar beneden trok; van zijn lijf waaide haar een misselijkmakende vleug uiig zweet tegemoet en ze wenste met een heftigheid die haar verbaasde dat hij op zou donderen! Ga iemand anders lastigvallen! Dat hij haar haar plan zou laten uitvoeren, alleen zou laten met de pillen die op het nachtkastje zo uitgespreid lagen dat ze LORELEI spelden, die haar weg weg weg zouden halen van de wereld en zijn eindeloze problemen.

Dat moet Ruprecht aangevoeld hebben, want hij stond op en zei: 'Ik moet waarschijnlijk maar eens gaan.'

'Oké,' zei ze.

Maar hij ging niet weg. Hij bleef aarzelend staan, terwijl de wind, de lege wind, om hen heen waaide, rond zijn massa blubber en haar tandenstokerskelet; het deed haar denken aan wat hij had gezegd over die twee universums, het ene dat uitdijde alsof er nooit een eind aan zou komen, het andere dat steeds maar kromp – en allebei op de vlucht voor een of andere verschrikking uit het verleden, twee helften van iets wat ooit een geheel was geweest die nu vluchtten, zonder na te denken, zonder iets te zien, weg van elkaar, de dood tegemoet. En ze realiseerde zich dat er niemand anders was. Om een of andere reden die ze niet begreep was Ruprecht vanavond naar haar toe gekomen; en zij was wel de laatste naar wie hij toe zou komen. Zij was het enige wat hem nog aan de aarde ketende. Als zij hem losliet, als zij door de donkere deur heen ging die voor haar openzwaaide, zou hij ook voorgoed uit de wereld verdwijnen.

Van boven riepen de pillen naar haar!

En in de verte riepen de sirenes, de zingende meisjes: 'Lori, Lori!'

Maar zij knarste met haar tanden en rechtte haar knokige schouders en terwijl hij naar de achterpoort liep, riep ze scherp: 'Ruprecht!'

Vanuit de deuropening klonk de muzikale stem van zuster Dingle: 'Lori!'

'Ik kom zo,' riep ze terug.

Toen tegen Ruprecht: 'Volgens mij moet je niet naar Stanford gaan. Nu nog niet.'

Hij knipperde haar uitdrukkingsloos aan. Maar wat kon ze tegen hem zeggen? Welke reden kon zíj hem nou geven om niet te gaan? Moest je haar nou zien, wat had zij iemand nou te vertellen over wat dan ook?

'Ik weet dat het lijkt alsof er niets meer is om je hier te houden,' zei ze langzaam. 'Maar misschien is dat er wel, en zie je het alleen niet?'

Knipper, knipper, deed Ruprecht. God, wat was dit moeilijk! Toen ze nog mooi was, waren dit soort dingen zoveel makkelijker, toen hoefde ze alleen maar naar een jongen te kijken en dan maakte hij al radslagen door de hele straat! Maar die dagen liggen achter haar, en ze heeft gemerkt dat ze geen idee heeft hoe ze het fort van een ander mens binnen moet dringen.

Het is van ... Aarrgh, kom op, Lori, ze zocht haar brein af op zoek naar iets wat niet nutteloos en zwart was, maar het enige wat ze kon bedenken was iets wat ze ooit tijdens de Franse les hadden behandeld, iets over een dichter, en ze wist niet of dat wel iets te maken had met waar ze het nu over hadden. Maar goed, het was het enige wat ze had, dus zei ze het maar. Hij heette Paul Éluard, en hij had een keer gezegd: *Er is een andere wereld, maar die zit in deze.*

Ruprecht keek verbijsterd.

'Het gaat erom dat ...' ze voelde dat ze rood begon te worden, kneep haar ogen stijf dicht, terwijl ze zich probeerde te herinneren wat meneer Scott hun had verteld, '... dat mensen altijd ergens heen gaan of zo? Dat iedereen altijd probeert *niet te zijn waar ze zijn*? Ze willen bijvoorbeeld naar Stanford, of naar Toscane, of naar de hemel, of naar een groter huis in een chiquere straat? Of ze willen anders zijn, slanker of slimmer of rijker of coolere vrienden hebben.' (Of dood zijn, maar dat zei ze niet.) 'Ze zijn zo druk bezig met ergens anders naartoe komen, dat ze de wereld om zich heen niet echt zien. Dus die gozer zegt dat we, in plaats van te zoeken naar een uitweg uit onze levens, eigenlijk moeten zoeken naar een weg ons leven ín. Want als je echt goed naar de wereld kijkt, dan is het ... dan is het ...'

Waar heeft ze het in godsnaam over? Hij moet haar wel een ontzettende spast vinden.

'Dan is het, je weet wel, dan zie je dat er in elk fornuis een vuur brandt. En in elke grasspriet zit een grasspriet, die helemaal opgaat in een grasspriet zijn. En in elke boom zit een boom, en in ieder mens zit een mens, en in deze wereld die zo saai en gewoontjes lijkt, zit, als je maar goed genoeg kijkt, een geweldige, magische, prachtige wereld verborgen. En alles wat je zou willen weten, of alles waarvan je wilt dat het gebeurt, alle antwoorden liggen besloten in waar je nu bent. In je leven.' Ze deed haar ogen open. 'Weet je wat ik bedoel?'

'Zoiets als snaren?' zei hij.

'Nou, nee, niet echt,' zei ze onzeker, maar toen dacht ze er even over na en bedacht ze zich. 'Nee, eigenlijk is het precies zoals snaren. Want jij zei dat die overal waren, toch? Dat ze overal om ons heen zijn, en niet alleen in Stanford of zo.'

Ruprecht knikte langzaam.

'Dus dan kun je ze hier ook bestuderen, toch?'

Hij begon iets te zeggen over laboratoriumfaciliteiten, maar ze viel hem in de rede, omdat haar net iets was ingevallen. 'Misschien heb je alleen maar iemand nodig die je helpt,' zei ze. 'Net zoals Daniel dat had.'

Daar gaf hij geen antwoord op, hij staarde haar diep vanuit zijn hamsterwangen aan.

'Misschien kan ik je wel helpen,' zei ze, of liever: het idee zei dat, hoewel in haar hoofd een stemmetje piepte: *Wat zeg je nou?!* 'Ik weet niks van wetenschap en zo,' zei ze, dat stemmetje negerend. 'En ook niet van snaren en andere dimensies. Maar ik zou bijvoorbeeld dingen voor je kunnen halen in de winkel? Ik zou mijn vader kunnen vragen je ergens naartoe te brengen met de auto? Of ik zou je, als je druk bezig bent met een experiment, je lunch kunnen komen brengen? Ik bedoel, ik zit hier niet voor eeuwig.'

Wil je weer naar buiten?! riep het stemmetje uit. *Daarheen?* Maar ze negeerde het opnieuw, keek naar Ruprechts ogen die in de hare keken. 'Waarom blijf je niet, Ruprecht,' zei ze. 'In elk geval nog een tijdje.'

Hij drukte zijn lippen op elkaar; vervolgens boog hij zijn hoofd alsof hij na een lange reis ergens was aangekomen.

De wind schudde aan de bladeren en aan alles in de tuin.

Nadat ze hem had uitgelaten bij de achterpoort, bleef ze even staan, onder de druipende klimop. Ze dacht na over die Franse les.

Het was een maand geleden, maar nu ze erover nadacht, merkte ze dat ze er nog bijna alles van wist – de crèmekleurige sweater die meneer Scott aanhad, zijn haar dat net een knipbeurt nodig begon te hebben, de smaak van kauwgum in haar mond, donzige wolken die achter elkaar aan joegen door de bomen, het haar in de nek van Dora Lafferty voor haar, de geur van lippenstift en oude gympen in het lokaal. Ze herinnert zich dat ze tegen zichzelf zei dat ze moest onthouden wat Paul Éluard had gezegd, omdat het belangrijk leek. Maar dingen als de wereld-in-deze-wereld zijn te groot om in je eentje in je hoofd te houden. Je hebt iemand nodig om je eraan te herinneren, je hebt iemand nodig aan wie je het kunt vertellen, en je moet het tegen elkaar blijven zeggen, steeds maar weer, je hele leven lang. En terwijl je ze vertelt, beginnen de dingen je langzaam bij elkaar te binden, als piepkleine snaartjes, of als een frisbee die heen en weer wordt gegooid, of als woorden die met siroop op de vloer zijn geschreven. ZEG HET LORI. ZEG HET RUPRECHT.

Misschien bestaan de dingen in plaats van uit snaren wel uit verhalen, een oneindig aantal piepkleine, vibrerende verhalen; ooit waren ze allemaal onderdeel van een gigantisch superverhaal, alleen is dat in een ziljoen stukjes uit elkaar gevallen, daarom slaat een verhaal in zijn eentje nooit ergens op, en wat je dus in je leven moet doen, is proberen ze weer met elkaar te verweven, mijn verhaal met jouw verhaal, onze verhalen met die van alle andere mensen die we kennen, tot we iets hebben wat er voor God of wie dan ook misschien uitziet als een letter of misschien zelfs een heel woord …

Toen liep ze weer terug naar het huis. Plotseling hing er overal mist, een zilveren mist, alsof de aarde magische ademtochten ademde; ze liep heel langzaam, met haar ogen dicht, als een slaapwandelaar, en terwijl ze dat deed, stelde ze zich voor dat ze voelde hoe onzichtbare sluiers over de fijne haartjes van haar arm streelden, zich openden op haar gezicht en handen, zo breekbaar als een ademtocht of misschien nog wel breekbaarder; ze liep en droomde dat ze door al die sluiers heen liep en steeds verder en verder … de avond inging? verder in waar ze al was?

Ruprecht heeft zijn donuts laten liggen. Nu staat de doos naast haar op de vensterbank. Ze veegt de pillen van het nachtkastje en stopt ze allemaal weer in Lala's buik. Buiten gieren de sirenes een andere kant op, laten alleen de lucht achter die zich uitstrekt boven de huizen, het eenzame, prachtige universum, een verdrietig liedje gespeeld op een kapot instrument. Ze vraagt zich af of Skippy hen vanavond misschien toch heeft gehoord. Ruprecht zei dat, hoewel je snaren niet kunt zien, wetenschappers geloofden dat de theorie wel klopte, omdat het de mooiste verklaring was. Nou, dat Skippy hun lied had gehoord zou toch de mooiste verklaring zijn, of niet? Althans vanavond?

Ze pakt haar mobieltje en probeert Carl weer te bellen. Ze weet niet wat ze zal zeggen als hij opneemt. Misschien alleen maar: 'Hé, wat ben jij aan het doen?' Of: 'Moet je al die mist buiten zien, ik vind het heerlijk als het mistig is!' Ze luistert naar de kiestoon, ze stelt zich voor dat de telefoon rinkelt op de plek die zijn leven is, dat de muziek opstijgt in de lucht en zijn oren aanraakt. Ze doet de doos open, en haalt er een donut uit. Zo te zien is het een chocoladedonut. Ze neemt een hap.

IV

Naland

A chairde,

Ik schrijf dit, mijn eerste kerstbulletin aan jullie, met zowel een groot gevoel van bevoorrecht zijn als diepe droefenis. Bevoorrecht, omdat ik de mantel van Rector mag overnemen die door zoveel illustere mannen is gedragen, meest recentelijk door pater Desmond Furlong; droefenis vanwege de tragedies die Seabrook College de afgelopen twee maanden hebben getroffen.

Nu we het eind van het jaar naderen, is de verleiding groot om onze blik op de toekomst gericht te houden, en een sluier te leggen over de gebeurtenissen die ons al zoveel verdriet hebben berokkend. Echter, hier op Seabrook College is het nooit de gewoonte geweest problemen te ontlopen of te vluchten in het verleden; en hoewel Seabrooks honderdveertigste jaar geen makkelijk jaar is geweest, denk ik dat we, als school en als gemeenschap, moed kunnen putten uit de geest waarmee we de uitdagingen ervan het hoofd hebben geboden.

Die geest is nooit zo helder gedemonstreerd als tijdens de gebeurtenissen van 8 december. We weten evenzeer uit onze geschiedenisboeken als uit onze trofeeënkast dat Seabrook al heel lang een bakermat voor helden is; dat die afschuwelijke avond niet nog afschuwelijker werd, is te danken aan de moed van drie nieuwe helden. Jullie zullen deze verhalen inmiddels vele malen hebben gehoord, maar jullie zullen het me niet kwalijk nemen dat ik, namens de school en namens jullie als ouders, even de tijd neem om nogmaals de moed van Brian Tomms te memoreren, leraar handenarbeid en Decaan van de interne leerlingen, die de Toren zo snel ontruimde, en die van Howard Fallon, docent geschiedenis, die een jongen uit het gebouw redde die daar vast was komen te zitten. Jullie zullen blij zijn te lezen dat Howards arts in de Seabrook Kliniek (Milton Ruleman, eindexamenklas '78) heel tevreden is over zijn vooruitgang en een volledig herstel voorspelt. We zien ernaar uit dat Howard heel binnenkort weer 'opgedoft' en wel in zijn lokaal staat. De jongen in kwestie is gelukkig ook aan de beterende hand.

De moed van Jerome Green was duidelijk voor iedereen die hem heeft gekend. Hij heeft zijn leven gewijd aan het helpen van de zwakste leden van de maatschappij te helpen, zowel in Afrika als in zijn geboorteland. Zijn ongebreidelde energie, zijn onwankelbare principes, zijn weigering compromissen te sluiten, tekenden hem als een man die in veel opzichten te goed was voor deze tijd. Het is passend dat het alarm in werking stellen zijn laatste daad was, en in dit duistere uur kunnen we troost putten uit de gedachte dat hij graag op deze manier was gegaan – in dienst van zijn geliefde Seabrook, de goede herder die zijn kudde beschermde. Ní bheidh a leithéidse ann arís.

De politie onderzoekt nog steeds de oorzaak van de brand, maar er wordt aangenomen dat hij is begonnen door een vergelijkbare elektrische storing als die die het kerstconcert verstoorde. Er is onder ouders veel begrijpelijke zorg geweest over de snelheid waarmee de vlammen zich verspreidden over een gebied waar leerlingen gehuisvest waren. Het spreekt vanzelf dat er tot in de hoogste regionen van de school uiting is gegeven aan die zorgen. Persoonlijk ben ik van mening dat dit niet het moment is om met de schuldvraag bezig te zijn. In plaats daarvan moeten we onze gedachten op de toekomst richten. Er doet nu al enige tijd een plan de ronde om het gebouw uit 1865 te vervangen door een nieuwe, moderne vleugel, en we hebben nu geen excuus meer om dat uit te stellen. Tot het werk daaraan is afgerond, zullen de lessen aan de tweede en derde klassen worden gegeven in noodgebouwen die buitengewoon genereus zijn gedoneerd door vrienden van de school; de kostschool zal, zoals jullie al eerder is medegedeeld, gesloten blijven.

Jullie zullen berichten in de media hebben gezien waarin werd gemeld dat de Paters van de Heilige Paraclete het dagelijks bestuur van de school binnenkort over zullen dragen aan een privaat managementbedrijf. In tegenstelling tot wat er in die berichten werd gemeld, staat die verandering al heel lang op stapel en houdt ze geen enkel verband met de recente gebeurtenissen. In de komende maanden zullen nadere details bekend worden gemaakt. Op het moment volstaat het te zeggen dat het managementbedrijf geleid zal worden door mijzelf en een raad van bestuur, samengesteld uit de alumnigemeenschap van Seabrook, met daarin vertegenwoordigers van de ouders en het personeel. Het bedrijf zal zorg dragen voor wereldlijke en financiële zaken; de Paters Paraclete zullen uiteraard een unieke adviserende rol op school behouden en het laatste woord hebben wat de spirituele richting betreft.

Voor ik afscheid van u neem – aangezien ik uw geduld niet al de eerste keer te zeer op de proef wil stellen! – wil ik graag van deze gelegenheid gebruikmaken om Tom Roche, een andere Seabrook-held met een lange staat van dienst, van harte te feliciteren met zijn benoeming tot Directeur Sportzaken aan de Maria Immaculata-school op Mauritius. We zullen 'Coach' allemaal met spijt zien vertrekken, maar we weten dat hij zijn alma mater niet zal vergeten, evenmin als zijn vrienden hier, en we zijn trots in de wetenschap dat ook in het honderdveertigste jaar van de school de boodschap van Seabrook nogal altijd, zoals onze stamvaders droomden, verspreid wordt tot in de meest verafgelegen landen, en onder nieuwe generaties jongens.

Allen een heel gelukkig kerstfeest gewenst,

Gregory L. Costigan,
Rector

WOORD VAN DANK

Dank aan: Christopher en Kathleen Murray, Juliette Mitchell, Natasha Fairweather, Anna Kelly, Caroline Pretty, Neil Stewart, Mark O'Flaherty, Catriona Pennell, Ronan Kelly, Trigger, MKTRN, en aan alle prachtige dromers van de Moyne, vooral Jennifer Mundy voor de kamer. Dank aan de Arts Council of Ireland, An Chomhairle Ealaíon, voor de genereuze financiële ondersteuning. Omdat ze me gezelschap hield en aan het lachen maakte, dank en liefs aan Miriam McCaul.